［内部资料　注意保密］

CHINA CONSTRUCTION BANK ALMANAC

中国建设银行年鉴

2018

中国金融出版社

责任编辑：肖丽敏
责任校对：刘　明
责任印制：裴　刚

图书在版编目（CIP）数据

中国建设银行年鉴. 2018/中国建设银行编. —北京：中国金融出版社，2019. 9
ISBN 978-7-5220-0110-4

Ⅰ. ①中…　Ⅱ. ①中…　Ⅲ. ①建设银行—中国—2018—年鉴　Ⅳ. ①F832. 33-54

中国版本图书馆 CIP 数据核字（2019）第 091103 号

中国建设银行年鉴. 2018
Zhongguo Jianshe Yinhang Nianjian. 2018

出版发行　中国金融出版社
社址　北京市丰台区益泽路 2 号
市场开发部　（010）63266347，63805472，63439533（传真）
网上书店　http：//www. chinafph. com
（010）63286832，63365686（传真）
读者服务部　（010）66070833，62568380
邮编　100071
经销　新华书店
印刷　北京市松源印刷有限公司
尺寸　205 毫米 ×280 毫米
印张　46. 75
插页　20
字数　1866 千
版次　2019 年 9 月第 1 版
印次　2019 年 9 月第 1 次印刷
定价　139. 80 元
ISBN 978-7-5220-0110-4
如出现印装错误本社负责调换　联系电话（010）63263947

《中国建设银行年鉴2018》编委会

主　　任：王祖继

副 主 任：姜国云　林朝晖

编　　委：

徐漫霞	王　炽	姜国云	刘方根	方秋月	薛胜利
孙建政	彭洪明	鲁可贵	邓艾兵	靳彦民	李秀昆
丰习来	程远国	刘广良	黄　曦	李　骏	张为忠
纪　伟	李国建	杨绍萍	刘建忠	王　毅	魏春旗
刘守平	徐　捷	生柳荣	徐洪昇	刘兴华	钱理红
杨爱民	牟乃密	刘静芳	金磐石	林晓东	吴建杭
王德刚	刘　进	刘　晖	张玉英	徐云清	郭元析
王光明	林朝晖	王永平	宋佐军	高凤山	王　刚
孙平生	尹　君	徐众华	陈宝权	王　勇	姚启凡
林　平	彭家彬	张维国	岳邦奎	林顺辉	黄天祥
王　雄	黄诚东	石　滨	熊　刚	严　斌	朱　勇
马亦凌	王子良	张玺峰	张继刚	李振宇	张兆西
李　晋	李华峰	张　成	陈恒星	林　华	管恩新
朱斌晨	于宁哲	屈建伟			

《中国建设银行年鉴2018》编辑部

编辑部主任：姜国云

编辑部副主任：蒋曙明　张　乔

编辑部编辑：（按姓氏笔画排序）

孔建新　田　甜　安瑛晖　李　钢　杨　旭

杨金荣　何建勇　陈勇鹏　赵金婕　赵景丰

钱用道　韩力群　谭庆华　潘　睿

本年鉴数据使用责任说明

本年鉴为中国建设银行股份有限公司内部刊物，不对外发行，本年鉴中的部分数据在使用之初仍处于审计过程中，为了在年鉴中真实体现当时数据使用环境的历史面貌，我们保留了这些数据。这些数据与本行公布的招股说明书、定期报告和临时公告有差异的，应以招股说明书、定期报告和临时公告的数据为准。因此，本年鉴使用者不得以任何形式复制、打印、转发、分发或以其他任何方式使用这些数据。如有违反，责任自负。

卷首语

2017年，内外部因素相互交织，经营环境复杂严峻。全行上下昂扬奋进，紧紧围绕服务实体经济、防控金融风险和深化金融改革三项任务，落实新发展理念，支持实体经济发展，坚持稳健合规经营，深入推进改革创新、经营转型和精细管理，实现了良好的业绩。总的来看，发展比预期的更稳更均衡、质量比预期的更优更扎实、效益比预期的更好更持续。

——核心指标稳健协调。集团资产总额为22.1万亿元，集团负债总额为20.3万亿元；集团净利润为2436.5亿元，增长4.8%，同比提升3.3个百分点。不良率为1.49%，下降0.03个百分点；成本收入比为27.24%、下降27个基点；ROA、ROE、资本充足率分别为1.13%、14.86%、15.3%，继续保持同业前列。

——业务结构进一步优化。零售业务优先战略取得新进展。2017年利润占比提升11.2个百分点。对公业务基石作用进一步巩固。公司和机构客户快速增长，基础设施信贷大行优势巩固，企业存款日均新增创历史新高。新兴业务市场地位提升。金融市场交易能力和做市能力提升；同业业务着力发挥流动性调节功能，加快资产周转速度；非金融企业债券承销金额达4000亿元，实现“七连冠”；托管规模突破11万亿元。海外及子公司业务稳健发展。海外机构、子公司贡献度提升，利润增长远快于资产增长。

——资产质量稳定。风险管理已经由为不良率下降而处置风险资产转变为合理安排风险偏好，主动管控风险。关键指标“五降两升”，集团不良率下降0.03个百分点；逾期贷款自2010年以来首次额率双降；关注类贷款占比下降0.04个百分点；境内分行年化信贷损失率同比下降0.13个百分点；新暴露不良贷款比率同比下降0.21个百分点；逾期不良“剪刀差”为-258亿元，比年初持续扩大；拨备覆盖率达到170%。不良处置“量、质、效”全面提升，处置结构显著优化。

——客户、账户、渠道基础进一步加强。单位人民币结算账户增量、增速“六连冠”，基本户占比“八连升”；账户总量达到800万户。对公和个人产品覆盖度分别达到5.54个和5.02个，客户黏性不断增强。网点渠道布局优化，99%的网点完成智慧转型，智慧柜员机在线运行4.7万台，覆盖全部网点，智慧银行功能不断释放。

——协同机制进一步完善。明确各类营销规则规范，搭建综合营销平台，协同带动各业务条线拓展业务，推动区域联动取得新的突破。构建了风险联防联控机制，共享市场风险信息，提高主动应对风险的协同能力。将子公司业务纳入母行业务条线，实现了客户挖掘、营销组织、产品销售和渠道运用的统一规划，促进子公司功能与银行主业的深入融合。实现了母子公司协同联动总量2.2万亿元，增长13%。

——新一代核心系统功能快速释放。完成对私核心系统在国内分行的全面上线；加快对海外机构的推广部署，对公系统上线21家。建成了国内金融业规模最大的私有云，成为新的行业标杆。建设大数据工作平台，实施大数据应用项目430余个。全行深入学习和应用“新一代”，释放大数据应用要素价值创造力，挖掘潜能并进行应用创新，在推动精细化管理、产品创新、风险防控、精准营销、客户服务等方面发挥出巨大作用。

——精细化管理作用显著。推进客户服务的精细化，试点行户均综合贡献度增长超120万元；依托“新一代”精准营销平台为网点赋能，对公流转至个人账户的经营性资金体内循环率近60%；推进人力资源管理的精细化，客户经理占比两年提升5个百分点；推进财务资源管理的精细化，成本收入比下降27个基点；推进资本管理的精细化，分行非贴贷款经济资本占用系数比年初下降0.65个百分点；推进流动性管理的精细化，在确保安全的前提下，日均超额准备金率同比下降5个基点，核心指标满足监管要求；推进流程管理精细化，优化小企业大数据信贷产品审批流程；推进押品管理集约化，大幅提升押品管理的规范化和专业性水平；资产保全精细化管理创造新效益，资产处置的现金回收率远高于同业。

——住房租赁解决方案助推租购并举住房制度建设。为建设部创建住房租赁综合服务平台五大系统，创新“一揽子”金融服务，打造“CCB建融家园”品牌长租社区。“要租房，到建行”已全面打响，新华网、人民网等权威媒体赞誉我行向社会传导了新时代住房消费新理念，为住房租赁市场健康发展发挥了重要的示范和引领作用，体现了国有大型商业银行的责任担当。

——实现普惠金融业务新突破，支持实体经济补短板。认真落实党中央、国务院政策要求和监管部门的实施方案，重点保证“五专机制”的落地落实，有效应用金融科技成果。普惠金融业务贷款新增1110亿元，仅最后两个半月就新增780亿元，达到了普惠金融定向降准二档目标。“小微快贷”当年实现客户新增14.2万户，当年累计投放贷款1466亿元。加快普惠金融特色机构建设，新进驻50个空白县域，完成153家普惠金融特色支行的申设。“裕农通”点超过8万家，覆盖全国所有省区、5%以上的行政村。涉农贷款余额为1.77万亿元，新增979亿元，增速为5.87%，高于公司类贷款平均增速3.34个百分点。

——市场化法治化债转股模式引领同业，服务去杠杆。至2017年末，建设银行签约项目48个，签约金额为5897亿元；已落地项目16个，落地金额为1008亿元，签约金额和落地金额同业领先。

——创新绿色金融业务，助力绿色发展。绿色贷款余额突破万亿元，增速达12.74%，不良贷款率仅为0.42%。积极推进五省区绿色金融改革创新试点工作，五省区分行（浙江、新疆、广东、江西和贵州）共设立7家绿色支行。

回望2017年，建设银行战胜内外部环境各种严峻挑战，攻坚克难，办成了一件又一件具有开创性的大事。建设银行的发展，实际上就是国家和民族发展的缩影；建设银行走过的道路，实际上也是国家强盛之路的写照。回顾建设银行不平凡的发展历史，奋斗的历程行之维艰，取得的成就来之不易！这些成果，得益于建设银行始终不忘初心坚持走中国特色社会主义道路，得益于全行干部员工在党的旗帜下团结奋斗，得益于我们历任党委认真贯彻党中央部署开展的卓有成效工作。在此，向全行广大干部员工包括离退休老同志表示衷心的感谢！向总行历任老领导特别是2017年离任的王洪章同志表示崇高的敬意！

不忘初心，传好改革发展接力棒。历史是过去的现实，现实是未来的历史。今天我们站在新时代新的起点上，要倍加珍惜前人积淀下来的成果，尤其是其中所承载的理想与奉献、奋斗与探索，这是我们宝贵的财富。全行要善于运用历史的眼光，分析总结银行改革发展创新的客观规律和内在逻辑；要善于运用历史这面镜子，对照辨析现实中遇到的问题和矛盾。要时刻不忘初心，保持励精图治的精神状态，以功成不必在我的情怀，像接力赛一样一棒接着一棒接续奋斗，把建设银行的事业不断推向前进。

建设银行要成为新时代党执政兴国的金融重器。党的领导是中国特色社会主义的最本质特征。执政党是通过多种载体和途径来实现执政意图的。金融作为现代经济的核心，加强党对金融工作领导是党的全面领导的题中之义。随着国际国内形势的发展变化，金融的重要性、外部性越来越凸显，这已成为新时代党执政能力的新课题。比如防范金融风险，已经上升到了国家安全的层面，中央将其列入三大攻坚战反复强调。实际上，金融的运行效率和风控效能已经成为衡量执政党治理现代国家能力的关键要素。国有大型银行作为中国金融的重要支柱，作为党执政兴国的金融重器，理所必然地要主动承担起政治责任，要忧党和国家之忧、虑社会民生之虑，在贯彻党的执政理念、提升党的执政能力、落实党的方针政策等各个方面，发挥更大的能动作用。

建设银行要成为社会主义建设的金融主力军。习近平总书记指出，金融的宗旨就是为实体经济服务。我们要从历史和现实、国际金融危机教训和自身改革发展经验中，深刻认识这句话的丰富内涵。国有银行要有宗旨意识，要有大格局、大担当，绝不能只一门心思奔着赚钱去。但凡金融以自我为中心不断虚拟化、泡沫化，必然要误入歧途。2008年国际金融危机就是深刻教训。

在新时代中国特色社会主义建设的大事业大舞台中，国有银行要责无旁贷地扮演重要的角色，发挥重要的作用。尤其在服务实体经济、支持产业转型升级、助力民生领域发展、破解社会难点痛点问题等方面，国有大行要想着怎么出大力而不能只是想着怎么赚大钱，要想着怎么为国为民分忧而不是与国与民争利。实际上，服务好了社会，社会自然会给予你应有的回馈；如果到了“一心向钱”的境地，往往反而挣不到钱。国际金融危机前疯狂套利的金融机构，最终并没有成为市场赢家。国有大行尤其要有放眼世界瞻望未来的大格局，要有与国家民族命运休戚与共的大情怀，只有这样才能在新时代有新的大作为。

建设银行要成为社会主义核心价值观的倡导者。一个人要有一点精神，一家银行更要有一点精神。国有大行要担当社会大义，不仅是作为社会主义经济的建设者，同时也要成为社会主义核心价值观的倡导者。大型银行既是市场化商业主体，又是社会主流价值观的承载者和守护者。建设银行有红色的文化基因、厚重的文化积淀，有责任也有能力在新时代担负起弘扬社会主义核心价值观和先进文化的使命。我们讲价值观不是空洞的，更不是“平日袖手谈心性”。要做到知行合一，体现在日常各项工作当中，特别是在商业利益、客户要求面前要懂得取舍。国有大行要有更高的道德水准和价值追求。

习近平总书记讲过，唯人民与时代不可辜负。面对新时代人民美好生活对金融创新的期盼，现代化经济体系建设对国有银行的期许，我们没有理由辜负；面对伟大斗争、伟大工程、伟大事业、伟大梦想的召唤，面对风起云涌变革时代、大有可为历史机遇期的到来，我们没有理由辜负。全行上下要以新气象新作为，在新起点上重整行装再出发，以勇于担当、锐意进取的奋斗姿态，共同演绎新时代建设银行新的精彩！

田国立

田国立

董事长

王洪章

董事长

王祖继

行　长

郭 友

监事长

2017年8月7日，党委书记田国立到总行信息技术管理部工作调研

2017年9月29日，党委书记田国立带队走访中国电子信息产业集团有限公司昌平区信息产业基地

2017年12月11日，董事长田国立和招商局集团董事长李建红共同出席建设银行与招商局集团在京举行的长租住房租赁业务战略合作签约暨银行间市场首单长租公寓“资产支持票据”发布仪式并举行会谈

2017年12月16日，董事长田国立出席第二届中英金融服务峰会

2017年12月29日，董事长田国立到北京市东四、城建支行看望慰问员工

2017年1月14日，时任董事长王洪章在北京钓鱼台国宾馆会见在华进行正式访问的越共中央总书记阮富仲及其随行代表团一行

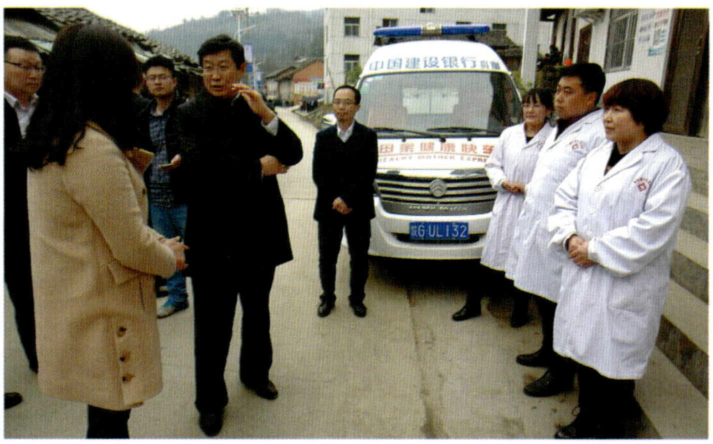

2017年2月14日，时任董事长王洪章深入总行定点扶贫点——陕西安康汉滨区县河镇财梁社区、紫阳县高桥镇权河村实地调研

2017年3月18日，时任董事长王洪章出席国务院发展研究中心主办的“中国发展高层论坛2017年会”并接受中央电视台财经频道和人民网专访

2017年4月25日，时任董事长王洪章到上海市分行调研

2017年6月2日，时任董事长王洪章出席中国建设银行（马来西亚）有限公司在吉隆坡举行的开业庆祝活动

2017年1月5日，行长王祖继到陕西省曲江支行调研并看望慰问员工

2017年3月21日，行长王祖继出席建银造价咨询有限责任公司揭牌仪式

2017年4月5日，行长王祖继出席与青海省政府战略合作协议签约仪式并与青海省省长王建军会谈

2017年5月22日（波兰当地时间），行长王祖继出席建设银行欧洲华沙分行开业庆祝活动

2017年9月15日，行长王祖继实地考察佛山住房租赁项目

2017年1月5日，监事长郭友慰问安徽总审计室员工

2017年4月25日，监事长郭友出席建设银行2017年审计工作会议

2017年5月24日，监事长郭友在山西省吕梁分行定点扶贫村调研考察香菇种植基地

2017年7月6日，监事长郭友到内蒙古自治区分行调研

2017年7月28日，监事长郭友在浙江省嘉兴分行出席建设银行全国文明单位创建经验交流活动

2017年1月5日，副行长庞秀生在西安出席建设银行和陕西省人民政府举办的陕西省重点企业市场化债转股业务合作框架协议签约仪式

2017年12月28日，副行长庞秀生在基层党建联系点山西省太谷支行调研并慰问员工

2017年11月3日，副行长庞秀生在深圳出席建设银行深圳住房租赁战略合作签约暨人才安居合资公司揭牌仪式

2017年6月1日，副行长章更生到武汉生产园区调研

2017年10月13日，副行长章更生到广东省分行调研期间拜访广东省政府常务副省长林少春

2017年12月13日，副行长章更生会见韩国贸易保险公司（Korea Trade Insurance Corporation）社长文在焘先生并签署《一带一路合作谅解备忘录》

2017年1月5日，副行长黄毅到贵州省分行调研

2017年3月15日，副行长黄毅在北京与安哥拉财政部部长阿切尔·曼格拉举行高层会晤

2017年8月11日，副行长黄毅接受人民网、新华网、共产党员网、党建网、紫光阁网等组织开展的“中央国家机关全面从严治党”系列访谈

2017年4月19日，副行长余静波到沈阳黎明航空发动机集团有限责任公司调研

2017年5月15日，副行长余静波出席“一带一路”银行家圆桌会

2017年8月10日，副行长余静波到雄安新区调研

2017年5月9日，纪委书记朱克鹏到河北省分行调研

2017年9月21日，纪委书记朱克鹏在常州培训中心出席2017年内控合规高级管理人员培训班

2017年9月28日，纪委书记朱克鹏到甘肃省分行调研工作

2017年7月13日，副行长张立林到广东省分行调研

2017年9月26日，副行长张立林到贵州省分行调研

2017年9月27日，副行长张立林出席中国建设银行首批“领航私人银行中心”授牌新闻发布会

目 录

五、业务探讨（此部分见光盘）

CHINA 中国建设银行年鉴
CONSTRUCTION BANK ALMANAC
2018

CHINA 中国建设银行年鉴 2018
CONSTRUCTION BANK ALMANAC

第一部分　战略决策与战略管理

董事会的改革与成就

2017年，面对复杂经营环境和严峻挑战，建设银行（以下简称建行）董事会坚持股东、客户、员工和社会利益相统一的经营理念，持续完善公司治理，加强重大战略问题研究，提升决策效率和水平，坚持服务实体经济，持续推进改革创新和精细化管理，实现了良好的经营业绩，发展的稳健性、协调性进一步增强。

截至2017年末，建行集团资产总额达22.1万亿元，增长5.6%，规模保持四大行第二位；负债总额达20.3万亿元，增长5.0%，人民币一般性存款日均新增1.24万亿元，创历史最好水平；消费贷款余额和新增、个人住房贷款余额、信用卡客户总量和贷款余额指标四大行第一；资产质量稳中向好趋势进一步巩固，不良贷款率为1.49%，比年初下降0.03个百分点；实现净利润2437亿元，同比增长4.8%；资产回报率（ROA）为1.13%，平均股东权益回报率（ROE）为14.86%，净利息收益率（NIM）为2.18%，成本收入比为27.24%，资本充足率为15.3%（以上数据未经审计，下同）。

一、持续完善公司治理机制

（一）修改公司章程，将党建纳入公司治理

认真贯彻党中央、国务院关于国有企业加强党的领导的有关要求，积极探索新形势下国有大型商业银行公司治理模式。年内，董事会研究修订了公司章程、股东大会议事规则和董事会议事规则，将党建工作总体要求纳入了公司章程，明确了党组织在法人治理结构中的法定地位，使党组织发挥领导作用组织化、制度化、具体化，坚持将党的领导与公司治理相统一，进一步完善公司治理。

（二）完善董事会运行机制

董事会在运行实践中，不断完善运行机制，加强与公司治理各方的协调与沟通，提高董事会运行效率。

强化董事会职责。根据业务发展需要和监管要求，董事会高度关注绿色信贷和普惠金融业务推进。通过深入研究讨论，董事会决定，将绿色信贷和普惠金融纳入社会责任与关联交易委员会职责，据此修订了社会责任与关联交易委员会工作细则。

按照香港联交所和美国联邦储备委员会监管要求，修订了风险管理委员会工作细则，增加了“监督审查银行风险管理体系的有效性”和“兼任美国风险管理委员会职责”等内容。

研究董事会授权。根据公司治理实践、业务发展和风险管理情况，董事会适时重检了对专门委员会和行长的授权方案，从效率和风险平衡考虑，决定对现行授权方案不做调整。

（三）加强董事会自身建设

及时选举董事长。根据党中央和国务院对田国立先生的提名，董事会及时召开会议，并召集临时股东大会，选举田国立先生担任建行执行董事和董事长。

补充非执行董事。根据汇金公司提名，董事会审议通过冯冰女士、朱海林先生、吴敏先生和张奇先生为非执行董事，提请股东大会审议批准后，进入相关专门委员会履职。增补现任非执行董事郝爱群女士担任董事会审计委员会委员。

截至2017年末，董事会成员共15名，其中执行董事4名，非执行董事6名，独立董事5名。董事会成员来自中国大陆、中国香港、英国、美国、新西兰等国家和地区，分别为政府治理、财

政、金融监管、银行管理、法律和会计等领域有丰富经验的专家。

（四）加强重大问题研究，提高决策水平

董事会密切关注国际国内宏观经济形势，研究审议批发业务与零售业务均衡发展战略，以及影子银行、房地产市场、国有企业高杠杆、地方债、境外机构合规管理、批发零售业和同业业务风险管理等重大问题，分析建行面临的机遇与挑战，提出发展策略。

董事会成员多次赴境内外分行、子公司、生产园区进行实地考察，了解建行住房租赁战略、新一代系统上线推广、大数据管理与应用、生产园区建设、信用卡和普惠金融业务开展情况，提出意见建议，为董事会提供决策依据。

董事会组织全体成员参加反洗钱合规和美国银行保密法培训，深入了解监管法规对董事会监管职责的相关规定，美国监管要求更新变化情况。组织新任董事行内履职培训，全面了解建行公司治理、资产负债管理、财务管理、人力资源、信贷管理、风险管理等方面情况。组织部分董事参加了上海证券交易所独立董事履职培训和北京上市公司协会专题培训。

二、开拓住房租赁金融业务，创新商业模式

顺应国家加快建立多主体供给、多渠道保障、租购并举的住房体系，建行审时度势，充分发挥住房金融传统优势，率先实施住房租赁业务发展战略，支持供给侧结构性改革，拓展新的商业模式和业务增长点。

董事会深入研究认为，住房租赁业务很好地契合了国家战略和市场需求，具有很大发展空间。建行通过搭建住房租赁金融服务平台，助推智慧城市建设，将金融服务全面融入城市运行和居民衣食住行的“大生态”中，实现金融服务以更加智慧的方式融入人们日常生产生活中，全方位满足消费者金融服务需求，实现经营获客和产品服务能力的持续提升。

在董事会的推动下，建行推出住房租赁综合服务平台五大系统，创新“一揽子”金融服务，打造“CCB 建融家园”品牌长租社区，“要租房，到建行”品牌已全面打响。与 317 个地级以上行政区和地级以上城市、36 个新区和县市签订了住房租赁合作协议，已上线可租房源超过 3.47 万套，由平台出租近 3000 套。

三、立足“新一代”核心系统，加快金融科技创新

董事会高度重视科技发展，认为科技给传统银行业带来颠覆性影响。董事会提出，科技信息系统是未来银行业的“火箭军”，必须转变思维方式，重新界定前中后台架构，推动科技工作从后台服务向前台服务延伸，充分发挥“新一代”系统的优势，通过系统和软件产品优势获得客户和新的利润增长点。

董事会持续指导推动建行“新一代”核心系统建设。从“新一代”核心系统开发建设以来，董事会每年两次定期听取核心系统建设情况，及时指导核心系统建设。“新一代”核心系统建成后，董事会要求管理层加快系统功能推广释放，在应用过程中持续迭代更新，把先进科技转化为生产力。在董事会的指导推动下，2016 年底，建行“新一代”核心系统主体工程全部竣工，核心系统在建行集团加快推广上线，系统功能快速释放。“新一代”核心系统在推动精细化管理、产品创新、风险防控、内控合规、精准营销、客户服务等方面发挥出巨大作用。

董事会要求不断加大对信息系统、金融科技、智慧银行等资源投入，持续增强银行信息系统能力建设，密切跟进金融科技创新前沿，适度超前布局，力争在互联网、大数据、人工智能和金融深度融合方面走在同业前列。同时，要求增加科技人员数量，培养科技金融复合型人才，逐步完善鼓励价值创造、激发创新活力的人才激励约束机制。

董事会积极探索有效的金融科技管理体制，转变金融科技发展思维方式，提出要建立互联网思维和开放共享的理念，搭建共享合作平台，对外提供包括融资、融智、融网在内的综合化高质量服务。在顶层设计方面，加强企业级统筹，实现科技研发从成本中心向利润中心转变；在体制保障方面，强化信息技术的条线统筹和科技支撑，打造研发一体化的研发中心和前瞻性创新平台；在运用机制方面，推动内部科技应用供需关系有

效匹配和无缝对接，完善面向市场、面向客户的科技管理项目和资源配置模式，推动科技能力输出和开放共享。

四、完善经营机制，推动普惠金融发展

董事会将发展普惠金融作为履行社会责任和开拓业务蓝海的结合点，加快推进，在体制机制、业务策略和技术手段上，有效引导和保障普惠金融发展。

董事会在深入研究普惠金融发展情况的基础上，要求管理层制定可执行的指标来评估普惠金融业务发展，拟订普惠金融未来三年发展规划，建立垂直的普惠金融组织架构。指导管理层建立普惠金融服务体制机制，深化经营机制建设，通过配置专项贷款规模、增加专门费用、实施差异化信贷政策、调整小企业客户授信审批授权、建立风险联防联控机制、加大考核力度等，促进普惠金融体系顺畅运转。

针对小微企业、农民、贫困人群等传统模式下较难惠及的“长尾”客户，董事会要求持续探索创新，建立契合客群特点的服务模式、业务流程和技术手段。依托“新一代”核心系统，利用金融科技创新优化产品服务，大力发展小微快贷、云税贷和“裕农通”村口银行模式等，进一步打破时间和空间限制，降低信息不对称，较好地控制银行运营成本，保证资产质量，提升资源配置效率和服务覆盖面。

截至2017年末，普惠金融贷款余额为3758亿元，较年初新增1110亿元，占人民币贷款新增的11.94%，达到人民银行定向降准“二档”条件。

五、重视海外业务合规稳健发展

督导海外机构合规经营。董事会深入研究全球政治经济形势，认为当前世界政治、经济和金融环境复杂，严监管重处罚已成趋势。重点审核了海外机构反洗钱等合规问题发现情况，要求进一步加强对海外机构合规风险的管控，充分发挥海外机构合规官作用，确保及时发现合规问题，并向董事会报告。

加快海外机构IT系统建设，依托“新一代”核心系统向海外延伸覆盖，完善反洗钱、内控合规和风险管理等系统，保障海外业务持续合规经营。

指导海外业务稳健发展。年内，董事会审议了马来西亚纳闽分行设立、海外子行增资和部分海外机构债券投资等事项，强调关注国家风险和境外监管风险，要求海外机构制订明确的发展规划和经营计划，保持业务和资产稳健增长。

强化在美运营机构风险管理。董事会风险管理委员会积极履行美国风险管理委员会职责，督促指导在美运营机构尤其是纽约分行认真开展各项风险管理和合规管理工作。董事会指导制定在美运营机构风险管理政策与架构，专题研究流动性压力测试；及时全面了解美国金融监管最新规定、纽约分行合规制度更新、监管沟通情况、书面协议执行情况及可能对建行造成的风险，持续推进纽约分行风险管理和合规管理工作。

重视海外人才建设。董事会提出，加快国际化人才队伍建设，多渠道引入和培养熟悉当地法律、监管规则、商业环境和精通当地语言的专业化人才。

六、强化全面风险管理

董事会高度重视风险管理和内控合规建设，指导风险管理政策重检修订，督导监管检查整改，落实全球系统重要性银行监管要求，继续推动资本管理高级方法实施，加强并表管理、合规风险及操作风险管理，保障银行业务持续稳健发展。

（一）修订完善风险管理制度与政策

重检风险偏好陈述书。《风险偏好陈述书》（以下简称陈述书）作为指导银行风险管理的纲领性文件，是董事会对建行整体风险容忍度、可承受风险水平，以及风险选择、风险资产配置的总体态度和导向。自2015年起，董事会每年重检风险偏好陈述书。在重检2018年风险偏好陈述书时，董事会提出要充分发挥风险偏好的战略引领作用，以提升价值创造、强化资本约束、平衡风险收益、履行大行职责为导向，围绕业务结构布局和发展方向，在“做什么”“不做什么”“承担多大风险”等问题进行了探索；同时，进一步明确子公司功能定位，细化子公司风险偏好。

修订内部交易管理办法。董事会重视健全内部交易管理机制，指导修订建行内部交易管理办

法，要求管理层将内部交易纳入授权管理体系，加强内部交易相关方限额管理、跨境跨业交易风险评估和内部交易审计等。

（二）重视全球系统重要性银行建设

自2015年11月以来，建行连续三年被列为全球系统重要性银行，并于2017年11月升入第二档，附加资本要求从1%增加到1.5%，同时总损失吸收能力、可处置性以及风控、治理等方面需要达到更高监管要求。董事会积极推进全球系统重要性银行管理体系建设、恢复与处置计划修订和全球系统重要性升档等事项，持续提升稳健经营管理水平。

推动《有效风险数据加总和风险报告原则》达标工作。巴塞尔委员会和中国银监会要求全球系统重要性银行在入选三年内完成《有效风险数据加总和风险报告原则》（以下简称《原则》）达标工作，中国银监会还要求建行在2016年开展原则自评估和达标整改工作。按照《原则》中有关“董事会应了解银行对于本原则的实施情况和持续达标情况”要求，董事会听取达标进展、自评估及达标整改落实情况汇报。强调达标工作不仅是满足外在的监管要求，也是对标国际领先实践、提升建行风险管控和决策能力的内在要求。要求管理层按计划推进达标整改事项落实，推进集团层面母子公司数据加总系统建设。

修订恢复与处置计划。2016年，建行首次编制了全球系统重要性银行恢复与处置计划。2017年，根据监管要求及内外部环境变化情况，董事会重新修订恢复与处置计划，报送跨境危机管理小组审批通过。修订后的恢复与处置计划，重新识别测算关键指标定义，校准触发及预警指标，补充总损失吸收能力，并对恢复选项进行了再评估和压力测试检验。

专题研究全球系统重要性银行工作进展情况。董事会听取全球系统重要性银行工作进展情况专题报告，重点关注建行升档后将采取的措施，以满足资本充足率、总损失吸收能力和可处置性等更高监管要求。督促管理层严格按照监管会谈要求，抓好各项工作落实，主动化解升档后的资本压力。

指导制定全球系统重要性银行管理办法。董事会根据中央银行、中国银监会、财政部等监管机构及国际组织的规定和要求，结合建行实际，参考同业实践，指导制定了建行全球系统重要性银行管理办法。办法明确了管理架构、主要职责、相关机制以及附属机构和境外分行管理报告等内容，对建立全球系统重要性银行相关工作机制，增强危机管理能力，提升稳健经营水平，有效合规开展工作将发挥重要作用。

（三）高度重视和督导监管检查整改工作

指导推动监管通报整改落实。董事会专题研究银监会年度和季度监管通报中涉及问题，重点关注执行大型银行监管强化标准，提升实体经济服务效率，健全公司治理机制，加大信用风险管控力度和严控非信贷业务交叉性金融风险等方面整改推进情况。要求管理层以监管通报整改为契机，推动全面风险管理水平上一新台阶。

及时掌握产品创新情况。为落实中国银监会“四不当”专项治理检查监管要求，董事会风险管理委员会专题研究建行产品创新状况，关注产品创新数量、复杂程度及相关风险管控。指出产品创新至关重要，既不能简单复制，也不能过于复杂，要保持适度平衡。要借鉴国际银行业相关经验教训，详细了解客户需求，合理控制产品数量，加强风险合规管控，不能将产品数量作为衡量绩效好坏的标准。

持续关注同业和理财（资管）业务现场检查整改推进情况。董事会高度重视中国银监会同业和理财（资管）业务现场检查意见书指出的问题，两次听取专题整改落实汇报，关注中国银监会对建行整改工作的评价、委外投资具体风控措施、资管业务管理体制和理财资金投资安全性等问题。督促管理层从制度、流程和系统层面，全面梳理问题的成因及共性特征，从根源上解决问题，实现有效整改。

（四）持续加强资本管理

董事会重视资本管理高级方法实施，督促管理层推动高级方法实施扩大范围的现场评估工作，持续做好高级方法模型优化和验证，有序推进监管检查问题整改落实，完善改进三大支柱体系，持续提升管理应用及监管合规水平。

密切关注资本充足水平，提高资源配置效率，保持资产负债业务协调发展。董事会要求继续优化业务结构，大力发展轻资本业务，减少资本占用，完善资本管理机制，进一步提升资本集约化管理水平和资本使用效率；根据资本市场形势及建行资本充足率管理情况，做好资本筹集计划，保持较为充裕的资本水平，满足更高的监管要求。

年内董事会推动完成了境内600亿元优先股发行，审议通过了发行960亿元人民币等值合格二级资本工具，建议管理层要综合权衡境内外市场情况、发行成本及效率等多方面因素，在总额度内，灵活选择境内外市场和有利时机完成发行，并继续探索资本补充的有效渠道和方式。

七、履行社会责任，提升市场形象

建行积极担当社会责任，做新时代生态文明建设引领者，加强员工国际视野和生态环保教育，持续推进低碳运营和绿色金融发展，扎实开展金融精准扶贫，支持贫困地区建设。

（一）指导推进绿色信贷工作

董事会将发展绿色信贷业务作为国有商业银行应尽的社会责任和服务实体经济的重要抓手。指导制定了建行绿色信贷发展战略，定期听取管理层对绿色信贷发展战略的执行情况，关注绿色信贷战略推进的阶段性进展、各项工作推进情况、存在的不足和下一步工作思路。推动绿色金融改革创新试验。加强社会与环境风险管理，要求管理层对环保不达标客户和项目实行“一票否决”。通过深入研究，董事会要求管理层将绿色信贷制度、流程及执行情况纳入内部审计，定期查找战略实施过程中存在的主要缺陷和不足，及时重检信贷制度，完善绿色信贷流程。

绿色信贷业务取得了阶段性成果，截至2017年末，绿色贷款余额突破万亿元，增速为12.7%，高于对公贷款平均增速，不良率为0.41%。

（二）重视消费者权益保护工作

董事会加强消费者权益保护的统筹规划和指导，推动运行机制与政策不断完善，将消费者权益保护纳入全行经营发展战略、业务发展和企业文化建设中。

加强消费者权益保护工作审计评估，要求定期开展消费者权益保护工作内部审计，主要关注消费者权益保护制度体系、制度执行保障以及工作开展的有效性等。年内，董事会专题审阅2016年度消费者权益保护审计情况汇总报告，跟踪督促整改审计发现问题。

重视客户满意度和客户投诉应用，定期听取相关报告，多次研究客户满意度和客户投诉情况以及建行对客户投诉的响应情况，建议管理层提高对客户满意度和客户投诉的重视程度，形成定期汇报客户投诉情况的机制。

（三）推动金融扶贫和公益活动

董事会坚持积极回馈社会的企业责任，高度重视金融扶贫，扎实推进金融精准扶贫工作，加大贫困地区信贷资源倾斜，创新金融扶贫举措，让贫困人群分享经济增长的成果。

董事会专题研究2017年公益捐赠思路及公益活动开展情况，重点关注公益捐赠预算与实际执行情况、员工参与公益活动的情况，要求管理层继续发动、鼓励广大员工参与公益事业。2017年，建行年度公益捐赠支出总额7878万元，主要涉及教育助学、医疗卫生、扶贫济困等领域，取得了较好的宣传效果和社会反响。

八、持续提高投资者关系管理和信息披露水平

（一）加强市值管理

董事会高度重视市值管理，加强投资者关系管理专家团队建设，指导制定业绩发布、路演等投资者关系管理规划，通过制度化和稳定的工作队伍，提升建行市值管理能力。

2017年，境内外资本市场波动较大，中资银行估值偏低。建行加大与市场沟通力度，董事长、副董事长、执行董事参加业绩发布会、业绩路演，出席国际知名投资者论坛，接待投资者调研，向资本市场与社会公众推介建行经营成果、经营亮点和风险管理情况，及时回应投资者关心的住房租赁战略、基础设施融资、金融科技、消费金融、互联网金融、资产质量和资本管理等热点问题，提振投资者信心，取得了良好效果。截至2017年末，建行全年H股股价累计上涨20.60%，A股股价累计上涨41.18%，市值较年初提升20.86%。

（二）合规开展信息披露

董事会密切关注上市地证券监管规则及要求的变化情况，严格遵守监管法规，及时、准确、充分和公平开展信息披露，自上市以来信息披露

保持“零差错、零违规”。年内，上海证券交易所对建行信息披露工作评价结果为A，这是上交所自2015年开展此项评价工作以来，建行连续第三次被评价为A。

2016年年度报告在美国媒体专业联盟（LACP）举办的全球年报评选中获得金奖，并在国内同业中独家获得最佳股东信函奖；在MerComm Inc举办的国际年报大奖（ARC Awards）评选比赛中同时获得内页设计、内容撰写两项银奖。

执笔：李小平

监事会的改革与成就

2017年，监事会严格遵循法律法规、监管规定和银行章程，全面贯彻总行党委决策部署，主动适应新形势，立足银行实际，认真履行监督职责，聚焦监督重点，开展有效监督，与公司治理各方共同努力促进银行稳健发展。

面对内外部经济金融环境诸多变化，监事会从战略高度围绕“服务实体经济，防控金融风险，深化金融改革”三大任务，重点从五个方面扎实做好各项监督工作：一是更加重视跟进监管要求，凡是监管规定的职责，均力求履行到位；凡是监管关注的事项，均及时响应。二是更加全面深入地实施公司章程等治理文件的规定，在财务检查、信息披露等方面进一步细化监督工作，提升监督质量。三是更加注重银行战略发展，选取资本集约化管理、流动性风险管理等全局性、趋势性问题，使监督更好地服务于银行改革发展。四是更加突出风险内控监督重点，在信用风险管控、交叉金融业务风险管控等方面提出可操作性强的监督意见，促进全行夯实风险管理基础，守牢风险底线。五是更加着力于推动监督意见的落实，持之以恒地督促押品管理、担保机构管理等问题整改，进一步提高监督实效。

一、会议议事规范，重点突出

2017年，监事会认真落实银行章程及各项监管要求，进一步聚焦风险内控监督，会议议事重点更加突出，同时不断深化议题研究讨论，强化监督意见传导与落实，充分发挥专门委员会特点与作用，监事会议事效率与质量不断提升。

（一）认真落实公司章程及各项监管要求

紧扣银行章程及监管提出的履职要求，合理安排会议议案，规范议事。全年共召开8次监事会会议，依法审议银行定期报告、内控评价报告、年度履职评价报告、监事提名等19项议案，专门讨论银行章程监事会部分修订意见、监事会报告等，对银行依法运作、财务报告、募集资金使用、收购和出售资产、关联交易、内部控制、履行社会责任等事项发表独立意见。

（二）进一步聚焦风险内控监督重点

高度重视“把主动防范化解系统性金融风险放在更加重要的位置”的要求，议事重点进一步聚焦风险内控。专题研究信用风险管控、交叉金融业务发展及风险管控、地方政府性债务相关业务风险管控、担保机构管理、反洗钱等11项议题，结合银行经营管理实际，全面覆盖中国银监会提出的银行业风险防控工作需重点关注的“十大风险”，主动关注中国银监会“三三四”和市场乱象专项治理活动，监督的前瞻性和主动性进一步加强。

（三）持续强化会议意见传导落实及问题整改

进一步探索监督意见的传导落实机制，强化问题整改，提升议事效果。会议形成的主要意见和建议，均以“监事会会议情况报告”的形式报送董事会、高管层主要负责人，并分解到相关部门，要求按照规定时间落实和反馈。2017年，共有涉及并表风险管理、海外机构风险管理、风险预警系统整合、消费者权益保护、内控合规管理、薪酬管理等20个方面49条具体监督意见得到落实，39条监督意见得到传导，数量是上年的3倍多。监事会还听取了中国银监会整治市场乱象工作要求、监管通报提出问题等的落实情况，督促整改工作进展，促进银行业务回归本源。

（四）充分发挥专门委员会特点与作用

履职尽职监督委员会全年共召开4次会议，

审核通过了股东代表监事绩效考核方案、年度履职监督与评价工作方案等6项议案，对3份年度履职评价报告进行了集中评议，听取了综合化子公司经营发展、资本管理高级方法推进、大数据应用项目实施、薪酬管理制度执行等7项情况的汇报，了解董事会和高管层在相关经营管理工作中的履职情况，在履职评价方面对监事会讨论和审议形成支持。财务与内部控制监督委员会共召开6次会议，审核通过了银行定期报告、利润分配方案等7项议案，定期听取财务报告审计、经营计划执行、信贷资产质量、内控合规管理、内审发现及整改等15项工作情况汇报，专题听取信用债投资风险排查、减值准备计提、代理类业务经营与风险管理等5项情况汇报，与外审师就全行财务管理情况进行了专项沟通，了解和掌握全行财务、内控及风险情况，对监事会重点议题讨论形成支持。

二、站位全局，全面落实各项监督职责

2017年，银行经营外部环境错综复杂，金融监管进一步强化，这些都对监督工作提出了更高的要求。监事会树立全局观念，坚持问题导向，坚持底线思维，不断优化工作机制，持续深化各项监督。

（一）紧扣财务报告和重要财务事项，做实做细财务监督

监事会围绕财务报告内容与编制程序，结合报告当期重要经营事项，开展对财务报告的监督。年度内重点关注了资产负债总量和结构安排、信贷资源使用效率、减值拨备计提与使用、投资策略与风险偏好的一致性、新兴业务经营策略、中间业务收入增长趋势等，提出顺应外部市场和政策变化，积极创新产品与服务，巩固我行在造价咨询领域的传统优势，统一和明确全行投资策略与风险偏好等建议。聚焦重要财务事项，履行对银行财务的监督职责。专项听取2016年度全行财务检查情况汇报，提出对固定资产投资项目研究开展绩效考核和评估，提高资金使用效率等建议。高度重视实施国际财务报告准则第9号准备工作及推进情况，提出确保资源投入、严格工作标准、推动新准则高质量实施等建议。持续关注资本管理高级方法推进情况，跟踪监管评价，提出扩大高级法覆盖范围与覆盖领域，真正体现集团层面全覆盖管理理念等建议。对并表管理开展持续监督，针对子公司发展战略、总行对子公司管理模式等方面，提出将子公司各业务板块纳入条线管理范畴，加快信息系统建设尽快实现对子公司线上管理等建议。组织实施对重大决策事项的监督，关注经营计划安排和执行、“营改增”的持续影响、业务管理费执行及定额管理实施等情况。

（二）主动研判风险变化趋势，切实强化风险管理监督

监事会强化对主要风险点的研究预判，注重防范区域性、系统性风险。不断深化对信用风险的监督，按季度与管理层沟通信贷资产质量情况，从区域、产品、行业、客户等多个维度了解全行信用风险暴露和处置化解情况。专题听取全行信用风险管控情况汇报，提出总行层面要把握经济发展趋势，加强对重点行业和区域的分析研判，制定更为精细化的信用风险管控措施指导分行等建议。加强对当期监管关注和银行主要风险的监督，研究讨论交叉金融业务风险管控、政府性债务相关业务风险管控等情况，就当前工作中的薄弱环节和不足提出监督意见，提示要注意跟踪、了解国家有关地方政府债务的政策走向和落实情况，充分认识到防控地方政府债务风险的重要性；要努力从制度、体制、机制上解决问题，进一步规范经营，以符合愈加严格的监管趋势等。针对担保机构风险缓释效果不佳、风险预警信息整合不足等全行较为普遍和共性的问题，监事会持续对担保机构管理、风险预警系统整合工作进展等情况进行监督，推动专业担保机构管理体系和统一客户风险识别平台的建立，促进风险管理能力与水平的提升。着重对全面风险管理体系建立健全情况进行监督，及时了解掌握全面风险管理情况，重点讨论流动性风险管理、压力测试、海外机构风险管理等情况，研究分析我行风险变化及应对措施，定期监测风险偏好和大型银行监管强化指标执行情况，就加强风险识别、计量、监测和报告提出了相关意见建议。

（三）聚焦内控薄弱环节和领域，扎实开展内部控制监督

2017年，银行自身面临的内控合规压力和挑战不断增大，尤其在境内外合规管理、反洗钱工

作等方面。监事会高度关注内部控制体制机制的建设与运行情况，持续推动和促进全行提升内控合规管理水平。专题听取反洗钱工作情况汇报，提出总行层面尽快出台对“央行三号令”的解读文件，指导分行有效落实新监管标准；加强反洗钱工作数据库建设，提升系统处理能力等意见。开展对银行内控体系建设情况的监督，持续跟进中国银监会系列专项治理检查的自查情况，研究讨论我行落实中国银监会整治市场乱象工作要求情况，重点了解同业业务和资产管理业务整改情况，提出要着眼长远，努力从制度、体制、机制上解决问题，进一步规范经营，对于自查和监管检查发现的问题，要立行立改，减少监管问题和处罚等建议。重点关注全行合规管理推进情况，全面了解合规管理架构、制度流程建设、合规官试点、各层级合规工作开展等方面情况，提出要提高全行合规管理精细化水平，研究探索合规官体制安排，建立健全考核评价机制等意见。聚焦问题整改，定期听取内部审计发现及整改情况，建议内控部门和审计部门进一步加强在审计跟踪、整改等方面的衔接与配合，加强总行层面的信息共享和沟通。此外，监事会严格按照监管规定，定期审议年度内部控制评价报告，提出要根据业务发展新特点，完善内控评价的重点和覆盖范围，及时对新业务新产品存在的内控缺陷进行认定和评价等建议。

（四）综合运用多种监督手段，有序开展履职监督

监事会成员认真列席股东大会、董事会和管理层的重要会议，对董事会、高管层及其成员履职情况进行监督。全年列席股东大会2次、董事会及其委员会全部会议共35次、业绩发布会2次、全行工作会议2次、行长办公会15次、经营形势分析会4次，还列席了国际业务、审计、纪检监察等业务条线的会议，出席列席上述会议共计152人次。认真审阅会议材料，充分了解公司治理运作和全行经营管理实际，不断完善监督记录流程，重点关注会议召开程序、决策程序、信息披露等的合法合规性。及时跟进了解股东大会和董事会决议执行情况。持续完善对董事会、高管层及其成员年度履职监督与评价工作，与部分董事、总行部门及分行主要负责人进行访谈座谈，审阅董事会、高管层及其成员年度履职报告，在董事、监事、高管人员及部分总行部门负责人范围内组织无记名履职测评。在上述工作的基础上，结合日常监督情况，研究提出对董事会、高管层及其成员年度履职情况的评价报告、监事会及其成员履职情况的自我评价报告。

（五）认真履行对内部审计工作的指导职责

监事会认真履行对内部审计工作的指导职责。监事会主要负责人在分管审计工作中，指导审计条线全面服务改革发展、前瞻预判各类风险、有力支持从严治行、有效推动问题整改。监事会成员审阅全行内部审计计划，定期听取内审发现及其整改情况的汇报，指导内部审计部门履行审计监督职能。年度内，审计部门组织开展了46大类审计项目和857项次自选审计项目，提出审计建议7000余条，针对重要问题和情况，有针对性地呈报总行领导各类报告80余份，创历年最高，审计重点更加突出；建立了针对信贷和类信贷风险、重点客户、操作风险的三项日常监督机制，将1.8万余户信贷重点客户，2千余户类信贷重点客户、7.13万亿元信贷余额、2.14万亿元融资金额纳入持续监督范围；通过完善覆盖全年的审计跟踪机制，加大对重大风险、重要控制缺陷、屡查屡犯问题整改持续跟踪力度，全行提前收回问题贷款、理财产品共412.27亿元，化解不良资产或挽回损失82.4亿元，完善各级制度、流程及系统功能近1400余项。同时，内审条线对地方政府隐性债务、交叉金融业务、房地产行业、担保机构等监事会重点关注的领域开展专项审计或分析，为监事会开展监督工作提供了有力支持。

三、紧紧围绕经营管理热点重点开展专题调研

针对重点监督事项组织开展专题调研和非现场分析，监事会成员与高管、总行相关部门、外审师访谈座谈，到分行、网点等基层机构了解具体情况，听取意见，充分掌握第一手信息资料；拜访财政、银监等政府机构，了解宏观形势与政策方向；与同业、客户交流，了解市场趋势及同业相关业务管理模式。在充分调查研究基础上提出了具体可行的监督意见和建议，得到董事会、高管层的认可。

（一）深入研究分析交叉金融业务

2017年以来，中国银监会等监管机构高度关注同业业务、理财业务、投资业务中跨市场、跨行业的交叉金融产品，并对融资链条长、通道机构多、杠杆程度高、嵌套程度深等风险进行重点监管。从全行情况看，近年来跨市场、跨行业的交叉金融业务快速发展，母子公司间的业务合作和联动持续深化，交叉金融业务潜在风险较为突出，且一旦发生风险将会迅速向集团层面进行扩散和蔓延。监事会专题听取了交叉金融业务发展及风险管控情况汇报，对如何有效防范交叉金融业务风险、如何更好地满足监管要求，以及下一步业务发展策略进行了交流和讨论。提出要高度关注业务合规性，充分重视监管检查提出的意见，做好整改，规范发展；按照穿透管理的要求，严格底层项目审批，准确识别基础资产，有效把控风险；加强市场预判，增强创新意识，逐步完善业务模式，提高盈利水平等建议。

（二）高度重视地方政府性债务风险

近年来，党中央、国务院及政府监管部门高度关注地方政府债务风险问题。2017年，财政部密集发文严格规范地方政府举债融资行为，中国银监会多次提示加大防范地方政府性债务风险。监事会认为地方政府债务体制变化将对我行相关业务转型发展、依法合规经营提出新的要求，专题听取了相关汇报，邀请财政部专家进行政策解读和指导，并组织了专项调研，多次与财政部进行联系沟通，跟踪分析政策调整带来的影响以及地方债务风险变化情况，建议管理层对地方政府性债务、PPP、政府购买服务项目涉及的贷款、理财等业务进一步摸底排查，掌握业务发展整体数据、结构、风险及合规管理等情况，做好分析研判；结合国家相关政策进一步完善我行内部管理政策和制度体系，对下一步业务发展、产品选择、定价、项目营销等方面作出具体指导；把政府类群体真正当做客户来管理，建立并持续优化对地方政府偿债能力的测评指标体系，有效识别客户风险，控制信贷总量，调整业务结构等，督促全行有效防范和应对政府性债务风险。

（三）持续跟踪押品管理情况

押品管理是监事会重点监督并着力持续推动解决的问题。继上年监事会对押品管理进行专题调研的基础上，2017年初，监事长专门组织召开押品管理专题会议，听取关于加强对公业务押品管理体制、机制方面情况简要汇报，就完善押品管理体制机制进行讨论。会议强调，集约化管理是大型企业管理的方向和必然要求，押品管理要体现集约化管理要求，建议整合全行资源，建立适应全行业务发展的集约式押品管理模式，并建设一支适应集约化管理的押品管理专业队伍。监事会指导监事会办公室定期与信贷管理部门访谈、调阅材料，持续跟进管理层推动押品管理集约化工作进展情况。在监事会的持续监督和推动下，总行先后制定了《2017年公司类信贷押品管理实施方案》《转发中国银监会关于印发商业银行押品管理指引的通知》等制度办法，着力加强顶层设计和流程优化，重点推进押品集约化管理工作，全行押品管理水平和能力得到有效提升。

（四）持续跟踪担保机构管理情况

加强对担保机构的管理是监事会2016年提出的主要监督意见之一。为持续督促监督意见落实，年度内监事会专门听取了我行担保机构管理情况的汇报，建议要继续做好担保机构的压退工作；完善制度流程，明确责任分工，尽快搭建统一、规范、专业的担保机构管理体系；统一准入标准，将增资能力和风控能力作为准入的重要条件，严格担保能力审查，严把担保准入关口等。监事会还对担保机构及相关信贷业务管理情况进行了专题调研，研究分析了担保行业现状及发展趋势，指出当前担保机构风险日趋复杂隐蔽，建议管理层重视担保机构分类管理，进一步完善评价体系，夯实存续期基础管理，探索小微企业客户新的合作模式等意见建议。管理层对监事会的监督建议积极响应，持续采取多种措施提升管理有效性。

（五）深入分析信息披露监管规定落实情况

2017年，中国银监会在系列专项治理中将商业银行信息披露工作作为重点检查内容之一。监事会为进一步履行好信息披露监督职责，指导监事会办公室对我行落实信息披露监管规定情况进行了分析，对中国银监会、中国证监会、上交所《商业银行信息披露办法》《上市公司信息披露管理办法》《上市公司信息披露事务管理制度指引》等监管规定的落实情况进行逐条梳理，与总行相关部门进行了多次工作沟通，重点关注了信息披露制度体系的建立、健全，以及根据监管规定更新修订情况，各责任主体职责的界定与划分，信息披露流程的依法合规，信息披露内容的真实性、准确性、完整性等方面内容。提出在监管趋严的背景下，应更加注重信息披露程序和内容的规范性，择机对相关制度进行修订与完善，以便及时全面地反映监管规定的更新变化等建议。

（六）持续开展对资本管理情况的监督

当前，我国大型商业银行重资产、重资本的业务格局尚未根本改变，同时我行面临全球系统重要性银行更高的资本压力，在平衡资本管理与业务发展方面面临挑战。监事会高度重视资本管理工作，专题听取资本管理高级方法推进及相关风险工具建设情况的汇报，提出了扩大覆盖范围、延伸覆盖领域、将全行经营理念通过培训等方式传导至基层、提升管理效率、注重专业人才储备等建议。针对巴塞尔协议Ⅲ的最新变化及未来发展趋势，邀请外部审计师和总行相关部门，研讨风险计量方法的变革对资本充足率、中长期资本规划和轻重资产业务发展的影响，探讨前瞻性的应对策略。

（七）加强对房地产相关业务风险管控情况的监督

2017 年，监管机构多次提示强化房地产风险管控，要求将各类形式的房地产融资纳入风险监测范围，定期开展压力测试，加强业务合规性管理。监事会高度关注房地产相关业务的风险管控，开展专题调研，重点关注了我行与房地产业务客户合作情况、客户结构、经营管理模式、产品和服务、住房租赁业务等方面的情况，建议管理层筑牢客户基础，持续改善房地产信贷客户结构；抓住市场机遇，加深与潜在市场龙头房企的合作关系；改变管理方式，建立房地产集团客户集中管理机制；加强业务协同，强化房地产信贷业务统筹管理；响应国家政策，大力发展住房租赁金融业务；顺应行业需求，依法合规支持房地产企业并购；加强分析研究，提高业务管理精细化水平等。

四、自身建设持续加强

2017 年，监事会持续加强自身建设，修订公司治理文件关于监事会部分内容，夯实履职制度基础，注重从监督角度提出独立意见，不断探索监督工作新方法、新途径。

（一）积极跟进监管要求，认真修订公司治理文件关于监事会部分内容

银行章程是监事会日常履职的制度基础，经过这些年的执行运作，有些规定已经与最新的监管要求不尽相符，与监事会工作实际不尽适应。2017 年以来，监事会分析梳理了银行章程中涉及监事会的具体内容和条款，在会议充分研究讨论的基础上，对银行章程监事会部分提出了修订意见，修订内容主要集中在监事会会议召开、监事出席会议、外部监事任职等监管有明确要求的事项上，所有修订条款均提交股东大会审议通过。在此基础上，监事会对两个委员会工作细则进行了同步修订。

（二）深入研究讨论，促使监督意见切实推动经营管理改善

监事会成员会前认真阅研议案材料，注重就议题与管理层进行深入沟通，听取外部审计师意见，了解实际情况，年内组织或参加各类沟通访谈会议近 20 次，深入了解定期报告、资产质量、押品管理、中间业务、政府融资类业务、资管业务等事项。监事会会议根据议案涉及内容，邀请纪委书记、首席风险官、首席财务官、董事会秘书等高管人员列席，主动加强与内部审计、内控合规、纪检监察等各监督主体的沟通联系，就重要事项进行多方交流。经过深入研究，监事会成员会上充分讨论，注重从监督角度提出有较强针对性和可操作性的意见，并就重点事项开展持续监督，推动问题解决，切实促进了押品管理、担保机构管理、风险预警系统整合等相关经营管理工作的改进和加强。

（三）充分发挥办事机构的支持保障作用

指导监事会办公室不断改进工作方式方法，充分保障和支持监事会履行职责。一是注重保持与总行综合管理部门、总部直营机构、子公司、分支机构的常态化沟通协调机制，定期获取信息资料，及时向监事传阅董事会、经营管理层会议、监管会议等重要文件资料，充分保障监事知情权；二是加强对重要信息的监测、分析和报告，形成议题背景材料为监事议事提供参考，编制《监督工作参考》（专刊）6期，就重点监督事项进行专题分析并报告监事会，进一步增强工作机构为监事会及监事履职提供专业化支持与服务的能力；三是协助监事会与公司治理各方的沟通，陪同监事列席董事会、高管层各类会议，组织监事会与管理层就资产质量、定期报告、履职情况等监督事项的沟通、座谈会，筹办监事会各类专题培训，并将监事会监督工作信息通过会议情况的报告、《监事会工作动态》《监督工作参考》（期刊）的形式进行传导。

执笔：陈亚楠

第二部分　战略部署暨文献资料

在信息技术管理部调研时的讲话摘要

田国立

（2017 年 8 月 7 日）

一、“新一代”系统为建行创新发展赢得了新优势

“新一代”核心系统建设体现了习近平总书记强调的五大发展理念，历经 6 年卧薪尝胆，两任党委“一张蓝图绘到底”，将先进理念转化为行动，将美好愿景转变成现实，为建行创新发展增添了新动力、赢得了新优势。金融科技有它内在的规律，做银行 IT 工作不像做业务，信息系统不是短时间可以建成的，技术运用不是短时间可以见成效的，而且成绩往往是看不见摸不着的，这需要长期全身心投入。6 年来，大家俯下身来，任劳任怨，没有这种精神是不可能干成大事的。要向科技条线的同志们表示感谢和敬意！也正是“新一代”系统建设践行了五大发展理念，使得建行能够更快、更有效地为社会提供金融服务，更好、更迅捷地跟进新一轮经济转型大势。我很幸运来到建行，享受了前两任党委的工作成果，更增加了干好工作的底气。

二、加强磨合把技术成果转化为核心竞争力

“新一代”系统上线只是真正应用的开始，全行上下要珍惜来之不易的成果，尽快学会使用这套体系，通过召开推介会、开展专题培训等加大推广力度。在使用过程中，业务部门要本着善意和理解提出意见，信息技术管理部要注意倾听并切实重视，双方密切配合、加强磨合，补齐短板和不足，不断优化完善系统，把“新一代”系统的作用发挥到最大，把我们的优势变成胜势，打造建设银行的核心竞争力，努力成为业界标杆。

三、以广阔的心胸推动创新和共享

现代科技对传统银行带来的影响是颠覆性的，我们的思维方式必须要转变。过去 IT 是中后台，以后可能就要变成前台。我们建行的“私有云”，在做好技术性保密的基础上，未来可以向客户、向社会开放，实现更大范围的资源共享。信息时代是速度制胜，最终的竞争取决于谁能够快速响应客户需求和市场变化。同时要看到，今天先进不代表明天也先进，因此也借机会对全行提出鞭策。科技条线的同志要以更广阔的心胸，把所做工作当成一个伟大的事业、当成一个远大的理想来干。现在只是序曲，更精彩的故事还在后面，需要大家一起来演绎。

四、尊重人才凝聚团队的智慧和力量

要加强技术人员队伍建设。当前市场环境下，如果你不尊重人才，人才就会离你而去。要深刻认识科技在现代金融竞争中的地位和作用，比以往任何时候都更加尊重技术人员的价值。要重塑人才观，努力为大家创造更好的成长之路和施展才华的舞台。同时要指出的是，科技讲求团队协作而不仅仅只是个人，要珍惜建行提供的条件和平台。我们未必是最聪明的一群人，但肯定是持之以恒、最有恒心的人。希望大家继续携手努力，一起撸起袖子加油干，共同谱写“新一代”的故事。

在听取人力资源部工作汇报时的讲话摘要

田国立

（2017 年 9 月 6 日）

根据工作安排，今天听取人力资源部工作汇报。原来企业的人力部大多叫人事部，现在叫人力资源部，之所以强调资源，就在于人力的宝贵。目前，建设银行的资产规模已经超过 21 万亿元，在全球都有影响力。这么大的行，人力资源管理确实太重要。今天先和人力资源部的同志谈谈价值观和思维方式。

一、要格外珍重人才、用好人才、留住人才

人才资源是第一资源。当前，新的金融业态不断出现，同业和跨界竞争日益加剧，对人才的争夺几近疯狂。我们不重视人才，人才就会离我们而去。为什么我来了之后，第一个去调研的部门是信息技术部？因为我知道，“新一代”系统完成之后，建设银行肯定会成为众矢之的，许多企业都惦记着能从这里挖人，因为各家银行都在设计这个系统。在这样的市场环境下，用什么样的机制把科技人员留住用好，把这支队伍稳定下来，对建设银行来说，既是当务之急，也是长远所需。我们实际上面临的核心问题是如何在体制内为国有大银行留住宝贵人才。

建设银行是传统业务领域的胜者，核心指标市场领先，这与我们在这些业务领域人才济济、有很强的人才优势有关。但面对新业态、新模式以及同业和跨界的竞争，完全依靠传统业务也不行。在重塑和增强传统业务的同时，建设银行也要顺应时代潮流，围绕全球化、信息化的大趋势，凝聚一支更加国际化、多元化的精英人才队伍，在新兴市场、细分市场上开疆拓土，打造新的竞争优势。人才优势是最根本的优势。例如，要发展国际业务，首先就要有充足的国际化人才储备。这些人必须精通当地语言，熟悉当地法律、监管和商业环境。国外和国内不一样，国内有事还可以找人商量，国外难度非常大。没有人才储备就去发展国际业务风险太大，不出事则已，一出事都是大事。

“千里马常有，伯乐不常在”。在我看来，这里的伯乐有两层含义，一是要知道人才的价值存在，二是要让人才乐意来、甘心留。人力资源部一定要强化现代银行的意识，坚持市场化导向，努力发现、用好和留住人才。要打破条条框框限制，为大家创造施展才华和抱负的舞台，建立能留住和吸引人才的薪酬制度。要认真分析离职人员的知识构成、年龄构成。你担心谁走，就加大吸引力度，薪酬也好、晋升机会也好，可以个性化定制。社会急着挖的，人才潜在流失风险大的，更要集中发力，尽力解决大家的需求。做人力资源工作的同志，要有虚怀若谷的精神，往往能力强的人都有这样和那样的弱点和不足，个性较强。在人才面前，“该低头时得低头”，不能说谁爱走就走，不能较这个劲儿。要尽最大的努力，善待好我们的队伍，让建设银行最核心的团队、最具竞争力的人才、最离不开的人，能够高高兴兴地安于在此，就是人力资源部最大的贡献，这有时是需要人力资源部的同志花许多时间甚至受很多气的。

银行是竞争性的行业，现在基层包括省市分行行长在内，压力都很大。人力资源部也是组织部，作为党委职能部门，要帮着总行党委去真诚关爱基层，要让大家感受到人力资源管理的温度，并通过你们感受到组织的温暖。人力资源部要把各级干部特别是中层干部、主要骨干的安危冷暖时刻挂在心上，平时多深入群众，通过日常接触

和谈话，通过各个渠道，掌握大家的目标期望，了解大家的所思所想。好的组织人事干部，对每个党委管理的干部都应该全面准确地掌握信息。要把干部的情况及时传递给总行党委，为党委决策提供参考。

二、要旗帜鲜明树立注重创造、注重实绩、注重基层的用人导向

使用干部，要有一套科学的选拔标准。刚才汇报的“213”人才工程挺好，但怎样才能成为领军人才、拔尖人才、骨干人才，希望能够有一套更加具体的指标，而且要公之于众，公之于众之后，就是导向。导向必须旗帜鲜明，人力资源部要下功夫，把导向说清楚，让大家围绕我们的导向去努力。让干部知道，想成为“213”人才，就得具备这些指标条件，缺什么补什么。例如，你觉得你是专家，那你得补充什么；你觉得你今后是领军的、当将帅的，那你得具备什么，比如艰苦地区的经历、带过多少人的队伍。诸如此类。慢慢地，大家朝着具体的方向努力，多在几个岗位待过，我们的队伍就会越来越有战斗力。

人是创新发展的动力源泉。过去，我们长期把科技部门作为中后台部门，把科技人员作为中后台人员，但现在已经不一样了。就像过去的战争，步兵在前面拼刺刀，炮兵是中后台，但现在再打仗，火箭兵一上来，步兵就得让位。你说火箭兵是一线还是二线？现代科技给传统银行业带来的影响是颠覆性的。如果没有互联网思维，没有一流的架构师、一流的市场前瞻性，系统不支持，业务根本就做不了，客户也不可能服务好。系统就是未来银行业的火箭兵。我们的思维方式必须要转变，要对现有的前中后台架构进行重新界定，推动科技工作从后台服务向前台服务延伸，充分发挥“新一代”系统的优势，通过系统和软件产品优势获得客户和新的利润增长点。要健全有利于科技人员创新创造的评价、使用、激励措施，充分激发科技人员干事创业的动力和活力，使他们愉快工作，成为行业内令人羡慕的团队。

选人用人要坚持事业为重。首先要在政治上把好关，选拔到重要岗位的人，必须强调看齐意识，在思想上、政治上、行动上和以习近平同志为核心的党中央保持高度一致。同时，专业上也要扛得起事，能圆满完成好党中央交给的政治任务。使用干部要坚持事业所需，不能人浮于事，因人设职。不能光拿“帽子”激励人，“帽子”的数量是有限的。其实，每个岗位都是一个舞台，关键在于谁在这个舞台上表现得漂亮、精彩，能演出好节目来。要尽可能结合市场需求、效率提升和效益提升来选人用人。同时，要在事业上发现干部，在绩效上激励干部，着力培养大家脚踏实地在各自岗位上做好每一项工作的扎实作风，对尽职尽责、踏实干事、业绩优秀的干部员工，要在绩效上加强激励，使每个人都能各展所长、各得其所。

干部成长有其规律。温室里长不出参天大树。年轻干部只有在基层扎扎实实干过，在艰苦环境锤炼过，才能具备处理实际问题、应对复杂局面的能力，才能在关键时刻经受住考验。培养干部，必须接地气。要树立重视基层的用人导向，鼓励干部员工到基层干事创业、锻炼成长。要让基层成长起来的干部“占便宜”，通过制定配套政策，在职业发展、薪酬待遇等方面向基层和艰苦地区倾斜，让大家愿意下基层，愿意到艰苦地区去。要结合“213”人才工程实施，引导有发展潜力的年轻干部和优秀机关干部到基层去摔打，把基础搞扎实。你想带兵打仗，想有所作为，就要往下走。基层锻炼不能搞成简单补经历、走过场，这就好比拿盘锦的螃蟹，往阳澄湖水里涮一圈、养一个月，也可以按照阳澄湖大闸蟹的价格卖，但它和土生土长的大闸蟹肯定不是一个味道。

三、要以宽广胸怀、科学方法和优良作风做好组织人事工作

人力资源管理在现代银行管理中居于重要地位，有很高的水准要求。你们的视野和眼光，在一定程度上决定了建设银行的未来。人力资源管理是一个苦差事，工作量很大、很辛苦，也是最容易受埋怨的差事，大家的抱怨、矛盾都集中在这里，都不容易。但你们内心一定要有境界的要求，不因为自身的眼光狭窄，不因为自身的短视，影响建设银行的未来。因为准确地讲，人力资源部都是为他人作嫁衣裳，晋升渠道未必比别的部门多，自己工资没怎么涨，还得看别人蹭蹭蹭往上涨。但既然干的就是这个活，大家这个心胸就

得有。要对比国际国内先进金融机构，按照现代银行经营管理的要求，扎扎实实把人力资源管理工作做好。

人力资源管理也是一门艺术。为什么人力资源工作难做，难就难在很多时候需要艺术。例如，既要留住尖端人才，同时也得保住常规人才，天天挣钱的人也不能亏待人家。这种平衡其实就需要艺术，没有绝对的对与错。好的人事激励约束办法实际上是一套科学的导向和机制。好的人力资源部的核心在于能设计出区别的能力，既能被大家所接受，又不至于太反弹，做到“出乎意料之外，又在情理之中”，初看不太明白，但细想又确实有道理，这时大家其实是能接受的，而且会更有干劲，能迅速地激发团队活力。人力资源部既要善于平衡，也要敢于担当。尤其是不平衡的时候，是否能担当，是检验人力资源工作好坏的重要标准。绝对不能以牺牲核心人才、牺牲核心部门为代价搞平均主义。既要立足当前，也要着眼长远，比如，当前我们确实要解决人员总量的问题，但也不能完全依靠增量控制，否则就会导致人员老龄化，几年以后影响就会体现出来，你这茬人的竞争力下降了。另外，也要善于和监管部门与上级业务部门打交道，在有限的情况下争取更宽松的激励资源，为大家创造更好的保障。

人力资源部是领导身边的部门，也是大家眼中的权力部门，一定要严格要求自己，把风气带好。用人导向上一定要公平公正，把每个干部真实的信息反馈给总行党委，不能截留，不能因为个人的喜恶影响工作。要切记，人力资源部工作的好坏，直接接受全行的检验。

以党的十九大精神为引领 书写新时代全行改革发展新篇章

——在全行党员干部大会（视频）上的讲话

田国立

（2017 年 10 月 26 日）

刚才，祖继同志传达了党的十九大会议有关情况和主要精神。当前和今后一段时期，全行要把学习宣传贯彻党的十九大精神作为首要政治任务。要吃透精神、领悟内涵，立足实际、学用结合，迅速把思想和行动统一到党的十九大精神上来，迅速在全行形成学习宣传贯彻党的十九大精神的浓厚热烈氛围和昂扬向上状态。待中央正式文件和有关通知印发后，总行党委将按照中央部署制订印发细化的学习宣传贯彻方案。这里，我代表党委先提几点要求。

一、学深悟透，精心组织好宣传教育和学习培训

要原原本本、扎实深入地学习党的十九大报告、新修订的党章、中央纪委工作报告和相关文件，全面系统地掌握习近平新时代中国特色社会主义思想，准确透彻地理解新时代、新使命、新思想、新征程的丰富内涵，真正掌握思想精髓与核心要义。要深入学习领会党中央关于中国特色社会主义进入新时代、社会主要矛盾发生重要变化的重大政治判断；深入学习领会实现中华民族伟大复兴的历史使命，进行伟大斗争、建设伟大工程、推进伟大事业、实现伟大梦想的宏伟愿景和实践路径；深入学习领会习近平新时代中国特色社会主义思想的重大现实意义和深远历史意义，以及贯穿其中的坚定信仰信念、鲜明人民立场、强烈历史担当、求真务实作风、勇于创新精神和科学方法论，将其作为全行一切工作的根本遵循和行动指南；深入学习领会新时代中国特色社会主义发展两个阶段的战略安排，牢记全面建设社

会主义现代化国家新征程中的新使命、新任务。要通过学习和实践进一步增强“四个意识”、坚定“四个自信”，坚决维护习近平总书记的核心地位，坚决维护党中央权威和集中统一领导，始终在思想上、政治上、行动上同以习近平同志为核心的党中央保持高度一致。

全行各级党组织要按照中央部署和总行党委的要求，制订详细的学习计划，有步骤、分层次、全覆盖地组织好学习活动。学习党的十九大精神不能大而化之，更不能空洞地理解，要带着问题学、联系实际学，着力在武装头脑、指导实践、推动工作上见真章求实效。各级党员领导干部要带头学习宣讲，先学一步、深学一层，充分发挥党委中心组学习的带动作用，开展系列专题学习研讨。要把深入学习宣传贯彻党的十九大精神作为当前“两学一做”学习教育和即将开展的“不忘初心、牢记使命”主题教育的重点内容，以党的创新理论不断把学习教育引向深入，做到学精学透、融会贯通。要立足自身实际和特点，采取宣讲、自学、培训、专题辅导、交流研讨等丰富多样的形式，依托课内课外、线上线下多种平台，营造生动活泼的学习氛围。党委各职能部门以及工会、共青团等要发挥自身优势做好组织推动，各部门、各条线、各分行结合自身工作开展各具特色的学习教育活动，切实做到听得懂、能领会、可落实。要注意发掘和宣传来自基层的典型做法和经验，发挥示范引领作用，使党的十九大精神在全行一以贯之落地生根。

二、认清方向，迈出新时代建行改革发展新的步伐

全行要以习近平新时代中国特色社会主义思想为引领，登高望远、胸怀大局，紧扣新时代我国社会的主要矛盾变化，着眼于党和国家事业全局来谋划建行的改革发展各项工作，立足于建行实际，落实好新发展理念、把握住新发展机遇。要紧紧围绕党的十九大精神和习近平总书记对建行提出的增强“三个能力”要求，紧紧围绕服务实体经济、防控金融风险、深化金融改革三大任务，坚持一心一意办好银行，完成好中央赋予的新任务、新使命，推动全行改革发展再上一个新的台阶。

一是聚焦现代化经济体系建设，提升服务实体经济的能力。党的十九大报告指出，建设现代化经济体系是跨越关口的迫切要求和我国发展的战略目标。作为国有大型商业银行，我们要自觉扛起责任、挑起担子，紧紧围绕这个目标增强方向感，坚持回归本源、植根实体，更加主动精准地服务中央大政方针和国家发展战略。要认清新时代社会的主要矛盾变化，加强调查研究，努力用金融的手段和力量推动解决发展不平衡不充分问题、解决社会难点痛点问题，助力供给侧结构性改革，同时在履行社会责任中发现新的业务商机、拓展新的“蓝海市场”。习近平总书记在党的十九大报告中再次强调“房子是用来住的、不是用来炒的”，提出了推进租购并举、让人民住有所居的要求。建行很早就提出“要住房、找建行”，在住房金融领域具备专业优势，我们有能力也有义务从更高层次承担起国有大行的社会责任，针对社会痛点问题提供切实可行的金融解决方案。这既是市场的强烈期盼，更是银行的责任担当。实际上，解决了社会痛点问题，自然就会带来相应的经济效益。做金融工作只有具备大情怀、大格局、大视野，才能成为真正的市场赢家。尤其是作为国有商业银行，业务和政治从来都是分不开的。如果片面追逐商业利益，就可能本末倒置，既达不到预期，还会迷失发展方向。习近平总书记强调，要把人民对美好生活的向往作为奋斗目标，这实际上也是我们做好金融服务的终极目标。

建设银行作为国有大型金融机构，改革发展走到今天，一定要不忘初心，牢记使命。各级党员干部和广大员工要多思考“为什么办银行”“为什么要一心一意办银行”这些根本性的命题，不能业务越做越大了，却离宗旨渐行渐远。要深刻吸取国际金融危机的教训，金融背离本源、虚拟经济独大、金融机构“自娱自乐”，带来的将是灾难性后果。因此，学习党的十九大精神要结合建设银行实际具体化，要落地生根，最终落实到不忘服务国家建设这个初心上、扎根到服务实体经济这个使命上。要树立正确的价值导向，主动承担起更多的社会责任。要以创新的金融产品服务、开放的金融共享平台、普惠的金融发展模式，着力提高金融供给质量，实现全行改革创新

和经济转型升级高度契合，在现代化经济体系建设中发挥好国有大行“主力军”的作用。

二是聚焦经济社会安全稳定大局，增强驾驭金融风险的本领。要按照习近平总书记强调的守住不发生系统性金融风险底线的要求，深刻把握新时期金融风险的特点和演化规律，着力健全各方面风险防控机制。持续深化落实“风险管理职责进党委”，压实风控主体责任，巩固和发展资产质量稳中向好的势头。要读透风险，提升全视图风险管理的专业能力。宏观上，要读透政策、认清大势。作为大型银行，一城一地的得失无关宏旨，但是方向性错误带来的风险将是致命的。面对错综复杂的新情况、新变化，大行一定要有大格局、大视野、大智慧，要认准方位、顺应大势，准确定位下一步改革发展方向，避免趋势性误判。中观上，要密切关注新旧动能转换。紧盯行业、区域、重点业态等发展变化和风险动向，及时调整信贷政策和风险指引，做到知进知退，有所为有所不为。微观上，要选好客户，提升风控专业能力。始终坚持以客户为中心，围绕客户变化经营好风险，通过专业的服务帮助客户管控好风险，而不是简单地规避风险。要因户施策，前移风险管控关口，掌握风控的主动权。要继续抓好“四大板块”、做实“五个到位”，着力管住源头疏通出口，着力调整存量优化增量，既防“黑天鹅事件”也防“灰犀牛”，切实发挥好国有大型银行市场“稳定器”和风险“减压阀”的作用。

三是聚焦全要素生产率提升，争取新一轮金融改革创新的主动。要跟进经济发展质量变革、效率变革、动力变革的要求，从体制、机制、流程、服务等多个维度统筹推动全行改革不断深化，优化人财物资源配置，提升金融要素效率。改革既要刀刃向内又要眼光向外。对内着力提升精益生产、精细管理能力，实现更集约、更高效的要素配置；对外要对标国际领先银行，借鉴优秀互联网企业等经验做法，通过打造开放共享平台等路径重塑现代银行商业模式。改革既要守正又要出新。守正就是要坚守商业银行主业，一心一意办好银行；出新就是要勇于吸纳和善于运用互联网、大数据、人工智能等新技术，用好、用活、用熟“新一代”技术平台，加大推广运用力度，把全行创新活力充分激发出来。

三、对标看齐，推动全面从严治党从严治行不断深化

全行要紧紧围绕党的十九大确定的新时代党的建设目标任务，落实党中央关于加强国有金融企业党建工作的各项要求，旗帜鲜明讲政治，自觉在思想上、政治上、行动上向以习近平同志为核心的党中央看齐，自觉在改革发展各项工作中贯彻好中央经济金融方略。要把党的政治建设摆在首位，在全行进一步牢固树立“四个意识”，坚定“四个自信”，坚决维护党中央权威和集中统一领导。要加强思想建设，持续深化“两学一做”学习教育，按照中央部署认真抓好“不忘初心、牢记使命”主题教育。要加强全行干部队伍建设，坚持正确的选人用人导向，突出政治标准，既要把好业务关，更要把好政治关。要加强人才队伍建设，持续推进“213”人才工程，着力培养一支与新时代银行发展创新需要相适应的高素质金融人才队伍。要注重在基层一线和困难艰苦地方培养锻炼年轻干部，促进成长成才。建行市场竞争力强、业绩表现好，其中一个重要原因就是拥有一大批多岗位历练、基层经验丰富、实战能力强的干部队伍。这是条重要经验，要继续坚持和发扬。要鼓励广大干部员工特别是年轻同志到火热的一线锻炼成长，人力资源部门要为他们创造多岗位锻炼的机会；要多从那些在基层和艰苦地区建功立业的同志中选拔干部，在全行鲜明地传导这个用人导向。要花大力气加强基层组织建设，提升组织力，突出政治功能。要强化营业网点、子公司、海外机构党组织建设，着力解决个别基层机构存在的弱化、虚化、边缘化问题。要毫不放松地严抓作风建设，针对巡视和检查发现的“四风”高发易发部位加大整治力度。要加强反腐倡廉建设，坚持无禁区、全覆盖、零容忍，持续狠抓信贷、柜面、采购、印章等重点领域专项治理，清除滋生腐败的土壤。要把党的领导全面深度融入公司治理和经营管理各项工作中，发挥好国有金融企业党组织的领导作用，将党建独特优势不断转化为国有商业银行改革发展和市场竞争优势。

到年底还有两个多月的时间，工作任务非常

繁重。全行上下要两手抓、两促进，乘着党的十九大的东风，将学习宣传贯彻党的十九大精神融入全行党的建设和经营管理各项工作中，扎实细致地做好第四季度收官工作。上周，总行召开了第三季度经营形势分析会。总的来看，到目前为止全行各项经营指标均衡增长、符合预期。祖继同志代表总行党委、管理层提出了具体要求，各部门、各分行要认认真真抓好落实，确保来之不易的经营成果“落袋为安”，真正把学习宣传贯彻党的十九大精神的实际成效体现到全行发展的亮丽业绩上面。

习近平总书记讲，新时代要有新气象更要有新作为。党的十九大开启了党和国家事业的新篇章，建行也迈入了新的发展阶段，后续更加精彩的故事需要大家一起来演绎。全行上下要不忘初心，牢记使命，以习近平新时代中国特色社会主义思想为指引，以新的作为共同书写建行改革发展的新篇章。

在“喜庆十九大　建行好声音”客户服务人员劳动技能竞赛决赛现场的讲话

田国立

（2017 年 11 月 24 日）

同志们：

大家下午好！

在全行学习宣传贯彻党的十九大精神的热潮中，我们在此举办“喜庆十九大　建行好声音”客户服务人员技能竞赛决赛，这是落实党的十九大精神的生动形式。我代表总行党委、管理层，对比赛成功举办表示热烈祝贺，对长期以来一直关心和支持建设银行工作的中国金融工会、银行业协会、中央国家机关团工委、中央金融团工委表示衷心感谢！

2017 年以来，围绕全行中心工作，我们组织开展了“喜庆十九大”系列劳动竞赛，包括创新驱动、综合发展和技能比拼三大类。今天举办的客服人员竞赛就是技能比拼类的现场决赛。客户服务工作是银行倾听客户心声、了解客户需求、解决客户难题、联络客户情感不可替代的桥梁和纽带。客服人员的服务态度、服务意识和专业水平直接影响着建设银行服务经济社会的能力和在客户心目中的形象。习近平总书记在党的十九大报告中强调，要建设知识型、技能型、创新型劳动者大军，弘扬劳模精神和工匠精神，营造劳动光荣的社会风尚和精益求精的敬业风气。举办客服人员劳动技能竞赛，通过以赛代练、以赛促练的形式落实党的十九大精神，帮助客服人员丰富专业知识、提高服务技能、弘扬工匠精神，这种活动意义大、内容实、员工参与度高，值得肯定。这是来自一线的好声音，我们都愿意听。我代表总行党委，代表高管层，对你们付出的努力、你们承受的委屈、你们展示的才华、你们流出的汗水，表示由衷的敬意！

习近平总书记要求文艺要为现实、为生活服务，我们的活动反映了社会对金融的需求、客户与银行的关系，反映了我们对现代金融服务的内容和对现代金融的理解，体现了很高的艺术性和专业性。今天登台比赛的客服人员各显其能、奋勇争先，每个环节表现都给大家留下了深刻的印象，展现了广大客服人员业务精湛、功底扎实、应变灵活的专业技能，兢兢业业、全心全意的服务意识，以及精益求精、积极向上的精神风貌。“于细微处见精神”，你们在台上呈现的虽然只是日常工作的点滴，但大家能从中真切感受到一线工作的不容易、不平凡。党的十九大刚刚闭幕，习近平总书记新时代中国特色社会主义思想开启了新时代的篇章，我们也开启了建设银行的新时代，展现出建行人在这个新时代的风采。让我们再次祝贺他们专业、专注的精彩表现，感谢他们日复一日的辛勤付出！

党的十九大为全国人民描绘了全面建成社会主义现代化强国的“两步走”宏伟蓝图，明确了党和国家未来发展的战略方向。建设银行按照党的十九大精神，不断深化落实新发展理念、积极把握新发展机遇，围绕服务实体经济、防控金融风险、深化金融改革三大任务，坚持一心一意办好银行，完成好新时代赋予的新任务新使命。

新时代意味着新机遇和新挑战，对客服工作提出了新标准和新要求。希望客服中心以本次劳动竞赛为契机，继续将党建的力量全面深度融入经营管理和客户服务之中，将党建优势不断转化为市场竞争优势，推动客户服务水平不断上台阶。

——要增强服务意识，不忘初心牢记使命。随着新业态、新模式的不断涌现，同业和跨界竞争更加激烈。谁能够更快速地响应市场变化和客户需求，真正把“以客户为中心”的理念落到实处，决定着谁能在新一轮竞争中胜出。客服业务运营是平面化的，要依托智能化的管理，加强与网点的联动，长尾客户只靠网点是不够的，我们不往前走就会被客户淘汰，以后要靠智能、靠后台，才能提升客户感受。客户服务中心要不忘一心一意办好银行的初心，牢记建设银行服务国家经济建设的使命，以更优质的服务体现国有商业银行为民服务的本色和担当。

——要加强联动创新，提升业务水平。客服中心掌握着客户对建设银行最真实的期待，是我行持续开展产品创新、流程优化、服务提升的重要信息来源。客服中心要与各部门密切合作，加快综合化客户服务平台的建设，积极应用大数据、人工智能等新技术，学好用好“新一代”平台，为开展综合性服务延伸、前中后台联动营销打下坚实基础。

——要加强队伍建设，深化员工关爱。客服人员在日常工作中承受着相当大的业务和心理压力。客服中心各级机构要做好员工情绪舒缓和心理减压工作。总行相关部门要关心支持客服条线，共同研究制定关心人、留住人、培养人、用好人的政策措施，充分调动客服人员积极性和主动性，为他们广搭施展才华的舞台，帮助他们解决实际困难，让他们能够全身心地投入建设银行事业发展中。

习近平总书记指出，人世间的美好梦想，只有通过诚实劳动才能实现。党的十九大绘就了党和国家事业的宏伟蓝图，实现全民族共同憧憬的“中国梦”，要由劳动来创造。希望大家保持和发扬劳动竞赛所展现出来的精气神，团结进取、开拓创新，把党的十九大精神全面融入全行各项工作中，共同书写新时代建设银行改革发展的新篇章！

在学习贯彻党的十九大精神专题研讨班上的讲话

田国立

（2017 年 11 月 28 日）

同志们：

我到建设银行将近 5 个月，这是第一次在这么大范围同一级分行行长们面对面交流。这次培训分为两期，一期是境内，另一期是境外。今天，我们举办第一期“一把手”专题研讨班，就是要坚持领导干部以上率下，先学一步、学深一层，努力走在前列、作出示范，在思想上、政治上、行动上与以习近平同志为核心的党中央保持高度一致，确保党的十九大精神在建设银行落实落地。

下面，我结合自己的学习情况和全行工作，从三个方面谈谈认识和体会。

一、深入学习、深刻领会党的十九大精神，切实把思想和行动统一到习近平新时代中国特色社会主义思想上来

党的十九大是在全面建成小康社会决胜阶段，中国特色社会主义进入新时代的关键时期召开的一次十分重要的大会。大会提出了一系列关于党和国家事业发展全局的新的重要思想、重要观点、重大判断、重大举措。在政治上、理论上、实践上取得了一系列重大成果，在我们党的历史上具有划时代、里程碑意义。大会闭幕后，中央迅速作出认真学习宣传贯彻党的十九大精神的决定。习近平总书记要求全党来一个大学习，并提出了“学懂、弄通、做实”的明确要求，为学习贯彻党的十九大精神走深走实指明了方向。学习贯彻党的十九大精神，重在用心，必须原原本本、原汁原味地学；全面系统、整体把握地学；突出重点、抓住关键地学。通过改进学习方法，提高学习质量，准确把握党的十九大精神的重要思想精髓、核心要义。这次研讨班时间不长，大家一定要珍惜时间，珍惜学习机会，真正学出成效。

（一）全面准确学习掌握党的十九大精神，应重点围绕“十个深刻领会”，把握要点，领悟内涵

一是要深刻领会党的十九大主题，增强不忘初心、牢记使命、高举旗帜、团结奋进的自觉性和坚定性。党的十九大主题是大会的方向、报告的灵魂。这个主题就是：“不忘初心、牢记使命，高举中国特色社会主义伟大旗帜，决胜全面建成小康社会，夺取新时代中国特色社会主义伟大胜利，为实现中华民族伟大复兴的中国梦不懈奋斗。”这68个字，深刻回答了我们党在新时代举什么旗、走什么路、以什么样的精神状态、担负什么样的历史使命、实现什么样的奋斗目标这些重大理论和实践问题。这一主题主要包含四层意思：第一，不忘初心，牢记使命。中国共产党人的初心和使命，就是为中国人民谋幸福，为中华民族谋复兴，这个初心和使命是激励中国共产党人不断前进的根本动力。第二，高举中国特色社会主义伟大旗帜。标明我们党既不会走封闭僵化的老路，也不会走改旗易帜的邪路，而是坚定不移地走中国特色社会主义道路，要更加自觉地增强道路自信，保持政治定力，坚持实干兴邦。第三，决胜全面建成小康社会。这是2020年我们党必须完成的奋斗目标，完成这个目标必须举全党全国之力，实现第一个百年奋斗目标。第四，夺取新时代中国特色社会主义伟大胜利，为实现中华民族伟大复兴中国梦不懈奋斗。标明全面建成小康社会是党和国家事业发展的一个阶段性目标，这个目标实现之后，要乘势而上，以永不懈怠的精神状态和奋斗姿态，继续朝着实现中华民族伟大复兴中国梦的宏伟目标前进。党的十八大以来，我们党团结带领人民在新的历史起点上坚持和发展中国特色社会主义，取得了改革开放和社会主义现代化建设的历史性成就，实现了从站起来、富起来到强起来的伟大飞跃。进入了新的时代，就意味着站上了新的起点，实际上是历史征程的再出发、再赶考。

二是要深刻领会习近平新时代中国特色社会主义思想的历史地位和丰富内涵，自觉用马克思主义中国化最新成果武装头脑。党的十九大立足时代和全局的高度，着眼中国特色社会主义事业长远发展，决定将党的十八大以来党的理论创新成果概括为习近平新时代中国特色社会主义思想，并写进党章，确立为我们党的指导思想。党的十九大报告用“八个明确”概括了这一思想的主要内容，用“十四个坚持”概括了这一思想的基本方略，体现了习近平新时代中国特色社会主义思想理论和实践相统一、认识论和方法论相一致、战略与战术相结合的理论特色。这是党的十九大的灵魂，是党的十九大理论创新的最大亮点，也是党的十九大最重要的贡献，实现了党的指导思想又一次与时俱进。

三是要深刻领会过去五年的历史性成就和历史性变革，切实增强中国特色社会主义道路自信、理论自信、制度自信、文化自信。党的十九大报告的第一部分全面系统地回顾了过去五年的工作，党中央统筹推进“五位一体”总体布局，推动经济建设取得重大成就，全面深化改革取得重大突

破，民主法治建设迈出更大步伐，思想文化建设取得重大进展，人民生活不断改善，生态文明建设成效显著，全面从严治党成效突出……这些变革力度之大、范围之广、效果之显著、影响之深远，在党的历史上具有开创性意义。

四是要深刻领会中国特色社会主义进入新时代的新论断，准确把握我国发展新的历史方位。党中央提出中国特色社会主义进入新时代，不是简单的说法，而是一个非常重大的政治判断，是一个关系到全局的战略考量；不是历史学上时代划分的概念，而是从党和国家事业发展的意义上提出来的；也不仅仅是从党内国内发展来考虑的，而是从世情、国情、党情变化的新格局分析提出的。

五是要深刻领会我国社会主要矛盾发生变化的新特点，充分认识这一关系全局的历史性变化对全党的战略重点和主攻方向提出的新要求。党的十九大在深入研究、广泛听取各方面意见的基础上，把我国社会主要矛盾的表述修改为“人民日益增长的美好生活需要和不平衡不充分的发展之间的矛盾”。这句话与我们日常生活息息相关，是核心之义，是对社会发展状况总的定性。我们作为金融工作者，使命就在于发现社会问题、解决社会痛点、提供解决方案、承担大行责任，要以全新的思路去设计好产品。近期我们推出住房租赁金融解决方案，就是根据党的十九大精神，把握住正确方向，用金融力量改变社会中不平衡和不充分问题的实际担当。

六是要深刻领会新时代中国共产党的历史使命，充分认识伟大工程的决定性作用。牢牢把握新时代中国共产党的历史使命，必须深刻认识新时代实现伟大梦想与进行伟大斗争、建设伟大工程、推进伟大事业之间的内在联系。党的十九大深入阐述了实现伟大梦想必须进行伟大斗争、必须建设伟大工程、必须推进伟大事业的丰富内涵。学习贯彻党的十九大精神，就要深刻领会“四个伟大”相互贯通、相互作用的紧密关系。只有进行具有许多新的历史特点的伟大斗争，做到党的十九大强调的“五个更加自觉”，才能为实现伟大梦想排除一切困难和障碍；只有深入推进党的建设新的伟大工程，不断增强党的政治领导力、思想领导力、群众组织力、社会号召力，才能为实现伟大梦想提供坚强政治保证；只有始终坚持和发展中国特色社会主义，更加自觉地增强“四个自信”，才能为实现伟大梦想铺就康庄大道。在“四个伟大”中，起决定性作用的是党的建设新的伟大工程。毫不动摇坚持和完善党的领导，毫不动摇把党建设得更加坚强有力，确保我们党始终走在时代前列，始终成为全国人民的主心骨，始终成为坚强领导核心，中国共产党就一定能肩负起新时代的历史使命，为中华民族作出新的伟大历史贡献。当我们有了稳定的社会运行，有了高效的经济运转，有了百姓的安居乐业，人民就有了“四个自信”。习近平总书记强调不忘初心，让广大群众过安稳日子、美好生活的初心，就会越来越受到人民的拥护。

七是要深刻领会“分两步走”全面建成社会主义现代化国家的新目标，准确把握决胜全面建成小康社会、开启全面建设社会主义现代化国家新征程的战略安排。从现在到2020年，是全面建成小康社会的决胜期。党的十九大报告对此提出了总体要求，明确了重要的着力点，强调要“抓重点、补短板、强弱项”。2020年全面建成小康社会后，将开启全面建设社会主义现代化国家的新征程。这个时期将持续到21世纪中叶，历时30年左右时间。党的十九大将这个过程分两个阶段安排。第一个阶段：从2020年到2035年，在全面建成小康社会的基础上再奋斗15年，基本实现社会主义现代化；第二个阶段：从2035年到21世纪中叶，在基本实现现代化基础上再奋斗15年，把我国建成富强、民主、文明、和谐、美丽的社会主义现代化强国。从党的十九大到二十大，是建党和建国“两个一百年”奋斗目标的历史交汇期。可以看出，党的十九大在实现“两个一百年”奋斗目标的基础上，提出了更高的目标、更高的追求。

八是要深刻领会社会主义经济建设、政治建设、文化建设、社会建设和生态文明建设等方面的重大部署，进一步增强围绕中心、服务大局的主动性和有效性。党的十九大对当前和今后各方面建设进行了全面部署，其中提出了许多重大战略部署和重大创新举措，并明确以“五位一体”总体布局推进中国特色社会主义事业新的发展。这些部署既有理论分析，又有实践举措。对我们国有大型银行来说，这既是新时代推进中国特色社会主义事业的行动路线图，更是围绕中心、服务大局的任务书。统筹落实新时代"五位一体"的重大部署，就要拿出实实在在的举措，在具体实践中加以落实，以有力有为的实际行动，在加快自身发展的同时履行好社会责任。比如，习近平总书记抓生态文明建设，注重从小处着手，从"厕所革命"抓起。这个举措让大家心服口也服，为我们服务社会大众发挥了示范引领作用。

九是要深刻领会坚定不移全面从严治党的重大部署，全面落实新时代党的建设总要求和八个方面重点任务。党的十九大报告对党的建设高度重视，报告总篇幅3.2万字，党建部分占了4100多字，占整个篇幅的1/8，可见分量之重。而且党建的内容不仅体现在党建部分，在历史使命、基本方略等方面都强调了党的建设的极端重要性。我们要牢牢把握新时代党的建设总要求，具体来讲：一个根本原则，就是坚持和加强党的领导；一条指导方针，就是坚持党要管党、全面从严治党；一条工作主线，就是加强党的长期执政能力建设、先进性和纯洁性的建设；一个总体布局，就是以党的政治建设为统领，全面推进党的政治建设、思想建设、组织建设、作风建设、纪律建设，把制度建设贯穿其中，深入推进反腐败斗争；一个基本目标，就是要把党建设成为始终走在时代前列、人民衷心拥护、勇于自我革命、经得起各种风浪考验、朝气蓬勃的马克思主义执政党。这个总要求，是当前和今后一个时期全面从严治党的关键，是管党治党的根本遵循。党的十八大以来，我们党在反腐工作上取得了重大成果，深得党心、民心、军心。反腐既是整肃党风党纪，也是对各级干部的关爱，同时也是一次新文化运动，促使传统文化中很多不合理的地方作出改变。希望大家把党的十九大报告领会得更深、更透，真正落到实际行动中来。

十是要深刻领会党章的新规定、新要求，切实把党章要求贯彻到全行党的建设全过程、各方面。这次党章共修改了107处，其中把习近平新时代中国特色社会主义思想确立为全党行动指南，实现了党的指导思想的又一次升华与创新。此次修改，还有三个方面尤为重要：其一是体现了党的十八大以来，马克思主义中国化的最新成果；其二是体现了以习近平同志为核心的党中央治国理政新理念、新思想、新战略；其三是体现了坚持和加强党的领导、全面从严治党的成功经验。这对于推进党的事业，全面加强党的建设，必将发挥指导和规范作用。

（二）要把认真学习宣传贯彻党的十九大精神，作为当前和今后一个时期全行首要的政治任务，切实在学懂、弄通、做实上下功夫

按照《中共中央关于认真学习宣传贯彻党的十九大精神的决定》，全行要把学习宣传贯彻党的十九大精神作为当前和今后一个时期首要的政治任务。总行党委已经成立领导小组，制订了学习宣传贯彻党的十九大精神具体方案和分期分批干部培训方案。各级党委要加强组织领导，发挥好"关键少数"的关键作用，亮开嗓子、迈出步子，带头上讲台、走基层，既做实干家，更要当好宣传家。一级做给一级看，一级带着一级讲，推动党的十九大精神往深里走、往实里走、往心里走，确保党的十九大精神学习宣传贯彻有效落实。

一是要在学懂上下功夫，认真抓好学习培训，做到分级分类、全员覆盖。学习宣传贯彻党的十九大精神，学懂了，才能更好地宣传贯彻和落实。要按照中央要求，依托党校、培训中心举办培训班和学习班，邀请专家精准解读，分层分期分批开展培训，引导大家原原本本、原汁原味地学习好党的十九大精神。各级党委要带头先学一步、学深一层，为全行党员干部和员工学习作出示范。总行党委和中心组先后多次组织了集体学习，并召开全行党员干部大会进行传达，转发了中央学习的决定，下发了学习贯彻的通知，作了全面安排和具体部署。这次研讨班后，还将举办海外机构、审计分部、总审计室、直属中心主要负责人专题研讨班，以及总行党委管理的其他干部研讨班。同时，对全行处级以上党员干部分期分批进行集中培训，并指导各分支机构分期分批对本单位的党员干部进行系统培训。各级党委要突出抓好处以上领导干部的学习。党委中心组要把学习党的十九大精神作为重中之重。党校和培训中心在对各级各类人员培训中，都要把学习党的十九大精神作为重要内容。同时，要抓好面向广大员工的宣传教育，深入浅出宣讲好党的十九大精神。

在座各位都是一级机构党委书记、总行部门党支部书记，一定要以强烈的政治担当和责任感，真正把学习党的十九大精神作为第一堂重要的党课、第一堂重要的政治必修课，努力提高自己的政治素养和思想理论水平，通过提升自己的学习水平，带动和推进全行党员干部、广大员工的学习贯彻。

二是要在弄通上下功夫，高度重视一线的宣传，做到上接天线、下接地气。带头上讲台宣讲，也是领导干部的政治责任。要联系地而不是孤立地、系统地而不是零散地、全面地而不是局部地、生动鲜活地而不是枯燥无味地讲好党的十九大精神，才能让广大党员干部和员工入脑入心。因此，领导干部作出示范，“宣”出信心，“讲”出味道，就必须用群众语言、从群众视角进行宣讲，让宣讲冒热气、接地气、添活力，党的科学理论才能转化为强大的精神力量。从现在到明年，中央将集中开展党的十九大精神宣讲活动。总行党委也对宣讲活动进行了具体部署。各级党委成员要带头宣讲，结合班子调研、干部考察、党建督查、下基层指导工作等机会，深入各部门、各机构和员工中间，主动宣讲、层层宣讲。要抽调骨干力量组成宣讲团，包括我行十九大代表、相关部门骨干，深入到一级分支机构现场宣讲。各分支机构要参照总行的做法，采取宣传小组、小分队等形式，灵活多样地进行宣讲。各级党员干部要在学深学透的基础上带头宣讲，以实际行动带动全行员工学习党的十九大精神走向深入。各级在宣讲中，还要注意面向我行的一些民主党派人士进行宣讲，增进他们对党的十九大精神的认识、认知、认同，同时要充分利用企业网以及微信公众号、微博等新媒体手段，强化宣讲效果，促进普通员工的领会和理解。

三是要在做实上下功夫，精心谋划推进各项工作，做到以学促做、成果转化。学习贯彻党的十九大精神，要有实实在在的工作举措，以工作成效体现学习成果。党的十九大提出的各项目标任务既有近期的、中期的，也有长期的，要区分轻重缓急，有计划、有步骤地加以推进。临近年底，各单位要对2017年各项工作落实情况进行全面“回头看”，围绕党的十九大对党的建设的新部署、新要求，抓紧做好全行党的建设工作专项督查、领导班子年度考核、年度基层党建述职评议考核等工作。要深入基层一线开展调查研究，提高谋划工作、制定政策、推进落实的质量。要在调研基础上，结合本单位实际，认真谋划好2018年的各项工作，科学确定工作目标、重点任务和实施举措，制订具体的任务表、时间表、路线图，牢牢把握工作主动权。这次党的十九大报告中还提出，明年要以县处级以上领导干部为重点，在全党深入开展“不忘初心，牢记使命”主题教育。这次主题教育是深化党内教育的又一次重要实践，是党内教育常态化的重要体现。既是对全党干部理想信念的教育，更是对全体党员干部党性的又一次锤炼。要按照中央的部署要求和总行党委具体安排，扎实做好主题教育各项工作。

四是要在升华上下功夫，深入进行理论研讨，做到深学笃用、指导实践。学习贯彻党的十九大精神，要防止以会议落实会议、以文件落实文件的现象，不能空喊口号，流于形式。党的十九大报告博大精深，各级领导干部要带头学习传达，深入理解、举一反三，注意与实际工作联系起来，切实把党的十九大精神学习好、贯彻好、落实好。要注意花心思、下功夫研读党的十九大报告，深刻把握精髓要义，切实提高自己的政策水平和理论水平。学习党的十九大精神不能蜻蜓点水，浅尝辄止，做表面文章。要真正用解放思想的态度去学习研究习近平新时代中国特色社会主义思想，努力掌握其政治意义、历史意义、理论意义、实践意义，总行党校要认真确定研究选题，召开各层面理论研讨会，交流研究成果。各级党委要通过中心组学习等形式，深入开展理论研讨，增强学习宣传贯彻党的十九大精神的理论深度和实践力度。基层党组织要组织普通党员通过召开学习交流会、“三会一课”、组织生活会等形式，联系个人思想实际开展讨论，增进大家对党的十九大精神的政治认识、思想认同、情感认同。党对政治觉悟和政治能力的要求，不仅体现在政治上的看齐追随，还要变成日常的行为准则。“志合者不以山海为远，道乖者不以咫尺为近”。建设银行在践行党的路线方针政策上面，要领风气之先，体现文化自觉和行动自觉。

五是要在宣传上下功夫，坚持上下内外统筹，做到内振精神、外树形象。宣传工作是认真学习贯彻党的十九大精神的一项重要工作，也是我们党长期坚持和发扬的优良传统。做好当前和今后一个时期全党学习贯彻十九大精神这项政治任务，各级宣传部门肩负重要职责。要强化政治引领，强化政治感召，提高政治站位，强化政治功能，精心谋划、认真做好全行学习贯彻落实党的十九大精神各项宣传工作。《建设银行报》要开辟专栏、设置专题、拿出专页，进行不间断、全方位跟进宣传。要利用内外部网站、微信公众号、工作简报等载体，扩大宣传影响力。对重点工作、重点活动、重要的学习成果要及时做好对外传播，向社会讲好新时代"建行党建故事""建行发展故事"，以有力有为的担当创造宣传的价值。

二、自觉履行、勇于担当国有商业银行责任，切实提高全行服务实体经济和社会民生水平

国有大型银行要有大智慧、大格局。落子谋局，我们就是要谋服务国家、服务人民的大局，谋建设银行在新时代展示新担当、新作为的大局。当前，我国社会主要矛盾已经转化为人民日益增长的美好生活需要和不平衡不充分发展之间的矛盾。我们一定要以习近平新时代中国特色社会主义思想为引领，自觉践行"以人民为中心""以客户为中心"的服务思想，认清国有大行正确发展方向，不忘初心、回归本源，聚焦主业、定准站位，紧紧围绕党的十九大确立的建设现代化经济体系的战略目标，自觉扛起责任、挑起担子，全面提升金融服务的效率和水平，把更多资源配置到经济社会发展的重点领域和薄弱环节，促进经济和金融良性循环、健康发展，为我国经济行稳致远保驾护航，发挥好国有金融企业的"排头兵"和"主力军"作用。

（一）突出"大格局"服务国家战略，是国有银行的天然使命和价值体现

习近平总书记在党的十九大报告中强调："中华民族伟大复兴，绝不是轻轻松松、敲锣打鼓就能实现的。全党必须准备付出更为艰巨、更为艰苦的努力。"大国崛起需要大国金融。国有大型银行作为党在金融领域的重要支柱和依靠力量，主动融入大局，服务国家战略，是其天然使命和神圣职责。"国有"两个字，分量重千钧。我们必须在时代大潮中更多地承担自己的责任，在服务国家战略中更多地作出积极贡献。

大型银行的领导都是响当当的银行家，应该具备大情怀、大视野。金融工作需要灵性，要准确把握国家宏观政策，把市场读透，增强方向感，强化敏感性，始终保持永远领先一步的紧迫感。党的十九大就贯彻落实新发展理念，建设现代化经济体系作出了一系列重大战略部署。无论是深化供给侧结构性改革，还是加快建设创新型国家；无论是实施乡村振兴战略、区域协调发展战略，还是加快完善社会主义市场经济体制、推动形成全面开放新格局，这些都为大型国有银行服务国家战略提供了新的发展契机。我们必须顺势而为，乘势而上，始终站在国家层面谋划事业，紧紧跟进国家战略精心布局，把党中央提出的战略部署转化为自身的工作任务，不断提升综合服务能力。

过去我们常讲，大型国有企业是共和国的长子，长子就必须要有强烈的家国情怀，强烈的责任担当，主动为国分忧，当好国家的顶梁柱。要把大型国有银行办成更好体现党和国家意志的银行、更好满足人民日益增长的美好生活需要的银行，就必须围绕新时代国家发展大局，大力支持京津冀协同发展、长江经济带发展，为"一带一路"建设提供长期、稳定、可持续的金融服务。根据西部开发、东北振兴、中部崛起、东部率先的区域发展总体战略，精准支持对宏观经济和区域经济具有重要带动作用的重点项目和工程。在水、电、路、桥、房、能源等重大基础设施领域，继续发挥我们的传统优势，提供重要支持。要围绕《中国制造2025》重点任务提高服务水平，支持关键性技术研发和科技成果转化，切实加强对企业技术改造中长期贷款支持，积极运用信贷、租赁、基金、投行等多种手段，支持高端装备领域突破发展和扩大应用。要围绕乡村振兴战略持续提升"三农"和小微企业金融服务水平，为新型农业经营主体和农村电商、休闲农业、乡村旅游等新产业新业态提供有效金融服务。要进一步完善金融扶贫工作机制，支持机构和服务向贫困地区延伸，提升金融精准扶贫效率。要围绕"三去一降一补"，进一步完善"区别对待、有保有控"的差别化信贷政策。要坚持让利于民、回馈社会，进一步精简涉企服务收费，最大限度地降低企业负担。展望未来，大型国有商业银行服务

国家战略任重而道远，这既是我们践行民族伟大复兴的初心使命，也是实现自身改革发展的必然要求。

（二）突出“高站位”服务实体经济，是建设银行的优良传统和红色传承

党的十九大报告中明确指出，实体经济是国民经济的基石。建设现代化经济体系，必须把发展经济的着力点放在实体经济上。同时明确，要深化金融体制改革，增强金融服务实体经济的能力。金融是现代经济的核心，在很大程度上影响甚至决定着经济健康发展。金融通过服务实体经济获得自身发展，而实体经济发展也离不开金融服务，二者一荣俱荣、一损俱损，这就要求必须把金融和实体经济统筹起来考虑，要求金融业发展回归本源，服务好实体经济。国内外正反两方面的经验教训表明，为实体经济服务是金融立业之本，如果脱离实体经济，金融就成了无源之水、无本之木。如果金融市场投机交易过度膨胀，金融行业与实体经济、实业部门和产业资本渐行渐远，甚至凌驾于产业发展之上，就会造成金融的自我循环、形成泡沫，对经济健康发展造成重大冲击和严重损害。对金融业出现的一些“脱实向虚”“自我循环”等问题，对实体经济发展造成的负面影响，必须高度警惕。

建设银行成立于“一五”规划开局之际，从诞生之日起党和国家就把“建设”的使命赋予我们的肩头，“哪里有建设，哪里就有建设银行”“机构跟着项目走，服务跟着需求走”，成为建行人服务国计民生的红色基因和优良传统。60多年来，建设银行与共和国同呼吸共命运，矢志不渝坚守“国家利益至上，服务建设为本”的理念，在不忘初心中找准定位，在牢记使命中发展壮大，为国家现代化建设作出了历史性贡献，走出了一条具有鲜明特色的国有大型银行兴行强国之路。20世纪90年代商业化转型过程中，时任行长王岐山同志确立了“一心一意办银行”的指导思想，提出“双大”经营战略，大力支持关系国计民生的大行业、大企业，并以此为基石延伸拓展业务新兴领域，形成了建设银行独有的业务强项和专业特色。现在许多大型国有企业都是那时候我们从小服务发展起来的，至今与我们保持着密切的合作关系。实践证明，实体经济根深蒂固，金融才能枝繁叶茂；金融与实体经济循环畅通，实体经济才会活力四射。

伴随着中国经济的崛起，建设银行已经从当初一家经办基本建设拨款的专业银行，发展成为今天总资产超过22万亿元，公司和个人客户近4亿的具有全球影响力的大型综合性银行集团。习近平总书记、李克强总理在我行成立60周年之际作出重要批示，对我行服务国家建设60年的成绩充分肯定，并要求进一步增强包括服务国家建设在内的“三个能力”。可以说，正是因为始终不忘服务国家建设这个初心，正是因为牢牢把握服务实体经济这个“高站位”，建设银行才能沿着正确的方向稳步发展，建设银行的事业才能蒸蒸日上。

马凯副总理对我行“新一代”系统“小微快贷”等印象深刻。国家领导人之所以关注这些项目和产品，就是因为这是广大老百姓、创业创新者的切实需求，是中国经济发展的未来。建设银行要坚持以不变应万变。变化的是社会生产生活的日新月异，而不变的是我们扎扎实实、脚踏实地的工作作风，是服务实体经济、服务社会民生的初心。建设银行在历史上有着非常光荣的传统，为国家解决了不同时期的很多社会问题。如当年最早提出了“要买房，到建行”，曾为百姓安居和民生改善作出过重大贡献。现在，建设银行也理应承担起更大的责任，这是时代的呼唤和历史的使命。

（三）突出“硬本领”服务社会民生，是建行人的立业之本和发展之基

党的十九大报告中多次提到“人民”两个字，充分展现了中国共产党始终如一的马克思主义群众观，始终如一的“以人民为中心”的博大情怀，始终如一的对社会公平正义的价值追求。习近平总书记反复强调，房子是用来住的，不是用来炒的。党的十九大报告直奔社会痛点问题，不仅反映了文风问题，更体现了务实的党风，为我们各级领导干部作出了很好的表率和示范。要把事情做得更扎实、更落地，不是停留在口头上，而要见诸行动。建设银行对住房金融有着深刻理解，理应有所作为。总行党委推出住房租赁金融“蓝海项目”，这既是基于我行经营战略的考虑，更是出于承担社会责任的行为自觉。我们有智慧、有能力发挥自身专业优势，针对困扰多年的房地产过热问题提出自己的解决方案。从三个多月以来的实践看，实际效果和各方面反映很好，受到了老百姓、当地政府、房地产商的欢迎。下一步全行要持续探索推进。

银行是社会窗口单位和服务行业，小小网点连着社会大舞台，连着党心民心。服务社会民生的态度、质量和效率如何，不仅关系到银行的长远发展和形象声誉，更体现着银行业服务人民群众最为直接的社会责任。“中国建设银行，建设现代生活”“与客户同发展，与社会共繁荣”“以心相交，成其久远”“善建者行”，这些一直是我们的宣传用语，是我们作为国有大型银行的服务理念，也是我们一代代建行人一脉相承的“硬本领”。我们确定了“为客户提供更好服务，为股东创造更大价值，为员工搭建广阔的发展舞台，为社会承担全面的企业公民责任”的企业使命，明确了“诚实、公正、稳健、创造”的核心价值观，树立起统筹各相关方利益的理念，增强服务国家、服务社会、服务广大人民群众的责任感，努力建立银行与客户、股东、员工、社区、政府等各个方面的和谐融洽关系，形成互利共赢的发展格局。

深入社会提供服务，既是老百姓的迫切需求，也是银行的巨大商机。建设银行“新一代”系统的建设和强大的数据管理能力，为未来发展打下了坚实基础。我们设计的产品、推出的服务无不从客户的视角换位思考，创新提供优质的金融产品和服务，比如自助机具智能设备，由 1.5 万台增至如今近 10 万台，营业网点近 1.5 万个，我们面对客户先后精简 200 项服务收费项目，并提供许多项与百姓息息相关的基础设施金融服务免费项目，包括针对特殊客户群体和特殊事项提供的免费服务、无偿为民政部门代发社保费、免收小额账户管理费、对农民工异地汇款优惠等，在同业中率先推出自助设备取款可打印钞票号码，网上银行可直接与医院挂号，客户在无卡情况下直接用手机银行存取款等，这些无不体现着用心用情服务客户的探索和创新。

同时，为客户服务不能大包大揽甚至包打天下。银行要成为客户的医生，要善解客户的心结，对症下药，要立足建行实际，落实好新的发展理念，在忠实履行社会责任使命中赢得新商机，在创造服务中扩大和扩展建行的蓝海市场。比如住房租赁这个业务，我们不能搞成重资产。建设银行不能替代房地产商，房地产商未能销售出去或地方政府不让高价出售的时候，可以由建设银行代行出租，所以建行专门搭建了房地产商平台，由房地产商到平台上来为老百姓服务，建行为之配套金融支持服务。我们着力为政府打造平台，为房地产商打造平台，为租户打造平台，为中介机构打造平台，为未来房地产指数打造平台。当建设银行真正带着解决社会痛点的初心，带着研究成果、带着产品、带着服务去营销市场和客户的时候，当我们真正承担起社会责任的时候，社会也会给予我们充分肯定。

（四）突出“严管理”防范金融风险，是金融工作的永恒主题和根本要求

党的十九大报告要求，“要健全金融监管体系，守住不发生系统性金融风险的底线”。习近平总书记在我行成立60周年的重要批示中，提出“加强三个能力建设”，其中的一条就是要进一步提高风险防控的能力。“守住不发生系统性风险的底线”，是习近平新时代中国特色社会主义思想在金融领域的根本要求，是指导银行业改革发展稳定的行动指南，是做好新时代金融工作的永恒主题，也是我们最根本的政治任务和最核心的社会责任。

建设银行多年来的持续稳健发展，得益于我们审慎稳健的风险偏好和不断完善的风险管理体制。要按照习近平总书记“把主动防范化解金融风险放在更加重要的位置”的要求，着力健全纵横覆盖的全方位风险防控机制，持续深化落实“风险管理职责进党委”，压实风控主体责任。

防控和化解风险，既要心中有数，更要手中有方。要正确处理治标与治本的关系，坚持专业专注、回归本源，服从服务于经济社会发展，避免金融“脱实向虚”的自我循环滋生、放大和扩散风险。要下真功夫夯实风险防控的基础，既要塑造资产负债表的健康，更要促进公司治理、内控体系、复杂金融产品交易清算等方面的健康。要充分发挥“新一代”核心系统的创新优势，加强数据挖掘和系统运用，最大限度地降低信息不对称问题。要大力推进风险监控预警平台建设，研究建立风险预警的刚性控制机制，强化潜在风险的有效识别和提前化解，不断夯实风险防控的基层基础。

当前和今后一个时期，我国金融领域仍处于风险易发高发期，同时国际经济金融风险溢出不断增大，经济增长动力不足。一定要强化底线思维，保持忧患意识，既防范到“黑天鹅”，更防范住“灰犀牛”，促进经济和金融良性循环、健康发展。要结合抓基层打基础，切实强化一线员工的合规意识，遏制各种案件滋生。从全行第三季度纪检监察和内控合规通报看，避重就轻、瞒案不报、屡查屡犯、整改不到位等情况仍然存在。最近，中央银行、中国银监会等五部门联合发文，对资管业务存在的多层嵌套、杠杆不清、监管套利、刚性兑付等问题，进一步统一监管标准。对此，我们必须保持清醒头脑，坚持底线思维，以钉钉子的精神，始终坚持合规经营，持之以恒正风肃纪。

三、全面理解、准确把握新时代党的建设总要求，切实把国有银行政治优势转化为发展优势

党的十九大提出了新时代党的建设总要求，对推进全面从严治党作出重大部署。国有大型商业银行是党执政兴国的金融利器和依靠力量，是中国特色社会主义的重要物质基础和政治基础。纵观国有企业的发展历史，实质上就是一部坚持党的领导、加强党的建设的历史。中国银行业改革发展成就证明，只有坚持党的领导，坚持全面从严治党，才能确保金融改革发展保持清醒头脑，不偏离正确方向。当前，决胜全面建成小康社会，夺取新时代中国特色社会主义伟大胜利，国有大型银行肩负着重大历史使命。坚持党对国有大型商业银行的领导，是重大政治原则，必须一以贯之。要始终强化党建引领，强“根”固“魂”，才能把国有大型商业银行独特的政治优势，转化为改革发展的强大活力和综合竞争实力。

（一）加强党的领导，确保改革方向正确

党的十九大报告强调，“中国特色社会主义最本质的特征是中国共产党领导，中国特色社会主义制度的最大优势是中国共产党领导”，要“坚持和加强党的全面领导”，“党政军民学，东西南北中，党是领导一切的。”事实充分证明，只有中国共产党的领导，我们的国家、我们的民族、我们的人民才有今天这样辉煌的成就、幸福的生活。在坚持党的领导这个重大原则问题上，我们必须高度自觉、坚定不移，绝不能有任何含糊和动摇。

要始终强化党建引领，坚决维护以习近平同志为核心的党中央权威，坚决服从党中央的集中统一领导。各级党组织和广大党员干部必须切实增强政治意识、大局意识、核心意识、看齐意识，坚定执行党的政治路线，严守政治纪律和政治规矩，在政治立场、政治方向、政治原则、政治道路上，同以习近平同志为核心的党中央保持高度一致。党的十九大对金融改革开放和防范系统性风险，已经明确了顶层设计，要着力以习近平新时代中国特色社会主义思想武装头脑，坚决贯彻落实中央金融领域重大方针政策、重大改革开放战略及规划，把党的领导融入公司治理各环节，把党的组织内嵌到公司治理结构之中，明确和落实党组织在公司治理结构中的法定地位，做到组织落实、干部到位、职责明确、监督严格，以改革发展成果来检验党组织的工作和战斗力。

（二）突出政治建设，打造政治过硬的干部队伍

习近平总书记在党的十九大报告中指出，要把党的政治建设摆在首位。要突出政治标准，选拔重用牢固树立“四个意识”和“四个自信”、坚决维护中央权威、全面贯彻执行党的理论路线方针政策、忠诚干净担当的干部，这一要求，有鲜明的导向和现实针对性。

一段时期以来，党内忽视政治、淡化政治、削弱政治的现象比较突出，一些同志讲政治的自觉性降低，有的甚至对一些明显的政治问题视而不见、迟钝麻木；更有少数人无视党的政治纪律和政治规矩，大搞拉帮结派、结党营私、任人唯亲、封官许愿等活动。一些党组织政治功能弱化、管党治党责任缺失，在政治上不设防、不把关，让一些政治有问题的人混进领导班子。另外，一些领导干部政治上变质后，变得经济上贪婪、道德上堕落、生活上腐化。有的不信马列信鬼神，不信理想信方术，不敬人民敬“大师”，精神极度空虚，思想消极颓废。因此，政治标准绝不是

可有可无的软性指标，而是对党员领导干部的刚性要求。

好干部是“选”出来的，更是“管”出来的。我们一方面要善于用人所长，最大限度地调动大家的工作积极性、主动性、创造性；另一方面要管好干部队伍，光靠思想教育是不够的，必须靠制度管权管人。银行特殊的行业属性决定了时刻面临天然诱惑，这对各级党员干部提出了比其他行业更高更严的要求。手过千金，不差一分，干银行的就要能过私欲关。

要始终从严监督执纪，把党的纪律和规矩挺在前面，在日常管理上要经常咬耳朵、扯袖子，让党员干部知敬畏、守底线，做到信仰不渝、忠诚不变、党纪不忘、本色不改。要深化运用监督执纪“四种形态”，把“管”和“治”更好地体现在日常，管在“理”上，严在“格”上，坚持抓早抓小、动辄则咎，防止小错酿成大病，充分发挥反面教材作用，建立案例库，深刻剖析近年的典型案例，总结教训。

（三）注重专业能力，格外珍惜尊重人才、用好人才、留住人才

党的十九大报告指出，要建设高素质专业化的干部队伍。专业水平是专业知识、专业思想、专业方法、专业能力、专业精神的综合体现。科学评价干部的专业素养，不能简单只看文凭、看职称，更要注重坚持实践标准，注重创新业绩，在创新实践中尊重人才，在创新事业中用好人才，在创新发展中留住人才。要发自内心地珍重人才，这是用好人才的基础。特别是“一把手”要有宽容度、有心胸，要为金融的现代化留住人才。评价各行的业绩不只看业务 KPI 指标，还要看关键岗位人才流失是否严重。“一把手”要发自内心关心关爱人才，切实解决好问题。另外，抓好培训也是留住人才的好方法，要为一线创造更好的培训机会。

（四）强化基层历练，坚持干部在基层成长、从基层选拔、到基层培养

党的十九大报告强调，要大力发现储备年轻干部，注重在基层一线和困难艰苦的地方培养锻炼年轻干部，源源不断地选拔使用经过实践考验的优秀年轻干部。建设高素质专业化干部队伍，学历文凭和书本知识是基础，实践磨炼和岗位锻炼更为关键。

基层实践是培养锻炼干部的“练兵场”和大舞台。一个干部的成长，的确需要一个历经磨砺的过程。领导干部较高的素质、较强能力的获得，一靠学习，二靠实践。不重视学习的干部，不会有发展潜力；不重视实践锻炼的干部，经不起风浪考验。具有基层实践经历的干部，由于熟悉基层情况，提出的工作建议往往更加贴近实际；由于经常面对复杂多变的基层问题，着手处理实际问题的能力必然得到锻炼提升。

习近平总书记多次强调：“年轻干部多‘墩墩苗’没有什么坏处，把基础搞扎实了，后面的路才能走得更稳更远。”年轻干部基层历练的过程，也是思想成熟的过程、内心丰盈的过程、灵魂升华的过程。古人讲：“物不经磨难，终难成器；人不经切磨，终难高尚。”无数人生成功的事实表明，青年时代，选择吃苦也就选择了收获，选择奉献也就选择了高尚。青年时期多吃点苦，多经历一点摔打考验，有利于走好一生的路。有了勇于吃苦、乐于吃苦的精神，就能在平时工作中，始终保持一种履职尽责的政治觉悟；就能在本职岗位上，始终保持一种知责而为的工作劲头；就能在完成急难险重任务时，始终保持一种知难而进的精神状态；就能在激烈的市场竞争中，始终保持一种大无畏的英雄气概。因此，坚持干部在基层成长、从基层选拔、到基层培养，这种选人用人导向，必须鲜明地树立起来。

要坚持干部在基层成长、从基层选拔、到基层培养，一定要敢于选拔年轻干部、使用年轻干部，越到基层越要敢于用年轻干部。希望各级“一把手”，特别是省市行“一把手”在选拔干部、发现干部上，千万要惜才用人、公平公正。同时要注意“抽苗太快长不粗”，对年轻干部要“墩苗”，要到基层去，尤其是机关的年轻同志。要把这些好的传统、好的价值观传播下去、弘扬开来，保持建行的核心竞争力。

（五）巩固一线阵地，为全行新时代发展奠定坚实基础

一要建强基层党组织，进一步提升凝聚力、战斗力。党的十九大报告强调，要把基层党组织建设成为宣传党的主张、贯彻党的决定、领导基层治理、团结动员群众、推动改革发展的坚强战斗堡垒。新修订的党章也对国有企业基层党组织建设提出了明确要求。强基层必须强支部。基层党组织与员工最贴近，联系最密切，是全行党组织的“神经末梢”，是全行党的全部工作和战斗力的基础，承担着推动党的路线方针政策和党委决策部署落地生根的重要责任，是我们发展的根基。全行目前有20多万名党员，近1.8万个党组织。近三年来，总行党委从党费中共安排投入专项资金3300多万元，用于加强全行党支部活动阵地建设特别是“党员之家”建设。全行各级党委要进一步加强基层党组织建设，切实纠正重业务发展“显绩”，轻党建工作“潜绩”的倾向，坚持机构设置变更与党组织设置调整同谋划、同布置、同管理，做到哪里有员工哪里就有党员，哪里有党员哪里就有党组织，哪里有党组织哪里就有健全的组织生活和党组织作用的充分发挥。要严格落实党的基本组织生活制度。把“三会一课”、民主评议党员、党务公开等制度建设，打造成党员自我净化、自我完善、自我提高的重要平台。

要深入开展“亮党员身份、亮党员承诺、亮服务标准”活动，深入推进“比技能、比作风、比业绩”劳动竞赛，积极争创优质服务品牌、文明示范点、客户满意窗口和优秀服务标兵，让广大党员的先锋模范作用“平常时候看得出来，关键时刻站得出来，危急关头豁得出来”，使党内生活在基层充满活力，在群众中充满感召力、号召力、凝聚力，真正使基层党支部成为教育管理党员的“大熔炉”，成为带动引领群众的“吸铁石”，成为推动全行发展的“桥头堡”。

二要进一步转变作风，坚持资源向一线倾斜。当年王岐山同志到基层搞调研，常常是事先不通知，轻车简从。我们要保持发扬这种好的作风。各级要把联系基层制度切实落到实处。目前，总分行党委都已经建立了基层联系点，总行党委还把联系点的层级由一级分行调整为二级分行和县支行。下一步，全行各级党组织要继续完善和强化这一制度，加强基层调研，注重换位思考，面对面传帮带，现场解剖“麻雀”，查找和解决全行在党建和业务发展方面存在的突出问题和薄弱环节，把“短板”补好，让“长板”更强。要实施更加有效的激励手段，加大对包括政策、人力、物力、财力、薪酬、培训等资源在内的各种资源倾斜基层一线的力度，坚持把工作重心放在基层，把功夫下在基层，坚持人往基层走、钱往基层投、政策向基层倾斜，薪酬往基层提高，合力打通“最后一公里”，服务“最远一家人”，多为基层发展出主意、想办法、谋出路，不断打牢基层基础。

三要着力做好员工思想工作，把心思精力专注到事业上。“员工的心，企业的根”。国有大型银行家大业大员工多，各级党委要贴近基层实际和员工所盼所想，推进思想教育工作进经营一线、进营业网点、进员工心坎。特别是一些不良贷款较多的分行，员工收入减幅较大，大家工作上、心理上都有不小的压力，一些机构员工流失率也比较高。要格外重视思想政治工作，引导大家面临困难和挑战，做到气可鼓不可泄。通过有效的思想工作，把大家的心聚起来，把积极性调动起来，把业务尽快地发展上去。基层的士气如何，是检验各级思想政治工作成效的一个重要标志。各级领导和宣传部门要守土有责、守土负责、守土尽责，多用正能量凝心聚力，多用主旋律攻坚克难，让员工思想上的“满天星”变成精神上的“一团火”，形成一心一意谋发展的强大合力。要注重培养和推广先进典型，用身边人、身边事，教育大家学有榜样、赶有目标。我们曾经宣传过“最美建行人”，这一做法要继续坚持。

四要设身处地为基层解难题、办实事、送温暖。国有大型银行普遍点多线长面广，情况有好有差。调研中也经常发现，有些基层网点至今还没有解决好员工就餐、休息这些基本需求。现在的年轻员工大都是“80后”、“90后”，在家里生活舒适，在单位条件不好就感觉有落差，在这些方面各级要有紧迫感，要有明确的解决措施，努力创造条件加以改进，确保员工工作生活环境得到改善。各级群团部门要发挥优势，不仅加强文体活动建设，还要维护好员工权益，健全重视基层、关爱员工的长效机制，让大家分享建行发展的成果，提升在建行工作的幸福指数。

同志们，党的十九大蓝图已经绘就，新征程号角正在吹响，2017年已到年终岁尾，2018年是我们迈进新时代的开局之年，将迎来改革开放40

周年。我们面临的挑战和困难还很多，肩上担子还很重，一定要不忘初心牢记使命，以永不懈怠的精神状态，一往无前的奋斗姿态，艰苦奋斗、戒骄戒躁的作风，时不我待、只争朝夕，把党的十九大学习成果体现到领导力、执行力上，体现到各项业务发展上，奋力走好新时代的长征路，努力开创建设银行改革发展的崭新局面。

谢谢大家！

建设新时代　谱写新篇章

田国立

（2017 年 11 月 21 日）

党的十九大是在全面建成小康社会决胜阶段、中国特色社会主义进入新时代的关键时期召开的一次十分重要的大会。习近平总书记所作的党的十九大报告气势恢宏、高屋建瓴、催人奋进，展现了以习近平同志为核心的党中央引领新时代中国特色社会主义建设的理论创新和实践创新，是带领全党全国人民迈进新时代、开启新征程、夺取新胜利的政治宣言和行动纲领。

建设银行扎实推动党的十九大精神落地生根，落实到切实履行国有企业政治责任、经济责任和社会责任上来。吃透精神、领悟内涵，原原本本、扎实深入地学习党的十九大报告、新修订的党章和相关文件，全面系统地掌握习近平新时代中国特色社会主义思想，准确透彻地理解新时代、新使命、新思想、新征程的丰富内涵，迅速把思想和行动统一到党的十九大精神上来，迅速在全行形成学习宣传贯彻党的十九大精神的浓厚热烈氛围和昂扬向上状态。

建设银行将积极发挥国有商业银行独特政治优势，时刻不忘初心、牢记使命，坚持和加强新时期国有金融企业党的建设和党的领导，旗帜鲜明讲政治，自觉在思想上、政治上、行动上向以习近平同志为核心的党中央看齐，自觉在改革发展各项工作中落实好中央经济金融方针政策。要把党的领导全面深度融入公司治理和经营管理之中，更鲜明、更有力地发挥国有金融企业党组织的领导核心和政治核心作用，将党建独特优势不断转化为国有商业银行改革发展和市场竞争优势。

按照党的十九大报告中“加快建立多主体供给、多渠道保障、租购并举的住房制度”有关精神，建设银行迅速行动，深入研究，周密部署，凭借 30 余年在住房市场的深厚沉淀和住房金融服务的独特优势，从住房供给侧发力，主动探索多渠道、市场化手段发展住房租赁业务的新模式，积极向社会传导新时代住房理念，为客户提供更多、更好的住房租赁金融服务，在广东佛山、深圳等住房租赁试点城市陆续推出综合金融解决方案，在住房租赁市场迈出了坚实的一步。

党的十九大报告提出必须坚持质量第一、效益优先，以供给侧结构性改革为主线，推动经济发展质量变革、效率变革、动力变革，提高全要素生产率。金融行业要从体制、机制、流程、服务等多个维度统筹推动银行深化改革，优化金融资源配置，着力提升与实体经济、科技创新协同发展的现代金融资源配置能力，着力打造与互联网、大数据、人工智能深度融合的金融综合服务能力，以全面激发金融要素活力，提升全要素生产率，促进我国从金融大国向金融强国迈进。建设银行着重从基础设施建设、生态文明建设、“三农”经济发展、产业转型升级等领域深耕细作、开拓创新，积极主动履行国有大行职责，把服务国家战略、支持实体经济发展放在首要位置，不断激发新的动能和活力，为实体经济转型升级提供了强大的推动力。建设银行将继续发挥在基建服务领域的传统优势，加大基础设施领域投入，助力重大战略和重点项目落地生根。

未来，建设银行将紧紧围绕建设现代化经济体系的战略目标，坚持回归本源、植根实体，不忘初心、牢记使命，主动承担起国有大行应尽的社会责任，更加主动精准地服务中央大政方针和国家发展战略，认清新时代社会的主要矛盾变化，努力用金融手段和力量推动解决发展不平衡不充分问题，解决社会难点痛点问题，助力供给侧结构性改革，完成好新时代赋予的新任务新使命，以习近平新时代中国特色社会主义思想为指引谱写金融改革发展的新篇章。

勇于竞争　加快发展 为综合性银行集团建设作贡献

——在中国建设银行子公司工作会议上的讲话

王洪章

（2017 年 1 月 9 日）

同志们：

按照总行党委的决定，今天我们召开中国建设银行子公司工作会议，这在建设银行历史上还是第一次。今天与会的包括总行党委委员、高管，各分行分管母子公司协同的副行长，总行有关部门主要负责同志，充分体现了全行对子公司发展和子公司工作的重视，以及对子公司加快发展所寄予的厚望。这次会议非常重要，党委确定的会议主要任务是贯彻中央经济工作会议和全国国有企业党的建设工作会议精神，落实全行转型发展规划的要求，部署子公司提质增效、加快发展的相关工作。总行起草了《关于促进子公司提质增效加快发展的指导意见》，提交这次会议进行讨论。祖继行长将布置推动子公司加快发展和体制机制建设的具体任务。总结的时候，克鹏同志还将对子公司 2017 年的经营计划和重点工作提出具体要求。会议的内容是丰富的，会议的主题是清楚的，会议的任务也是非常繁重的。我首先代表总行党委讲几点意见。

一、综合化经营架构基本形成、初见成效

自股改上市以来，我行积极探索推进综合化经营。2011 年，建设银行制定了“十二五”规划，明确提出“完善综合化经营平台，成为功能齐全、领先同业的综合金融服务提供商”。建设银行转型发展规划提出五个转型，其中之一是综合性转型，这并不仅仅是 2012 年提出来的，建设银行党委、董事会在制定“十二五”规划的时候就提出要打造综合性的经营平台，而且要成为功能齐全、领先同业的综合金融服务商。党的十八大以来，我行深度谋划，紧紧把握国际大型商业银行的发展趋势，以综合性经营为重要目标，率先提出转型发展，在已具备综合性经营和业务牌照初步优势的基础上，继续扩大牌照优势，并发展到目前综合性经营牌照的领先地位。实践证明，正是由于抓住了综合化发展的机遇，并抓紧推广经营管理、营销服务、运营考核的综合化，我们子公司的业务实现了快速增长，建设银行集团的客户服务能力、市场竞争能力、经营管理能力、业绩表现能力得到大幅度的提升，为集团的转型作出了重要的贡献。

（一）战略转型强力推进，综合性经营已经成型

综合性金融平台建设是大型商业银行适应经济多元化、企业需求多样化的必然选择。我行在综合化经营战略上暂为人先，下了“先手棋”。我行的“十二五”规划就提出，要夯实客户服务

综合化的基础，从传统存贷汇业务为主向融资融智并重、提供综合金融解决方案转变。2012 年，我行又进一步总结提升，提出“综合性、多功能、集约化”的战略定位，并将综合化放在转型发展的首要位置强力推进。截至 2017 年 1 月，我行的非银行金融牌照覆盖了基金、租赁、信托、寿险、财险、住房储蓄、投行（境外）、期货、养老金管理和造价咨询十大行业，牌照的种类远远领先同业，在四大商业银行中独家拥有信托、养老金管理、造价咨询、住房储蓄牌照；更重要的是，运用这些牌照，已经建立起了综合性银行集团的框架，健全了银行的服务功能，提升了客户的黏性，为坚持“以客户为中心”，坚持提升服务实体经济能力，全面建设最具价值创造力的现代商业银行集团打下了坚实基础。综合性银行集团建设的推进，有利于形成盈利多元化、风险分散化的集团经营架构，实现长期持续健康的业务增长和价值创造能力的提升。

“十二五”规划对我行综合性平台的建设、子公司的发展和指标提出了明确要求，要求子公司到 2015 年资产和净利润复合增长 25% 以上。2012 年以来，总行要求子公司加快转型发展，以适应经济新常态对银行业的挑战，适应集团战略转型的迫切需要。总行“CCB2020”转型规划提出，子公司金融资产规模占比达到 6% 以上，复合增速 28.3% 以上，增速要高于集团水平。从到 2016 年末执行情况看，子公司的金融资产达 3.04 万亿元、比 2012 年增长了 4 倍、复合增速为 51.55%，净利润达 53.6 亿元，增长了 3 倍，复合增速达 39.4%，均超过了“十二五”规划和“CCB2020”转型规划提出的目标。实践证明，总行党委和董事会的决策是正确的，子公司经营的成绩是突出的，建设银行在转型发展上抢占了先发优势，赢得了战略主动。

（二）初步搭建经营管理综合体系，战略协同效应逐步显现

经营的综合性是对集团经营管理水平的一个重要考验。2012 年以来，我行在综合性转型的基础上，积极推进大资产大负债管理，着力增强非银行子公司的发展能力，探索建立多渠道、多产品、多条线、多部门的综合定价、综合核算和综合考核机制，初步搭建了经营管理综合体系。综合定价有利于客户与银行寻求价值比对，综合考量价值创造能力，增强子公司与集团的战略协同能力。综合核算提升了集团的营运水平，成本控制和利润增长在集团与子公司之间更加科学合理。综合考核机制建设进一步调动了子公司和集团的有关方面业务开拓的积极性，提升了子公司的市场竞争能力。母子公司协同机制不断深化，将子公司综合投融资、代销子公司产品纳入集团大资产大负债经营计划，母子公司联动纳入一级分行的 KPI 考核。总行业务条线、分行与子公司深化协同，2012 年以来，母行向子公司推荐的客户、代销的子公司产品、资产管理协同合作等业务联动总量年均增长 33%，2016 年全年超过 1.3 万亿元。

推进战略转型是全行经营管理的重要任务，已经成为全行加快业务发展、提升客户服务能力的重要抓手。各分行在转型发展中，主动联手子公司开展综合营销，在基础设施建设、PPP 基金、产业基金、国企改革、新型城镇化、绿色能源等方面合作项目接近 300 个，通过子公司运用信托、租赁、IPO、债券承销等方式，为实体经济提供综合投融资余额超过 7500 亿元，2016 年当年新增约 1900 亿元，有 18 家分行通过子公司为客户提供的投融资额超过其对公贷款余额的新增，有力地支持了分行维护客户。

子公司成为我行零售业务金融生态系统建设的有机组成部分，母行销售 7 家子公司产品达到 200 余种。在满足大众客户投资理财、高净值客户财富传承、中低收入人群住房需求等方面发挥了重要的作用。母行与子公司建立了高效联动机制，定期沟通需求；确立了优先优惠机制，力推子公司产品销售；协同开展创新，推出了多个产品线；对接了多个系统，实现母行与子公司的无缝连接。

在资产管理方面，子公司充分发挥资产管理专业机构的优势，主动争取集团密切配合，优势互补，构建集团内跨市场、跨产品的多元化资产管理能力和大资产、大负债的良性循环，促进母子公司取得双赢。

（三）坚持市场化方向，优化子公司管理的顶层设计

按照中央关于国有企业改革发展的新要求，

总行修订了《中国建设银行子公司管理办法》，进一步明确了子公司市场化改革与经营的方向，子公司在集团框架下具有独立法人地位，集团强化对子公司党的建设、风险管理、合规管理以及严格履职考核等管理职责。支持并推动子公司建立完善市场化经营与运行机制，完善治理结构、落实董事会的决策权、建立职业经理人制度、强化绩效考核，成为自主经营、自我约束、自我发展的市场竞争主体。以配齐配强配好“一把手”为重点，调整优化子公司的领导人员；各子公司积极推进高管人员市场化招聘，6家子公司通过市场化方式招聘了19名高管人员，平均年龄下降到44.9岁，硕士及以上学历12名，市场化改革逐步深入。精简股东管理事项，扩大对子公司董事会的授权。切实履行集团对子公司的股东管理职责，建立专职董监事制度，进一步规范了公司治理机制。改进财务资源配置规则，建立差别化的工效挂钩机制。完善子公司KPI考核，引导子公司实现与母行地位基本相称，提升对集团的价值贡献。同时，建立多层次的战略协同机制，支持母子公司之间的业务联动，试点推进集团后台的集约建设，这些都为子公司持续健康发展奠定了良好的制度基础。

（四）子公司经营业绩增长强劲，竞争力显著提升

2012年以来，尽管国内经济下行压力增大，但子公司各项指标逆势而上，成绩喜人。子公司的资产、利润、各项业务的增长不仅远远快于本行，而且明显快于所在行业的平均水平，逐步成为我行业务和利润增长的新亮点。业务规模上，子公司金融资产（含表内资产和受托管理资产）的规模占集团资产总量的15%，净利润占集团净利润的2%，整体的ROE基本每年提升一个百分点，2016年末达到10.91%。子公司在快速发展的同时，也保持了较好的资产质量，整体不良率低于0.5%。

各公司市场位次、竞争力显著提升。2016年末，建信信托信托资产规模名列行业第二（共68家公司）；建银国际IPO项目承销金额（全球协调人角色）名列中资银行系投行第一（共12家公司）；建信基金公募基金规模名列行业第六（共107家公司）；建信租赁租赁资产新增额名列行业第三（共47家公司）；建信人寿原保费收入由收购时第四十位跃升至第十一位（共76家公司）；建信期货客户权益排名由收购时的第一百零八位跃升至第十九位（预估，共150家公司）。中德银行战略转型加快推进，建信养老金在机构组建、管理过渡、业务起步发展方面也取得了较大成绩，建信财险、建信咨询的开业、组建等工作也顺利起步。

在当前国内外经济下行压力加大、国际经济金融形势异常复杂多变、传统商业银行业务比较困难的情况下，子公司业绩增长是强劲的，而且增长速度远远高于同业，应该说这些成绩来之不易，子公司功不可没。各子公司领导班子、全体干部员工以及集团各条线、各部门、各分行为此同心协力，付出了巨大的努力。在此，我代表总行党委、董事会，向大家表示衷心的感谢！

在肯定成绩的同时，也应该清醒地看到我们还存在一些问题和不足，子公司无论是业务规模还是利润贡献都还有很大增长空间，对照领先同业和集团的转型要求也还有相当大的差距。差距不能抹杀我们已经取得的骄人业绩，但是存在的问题提出来，有利于全行更加重视这些问题，可以通过子公司自身的努力、集团的战略协同、各个分行的积极支持，使这些问题得到很好的解决。

一是集团体制机制建设还有待完善。与综合性经营平台相适应的大资产大负债管理尚未实现机制化和制度化。目前，我们对银行业务和子公司业务的管理基本是分开的，还没有构建起清晰的集团一体化的经营管理架构，管理方法还比较简单，对不同行业运作规律的理解、彼此风险关联性的分析、集团政策的协调一致性等方面还有待改进。子公司对母行客户的渗透率偏低。目前，我行100位个人有效客户中仅有2.63个客户使用子公司产品，100个公司机构有效客户中仅有2.18个客户使用子公司产品。对比先进同业，有的保险集团2015年各子公司之间的客户迁徙达1235万人次，我行迁徙至子公司的客户仅为375万户。近期，股权部专门组织一个专家小组去做了调研，与一体化做得比较好的金融集团相比，我们的母子公司在战略协同、客户的迁徙数量、增强客户黏性等方面，还存在较大差距。客户迁徙数据反映出建行的客户资源还远远没有被充分挖掘，也说明母子公司协同机制建设还不能适应综合化经营的需要。如何利用考核政策调动各方面的积极性，如何完善市场化的利益分享机制，如何深化集团集约运营及大数据挖掘，在这些方面都需要进一步完善机制建设。

二是子公司市场化程度相对较低，市场竞争力不足。与行业领先公司相比，我们子公司还缺乏拳头产品，对市场热点的响应还不够及时，对客户需求的把握还需要加强。总行提出要从存贷款管理大行向存贷管理和资产管理并重大行转型，子公司在资产管理和相应的产品服务方面有明显的行业和功能优势，应当在集团转型中承担更大的责任。但总的来说，子公司目前资产管理业务结构不够合理，类存款、类信贷、通道性业务占比高，高附加值、低资本占用以及中间业务收入占比较低。

子公司内部体制机制不够市场化。公司治理机制还有待进一步完善，董事会作用还有待进一步发挥。有的子公司董事会将决策的权限向管理层一转了之，没有体现出董事会的决策能力和担当职责。另外，部分子公司内部管理中存在着“机关化”倾向，市场化选人用人机制的建立、执行还不到位。

三是部分关键指标表现不够理想，内部考核和激励约束力度还远远不够。各子公司体量上去了，发展速度上去了，但盈利能力还没有跟上，净利润、资本回报率的行业位次普遍较低，部分子公司的资本回报率还低于行业的平均水平。2015年四大行比较，我行子公司的增速指标，包括资产增速、利润增速、资本回报率提升，都是四大行第一，但盈利类指标绝对值，包括净利润和资本回报率，都排在第三及以后。子公司内部考核激励约束还偏松偏弱，激励多、约束少，压力传导不足，经营活力还有待进一步释放。

我们在制定《中国建设银行子公司管理办法》和建设银行战略转型规划的时候提出，到2020年子公司的综合指标和主要的核心指标要与集团地位相匹配，现在看差距还是不小。比如资本回报率指标，除建信信托2016年资本回报率达到15%外，其他重资产类子公司的资本回报率都很低。子公司资本消耗高，总行投入的资本得不到相应的回报，就会拉低建行的资本回报率水平。建设银行现在已经进入全球系统性重要银行的第一个档次，如果再提到第二档，资本要求还会更高。子公司资本回报率水平如果长期偏低，集团将很难再拿出资本支持子公司的发展，对此子公司一定要有清醒的认识。最近几年我行子公司确实发展很快，几个子公司当年的增长额都很高，但是成本收入比反而不低，在同业当中都算高的。同业有的公司成立时间与我们同类子公司成立的时间是一样的，但是在一些核心指标上，我们的子公司与同业比差距还是很大。如果这些指标得不到有效的改善，子公司的发展后劲，集团支持子公司的动力，对子公司战略资源的倾斜配置，可能会受到影响。

总结分析综合化经营的成绩和不足，就是要坚持问题导向和目标导向，立足综合化经营先发优势，推动尽快提升竞争能力，进一步释放活力，提质增效，加快发展，将我行综合性牌照优势真正转化为集团综合银行集团的功能优势、服务优势和竞争优势。

二、新常态下加快推进综合性经营的紧迫性

古人讲，“善弈者，谋势；不善弈者，谋子”。准确把握宏观经济金融和政策大势是国有商业银行发展制胜的法宝。党的十八大以来，党中央统筹推进“五位一体”总体布局和协调推进“四个全面”的战略布局，确立了适应经济发展新常态的经济政策框架，“十三五”阶段仍是重要的战略机遇期。中央经济工作会议指出2016年实现了“十三五”良好开局，2017年要继续坚持稳中求进经济工作总基调，坚持供给侧结构性改革和结构性调整为主线，全面做好稳增长、促改革、调结构、惠民生、防风险的各项任务，以优异成绩迎接党的十九大胜利召开。全行和子公司的各项工作、转型发展和业务经营的着眼点都要紧紧围绕党中央的决策部署来开展，综合性经营的转型发展也要在识大局、谋大势的基础上作出判断。

（一）因时而动，把握经济转型和产业结构调整的有利时机

习近平总书记讲“机遇抓住了就是机遇，抓不住就是挑战”。准确研判新形势，是抓住发展

机遇的前提。从国际形势看，2017 年主要经济体将保持调整分化的走势。美国经济有望复苏，当然也面临特朗普上台带来的一些不确定性。欧元区和日本将维持低增长，像日本的低增长，已经延续了将近 20 年时间。新兴市场国家增速较快，但不可预见因素仍然较多。从国内形势看，中国经济正在处于速度换挡节点、结构调整节点、动力转换节点，供给侧结构性改革将深刻影响金融业的发展，既倒逼着银行改变原有的发展模式，更为银行的转型发展提供了有利的时机。而综合化子公司正是银行捕捉市场机遇，满足客户需求，服务实体经济，助力经济结构转型升级的重要利器，子公司加快发展正当其时。

“三去一降一补”，着力振兴实体经济，降低企业杠杆率，国有企业混合所有制改革，都迫切需要优化金融的供给结构，提供多元化的金融支持。各类融资主体将更多希望提高股权融资占比、改善资产负债结构，也催生了财务顾问、投资咨询、产业基金等大量的新型金融服务需求。在这些方面，租赁、基金、信托、保险、养老、投行等子公司业务将有广阔的发展空间。

近年来中国经济结构发生了明显变化，消费已经成为经济增长的第一动力，2016 年前三个季度消费对 GDP 贡献率为 71%。社会财富快速增长，据统计个人客户可投资金融资产已达 113 万亿元，同比增长 24%。人口结构发生变化，60 岁以上老年人数量已超过 2 亿人，突破总人口的 15%，同时“80 后”及“90 后”客户成为社会消费主体，消费习惯和消费场景都出现很大变化。消费、居民财富以及人口结构的变化与零售业务密切相关，为个人客户服务的各项业务将更多地享受经济结构调整红利，基金、保险、养老金管理、信托、住房储蓄等业务正处于黄金发展期。关键是我们如何去应对、如何去研究、如何去评判、如何去采取措施，并且把它落实到位。

（二）顺势而为，抢占金融格局调整的战略高地

经济“新常态”下，金融业的格局正在发生变化。银行面临着利差收窄、存款分流、信贷融资吸引力下降、资产配置困难等发展问题，传统银行业务增长困难。而非银行金融行业正处于快速增长期。在任何一次金融危机即将到来、已经到来或者正在承受金融危机痛苦的时候，大家都在审视的一个重要问题，就是能不能发现一些新的领域，找到新的市场，采取新的策略，带动利润的增长。从制定“十二五”规划，到 2012 年的战略定位，再到制定转型发展规划，我们都在做这种选择，都在审视这些问题。在金融危机以后，我们预见到监管对大型银行的资本运营及合规方面的要求将日趋严格，如果继续只在存贷汇等传统银行业务方面发展，我们在竞争中肯定会落后，而且会把建行这样一个国有大型商业银行带到死胡同。从 2008 年以来，特别是 2012 年以来，我们不断地进行研究，不断地进行评判，提出了转型发展的目标和要求，这不是心血来潮。从实际情况看，过去五年信托、租赁、基金、保险行业年均复合增速分别达到 36%、32%、40%、25%，远远快于银行业（14%）。实践证明，我们这种选择是正确的，转型也是及时的，新的领域、新的市场确实给我们带来了新的利润，带来了新的业务增长，带来了新的客户，更给建设银行带来了无穷的活力。

另外，综合服务能力将是新常态下衡量金融机构经营水平的核心，同业已普遍把综合化经营作为转型发展的重点领域。据统计，截至 2016 年末已有 17 家银行拥有基金牌照，22 家银行拥有租赁牌照，7 家银行拥有保险牌照，9 家银行拥有境外投行牌照，4 家银行拥有信托牌照。同时金融行业的壁垒逐步被打破，已经有一些产业资本、互联网企业完成了金融全牌照布局，金融业的综合竞争压力不断加剧，我们面临的形势是严峻的。这就是为什么我们从 2012 年开始强烈地推进综合化、集约化，加大对子公司的支持力度和资源配置力度，不断调整对子公司支持的方式、方法，强力推进子公司的市场化改革。不做这些调整，不做这些改革，不积极推进，我们走不到前面，肯定就会落后。我行在综合化经营牌照上已经占据领先地位，但是各类金融机构、产业资本的综合型经营态势风起云涌，对此要有危机感，拿到牌照不见得做得好，做得好不见得做得优。综合化经营如果不激流勇进、加快发展，在新一轮的竞争中就可能要落后。“聪者听于无声，明者见于未形”，我们已经下了先手棋，更要顺势而为，进一步打好主动仗，抢占全行未来发展的战略高地。

（三）改革创新，激发持续发展的内在动力

党中央将创新作为中国五大发展理念之首，强调“必须把创新摆在国家发展全局的核心位置”。近年来，全行创新工作取得很大成效，推出了“龙支付”等一批创新产品和服务，未来要进一步将综合性经营作为我行打造“创新型银行、智慧型银行”的重要落脚点和驱动力。各子公司要把创新驱动作为提升市场竞争力的重点，在产品设计、流程再造、服务提升等方面打造创新优势，依托专业优势，为集团客户不断配置“时令”产品，提升每个客户的产品覆盖度。

子公司专业性强，也为新科技的应用创造了良好的条件。当前，新技术、新产业、新业态、新模式不断涌现，云计算、区块链、人工智能等新技术与金融业不断融合，金融科技成为金融业新的热点和趋势。各子公司要加强组织研究和推动创新工作，应用各种科技也可以更有效、更大幅度降低成本、提高效益，进一步提升子公司市场竞争能力。子公司专业化程度高，产品相对比较集中，有利于更多、更好、更快地使用金融科技、使用互联网技术。子公司不可能像建行一样设置众多的网点，子公司需要依托建设银行的网点销售产品，但销售方式、营销模式，以及子公司产品的推出，要注重使用线上技术，在提升效率的同时，减少案件、控制风险、降低成本。

集团要配合子公司做好创新工作。单一企业已经不再具备系统性的竞争力，企业的竞争将演变为生态圈之间的竞争。从构建生态系统的产业链角度，银行要有效整合集团多牌照优势，最大化地记录客户的行为轨迹，描绘全视角的客户画像信息，进而为我们的客户群、客户链提供他们生产经营或者生活场景中所需要的各种金融服务。这其中，综合性、多功能的金融服务是基础，通过金融服务与信息科技深度融合，整合和再造银行与客户的关系，构建更符合未来客户行为习惯的银行业务模式，为我行持续发展夯实基础。

（四）落实落地，子公司与集团发展共赢

当前，全行转型发展棋至中盘，正处于关键阶段。转型发展是全局性、系统性工程，在推动方式上要逐级逐层推动，条线整体联动，重要转型难点要以点带面，抓住重点，迅速突破。多功能、集约化、智慧型、创新型银行，最终实现以客户为中心，体现在客户端的是实现综合化的金融服务，需要银行功能和非银行功能，包括泛金融功能形成协同效应，这才是建设银行转型发展的出发点和指导思想。

加快子公司发展，一是子公司要积极参与市场竞争，二是集团也要加强战略协同，要发挥好子公司和集团两个积极性。在这里我主要强调各分支行、境外机构要重视和发挥子公司的作用，积极争取子公司的支持。子公司和分支行、海外机构配合得怎么样，直接关系到建设银行整体竞争能力。只有子公司发展壮大了，母子公司协同联动融为一体，集团的综合化转型才能落到实处，才能真正成功。在子公司转型发展上，我们已经打下很好的基础，具备了向更高层次跨越的条件。古人讲，“不谋全局者，不足谋一域”。希望总分行和子公司增强使命感和责任感，在集团转型发展中共同谋划，站到集团转型发展的第一线，争做集团转型发展的“排头兵”。

三、关于子公司加快发展、实现建设银行转型发展的几个问题

（一）服务大局，支持实体经济转型升级

要深刻理解金融与实体经济共生共荣的关系，实体经济是金融发展的根基，脱离实体经济的支撑，金融就会成为无源之水、无本之木；金融则是实体经济的血脉，没有金融“血液”的滋养，实体经济就会死气沉沉、了无生机。在国内经济面临下行压力、存在结构性失衡的形势下，贯彻落实党和国家关于供给侧结构性改革的各项部署，推动实体经济转型升级，是国有大型商业银行义不容辞的责任和担当。在这个过程中，我们的子公司完全可以大有作为。要认真领会、坚决贯彻中央经济工作会议精神，把握中央对金融服务实体经济提出的新要求，资产配置和资金投向要避免“脱实向虚”；加强对重点领域、重点区域的商机挖掘，持续推进金融服务创新，在支持供给侧结构性改革和实体经济振兴的过程中，实现子公司的快速健康发展。

围绕推进供给侧结构性改革的主线，精准发力，不断提升为实体经济服务的效率和质量。主动对接“十三五”规划、“四大板块”战略、“三

大支撑带”建设，充分发挥子公司的牌照和功能优势，强化母子公司综合营销、综合服务，提供跨市场、跨机构、跨币种的综合化金融服务方案，积极支持国家重大战略实施和重点工程项目建设。围绕“三去一降一补”五大任务，深化母子公司协同联动，我行的市场化债转股已经初步蹚出了一条路子，并得到中央有关部门的认可，现在正在向纵深迈进。资产证券化也取得初步成效。通过市场化债转股、资产证券化等方式，腾挪和盘活存量资源，为企业去杠杆提供支持。同时把握好增量机会，通过融资租赁、信托资金、保险资金、债券承销、股权投资等形式，为企业降成本、去杠杆提供更加灵活多样的金融服务选择。针对加快产业结构转型升级、深化国企改革等重点部署，创新产品服务，积极争取并购重组、产业基金、财务顾问等新兴业务机会，促进新动能发展壮大，传统动能焕发生机。顺应企业和客户“走出去”、人民币国际化的趋势，逐步将服务范围向海外延伸，加大对高净值个人客户、企业客户的投融资服务支持，构建覆盖境内外、本外币、多功能的一体化服务链条。这些新的经济现象和经济发展中的新要求，为子公司服务实体经济展示了广阔空间。

（二）加快发展，做强做优做大子公司

坚持子公司在集团中的综合性战略转型地位不动摇。综合化子公司是建行集团的重要组成部分，是我行向综合性银行集团转型、满足客户多元化需求、打造综合化服务能力的关键支撑。子公司的发展水平，关系到全行综合化转型的成败。要贯彻落实中央关于国有企业深化改革的要求，加快推动子公司做强做优做大，进一步夯实子公司在集团中的战略基础地位。

全行转型发展规划已经明确了对子公司的发展要求，就是要实现与母行的市场地位基本相称，提升市场竞争力和集团贡献度。为什么要求子公司与母行的市场地位相匹配？第一，作为集团产品线的延伸，子公司的规模和效益如果不达到一定水平，市场地位长期落后，就难以与母行形成有效的互补和互动，更谈不上支持集团的综合化转型。第二，背靠建行这棵大树，子公司与行业其他公司相比，在客户、渠道、人才等方面享有得天独厚的优势，完全能够也应该在合理的时间内跻身行业一流。第三，当前和今后一个时期，传统银行业务的利润持续增长面临较大的困难，需要非银行金融业务尽快成为集团业务发展和盈利增长的新动力。子公司领导班子要从集团转型发展的大局出发，去理解和落实总行对子公司的发展要求；要有“舍我其谁”的雄心抱负，以打造金字招牌、成为行业翘楚为己任，实现快速健康发展；要增强使命感和责任感，不能满足于小富即安，把更多精力放在加快发展、提质增效，切实提升盈利能力，为集团的效益增长多作贡献。近年来增速较快的子公司，要保持良好的增长势头不懈怠；发展相对缓慢的公司要积极调整业务模式、产品结构，加快转型发展；新设立的子公司要增强经营意识、成本效益意识，尽快明确发展目标和实现路径。

要正确处理母子公司间的关系。一方面，母子公司共同构成建行集团，要充分发挥战略协同效应，实现综合化经营、一体化发展。要通过进一步深化母子公司协同联动机制，促进集团成员之间的功能整合、优势互补、信息互通、资源共享，加快建立前台立体协同、中台统筹协调、后台高度集约的集团一体化经营管理架构，实现集团战略目标的一体化、企业文化的一体化和综合金融服务的一体化。另一方面，母子公司是两个不同的法人，双方的业务经营关系要符合市场化原则。市场化有两层含义，第一层是指按照市场化规则确定交易价格和付费标准。过去集团对子公司提供的一些服务资源，有的时候是不收费的，今后要按照市场化原则和加快子公司发展的要求，确定交易价格和付费标准。除集团主动检查外，母子公司的各项业务往来、服务提供、资源共享、审计服务，都要按照市场公允价格定价和收费。这既是公司治理结构和关联交易的要求，也是真实反映子公司经营成本的需要。第二层是指市场化发展能力。子公司要正确处理母行支持与自主发展的关系，在借助母行优势的同时，不断提升自我发展能力，着力打造市场竞争能力，努力在规模、效益、客户基础、服务能力等各方面成为行业领先者。

（三）落实子公司办法，优化公司治理结构

2016 年，总行修订下发了《中国建设银行子公司管理办法》，明确提出要健全子公司市场化运作机制，使之成为自主经营、自我约束、自我发展的市场主体。对子公司办法要理解好、落实好、执行好。

母子公司均为法人，在法人责任和义务上具有法律和监管规定的相同点，集团不能越俎代庖。集团对子公司管理，主要体现在维持股东权利和义务，重大案件处理和风险管控，不干预日常经营活动以及应由子公司管理事项。集团和子公司均严格按照《中国建设银行子公司管理办法》的相关规定，实施管理，履行职责，承担义务。

增强子公司自我管理能力，激发子公司的内生动力，重点在于发挥法人治理机制的作用。总行首先要松绑放权。总行的定位是股东，在日常经营工作上不是上级主管部门，要做到“放管结合”，管住党的建设和涉及股东利益、集团发展的重大事项，其余的事情尽可能授权给子公司董事会，落实董事会对高管层选聘、考核奖惩、薪酬分配、重大投资等事项的决策权。要改进管理方式，尽量减少事前审批事项。清晰划分母子公司权责边界，总行干预子公司日常经营，管不了也管不好，出了问题还责任不清。只有总行该放的权放了，子公司董事会才能真正承担起经营管理的最终责任。总行要重点研究如何改进和优化子公司的公司治理，特别是子公司董事会的议事、决策是否切实有效，以及如何激励、督促董事尽职履责。

要落实子公司董事会对重大决策的主体责任。在法人治理结构中，董事会要切实承担起公司各项重大决策的主体责任，成为公司的决策中心、指挥枢纽，其核心职能是“定战略、管人员、评绩效、防风险”。要做到这一点，董事长是关键，董事长应当在子公司经营方向、战略实施、经营规划、业绩考核、风险防控、合规管理等方面承担第一责任。重点要配强董事长，董事长要认真履职，勇于担当，本着对集团、对子公司负责的态度，管好机构、带好队伍、勇创佳绩。子公司的各位董事要增强责任和担当意识，投入足够的时间和精力，主动履职、专业履职；重大事项决策、重大项目审批，不能只看书面报告，甚至不看报告就决策，要有亲身调研、周密论证和独立判断，不能人云亦云。董事履职也绝不仅仅是投票而已，要参与到发展战略制定、激励机制设计、风控体系建立的过程中；加强与管理层的沟通协调，形成合作紧密、制衡有效的良性互动关系；加强对公司治理、行业发展趋势的研究，提高决策质量。独立董事要根据专业特长有不同的分工和工作侧重，提高能力和水平，提升监督决策效率。子公司、总行部门也要积极地为董事履职提供信息支持、专业支持。

充分发挥专职董监事的作用。子公司专职董监事是贯彻总行战略意图、落实集团管理要求的重要保障。要充分发挥各自的经验和特长，履行作为股东代表的责任，维护股东权益，承担股东义务。为公司发展建好言、献好策、把好关；要成为总行和子公司之间的桥梁和纽带，在确保子公司重大决策符合母行战略和利益的同时，把握集团要求与子公司需求的合理平衡；要加强沟通交流，对子公司重大事项，如重大战略、风险合规案件等事项，以及经营管理中出现的重大问题，要及时向总行汇报。董监事还要在日常工作中与总行部门定期沟通，了解掌握集团发展的最新动向、对子公司的政策要求、总行对子公司的发展要求等，并及时通过子公司董事会或通过董事长进行沟通和协调。集团对子公司的一些要求，除了下达指标外，要尽可能通过我们委派的执行与非执行董事，向子公司董事会传导和渗透。委派董监事内部要建立定期会商制度，对子公司的重大经营管理事项展开讨论、交流意见、形成共识。

我们在2016年实行了专职的董监事派出制度，对建行的子公司管理来讲，这是一个全新的制度。实行不到一年时间，效果还是不错的。我们抽调的都是政治性强、原则性强、业务熟悉、素质高，在建设银行工作时间很长，有丰富的管理和专业经验的同志担任专职董监事。推行这个制度，就是要求专职董监事代表股东行使职责，代表股东进行监督，代表股东履行对子公司的管理职责。我们和子公司是两个法人关系，不能像管部门、管分行那样去管子公司。通过派出股东代表进入董事会，参与决策，传达集团对子公司的要求、指示、理念，可以让效率更高、效果更好。专职董监事由股权部管理，股权部要代表总行统一向专职董监事讲解集团对子公司的年度要求及中长期规划要求，更准确地传达集团对子公司的发展战略要求。总行资债部、财会部、授信部、风险部等部门，要跟董监事沟通、协调、讲解各项经营指标、管理权限，更准确地传导总行对子公司经营管理业绩的要求。股权部要定期召开专职董监事会议，听取董监事对所在公司经营、管理、风险和重大情况的汇报，并及时向总行报告。专职董监事一定要认识到机制调整的目的和指导思想，希望你们更好地发挥作用。

（四）加强子公司的风险合规建设

对金融机构而言，防范金融风险，维护金融稳定是最根本、最核心的社会责任。当前对子公司来讲，维系健康发展最根本的一条是注意防范和及时化解风险，要建立与子公司业务相适应的风险体制和风险团队，要注意及时分析和预判各类风险对子公司经营可能带来的侵蚀和影响，严守风险底线。作为建行的子公司，要传承和发扬建行稳健经营、合规经营的理念，防范违规经营，成为经营管理的“稳定器”，不做违规违纪的“助推器”。建设银行要打造百年老店，首先要讲规则、守规矩，严格遵守各项法律法规、行业监管规则。总行在风险、内控、审计等方面要加强对子公司的监督和指导，确保集团政策协调、整体风险可控。

（五）坚持党建统领，发挥政治优势

切实加强子公司党的建设。学习贯彻党的十八届六中全会精神和全国国有企业党的建设工作会议精神，对子公司而言，就是要毫不动摇地坚持党的领导，加强党的建设，把党的政治优势、思想优势和组织优势不断转化为公司治理优势、科学管理优势和市场竞争优势，把从严治党转化为做强、做优、做大的动力和活力。要认真执行中央有关规定，落实总行有关加强和改进子公司党建工作的有关文件要求，依照党章党规开展工作，要将加强党的领导内容明确纳入公司章程。子公司领导干部要落实“一岗双责”，既要对业务发展负责，也要对党建负责。符合条件的子公司，可结合实际成立党委，并相应设置纪委，子公司的内设部门和所辖机构，也要成立党总支或党支部。子公司党委要制定党委会各项工作制度、办法，切实履行好党委职责。要做好发展党员工作，扩大党员覆盖度。成立党委的子公司，其党委由总行党委直接领导和管理；暂未成立党委的子公司，其党组织由总行机关党委或所在地一级分行机关党委领导和管理，总行机关党委和分行机关党委要切实履行职责，做好子公司的党建工作。

加强领导班子和队伍建设。要按照习近平同志提出的“对党忠诚、勇于创新、治企有方、兴企有为、清正廉洁”20字标准，着力打造一支子公司干部队伍。要选好党委书记，党委书记要按照中央要求，在党的建设上承担起主体责任。党委成员按照职责分工对分管部门的党建工作承担主体责任。子公司的“一把手”必须识战略、掌大局、敢担当。子公司不同于分行，作为企业的带头人，子公司的“一把手”要做好角色的转变，成为规则制定的主导者，决策执行的推动者，经营责任的承担者，在公司治理中发挥核心作用。“一把手”也要带好班子，管好队伍，发挥好班长的作用，同时要勇于改革，率先垂范，主动推行高管人员契约化管理，实现职务能上能下、人员能进能出、收入能增能减的灵活机制。“一把手”还要注重人才培养和队伍建设，通过内部培养、市场招聘等多渠道吸纳人才，建立以业绩为导向的激励约束机制，防止高水平上的“大锅饭”，充分调动全体员工的积极性。同时，“一把手”要严格党员教育，加强思想政治工作，提高队伍政治素质，为集团转型发展提供强有力的组织保障。

切实加强党风廉政建设。要持续加强党风廉政建设和反腐败斗争，把纪律和规矩挺在前面，持之以恒地落实中央八项规定精神，持续深化“四风”整治，加强和改进作风，接受群众监督。落实“三会一课”制度，包括要严肃查处违规违纪案件。子公司到现在为止还没有发现重大违规违纪案件、违法案件。要继续严格管理，做到未雨绸缪，周而复始地进行检查，加强防范。出了问题要严肃查处，坚持“三个不放过”，原因未分析透不放过、责任人未严肃追究不放过、堵塞漏洞措施未到位不放过。子公司的董事长、党委书记、党支部书记，要心有戒尺。习近平总书记在中纪委七次全会上的讲话指出，有的领导干部不拿规矩当事，不拿纪律当事，破坏规矩、破坏纪律。我们子公司有财务、人事的支配权和决策权，要把握哪些事情该做，哪些事情不该做，不但不能踩红线，黄线也不要过。

同志们，子公司发展事关建设银行综合化转型，任务艰巨、责任重大、使命光荣。全行上下要统一认识、坚定信心、齐心协力、顺势而为，加快子公司发展，努力提升市场竞争力和集团贡献度，打造综合金融服务能力，为建设综合性银行集团的战略目标作出更大贡献！

谢谢大家！

总结经验　严抓实干　持之以恒推动转型向纵深发展

——在中国建设银行2017年工作会议上的讲话

王洪章

（2017年1月18日）

同志们：

为深入学习贯彻党的十八大和十八届三中、四中、五中、六中全会，以及中央经济工作会议、全国国有企业党建工作会议精神，总结全行党的建设和经营管理工作，分析当前面临的形势，部署2017年的工作任务，总行党委决定在春节前召开年度工作会议。祖继同志还要作全行经营工作报告，这里我首先代表党委讲几点意见。

一、2016年工作和党的十八大以来发展回顾

2016年是国家“十三五”开局之年，也是建设银行深化全面从严治党、发力转型发展的关键之年。面对愈加复杂的经营形势，全行上下认真贯彻党中央、国务院的决策部署，坚持以党建引领发展、以转型驱动发展、以风控保障发展，实现了各项业务稳中向好、稳中见强、稳中夯基蓄势。建设银行集团总资产突破21万亿元，在消化上个年度5次降息影响、稳住拨备覆盖率的基础上，实现净利润增长1.5%。核心财务指标继续领先主要同业，资产收益率、净资产收益率分别为1.18%、15.35%，成本收入比为27.56%；转型创新和战略性新兴业务、子公司和海外业务的发展速度和利润贡献显著提升。各项经营指标全面完成董事会确定的计划，实现了经营企稳、逐季提升、超出预期的业绩。突出亮点有以下几个方面。

——主动作为，服务实体经济质效提升。全行密切跟进国家重大战略，多渠道引流资金对接项目落地。全年人民币贷款新增9469亿元，累计发放对公贷款3.4万亿元，基础设施贷款余额达到2.9万亿元；以理财、债券等非信贷手段提供融资近万亿元。助力企业“走出去”和人民币国际化，已签约海外项目金额达到340亿美元；伦敦分行人民币清算量累计突破12万亿元，使得英国成为亚洲之外最大的人民币清算中心。

推动“三去一降一补”，压缩钢铁、水泥、电解铝等去产能行业信贷余额105亿元。从供需两侧服务房地产去库存，个人住房贷款新增8179亿元。率先落地全国首单央企、首单地方国企、首单民企市场化债转股。继续做好减费让利，新发放非贴现公司类贷款利率下降0.73个百分点。积极拓展普惠金融，小微企业贷款新增1640亿元，实现“三个不低于”；为“双创”基地和企业提供综合性金融服务。加大涉农贷款投放，余额达到1.69万亿元；率先推出农民工群体六大综合金融服务方案；与全国供销总社合作推广“村口银行”，打通助农服务“最后一公里”。

——稳步发力，“五大转型”齐头并进。综合性经营布局领先。新设财险和造价咨询公司，非银行和泛金融牌照由相对占优达到同业领先。子公司市场位次和竞争力显著提升，总资产和净

利润增速分别达到39%和38%。全球布局基本完成，海外一级机构达到31家，总资产和净利润增速分别达到33%和9%。战略协同不断深化，母子公司业务联动量超过1.4万亿元。

多功能服务日趋完备。以平台化建设提升定制服务能力，完成大型企业集团综合金融服务方案400多个。率先布局金融生态系统建设，在社保、医疗、公交、文教、社区等重点领域建成700个支付结算生态圈。县域普惠金融服务平台新增1.7万个，助农惠农功能不断拓展。

集约化调整稳妥有序。推进客户服务、业务处理、单证业务、托管运营等中心整合，成立资管、同业和金融市场业务直营中心，促进了资源优化配置和运营效率提升。资本集约化成效显著，轻资产业务较快发展，表内外加权风险资产增速均大幅低于业务的增速。

创新型银行建设亮点纷呈。全年完成产品创新1900多项，推出了全球现金管理、智慧场景应用等新型商业模式，创新客群细分体系和经营方法论。发布“龙支付”品牌，打造全场景支付结算新优势。

智慧型银行建设功能释放。企业级大数据平台初步形成，实施智能营销等应用项目204个。推出个人客户主要业务“一键签约”智慧功能。智慧柜员机累计投放4.3万台，业务量超过2.15亿笔，节约下来3万名柜员，有效解放了网点生产力。

分行转型发展活力迸发。转型战略向基层机构落地生根，各分行细化转型要求并融合了自身特色。例如，北京市分行以“一轴两翼”策略、“5331考评体系”驱动转型落地；广东省分行打造“脑—心—手”协调运转体系，增强转型协同能力；辽宁省分行实施“向下做、往外走、向上要、强沈阳、机代人”策略，多维突破形成转型合力；湖南省分行将金融生态圈建设下沉到二级分行和网点，丰富基层机构转型发展手段；河北省分行建立“三个结合、两个联动”机制，带动基层行转型“一个不能少”；福建省分行强化“寻标、对标、创标”，促进转型下沉和基层行转型能力建设；深圳市分行从大资产业务入手，以“一点两线、三个抓手、四项基础”推动转型发力；厦门市分行以精细化管理夯实转型基础，做强做优“大资产、大负债、大中收、大渠道、大数据”。各分行在转型中注重汲取基层智慧，发挥了各自的区位特色和比较优势。

——实处用力，发展基础不断厚植。全量客户经营管理体系更加完善，覆盖面不断扩大。单位人民币结算账户增量和增速都居四大行首位。公司机构客户首次突破400万户，跃居同业第二；个人有资产客户连续4年新增超过2000万人，总量已突破3.3亿人。网点“三个平台”建设不断深化。手机银行、微信银行用户数保持同业第一，智能小微全年服务客户3.1亿人次。“新一代”系统主体建设完成，为转型发展和业务创新提供了坚实支撑。

——由标及本，风险管控掌握主动。总分行党委成员带头下到基层督导风险化解工作，强化信贷主体责任。狠抓风险“了解”和“化解”，开展滚动排查，做到底数清、招数准。依托大数据和模型加强风险预警，提前化解了风险贷款622亿元。创新市场化处置手段，回收盘活率提升10个百分点，少用拨备181亿元。强化信贷管理，持续推进“三授信”。全行主动调整结构，严把风险入口和出口，扭转了被动应对局面，实现了资产质量率先企稳并逐季向好。集团不良贷款率为1.52%，拨备覆盖率达到150%。

——对标看齐，管党治党全面从严。全行牢固树立“四个意识”，自觉向以习近平同志为核心的党中央看齐。认真落实巡视整改，层层压实“两个责任”。召开全行党建工作会议。不断完善党建制度体系。深化“两学一做”学习教育，筑牢思想根基。领导干部带头讲党课，深入学习讨论，加强调查研究。党校和培训中心发挥了阵地作用。举办了4期“一把手”培训班，实现新任职管理人员培训教育全覆盖。

加强组织建设。制定组织人事转型发展实施意见。强化基层党建，规范组织生活。总分行党委列支1600万元专项资金用于基层党员之家建设。加大干部交流力度，选拔培养年轻干部。开展了部分总行副总经理和处级干部、海外机构副职公开遴选，以及部分子公司高管市场化选聘。启动了“213人才工程”“国际化人才千人计划”。

党风廉政建设和作风建设常抓不懈。修订员工违规处理办法，强化监督执纪问责，保持反腐败高压态势。严格执行中央八项规定精神和总行党委十项要求，细化制度，抓早抓小，对顶风违纪行为深查严处。开展了“四风”整治“回头看”。巡视利剑作用充分发挥，总行和一级分行共巡视（巡察）了324个机构，发现问题5970个。

践行社会主义核心价值观，强化思想和意识形态工作。举办“CCB2020”大型宣传推介活动，开展“文化聚共识，转型促发展”主题实践活动。召开全行扶贫工作会议，明确扶贫主体责任。扎实做好信访和安全保卫工作。强化保密管理。推动“温暖工程”，充分发挥了互助基金作用。工会、妇联、离退休老同志服务等工作更加深入。开展“文化建行月”“体育健身周”“主题活动日”等丰富多彩的群团活动，增强了向心力和凝聚力。

2016年我曾在不同场合讲，事非经过不知难。在异常困难的形势下取得上述业绩，确实非常不容易，这也更加坚定了全行的信心，更加激发了继往开来、奋发前进的力量。

回顾党的十八大以来这几年，我国经济社会发生了深刻变化，建设银行始终勇立潮头，与时代共进步、与国家同发展、与百业竞繁荣，走在金融改革发展的前列。

——公司治理博采众长凸显制度优势。积极探索新形势下国有大型商业银行科学治理规律，寻求效率和制衡最佳平衡点。把握全球公司治理发展趋势，优化董事会结构，完善董事会运行方式，提高了治理体系的效率。坚持党的领导，确保在重大问题上决策前置，完善双向进入、交叉任职机制，充分发挥职代会民主管理的作用。党委和其他治理主体之间权责边界明晰、协调运转有序，既维护了董事会的决策权，又保证了党委意图得到充分体现。实践证明，建行公司治理既与国际接轨又固守了政治本色，既发挥董事会能动作用又紧紧依靠广大员工，实现了有机融合、相得益彰，发挥了独特优势。

——战略转型先手棋赢得竞争主动。面对市场变化和激烈竞争，建设银行近虑远谋，看准的事情就抓紧干，率先启动了战略转型。建立战略专题研究机制，开展了流程银行、网络金融、子公司发展、产品创新、集约化等一系列重大专题研究，为转型战略形成奠定了坚实基础。通过顶层设计和基层探索相结合，坚持边行边试、边实践边总结，确定了“五大转型”方向和七大重点突破领域，闯出了一条适合自身的转型发展之路，赢得了新一轮竞争的有利态势。作为整体转型的范本，建行战略转型入选哈佛教学案例，在后金融危机时代全球金融变革中作出了建行贡献。

——转变观念作风不断祛除官商习气。转型先转作风，变革先变观念。通过深入开展剖析，推动流程优化，打造“六型”总行，着力根治了“大企业病”“部门银行”等问题。建立首问责任制，实施“一点接入、快速响应、综合解决”的客户服务方式。全行服务意识明显提升，服务客户、服务基层、服务转型发展的理念深入人心。恪守理性自律，坚持稳健经营，倡导专业专注，不冲时点、不打价格战、不参与恶性竞争，对银行本质和经营特性有了更深刻的认识和成熟的把握，做到了按银行的规律办银行，一心一意办银行，赢得了市场竞争主动权。突出价值创造理念，科学平衡规模、质量和效益，建设“最具价值创造力银行”成为全行共识。

——策略因时应变更加贴近市场。坚持以客户为中心、以市场为引领、以问题为导向，在战略上保持定力，在战术上相机调整，做到快速响应市场。以集中集约集成的策略，实施信息系统企业级重构，一以贯之地强力推进“新一代”系统建设并取得重大成效；预判市场并超前谋划，打造以金融私有云为基础的“两地三中心”布局。适时调整渠道策略，实行移动优先和智能替代，推进网点“三综合”和“三个平台”打造，全渠道服务能力大幅提升。强力推进授信审批转型，确立以综合授信为重点的“三授信”模式，实现对公和零售客户服务“三综合”。拓展“三大一高”重点领域，擦亮住房金融特色品牌，巩固并提升了建行传统业务优势。实施“以小为主、以微为重”的策略转向，逐步把小企业做成了大事业。根据市场变化果断调整了传统“打法”，推行“大资产大负债”策略，跳出存款抓客户、抓账户、抓全量资金经营，跳出贷款抓优质资产、抓综合性投融资服务，打开了市场营销的新格局。

——深化改革创新实现关键突破。总行成立了深化改革领导小组，全面统筹推动改革转型。

顶层设计求实求效，通过改革风险管理体制、调整授信机制、优化信贷流程，完善了全面风险管理体系。调整合规管理体制，启动了合规官制度试点。推进前后台分离，整合后台处理中心，成立总行直营中心，实现了生产要素集约。改革考核机制，突出对标管理和转型导向，引导资源向经营部门和基层一线倾斜。改革产品创新体制和激励机制，建设创新实验室，建立总分行联动创新机制，释放了全员创新活力。

——人才强行战略激活干部队伍。坚持党管人才，将人才培养提升到转型发展和强行战略的高度。推动组织人事工作转型，树立国有金融企业科学用人导向。本着“德才兼备、以德为先”的原则，以“领导班子竞争力考核”为导向，配强班子，使一大批优秀干部、年轻干部走上了领导岗位，其中很多人担任了主要领导职务。探索新时期人才成长规律，着眼全面从严治党和转型发展的需要，启动了人才工程重大项目，制订“213”人才建设规划，着力优化结构、建好梯队。加大竞争性选拔力度，为年轻干部打开晋升通道，营造千里马竞相奔腾的生动局面。

——文化传承创新汇聚精神力量。坚持以社会主义核心价值观为引领，坚守精神高地。在建行成立60周年之际，习近平总书记、李克强总理以及马凯副总理作出了重要批示，勉励建设银行加强“三个能力”建设，不断与时俱进、再创佳绩。我们在传承中不断创新，全面推动服务文化、信贷文化、创新文化、合规文化建设；挖掘身边的先进典型，讲好建行故事，不断丰富发展了企业文化内涵。“善建者行，成其久远”，建行厚重文化已成为内生的软实力，凝聚起全行上下同欲、团结奋进的力量。

2012年以来，建设银行集团总资产翻了近一番，净利润增长了37%；成本收入比下降2.6个百分点，相当于全年节支140多亿元；子公司数量增加4个，总资产增长了3.3倍；海外机构增加17家，总资产增长了2.9倍。面对经济下行压力、“三期叠加”的严峻形势，全行实现了逆势而上的新业绩。

“凡是过去，皆为序章。”回望这些年走过的道路，有很多经验值得认真总结。我以为，最重要有这么几条。

第一，坚持党的领导是立行之本。国有大型商业银行作为国民经济的重要支柱，是党执政兴国的金融重器。坚持党的领导、加强党的建设，既是国有金融企业的“根”和“魂”，又是独特的优势所在。只有坚持党的领导，才能在政治上保持清醒、行动上始终看齐，才能确保建设银行改革发展不偏离正确方向。在全面从严治党实践中，我们深切认识到党的领导不是虚的，而是实实在在、具体鲜活的。例如，我们开展风险管理体制改革，最核心、最根本的一条就是风险管理职责进党委，几年来的实践证明，这是最管用的一条。风险管控面临最困难局面，党的领导就要在最困难的地方体现，党员干部就必须在最困难的地方出现。在转型发展中，党员干部勇于亮出身份，自觉扛起党的旗帜，引领广大员工克难前进。党建的优势源源不断转化为市场竞争优势，像大家熟知的“向党工作站”“红梅理财”“刘艳快线”等，都已成为广受客户赞誉的闪亮品牌。

第二，扎根实体经济是发展之基。实体经济是金融发展的本源。国际金融危机表明，没有大而不倒的金融机构，只有立足于实体经济才能拥有牢固的发展根基。建设银行改革发展的实践也表明，只有牢牢扎根实体经济才能基业长青。这些年，面对金融市场波动、“脱实向虚”和资金套利的诱惑，我们保持住了定力，做到了心无旁骛、专注主业。通过实施“三大一高”战略，在服务国家经济建设中不断做强做优做大；通过做好自己、严守风险底线，实现了行稳致远。古人讲，“执一以应万”，坚持服务实体经济基本方向，坚持按经济金融规律办事，始终是银行经营管理的不二法则。

第三，坚持改革创新是关键之招。习近平总书记多次告诫全党：“唯改革者进，唯创新者强，唯改革创新者胜。”建设银行这些年的发展也充分印证了这一点。面对经济下行压力导致业务发展乏力、风险“水落石出”、盈利水平大幅下降的困难局面，面对上一轮改革红利基本耗尽、同业和跨界竞争咄咄逼人的严峻态势，建设银行不等不靠，通过体制机制改革、流程银行再造、产品和商业模式创新，闯过了一道道难关，开辟出了一条转型发展的新路，也为新常态下做好国有商业银行改革转型和经营管理积累了经验。敢为人先、勇拔头筹的改革创新精神已经内化为建设银行厚重的文化底蕴。

第四，坚持科学发展是第一要务。坚定信心、坚定目标谋发展，在发展中克难奋进，这是一条基本经验。2012 年以来，世界经济深度调整，国际金融危机影响持续，我国经济下行压力也逐步加大。经济发展进入了新常态，供给侧结构性改革启动，“三去一降一补”带来严峻挑战；利率市场化全面完成，人民银行多次降息，国际国内金融监管趋紧；实体经济不振、企业经营困难，传统银行业务盈利能力下降，信用风险上升，跨行业跨领域风险显露等，这些都给银行业经营带来极大困难。可以讲，建设银行遇到了股改上市后最严峻的挑战。在困难面前，总行党委以高度的政治责任感，倾力顶层设计、谋定转型发展，提出要知难而进、逆势而上，以良好的经营业绩履行好国有大型商业银行应承担的经济责任和社会责任，并强调在市场表现上努力“缩小与前行者差距，扩大与跟随者距离”。通过全行各级党委班子、37 万名员工的奋发努力，建设银行实现了快速健康发展，初步取得了对标先进银行的竞争优势。

第五，坚持依靠员工是力量之源。全行将以人为本的理念融入经营管理各项工作中，把员工视为建设银行最宝贵的财富，作为最核心的价值创造源泉。总行将提升员工成长发展空间纳入战略规划，实施了一系列政策措施，极大地增强了全行员工的归属感和自豪感，激发了主动性和创造性。近年来，在工资总量增长有限的情况下，总行坚持薪酬分配向基层倾斜，向一线员工倾斜，并分批次解决劳务派遣制员工问题，调动了全员积极性。面对激烈竞争，广大员工敢于打拼、勇于追梦，展现出特别能吃苦、特别能战斗的精神，使得建设银行能够以机构人员数量不占优势的条件，取得业绩领先的良好市场表现，在超越自我中不断进步。

经过这几年的发展，加上之前 7 年股份制改革成功经验，我们已经基本具备了实现“国内最佳、国际一流”现代商业银行目标的基础和条件。我们有理由相信，到 2020 年全行的转型发展目标一定能够实现。

党的十八大以来，建设银行从严管党治行、奋力争先进取的成绩，充分说明了全行上下讲看齐见行动，贯彻落实中央决策部署以及上级部门、监管部门的要求是坚决有力的，推进转型发展战略是卓有成效的，取得的成果是喜人的。这里，我代表总行党委和董事会，向大家并通过大家向全行广大员工表示诚挚的敬意！向长期以来关心支持建设银行改革发展的各位领导、各位朋友表示衷心的感谢！

二、形势分析和 2017 年工作思路

中央经济工作会议对 2017 年内外部形势作了透彻的分析。总的来看，2017 年外部形势可能比 2016 年更加复杂严峻，对此要有预判和预案。做好金融工作首先要明大势，要密切关注市场变化，把认识统一到中央对经济形势的判断上来。

对“变”的大格局要冷静观察。从外部看，风险和不确定性急剧上升。习近平总书记指出，世界正处于百年不遇的大变局中。这变局体现在，各个经济体分化趋势愈演愈烈，“黑天鹅”事件频发。特朗普就任后会实施什么样的政策，这些政策将带来什么样的影响，现在还不得而知；发达国家货币政策变化，对新兴经济体带来的冲击还很难预测；西方国家贸易保护主义抬头，“逆全球化”思潮同与日俱增的民粹主义结合，对经济金融带来的影响不容低估。目前的情况分析，往坏的方向变化可能性似乎更大。从国内看，长期积累的结构性矛盾显性化，突出表现为实体经济结构性供需失衡、金融和实体经济失衡、房地产和实体经济失衡。这“三大失衡”导致经济循环不畅，经济金融风险隐患增加。

对“不变”的因素要准确把握。国际经济仍将延续 5 年来的低迷状态，相当长时间内不可能发生明显改观。IMF 总裁拉加德等专家把这个状况称为“新平庸”。我国经济进入了“新常态”，“L”形走势更加明朗，但仍是可以大有作为的战略机遇期。加之深化改革“四梁八柱”框架已经确立，前进方向更加清晰，中央经济工作会议对 2017 年工作作出了通盘部署。见其远而规其大，对于这些已经看得清楚的大方向大机遇，要牢牢抓住。

从建行自身来看，也存在和面临着不少问题与困难，特别是资产结构调整可能变得更加艰难，

转型落地策略还需根据变化作出调整矫正，识别和防范新型风险的能力还有所欠缺等。要未雨绸缪，多观察多思考，多预备些措施和办法。

近年来，我们正是通过转型发展不断地解决问题，在解决问题中不断地推进转型发展。目前，全行转型已经赢得了先发优势，解决问题的手段多了、办法多了，应对措施也多了。一些同志讲，现在开始“渐入佳境”。而且全行通过不懈努力，不良贷款大幅暴露势头得到遏制，资产质量逐季度向好，相应回旋余地也增大了。因此，要有充分信心，辨析好各种有利和不利因素，做到因势利导、趋利避害，在已打下的良好基础上，全力争取更好的成绩。

2017 年是实施“十三五”规划、国家各项改革纵深推进的关键一年，也是建设银行转型“棋至中盘”紧要的时间窗口。总行党委经过研究，总的工作思路是深入贯彻落实党的十八大和十八届三中、四中、五中、六中全会以及中央经济工作会议精神，深化全面从严治党，聚焦服务实体经济和供给侧结构性改革，讲看齐、明大势、调结构、守底线，不断厚植“稳”的基础、释放“进”的动能，举集团之力持之以恒推动转型向纵深发展，努力为实现经济工作稳中求进、开创经济社会发展新局面作出建设银行应有的贡献。

2017 年的工作任务更加艰巨。“知常明变者赢，守正出新者进”，大家在日常工作中要认清大势，既要埋头苦干又要抬头看路。要善于运用唯物辩证法厘清矛盾问题，从正反两个方面既看到困难的现实，又看到作为的空间，学会在困境中寻找机会、在逆势中寻求动力、在艰难中寻得对策，把主动权牢牢地掌握在手里。重点要处理好以下几个关系。

第一，趋势性把握和结构性选择的关系。中国经济在相当长一段时间内将保持“L”形走势，但这个“L”形的底部不会是平坦的，必然是由若干个小“W”形构成的。换句话说，短周期内必然有起伏波动和消长变化。在波动和分化走势中，既存在结构性的机遇，也面临结构性的风险；既不能因为经济下行压力而无所作为、不敢作为，也不能因为短期景气回升而盲目乐观、激进冒进。有的分行在这方面把握得比较好，虽然所在省份经济增长在全国垫底，但分行的经营发展和资产质量都相当好；反之，也有的分行虽然处于经济环境较好的区域，但转型发展亮点不多，业务增长乏力，不良贷款大幅暴露。这其中，冷静判断和理性选择非常重要。“察势者智，驭势者强。”宏观上，要顺应大势，紧跟国家重大战略和区域发展战略，听中央的话肯定错不了；中观上，要紧盯行业，跟进国家产业升级方向，及时调整相应信贷政策和行业指引；微观上，要选好客户，不能跟风，坚持以客户为中心，既要看当下财务报表又要看长期发展的基本面。这三个维度结合起来，是做好结构调整的关键。

第二，“稳”和“进”的关系。一方面，“稳”是 2017 年经济工作的主基调，“稳”是大局。对我们来讲，“稳”主要是稳控风险、稳住发展势头、稳守市场优势。如果“稳”不住，那么全行转型发展就可能功亏一篑。尤其是在当前市场不确定因素明显增多的情况下，对于看不清楚的业务，“稳”一点并不是坏事。另一方面，“进”是目的，是方向，是解决所有矛盾和问题的根本出路。要进而有为、以稳促进、进中求稳，特别是在经济转型升级大势下，没有“进”就不可能有“稳”，只有“进”才能实现更高水平上的再平衡，达到新层次上的“稳”。因此，“稳”和“进”是辩证统一的，认准“稳”的领域和重点，把握“进”的方向和任务，才能做到稳中求进。

第三，支持实体经济和防范风险的关系。实体经济是银行赖以生存的“土壤”，没有好的实体经济就没有好的银行。作为国有大型商业银行，我们有能力也有责任在国家经济建设主战场上发挥好主力军作用，把金融源头活水引流到实体经济。同时，在供给侧结构性改革大背景下，尤其要强调有所为有所不为。特别是对于“三去一降一补”涉及的落后产能、低质低效、丧失发展能力的客户和项目，在海外盲目投资并购的“走出去”项目等，都不能给予贷款或其他授信支持。从这个意义上讲，我们支持好企业、好项目是支持实体经济，我们不支持乃至主动退出不好的企业和项目同样是支持实体经济，而且是更为精准有效地支持实体经济转型升级。在当前复杂形势下，有所为有所不为非常重要，要有理性的研判和果敢的决断。

第四，转型与传统业务发展的关系。传统业

务是转型的“压舱石”，像存贷款、支付结算等传统业务，始终是银行的“看家业务”。随着转型力度加大，有的分支机构对传统业务基础管理有所放松。实际上，无论如何转型创新，如果传统业务基础不牢，就不可能走得稳、走得远。“墙高基下，虽得必失”，转型发展必须建立在厚实的传统业务基础之上。同时，转型又是促进传统业务改造升级的“牵引力”，特别是借助转型创新技术手段，很多传统业务焕发出了新的活力。可以讲，传统业务的升级本身就是转型发展题中应有之义，既不能僵化，更不能割裂。

第五，银行与子公司发展的关系。建行转型要打造的是综合性银行集团，而不是综合化金融集团。要聚焦银行主业，发挥集团合力，把银行业务发展好。同时，要通过加快发展壮大子公司，形成驱动转型发展的“双引擎”。要看到，目前传统银行业务个位数增长已成为常态，而过去5年间，信托、租赁、基金、保险等行业年复合增速分别达到了36%、32%、40%、25%，未来增长空间非常大。建设银行要不断缩小与前行者的差距、扩大与跟随者的距离，需要子公司尽快做强做优做大。因此，子公司首先是建行的子公司，必须服务于建行整体战略，发挥好多牌照功能，进一步强化联动，促进集团价值创造力不断提升。同时，子公司又是市场化的子公司，背靠母行但不能一味依靠母行。要勇于在市场上自己去竞争、往高位上自我去对标，努力做到与母行地位相称，力争打造出若干在市场上叫得响的品牌。我们上周专门召开了子公司工作会议，全行要把会议精神和要求落实好。

三、抓好发展和风控更好地服务实体经济

要把落实好中央经济工作部署作为首要任务，坚持服务实体经济基本方向，坚持发展与风控两手抓，严防“脱实向虚”，加力结构调整，确保高质量发展。

第一，更加主动对接国家重大战略。目前，“十三五”规划和区域发展规划中，一大批重点项目已进入实质推进阶段，PPP示范项目等也进入落地高峰期。服务国家战略既是国有大行职责所系，更是商机所在。要抓实银政、银企合作协议落地，确保有人盯、有部门管，不能协议签完了束之高阁。要多渠道打造总分行、子公司商机共享平台，提升需求对接能力，提高项目储备转化率。要抓好“走出去”重大项目营销，完善统筹抓总、部门会商、行际利益调整机制，充分发挥好亚太审批中心、海外资金平台等作用，提升一体化服务能力。

第二，更加精准服务供给侧结构性改革。结合各地情况，做好“三去一降一补”重点任务和金融需求的研究，因地制宜设计配套服务方案。

去产能方面。要进一步优化名单制管理，既要有负面清单，也要探索建立正面清单。积极运用综合性金融解决方案，助力企业兼并重组和过剩产能市场化出清，盘活沉淀的土地、厂房、设备等存量资源。积极参与债权人委员会，维护好建行权益。

去库存方面。要严格落实国家政策要求，围绕居民“住”的需求做好个人住房贷款服务，助推三四线城市去库存。推进个人住房贷款资产证券化，积极探索住房租赁、养老地产等新兴领域的金融服务新模式。

去杠杆方面。要认真总结推广示范案例，将市场化债转股服务打造成一个品牌。运用投行化手段帮助企业增资扩股，改善资产负债结构。要区分情况，灵活运用高成本债务置换、优化杠杆结构等方式，帮助企业以“软着陆”方式去杠杆。

降成本方面。要继续做好减费让利，降低企业融资成本，运用债券、理财、基金、租赁等多种方式，为客户实现低成本融资。探索优化增信模式、担保方式，减少小微企业申贷过程中发生的外部交易费用。

补短板方面。要大力发展普惠金融，创新小微企业和“三农”金融服务。推广“小微快贷”、评分卡业务模式，依托“圈、链、平台”加大对“双创”企业支持力度。用好农业供给侧结构性改革政策红利，依托“村口银行”、善融商务平台以及“三农”专属产品，扶持新型农业经营和服务主体。推广“两权”抵押贷款，支持“五区一园四平台”建设，促进农村要素市场发展。要认真履行国有商业银行的社会责任，做好金融扶贫工作，在政策、制度、授信等方面完善支持措

施，力求尽快取得实效。

第三，更加敏锐抓住新兴领域和新增长极。我国经济发展的新动能正在快速壮大，诸多新的增长极正在形成，要提前布局抢抓商机。例如，随着传统消费升级和新型消费崛起，目前消费对我国经济增长贡献率已超过七成。作为国内最大的零售信贷银行，我们要进一步深耕消费市场，从大消费金融的角度创新产品和服务，着力打造金融生态圈，抓住新业态、拓展新领域、支持新消费。扩大“快贷”、信用卡循环信贷、分期消费信贷以及“龙支付”等系列产品的影响力，丰富手机银行移动端应用，将建行金融服务融入百姓日常生活，打造成客户随身的“金融管家”。

第四，更加全面密织防风险立体式网络。要针对风险形势新变化，进一步深化落实风险管理体制改革要求。要做到“三个抓总”一抓到底、穿透落地，将信贷非信贷、母子公司和境内外业务的风险管理穿透到客户和基础资产；要确保“五个所有”全面覆盖、全程落地，使所有机构、员工、业务、流程和所有风险类型既“看得清”又“管得住”。

信贷风险管控要长抓不放。现在办法已经找到了，关键是要坚持抓、长期抓，把治标和治本结合起来，盯住源头和出口。在当前复杂形势下，不良贷款管控不可能毕其功于一役，全行要有打持久战的准备。要在基础管理上面下更大功夫，狠抓制度执行力；要在信贷结构调整上面花更大气力，把握产业升级和供给侧结构性改革趋势，主动调整信贷结构。前中后台要统一风险偏好，选好企业、管好贷款，把风控融入日常。总行已经研究了不良贷款经营中心专业化建设体制机制问题，目标是对不良贷款有效经营，狠抓不良盘活和现金回收；同时加大考核力度，不断增强压力，提高回收水平。要进一步强化风险缓释管理，严格担保机构、押品的准入要求。要专设押品管理处室，优化押品管理系统，严格押品估值和他项权证管理；要对全行对公业务合作担保机构全面过筛重检，除了政府背景的担保公司外，年底前一律退出。

外部市场风险变化要紧盯不放。随着国际国内金融市场波动加剧，汇市、债市、股市和大宗商品市场风险频发，而且呈跨市场、跨业、跨境传染的趋势。2016 年以来，国内金融市场上流动性风险、债券违约风险、影子银行风险、互联网金融风险等时有发生。我行虽然没有出过大的问题，但是排查发现存量信用债等业务中也存在风险或隐患，必须引起高度警惕；要切实加强风险评估和跟踪监测，做好防控预案。同时要关注业务集约带来的风险集中，总行 3 个直营中心要密切防范风险，加快系统建设；风险管理部门要加紧完善直营业务风险管理配套制度，重点加强对基础资产和合作机构的源头把关。

要着力强化合规管理。抓紧抓好 8 家分行合规官制度试点工作，并借助国际会计师事务所专业力量，结合我们的试点经验，设计好全行合规管理体制和制度流程。除了体制移植之外，更要注意做好国际同业成熟做法的借鉴和运用，重点针对事前和事中疏于防控的节点，强化流程控制。要建立严格的合规官考核制度，促使其切实履行好职责。合规官制度是我行借鉴国际通行成熟经验首先引入的，总分行要结合实际研究解决好试点遇到的各种问题，确保试点成功。要高度重视海外合规问题，建设银行作为全球系统重要性银行，合规问题丝毫不可掉以轻心。要加快整合境内外合规和反洗钱管理，搭建统一平台，形成联动合力。

四、发挥转型牵引作用提升市场表现

全行率先转型积蓄的势能，要尽快转化为牵引发展的强大动能。要统筹运用“五大转型”手段，进一步谋深谋细谋实，不断释放转型红利，增强发展动力。

第一，“五大转型”要协同发力，实现关键性突破。综合性方面，要充分发挥牌照领先优势。完善利益分享机制，调动子公司和集团两个积极性，使联动真正融为一体。子公司要加强与行业领先者对标，加快发展、提质增效，努力在最短时间内进入行业第一梯队。随着经济多元化、企业需求多样化、金融科技智能化，综合性金融服务将更加广泛、丰富和复杂，我们要密切跟踪和抓紧研究“以客户为中心”的综合性金融服务课题。加强银行、非银行金融、泛金融等各类业务的研究，挖掘更多牌照允许的服务功能、服务领域和产品，不断提高服务客户的综合化程度。同时，建立和完善综合性服务涉及的体制、机制和流程，提高服务效率和质量。

多功能方面，重点是多功能服务平台和金融生态圈建设。平台建设涉及多部门、多机构乃至海外机构，要以牵头部门为主导，建立跨部门跨区域的客户服务平台共建机制，打破部门分割和专业限制，实现平台的开放化、公众化、共享化。要着力打造线上线下多种形态的服务平台，提高产品和服务推送能力，不断提升口碑，增强客户黏性。金融生态圈建设方面，各部门各机构包括海外机构要主动对接，紧密联结，把圈扩大、把圈做圆，使金融生态圈不断丰富功能、高效运转。要基于生产经营和生活场景，建立囊括生活、商务等多方面的金融生态圈，深度拓展公司和个人商户，整合第三方优质金融和非金融服务资源，做到“一站式”服务，不断集聚人气，提升客群细分、精准营销和批量获客能力。

集约化方面，要提升到企业级高度。以高标准打造客户服务等后台中心集约化平台，纵向上提高处理层级，横向上优化后台资源。加快三大直营中心业务的配套制度、系统建设，拓展客户服务广度和深度，增强风险把控能力。要继续狠抓资本集约化。作为全球系统重要性银行，我们在资本充足率方面压力比别人更大，要通过集约化加大内部挖潜。深化集约化具体问题的研究，从机构部门职能转变、前中后台职责优化、人力资源配置等方面作进一步调整，整合部门之间重复性工作，优化部门和处室设置，科学合理配置人员。

创新型银行建设方面，要进一步完善组织体系。创新管理部门要加强统筹和引导，创新实验室要增强专业化核心能力，总行各业务部门要陆续组建产品创新团队或处室。要做好同业创新动态监测，以核心产品为主线加强前瞻性研究，增强创新的市场引领性。要从客户最关注的“痛点”问题入手，持续推进流程和商业模式创新，不断改善用户体验。要进一步健全为创新者担当的容错机制，鼓励尝试、允许试错，保护和激发广大员工参与创新的积极性。

智慧型银行建设方面，要跟踪前沿打造技术优势。全行智慧柜员机2017年将达到6万台，基本完成全覆盖，下一步重点是加强客户引导，提高使用效能。要加快释放“新一代”系统功能，提高智能化技术产品的普及和运用程度。各条线各机构要积极主动迎接金融科技革命，加强人工智能等技术应用研究。要发挥我行大数据建设的先发优势，加快数据开发、使用和集成；要贴近业务、贴近客户、贴近市场，密切跟踪国内外发展动向和金融业运用状况，把握大数据建设的正确方向；要持续优化大数据工作机制，加快成熟案例推广。要密切关注人工智能等最前沿金融科技，做到超前思考一批，跟踪研究一批，试验储备一批，推广应用一批，快速提升对全行产品设计、流程改造、系统管理和风险管控的科技支撑能力，缩小与国际领先同业的差距。

第二，调整优化政策，加快海外业务转型发展。国际经济金融市场变化，将给海外机构发展带来新的挑战和不确定性。本次会议后，总行将专门召开海外暨国际业务工作会议，研究和解决海外业务转型发展遇到的诸多问题，如政策不配套、管理不精细、机制不完备、指导不系统、考核不科学、队伍不适应，等等。海外机构所处环境千差万别，目前当务之急是对不适应业务发展的政策和机制抓紧作出调整优化。政策要与实际相契合，切忌拍脑袋决策，要做到差别化并适时调整。海外经营机制要本着方便、灵活、快捷的原则作出调整，切忌做“管不得管不了”的事。要科学合理制定海外业务授权特别是授信权限，做到授权有度、用权有责、越权必究。要规范海外经营管理考核机制，建立领导班子竞争力考核制度，完善薪酬与业绩挂钩办法。人力资源政策上要体现差别化，薪酬要向社会治安差、经济发展落后、位置偏远的机构适当倾斜。总行相关管理部门和负责同志要把海外业务纳入自身工作范畴，更多地关注、关心海外机构发展，特别是经营发展比较困难的机构；各条线、各机构也要更多地帮助海外机构解决发展中遇到的困难。涉及重大问题要及时向行领导报告，及时组织研究。总行对海外机构的管理要少一些“锦上添花”，多做“雪中送炭”的工作。

第三，深化转型落地，推动基层行转型发力。总分行要沉下去，系统研究分析二级分行及以下机构在转型发展中遇到的政策、机制、授权、产品、人力资源等方面的问题，抓紧作出调整。要发挥转型标杆分行的“头雁效应”，持续推进23家重点城市行转型工作，及时加以总结，努力创造可复制到全行二级分行及以下机构的转型经验；发挥好北上广深等重点分行的示范带头作用。要加强分类指导，把可以广泛适用的试点政策及时扩展到其他机构；要加强案例引导，把可复制的转型创新做法及时推广到各级机构。着力强化总分行、子公司对基层机构转型发展的支持，完善相应制度和平台，探索“菜单化”服务模式，使更多的基层机构能够用得上、用得好“五大转型”手段。

第四，汇聚全行智慧，加强转型关键问题研究。随着转型不断深入，面临的内外部矛盾问题会更多。越是形势复杂，越要加强研究。首先，要聚焦转型遇到的突出问题，特别是一些体制机制不适应、部分政策制度不配套、分行之间转型推进不平衡、二级分行及以下机构转型不落地等，开展针对性诊断，尽快拿出相应政策措施。其次，要密切跟踪国际国内金融形势的新变化、宏观政策和监管规则的新动向、金融科技等前沿领域发展的新趋势、金融风险跨界跨市场演化传导的新特点等，尽快着手开展专题研究。总行最近建立了专门的机制，采取跨部门、松散型团队形式，选取了一批战略性课题进行深入研讨，并请团委广泛发动青年员工参与。各分行也可以结合本区域经济金融问题和本行转型发展实际，组织开展一些专题研究。要充分发挥全行员工的聪明才智，努力形成一批战略性研究成果，为下一步转型发展提供智力支持。

五、不断深化全面从严治党

全行要把深入学习贯彻党的十八届六中全会、中央纪委七次全会以及全国国有企业党建工作会议精神作为当前重要政治任务，强化“两个责任”落实，从严从实抓好管党治行，提高政治站位，坚定政治方向。

不断增强“四个意识”。要更加注重抓实思想建设，在全行牢固树立政治意识、大局意识、核心意识、看齐意识，更加紧密地团结在以习近平同志为核心的党中央周围，更加坚定地维护党中央的权威。党员尤其是领导干部要对党忠诚，勇于担当，坚决做政治上的“明白人”、党风廉政建设上的“规矩人”。要不断深化“两学一做”，把党性淬炼作为日常功课，修好这门共产党人的“心学”。要以思想自觉引领行动自觉，更加坚定地贯彻落实中央各项决策部署特别是经济金融方针政策。要在已取得进展的基础上，加快公司章程修订工作，把加强党的领导全面融入公司治理，使党的意志通过治理程序在全行得到深入贯彻落实。

寸步不让严抓作风建设。作风建设永远在路上，全行要做到整治“四风”力度不减，严格对照中央八项规定精神和总行党委十项要求，执行规定不留死角，查处问题不留情面，而且问责追究越往后越严。要盯住“关键少数”，从总行党委班子成员到全行每位党员干部，都要从严自律，管好自己和家人，特别在出差出境、旅游休假、公务接待、用车用房、婚丧喜庆等方面，要始终做到心有戒律、行不逾矩。总行党委已经研究制定了《总行党委成员关于严格执行中央八项规定精神的若干规定》，供全行干部员工对照监督。各级行党委也要结合自身实际作出细化规定。要深刻理解并经常用好监督执纪“四种形态”，党委成员之间及时提醒，多扯扯袖子、红红脸，防止小病拖成大病。各级行党委书记要有“婆婆嘴”，严是爱宽是害，信任不能代替监督。党员干部要加强自我监督，自觉接受他人监督，习惯于在监督之下开展工作。

盯紧抓实党风廉政建设。坚持以“零容忍”态度惩治腐败，深入查处业务违规背后隐藏的以权谋私、利益输送等问题。要对信贷、采购等廉洁隐患较大的领域加大审计力度。各级纪检监察部门要持续深化“三转”，强化党内监督，完善监督体系。要将纪律监督向子公司和海外机构延伸。严格执行领导干部任前党风廉洁审核和廉洁谈话，抓好任职期间述责述廉。做好对总行巡视组和分行巡视工作的管理考核，推动一级分行建立巡察制度并向基层延伸。深化警示教育，继续通报典型案例，用身边事教育身边人，不断增强全行党员干部自觉自律意识。

全面加强组织建设。认真落实全行党建工作会关于加强组织建设的要求，深化组织工作转型。对照党员干部“四个合格”和国企领导干部“二十字标准”，进一步加强各级领导班子建设，调整优化班子结构，打造作风硬、能力强、敢为善为的干部队伍。要着力加强海外机构、二级分行及以下机构班子建设，选好配强“一把手”。持续加强总分行干部交流，有计划地安排优秀年轻干部到基层任职、挂职。抓好子公司和境外机构党组织建设，具备条件的要及时成立党委。要继续加强基层党支部活动阵地建设，以深化党建责任落地推动全行转型下沉。要严守纪律，做好党的十九大代表选举工作。

全力推进人才强行战略。人才建设既是建设银行的百年大计，也是转型发展战略的基础工程。大家耳熟能详的“三千人工程”，全行至今还从中受益。前不久，总行党委审议通过了“213”人才加速培养计划，全行要从长远发展战略高度，以高平台抓好组织推进，以高标准抓好培养和管理。要持续完善海外人才库，加快推进“国际化人才千人计划”，开展境外跟岗培训，壮大国际化人才队伍。要加强子公司专家型人才、海外合规人才、全球客户经理等紧缺人才的市场化引进，形成合理梯队。

加强人力资源管理，建立科学的人力资源管理机制。在金融科技快速发展的今天，要加大“机代人”推进力度，做到业务增长不依赖人员增加。要优化人力资源配置，发挥出最大效益。科学核定总分行机关和基层行人员的配置比例，认真分析研究前中后台人员的合理摆布和知识结构需求。在新兴业务、资产管理、交易业务、投资银行和海外业务等领域，要充实人员并加大前沿技术人才的选拔和培养力度。

强化价值观引领，做好宣传和群团工会等工作。加强转型期企业文化建设，弘扬社会主义核心价值观和建设银行核心价值理念。落实意识形态责任制，强化正面宣传引导，敢于发声、主动发声，传播正能量。要营造良好的宣传舆论氛围，做好声誉风险防范，保护金融消费者权益。严格落实总分支行“四级书记”抓扶贫，按照进度表监测考核，确保如期完成任务。做好全员保密教育，严格保密管理。更加深入细致地做好信访工作，加强安全保卫工作。不断完善职工代表大会等民主管理制度，做好工会、妇联等工作。持续开展“金点子”创新大赛，打造群团工作的“特色名片”。要多组织开展群众喜闻乐见的文体活动，营造“快乐工作、健康生活”的良好氛围。

春节快到了，各级机构领导干部要多下基层，检查安全生产、案件和风险防范工作，看望慰问一线同志。特别要多关爱帮扶困难员工，多关心问候离退休老同志，送去组织的温暖。这一年下来，大家都非常辛苦，一直绷得非常紧，节日聚会、休闲旅游、走亲访友，可以放松一下，但是，在廉洁和作风问题上一定不能放松，要严格执行中央八项规定精神和总行党委十项要求，小处也不能含糊。各位回去后也跟其他同志提醒一下，希望大家都过一个风气清朗、平安祥和的春节。

同志们，建设银行走过了63年不平凡历程，股改上市也已经13年，如今全行发展站在了新的起点上。战略转型已积厚成势，但克难攻坚还任重道远。全行上下要不忘初心、不畏艰难，顾大局明大势、敢担当善作为，知难而进，开拓进取，以坚韧不拔的毅力，撸起袖子加油干，深化转型、加快发展，以优异成绩迎接党的十九大胜利召开！

以一流人才铸就建设银行一流的事业

——在全面推进“213人才工程”会议上的讲话

王洪章

（2017年2月13日）

人才强国是党和国家的一项重大战略。党的十八大以来，党中央、国务院把加快建设人才强国摆在更加突出的位置。随着建设银行战略转型的全面纵深推进，人才资源对全行转型发展的基础性关键性作用日益凸显。要实现“国内最佳、国际一流”的转型发展目标，必须加紧培育一流的现代商业银行经营管理人才。为此，总行党委研究决定在全行范围启动“213 人才工程”，旨在加快培养选拔转型发展急需的优秀人才，以高水准造就一支素质过硬、敢于担当、治行有方、兴行有为的宏大后备人才队伍。可以讲，人才培养不仅是人力资源管理转型的重中之重，更是全行转型发展的急务要务。今天专门召开这个会议，重点就是对“213 人才工程”下一阶段主要工作进行布置，并进一步统一全行思想认识，举全行之力加快人才的选拔、使用、培养和提高。下面我讲几点意见。

一、实施“213 人才工程”是响应时代变革、加快转型发展的必然选择

人才资源历来是第一资源，发展优势的核心始终是人才优势。我国经济发展进入新常态、改革进入深水区，建设银行要应对新变化，在激烈市场竞争中赢得主动，就必须紧紧围绕中央决策部署，加快人才培养、优化人才结构、提升人才价值，打造建设银行转型发展的新优势。

——实施“213 人才工程”，是贯彻中央关于人才工作决策部署的具体行动。我们党历来高度重视人才工作，在革命、建设、改革各个历史时期坚持狠抓人才队伍建设，从解决 1930 年前后因“左”倾错误路线导致党内干部极度缺乏，到 1948 年起为迎接解放战争胜利而进行的多类型干部人才跨省大规模调动；从新中国成立初期抽调 16 万人支持全国工业建设和 156 项重点工程，到 20 世纪 60 年代全国科技人才的历史性大发展；从改革开放后选调万名大学生到基层锻炼和省市县万名“第三梯队”后备队伍建设，到 20 世纪 90 年代直至今天的“百千万人才工程”“千人计划”“万人计划”等，通过实施一系列重大人才战略方针，为党和国家事业的发展培养集聚了宏大人才队伍，实现了从一个胜利走向另一个胜利。党的几代领导人集中全党智慧，在不同历史时期创造性地提出了引领时代进步、适应时代要求的人才观，作出了“中国的事情能不能办好，关键在于人才”“人才问题是关系党和国家事业发展的关键问题”等科学论断，强调了“德才兼备，任人唯贤”“做好人才工作首先要确立人才资源是第一资源的思想，克服见物不见人和重使用轻培养的倾向”等指导思想，这些重要论断和思想的精神实质既一脉相承又与时俱进，极大地丰富和发展了中国特色社会主义人才理论内涵，为不同时期的人才工作提供了根本遵循。

党的十八大以来，以习近平同志为核心的党中央准确把握国际国内发展大势，对新时期人才事业发展和人才队伍建设作出一系列重大部署。2016 年，中央印发了《关于深化人才发展体制机制改革的意见》（以下简称《意见》），习近平总书记对此作出重要指示：“办好中国的事情，关键在党，关键在人，关键在人才。综合国力竞争说到底是人才竞争。要加大改革落实工作力度，把《意见》落到实处，加快构建具有全球竞争力的人才制度体系，聚天下英才而用之。”人是生产力中最活跃的因素，在统筹推进“四个全面”布局中，人才资源的活力不断迸发，作为经济社会发展第一资源的特征和作用更加明显。建设银行作为国有大型商业银行，要在落实国家重大战略、支持实体经济中努力勇拔头筹，当务之急是全面落实好中央关于人才强国的战略部署，加快培养造就一批既胸怀全局又专业专注、既善抓党建又精于业务、既传承优良传统又勇于改革创新的高层次人才，在服务国家经济建设中切实承担起国有大行的政治责任、经济责任和社会责任。

——实施“213 人才工程”，是人才强行的重要举措。“人才者，求之者愈出，置之则愈匮。”回顾历史，建设银行之所以能够在改革发展各个关键历史节点做到勇立潮头，重视人才工作是其中的关键。特别是 20 世纪 90 年代末，面对金融改革发展的复杂局面以及亚洲金融危机的严峻考验，建设银行审时度势，作出“要下定决心培养一批跨世纪的骨干，要普遍地、真实地提高建行人的基本素质”的重大决策。时任建行行长王岐山同志亲自启动了人才培养“三千人工程”，1996—2000 年全行共选派 3600 余名优秀青年人才到基层挂职，在实践中加速培养，全面提升素质能力。其中，1200 余名表现突出的青年人才走上了各级领导岗位，成为建设银行改革发展的中坚力量。全行至今仍从中受益，目前总行党委管理的领导干部中有不少参加了“三千人工程”，有

10位同志还是现任所在机构“一把手”，如果加上离开建行系统的，数量则更多。建设银行60多年的改革发展历程，实际上也是一场人才的接力赛。“三千人工程”取得的长期持续成效也表明，抓好人才培养、激发人才潜能，形成人尽其才、才尽其用的生动局面，是建设银行基业长青的厚重基础。在改革发展新的历史阶段，总行党委决定启动“213人才工程”，是接续建设银行既有传统、立足“三千人工程”等成功经验作出的重大战略部署，通过这一新机制新平台促进人才脱颖而出，努力在新一轮竞争中奋勇争先、领跑在前。

——实施“213人才工程”，是推动我行转型发展的重要支撑。2004年国有商业银行股份制改革取得了重大成效，实现了十多年的优质快速发展。但是，面对2008年以来的国际金融危机、世界金融动荡以及银行自身改革红利的逐步递减，唯有果断转型方可争取主动。在此形势下，建设银行启动了新一轮改革发展转型之路。转型规划实施两年多来，“五大转型”协同推进，各项工作进展有序，转型先发优势逐步转化为竞争优势。但是也要认识到，转型在理念、思路、战略、技术、方法、作风、激励、考核等方面形成优势还不能算完全成功，真正的成功在于人力资源配置、人才使用与发挥作用的程度，这才是他人不可复制的竞争优势。

全行转型规划强调，人才是核心竞争力。近些年，我们通过推进干部交流、组织公开遴选、加强教育培训等工作，人才培养取得了良好成效，但是我们也要清醒地看到，与转型发展的要求相比，全行人才队伍建设仍有差距，突出表现在干部年龄相对偏大、结构不尽合理、战略性业务人才储备不足等。以总行党委管理的领导人员年龄结构断层为例，总行部门和一级分行领导人员2019—2021年退休的有近70人，2022—2024年退休人员将陡增到170余人，2025—2027年退休的也有100多人，领导人员年龄断层比较明显。全行现有在岗员工36.5万人，平均年龄38.8岁，大学本科及以上学历约24.5万人，在国有大型银行中相对较好；全行管理人才5.2万人，占比14.5%，但整体年龄偏大；专业技术人才8.3万人，占比23.1%，但专业技术四级以上的高端人才占比并不高，而且传统银行业务人才相对较多，风险经理、产品经理、会计师、财务师、审计师等占专业人才总量87%左右，转型发展急需的数据分析、投资银行、金融交易、网络金融、证券保险等方面人才储备相对缺乏。以上这些问题如果不从根本上找到解决方案，就会制约建设银行转型发展的纵深推进。实施“213人才工程”，就是要进一步解放思想、打开视野，补齐干部经历、履历、能力短板，努力打造一支政治强、专业精、善管理、敢担当的干部队伍；就是要让那些想干事、肯干事、能干成事的优秀人才有更好的用武之地，为全行的转型发展提供强有力的人才支撑。

二、精心组织推进“213人才工程”各项工作落实落地

“213人才工程”既是一项系统性的人才培养工作，也是今后一段时间我行人才战略的支点，我们要以此来“撬动”建设银行人才发展体制机制创新，统筹推进各类人才队伍建设，挖掘和发挥人才红利。

（一）把握好“213人才工程”总体原则

要紧扣全行转型发展战略要求，聚焦全面从严治党和全行改革发展，突出增强“四个意识”、提升“三个能力”，从以下四个方面做好科学统筹。

一是常态化推进。十年树木，百年树人。优秀人才的培养是一个长期持续的过程，不可能一蹴而就。“213人才工程”作为一项系统工程，要做到常态化推进，谋长远之计、成接续之业。要在推进过程中，建立一套科学有效的选人用人长效机制，源源不断地为全行干部队伍注入活力，形成可持续的人才优势。

二是动态化管理。强化“213”人才跟踪考核、定期重检。对于不担当不作为、受到党纪政纪处理，或经综合分析研判已不适宜继续作为“213”人才培养的，要及时调整出名单。对于表现突出，特别是转型发展急需且符合“213”人才选拔基本条件的，要及时补充进名单，使“213”人才队伍始终保持一池活水，让人才有压力、有动力、有作为。

三是定制化培养。着力提高人才的适应性，特别要深入分析全行转型发展所需的“高精尖缺”人才情况，结合“213”人才履历阅历等差

异，探索定制化培养方案，有计划、分步骤地对三类人才加强锻炼使用。对培养周期内的“213”人才，各级党委要关心爱护，跟踪指导，有针对性地提升其意志力、领导力、服务力和免疫力，构建符合干部成长规律、有机衔接的“育苗链”，防止急拿现用、煮出“夹生饭”。

四是个性化锤炼。“213”人才能力素质提升要突出个性，做到“缺什么补什么”，针对不同层次、不同成长阶段干部的特点和需求，开展分层分类有一定针对性的培训，着重从三个方面锤炼提高，即理论学习增信念，提升党性修养和对标看齐意识；实地调研摸实情，提高适应、把握和引领转型发展的领导能力；境外研修拓思路，培养和拓展国际视野。

（二）扎实抓好“213”人才的培养锻炼

一是坚持人才在基层培养、在基层成长、从基层选拔的方针。运用交流任职、岗位轮换、挂职锻炼等多种手段，有计划、分步骤地组织实施“213”人才培养方案。对于看得准、有潜力的“213”人才，可以放到关键岗位或情况复杂、矛盾尖锐的岗位去历练。对领军人才，抓紧安排缺乏基层任职经历的总行部门级领导人员到一级分行或地方政府挂职，总行处长到二级分支行；一级分行副职领导人员可根据需要安排跨分行交流、到总行交流，一级分行拔尖人才和骨干人才缺少基层任职经历的，也要尽快安排到二级分支行及以下任职或参加地方政府挂职。要让基层经历成为人才成长的必经之路，把新提拔领导人员一般应具有2年以上基层工作经验的规定落到实处。另外，对于缺少前台或中后台部门任职经历的，或者缺少业务部门或党务部门任职经历且需要补齐的，可以安排岗位轮换。对于已经多岗位历练、工作经历较为丰富、熟悉多个专业领域的“213”人才，可以采取现岗位加强培养的方式，通过调整分工、承担更重的职责等方式压担子、加压力，使其加速锻炼成长。二是坚持培养与选拔相结合。建立使用一批、储备一批的备用衔接机制，把优秀人才的选拔、培养、使用、管理作为一个统一闭合链条，抓好每个环节的重要节点，统筹设计，相互作用，共同发力，使“213”人才成为全行转型发展和领导班子结构调整的人才源泉和战略高地，满足各层级领导人员的配备需求。借鉴“三千人工程”成功经验，可选拔优秀的拔尖人才和骨干人才到总行交流学习；为培养建设银行集团所需的综合金融服务人才，也可以尝试组织选派拔尖人才和骨干人才到子公司培养交流。

（三）有计划地做好“213”人才的培训

“213”人才培训不是权宜之计或常规培训项目，不能冷一阵，热一阵，要立足长远、着眼未来，特别要注重以下几点：一是定位更高，对“213”人才的培养目标是胜任更高层级的领导岗位，所以培训方向要清晰，培训安排、内容设计要有前瞻性。二是内容更全，立足全面提升各类人才的党性修养、综合管理能力和专业素质，课程设置要比一般培训项目更具系统性、全面性。三是强度更大，“213人才工程”属于加速培养计划，培训安排要有一定强度。比如领军人才，党性修养、综合领导力、国际视野3个方向的4次培训，每名入库人员都必须按计划完成。四是要求更严，全行为“213”人才投入了这么大的资源，只有从严要求，才能确保效果。严格各类人才培训管理工作，党性修养采用调训，可安排人员跟班，把培训作为了解人才的一个渠道。“213”人才培训期间也应对建设银行转型发展中的热点难点和重大问题积极研究，多出成果，出好成果。

培训课程和内容上，一要加强党性修养培训，突出理想信念，把“213”人才思想政治建设摆在首要位置。充分发挥建行各级党校及井冈山培训中心的主阵地作用，重点办好各级党校干部培训班、专题研修班。总行党校优先考虑领军人才，党校分校优先考虑拔尖人才，基层党建专题培训班优先考虑骨干人才。2017—2019年，对近三年未参加过党性修养培训的入库人员全部轮训一遍。二要加强管理能力与领导力培训。统筹整合行内外、境内外优质培训资源，对“213”人才实施全覆盖的管理能力与领导力培训，全面提升综合经营管理能力和驾驭能力。对领军人才，有效整合中央干部学院、境内外知名高校等培训资源，组织开展管理人员高级研修班、转型发展高级研修班或知名高校领导力培训班等项目。对拔尖人才，依托行属培训中心和境内高校，组织开展处级管理人员领导力提升培训项目。对骨干人才，依托各分行直属培训中心等机构，组织开展基层机构负责人管理能力提升培训项目。三要加强国际视野和专业素质培训。建设国际一流银行必须拥有一大批具有国际视野与海外业务经验、对国际商务惯例和文化有一定了解的人才，要坚持理论与实践并重，围绕全球视野、转型发展的战略业务及重点领域，进一步提升"213"人才业务素养和能力。

三、各级党委要切实担负起推进"213人才工程"的重任

坚持党管人才原则，全行各级党委要充分发挥党组织的领导和把关作用，做好组织协调和统筹推动，以高度的责任感把"213人才工程"各项工作抓紧抓实、做精做细。

（一）以高度政治责任感扎实推进"213人才工程"

各级行党委要从建设银行事业的大局出发，高度重视、认真组织实施"213"人才工作。深刻认识打造国内最佳国际一流银行对人才培养提出的紧迫要求，深刻认识我行在人才数量、质量、结构等方面与转型发展目标存在较大差距，支持鼓励本单位"213"人才积极参加培训、交流任职、挂职锻炼、岗位轮换等成长成才计划，不能简单以工作任务重为理由影响各类人才应有的培训权益。总行除了统一安排领军人才培训项目，还会专门安排一些培训资源用于部分优秀的拔尖人才和骨干人才。各一级分行党委要对"213"人才多关心、多联系、多支持，抓紧建立本单位拔尖人才和骨干人才培养档案，制订一定年度的培养计划，建立分行"213"人才动态调整机制。

（二）以"213人才工程"为契机大力完善人才战略规划体系

实施"213人才工程"是我行人才工作的一个支点，也是全行人才战略的重要一环。各级行党委要结合建设银行长远发展战略，进一步分析所辖机构现有人才资源状况，完善人才战略规划体系，明确人才资源总量目标、结构目标与素质要求，建立促进人才辈出的长效机制。一是加强人才资源总量规划。围绕建设银行发展战略，采取定性分析与定量分析相结合的方式，系统分析业务规模、地域分布、运营模式、业务流程等对人才资源的需求，规划各级机构人才资源总量；分析不同区域、不同机构和不同业务岗位人才资源变动趋势和外部人才资源供给情况，制订科学合理的人才资源需求和供给计划，提高人才资源管理的前瞻性和计划性。二是加强人才资源结构规划。按照现代商业银行对人才资源配置的要求，依据建设银行经营特色、业务发展规模、组织机构和工作岗位分布，合理规划不同层次、不同类别人才资源的数量配比关系，既注重人才资源的专业结构、层级结构，又注重人才资源的业务结构、区域结构，完善全行人才资源结构整体框架。

（三）以更高的标准对"213"人才从严要求

入选"213人才工程"既是一份光荣，更是一份责任，各级行党委要对"213"人才从严要求和管理，使入库人才时刻珍惜机会、戒骄戒躁，认真参加各项培养任务，倍加努力、奋发有为，以强烈的使命感和责任感融入建设银行转型发展，努力以优异的成绩实现事业发展和人生价值的统一。首先是强化党性培养，树立坚定的政治立场。"213"人才的健康成长，核心是要提高思想政治素质、党风廉政建设意识。"213"入库人员中绝大多数都是党员，其他还有不少是入党积极分子，有关单位要切实抓好这部分同志的党性教育和党风廉政教育，做到理想信念坚定、政治纪律严明，做到守纪律讲规矩、对党绝对忠诚。其次是强化岗位历练，培育扎实的工作作风。"学所以益才也，砺所以致刃也"。实干是最好的磨刀石。"213"人才必须经历基层锻炼，要勇于在复杂局面、尖锐矛盾中历练成长，勇于在急难险重、艰苦环境中砥砺前行，要乐于在重点工程、难点工程中挑担子，乐于经历急事、难事、复杂的事。各级党委要培养"213"人才扎实、踏实、务实的良好作风，使他们认识到，必要的台阶在成长过程中的重要性，不能在一个分行、一个部门或者一个岗位干两年就想提拔，不能看上去经历丰富，实质上缺少一步一个脚印的积累历练。最后要强化管理监督，磨砺忠诚正直的人格品行。"213"人才要走的路很长，面临的考验很多，各级行党委要注意培养"213"人才自警、自省、自律意识，鼓励他们坚持以信念、人格、实干立身，同时加强日常管理与监督，始终铭记廉洁从政用权、廉洁修身齐家，时时

处处做严以律己的“清白人”。

同志们，“功由才成，业以才广。”各级行党委要以高度的历史责任感和转型发展紧迫感，组织实施好“213人才工程”，形成全行上下爱才、育才、用才的良好风气和常态机制，做到寻觅人才求贤若渴、发现人才如获至宝、举荐人才不拘一格、使用人才各尽其能，充分激发人力资源的创新活力和价值创造能力，努力为转型发展提供一流的人才保证和智力支持，把建设银行的事业不断推向前进！

在中国建设银行定点扶贫座谈会上的讲话

王洪章

（2017年2月15日）

同志们：

这次我和总行部门的几位同事来安康对总行定点扶贫情况进行调研，用了一天多时间，对扶贫工作开展情况做了一些了解。刚才，赵俊民副市长对安康市社会和经济发展及扶贫工作做了介绍，并就今后双方工作的进一步开展进行了沟通；蒋清海同志也把这三个月碰到的情况、问题、体会和下一步工作想法做了系统介绍和汇报，之前又听取了大家的发言，很有感触。

总体来讲，我们在安康挂职的几位干部精神面貌很好，有激情、有热情，对工作很投入、有干劲，有股子不脱贫誓不返行的气魄，这让我们看到了打赢脱贫攻坚战的希望，我感到很高兴。对于刚才大家反映的情况和问题，只要建设银行能够解决的，我们全力支持；需要帮助协调的，我们也会在各种场合从扶贫的角度全力以赴。下面我讲几点意见。

一、充分认识扶贫工作的重要性、艰巨性和紧迫性

扶贫是党中央、国务院作出的一项重大战略决策，安康市一区三县和四个定点扶贫村是中央交给我行的一项重要政治任务，同时还是我们作为国有大行应履行的主要社会责任，要加深认识，再加深认识。新中国成立和改革开放以来，解决我国农村贫困人口的温饱问题始终是我们党和政府的头等大事。党的十八大以来，扶贫脱贫是习近平总书记始终如一、从未忘却的牵挂，他多次强调要有“不破楼兰终不还”的坚定决心和坚强意志。在中央历次讲话和报告中，他都讲到脱贫问题，要求各级党委和政府要高度重视扶贫工作。可以说，没有任何一个国家像中国共产党这样重视贫困问题，把脱贫作为全党实现两个百年奋斗目标来对待。

目前，我国有5630万农村建档立卡贫困人口，安康市仍有19.39万建档立卡贫困户。各级行要帮扶包括安康三县一区在内的6.5万户、近20万贫困人口，相比全国5000多万贫困人口，占比不大，但任务很重。根据国务院扶贫办的安排，总行负责帮扶安康市三个县一个区。2016年陕西省和安康市政府把三县一区下辖四个村的脱贫任务交给建设银行。我们感到实现2020年打赢脱贫攻坚战任务还很艰巨和紧迫，这既是一项光荣的政治任务，同时也是我们应该履行的主要社会责任，要坚决做好。总书记在中央经济工作会议上专门用一页纸的篇幅讲扶贫，可见，扶贫工作有着极端重要性。承担扶贫任务的建设银行各级党组织都要立军令状，而且还要考核、验收，未完成任务要追究主体责任。定点帮扶实现脱贫，充分体现出中央扶贫工作贴近基层、了解民情，践行群众路线的要求。建设银行各级党委要切实担负起这一光荣而艰巨的任务，拿出实际行动，配合地方党委政府坚决打赢这场脱贫攻坚战。

二、我行在安康定点扶贫方面所做的工作

最近几年，包括过去一些年，建设银行在安康开展的扶贫工作取得了较好的成效。

一是29年来，累计投放扶贫贷款4.67亿元，重点支持了岚皋水电站、安康泸康酒业集团、阳晨牧业等基础设施建设和特色产业发展，这几个项目现在看来效果很好；对安康公益捐款捐物共计1472.48万元，其中捐资585万元，援建了8所包括乡镇小学在内的希望小学；从长远考虑，实施了高中生成长计划，捐资153.75万元，资助1025名贫困高中生完成学业。

二是累计派出87名干部到安康挂职参与扶贫工作，目前有14名干部驻安工作。根据总行统一安排，同时考虑到陕西省分行还承担34个村的帮扶任务，所以总行承担的四个定点帮扶村，包括所在县、区，全部由总行派出干部，以减轻陕西省分行和安康市分行的压力。

三是根据中央的要求，总行对扶贫的资金投入也做了安排。到2020年，对四个定点帮扶村总共将要投入资金4310万元，包括对四个村的捐赠资金每年800万元，五年是4000万元；资助四个村的贫困高中生，每年100人；给四个村所属乡镇捐赠母亲健康快车，每个镇1辆，折合金额约60万元；另外每个村每年投入5万元党建经费，用于基层党组织建设。按照总行定点扶贫工作方案安排，2016年的捐赠资金已经到位，效果也很好；也请安康市委和市政府协助建设银行把方案落实好、执行好。另外在金融扶贫方面，共帮助四个定点帮扶村协调项目资金8500万元，包括基础设施类资金，比如移民搬迁工程建设、村组道路硬化、美丽乡村建设项目、水利灌溉项目等；协调产业发展类资金，如引进九星集团、木材厂、茶园、合作社、矿泉水厂、光伏发电、茶厂等；捐赠和协调教育扶贫类资金，如捐赠音乐教室、电脑教室等。总体算下来大概投入1.2亿元。通过这些安排，确保总行所帮扶的四个定点扶贫村到2020年如期完成脱贫任务。

四是帮扶机制进一步完善。总行党委高度重视扶贫工作，多次专题研究金融扶贫和定点扶贫工作。制订并印发了《中国建设银行“十三五”金融扶贫工作规划》《中国建设银行2016年金融扶贫工作计划》和《中国建设银行总行定点扶贫工作方案》。成立了金融扶贫工作领导小组，大部分分行也比照总行成立了组织领导机构，针对金融扶贫和定点扶贫制订了辖内扶贫工作方案，明确了具体牵头部门和责任人。形成了总行、省分行、二级分行、县级行的四级扶贫工作格局。总行党委委员、副行长章更生和黄毅同志代表总行党委先后来到安康，对总行当前帮扶的贫困村做了调研，对帮扶工作进行指导，及时研究解决工作中遇到的问题。

三、下一步工作要求

（一）要继续认真贯彻执行好中央关于打赢脱贫攻坚战的各项要求和决策部署

一是要紧扣脱贫退出的条件，聚焦“建档立卡”贫困户，进一步细化和抓好各项帮扶措施落地。第一书记肩负着重要职责，要根据分工，协助市、县两级政府做好帮扶工作，同时总行、省分行、市分行以及县支行的党委（支部）书记也都有责任，要千方百计地指导和落实好各项帮扶措施。二是要做好两个确保，确保到2020年总行所帮扶的四个村，包括派驻挂职干部的四个县（区），所有的贫困家庭、贫困人口全部脱贫；脱贫后要确保不返贫。提前脱贫的要建立长效机制。目标就是脱贫要彻底，发展要持续。要结合当地特色产业，通过实施项目或信贷支持，充分调动贫困人口的积极性和创造性，因地制宜开展产业帮扶，不断提升“造血”功能，把以往的“输血式扶贫”变为“造血式扶贫”。三是要协调处理好扶贫与各方面的关系。我们要认识到脱贫是一项非常复杂的工作，不是一朝一夕就可以解决的，更不是脱贫以后就没事了，要想得更长一点、更远一点。

（二）加大定点扶贫方案的落实力度

总行党委已经制订了总行定点扶贫的具体方案，对此总行所帮扶的村，所挂职的县长、区长，要把需要解决的问题按照方案的要求建立清单制，坚持问题导向，把存在的难点与问题逐一列出来，并逐条加以研究解决，做到知难而进。在方案的落实执行中，要善于发挥建设银行综合性、多功能的优势，借助转型发展

的优势，使我们要解决的难点、落实的措施，在清单的基础上对所有的项目都能够具有可操作性和可持续性。

（三）要对定点扶贫工作实行严格的考核，使之成为明确脱贫工作导向的重要制度保障

2017年，总行办公室将会同相关部门对全行定点扶贫工作进行督促检查。总行将从精准帮扶、精准识别、资金使用管理、组织培训、减贫成效等方面进行综合考核。通过严格的考核，做到及时发现问题，及时总结经验，坚决禁止形式主义、弄虚作假、搞数字脱贫。

（四）要继续做好安康地区的金融扶贫工作

总行相关业务部门要继续加大对安康地区经济、产业发展、客户基础的调查与研究，精准对接贫困地区信贷融资需求。优化授信审批流程，建立绿色通道；继续延伸普惠金融服务、网点职能和服务网络，丰富金融扶贫手段；对信贷扶贫项目在客户准入、审批条件等方面给予政策支持，优先安排贫困地区项目授信审批工作；同时要量身定制特色扶贫金融产品，支持贫困地区重点基础设施建设、公共服务项目；支持经营状况良好、就业带动较多的小微企业和新型农村经营主体生产经营活动；做好当地在医疗、教育、社保、文化等民生领域金融服务。

（五）要组织和安排好安康地区"一区三县"专项扶贫捐赠资金的投入与使用工作

请蒋清海同志做好指挥和协调工作，确保项目所需要的资金能够合理使用。根据捐赠资金用途，逐笔建立台账，单独列支，严格监控。确保捐赠资金到村、到项目、到户、到人。强化审计监督，确保资金按规定、按流程投向扶贫项目。通过联席会议制度，经常沟通情况。因为扶贫工作的主体责任是地方党委和政府，所有与扶贫有关系的工作和项目，首先要在村党支部和村委会的领导下组织和实施，驻村第一书记还有挂职县（区）的副县长、副区长要注意，在这方面不能出问题。

（六）驻村第一书记、挂职副县（区）长要加强学习

要以这次扶贫为契机，好好地锤炼磨砺自己。要服从地方党委和政府的领导与安排，不能违反地方党委和政府的各项制度要求。扶贫干部在安康的工作时间不是很长，在个人生命的历程中更短，但这短短的一段时光却是最富有意义和最精彩的一部分，也是最可回忆的一部分，希望大家都能珍惜这段时光，将其作为人生新的起点，并在今后的工作岗位上再创辉煌。刚才挂职干部的汇报时间虽然不长，但头头是道，站位也很高，也很认真，思维能力、组织归纳能力都非常好，体现了较强的政治觉悟。感谢地方党委和政府对我行挂职干部的培养和支持。

（七）挂职干部要做到廉洁自律，自觉遵守各项组织纪律

我们所处的环境非常复杂，工作要接受村民、地方党委和政府的检验。挂职干部各方面条件都比所在的县（区）、村、乡和困难户要好，因此，要高标准地严格要求自己，不要脱离群众，要虚心好学，谦虚谨慎，不要让人觉得建设银行派的干部就是比我们"强"多了；也不要让人觉得建设银行派的干部吃住行的标准就是要"高"，这个"高"的意思就是村里的饭不爱吃，村里的屋不爱住，稍微远一点就躲一躲，稍微困难一点就往后退一退，不能这样。只有树立好的形象，村民才能体会到党和中央在扶贫工作中派来的干部是优秀的，是真心实意为人民服务的，要自觉接受广大群众的检查和监督，做廉洁自律的好榜样、好表率。

从今天调研的情况来看，我对2020年完成总行的定点扶贫任务是充满信心的。已经能够做到提前完成脱贫任务的，要做好持续发展的准备，要建立长效机制。仅有项目还不够，要着手做一些教育、培训和指导工作，转变贫困人口的观念，不断提高他们的智力水平。观念上不脱贫，智力上不脱贫，最终可能还会返贫，这一点在总行党委对四个村的定点扶贫方案当中也有明确要求，要做到切实落实。

最后，安康市政府提出的高铁、高新产业园区和楼房建设等需要建行支持的项目，大部分是没有什么问题的。我们全力配合，通过项目支持促进安康地区的扶贫工作上升新的层次，实实在在地把项目建设好，要从长期脱贫、长期发展上，持续性地把工作做好、实施好。

安康人杰地灵，我们也会借助安康这个幸福

之地，实实在在地把脱贫工作做好。再次感谢市委、市政府对我们建设银行工作的关心和支持，也感谢市、县（区）各级政府对我们挂职干部的关心和支持，谢谢大家。

建设银行转型：因势谋变再造发展新优势

——哈佛商学院全球CEO课程班授课讲义

王洪章

（2017年4月25日）

引　言

很高兴在哈佛这个学术殿堂与大家共同分享建设银行转型的一些探索和思考。

转型不是个新话题。对于多数企业尤其是大企业来说，都曾经历过转型，或者将要面临转型。纵观建设银行60多年的历史，本身就是个跌宕起伏的转型发展史：从最初承担国家财政拨款职能转变为专业银行，进而从专业银行向商业银行转轨、向股份制银行转制。在中国经济发展历程中、在金融改革关键历史节点上，建设银行都在不断地转型，而且每次转型都走在前列，赢得了新的发展。因此，不论从历史脉络还是从局内人视角看，这次转型都是建行发展到当下阶段的必由之路，也是不二选择。

这次转型又不同于以往。我想这可能也是帕勒普教授感兴趣，并将其纳入哈佛案例进行讨论的原因。我以为，不同之处主要是：其一，这是在中国经济进入新常态、改革进入“深水区”的大背景下，中国大型商业银行开启深刻变革、推动整体转型的一次先行探索，其复杂性、挑战性不言而喻。其二，从建行自身看，这是第一次自觉主动的转型。过去国有大型银行每次转型，都是中央确定了总体政策方略，建行在此基础上开展探索创新，因此主要还是作为具体的执行者。2005年股改上市后，建行成为严格意义上的市场化主体。这次转型是市场化的自主行为，是在国家全面深化改革、实践新发展理念的背景下，建行基于现代公司治理机制、凝聚全行30多万名员工聪明智慧作出的商业化决策。

第一部分
问题意识：正视问题、找到真问题

在完成股份制改制、建立现代企业制度后，伴随着中国经济的发展腾飞，建设银行迎来近10年高速增长。但是，最近几年却遇到了重重困难，发展步履维艰。“顺风舟好驶，逆风船难行”，能否冷静应对并找到方向，决定未来的命运。

问题错综复杂，观点也众说纷纭。要透过扑朔迷离的表象，找到真正的问题，进而作出准确辨析和研判。我们体会，面对阶段性困难需要的是坚持，面对趋势性的困难则意味着需要改变。

——外部因素

• 经济转型

全球经济步入“新平庸”（New Mediocre），整体增长缓慢、分化加剧、不确定性增加，“黑天鹅事件”频发。中国经济进入“新常态”（New Normal），长期向好的基本面没有变，但是下行压力加大、长期积累的矛盾显化，特别是产能过剩、库存积压、债务杠杆高企，供给侧结构性改革任务艰巨。

银行业是经济的“晴雨表”。经济增速换挡、结构调整深化，必然对商业银行的业务发展、盈利能力、资产质量带来影响。这些问题有别于以往，不是源于短期波动，而是趋势性的变化。

• 金融变革

利率市场化。随着中国利率市场化基本完成，

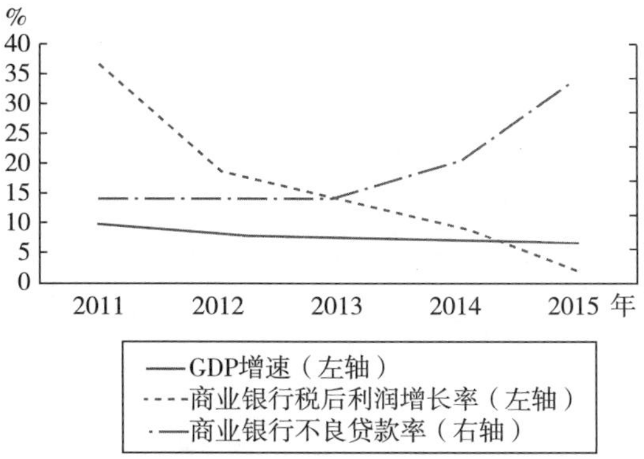

图1　中国经济增长与银行盈利能力、资产质量的变化

商业银行获得自主定价权，也面临存款分流、利差收窄的巨大压力。2016 年建行净利差为 2.06%，比上市之初下降 64 个基点，比最高的年份（2008 年）下降了 104 个基点。银行利润空间被大幅压缩，所谓“躺着也能赚钱”已成为历史。

汇率改革和人民币国际化。人民币汇率双向浮动空间扩大、跨境资本流动增加，中国企业“走出去”“一带一路”倡议实施、人民币国际化进程加快，对中国商业银行的跨境金融服务能力、全球资产配置能力、跨市场全面风险管控能力提出新课题。

金融深化和泛金融化。中国 M_2/GDP 指标由 10 年前的 1.6 增长到 2016 年末的 2.1，经济货币化程度快速提升。在此过程中，银行业顺风满帆实现了快速发展，过去 10 年间资产年均复合增速近 20%。这显然是不可持续的，趋势性的拐点已经出现。

泛金融化态势愈演愈烈。大量非金融机构依托互联网进入了支付、小额信贷等金融服务领域。以第三方支付为例，目前市场上已有 255 家持牌机构，2016 年的交易总规模预计近 100 万亿元，且连续 5 年保持 60% 以上高速增长。跨业竞争侵蚀了银行原有的业务份额，也倒逼银行改变传统经营模式。

风险跨界化和多元化。风险跨境、跨业、跨市场传递更为隐蔽复杂，汇市、债市、股市和大宗商品市场的风险更加易发高发。近年来，中国金融市场也发生过“钱荒”（2013 年 6 月）、“股灾”（2015 年 6 月）、债券市场动荡（2016 年第四季度）。

在此背景下，监管部门对全面风险管理、资本覆盖风险等监管要求不断升级，宏观审慎和微观审慎监管规则日趋严格。国内银行业长期以来以信用风险（且主要是信贷风险）为主的风险管控模式，已明显不适应市场变化和监管的要求。

• 新技术革命

新技术革命正在重塑现代经济版图。以人工智能、大数据、生物技术、区块链、移动互联网和物联网等为代表的第四次工业革命，正在深刻改变人们的生产生活方式，并将在经济领域带来颠覆性变革。近年来，金融科技（FinTech）蓬勃发展，运用越来越广泛。正如习近平主席在全国科技创新大会上所讲的，面对科技革命，如果我们不识变、不应变、不求变，就可能陷入战略被动，错失发展机遇。

【资料】第四次工业革命

克劳斯·施瓦布（Klaus Schwab，世界经济论坛创始人）在《第四次工业革命：转型的力量》一书中，描述了新技术革命带来的颠覆性变化，并认为无论是规模、广度还是复杂程度，第四次工业革命都与人类过去经历的变革截然不同。各行各业都在发生重大转变，主要表现为：新的商业模式出现，现有商业模式被颠覆，生产、消费、运输与支付体系被重塑。

施瓦布同时指出，这些改变是如此深刻，以至于人类在其历史上从未迎来如此美好的前景，也从未面临如此严峻的风险。

——内部因素

• 先行改革红利基本耗尽。经过多年快速发展，建设银行重组改制的先发优势日趋弱化，传统优势领域（如基础设施贷款、房地产金融等）面临增长瓶颈，新兴的领域（如高速增长的县域经济等）不占优势。从市场表现看，一些业务的领先地位丧失，甚至即将被竞争对手赶超。

• 外延式发展难以为继。过去 10 年，建设银行的资产规模增长 2.85 倍，贷款规模增长 3.1 倍，如此高速的规模扩张已不可持续。以资源要素投入驱动的发展模式，受到资本、风险、人力资源等多方面制约。依据全要素生产率理论，必须以技术进步、生产创新、组织再造、科学管理来激发新要素的活力，以此驱动向内涵式、集约化发展转型。这是唯一的出路。

• 传统打法明显力不从心。面对新业态、新模式以及同业和跨界的竞争，商业银行传统经营套路已不得要领，过去很多行之有效的方式方法不管用了。客户对金融的需求不断增加且日趋多样化，但是对银行的黏性却不断下降。建设银行从董事会、管理层到一线员工都切身感受到，如果不改变套路和打法，不仅走得很累，而且也走不远。

• 精益化程度不够。突出体现在，管理体制机制和业务流程不尽科学，管理还相对粗放，例如存在管理职能重叠、功能不集约，以及“部门银行”“大企业病”等现象，市场响应慢、应对效率低、运行成本高、客户体验不佳，在经营管理的精细化、精准化、精确化等方面亟待提升。

• 对标国际领先银行存在差距。建设银行上市后，市值在全球名列前茅，2015 年被列入全球系统重要性银行名单，市场关注度和监管要求也相应提高。但是与国际大型先进银行相比，我们在经营管理、产品创新、技术运用、海外业务等诸多方面都有差距。例如，建行虽然在盈利能力等指标上占有优势，但是国际大型先进银行不论是非利息收入占比（一般在 45% 以上），还是海外利润贡献（一般在 10% 以上）都明显优于建行。这些既是差距，同时也是潜力。

【问题讨论】

中西方银行转型面对的问题不一样。全球金融危机之后，西方很多大型银行都进行了转型。很多专家对此作了对比研究。应该讲，这其中有不少类似的地方，像强化全面风险管控、推动经营管理集约、严格资本管理等。但是，面对具体问题的差异决定了各自转型的方向和路径不同，因此不能简单地类比，更不能机械地生搬硬套。

比如，西方发达经济体存在“过度金融化”问题，而中国面临的主要是金融失衡的结构性问题，突出表现为存在“脱实向虚”现象、部分领域的金融供给还远远不足、金融服务不到位，这是真正的问题所在。因此，西方不少大型银行通过转型大幅“瘦身”、回归主业，包括出售部分业务条线和机构、放弃掉部分客户等；而中国大型银行则围绕主业开展综合性经营、拓展多功能平台，扩大服务领域、补强服务短板，着力提高效率、降低成本。这些看似截然相反的动作，实际上也是很好理解的。正如有句谚语所讲的，“自己的美食可能是他人的毒药”（One man’s meat is another’s poison）。

第二部分 路径选择：客户中心、价值导向的整体转型

建设银行转型突出以客户为中心、以市场为导向，定位于国内最佳、国际一流的目标，着眼于打造最具价值创造力银行。具体实施路径上，采取综合性、多功能、集约化、创新型、智慧型“五位一体”协同推进的整体转型。

这次转型不是局部的修补调整，而是全面的系统性工程。

——综合性：成为客户综合金融解决方案的提供者

• 目标

打造银行业务为主、非银行金融服务为辅、各项业务协同发展的现代综合性银行集团，形成金融功能全牌照、大资产大负债全资金、表内外全产品、海内外全覆盖的服务资质和能力，全方位满足客户多样化需求，提供综合化、定制化金融解决方案，全面挖掘和增进客户价值。

• 解读

从内涵看，综合性银行集团不同于综合化金融集团。建设银行转型坚持“本业中心型战略”，定位于打造综合性银行集团，主要考虑到自身的经营特点、发展路径和文化基因。前者区别于后者主要在于：综合性银行集团强调固守银行主业，聚焦服务实体经济和客户；集团的综合性金融牌照主要是满足客户的多样化需求，为客户提供更全面、优质的综合金融服务，而不是为了在不同市场获得超额收益或套利。

【资料】关于金融综合化的争论

国际金融危机后，各国监管当局、金融机构以及学术界和实务界都对金融综合化问题进行了反思。有的大型金融机构借助综合化牌照，进行

跨市场监管套利、放大金融杠杆等，集聚和放大了风险，成为引发金融危机的重要原因。从实践看，金融综合化可以说是把“双刃剑”，如果运用不当、监管不到位，可能对金融体系和实体经济带来伤害。

从历史上看，德国的全能银行（Universal Banking）、日本的主办银行（Main Banking）制度，都允许银行经营综合化业务，有的银行还持有非金融企业股权并参与公司治理。但从市场表现看，主业不清的综合化经营模式多数不成功，而且在经济危机、金融波动中往往首当其冲。

从外部看，着眼于对接客户不断丰富和变化的金融需求。随着经济转型升级和金融市场改革开放，客户金融需求呈现多样化、复杂化、专业化、定制化的特点。以客户融资为例，2008—2016年，人民币和外币贷款在社会融资规模中的占比由75%下降到69%，企业债和股票融资的占比由13%上升到25%。需求端的变化，要求银行在金融服务供给端作出调整。

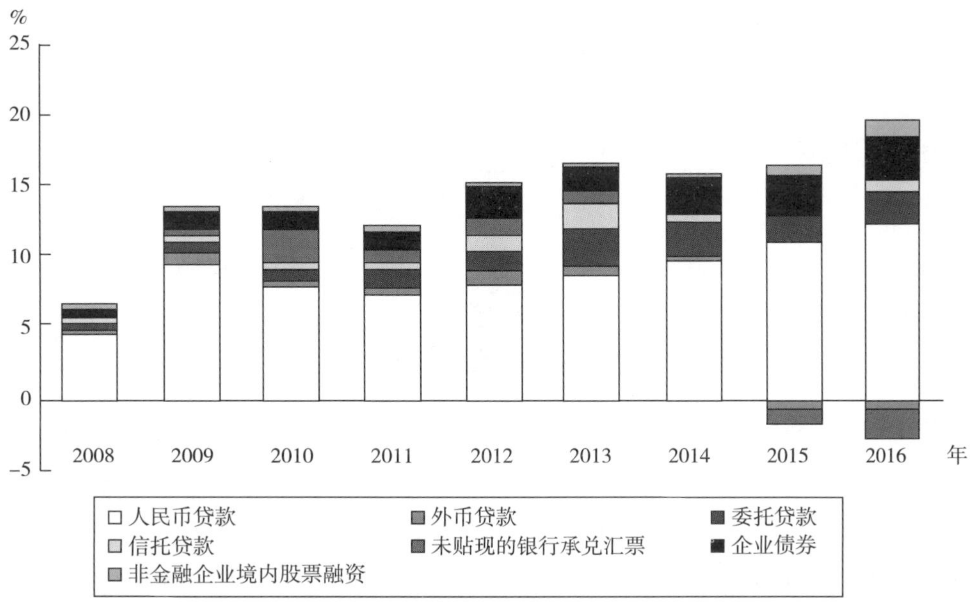

图2 客户融资占比

随着居民财富增长、消费升级、人口结构变化等，基金、理财、保险、养老金、信托等呈井喷式发展。数据显示，近年来银行的存款增速显著放缓，与此同时基金、券商资管、保险、信托、理财产品等规模快速增长，目前余额已接近116万亿元（规模相当于银行业存款近八成）。

大型银行综合性经营是响应客户需求变化的必然选择。第一，只有银行才能为客户提供全生命周期的服务，其他金融机构难以做到这一点；第二，只有银行的基本功能才能与客户基本金融需求实现最佳契合；第三，只有银行基于实体需求创新出来的产品才能更直接地服务客户和实体经济。所以，通过综合性经营转型才能增强客户黏性，立足银行主业做大做强、做出优势。

【资料】综合性服务和客户黏性

综合性服务对提升客户黏性至关重要。当一家企业使用某家银行1~2个产品时，一般是解决临时性需求，客户黏性等级为“D”；当企业使用银行3~5个产品时，会比较在意这家银行，黏性等级为“C”；当企业使用银行6~8个产品，会相当地倚重这家银行，黏性等级将达到“B”；当企业使用8个以上产品时，会高度依赖这家银行，形成真正“伙伴式”关系，黏性等级将达到“A”。

从内部看，着眼于提升资源共享和协同能力。中国金融体系一直以来是银行占主导地位，商业银行经过长期的发展，积累起来庞大的客户资源、数据资源、渠道资源和技术资源。根据“企业资源”理论，这些具有通用性的资源往往由于未被充分利用而成为“剩余资源”。通过综合性经营，可以在集团层面将这些资源更有效、更充分地统筹利用起来，实现规模经济和协同效应，更加有效地满足客户需求，并在同业竞争中获取比较优势。

在风险管理方面，集团综合性的业务有利于分散风险，改变长期以来信贷独大带来的信用风险高度集中的状况。此外，还可以通过综合性业务在集团层面对冲掉部分市场风险，通过母子公司资金统筹更好地管控流动性风险，通过集团信息共享更好地防范合规风险（如反洗钱），等等。

• 实践

综合性经营布局基本形成。建行集团的非银行金融牌照覆盖了基金、租赁、信托、寿险、财险、住房储蓄、投行（境外）、期货、养老金管理和造价咨询等十大行业，在国内同业中领先。在国内大型银行中独家拥有信托、养老金管理、造价咨询、住房储蓄牌照。

图3　建行集团非银行金融机构

子公司实现高质量快速发展。截至2016年底，子公司资产达3696亿元，比2012年增长了3倍，年复合增速为35%，净利润复合增速为39.4%。资产质量保持良好，整体不良率低于0.5%。

全球化服务网络落地运营。2012年以来，建行一级海外机构从14家增长到31家，机构总数从65家增至250多家，已覆盖五大洲29个国家和地区，形成跨时区、跨地域、多币种、24小时不间断的全球金融服务网络体系。建行伦敦、智利、苏黎世分行先后获任当地人民币清算行。总行按照一行一式、一行一策对海外机构进行业务定位，着力提升综合经营能力。

2015年以来，建行完成银团贷款、内保外贷、项目融资、并购贷款、境外发债等海外项目222个，签约金额551亿美元，储备项目450个。成功支持并购澳大利亚太平洋水电、融资安哥拉水电站等重大项目，为“走出去”企业提供综合金融服务。

战略协同效应显著。2016年，建设银行母子公司业务联动总量超过1.5万亿元，同比增长52%。子公司已有300多种产品在母行渠道销售。子公司还通过集合信托、融资租赁、债券承销、公开募股、直接投资等多种手段帮助银行客户解决资金需求，截至2016年末已提供综合投融资服务近8000亿元。

综合性经营机制不断完善。建立了统筹表内外、全渠道、全产品的经营管理机制。建立大资产大负债运营机制，抓全量客户、全量业务、全量资金考核，健全跨条线、跨层级的客户需求响应和联动营销机制。推进对公和零售客户“三综合”（综合营销、综合服务、综合定价），完善“三授信”（综合授信、集团授信、全球授信）机制。建立资金、财务、信贷等资源在集团内统筹配置机制，形成整体联动。

综合性经营探索实践中，形成了很多可复制推广的案例，如以综合金融服务支持信达公司收购南洋银行、中国化工收购倍耐力、华隧建设混改等，以市场化债转股帮助企业去杠杆等。

【案例】近期综合金融服务代表性项目

信达收购南洋银行。中国信达资产管理股份有限公司并购南洋商业银行390亿港元银团贷款，是中国银行业史上最大的并购融资。作为项目主牵头行，建设银行担任了独家全球协调行、独家账簿管理人、独家账户行及代理行等多个核心角色。建设银行总行、建银国际、建行亚洲、纽约分行、首尔分行共同参与。该项目获亚太区贷款市场公会（APLMA）2016年度交易大奖。

中国化工收购倍耐力。中国化工收购意大利倍耐力公司（Pirelli）68亿欧元的并购银团贷款项目，建设银行担任委托牵头安排行、簿记行、最初贷款人角色。建设银行总行、建行欧洲、伦敦分行、卢森堡分行、建行亚洲等机构共同参与。

广东华隧建设混改。建信信托担任华隧建设混改财务顾问，除以国改基金战略入股外，还为华隧建设设计了“员工持股”计划。未来企业上市IPO将由建银国际提供投行服务。建行集团通过母子联动、公私联动、表内外联动，为客户提供包括存贷款、保函、造价咨询、供应链金融、融资租赁、代收代付、企业年金管理等一揽子综合金融服务。

市场化债转股。2016年10月，国务院发布《关于市场化银行债权转股权的指导意见》后，建设银行本着市场化、法治化原则，率先落地实施了武钢、云锡试点债转股项目，此后又与20多家企业签订了市场化债转股框架协议，金额超过3000亿元，降低企业负债率5~15个百分点。市场化债转股在帮助企业去杠杆的同时，推动了企业股权结构多元化，促进企业重组改制。

——多功能：营建以金融生态圈为重点的多功能平台

• 目标

以客户为中心营建以金融生态圈为重点的多功能平台，实现客户需求一点接入、一揽子产品配置、“一站式”综合解决；基于生活化、场景化延展平台功能，形成开放共享、互联互通、合作互利的金融生态，实现与客户、第三方共生共赢、协同发展。

• 解读

从长远趋势看，金融将逐渐成为一种基础功能。布莱特·金（Brett King）在《BANK 3.0》一书中指出，BANK 3.0时代的银行不再是一个组织，而是一种行为。我们理解，未来的金融服务可能也不再特指是金融机构的行为，而逐步成为一种基础的功能。人们可能感受不到银行的“物理存在”，而银行提供的多功能金融服务却如同空气和水一样无处不在，融入人们日常的生产生活。因此，立足于自身优势提前布局金融生态，是大型银行功能转型的必然选择。

从供需关系看，多功能是破解“脱媒”问题的关键。金融深化为越来越多具备价值的资产实现金融化提供了可能，而泛金融化则使得客户可以很容易通过银行以外的机构、渠道、产品满足自身的金融需求。所谓“金融脱媒”，不在于客户不需要银行的服务，而是银行传统的金融服务供给与客户发展变化的需求存在错配。因此，解决问题的关键是拓展功能，从过去单一中介模式向多功能平台、金融生态圈转型。

从普惠理念看，良好金融生态是新型银企关系的必然要求。让人人都拥有获得金融服务的机会并参与价值创造，这是经济金融包容性发展、可持续发展的基础。金融生态倡导开放、合作、共享的理念，倡导伙伴式的新型银企关系、协同发展的新型金融模式。这种生态圈具有高度的包容性和共享性，诸多非金融服务的供应商也能够参与到生态系统中，通过多层次、多维度的合作共同满足客户的金融需求和相关非金融需求，形成客户、银行和其他利益相关方紧密耦合、相互依存、共生共荣的生态共同体。

【资料】商业生态系统和协同进化战略

在良性和谐的生态系统中，各主体之间不是“零和博弈”，而是共生共荣、协同进化关系。

詹姆斯·弗·穆尔（James F. Moore）等学者提出商业生态系统的概念，以及基于商业生态系统概念的协同进化战略。他认为，企业战略应该关注整个企业生态系统的协同进化，这不同于物竞天择、适者生存的生物进化论。企业不是追求战胜竞争对手，而应与对手乃至整个商业生态系统共同进化，创造一种崭新的商业模式。

● 实践

服务平台的功能不断丰富完善。建行通过统筹集团母子公司、境内外机构，整合第三方优质金融和非金融服务资源，目前已形成目录清晰、组合多样、特色定制、功能完备的平台服务体系，"一个客户、一个账户、'一站式'服务、多样产品"的多功能服务模式基本成型。

例如，"悦生活"平台涵盖缴费充值、汽车服务、商旅出行、餐饮娱乐、教育服务、保险医疗、税费缴纳8大服务场景、70类共1万余项服务，2016年实现交易2.8亿笔，交易额达1049亿元。

金融生态的人气快速积聚。以客户为中心的零售和批发业务金融生态圈，形成良好的"磁场"效应。通过不断丰富场景嵌入，促进了全景化的生态融合。例如，基于社保、公交、社区、校园、医疗、旅游、车友、菜市场、ETC、县域等诸多民生热点，新建近800个支付结算生态圈，赢得了广泛的人气和口碑。

传统物理网点向"三个平台"转型。有很多专家认为，在移动金融高速发展的时代，传统网点对于银行而言将成为包袱。建设银行的思路不是做减法、撤网点，而是对网点进行"三综合"改造、授权调整和转型"赋能"，将其打造成为产品展示与销售平台、客户体验与互动平台、客户交流与咨询平台，实现线上线下平台对接和生态融合。目前全行1.5万个网点中99%的网点、95%的柜员能够"一站式"为客户提供对公和对私综合性服务。

【案例】物理网点转型为"三个平台"

产品展示与销售平台。设计统一规范的展示区域，运用新技术、智能设备向客户直观地展示产品、服务信息以及购买各类产品的业务流程场景，使客户能够直观地了解产品和业务办理流程和要求，实现客户由"到网点"向"逛网点"转变。

客户体验与互动平台。通过网点硬件智能化升级、更人性化的服务、常态化的客户体验机制，为客户提供专业、智能、舒适、一致的体验旅程，引导客户了解建行产品，体验建行服务；同时通过"互动"活动，建立采集客户需求并改进产品、流程和服务的机制。

客户交流与咨询平台。营造舒适、私密、安全的交流环境，实现网点人员快速识别客户、了解需求，依托大数据分析为客户提供专业的金融咨询和综合化产品营销推介，有针对性开展客户交流，提供贴心服务，实现网点由"被动交流"向"主动交流"转变。

基于金融生态实现协同发展。营造金融生态中跨界跨业合作的新模式，构建多层次新型伙伴关系，在为生态圈中商户、客户提供金融服务、创造价值的同时，实现多方互利共赢，提升生态参与主体的黏性和活跃度，实现整个生态良性运行和繁荣发展。例如，在推动普惠金融方面，建设银行依托"善融商务"支持农村特色产业和农户产品销售，通过与第三方跨界合作打造新型"村口银行"等，创造了良好的商业价值和社会价值。

【案例】依托"善融商务"平台支持农村特色产业

建设银行自主建设的"善融商务"电子商务金融服务平台，以专业化金融服务为核心，融资流、信息流和物流为一体。平台的信息、网络、金融资源优势吸引了大量农村企业和客户，目前，"善融商务"上销售的新疆水果农副产品、贵州白酒、甘肃特色农作物产品、西藏手工艺品、陕西富硒茶、四川生态猪肉，以及西部地区毛纺产品等都深受客户欢迎。

据不完全统计，扶贫地区商户进驻近800户，累计交易额超过3亿元。平台通过评估线上卖家流量、营业额、信用评价等关键数据，有效解决了农户普遍存在的缺乏合格押品、信息不对称等融资难题，形成了独具特色的普惠金融新模式。

【案例】跨业合作打造新型"村口银行"

县域市场金融需求巨大，但建行在农村服务

网点较少。近年来建行与供销社跨界合作，依托建行移动金融平台和湖北供销总社1.9万个村级供销社平台，构建了“移动金融+供销服务点+裕龙卡”的村口银行新模式。截至2016年底，全省裕农通服务点达到10111个，覆盖全省17个地级市及60个县级市，辐射省内50%以上乡镇和超过35%的行政村，极大地便利了农民，丰富了农村金融供给，降低了服务成本。目前，“村口银行”模式正在向全国推广。

——集约化：推进经营全要素的优化配置

• 目标

从企业级层面推进集团化、规模化资源统筹，对银行经营全要素进行优化配置，实现流程精益、运营集中、技术集成、成本节约、效率提升、管理科学。

• 解读

从发展紧迫性看，必须向内挖潜以突破增长瓶颈。过去依靠要素资源投入的跑马圈地式发展已经难以为继。资本、信贷规模等限制使得外延扩张受到刚性约束，人力费用、物业成本等上升导致运营成本刚性增长。

建行股改上市以来，资产、负债、中间业务分别增长了3.57倍、3.5倍、13倍，但是网点和人员数量仅增长7%和21%，相应业务压力、管理难度也成倍增长。随着建行被纳入全球系统重要性银行，资本充足的要求进一步提高。在这些刚性约束条件下，要保持业务发展和盈利指标合理增长的难度越来越大，必须通过集约化转向内涵式发展。

【资料】关于集约化的概念

集约化概念最初源于农业生产。随着人口增加，宜耕土地越来越紧张。农业集约化就是在有限面积的土地上集中有效地投入劳动、资金和技术等要素，以获得更多的单位面积产出，提高劳动生产率。

集约化概念从农业逐步扩展和运用到工业、服务业（包括金融）等各个领域。集约化强调在边界约束条件下，集中统筹人、财、物、技术、管理等生产经营要素，以效率和价值为导向进行优化配置，实现降低成本、增加产出、高效管理的目标。

从现实必要性看，只有集约化才能使“大象跳舞”。作为一家资产超过20万亿元、员工30多万人、业务范围覆盖几乎所有金融领域、机构遍布海内外的大型银行集团，要实现运营顺畅、管理高效并不容易，确实就像让大象跳舞一样困难。像令人困扰的“大企业病”问题，建设银行也同样存在，而且在一些领域还相当严重。从集约化入手，打通不同条线、机构、层级、业务之间的壁垒，在企业级层面进行经营全要素的优化配置，形成集中高效的运行机制，是矫治“大企业病”的关键。

• 实践

流程银行再造。银行作为服务业，提供各类金融服务背后的载体都是流程，流程再造是推进集约化的基本手段。建设银行开展了流程银行建设战略专题研究，按照客户导向、全局导向、效率导向和协同导向，梳理重检流程，缩短流程链条、减少繁冗环节、精简审批事项，以实现最快反应、最准判断、最优服务和最佳绩效。流程银行建设成效显著，例如，通过优化信贷流程，授信环节由过去的42个精简到19个，授信效率大幅提升。

功能集中整合。建行对分散在多个省市的25个中心进行了整合，组建了客户服务中心、业务处理中心、托管运营中心、单证中心、反洗钱中心。推进集中经营，在总行层面建立资产管理、同业业务、金融市场交易3个直营中心，以及资产保全经营中心。改革风险管理体制，建立集中、专业的全面风险管理体系，以统一视图强化对综合风险、集团风险、境内外风险的集中管控。

打造集约处理平台。以集中生产模式为核心、以云生产模式为辅助，建立支持分行、子公司、海外机构的集约化运营体系。实施前后台分离项目，打造专业的集约处理平台，承接全行37家分行1.5万个网点和专营机构37类业务产品的集中处理。目前日均业务量为70余万笔，峰值业务量达百万笔，解放了前台的生产力，促进了业务响应速度和处理能力大幅提升。

【案例】前后台分离和后台集约处理

前后台分离和后台集约处理项目中，采取模块化、组件化的技术方法，通过拆分操作环节、整合同质要素、同步并行处理，引入影像化处理、工作流引擎等先进技术，实现了前台便捷化受理、后台工厂化集约化处理、前后台一体化作业。通过该项目，客户办理立等业务的耗时，由过去的5分钟缩短为不到2分钟，柜面人员得以从烦琐操作中解放出来，既大幅改善了客户体验，又极大提升了银行网点的综合服务能力。信用卡进件录入成本费用较原模式的3.13元/件降至1元/件，客户全流程办卡周期由原来2～3周缩短为1周。

节约运营成本。从源头严控支出，精打细算，细化投入产出和成本分析，调整优化低效的机构网点及各类机具设备，压缩闲置资产，控制行政类费用，改进外包管理。加大总行集中采购力度，IT产品采购集中度超过了95%，采购节约率达到20%。实施集约化转型以来，全行成本收入比由2014年的28.9%降至2016年的26.7%（还原“营改增”因素），该指标在国内银行业保持领先。

优化资源配置。财务资源配置上，增加对战略转型和基础性业务领域的资源配置，压缩一般行政费用和基础运营费用，腾挪出的财务资源用于支持转型发展重点领域。资本配置上，向低资本占用、高资本回报、轻资产的业务倾斜，实施资本精细化管理，实现了表内外加权风险资产增速大幅低于业务增速。人力资源配置方面，通过科学定编、定岗、定员，精简压缩机关和中后台人员，提高直接创造价值的基层一线人员占比，将集约化释放出来的人员向经营部门配置，使人力资源发挥最大效能。

——创新型：打造创新驱动的强力引擎

• 目标

加快由规模驱动向创新驱动转型，完善创新系统规划、强化创新能力建设、优化创新流程、健全创新容错和激励机制，推动全员创新、自主创新、持续创新，努力在金融产品、服务、商业模式上引领创新。

• 解读

从宏观大势看，中国经济新一轮创新周期已经开启。随着经济发展进入新常态，创新作为五大发展理念之首，已经成为国家战略。国家创新体系建设加快，产业战略由传统低成本优势向建立创新优势迈进，“大众创业、万众创新”迸发出蓬勃活力。实体经济创新发展，对金融产品、服务和商业模式创新提出了迫切要求，同时也为银行加快创新打开了新的空间。

从建行自身看，创新体系建设是当前最紧迫的任务。在经济转型升级大格局下，建行必须加紧向以创新驱动的“熊彼特式增长”转型。目前这方面还存在明显差距，包括创新的系统性规划不够、创新能力不足、产品创新跟不上市场变化和客户要求，同质化、跟随式创新多，自主创新、引领性创新少，容错和激励机制欠缺，员工创新积极性不足等，解决这些问题已是当务之急。

• 实践

全面实施创新规划。建行从2013年开始实施“产品创新三年规划”，成立产品统筹与创新委员会，形成了“总行战略/总行重点/分行自主/分行移植”分层次产品研发管理体系。

完善创新组织体系。设立产品创新管理部，在各业务部门增设产品创新处室，组织、推动全行产品创新，协调、实施跨部门产品创新。成立8家总行级产品创新实验室。多家分行成立专业金融创新中心，专注具体领域开展创新实践，如重庆对公业务创新中心、厦门对公业务创新中心、广东科技金融中心、苏州投贷联金融中心等。有的分行成立科技金融创新中心、创业创新金融服务中心等，对接服务“大众创业、万众创新”。

完善创新管理机制。建立全员参与创新机制，持续举办“金点子”大赛，近年来累计征集“金点子”5750条。完善产品创新考核激励机制，将产品创新纳入总行业务部门绩效评价、分行绩效考核体系，建立多层次、全方位的产品创新激励评价体系。从制度层面给予创新试错、容错、纠错的空间，对于正常的创新失败不作负面评价、不追究相关责任。

创新成果全面转化为生产力。2013—2016年，全行累计完成产品创新5500多项，创新产品数量和质量居同业前列，新增一批在市场具有引领地位、品牌知名度高的核心产品。例如，推出全球财务管理、智能场景应用等新业务模式，以及“飞驰”（综合金融解决方案）、“禹道”（对公现金管理）等拳头产品。创新带来了显著效益，如2016年的40个“产品创新奖”项目，共为全行贡献经营收入379亿元。

【案例】快贷、龙支付、小微企业专属产品

“快贷”。建行作为国内互联网信贷业务的先行者，于国内同业中首家推出了全线上信贷产品“快贷”，无须客户提供任何纸质材料，全流程自助、“三秒三步”即可完成贷款办理。截至2017年3月，快贷余额突破1000亿元。

龙支付。建行推出同业首个融合NFC、二维码、人脸识别各种技术，覆盖线上线下全场景的全新支付产品组合。截至2017年3月，龙支付累计用户数接近1260万户，累计交易总笔数2918万笔，交易总额33亿元。

小微企业专属产品。建行整合税务、工商信息、企业信息、银行交易信息等数据，创新推出“小微快贷”“税易贷”“创业贷”等特色产品，小微企业在信贷额度内随用随贷，既大大提升了金融服务效率，又解决了中小企业轻资产、信用不足、担保成本高等问题。

——智慧型：以智慧的金融服务赢得未来

• 目标

依托现代金融科技并融入银行专家智慧积淀，全面提升银行经营管理、风险管控的智能化水平，为客户提供更智慧的金融解决方案，使银行服务更敏锐高效、安全可靠。

• 解读

探索“未来银行”模式。大数据、云计算、生物识别、语言处理、人工智能、区块链等技术的运用，将潜移默化地改变未来金融的模式和规则。从趋势看，基础性的金融服务将逐步被智慧柜员机、智能客服等智慧设备替代，部分知识密集的业务也将被具备机器学习、分析决策功能的金融技术所取代（如智能投顾）。区块链等技术运用带来“去中心化”等效应，甚至可能对金融业带来颠覆性的影响。跟进金融科技的发展前沿，探索“未来银行”模式并适度超前布局，对于大型银行来说尤为重要。

让银行服务“聪明”起来。当前，一些从事互联网金融的企业在前沿金融科技探索运用方面已经走在前面，部分领域远远领先于传统大型银行。大型银行要加快跟进，有些技术可以备而不用，但必须有超前的研究。同时，大型银行要充分发挥自身在数据积累、专家资源方面的独特优势，与现代金融科技有机结合起来，快速提升银行在客户洞察、商机捕捉、业务决策、风险管控等方面的智能化水平。

• 实践

搭建企业级技术基础架构。近年来，制定全行大数据规划、建立集中的大数据研发中心，形成了企业级数据规范和企业信息多维视图。完成了“新一代核心系统”建设，为智慧银行建设提供了高水准、企业级的IT支撑平台。

推动渠道服务智能化。柜台人工服务逐步向ATM、VTM、STM、智慧银行和机器人服务迁移。实施“移动优先”战略，网上银行、手机银行和微信银行三大渠道服务用户数连续3年同业第一。目前，自助设备和电子银行、手机银行的账务性交易数量已占到97%。网络智能客服“小微”累计服务用户超过19亿人次，每天服务用户400万人次，自动应答量是人工客服量的2倍。智慧柜员机投放4.3万台，替代了3万余名柜员的工作量。

【案例】智慧柜员机（STM）

智慧柜员机集产品销售、业务办理、宣传展示、体验互动于一体，具备百余项常用业务办理功能，能够为客户提供“一站式、智能化、多样化”服务。目前，智慧柜员机已上线产品服务迁移率超过70%，服务效率比过去提升5.5倍。到2016年底，智慧柜员机投放4.3万台，相当于释放出3万余名柜员，有效推进了网点人员服务转型。

商机洞察和产品推送智能化。通过数据挖掘、客户行为分析开展精准营销，批量获取潜在客户、智能匹配和推送产品。例如，在信用卡客户拓展项目中，基于数据挖掘和智能判断，导入预审批客户3580万人，促进信用卡客户结构不断优化，年轻客户占比达到47%。

风险管理“机控”能力提升。运用大数据方法和模型工具，在风险预警监测、智能反欺诈、风险计量模型运用等风险防控方面推广应用，建立风险识别、防控、处理策略，辅助管理者及时、有针对性地开展风险管理，由“人控”变为“机控技防”。例如，授信监测中通过系统自动筛选疑似风险客户，发布预警提示。信用卡业务中，

在业内率先搭建了企业级智能反欺诈管理平台，对于每日千万级的海量交易，能够在30毫秒以内快速识别欺诈。2016年，防范堵截欺诈金额近20亿元。

转型按照既定规划有序推进，已实现“六个完成、两个形成”。总行成立转型规划推进指导小组，采取分类推进、以点带面方式，发挥转型标杆行、重点城市行的示范带动作用，复制推广来自基层的典型案例，建立转型发展评价指标体系，推动转型在二级分行及以下机构全面发力。目前，综合性战略布局、多功能服务平台、集约化机制、海外机构布局、新一代核心系统，以及最佳人才培养机制的建设已经基本完成，全员的创新型银行建设意识、智慧型银行服务理念基本形成。

转型先手棋为全行赢得了主动。建设银行沉稳应对经济下行压力，率先实现了经营企稳。2016年，在拨备覆盖率保持稳定、不良贷款额和不良贷款率“双降”的基础上，全行实现净利润增长1.53%。得益于转型助力，建行取得逆势而上的经营成果。我们有信心到2020年实现转型规划的既定目标，建成“资本充足、结构合理；管理规范、控制有效；功能完善、基础扎实；国内最佳、国际一流”的最具价值创造力银行集团，实现客户、股东、社会和员工价值的最大化。

第三部分
认知体会：转型中的“大智慧”

• 上下同欲。转型先转观念，凝聚共识对于一家大型银行成功转型至关重要。建设银行转型规划的起草经过反复研讨酝酿，先后修改了100多稿，广泛汇聚了全行的智慧。各业务条线制订转型具体实施方案中，将顶层设计和基层创新紧密结合，很多思路、做法乃至具体举措都来源于基层实践。因此，全行上下在转型中做到了认识一致、方向一致，形成了最大公约数、凝聚了最大的合力，使得转型千头万绪的工作得以协同有序顺利推进。

• 上兵伐谋。这次转型着眼于长远和大局，不争一城一地的得失。例如，我们率先要求各分行季度末年末不冲时点，转向实施“大资产大负债”策略，跳出存款抓客户、抓账户、抓全量资金经营，跳出贷款抓优质资产、抓综合性投融资服务。虽然短期内可能丢掉一些市场份额，但是从长远发展和全局看，赢得了转型主动、抢到了战略先机。实际上，多下功夫把转型的基础打好了，业务经营指标只要稍一发力就上去了，完全不需要担心。《道德经》中有句名言：“夫唯不争，故天下莫能与之争”，讲的就是这个道理。

• 守正出新。商业银行无论如何转型创新，都不能背离金融的内在规律，也不能改变金融作为服务业的本质属性。坚持植根于实体经济，坚持按银行的规律办银行、一心一意办银行，才能确保转型发展不偏离正确方向，才能做到行稳致远。这也正是建行文化一直倡导的“善建者行，成其久远”的理念。同时，身处大变革时代，银行必须勇于和敏于求变、敢于和善于创新，把创新作为破解难题的关键一招。敢为人先的创新精神作为建行的重要文化基因，在60多年发展历程中发挥了重要作用，在这次转型中也得到了进一步彰显。

• 以人为本。建设银行把员工视为最宝贵的财富，着力将人本理念融入经营管理各项工作中。战略转型中突出了人的因素，把人力资源管理的转型摆在重要位置，着力优化人力资源结构，改革人才选拔聘任机制，启动“213人才工程”“国际化人才千人计划”，完善人力资源考核激励机制。特别是将薪酬、培训等资源向一线员工倾斜，后台集约化、智能设备释放出来的柜面人员经过专业培训后走上了新的岗位。以人为本的文化使得全行在转型变革中，始终保持强大的凝聚力和向心力。

• 和合共生。金融的本质是融通，金融与实体经济之间，银行与客户、合作者和其他利益相关者之间，不应该是“零和博弈”、粗暴瓜分利润的关系，而应该回归到共生共荣、协同发展的状态。这种“伙伴式关系”是构建和谐金融生态、实现经济金融可持续发展的基点。金融转型和创新如果偏离了这个基点，最终必然是误入歧途。从这个意义上讲，西方有识之士在反思金融危机的教训、探索金融转型该何去何从时，我想是不是也可以从中国“和合共生”的传统智慧中得到有益启示。

回归本源　稳慎有为
紧扣三大任务全面深化转型

——在中国建设银行夏季工作会议上的讲话

王洪章

（2017 年 7 月 24 日）

同志们：

为贯彻落实党的十八大和十八届三中、四中、五中、六中全会精神，传达贯彻全国金融工作会议精神，总结全行 2017 年上半年工作，研究落实服务实体经济、防控金融风险、深化改革转型等重点任务，布置下半年的工作，总行党委决定召开这次会议。祖继同志还要作经营情况报告，这里我首先代表党委谈几点意见。

一、深入学习贯彻全国金融工作会议精神

2017 年 7 月 14 日至 15 日，中央召开了全国金融工作会议。会上，习近平总书记、李克强总理作了重要讲话。会议还就《关于服务实体经济、防控金融风险、深化金融改革的若干意见》征求了与会代表意见。

习近平总书记总结了党的十八大以来我国金融改革发展取得的新的重大成就，同时也指出了当前面临的 8 个方面金融风险。一是金融杠杆率和流动性风险高；二是信用风险高，商业银行不良贷款规模较大，债市等各类信用违约事件增多，违约率上升；三是影子银行风险高，各类表外理财业务、同业业务、交叉性金融业务迅速扩张，交易不透明，多层嵌套，风险链拉长；四是违法犯罪风险高，严重扰乱金融秩序；五是外部冲击风险高，美联储加息、“缩表”的力度和节奏，欧元前景，其他新兴经济体形势的不确定性等，都会对金融市场产生较大风险；六是房地产泡沫风险高；七是地方政府隐性债务风险高；八是部分国企债务风险高。

习近平总书记强调，金融是国家重要的核心竞争力，金融改革发展是国家改革发展的重要内容，金融安全是国家安全的重要组成部分，金融制度是经济社会发展中重要的基础性制度。做好金融工作要把握好四个重要原则：一是回归本源，服从服务于经济社会发展。二是优化结构，坚持质量优先，引导金融业发展同经济社会发展相协调，促进融资便利化，提高资源配置效率。三是强化监管，提高防范化解金融风险能力。以强化金融监管为重点，以防范系统性金融风险为底线，完善金融机构法人治理结构，加强宏观审慎管理制度建设，加强功能监管，更加重视行为监管。四是市场导向，发挥市场在金融资源配置中的决定性作用。

习近平总书记强调，金融是实体经济的血脉，为实体经济服务是金融的天职，是金融的宗旨，也是防范金融风险的根本举措。要全面提高金融为实体经济服务的效率和水平。

习近平总书记指出，防止发生系统性金融风险是金融工作的永恒主题。要把主动防范化解系统性金融风险放在更加重要的位置，科学防范，早识别、早预警、早发现、早处置，着力防范化解重点领域风险，着力完善金融安全防线和风险应急处置机制。重点抓好三件事：一是推动经济去杠杆，把国有企业降杠杆作为重中之重，抓好处置“僵尸企业”工作，严控地方政府债务增量，终身问责、倒查责任；二是整治金融乱象，坚决整治严重干扰金融市场秩序的行为，严格规范金融市场交易行为，规范金融综合经营和产融结合，加强互联网金融监管，强化金融机构防范

风险主体责任；三是促进房地产市场平稳健康发展。

习近平总书记强调，做好新形势下金融工作，要坚持党中央对金融工作集中统一领导，确保金融改革发展正确方向，确保国家金融安全。落实全面从严治党要求，贯彻党管干部原则，严明政治纪律和政治规矩，建好金融系统领导班子，强化对关键岗位、重要人员特别是“一把手”的监督，强化执纪问责。要加强金融系统党的领导和党的建设。党的领导同公司法人治理必须是一体化的，必须贯彻到公司治理全过程。要扎扎实实抓好党的建设，增强党领导金融工作能力。各级领导干部特别是高级领导干部要加强金融知识学习，加深对金融规律的认识和把握。要大力培养、选拔、使用政治过硬、作风优良、业务精通的金融人才，特别是要注意培养金融高端人才，努力建设一支宏大的德才兼备的高素质金融人才队伍。

李克强总理在大会上作了重要讲话。他指出，要正确把握金融工作面临的形势和任务。金融领域还存在不少矛盾和问题，包括货币政策面临稳增长与去杠杆的艰难平衡、金融服务实体经济不到位、金融风险不断累积需要高度警惕、金融新业态迅猛发展给金融监管带来新挑战、金融体制机制不适应服务实体经济和防范金融风险的需要等。

李克强总理指出，要加强和改善对实体经济的金融服务。一是继续实施稳健的货币政策和保持货币信贷适度增长。要盘活货币信贷存量，提高资金周转和服务实体经济的效率。加强引导、疏堵结合，防止资金在股市、债市、楼市之间大进大出，在金融体系内部自我循环。二是充分发挥金融服务实体经济的功能。大力发展普惠金融支持经济社会发展薄弱环节，强化小微企业金融服务，优化“三农”金融服务。实施金融精准扶贫，重视培育“造血”功能，支持深度贫困地区、集中连片特困地区发展。目前国有五大行均已在总行层面成立了普惠金融事业部，关键要真正运用好。加强对创新驱动发展和新旧动能转换的金融支持。要大力支持就业创业，鼓励银行、证券、保险等机构开发适合“双创”的金融产品。发展绿色信贷、绿色证券、绿色保险，构建绿色金融体系。大力推进金融供给侧结构性改革，改革提升传统动能，加快培育新动能。做好对国家重大发展战略、重大改革举措、重大工程建设的金融服务。金融机构要在坚持市场规律和商业原则的基础上，大力支持供给侧结构性改革，完成好“三去一降一补”重点任务，支持“十三五”规划确定的重大工程项目建设，支持实施《中国制造2025》。

李克强总理强调，要着力防范和化解系统性金融风险。切实保障金融市场稳健运行。高度重视防控债券违约风险。稳步化解银行不良资产风险，着力控制增量，加快处置存量，加大呆账核销、现金清收、债务重组、资产证券化等力度，调动银行和资产管理公司等多方面积极性，形成多元化处置不良资产格局。要搞好流动性管理，加强预期管理。要积极稳妥地推进去杠杆。抓住主要矛盾，把控制企业杠杆率特别是国有企业和产能过剩行业债务作为重中之重。当前债转股协议签约多但兑现少，关键是支持政策要跟上，促进各方承诺及时落实到位，使市场化债转股成为去杠杆的一件利器。要有效防控非金融领域因素引发金融风险。

李克强总理强调，要深化金融改革。坚持总体分业经营为主，审慎有序进行适度综合经营试点。严格限制和规范金融机构多牌照经营，严格限制和规范非金融企业投资金融机构。坚持中央统一规则、压实地方监管责任。加强金融监管问责。要坚持自主、有序、平等、安全的方针，稳步扩大金融业双向开放。要加强对金融改革发展稳定的法治、信用、人才保障，创造优良金融生态环境，以优质高效的金融服务推动经济保持中高速增长、迈向中高端水平。

马凯副总理在会议上作了总结讲话，从统一认识、落实责任、带好队伍三个方面提出了贯彻落实要求。

2017年7月17日上午，总行召开党委扩大会议，传达学习了全国金融工作会议精神。后续待中央文件正式印发后，将组织全行传达学习和贯彻落实工作。各部门、各分行、各单位要把学习贯彻全国金融工作会议精神作为当前和今后一个时期的重要政治任务，与全行中心工作紧密结合起来，做到学深学透、落实落地。要紧扣服务实体经济、防控金融风险、深化金融改革三项任务，自觉对标定向，以更坚定的信念、更扎实的作风、更积极主动的工作，实现全国金融工作会议提出的各项目标和要求。

二、认真对标盘点2017年以来的工作

2017年以来，全行上下认真贯彻落实党中央、国务院的决策部署，按照年度工作会议确定的目标任务，聚焦服务实体经济，谋发展、防风险、促转型，实现了克难而进，做到了更稳更好。这个“更稳更好”既体现在稳健经营、稳控风险、稳步发力、稳守优势，更体现在发展路径更加清晰、内生动能不断增强。突出亮点有以下几个方面。

——业绩指标表现更提气。2017年上半年，全行主要业务指标保持在预期区间，总体把握更为均衡，序时进度比较理想，回旋余地相应也更大了。特别是在拨备覆盖率大幅提升10个百分点的同时，实现了净利润增长3.8%，非常不容易。中间业务收入增量四大行第一，市场份额提升。ROA、ROE分别为1.3%和17.1%，价值创造能力保持同业领先。

——服务实体经济更精准。人民币贷款新增5481亿元，优先支持行业贷款新增占对公贷款的77%，既避免“脱实向虚”又优化了结构。积极支持国家重点建设，基础设施贷款新增3200多亿元，增速为11%。服务供给侧结构性改革，完善去产能风险客户台账，清退“僵尸企业”，钢铁和煤炭行业去产能风险客户压缩信贷94亿元。因城施策支持房地产去库存，在三四线城市发放个人住房贷款2300多亿元，支持购房面积超过7000万平方米。市场化债转股业务领先同业，首家获批筹建建信金融资产投资有限公司。持续精简收费项目，降低客户融资成本，新发放对公非贴贷款利率同比下降9个基点。强化“短板”领域信贷支持，小微企业贷款同比增长11.7%，申贷获得率达到93%；农村承包土地经营权抵押贷款、农民住房财产权抵押贷款试点有序推进，涉农贷款余额达到1.72万亿元。主动对接国家重大战略，率先跟进服务雄安新区建设。

——风险防控态势更主动。资产质量稳中求实、实中向好。集团不良贷款率为1.51%，趋势稳中下行。逾期和不良贷款“剪刀差”在四大行中仅建行为负值，底数更加扎实。风险有序释放、有效管控，新发生重大信用风险事项近3年最少。成立资产保全经营中心，集约化、专业化经营能力得到增强，不良贷款现金回收比例提升。着力完善全面风险管理体系，做实“三抓总”，推动风控覆盖“四大板块、九大类风险”。开展押品管理精细化试点，加快直营业务风险管理基础建设，加强资管、同业、表外业务风险管控。严格落实监管要求扎实开展专项治理排查。审计成果不断显现。内控合规试点不断完善，海外合规建设持续加强。做好安保、信访、舆情应对、消费者权益保护等工作，有效防范案件，保障了安全稳定运营。

——持续发展基础更坚实。单位人民币结算账户新增保持领先，基本户占比提升；有贷户总量和新增同业第一。综合性网点占比达到99.7%，综合营销团队2.15万个。县域网点建设提速，新设占比首次超过50%；建成“裕农通”服务点6.7万个。手机银行用户达到2.4亿户，累计交易量增长123%。电子渠道账务性交易量占比93%，移动金融交易量占比达到80%。支付结算生态圈和消费金融网络体系初具规模，借记卡交易额达6.8万亿元，龙支付用户数超过2700万户，快贷余额突破1100亿元。网络银行累计投放贷款2.03万户，近3000亿元，小微快贷客户达到7.3万户。稻香湖等生产基地陆续建成投入使用，支撑建行长远发展的“两地三中心”架构不断完善。全行持续强化业务基础，实现蓄势发力。

——转型先发优势更明显。“五大转型”有序推进，主体框架初具格局，实现了“六个基本完成、两个基本形成”。综合性经营布局取得新进展，建银造价咨询有限责任公司正式挂牌，非银行牌照和功能优势进一步扩大。子公司总资产超过4000亿元，净利润增长21%；母子公司联动业务量近8000亿元，增幅达50%。新开业4家海外机构，全球服务网络更趋完备，银行类海外机构净利润增长78%。多功能服务平台和生态圈建设提速，不断吸引客户积聚人气。“悦生活”已覆盖40多类服务场景，交易量超过1.2亿笔，交易额超过330亿元。集约化调整稳妥有序，后台中心特别是呼叫中心完成整合后，运营效率和服务能力不断提升。强化创新能力建设，完成产品

创新120项，移植200项。智慧银行功能不断释放，智慧柜员机在线运行4.4万台，业务量超过2.56亿笔，上线产品服务迁移率达到78%。试点人脸识别等技术运用，推进智慧服务迭代更新。

特别值得一提的是，2017年6月“新一代”核心系统建设全面竣工，这是我行金融科技创新的重大成果。“新一代”建设历时6年，全行坚持一张蓝图绘到底、集中力量办大事，完成了银行业前无先例的“企业级”创举。“新一代”建设深度融合了前沿技术，立足自主研发，通过企业级的产品、流程、数据、用户建模，建成了一整套一流的系统和“工具箱”，形成了一系列长效的机制和“方法库”，培养了一大批优秀的技术骨干和“领军者”，为全行转型创新打造了国内最佳、国际一流的科技基础。下一步要着力抓好两个方面工作：一是做好客户体验评估，查找存在的不足和问题；评估要与同业对标，持续补充和完善，不断提升“新一代”系统的客户服务能力。二是学好、用好“新一代”，发挥出更大效能，把技术成果快速转化为生产力；同时要持续研发、保持领先，为全行转型发展源源不断地添注新动力。

2017年上半年良好业绩令人鼓舞，全行上下付出了加倍的努力，凝聚了最大的智慧。这里，我代表总行党委，向大家并通过大家向全行员工表示衷心的感谢！

在总结工作成果的同时，也要看到经营形势的复杂性和不确定性。从外部环境看，变数仍然较多。全球经济延续复苏势头，美国、欧洲和日本经济回暖，但也潜存很多不稳定、不确定因素。货币政策方面，美国开启紧缩，欧洲和日本也将迎来拐点，其外溢性影响不容小觑。我国经济上半年实现了6.9%的良好增长，供给侧结构性改革初见成效，宏观杠杆率趋于稳定，但是也存在投资放缓、内需走弱等压力，稳增长和去杠杆面临诸多两难问题。M_2增速下降，同时社融和信贷持续走高，银行业流动性总体中性适度，但不良贷款仍在上升，金融风险点多面广，隐患增加。

从建行自身看，现实压力不减。虽然我们在市场上取得了一定优势和相对主动的方位，但还不能轻言乐观。服务实体经济方面还存在能力短板，有的对新旧动能转换认知不够，旧的不敢做、新的又不太会做，特别是对新业态、新产业、新技术、新模式等，存在研究不深、把握不准、底气不足等问题。防控风险方面仍有较多隐患，逾期和关注类贷款余额还比较大，个别大行、大户、大额授信风险增加，理财、同业、债券、委外以及子公司等业务自查中发现不少问题，海外机构监管合规压力加大，外部非法集资和互联网金融风险向银行传递，等等。改革转型方面，还存在保障支撑不够、基层落地不够、创新能力不够等问题，制约转型进一步深入推进。

总的来看，在当前复杂形势下，需要冷静辨析机会和风险。全行既要坚定发展信心，又要增强忧患意识；既要保持战略定力，又要增强改革转型的紧迫感；既要关注当下做好近期各项工作，又要着眼长远看清发展趋势。要按照习近平总书记反复强调的，坚持用新常态的大逻辑研判经济形势，把握好经济金融内在规律；要对照全国金融工作会议的要求，全面检视经营管理和改革转型各项工作，自觉往高处对标，努力在高平台上实现新发展、新提升。

三、聚焦重点任务推动全行转型不断深化

做好下半年各项工作、维护好安全稳定任务艰巨，意义重大，这是全行落实全国金融工作会议精神、迎接党的十九大的具体行动。全行要坚持回归本源、植根实体，稳慎把控、主动作为，在调结构上重点发力、在控风险上持续用力、在促转型上保持定力，一步一个脚印，不断厚植“稳”的基础、持续释放“进”的动能，紧扣全国金融工作会议确定的三大任务推动全行转型不断深化。重点要抓好以下工作。

第一，提高服务实体经济的效率和水平。习近平总书记强调指出，为实体经济服务是金融的天职，是金融的宗旨，也是防范金融风险的根本举措。全行要立足于本源，按照质效兼顾的内涵式发展要求，坚定不移地抓紧、抓实结构调整，不失时机地盘活存量、优化增量，更加精准有效地支持实体经济转型升级。

一是坚持好的做法。党的十八大以来，全行认真践行新发展理念，实施了转型发展战略、“三大一高”和小微企业经营策略，以及按揭、

房开贷、民生领域、“6+1”行业等一系列信贷政策。实践证明，这些政策措施效果很好，支持了经济社会发展和产业转型升级，完全契合中央的精神。像“三大一高”客户和项目，最终发生风险的就很少，产生了很好的经济效益和社会效益。当然也有的分支机构没有认真执行，最后就出了问题，甚至带来风险损失。一定要把好的做法认真加以总结，长期坚持下去。

还有一些政策措施，比如发展同业、资管、委外以及部分子公司的综合性业务等，要根据新的监管要求进行后评估，与时俱进地调整机制、优化流程，更加聚焦于服务实体经济的导向，研发推出新的产品和服务。关键把握好3点：一要确保不论自身的资金还是同业、资管、委外、子公司的资金，都坚持投向实体经济，不能单纯搞金融体内循环；二要在具体投向上选好、选准企业和项目；三要突出价值创造，不能做赔本买卖。李克强总理在全国金融工作会议上谈到，凡是有利于加强实体经济薄弱环节金融服务、降低成本、提高效率、保护消费者权益的金融创新，都要鼓励和支持。因此，只要我们坚持以客户为中心，想客户之所想，努力缩短金融链条，降低企业负担，解决客户“痛点”问题，那么我们的创新产品就是有市场、有生命力的。要准确把握好金融服务的尺度，沉下心来做好自己的工作。

二是对接好“三去一降一补”。要结合我们自身的客户、业务、产品、信贷结构等实际情况，运用大数据作出实打实的实证分析，提出针对性强、管用有效的政策措施。该采取什么样的策略，哪些要进、哪些要调、哪些要压、哪些要毫不放松地严控等，都要有清晰的导向和具体的安排。古人讲，“尽己之所可为，尽己之所宜为。”要坚持立足自身，独立判断，不盲目跟风，更不能涉足金融乱象。要跟进监管新要求、形势新变化及时重检相关政策，研究应对措施，真正做到心中有数、手中有招。像钢铁、煤炭等行业去产能客户，该严控的要坚决控住，该退的要果断退出。有的同志看到现在钢价、煤价上涨了，企业好像缓过来了，又想继续往里投放贷款，这个时候一定不能头脑发热，要冷静判断。同时要把握行业龙头企业兼并重组和技术改造带来的机会，完善“正面清单”，实施区别对待、有保有控的精准信贷政策。把这些工作做细、做实了，就能够在这一轮产业转型升级中占到先机，赢得商机。

三是在“大小新”上发力。要聚焦重大政策加强研究，比如习近平总书记指出的“一带一路”中长期资金支持问题，李克强总理强调的更有针对性地支持“大众创业、万众创新”等，在“大小新”3个领域加力推动。“大”就是大项目、大工程。要发挥建行特色优势，针对全国金融工作会议强调的国家重大发展战略、重大改革举措、重大工程建设等领域加大金融支持力度。“小”主要是小微企业。要继续坚持“以小为主，以微为重”，用好助保贷、税易贷、小微快贷、“助农富通”等创新产品和模式，进一步提高优质客户渗透率和申贷获得率。“新”就是新产业、新业态和创新型客户等。要抓住养老、健康、教育培训等高成长性新兴产业的发展商机，加大对新旧动能转换的金融支持；要依托多功能平台、金融生态圈、供应链等，做好“双创”客户金融服务创新。这些都是未来一段时期重要的业务增长点，要认准、抓牢。

四是加力推动大零售战略。从当前经济格局和发展态势看，零售业务的重要性越发凸显。一方面，消费已成为我国经济增长最主要的引擎，上半年最终消费支出对经济贡献率达到63%；另一方面，企业杠杆率高企，而居民杠杆率还比较低。因此，银行零售业务发展空间巨大，并且随着居民消费升级有了新的内涵和机会。

从我行自身看，零售业务无论规模还是产品的优势都已经不明显，有些功能发挥得还不够好。例如，“三综合”网点如何强化联动营销更好地吸引个人客户，通过与美国银行战略合作学习到的零售业务理念、模式和产品如何深度融入全行零售条线转型，十几家省分行的零售业务如何对标诊断真正补齐短板、尽快改变落后现状，个人按揭贷款如何持续守牢领先地位等，这些都需要通过深化转型来解决。

《转型发展规划》强调零售作为战略性业务，要加快向综合性、大零售管理与服务转型。经过近年来卓有成效的探索，我行“大零售”发展路径和业务模式越来越清晰，下一步要重点从四个方面发力：（1）大数据驱动。要通过智能化、精细化的大数据应用，提升客户深度经营、商机发现、价值挖掘和风险识别管控能力。我行零售业务板块在大数据运用方面已经走在前列，要保持和扩大先发优势。（2）大客群定位。依托我行客群经营的方法论和已形成的核心能力，精准识别、深度拓展目标客户群体。要把全行推广的“一老一小”等客群做深、做透，做出品牌，形成示范效应，在此基础上不断拓展广度深度。（3）大平台支撑。要整合集团资源，加强公私联动和母子公司协同，打造企业级大零售平台。要用好“新一代”先进功能，依托“龙支付”等搭建支付结算平台，依托“裕农通”等下沉“三农”服务平台，依托“龙财富”等做强投资理财销售平台，依托“财富地图”等创新智能交互式分析平台。要借助现代金融科技打造综合性、智慧型的大零售平台，形成企业级能力。（4）大生态扩围。要持续丰富和拓展个人客户金融生态系统。聚焦高潜力重点领域，深入分析场景特征，深度嵌入差别化、定制化的金融和非金融服务，不断发展创新获客、留客、活客的新模式。要以贯彻落实全国金融工作会议和监管部门关于加强互联网金融监管相关政策为契机，深入研究与互联网企业合作策略，更好地维护我行利益，探索跨界合作拓展零售金融生态的新路径。

第二，提高风险防控的站位和认知。全国金融工作会议指出，防范化解金融风险，是金融工作的根本任务，也是永恒主题。经济金融经过上一轮扩张期后，进入了下行“清算”期，经济周期性、结构性、体制性矛盾叠加，现在已经到了风险敏感期、多发期。习近平总书记特别强调，要既防“黑天鹅事件”也防“灰犀牛”，对各类风险苗头绝不能掉以轻心。全行要深刻学习领会这些要求，始终把弦绷紧，进一步提高风控的敏感性和有效性。

一要从政治高度来认知金融风险。习近平总书记在2016年底的中央经济工作会议、2017年的中央财经领导小组第15次会议、中央政治局第40次集体学习时，都重点强调了金融风险问题；在全国金融工作会议上，又高屋建瓴地剖析了8个方面主要风险。总书记反复强调要防控金融风险，坚决治理金融市场乱象，并将其上升到政治高度。李克强总理指出，金融是国之重器，是国民经济的血脉。正是因为金融特殊的“外部性”，对民生福祉、经济发展、社会安定乃至国家政权稳定都有着重大深远的影响，金融安全已成为国家安全的重要组成部分，成为我们党治国理政的一件大事。因此，全行要提高站位，从政治和大局的高度认识当前防控金融风险的特殊重要性和紧迫性，切实担负起国有大型商业银行的政治责任、经济责任和社会责任。要坚持风险管理职责进党委，以“五个到位”为抓手做实风控守牢底线，这是全行各级领导义不容辞的责任。

二要从银行经营规律来把握金融风险。银行本质上是经营风险的企业。一方面，要高度重视风险。风险管控好坏，直接影响银行的生存发展。从世界金融史特别是历次金融危机的教训来看，破产倒闭或被兼并的大型银行，绝大多数都不是被竞争对手打垮的，而是由于自身对风险疏于管控造成的。这其中有很多深刻的教训，有的还被写成商学院教学案例。另一方面，要理性对待风险。不能害怕风险、躲避风险，更不能觉得有风险就不得了。虽然每家银行风险偏好不同，但是没有任何一家银行会拒绝风险。银行的专业性恰恰体现在能够做到科学识别风险、评估风险、安排风险、缓释风险。只要风险可控、损失可被覆盖，考虑风险和资本成本后有利可图，那么这种风险就能够给银行带来价值。习近平总书记对我行提出的“三个能力”建设中就包括风险管理能力，这个能力从深层次看，体现的是银行价值创造能力和市场竞争力。做到从经营风险的视角来理解风险、深化认知，才能真正掌握风险管控的主动权。

三要以问题为导向来化解金融风险。风险管控也要回归本源，拨开表象，找到真正问题，进而针对问题采取实质性的风险管控措施。简单地讲，就是有什么问题解决什么问题，有什么风险处置什么风险，既不能讳疾忌医，也不能别人生病自己跟着吃药。例如，国外金融机构的市场风险主要是由利率、汇率、商品市场等波动引起的，而国内金融机构的市场风险多数是由基础资产、交易对手违约造成的，根源还是在于信用风险，问题不同，处理的方式也大相径庭。再如，信贷业务出现风险，实际上有些并不是什么信用风险，而是操作风险、道德风险乃至违法违纪问题。对于这类风险，处理方式也有别于常规的信用风险。

因此，我们一直以来都强调，要做好对风险的“了解和化解”。科学化解风险的前提是深入了解风险，找到真正的问题所在；把问题找准了，才能提升风险预警预控能力，才能做到对风险精准应对和有效化解，否则很可能就会做出南辕北辙的事情。

第三，增强转型发展的支撑和能力。近年来，全行转型发展按照既定规划有序推进，转型理念深入人心，转型目标、导向和路径愈加清晰，七大转型重点领域取得了重要突破。下一步更多地要眼睛向内，着力强化转型发展保障，着力推动管理责任落实，深度激发转型发展内生动能。

一是落实管理责任，抓好七个支撑领域转型。《转型发展规划》第五章从深化体制机制改革、加强成本管理、加强风险管控建设、强化信息技术支撑和大数据运用能力、构建高素质人才队伍、培育优秀企业文化、抓好规划实施七个方面，对转型发展保障提出了要求。如果说整个转型规划突出战略管理和目标管理的话，那么七个支撑就考验着全行的组织管理能力和水平。七个支撑的举措抓实了，全行转型才能协同推进；七个支撑的转型实现了，全行转型才能真正成功。因此，全行要对照转型规划再学习、再领会，认真梳理审视与转型不相适应的地方，以自我革新的勇气不断加以完善，尽快破除制约转型发展的各种束缚和体制机制障碍。

建设银行的转型是全面转型，囊括战略管理、组织管理、风险内控管理、纠错管理、薪酬绩效管理等全过程。转型规划本身就要求摒弃过去的常规管理套路，着力落实和细化管理责任，把管理要求具体化、明晰化。要对照每个转型目标开展定期评估，找出流程、制度、组织、文化等方面存在的问题，研究提出解决措施；要最大限度地用好管理资源、降低管理成本，最后形成持续改进、不断创新的管理和运营机制，进而达到全面转型的要求。这是有别于常规管理之处，也是全面转型的精髓所在。

要认真梳理七个支撑中存在的问题。比如，体制机制特别是内部协同机制方面转型滞后，已经成为业务转型的掣肘。有基层同志反映，转型中遇到跨部门跨条线的请示事项，总行部门间往往协调时间较长、批复效率不高。2016 年总行受理的分行请示事项中，多部门协同办理的事项批复时间是一个部门单独办理用时的 2 倍左右。习近平总书记强调，改革越深入，越要注意协同。其实，管理精细化重在落实责任、明确分工、强化合作。全行在综合性多功能转型中、在经营管理各个环节，对于内部流程和协同要做到精要、精密，对于客户响应和服务要做到精准、精细。各部门各条线要切实重视起来，通过狠抓管理责任落实，逐步形成企业级的转型支撑机制和管理响应流程。例如，零售等部分业务条线已经开始探索板块统筹机制，在一级分行层面做实零售业务委员会，推动重大决策、资源统筹和综合评价考核“三统一”，着力提升转型协同能力。要适时总结推广好的做法，下大力气推动管理责任进一步落地，使全行真正成为“一盘棋”，做到各条线各层级左右连通、上下贯通，形成转型发展“协奏曲”。

二是推动转型下沉，为基层授权赋能。要关注转型发展不平衡现象，着力解决好基层机构特别是西部地区二级分行及以下机构转型相对滞后的问题。23 家重点行、北上广深和其他取得良好转型效果的城市行，其转型经验和做法要尽快向其他分行特别是二级分行及以下机构复制。总分行各部门不要再提泛泛的要求，要沉下去，拿出切实管用的措施。要推广定点帮扶的做法，一对一做好针对性指导。要加大基层人员培训力度，采取到经济发达地区、转型先进分行跟岗学习等方式，快速提升技能。要将转型创新案例作为转型发展培训的重要内容，并探索建立快速推广机制，允许情况类似、条件具备的机构直接移植运用。

转型授权和赋能相结合。要适当增加基层机构在转型业务上的授权。我曾经多次讲过，“要让听得见炮声的人决策”。同时，要按照年度全行工作会议的要求，加快整合汇集总分行子公司的综合服务功能，逐步推广“菜单化”服务模式，让更多基层机构能够真正用得上、用得好“五大转型”手段，做到“让听得见炮声的人能够呼唤到炮火”。

三是强化创新驱动，激发转型动能。李克强总理在全国金融工作会议上指出，创新是金融业的天然属性，也是服务实体经济的根本要求。近年来全行创新工作取得很大成果，但在“五大转型”中仍是短板。哈佛商学院帕勒普教授在讨论建行转型案例时，也向我们指出了这个问题，认为建行在创新方面与国际领先银行还有差距。

前不久，我和几位党委同志带队到华为总部调研，他们的创新文化和创新机制给我留下了深刻的印象。比如，华为在创新中强调“以人为本”“从贤不从众”，倡导每年清零、一岁一枯荣的“草本文化”，实施研究和开发相分离、端到端项目协同和考核机制等，这些都值得我们认真研究学习。我们已经有了业内领先的“新一代”核心系统，还有8家总行级产品创新实验室，可以研究借鉴华为的做法，更全面更有效地整合集团的系统和数据资源，搭建面向广大员工的创新平台，在系统数据保密的“实验室”环境中，尽可能将丰富的功能和工具开放给有志于创新的基层员工，真正使广大员工成为全行创新的主体，既激发创新热情，更增强创新能力。

要借助现代金融科技开展前沿性创新探索。快步跟进研究大数据、云计算、生物识别、语言处理、人工智能、区块链、量子通信等现代科技在金融服务中的运用，务虚与务实相结合，开展适度超前探索。总行党委研究决定，将整合产品统筹与创新委员会、信息技术与流程银行建设委员会为一个委员会，加强企业级统筹，更好地把现代科技与金融创新融合起来，这是未来的大趋势。同时，要继续研究探索业务需求、技术开发、数据、建模等环节有效整合和无缝衔接，使全行的研发力量直接面向市场、面向客户，做到一箭中鹄、快速响应。要继续抓好战略性课题研究，汇聚全行专业骨干、青年员工的创新智慧，同时借助这个机制和平台，更多更快地发现和培养创新人才。

四、发挥好国有金融企业党建独特优势

2017年以来，全行党的建设又迈上一个新台阶。全行上下牢固树立政治意识、大局意识、核心意识、看齐意识，自觉在思想上、政治上、行动上同以习近平同志为核心的党中央保持高度一致。组织召开全行党代会，选举出了4名出席党的十九大的代表，使选举过程成为一次深刻的党员教育。党建工作写入公司章程，获得股东大会高票通过。扎实推进“两学一做”学习教育常态化、制度化。全行认真贯彻总行党委关于加强基层党组织建设的要求，坚持党建重心下移、资源下沉，实现1.4万多个基层网点党组织全覆盖，基层党员队伍的自觉性、能动性不断增强。在建信人寿等5家子公司设立党委。党组织书记抓基层党建述职评议考核工作试点取得突破。着力选优配强各级党委班子，突出选好“一把手”。以“213人才工程”建设为重点，加快推进全行人才队伍建设和优秀人才培养。强化党风廉政建设，保持对违规违纪行为和案件的高压态势。制定实施总行党委执行中央八项规定精神30条细则，持续深化“四风”整治。深入开展了“两防”“三清查”和“四个重点”领域专项治理。专设纪检监察干部监督处室。约谈“两个责任”考核靠后的分行负责人。严格执行“一案双通报”制度，层层压实责任。修订员工积分管理办法。加强巡视工作，紧盯信贷、采购、职务消费等问题高发领域，总行第一批次巡视共发现问题275个，重要问题线索12个。推进巡视工作向基层延伸。召开全行职代会。组织开展“建行公益，有你最美”“喜迎十九大，青年建新功”等系列活动。发挥群团工作优势，为转型发展凝聚了力量。

这里，向大家通报一下年初中组部来我行开展的选人、用人民主评议的结果。总体来看，近年来我行选人、用人工作满意率始终保持在90%以上，2016年为92.99%。执行选人、用人工作政策法规情况的评价满意率为93.95%，整治用人上不正之风工作的评价满意率为90.77%，深化干部人事制度改革的评价满意率为93.95%。总体评价和单项评价均有所提高。对于中组部反馈的问题，总行党委高度重视，逐一作出改进完善。

2017年下半年，全行要把深入贯彻落实全国金融工作会议精神作为重点任务，将其全面融入“两学一做”学习教育，立足建行实际积极探索新时期国有金融企业党建规律，不断提高政治站位和政治能力，持续深化全面从严治党、从严治行，突出重点继续着力解决党建层层弱化问题。全行各级党组织和全体党员要以“四个意识”为政治标杆，在真学实做上深化拓展，把加强理想

信念教育、党性教育、纪律教育、党风廉政教育贯穿于“两学一做”全过程。严格落实意识形态责任制。牢固树立党的一切工作到基层的鲜明导向，落实好“强功能、抓基本、补短板、重创新”的要求。要突出重点，针对基层党支部书记开展大规模教育培训。持续强化基层党支部活动阵地建设，延伸“党员之家”功能。组织开展丰富多彩的联学联做等实践活动，通过加强基层党建推动转型下沉落地，激发干事创业热情。

持续加强组织建设。各级党委要着力加强干部选配和管理，打造善谋改革、敢于担当、优势互补的好班子。做好新一轮一级分行副职后备干部与中长期培养对象推荐选拔工作，以高标准、严要求建好梯队。制定鼓励优秀人才到基层工作的政策，落实好新提拔领导人员基层工作经验的要求。建立契合境外机构特点的选人、用人机制，扩大选人、用人视野，优化境外机构领导人员队伍结构，着力补强短板。持续强化对关键岗位、重要人员特别是“一把手”的监督，严肃执纪问责。建立企业级的人力资源管理系统，加大对全行人力资源结构分析研究，科学调整优化存量结构，提升人力资源效能。明天下午还要召开全行组织人事工作座谈会，会上将具体研究布置有关工作。

多渠道探索人才培养新路径。全行要把人才建设作为急务要务，按照全国金融工作会议的要求大力培养、选拔、使用政治过硬、作风优良、业务精通的金融人才，努力建设一支宏大的德才兼备的高素质金融人才队伍。要加力推进“213人才工程”，紧扣转型战略要求开发更多高水准的课程，加大各级后备干部、转型领军人才培养力度，探索加速培养新模式，抢占新时期金融人才建设制高点。

紧盯“四风”严防反弹。各级党委要按照中央纪委的要求，持续深入开展违反中央八项规定精神问题的专项整治，做到全覆盖不留死角。继续加大对信贷、柜面、采购、行务印章等重点领域专项整治力度。运用好监督执纪“四种形态”，时时咬耳扯袖、红脸出汗，抓出习惯。要以案促教、以学促行，开展底线、红线、高压线“三线”教育，把总行拍摄的警示教育片等鲜活教材用好，使每位党员从中得到切身的感悟和切实的提升。要认真执行新修改的《中国共产党巡视工作条例》，不断深化政治巡视。各级党委要定期听取巡视工作汇报，抓好巡视发现问题的整改落实。认真开展纪检监察基础工作达标工程，纪委要组织好检查验收。

扎实细致抓好精准扶贫。认真学习贯彻习近平总书记在深度贫困地区脱贫攻坚座谈会上的重要讲话精神，实打实抓，精准求效。各级党委要把脱贫攻坚作为重要政治任务，层层落实总分支行“四级书记”抓扶贫机制。总行党委将从党费中拿出1200万元用于支持脱贫攻坚，分行党委也要根据本行实际配置一定的资金，确保都用在“刀刃”上。总分行要定期开展检查督导，跟踪工作进度，严格考责问责。

党的十九大即将召开，这是2017年全党政治生活中的头等大事。会议前后这段时间，做好安全稳定工作是重中之重。最近，党中央、国务院召开了全国信访工作会议，习近平总书记作出重要批示，要求注重源头预防，夯实基层基础，加强法治建设，健全化解机制，不断增强工作的前瞻性、系统性、针对性。各部门、各分行、各单位要增强敏感性，“一把手”要对安全稳定工作负总责，亲自部署、亲自协调。要加强舆情监测和预警预判，及时主动排查化解矛盾，从源头上做好稳控。要认真落实党管保密要求，严防失泄密事件发生。严格执行重大事项请示报告制度，做到急事急报、特事特报、大事快报。要压实责任，谁出问题谁负责，哪个单位出问题“一把手”要负责。全行上下要全力以赴，以过细的工作确保安全稳定。近期全行各级机构的宣传、公共关系维护、消费者权益保护、安保、信访、群团等工作，都要向党的十九大聚焦。要组织开展好“走进建行、走近建行人”“砥砺奋进的五年”等形式多样的宣传活动，营造浓厚氛围。

同志们，全国金融工作会议为建设银行下一步改革发展指明了方向。全行要在已取得转型成果和上半年良好业绩的基础上，坚持锚定目标、笃行实干，争取一鼓作气、再战再捷，以全行党的建设和转型发展实绩实效迎接党的十九大胜利召开！

稳中求进　加快转型　全面提升经营绩效

——在中国建设银行2017年工作会议上的经营情况报告

王祖继

（2017年1月18日）

同志们：

刚才，洪章董事长做了重要讲话。明天，郭友监事长还要做总结讲话，希望大家认真学习领会，抓好贯彻执行。下面，我就全行2016年经营情况、2017年经营形势和主要工作安排谈几点意见。

一、2016年经营业绩稳中向好

2016年，面对复杂严峻的经济金融环境，集团认真贯彻党中央、国务院决策部署和监管要求，主动作为，服务实体经济，发力推动转型，稳健经营，着力防控风险，取得了较好的经营成果。

（一）发挥多功能优势助力供给侧结构性改革支持稳增长

坚持把服务实体经济摆在经营工作的首位。加大信贷投放，考虑打包核销、地方债置换等因素，全年贷款实际新增超过1.25万亿元（未经审计，下同）。通过理财融资、委托贷款、信托、债券承销以及IPO等非信贷综合投融资服务，帮助客户新增融资近万亿元。进一步加大支持国家重大战略力度，建立与国家“三个支撑带”“自贸区突围”和“走出去”政策相配套的信贷支持政策，国家重点在建续建项目及城镇化建设项目相关贷款新增1037亿元。服务供给侧结构性改革，助力“三去一降一补”取得实际成效。支持传统产业重组，助推地方政府和企业去产能、去库存、去杠杆，并购贷款310亿元，钢铁、煤炭“去产能类”风险客户信贷退出109亿元。支持三四线市场居民购房116万套，房屋面积超过1.28亿平方米。努力降低社会融资成本，新发放人民币非贴公司类贷款加权平均利率同比下降73个基点。小微企业贷款同比增长1640亿元，满足“三个不低于”监管要求。绿色信贷增速达21.2%，承销66亿元绿色债券。支持“大众创业，万众创新”，为培育新动能激发市场新活力作出贡献。

（二）经营绩效稳健提升

一是资产负债协调快速增长。2016年末集团资产总额为21万亿元，增速为14.7%，人民币贷款新增9469亿元，四大行第一；资管、债券投资和贵金属等业务实现较快增长。集团负债总额为19.4万亿元，增速为15%，人民币一般性存款日均新增1.24万亿元，创历史最高水平，活期存款新增占比85%，付息率四大行最低。

二是核心指标领先同业。积极消化五次降息、营改增、不良暴露等因素影响，集团净利润为2323亿元，增幅为1.5%，实现“一季好于一季”的既定目标。净息差为2.21%，成本收入比为27.56%；ROA、ROE和资本充足率分别为1.18%、15.35%、14.95%，保持四大行领先水平。

三是资产质量好于预期。集团不良贷款余额为1786亿元，同比少增402亿元；不良贷款率为1.52%，较年初下降0.06个百分点。资产质量改善势头巩固，境内分行逾期贷款和不良贷款“剪刀差”为-9亿元，自2012年以来首次转为负值；关注类贷款占比2.87%，比年初下降0.02个百分点。拨备覆盖率为150.32%，位于监管要求之上。

四是客户、账户继续呈健康增长态势。单位人民币结算账户增量、增速实现“五连冠”；基本结算账户占比“七连升”，提升至69.8%。公司机构客户突破400万户，增速为8.9%，个人有资产客户达到3.3亿户，连续四年新增超过2000万户；私人银行客户达到5.9万户，增长16.62%；对公和个人产品覆盖度分别达到5.28个和4.65个，客户黏性不断增强。

（三）转型发展取得新进展

一是综合化经营能力不断增强。业务结构持续优化，轻资本的个人类贷款新增占比92.3%；综合投融资增长24.5%，高于各项贷款增速14.5个百分点。收入结构持续改善，中间业务净收入在营业收入中占比同比提升1.2个百分点，保险、理财、贵金属、新型结算、托管等转型重点业务保持快速增长。海外及子公司贡献度持续提升，海外商业银行（不含巴西）净利润增速为9%，子公司净利润增速为37.5%，均大幅高于本行增速。子公司净利润增量占集团利润增量的43%；母子公司联动业务规模保持大幅提升。

二是集约化发展稳步推进。推进物理渠道本外币综合化转型，实现集约化运营服务领域从人民币向外币业务的突破，创新实施外汇业务处理总行集中和个人、对公外汇政策性审核总分行分层集中，目前，已实现37家分行691个网点推广上线。拓展支持子公司及海外机构业务集约化运营，服务集团化、国际化战略。实施中德个人住房储蓄业务、建信人寿新契约及理赔业务集团集中运营，为建行亚洲（香港分行）和澳门分行汇出汇款业务提供影像传输服务。实现核对类稽核总行集中，强化风险合规管理。已实施四川、西藏、重庆、陕西、山西、甘肃6家分行业务上收总行，实现核对类稽核总行专业化、精细化管理。

三是创新型智慧型银行建设再创新佳绩。全年完成产品创新1943项，率先推出智能客服“小微”，服务效率、稳定性及客户体验处于同业领先水平。打造同业领先的跨境电商综合金融服务品牌“跨境e+”，推动线上线下一体化发展。创新由面向客户的产品和服务创新拓展到服务政府政策创新，与政府机构、核心企业、公共平台合作创新，形成诸多卓有成效的新模式、新产品。主要有海南分行创新农民工工资代发模式、建信信托和广东省分行为广东省政府国企改革提供顾问服务、吉林省分行为吉林省制定煤炭行业的产能过剩化解方案等。

四是国际化发展转型取得好成绩。国际业务核心指标实现新的突破，国际结算业务收入首次跃居四大行第一，实现收入42亿元，四大行占比28.18%，13家分行当地四大行占比排名第一。国际结算和贸易融资业务逆势增长，资产质量持续向好，特殊经济区的业务保持同业领先，海外新增机构数量实现快速提升。跨时区、跨地域、多币种、24小时不间断的全球金融服务网络体系搭建完成。伦敦人民币清算行累计清算总量突破12万亿元，有力地推动了英国取代新加坡跻身大中华区以外最大人民币清算中心。

（四）风险管控有效支撑资产质量稳定向好

一是形成了齐抓共管资产质量管控运行机制。总行党委领导、高管层分别到不良资产多发分行帮助化解处置工作，分工督导资产质量管控；各级分行领导班子成员认真履行信贷主体责任，各条线落实“三道防线”联防联控，从源头控制不良暴露。持续完善信贷政策的制度安排，优化信贷流程管理，加强存量客户再融资管理，创新丰富不良贷款处置手段，加强风险化解处置，取得防范和化解协同联动的效果。

二是重点监控风险因素得到有效控制。重点分行不良增幅放缓，不良率较年初有所下降。不良新暴露少于同期。境内分行新暴露不良贷款1592亿元，同比少暴露445亿元；不良新暴露比率1.49%，同比下降0.62个百分点。江苏、安徽、广东等16个分行实现不良双降；北京、辽宁、上海、厦门、广西、海南、重庆、云南、西藏9个分行不良率连续三年保持在1%以内，审计条线坚持问题导向，通过审计发现问题并及时反馈到第一线，推进及时整改，为防范和化解风险发挥了重要作用。

三是不良贷款处置“量、质、效”明显提高。全年共处置不良贷款1493亿元，其中回收盘活527亿元，较上年增加173亿元。核销322亿元，现金回收43亿元，较上年翻番。全年批量转让571亿元，回收率提升10个百分点。总行“30大”项目化解取得积极成效，化解处置199亿元。内蒙古、上海、北京、辽宁、河北5家分行的重点风险项目处置工作取得明显成效。

四是进一步加强合规管理体系建设。在同业中率先试行合规官制度，完成一级分行内控合规与操作风险职能整合，健全境外机构和子公司合规管理体系。特别是高度重视“一加强，两遏制”回头看自查工作，自查发现并上报11176个问题，截至2016年11月末，大部分问题已整改，整改率达96%；已处理相关责任机构153个和责任人15976人次，全行内部管控状况得到改进。

（五）业务优势促进市场地位稳中有升

一是个人业务市场竞争力提升。借记卡发卡量8.3亿张，新增1亿张；消费交易额10.7万亿元，同比增速为61.1%。信用卡累计发卡9407万张，消费交易额2.4万亿元，发卡、客户、收入、贷款新增等指标连续多年位居四大行第一，特别是信用卡贷款新增539亿元，利润同比增加31亿元，贡献显著，广东、深圳、山东、湖南分行表现尤为突出。个人住房贷款总量、新增和定价继续保持四大行第一；房改金融四大行占比保持56%以上。积极推动个人客户金融生态系统建设，场景化、客群化、个性化工作取得成效，如北京分行打造“快诊通”生态圈、厦门分行构建“安心悠享”老年客群、河南分行创新推出“物流通”电子渠道服务。重点产品推广有力，建成700个支付结算生态圈，云闪付借记卡超过600万张，同业第一。坚持“移动优先”，基于供应链的网络银行，实现全流程线上运营，网上银行、手机银行、微信银行的用户数分别达到2.37亿、2.23亿、3623万，连续三年保持同业第一。“善融商务”“悦生活云服务”同业领先，山东、福建、河北、广东和湖南分行个人商城交易活跃。推动与全国供销合作总社合作，新增“裕农通”服务点1.7万个，县域金融服务进一步延伸，普惠金融品牌形象持续提升。

二是对公业务发展再上新台阶。以综合金融服务方案为载体，推动对公“三综合”转型。企业存款新增四大行第一，稳定性历史最优，资金承接率与循环率持续提升，分别为45.38%、45.62%。机构类客户拓展实现重大突破，军警业务和养老金业务实现跨越式发展，机构客户存款余额突破3万亿元，有力地支撑全行存款稳定增长。积极参与财政地方国库现金管理改革，业务份额取得市场第一；为中组部量身推出党费收缴服务方案。现金管理产品应用不断深化，全球现金管理项目顺利完成。

三是同业及投资交易类业务发展迅速。资产管理业务规模、收入增速四大行第一，理财余额为2.13万亿元，比年初增长31.36%。同业资产（1.03万亿元）和同业负债（1.45万亿元）余额及新增均为四大行第一。金融市场交易能力和做市能力快速提升，贵金属及大宗商品收入创历史新高；非金融企业债券全年累计发行5616亿元，列同业第一；非重组类债券投资组合免税后实际收益率保持四大行第一；成为全球第六家、中资首家芝加哥商品交易所（CME）白银定价行，国内首家发布建行大宗商品指数。

（六）重点领域取得新突破

一是“新一代”核心系统主体工程完美收官。“新一代”三期工程于2016年11月19日成功投产，标志着我行历时6年、投入8000余人次的“新一代”主体工程完美收官。成功搭建了全新的、多维度、高水平、有相当竞争力的企业级技术系统，取得了许多有自主产权的技术成果，打造和锻炼了一支过硬队伍，培育了“新一代”精神，为我行进一步的转型发展奠定坚实基础，也将产生深远影响。基于“新一代”核心系统支持的智慧柜员机集合了19类180种产品和服务，为客户提供“一站式、自助化、智能化、多样化”的服务体验。智慧柜员机布放4万多台，业务量占柜面非现金业务量的比例已达60%，大大降低了网点人力成本，成为网点产品销售和客户服务的重要渠道。

二是率先推出市场化、法治化债转股业务模式。积极参与市场化债转股政策研究和解决方案制订，率先推出市场化业务模式，并产生了很好的引领效应，直接促进了市场化、法治化债转股试点工作的突破，为此，人民银行在我行举行了其他四家大行参加的现场调研会。我行先后与煤炭、钢铁、有色、建筑工程、交通运输业等16家企业自主协商达成市场化、法治化债转股协议金额2220亿元，降低企业资产负债率5～15个百分点，降低了当期财务费用。

三是龙支付再造支付结算新优势。自主研发推出的“龙支付”是同业首家融合NFC、二维码和人脸识别等多种技术、覆盖线上线下全场景的建行自主支付品牌，推出2个月，客户拓展突破500万，商户突破23万。

四是个人住房贷款业务优势明显增强。个人

住房贷款业务市场领先优势更加突出，不仅量、价、质居同业首位，而且大力支持居民家庭自住和改善性合理住房需求，助力房地产去库存政策效应明显。更难能可贵的是，理性把握市场机遇和政策调整趋势，既做到及时抢市场，又做到了积极落实宏观调控政策。

2016 年，经受了宏观经济下行压力持续、信用风险因素多发、利差大幅收窄、金融市场波动加剧和税收政策调整等复杂局面的严峻考验，在党委坚强领导和董事会科学决策、监事会有力监督指导下，在各监管部门和有关部委的大力支持下，全集团从大局出发，上下同心，积极调整经营策略，发力推动转型，助力供给侧结构性改革，不断加大支持实体经济转型升级力度，取得了核心指标稳中见强，速度质量效益协调稳健增长，转型发展步伐不断加快的良好业绩。

盘点这些真金白银、来之不易的业绩，它们凝聚了全行所有干部员工及其家属高超的智慧和辛勤的劳作，是我行最具价值的又一笔财富。在此，我代表管理层，向全行干部员工及其家属，向关心和支持建行事业发展的管理部门和监管机构表示衷心感谢！

二、增强信心和定力，积极应对新挑战

2017 年是“十三五”规划实施的第二年，宏观经济稳中向好，供给侧结构性改革全面深化，结构调整稳步推进。这些利好为我们的发展创造了良好的经营环境和发展机遇。2017 年的有利条件：一是“十三五”期间一系列重大战略布局落地，11 类工程包项目、专项建设基金项目、PPP 项目等一系列重大工程项目加快实施，城镇化建设、城市地下综合管廊建设和海绵城市建设都在有效推进，基建领域的贷款和投融资业务空间巨大。二是经济转型结构调整和产业升级，战略性新兴产业蓬勃发展，新技术、新业态全面改造提升传统产业，为我们业务发展打开了新的市场空间，同时也为我们拓展优质客户、优化客户结构提供了有利条件。三是消费升级对经济增长贡献持续提升，教育、旅游、医疗、养老健康、文化娱乐等新兴需求迅猛发展，为加快发展消费金融提供千载难逢的机遇。四是“一带一路”倡议、“走出去”战略的加快推进，为我行的国际化发展提供了有力支撑。五是国家对社会事业发展、民生保障加大投入，为我行相关业务发展提供了大量商机。六是有效的金融监管加快了市场风险出清，金融市场秩序进一步规范，为市场主体的稳健发展奠定了坚实基础。

同时，大家也要看到，2017 年诸多挑战不容忽视，需要提前预判，未雨绸缪，积极主动应对。从市场层面看，一是受一些不确定因素影响，国内股市、债市、汇市、货币市场和大宗商品价格可能波动较大，既会影响有贷客户的信用，又会影响我行与市场紧密相关的业务。二是国内房地产市场整体降温、分化加剧，各地限购限贷等新政频出，个人住房贷款长期保持高增长态势会有变化。三是随着供给侧结构性改革深化，“去产能”力度持续加大，过剩产能的相关行业贷款质量受到更大影响。四是一些地方企业、地方政府恶意逃废债现象可能加剧。五是不良资产处置通道和市场没有大的变化，仍然处于买方市场，这给我们不良资产的处置带来较大压力。六是部分国外政府换届，民粹主义、保守主义、本国优先等政策倾向抬头，这将直接影响我国制造业和进出口行业，影响到我们的客户信用状况，需要引起高度关注。

从监管层面看，2017 年中央经济工作会议和有关监管会议把防控金融风险和着力防控资产泡沫摆到了更加重要的位置。监管部门监管的范围更广、力度更大、重点更突出、要求更具体。一是宏观审慎监管要求上，人民银行已正式将“非保本理财业务”纳入宏观审慎评估体系（MPA），进行统一管理，对理财业务发展约束明显增强，对银行资金平衡和资产摆布带来挑战。二是跨行业跨市场的风险传染防范措施上，对资管、信托、理财、同业等业务，要求实施穿透原则、做实并表监管、防止监管套利，对当前一些有较大风险隐患的习惯做法明确禁止，并将对不当创新、不当交易、不当激励、不当收费等开展专项治理，一些新兴业务高速增长将让位于规范性调整。三是在促进国际收支和结售汇平衡上，外汇局出台一系列新规定，要求将相关指标纳入商业银行 KPI 考核评价体系。四是海内外监管机构都加大了对银行业合规、反洗钱、反恐怖融资、反偷漏税等的监管检查力度，对合规经营提出更高要求。

五是收费政策上，国家相关部门出台多项政策助力降成本，要求商业银行对行内异地存现、取现及转账全部实行免费；下调刷卡手续费率；对个人唯一账户减免费用；降低财政代理业务手续费，预计对我行今年中收影响将超过75亿元，中间业务需要寻找新的增长点。六是保险等非银行业务要求上，保监会推出了非常严格的风险控制措施和产品控制措施，对中短存续期产品实行限额管理，银保市场规模可能也会有所调整。

从行业层面看，互联网金融跨界竞争加剧，将继续侵蚀银行收单、信用卡、理财、存款、消费金融服务的市场份额，对商业银行稳定发展构成了严峻挑战。据中国支付清算协会的报告，银行支付机构在收单市场中所占比重进一步下降，笔数仅占总收单业务量的30%左右，在收单业务金额前10位中仅占据6席。跨界竞争者的进入已经导致市场结构发生颠覆性改变，传统金融机构的业务对标将不再仅是同业机构，更要包括金融跨界替代者。

在看到外部形势给我们带来机遇和挑战的同时，也要看到去年我们自身发展中的不足。

一是以效益为中心的经营理念尚未完全确立。全行积极拓展市场、做大规模的积极性值得肯定，但有些业务没有做到规模、质量和效益的良好均衡，存在对风险、资本占用、价值创造重视不够的问题。定价管理上，有的分行授权一放了之，存款定价一浮到顶，贷款定价一浮到底，有8家分行新发生非贴公司贷款定价排名居四大行末位，我行NIM同业第一位置已被反超。利润增长上，有些业务资产增长强劲，但边际收益率较低，子公司、海外机构以及大同业业务的资本回报能力亟待提升。资本管理上，有些业务资本使用效率低下、回报意识不强的问题依然存在。

二是转型业务发展不平衡问题突出。部分大行在体现现代商业银行经营管理能力和水平的关键业务上，如新型财务顾问、私人银行等业务，没有大的起色，与当地的金融发展水平不匹配。重点产品与领先同业存在较大差距，例如，我行并购类中间业务收入和代销基金等产品与对标行差距还在扩大。集团中间业务净收入同比增长6%，但有8家分行中间业务收入同比负增长；全行ETC业务增长72.74%，但有五家分行ETC产品发行量基本为零。

三是信贷经营基础管理依然薄弱。近几年，我行不良贷款损失很大（三年接近2000亿元），让人触目惊心。更让人痛心的是沉痛的教训没有被很好地吸取，不良贷款依然每年新暴露千亿元以上，反映出全行信贷管理基础依然薄弱。内部审计、外部监管和信贷检查中信贷经营管理问题屡查屡犯，从客户准入到贷后管理等环节都存在疏漏，突出表现为贷前尽职调查不到位，贷中实质性风险把关不足，贷后管理流于形式，押品管理“虚置化”等方面的问题。

四是客户、账户、产品基础仍不牢固。我行在百货超市类企业和酒店服务行业收单业务上的市场占比偏低；在批发零售业、消费领域、居民衣食住行等相关领域，客户账户基础较为薄弱。还有一些分行在所辖区域内知名客户业务中占比偏低，甚至还没有业务往来。近几年，我行产品与服务的创新数量不少，但真正能叫得响、有核心竞争力的拳头产品并不多。这些问题产生的原因很多，但协同推动力度不够是重要的一点。

五是集团协同联动机制有待完善。部门之间、境内外、母子公司之间沟通不够顺畅，响应链条偏长，没有能充分发挥我行综合化、多功能的牌照优势和产品转化优势。目前，子公司对母行客户的渗透率偏低，我行个人有效客户中，每一百个仅有2.63个客户使用子公司产品；公司机构有效客户中，每一百个仅有2.18个客户使用子公司产品。我行迁徙至子公司的客户仅375万户，仅相当于优秀同业的30%。我行POS收单商户业务虽然发展较快，商户总数达113万，但户均交易额为18万元，仅为对标行的60%左右。这些都反映出我行的客户资源远未被充分挖掘，母子公司间、条线间等协同机制还不能适应综合化经营的需要。

我们在这里分析外部环境对我行经营的影响和自身存在的不足，是本着问题导向的思路，把问题分析透，把困难因素考虑周全，以求既充分利用有利条件，又在挑战面前增强信心，保持定力。制订更加切合实际的经营计划和实现经营目标的各项措施，特别是2017年面对复杂多变又存在诸多不确定性的外部环境，我们的经营和工作措施要增强针对性和可操作性。

三、稳中求进，全面提升经营业绩

2017 年总的工作思路：深入贯彻落实党的十八大和十八届三中、四中、五中、六中全会以及中央经济工作会议精神，深化全面从严治党，聚焦服务实体经济和供给侧结构性改革，讲看齐、明大势、调结构、守底线，不断厚植“稳”的基础、释放“进”的动能，举集团之力持之以恒推动转型向纵深发展，努力为实现经济工作稳中求进、开创经济社会发展新局面作出建设银行应有的贡献。落实到经营层面，要进一步加快转型发展，进一步提升合规稳健经营水平。着力提高资源配置效率和促进资产负债结构协调发展，着力加强信贷管理和严控经营风险，着力推进业务结构调整和优化盈利结构，着力完善技术系统和支持产品服务的创新，着力强化集团协同联动和提升运营效率。

2017 年主要经营目标为：集团资产新增 1.55 万亿元，增速为 7.5%；人民币贷款新增 8500 亿元，增长 8.1%；集团综合投融资新增 6600 亿元，增长 16.4%；集团负债增长 7.3%，人民币一般性存款日均新增 8500 亿元，增长 6.1%；净利息收入增长 3.1%，中间业务净收入增长 4%；员工费用、业务管理费保持平稳水平；不良率为 1.51%；利润增长 3.2%，其中海外商业银行净利润增长 7%，综合化子公司净利润增长 15%；保持 ROA、ROE、NIM 和资本充足率等核心指标同业领先。

为落实上述工作思路、经营理念和完成经营目标，2017 年要做好以下重点工作。

（一）进一步支持实体经济转型升级

我们要认真贯彻党中央、国务院各项要求，充分发挥我行多功能优势，不断扩大信贷规模和综合融资范围，支持实体经济转型升级；进一步加大开拓创新的力度，支持“一带一路”、京津冀协同发展、长江经济带三大战略全面实施；通过创新产品和服务，支持供给侧结构性改革，特别是“三去一降一补”各项政策的落实，要把市场化、法治化债转股的模式做扎实，进一步扩大引领效应；进一步扩大三四线城市住房信贷规模，满足中低收入居民住房需求，助力房地产去库存；加大消费信贷产品创新，支持消费促进经济结构调整；要深刻认识小企业业务作为战略性业务的重要性和紧迫性，进一步加大对小微企业支持力度，为培育新动能，激发市场活力提供金融服务支持。同时我们还要做好定点扶贫工作，提升金融扶贫的精准度和有效性。

（二）继续加大推进转型落地的工作力度

一是推动重点分行加快转型。重点抓好 23 家重点城市行及所在分行的转型发展。北上广深等资产在 4000 亿元以上的大行要加大对标力度，提出更高要求；要当好排头兵和领头羊，依靠自身努力加快转型、补齐短板。23 家重点城市行要对照三年行动方案，围绕差距补短板，特别是对于一些与同业相比差距较大的指标，如一些新兴业务指标，要制定针对性的改进措施，确保三年行动方案圆满收官。三年行动方案不是摆花架子，是总行和各重点城市行一对一确定的转型目标，必须要实现。对三年行动方案完成好的分行，要在岗位高配等政策上落实兑现；对三年内不达标的分行，将在授权管理和干部配置方面进行适当调整；对市场地位下滑分行的主要负责人要进行问责。

二是以创新推动重点业务发展。一方面要力争传统业务做出优势，传统业务是基础，特别是对“三大一高”客户的信贷业务要深耕细作，要不断创新完善产品和服务，才能应对大客户议价和垄断性要求，才能真正做出优势，成为转型、开展新兴业务和创新的坚强支撑；另一方面新兴业务和创新的业务模式要做出样板，形成新优势。这就是要加大案例推广力度，去年我们总结推广了一些可推广可复制的案例，这些案例都包含了创新的理念，有成长潜力，但要靠推广，在推广中完善和提升。北上广深和 23 家重点城市行要积极总结自身转型典型案例，分享推广，切实发挥对全行转型的引领示范作用。刚才董事长也讲到了很多转型成功的案例。总行要稳步推广各条线、各领域有竞争力的产品、业务和经验，以案例推广为抓手，巩固和扩大转型成果。各分行要积极学习借鉴案例，能学的不学本身就是转型不到位，有条件的没做好，也是转型工作上的不足。

三是要对二级分行提出更明确的要求，更有效的支持和指导。二级行是转型前沿，也是关键之所在，是任务落实的重点。从近两年转型情况看，二级行薄弱环节还很多，还需尽快得到加强和完善，特别是要知道干什么，知道怎么干。

四是继续做好精细化管理。总行以厦门分行为样本，选择了部分城市行试点推广精细化管理的若干案例，体验和感受精细化管理的内涵，不少分行尝到了甜头。今年，要从体验式推广向机制化建设推进，在试点范围上，增加重庆和海南2家一级分行；在内容上，从细分市场和客户营销、完善资源配置机制、优化业务流程及加强信息共享等方面尝试构建精细化管理框架。总行目前已经确定了9个精细化重点工作专题，相关部门已着手开展方案研究工作。其他行也要主动对标，认真查找自身差距，梳理业务经营和管理中的关键问题和薄弱环节，改进管理方式，真正实现以管理促转型、以管理提效益的良性循环。

五是要把发展网络金融作为转型的重要内容。总行以打造金融生态系统为核心，按照“智慧、生态、协同”的发展方向，确立了网络金融生态系统战略。今年，要进一步深化“移动优先”发展策略，加大新版手机银行推广力度，强化网银、网站等渠道个性化、智慧化服务能力，全力拓展“善融商务”和“悦生活”平台，以“e智联”“慧医疗”等典型案例场景为突破，推进互联网应用，为全行“获客、活客”继续作出贡献。我行基于供应链业务的网络银行做得也很好，是金融系统首创的全部线上、不落地操作的网络融资服务模式，目前已经发放两千多亿元资金，没有不良，全部是线上运行，这也是需要大力推动的业务。2017年要聚焦“全链条、大平台”主线，围绕核心企业（平台）的全产业链条，将网络银行服务链条继续做全做长，将网络银行服务平台进一步做大做强，大幅提升批量获客能力和网络客户体验，持续保持同业领先优势。

（三）加强信贷管理，强化风险系统管控基础建设

2017年要全面加强信贷管理工作。转型发展两年来的实践告诉我们，信用风险处置牵扯了我们大量精力，占用了大量资源，信贷管理做实了，转型发展的基础才会更牢固。全行上下要认真总结过去的成绩，反思当前信贷流程各个环节存在的问题。2016年，我们对信贷流程和条线责任又进行了梳理，发现普遍存在的一些问题都与职责和工作不到位有关，2017年就从抓好尽职尽责、抓补齐短板入手。要构建“以责任到位为前提，贷后管理到位为关键，监督制衡到位为保障，考核到位为手段，人员到位为基础”的“五位一体”的信贷岗位尽职尽责体系，进一步提高信贷经营机构及信贷流程各环节人员的责任意识、合规意识，把风险的“了解”和“化解”执行到位。

1. 狠抓尽职尽责，做实信贷风险管理

一是构建责任明晰、问责精准的信贷责任体系，确保责任到位。总行正在修订信贷业务责任认定管理办法，将领导责任和条线管理责任纳入信贷责任认定范畴，进一步厘清各级机构领导责任、条线管理责任以及直接经办责任边界，明确经营主责任人定位，强调“违规必究、尽职免责”，避免流程操作问题的屡查屡犯。加强责任认定结果应用，作为人员选用的重要参考，既要对违规者形成震慑，又要保护尽职履责者，使他们能够轻装前进。

二是加强贷后的矩阵式管理，做实薄弱领域，将贷后管理执行到位。层级上，客户经理等经办岗位要负起及时准确更新客户信息等流程操作的责任，经营主责任人要切实承担起经营决策责任。条线上，经营条线要负起贷后跟踪责任，通过集中会诊，既要把握商机，及时拓展市场，又要及时发现风险苗头，制订并落实化解方案，信贷管理条线要负起信贷检查与监控预警的监督责任。

三是强化专业专注，做细关键环节，实现监督制衡到位。第一，要进一步加快提升一级分行的授信审批能力，从专职审批人能力和素质培养着手，加大培训和调整力度，进一步完善工作流程和机制。第二，提高贷中审批环节对实质性风险的把控能力，审批人既要做好存量信贷业务的诊断，更要看好新增业务的准入。加强综合授信、信用额度审批、合规性审查的培训和管理，规范操作执行。第三，统一全行放款审核标准，实施客户排序管理，适度整合审核环节，高效发挥放款审核的作用。第四，推进押品专业化管理体系建设。规范押品准入，准确评估押品价值，择优选择押品。建立相对独立的内部押品专业估值团队；建立对外部评估咨询机构的约束机制。要探索押品集约化管理模式，比如作为押品的权证要适当集中管理。

四是强化专业队伍建设，实现考核激励到位、人员到位。增加KPI指标及等级行指标中的信用风险指标权重，强化信贷考核体系。完善信贷人员考核机制，建立平衡风险收益、兼顾短期效益和长期效益的信贷人员考核奖惩机制。探索风险退出激励约束机制，提升经营机构对风险的敏感度。强化信贷队伍建设，逐步建立与风险等级匹配的信贷人员资质管理体系。

五是强化信贷政策研究和执行，确保信贷结构调整到位。在维护好传统客户、巩固传统优势的同时，要支持深化供给侧结构性改革，抓住新业态、拓展新领域、支持新消费。要研究预判未来发展趋势，对风险较高的低端制造业、批发零售业以及高风险客户群体，要提高准入门槛；对可能出现较大风险的行业和领域，要建立相关客户名单制管理和退出机制。上述重点信贷政策的调整，关键是要提高政策的针对性和可操作性。

2. 抓重点领域风险，完善集团风险管理

一是要完善海外机构、子公司风险监测指标体系，探索建立跨市场、跨行业、跨产品、跨类别的风险管控体系。加强流动性管理，发挥海外资金平台调剂作用，做好境内外资金统筹调度，保持流动性覆盖率和流动性比例稳定。二是密切关注市场风险。紧盯外部市场波动和重大市场风险事件，紧盯信用债券发行体资质变化，定期开展风险排查，做好投后管理和组合调整。加强代客衍生交易客户端信用风险管控，确保不新增垫款。三是强化直营业务和子公司风险管理。理顺三大直营业务风险管理机制和流程，坚持产品穿透原则，严防风险传染；加快推进相关系统建设，提升机控能力。逐步实现子公司风险管控从定性管理、经验依赖向定量管理、数据依据转化。不断提升集团同一客户综合监测分析能力、同一产品综合监测能力、全流程关键风险点管控能力、实质性风险防范和化解能力。四是补齐风险计量短板。重点从业务全覆盖、机构全覆盖、跨风险预警预控、技术创新、机控管理、监管合规等方面着力，构建大数据、智能化、机控化风控模式。五是建立全行统一的境内外机构合规管理体系，将内控环节有效嵌入业务流程，形成自发、自律的合规文化，严守直营、国际和海外等各项业务合规经营底线。

3. 调整不良资产管理和处置机制，提升处置效果

一是转变理念，要把不良资产由被动处置转变为主动经营。近两年来，由于时点要求，我们不得不提高打包处置的工作量，由此产生了诸如“一打了之”的种种问题。二是充实相关力量，加强对分行和总行经营部门不良资产的计划管理和处置方式的指导。三是继续开展不良资产证券化，研究探索不良贷款市场化债转股，稳步推进批量转让创新模式；探索建立利用产权交易所、微信等新型平台的营销推介机制；以回收价值预测为基础，强化分析判断，优化专家诊断模式，推进落实分级诊断机制。四是立足市场、滚动做包，着力提升批量转让回收率。在满足监管指标时点要求的前提下，立足市场化处置，探索行业包、跨地区包等组包方式；加强营销推介，提升批量转让处置回收率。五是建立不良资产处置反思问题、总结教训的制度，严把入包审核关，强化各级行的审核职责，落实主体责任。六是加强呆账核销精细化管理，梳理拟核销不良贷款项目，依据计划安排合理把握申报进度，确保“应核尽核”。细化已核销资产分类，强化回收进度管控，持续提升回收的财务贡献；明确受托资产管理要求，加强基础管理，加快现金回收，确保受托资产按期兑付。七是加强尽职追索，确保合规处置。强化系统机控，着力抓好运维管理，开发财产线索查询、处置流程监控等功能；严格落实依法合规，把控关键环节，根源性整改内外部审计发现问题。

（四）深化集团协同联动，构建服务客户新优势

随着集团业务规模的不断扩大，需要各方面协同联动的内容越来越多，协同作用越来越重要。这个内容很多，今天仅就协同推介我们的产品和服务，协同推进品牌讲讲。第一，要不断强化协同联动的理念，这对我们来说不是新理念，但随着综合性经营、多功能服务和集约化发展格局的形成，协同联动的理念就显得非常重要，当前特别需要增强协同联动的自觉性、主动性和积极性。第二，要不断完善协同联动的制度和规范，这包括：对公条线带动对私业务拓展的责任，对私条

线服务公司客户的责任，分行要营销子公司的产品，子公司也要积极营销商业银行业务等方面的责任制度。第三，要不断搭建和完善多样化的协同联动平台。根据不同的协同工作需要，可以在不同区域内、不同条线间、不同境内外机构间、不同子公司间搭建或松散或紧密的协同工作平台或服务团队。总行相关客户、产品、渠道部门要发挥牵头作用，积极组织协调，打通协同合作的新通道。

协同联动要以精准服务客户需求为目标，重点抓好三个关键点，一是母子公司联动重点抓产品供给。要加快把子公司产品打造成为个人客户金融生态系统的关键一环，各子公司要大力提升产品竞争力，充分挖掘和满足全行数以亿计客户的综合服务需求。二是公私联动重点抓客户拓展。充分发挥我行对公业务传统优势，进一步加大代发工资业务拓展力度，重点提升基本户和有贷户代发业务覆盖率。三是板块联动重点抓统筹经营。零售条线要用好现有的3亿多客户资源，加强统筹联动，提升交叉覆盖。要打通线上线下，构建覆盖客户全方位的场景。个人部作为客户统筹经营部门要发挥好个人客户综合服务的牵头作用，统筹安排产品、服务、营销、渠道、客户经理资源，并提出考核要求。

对有一定竞争力的优势产品，要进一步完善产品和服务，集中全行的力量，协同推进，久久为功，最终形成拳头产品和核心品牌。我们2014年12月开始在全国推广“快贷”，今年又推出了“龙支付”，大家都认为是非常有潜力的产品，但推介力度不够。例如“快贷”，我行虽然推出时间早，但在支用规模和客户数量上却远远不如“微粒贷”，反思下来主要是协同推动不够。我们今天把这个问题提出来，请有关部门再做研究，形成协同推动方案，认准的事情我们就要撸起袖子加油干。在子公司工作会上，我提出要努力树立子公司品牌，希望各子公司继续努力，争取早日成为与“哪里有建设，哪里就有建设银行”齐名的品牌。

（五）加强资源优化配置，提升运营效率

转型发展的一个重要内容就是要向管理要效益。近两年来，我们通过不断完善经济资本、经济增加值、管理会计、风险定价等内部管理措施，不仅提升了资源运用效率，而且逐步完善了激励约束机制的基础。转型发展要求我们继续提升和挖掘管理潜力，重点是：一是优化资本管理政策。继续强化以资本为核心的计划及激励约束机制，强调资本回报率和价值创造。优先发展轻资本、高回报业务，坚持零售业务转型方向，个人类贷款和公司类贷款（含非存款类金融机构贷款）保持合理结构，尽可能满足住房信贷需求，全额满足信用卡贷款新增需求，积极支持“快贷”等新型消费金融发展。推动海外机构和子公司资本计划编制，海外机构和子公司风险加权资产增速不超过资产增速。执行稳健的投资策略和积极的交易策略，按照资本集约化的要求，优化组合结构。加快体现未来发展方向的、轻资本占用的非保本理财业务发展，大力发展轻资本、高回报型表外业务，减少无效资本占用。

二是优化差异化授权政策。定价上，启动客户价格敏感性分类工作，对不同敏感性的客户配套差异化价格政策和产品策略，提高基层网点和客户经理区别客户进行议价及产品推送的能力。子公司授权上，建立健全子公司授权管理制度，厘清总行与子公司董事会之间的职责边界，充分赋予子公司经营自主权，促进子公司提升自我管理能力和自我发展能力。授信审批上，继续坚持审批授权动态调整机制，依托对各一级分行授信审批能力考核评价结果，动态调整授权方案；加大差异化授权政策安排，优化海外机构审批授权方案，确保审批授权更加契合全行经营发展战略和风险防控需要。

三是优化调整财务政策。第一，加大对重点转型业务的财务支持力度。安排员工费用4亿元与中间业务收入增长挂钩；继续在KPI绩效薪酬中安排转型发展考核挂钩员工费用8亿元，持续对金融IC卡、ETC、金融市场业务、支付结算生态圈、龙支付等战略性业务加大支持；在去年安排战略性业务专项投入56亿元基础上再增加6亿元，其中增加龙支付费用配置5亿元。第二，安排对重点和困难区域建立专项资源配置政策。继续执行“北上广深”、重点城市行资源配置政策；建立困难分行的员工费用预借归还机制，机制化帮扶困难分行；调整五项保险费用安排政策，绩效下滑的少数分行可通过节约业务管理费解决五险当年预算缺口。第三，继续增加关爱基层员工的财务政策。在全行员工数量净减少趋势下，薪点工资实行“增人不增资、减人不减资”政策；拿出专项费用2亿元，按单点3万元标准，改善县域网点办公场所营业环境、员工工作条件以及食堂用餐条件；继续安排一线经营网点“八岗位”员工岗位补贴9亿元；安排专项费用2亿元，提高员工工作餐食补助标准至每人每工作日22元。

四是优化人力资源配置。第一，要进一步加强定岗定编管理，为今后的考核、评价、激励奠定基础，请相关部门仔细研究。第二，要加强人才培养和岗位培训，特别是一级分行业务骨干和二级分行行长业务培训和能力成长培训。第三，要持续强化进一步倾斜基层、关爱员工的24项具体关爱措施。第四，不断完善青年员工和潜力人才成长措施。

（六）优化业务结构，切实提高盈利能力

一是加快信贷结构调整。深入推进零售业务转型。落实好国家房地产调控要求，积极满足合理个人住房贷款需求；大力发展消费金融，发挥好快贷、信用卡贷款等产品优势，加大场景搭建，拓展新兴消费和年轻客群领域；重点分行要进一步加大私人银行业务发展，谋划发展路径，制定切合实际的措施；调配高素质客户经理和营销经理加大客户开拓力度，对产品和服务升级提出明确要求；对公条线一方面要积极对接国家战略，巩固基建传统优势，着力加强战略性新兴产业、新业态领域信贷拓展，加快培育新的增长点；确保小微企业贷款、涉农贷款新增至少要满足监管要求；严控产能过剩领域贷款总量。另一方面要努力发展高端业务，诸如银团贷款牵头行、并购顾问、类似于债转股的融智加融资业务模式等。

二是优化债券投资结构。以考虑税收调整和资本占用后的实际收益率为导向，通过强化价值分析，选择投资价值较高品种；做好债券久期和品种等策略安排，优化投资组合，提高收益率；新增投资以地方政府债为主，信用类债券优先选择同业存单、商业银行金融债等低资本占用品种，基金投资不再增加；金融市场交易业务要抓住市场阶段性价格波动机遇，提高资产运用能力和做市交易影响力。

三是同业业务要以效益为中心，有效把控经营风险，平衡发展同业资产负债业务。保持适度资产增速，提高资产配置能力，提升资本回报水平；新发生业务以固定期限、固定收益类为主，通过优化资产竞价机制、提高交易能力、加快资产周转等多种方式，提高投资收益。

四是优化负债结构，保持低成本核心存款稳健增长势头。要把机构客户作为开拓重点，特别是军警客户和各级政府机构、职业年金等业务。坚持量价平衡，聚焦低成本结算类资金，提升集团资金体内循环水平；加强主动负债管理，强化客户分层，确定差异化的价格政策和产品策略；控制高成本负债总量，优化期限结构。

五是坚持量质并重发展海外业务。海外机构要做到资产与负债协调发展、资产与效益平衡增长。充分利用当地市场资源，以特色业务和产品带动综合性业务发展，减少低效资产，提高资产收益率；积极吸收低成本清算、结算类资金，建立相对稳固的存款基础；加强期限错配管理，防控流动性风险和利率风险。

六是子公司要加强对标管理。在业务规模、盈利水平、专业能力上全面对标，逐步形成与母行相匹配的市场地位和业务能力。原来说设立满7年的子公司，业务规模、资本回报率等核心指标达到行业平均水平，在银行系同类公司中保二争一。我们希望这个年限能大为缩短。

（七）加快技术系统建设和完善，为产品和服务创新构建有力支撑

随着“新一代”核心系统主体工程的完成，系统应用推广、稻香湖基地投产运营准备、武汉业务处理中心运行到位就成为今年的关键。2017年是“新一代”核心系统推广工作主要节点年，总的安排是计划上半年完成“新一代”国内推广，年底前完成“新一代”对公业务海外推广工作。

国内推广计划分4个批次，目前第一个批次，湖北、苏州分行已于1月成功实施。接下来，三个批次分别为4月、5月和6月，力争6月底在37家分行全部上线，稳定运行。海外推广计划分2个批次，第一个批次是7月，“新一代”对公业务在卢森堡分行、建行欧洲等十家行推广上线；其他海外行作为第二个批次12月底前完成，至此将实现全行境内外对公业务一体化。这项工作关系重大，一定要周密计划，精心准备，做到万无一失，并争取实现早日对接和稳定运行。

对已投产的武汉生产园区，要注重查找风险隐患和薄弱环节，加快推进园区防洪排涝工程、安防加强等项目建设，建立和完善园区安全责任体系，确保生产园区安全稳定运营。对明年初投产运营的稻香湖基地，今年是建设和准备的关键之年，一定要认真全面安排好各项计划和工作任务，倒排工期抓好落实，确保明年3月稻香湖基地全面投入运营服务，届时我们两地三中心技术系统将全面建成投入运营。之所以在这里对系统应用和设施建设做细致明确的要求，就是因为转型发展迫切需要技术系统支持。现代银行业的每一项有竞争力的产品和服务都离不开技术系统支撑。谁的技术系统先进，其产品和服务的竞争力就成功了一半。我行投入使用的智慧柜员机之所以先进就是因为有“新一代”核心系统的支持，今后在经营管理和风险防控都有赖于该技术系统支撑下的大数据挖掘技术的应用。在这里我们要再次充分肯定信息技术条线的各个部门和数据中心的工作和贡献，“新一代”核心系统为全行转型发展和竞争优势的形成作出了重要贡献，其贡献效用将越来越大！希望你们再接再厉，发扬“新一代”精神，以百倍的信心，千倍的努力，做好后续工作！“新一代”系统建设基本完成后，其各项领先功能的发挥，不仅在于系统建设的继续完善，更在于系统能否有效的推广和应用。因此，技术部门和有关数据中心要结合上线安排加大对使用单位的辅导、引导和推介，要让业务部门加深了解、熟知“新一代”系统的功能。这里也特别向客户和产品部门提出要求，要主动去学习“新一代”核心系统，真正弄懂弄透“新一代”各项功能和数据资源，并结合客户需求，不断提升运用“新一代”技术系统创新产品和服务的能力。

（八）认真履行“一岗双责”，发挥党建统领作用

深入贯彻党的十八届六中全会和中纪委七次全会精神。要按照党中央的总体部署和总行党委的具体要求，牢固树立“四个意识”，在思想和行动上提高政治站位，从政治意识和大局意识上找到差距不足，真正做到向核心看齐。要全面做好“两学一做”学习教育总结工作。将“学”和“做”作为一项长期要求，学思践悟、悟懂通透，将贯彻的自觉性和坚定性落实到日常经营管理中，用实际行动与党中央保持一致。发挥各级领导干部这一“关键少数”在从严治党从严治行的重要引领作用。严格贯彻落实中央八项规定精神和总行党委实施细则，驰而不息抓“四风”，寸步不让推进党风廉政建设和作风建设不断深化。要严格落实“一岗双责”。强化各级行领导班子“两个责任”和领导干部“一岗双责”的落实，强化政治担当意识，提升政治担当能力，秉持职业操守和职业精神，做到讲政治和搞业务相互促进，把建行的事情办好。

（九）抓好年初开局工作，奠定坚实发展基础

统筹开展旺季营销活动。要抓住岁末年初资金丰富和客户需求活跃关键时机，按照总行统一要求，整合多方资源，发挥联动优势，形成统一营销声势，共同拓展维护客户，推进旺季营销活动顺利开展。总行要加大资源配置力度，明确各项任务指标；分行要迅速行动，将任务目标层层分解、落实到人，通过行外营销和行内竞赛，调动全行积极性，实现旺季开门红。

把握新机遇，加快优质项目投放。要抓住国家重大战略和区域发展规划落地实施的重要机遇期，密切关注相关政府运作、客户运营和重大项目进展情况，抓住源头性、关键性的营销契机，做到营销一批。要及时跟进已签约的银政银企战略合作协议，定期逐条梳理协议推进落实情况，及早将原则性、框架性协议转化为实实在在的项目服务需求，做到落地一批。针对重大项目重要客户，要以针对性的综合金融服务方案为抓手，务求分析准于同业、审批早于同业，做到储备一批。对已储备项目和客户，要加大走访力度，跟踪项目需求情况，破除影响客户签约支用障碍，做到投放一批。

确保运营安全。岁末年初，既是业务旺季，也是案件事故风险高发时期，大家要紧绷安全这根弦，强化责任落实，加强安全防范。要密切关注资金的往来变化，切实加强资金调度与头寸管理，保证节日期间客户提现需求，确保全行流动性安全；要确保IT系统稳定运行，为资金结算交易高峰期安全生产提供保障；要利用好反欺诈系统、安保管理系统，通过“技防”和“机控”做好重点部位的风险排查，消除安全生产风险隐患，确保银行资金、财产和员工人身安全；要高度重视民事诉讼数量和涉案金额增长迅猛的态势，警惕电信网络新型违法犯罪，严密防控各类外部侵犯案件，防范和应对群体性事件，做好全年法律纠纷管理和风险化解工作；持续完善全行定密管理和保密管理制度体系，严防死守，确保全年都不发生失泄密事件。加强值班管理，确保及时处置应对突发事件。各级分支机构负责人要做好员工关爱和慰问工作，也要坚决杜绝“节日腐败”，切实做到看好自己的门，管好自己的人，确保每位干部员工度过一个温馨祥和、务实廉洁的节日。

中流击水，奋楫者进。同志们，2017年将召开党的十九大，是全面实施“十三五”规划的重要一年和推进供给侧结构性改革的深化之年，也是我行落实转型发展规划的关键之年，做好各项工作意义重大。全行要保持定力，乘势而上，以我们的智慧、勤奋和拼搏精神，以更大力度支持宏观经济的转型升级、良好的风险管控和经营成果，迎接党的十九大的胜利召开。

最后，新春佳节在即，我代表党委和管理层向与会的同志们，并通过你们向全体干部员工及其家属致以节日的问候，向大家拜年，祝大家春节快乐，身体健康，阖家幸福！

加强基础管理
提升全面风险管理水平

——在2017年全行风险管理工作会议上的讲话

王祖继

（2017年4月6日）

同志们：

中央经济工作会议强调，要把防控金融风险放到更加重要的位置。2017年全国“两会”高度关注金融风险问题。年初全行工作会议上，总行党委用相当大的篇幅对风险防控作了总体部署。今天，在西安召开全行风险管理工作会，就是要确保思想认识高度统一，认真贯彻中央精神以及总行党委要求，既对全年风险管控计划目标进行再部署，还要强调工作重点，布置推进今年全行风险管理的工作任务。刚才廖林同志作了具体部署，请大家认真学习领会，抓好贯彻落实。邓艾兵总经理通报了2016年全行信用风险情况，清晰准确地点明了当前信贷管理中存在的关键问题和薄弱环节，希望大家予以重视，认真加以解决。下面，我再强调几点。

一、2016年风险管理工作成效显著，进一步丰富了转型成果

提升风险管理、信贷管理能力是全行转型发展的重要内容和内在要求。2016年，在总行党委、董事会、监事会和高管层的带领下，全行上下同心协力，积极应对复杂严峻的形势，深入落实风险管理职责进党委的要求，全面强化风险管控，工作成效显著。主要体现在以下几方面。

（一）信贷管理和风险管控支持全行资产质量趋稳向好

近年来，为遏制不良资产多发态势，总行党委把控风险作为主要工作纳入党委工作重点，推动阶段性总分行齐抓共管机制的形成，重点分行、重大项目的风险化解工作扎实有效。总行党委、

高管层分工督导19家不良多发分行的资产质量管控工作，实地指导推动风险化解处置，19家分行不良贷款余额比年初减少6.87亿元，不良率比年初下降0.26个百分点。总行"30大"项目化解处置199亿元。各分行党委班子认真履行主体责任，切实加强风险的"了解"和"化解"。"三道防线"各司其职，联防联控，全行上下形成合力，搭建起各层级、各条线协同联动的矩阵式防御体系。

严把风险入口，授信审批部门在提高精细化水平、提升流程效率的同时，以续议、否决等方式合理确定客户授信总量，主动把不符合监管要求和我行信贷政策的客户及项目挡在门槛之外。全年对公授信业务共续议885笔3189亿元，否决2093笔3281亿元，对公纯新发放贷款质量创近年来最好水平。区分存量及增量客户，有序推进综合授信评审、信用额度及单笔业务审批的差别化安排，优化调整信贷审批授权，创新"专户授权"制度，市场响应效率快速提升。

全面反思和梳理信贷和风险管理流程，在贷前、贷中、贷后、押品等薄弱环节管理方面达成共识，为下一步着力改进奠定坚实基础。持续开展信贷检查，提高信贷政策制度执行力。积极运用大数据扫描和机控手段，整合征信、工商、法院、监管机构等外部数据，通过"PAD"工具将预警信息"点对点"发送至客户经理，提升风险化解效力，全年共退出风险客户3582户，贷款1146亿元。

不良处置"量、质、效"全面提升。全年处置不良贷款1493亿元。不良处置拨备支用较上年减少180.66亿元，回收盘活占比和批量转让回收率均较上年提升10个百分点，已核销现金回收较上年翻番、形成利润43亿元。创新市场化处置手段，发行3期74亿元的不良资产证券化产品，通过批量转让创新模式处置不良贷款242亿元。内蒙古、青海、深圳等分行的"30大"不良项目实现回收盘活。

在风险管理工作中不仅重视现实风险的有效管控，更加重视还原核销后对资产质量状况和管控成效的研判，更加清晰地认识问题本质，这有助于我们更加真实地认识风险形势，作出更加客观科学的决策。还原核销后，北京、上海、厦门、广西、海南、重庆、西藏等分行不良率连续三年小于1%；但宁波、浙江、宁夏、黑龙江、福建等分行不良率在4%以上，形势还是很严峻的。

通过全行上下不懈努力，圆满完成了集团资产质量管控目标。集团不良贷款1786亿元，比年初增加126亿元，同比少增402亿元；不良贷款率1.52%，比年初下降0.06个百分点，降幅在四大行中最大；近5年来逾期贷款首次少于不良，逾期与不良"剪刀差"四大行最小，资产质量基础较为扎实；境内分行新暴露不良贷款1592亿元，同比减少445亿元；拨备覆盖率为150.36%，满足监管要求。与同业相比，天津、辽宁、重庆、上海、苏州、广西、云南等分行不良率连续三年当地四大行最低，但宁夏、宁波、黑龙江、浙江、广东、江苏等分行不良率连续三年当地四大行最高。

（二）建立和完善直营业务风控机制

2016年，总行成立了三大直营中心，转型发展和集约化经营步伐进一步加快。为确保业务健康发展，总行党委、高管层多次召开会议专门研究风险管控问题，明确总体要求，得到了有效落实。三大直营中心均设立了承担风险管理职能的处室，建章建制，加快系统建设，切实担负起第一道防线管控职责；风险管理部增设了直营业务风险管理处，将其纳入全面风险管理体系。明确提出了"风险隔离、风险自担、产品穿透、统一授信、集中托管、事前评估"六大原则；逐步统一风险管控标准，实现限额管控，建立完善了基础资产风险补偿机制，启动了同业业务减值准备计提工作，首次计提减值准备2.6亿元。授信审批部门优化资产管理及同业业务差别化授权，下放标准化资产业务审批权限，完善授信审批精细化管理模式。2016年，同业业务保持零案件、零不良、低风险，资产管理业务的风险资产额及风险资产率实现双降，总行自有资金投资的人民币债券保持零违约，代客衍生产品连续四年无新增垫款，押品覆盖率显著提高。

（三）坚持统一性和差异性并重，强化子公司和海外机构风险管理

在集团统一的风险管理框架下，子公司正在逐步建立适应自身业务风险特征的风险管理机制，整体拨备充足，不良额、不良率完成全年控制计划，资产质量处于所在行业前列，价值贡献稳步提升。其中，建信基金、信托、租赁、人寿的风险管理体系逐步健全，资产质量同业领先。

海外机构风险管理以“夯实基础、强化监控”为主线，实行“一行一策”，整体资产质量持续向好，不良贷款实现“双降”，超额完成年度计划。但是巴西子行的困难不容忽视，要抓紧帮扶解决。海外机构市场风险管理融入流程和机控水平有所提高，坚守“八不准”经营底线，金融市场业务无违约事件和新增垫款。

实施国别风险限额管理，对海外机构所在地26个国家（地区）进行分析评估，在国内同业中率先形成《国别风险评估报告》，全年无重大国别风险暴露。通过设立亚太审批中心，调整优化海外机构授权，大幅提升对全球金融市场的响应效率。全年审批海外机构信用业务1.83万亿元，增幅为41%，批复海外并购15笔1059亿元，有力地促进了海外机构市场竞争力的提升。

（四）各条线齐抓共管，三道防线立体防御职责扎实落实

各前台经营部门切实履行第一道防线职责，严把准入关口，狠抓早期预警，认真执行新暴露不良控制计划，强化风险的化解处置，风险防控的前瞻性和有效性进一步提升。

授信审批部门，严守底线思维，坚持实质性风险判断，切实发挥授信审批对风险管控的关键作用。全年共审批公司及个贷业务267.1万笔，金额31.6万亿元，增幅为28.4%。“三授信”（综合授信、全球授信、集团并表授信）快速推进，综合授信覆盖率达95.41%，全球授信已覆盖全部海外机构和所有456户“走出去”集团客户，92%的客户已实现集团并表授信统一管理。全年完成评估项目4812个，增幅为29%，申请我行贷款3.2万亿元，项目评估的传统优势逐步重塑。国家和省级重点项目库建设取得突破，已确认国家级重点项目811个，增幅为31.9%。授信审批专业化研究覆盖所有一级分行及90%以上对公信贷业务，全年共完成授信评估专业化课题96个，发布审批指引（含审批标准）181个，同时积极促进研究成果落地转化。一年来，北京、苏州、辽宁、新疆、陕西等分行在审批质量与效率上有明显改进，重庆、湖北、江苏、深圳、浙江等分行在授信审批专业化建设方面扎实推进，四川、江苏、广西等分行的系统管理能力有较大提升。

快速应对大宗商品大幅上涨、英国脱欧、人民币债券市场违约频发、美联储加息等重大市场风险事件，及时调整经营投资策略，实现自营投资和直营业务健康发展，估值波动可控，主要指标衔接较好。在流动性管理方面，坚持稳健审慎的策略，主动发挥大行的市场“稳定器”作用，获得中央银行多次肯定。在国内同业中率先试行合规官制度，健全海外机构和子公司合规管理体系，抓好“一加强，两遏制”回头看自查工作，全行内部控制状况得到改进，操作风险管控有效，合规工作从制度完善到职责落实都取得很大进步。“新一代”项目主体工程完美收官，搭建了有相当竞争力的企业级技术系统，信息科技风险管理水平显著提升。在国内同业中率先开展声誉风险经济资本计量，全年无重大声誉风险事件，声誉风险“固本工程”取得明显成效。

审计条线，充分揭示各类违规问题和风险隐患并及时反馈经营一线，从严从实督促根源性整改，为防范和化解风险发挥了重要作用。纪检监察部门，加大案件查处力度，将案件防控融入合规管理之中，工作成效显著。

（五）推进技术应用和队伍建设，打牢风险管理基础

风险管理技术方面，目前已开发投产326个风险计量模型，基本覆盖了全部信贷类客户和金融市场交易业务。以零售业务为例，应用评分卡自动审批代替人工审批，不良率明显降低，节约成本超过9亿元。新建优化了127个压力测试模型，测试结果为决策提供有力支持，例如2016年宏观经济压力测试对新暴露不良贷款的预测与实际风险演变基本相符，为管理层制定资产质量管控目标提供了重要依据。将海外、同业等战略转型业务纳入资本管理高级方法实施与应用范围，并积极向监管机构申请核准。全球系统重要性银行持续达标工作取得重要阶段性成果，2016年集团恢复与处置计划已经监管机构审议通过。

队伍建设方面，全行专职信贷管理岗位人员与客户经理比例显著提升，各机构均设立了市场风险管理岗位，推进市场风险管控融入业务流程；

授信审批条线搭建能力评价体系，加速推进评估专家“163”工程实施；二级分行资产保全专业处置团队增加；整体来看，专业队伍建设得到加强，技术能力也在提升。

2016年，在异常严峻的形势下取得了好于预期的工作成绩，实属不易。这些成绩的取得得益于总行党委的坚强领导，得益于董事会、监事会的有力指导和支持，凝聚着全行员工的智慧和汗水，特别是风险、保全、信管、审批条线干部员工，付出了艰辛的努力，作出了突出贡献。在此，我代表总行党委、高管层向全体参会同志及全行员工表示衷心感谢！

二、2017年风险管控形势依然严峻

2017年是党的十九大召开之年，是“十三五”规划实施的重要一年，宏观经济稳中向好，供给侧结构性改革全面深化，国家一系列重大战略加快推进，这些有利条件为商业银行创造了良好的经营环境和发展机遇，对此我们要抱有充分信心，坚持推进转型发展，在发展中平稳化解风险。在看到有利条件的同时还要看到挑战，2017年确实还有很多的困难，党中央、国务院及监管机构对风险管控也提出了更高要求，我行必须高度重视，认真抓好落实。

（一）外部形势错综复杂，资产质量将持续承压

国内经济虽然稳中向好，但经济结构在调整，新旧动能在转换，这个过程中还会产生一些新的风险。国际贸易方面，“逆全球化”思潮与贸易保护主义倾向开始在少数发达国家抬头，将加剧全球贸易摩擦，并向国内传导，特别是传统产业、传统贸易相关客户的风险，需高度关注。2017年初以来，美国陆续对中国的部分钢铁、化工产品等征收高额关税，并正在酝酿向进口产品征收边境税，这将对我国制造业特别是钢铁、铝业等行业产生负面影响，相关客户信用风险很可能增大。在房地产领域，随着多个城市调控政策出台、银行信贷收紧、交易所监管政策趋严，房地产企业资金链将更紧张，三四线城市房地产去库存缓慢，资产质量下滑趋势明显。债市方面，2016年银行间债券市场和定向募集债违约金额是2015年的5.33倍，债券违约主体中，21家发行主体与我行有业务往来，发行主体及其关联企业在我行生息负债余额为376.18亿元，三成以上已形成不良，对资产质量形成较大压力。

（二）国际国内监管趋严，监管合规压力加大

中央经济工作会议明确提出，要把防范金融风险放到更加重要的位置，要求金融监管部门严格监管，确保不发生系统性风险。监管机构明确表示要坚决治理各种金融乱象，中国银监会将陆续开展八大类风险现场检查，近期先后下发文件对信用、流动性、债券投资、同业、理财、房地产融资、地方债务、互联网、跨境业务和民间金融十大重点领域风险进行全面部署防控。毋庸置疑，银行业监管将更加严厉，监管动作和规制将直击问题要害。

宏观审慎监管方面，在货币政策稳健中性的大框架下，规模实行严格控制，给资金平衡和结构摆布带来管控难度。例如，我行每年回收再贷3万多亿元，几乎90%都投向老客户，是否过于集中，新老客户的信贷投放比例是否合理？再如，在结构调整中，零售业务的增长包括大家比较看好的快贷都受到了约束，如果对公业务衔接不到位，那么原来没有风险的业务也可能会出现风险。所以业务结构、产品结构、客户结构等调整和摆布都面临着很大的挑战。

交叉金融风险防范方面，中国银监会已经下发文件，直接指向2015年以来同业业务快速扩张中出现的监管套利、空转套利等问题，涉及票据、理财、存单和委外业务，开展专项治理。政策导向是统一监管标准，强化穿透管理，严控嵌套投资、杠杆投资和期限错配，加强资本和拨备计提，做实并表监管，防范监管套利和风险传导，对银行提出了更加严格的要求。

境外监管方面，监管机构普遍加大了对银行业合规、反洗钱、反恐怖融资、反偷税漏税的监管检查力度。境外监管处罚尤其是发达国家监管机构，不仅处罚金额越来越大，而且呈现追溯期长、同一事件被不同监管机构轮番处罚的特征。目前，在四大行海外机构中，只有我行尚未受到境外监管机构处罚，被监管关注的程度更高。可以说，境外监管处罚带来的负面影响、声誉风险远超具体项目损失带来的影响，因此必须要高度

重视，境外机构要切实承担主体责任，境内分行要给予更多的支持，特别是在目前联动业务占比较大的情况下，共同做好海外机构合规风险的防控。

（三）内部管理存在薄弱环节，影响转型措施的落实落地

转型越是深入推进，对自身工作要求就越高，风险管理理念和能力就更要提升。目前很多分行、机构和业务部门的账面指标直观上看起来有了改善，但对收益、风险、资本三者间平衡的把控，从理念、自觉行为到技术应用上都存在不足。业务规模增长很快，但对承担了多大风险、消耗了多少资本没有认真考量；有些业务账面利润看着喜人，但如果把风险成本、资本成本考虑进去，收益不达预期，一旦出现重大损失不仅吞噬账面利润，甚至会伤及发展根基。过去三年信贷业务领域损失近1970亿元，有的分行因为一些分支机构经营理念偏差，花了很长时间、付出很大代价才从泥沼中走出来，这都是惨痛教训。而且，我们应当认识到，不仅最终损失是风险，有些业务估值波动很大对关键指标产生的负面影响同样也是风险，比如去年底部分业务估值上的波动导致资本充足率降到15%以下，直接影响到关键业绩指标间的协调性，这本身就体现了外在竞争力、内在管理水平的不足，反映出对形势变化和市场认知的欠缺。因此，从总行到各分行、各机构，从传统的信贷领域到同业、资产管理、金融市场交易等转型重点领域，大家不仅要从各自局部领域，更要从集团整体上考虑，平衡好收益、风险及资本，处理好短期利益和长期发展的关系。

信贷管理基础还存在许多薄弱环节，屡查屡犯问题在部分领域还比较严重。突出表现在：部分机构的贷前尽职调查真实性问题突出，甚至有章不循、刻意隐瞒；审批能力行际差异较大，2016年全行有11家分行对公纯新发放贷款没有一笔形成不良，但有10家分行纯新发放贷款不良率高于全行平均水平，最高的分行达到4%；贷中放款把关不严，还存在没有落实授信条件就放款的现象；贷后管理检查流于形式，缺少先进的技术手段和数据分析工具，一些措施很难落实到位；押品管理薄弱，风险缓释作用大打折扣，2016年批量转让中抵押物的实际回收比例在39%左右，押品长期不登记、不管理，估值不审慎也不重检，对于我们这样一家以信贷业务为基础发展起来的银行来讲，这些问题的出现是不应该的；不良处置手段创新能力相对不足，一线处置人员变动频繁，队伍稳定性不够；责任落实方面，认责泛化，涉及人员众多，但对重要管理岗位和领导岗位缺乏明确问责，不利于倡导违规必究、尽职免责的信贷文化，等等。

各类业务、各类风险的协调联动及整体管控不到位。突出表现在：在集团层面，以客户为中心的全面风险管控不足，信息获得不及时不全面，给决策和风险管理带来很大难度；三大直营业务的风险管理刚起步，很多细节尤其是如何进行统一的管控还要进一步理顺，系统建设滞后，实现看清基础资产、控住关键风险这一目标难度较大；对海外机构和子公司的风险管理合力不够，条线间沟通协作还有欠缺，IT系统和管理工具建设相对滞后，不利于集团风险整体把控；部分分行强化全面风险管理的意识、手段不足，对新兴业务的风险特征认识不到位，融入流程的管控手段不熟悉、不掌握，人员数量及素质也不匹配，容易形成新的风险隐患。解决这个问题，做好“协同”是重要抓手之一，我在不同场合多次讲到这个概念，要让“协同”像“合规”“稳健”一样成为一种自觉行为、一种文化要素，只有这样，风险管控才能达到我们追求的理想状态，全面风险管理水平才能提高。

分析这些问题，有些是外部的，但更多是内部的。回顾过去发生的重大风险事件，有的我们很好地规避了，有的规避了80%，有的没有规避好甚至完全深陷其中，损失很大。所以说，外部环境虽然错综复杂，但更重要的是我们自身的管理能力必须要跟得上。通过工作措施的落实和能力的提升，最大限度地减少外部形势变化带来的不利影响，争取工作一年比一年更扎实，基础更牢固，逐步建立起长效管理机制。这就是今天我们开会的主要目的。

三、勇于担当，做实做好全面风险管理，确保完成2017年风险管控目标

集团全面风险管理工作要不断完善长效机制，着力夯实风险管理基础，着力提升风险管理技术应用，着力加强风险管理队伍建设，不断推进完

善覆盖“五个所有”，有效平衡收益、风险和资本，打造“国内最佳、国际一流”的风险管理能力，服务保障集团的转型发展。

2017 年风险管理工作的主要目标：进一步强化基础管理，完善全面风险管理长效机制；集团各条线、各区域、各子公司的收益、风险和资本平衡明显改善；资产质量平稳可控，全面完成各项年度风险控制计划和工作任务。具体指标要求是：年末集团口径不良贷款控制在 1940 亿元左右，不良率控制在 1.51% 以内；境内分行新暴露不良贷款要控制在 1430 亿元以内，力争控制在 1350 亿元左右，同比下降 10% 至 15%；境内分行逾期贷款控制在 2000 亿元以内；全年处置不良贷款 1200 亿元以上，其中回收盘活 460 亿元以上。集团总体市场风险潜在损失限额为 740 亿元，监管口径市场风险价值限额为 7 亿元。为完成上述工作目标，重点抓好以下几方面工作。

（一）进一步完善管理机制

继续推进落实风险管理职责进党委要求。各级党委要切实担负起全面风险管理的主体责任，“一把手”是第一责任人，分管领导负分管领导责任。分管风险的领导要保持相对稳定，避免频繁更换，以免影响风险管理策略安排的一致性和执行力；授信审批工作一般应由党委委员分管，“一票否决权”要由分行“一把手”本人行使，不得转交他人代为履行职责，总行否决需复议的项目要集体讨论。这些要求，总行人力资源部要作为人事制度安排予以明确。

各级党委每年要定期或不定期听取所辖全面风险管理情况报告，摸清风险底数，评判风险状况；季度经营分析也应安排听取风险管理情况报告；要牵头辖内重大项目的风险化解，对重点机构开展有针对性的帮扶工作，特别是对于跨条线、多种风险交叉的重大风险事项，要做好协调联动，明确领导责任并指定牵头管理部门推进。风险管控责任要做到纵向深入到基层、横向覆盖至条线，不留死角。新任职领导要尽快适应角色，摸清分管领域风险状况、风险底数，不能分新账旧账，新官要理总账，本着服从大局、实事求是的原则化解处置存量不良资产，确保风险有序释放、有效管控。

完善尽职尽责与严格处罚并重的责任机制。目前我行风险管理的制度比较完备、职责基本清晰明确，之所以部分领域管控成效没有达到预期、屡查屡犯问题依然严重，主要原因是主体责任落实不到位，尽职履责不够。下一步要从两方面入手，完善责任机制。一方面，尽职免责必须要坚持，同时对于那些因能力不足或者工作压力太大确实没有顾及到的错误，在追责时一定要人性化，实事求是，甚至可以创造改正错误的机会，能吸取教训、总结经验有益于今后工作这本身也是成绩，也是对员工的爱护；另一方面，严格处罚必须要坚持。近几年，有的员工甚至有的机构负责人胆大妄为、以权谋私、逾越红线，没有基本的职业操守，这种情况绝不能姑息，必须严格处罚，毫不留情。只有责任清晰、认责客观、问责精准，我们的免责和处罚措施才能真正落地，发挥作用。

健全机控化和数据化管理机制。目前我行已成为资产超 20 万亿元、拥有 37 家境内一级分行、31 家海外机构、37 家子公司（10 家子公司、27 家村镇银行）、1.5 万个网点、36.3 万名员工的综合化银行集团，靠过去“人海战术”、“手工作坊”的管理模式已无法适应当前金融服务和风险防控的需要。比如未来消费金融领域的竞争，就是数据基础和数据分析应用的竞争；风险预警的及时性、准确性将主要依赖于数据整合、数据采集和机控能力。今后风险管理工作要更多依靠数据、依靠量化工具、依靠机控手段来提升管理水平，这是商业银行的核心竞争力之一，是我行迈向国际一流银行必须下力气去做的。

增强集团风险偏好的统一协调性。第一，要充分发挥风险偏好在集团全面风险管控中的战略引领作用，强化顶层设计，立足于集团收益、风险和资本三者平衡，来框定资产组合的风险结构，明确能做什么、做多大（风险边界）以及不能做什么（底线）。比如，11 万亿元信贷资产的结构摆布，3 万多亿元回收再贷如何分配，等等。第二，总行各部门、各分行、子公司要将集团风险偏好自觉贯穿到各项经营活动中，业务发展必须站在集团整体的角度加强协同联动，不能自扫门前雪。比如辉山乳业，我们信贷退出了，但子公司又进去了，提醒我们在协同方面还要不断改进完善。第三，要针对子公司风险偏好形成过程中的问题，广泛调研，深入研究，使得子公司风险偏好成为集团向其传导战略导向的桥梁，在统一的风险管理框架下既能激发子公司的经营活力，又能做好风险隔离与传染。

进一步完善激励约束机制。2017年在等级行、KPI、竞争力监测等主要考核体系中优化引入关键风险指标，适度增加考核权重；在原有信用风险评价基础上，研究建立全面风险管理评价体系，以考核为导向，不断完善各层级、各条线纵横相交、条块结合的矩阵式防御机制。

（二）以抓好信贷管理为切入点，提升信用风险管理能力

当前我行信贷资产接近11万亿元，超过总资产的50%，每年回收再贷就超过3万亿元，因此资产总量和信贷工作量决定了必须继续把信用风险管理作为各项风险管理工作的重中之重，管理力度只能加强，不能减弱。要继续坚持标本兼治。在治标方面，深入分析资产质量的变化趋势，处理好满足资产质量控制要求与提高回收率的平衡关系，更加关注还原处置后的不良资产指标，查找和改进信贷管理中存在的问题。各经营条线要继续守好第一道防线，做好增量业务的入口把关和存量业务的风险化解处置，严控新暴露不良。在治本方面，要认真落实年初全行工作会议“着力加强信贷管理和严控经营风险”的要求，抓好“责任到位、贷后管理到位、监督检查到位、考核到位、人员到位”五方面基础工作，全力构建信贷管理长效机制。五个到位中责任到位无疑是最重要的，总行已经出台信贷业务责任认定管理办法，尽职免责与责任追究并重，各机构必须抓好落实。同时，要重点加强信贷全流程管控，切实提高执行力。

一是做实贷前真实性审查，提高客户评级的准确性是夯实全流程管控的根本性前提。要将贷前真实性问题作为流程管控最核心的环节来抓，长期抓，抓出成效。总行层面要加强制度建设，通过明确规定动作与相关责任，强化对关键岗位、关键环节的有效把控，并有效减轻客户经理工作量。分行层面要严格执行总行制度要求，多形式推广使用集成化信息查询渠道，避免动作执行流于形式。对于客户评级工作，重点是加强客户评级行为和试评级管理，对恶意试评级的，应直接中止流程并追究责任。

二是提升授信审批专业化能力，正确传导集团风险偏好，强化集团的统一风险管控。要做实综合授信的“两定一提”，对战略客户和重点客户提升决策层级，充分发挥其信贷资源的配置作用、前中后台共同决策的“平台”作用。审批授权要有收有放，既要提升市场响应效率，更要注重风险的有效管控。改进小企业审批授权，提高审批决策独立性。优化三大直营业务的审批要点、授信模式及审批流程。以亚太审批中心为基础打造海外审批中心，强化海外业务风险统一管控。全面推进授信审批专业化能力建设，总行对授信审批已提出“三提高一加强”工作要求，针对31项具体工作措施，各行要逐一抓好落地执行，夯实基础管理。

三是继续加强放款中心建设。放款中心自2014年在全行推广以来，对有效管控贷中放款环节风险发挥了重要作用。下一步，要逐步扩大审核业务范围，探索对纳入授信管理的理财业务资金支用进行审核；进一步完善放款审核会商机制，强化放款中心合同审核、条件落实审核、支用审核、抵质押权利设立及权证管理等职能，提升实质性风险把控能力；继续探索优化差别化放款审核模式，将放款中心打造成为贷中环节风险控制平台，提升放款中心服务能力。

四是推进贷后管理专业化建设。坚持问题导向，每年解决几个问题，坚持抓上几年，贷后管理一定会有改观。2017年要用好贷后跟踪例会这个平台，既要把握商机，及时拓展市场，又要及时发现风险苗头，制订并落实化解方案。各行授信审批、放款审核等人员要充分利用贷后信息进行决策、判断，要采取有效手段解决贷后信息不及时、不到位的问题。要将信贷检查覆盖全部机构，借助系统工具着力提升非现场检查能力。

五是积极推进全行押品集约化管理，有效发挥押品风险缓释功效。要按照“专业专注、岗位制衡”的要求，对押品价值审核等关键环节，由专职人员集中把关，一级分行要加快押品管理由部门集中向条线集中到全行集中，最终实现全程管理，实现岗位制衡，切实解决“一手清”和押品价值高估的问题。部分分行风险管理部门已经对押品的价值审核、权力设立和权证保管环节实行集中管控，效果很好。下一步要进一步总结经验，积极创造条件，不等不靠，加快推广押品集约化管理，上半年选择几个精细化管理行进行试点。同时，要按照"谁使用、谁申报审批、谁负责"的原则，将担保机构纳入综合授信审批流程，实施统一授信管理，强化额度管控，严防授信调整结构风险。

（三）强化重要领域和环节的风险管理

积极应对市场风险，紧盯债市、汇市、股市波动，做好重大市场风险应对和债券违约风险处置，防范风险的交叉传染；加强代客衍生产品交易对手的信用风险管理，定期开展风险排查，提前发现隐患，及早采取化解措施。流动性风险管控总行承担更多职责，要做好境内外资金统筹调度，保持流动性覆盖率和流动性比例稳定，确保集团流动性安全。结合合规官试点经验，不断完善全行统一的境内外机构合规管理体系。加快整合境内外反洗钱管理，搭建统一平台，形成联动合力。针对当前案件多发、高发的严峻形势，全面加强案件防控和预防腐败工作，一级分行要尽快建立并完善"两防"联席会议机制，严格落实"两防"职责，加大对信贷领域、公章管理、柜面业务、集中采购等重点领域的整治力度。

扎实推进直营业务风险管理基础建设，理顺管理机制，尽快推进系统布局上线。三大直营中心要把好第一道防线，认真研究2017年以来出台的各项监管规制，严格执行。要抓好基础资产、合作机构两个关键点，逐步形成"总行管边界、分行进流程"的风险管控架构。加快建立和完善委外风险的预警和管控手段。总行要抓好客户准入、产品准入、合作机构准入的统一管理，风险管理部负责建立机制、制定标准，直营中心负责组织实施；分行的业务经营部门要切实承担第一道防线职责，风险管理部门要通过投前的风险准入审核、投中的资金投放审核、投后的分类结果审核等管理动作，主动融入业务流程进行风险管控。在"穿透"管理方面，风险管理部门要承担更多责任。重点做好委外业务"穿透"管理的研究和探索，通过加强合作机构管理、提升风险计量能力，有效把控实质性风险。总分行齐抓共管，努力实现直营业务基础资产质量、风险补偿能力、风险管控效果的稳步提升。

强化海外机构全面风险管理。完善全面风险管理组织框架和运行机制。优化信贷政策，实行负面清单和底线管理，差别化明确各地区"雷区"和"禁区"。以"八不准"为抓手，继续推进市场风险管理融入业务流程。扩大国别风险评估的覆盖面，妥善应对重大风险和突发事件，及时调整经营策略。加快海外机构反洗钱体系建设，境内外联动共同做好跨境业务的风险管控。加快推进"新一代"系统向海外机构延伸覆盖，尽快完成相关风险管理模块上线推广，提高关键环节的机控能力。这既是一个技术手段，同样也是风险管控的一个重要抓手。

在纳入集团统一风险管理体系、尊重子公司独立法人的前提下，强化对子公司实质性的风险管控。子公司要切实承担起风险管理的主体责任，在集团统一风险偏好框架下，管控好自身的风险，向行业内风控水平高的企业看齐。总行风险管理部门要切实承担集团统一风险管控的责任，加强对子公司的指导、服务和监督。尽快建立子公司风险监测指标体系，结合统一风险视图，逐步实现从定性管理、经验依赖向定量管理、数据分析转化。要定期评估和检查子公司全面风险管理情况，及时弥补管理疏漏。要加强母子公司风险管理信息和资源共享，进一步完善内部防火墙体系，防范跨业跨境风险传染。此外，要关注村镇银行的风险管控，去年村镇银行整体未完成资产质量控制计划，不良额和不良率双升，部分村镇银行不良率偏高，管辖分行要切实担负起属地管理职责，加大风险化解和管理力度。

下大力气补齐风险计量短板，提升风险预警预控能力。一是尽快实现风险计量的业务全覆盖、机构全覆盖。优化升级现有风险计量模型，做好对资产管理、同业及新型交易产品的计量模型研发，弥补海外业务和子公司风险计量空白。加大现有管理工具在境内外机构、子公司和各业务条线的应用推广力度，强化系统机控的刚性约束。对工具应用情况和机控效果，加强通报、考核和奖惩，积极运用资本计量能力提高全集团资本管理水平。二是强化预警工具对集团风险管控的支撑作用。在现有组合预警基础上，进一步整合预警资源，提升预警集约化水平，探索建立跨风险类别、跨业务条线、跨境内外机构、跨母子公司的集团资产组合监测预警平台，做到信息共享、协调应对、预控到位。三是做好美国EPS压力测试等国内外监管要求的落实工作，并以此为基础，推动我行风险计量能力实现质的提升，助力全球化布局。四是跟踪学习国际先进的风险计量技术和管理实践，运用新方法、新手段、新机制打造本土化、更适应建行发展的风险计量体系，力争达到国内最优、国际领先。

（四）不断优化不良资产的处置方式

由于近些年风险多发，虽然加大了处置力度，不良资产存量规模仍然很大，在不良新暴露形势依然严峻的情况下，一方面要保持一定的处置总量，以确保资产质量稳定，另一方面还要协调好利润增长与拨备指标监管达标之间的关系，因此必须要在优化处置方式、提高处置效益等方面下足功夫。为此，总行党委研究成立了专门的资产保全经营机构。专营机构既强调了直营性，更强调了管理职责，各分行仍然承担不良处置的主体责任。总行直营机构和各分行要共同努力，抓好资产保全经营工作。

资产保全直营机构成立后，要在三个方面体现新变化。一是树立新的理念，由计划管理向价值创造与计划管理并重转变，同步提升不良资产处置的“量、质、效”。要强调价值贡献，批量转让只能作为不良处置的最后手段，进入不良的重在化解，加大清收力度，减少信贷损失，最大限度挖掘回收盘活潜力。绝不能“一打了之”“一卖了之”，但也要区别对待，有的分行能够协调好各项相关指标，具备不用打包的能力；有的分行不打包不行；对于总行，有时在关键时间节点，不出表不行。所以，打包处置要实事求是，把握好节奏。打包前要对项目回收盘活的可能性进行全面分析诊断，对抵押率相对较高、可以盘活回收的资产暂不打包；要强化入包合理性、追索合规性、估值完整性等实质性审核，以尽职追索为入包前提，原则上打包损失额不高于已计提的减值额。二是建立完善新机制。新的机构既直接经营又承担管理职能，如何发挥新机制的作用，体现新机制的优势，需要总分行深入思考，共同研究探索。三是研究新的方法。要加大手段、模式和渠道创新，解决经营处置可持续性的问题，不良资产的分析、分拆、分包，要由传统处置方法为主向传统与投行方式并重转化。当前，资产质量指标有了向好的基础和条件，存在一定的回旋余地，因此不良资产处置工作更要下真功夫，总分行要共同努力，追求更高的目标。

要完成好三项任务。一是处理好总行直营机构和分行主体的关系，该直营的，分行要支持资产保全经营中心直接处置；该分行承担主体责任的，必须要切实承担起主体责任。二是建立完善新架构下的制度体系和运行机制，确保各项工作顺畅开展，避免总行直营机构与分行在利益上出现大的冲突，影响正常工作的开展和效率的提升。三是加强保全队伍建设。当前，在打包环节出现了很多问题，除了任务重、时间紧、时点要求高外，还跟队伍流失，队伍建设投入精力不够有很大关系。

（五）推进风险文化及队伍建设

风险管理、信贷管理、合规管理的根基在于风险文化。我行风险文化基础很好，有着非常优秀的文化内涵，包括协同、创新、专业、专注等。但从当前风险管理面临的挑战来看，风险文化的内容还需要更加丰富、更加深入人心、更加成为一种自觉。要严守“稳健”原则，牢固树立合规理念。安全性、流动性、效益性“三性原则”，铁规章、铁账本、铁算盘“三铁”要求，核心是稳健、合规、守规矩，不做“看不清”“控不住”风险的业务。

坚持稳健性挑战不小，因为稳健性与当期考核目标有冲突，更多的是体现在可持续发展上。现在有些困难的分行和风险爆发多的分行曾经都是当年树立过的典范，为什么好景不在？就是对稳健性的理解认识存在偏差。我们在强调“稳”的同时，还要有“进”的意识和责任，还要有开拓和创新。我行作为国有大型银行，要勇于承担社会责任，积极服务实体经济，以客户为中心，把提升金融服务能力作为重要的内在动力。要把“稳与进”的关系权衡好，是需要坚定的文化理念支撑的，是职业素质的体现。建行要切实落实习近平总书记的要求，把提升三个能力作为战略目标，全行员工都要提升服务技能和服务能力，这需要创造条件，更需要自觉努力，还需要文化底蕴。随着转型发展向纵深推进，文化建设也要随之与时俱进，文化内涵要不断丰富，成为推动转型发展的内在动力。

要加强队伍建设，提升履职能力。人力资源管理部门要切实保障前台经营和中台风控人力资源的配置，确保人员配备与业务增量和管理需求相匹配，风险经理与客户经理在数量上不得低于1:5，在质量上重点补充具备专业背景的业务骨干，实现前中后台人员履职能力的共同提升。对于资产保全条线，一级分行要切实提升不良资产经营管理层级，充实处置力量；资产保全任务重的二级分行要组建专职处置团队。对于审批条线，要按照“163”人才建设工程充实好项目评估专家力量，按规划要求将专职贷款审批人队伍配备到位。要立足于我行风险管理能力提升的长远考虑，建设一支高质量的风险计量人才队伍，尽快补足人员缺口，确保计量力量眼前有能力、长远有后劲，足以支撑转型发展和风险管控要求的实现。要进一步加大培训力度，提高风险管理人员的专业素质和技能，用两年左右时间将所有贷款审批人轮训一遍，提升授信审批的专业能力和决策质量。

同志们，2017 年全行既要牢牢把握住发展机遇，还要做好迎接更大挑战的准备，付出更大的努力。全行要以高度的责任感和全力以赴的拼搏精神，加强基础管理，加快提升全面风险管理水平，建立和完善长效管理机制，更好地支持转型发展！

在“新一代”表彰大会上的讲话

王祖继

（2017 年 7 月 13 日）

刚才洪章董事长代表总行党委，充分肯定了“新一代”核心系统建设取得的丰硕成果，高度评价了“新一代”建设过程中收获的宝贵经验，并就大力弘扬“新一代”精神、学好用好“新一代”成果、持续推进“新一代”发展创新提出了要求和希望。大家要深刻领会，认真贯彻落实。看了你们拍摄的短片，听了大家的发言，特别是洪章董事长全面总结的“新一代”成功经验、丰硕成果和重要意义，我和大家一样倍感振奋、备受鼓舞，更为大家在科技创新中取得的巨大成就感到自豪。我个人体会，可以用 3 个词来描绘“新一代”蕴含的艰辛和伟大。

一是“魄力”。我们的“新一代”核心系统是在几年前大行同业竞相开展系统完善性建设的背景下，着手全新设计、重构建设的。这非常难能可贵，极具颠覆性创新的价值。全行在没有同业成功经验可循的情况下，勇于引领创新，立志赶超同业。要实现赶超就不能再走老路，否则肯定是死路一条。但是要闯出条新路又谈何容易，特别是在几年前，大家对于金融科技的重要性和方向性，还没有形成像今天这样的共识，因此能够下这个决心立志赶超，高起点建设全新的系统，是需要极大的创新魄力。

二是“眼光”。企业级的系统架构如何构建，历来是一个大难题。大型银行的企业级架构不仅复杂、庞大，而且更重要的核心问题或者说难题，在于其合理性、可行性、先进性的协调一致。能够一直按照既定框架和思路走下来，而且成功了，这在信息系统建设和技术实现上更是不容易。刚才大家谈到，“新一代”建设过程中，在很多细节上进行了反复调整完善，有的是推倒重来，但是能够坚持企业级的架构原则和方向始终不变，这是需要战略眼光的。这一点我个人有切身的体会。1982 年我到国家计委参加工作，主要参与电子工业的技术能力建设。当时，从小型机的能力建设、集成电路的芯片能力建设到软件的建设，可以说没有一个是成功的。几十年我们投入了大量的资金、大量的人力，但都是在尚未形成生产或制造能力时，原先规划的东西就落后了。当然，没有坚持下来肯定有多方面原因，这些年我也一直在思考，应该说方向不明、技术路线不清、眼光不够是重要原因。相比之下，我们“新一代”建设者的眼光是多么有战略性啊，真的非常令人佩服。

三是“定力”。六年的风风雨雨，业务需求的紧迫性、技术难题的挑战性，一路走来可以说是困难重重。在这样的压力下，能够坚持下来而且矢志不渝、初心不改，是需要有坚强定力的。没有无私无畏的精神、不折不挠的毅力是坚持不下来的。这得益于总行党委的坚强领导和全体员工的大力支持，洪章董事长刚才总结到了这一点，我非常赞同；更重要的是，得益于我们“新一代”建设者们的无私奉献和博大智慧。

这三个方面，我感触尤深。我提议，让我们再一次以热烈的掌声，向“新一代”建设者们的创新魄力、战略眼光、坚强定力以及他们创造的“新一代”精神，致以崇高的敬意！

同志们，“新一代”核心系统建成投入使用只是建设银行技术优势形成的开始，下一步全行要按照洪章董事长的要求，加快技术应用的步伐，发挥好“新一代”的功能。更重要的是，我们要由此不断深化信息系统建设对现代商业银行重要性的认知：未来有竞争力的商业银行一定是技术密集型的银行，一定是有高技术含量的银行。我们现在已经体会到了跨界竞争的严峻性、后来者追赶的紧迫性，唯有不断开发新技术、应用新技术，才能立于不败之地，才能实现国内最佳、国际一流。我们要进一步明晰信息系统建设的目标，要着眼于人工智能能力建设及其在业务上的应用，要保持技术力量和组织体系的完整，要进一步调整优化技术开发的机制，进一步加大技术持续创新的投入，以“新一代”精神为引领向着新的更高目标前进，以“新一代”成功为契机加快推进全行转型发展，以饱满的工作状态和优异的工作成绩，迎接党的十九大胜利召开。

再接再厉　推进信贷管理再上新台阶

——在2017年全行信贷管理工作会议上的讲话

王祖继

（2017年9月21日）

同志们：

这次会议专题研究信贷管理工作。信贷管理是总行业务中最重要的工作之一，我每次在全行工作会议上都要强调信贷管理，每年都要开专题会议进行研究，前年和去年还针对重点区域风险管控召开了多次片区会议，这些会议主要是解决当时迫在眉睫的不良贷款压控问题，缓解当年的经营压力。今天，在资产质量总体企稳的情况下，总行专门召开信贷管理工作会议，重点研究提高信贷基础管理水平，通过进一步加强信贷管理更好地服务实体经济、控制风险和提高收益，实现业务健康可持续发展。下面我谈几点意见。

一、信贷管理水平提升为全行经营业绩作出重要贡献

信贷管理是全行经营管理的重中之重。我行信贷资产占资产总额比例近六成，净利息收入占比近七成，信贷管理水平既体现全行经营管理水平，又直接影响当前经营绩效，也关系到长远可持续发展。经过几年来的探索实践，全行初步形成了适应新常态的信贷管理和风险管控模式，不断完善系统性管理，压实总分行责任，加强条线和部门协同，规范流程中各岗位职责，深化数据挖掘与运用，强化责任追究与考核，有效提升了客户服务效果，显著减少了风险损失，降低了信

贷成本，为全行经营作出重要贡献。我行信贷管理的价值取向和政策导向，与中央关于服务实体经济、防控金融风险的要求保持了高度一致。

（一）强化流程管理和机制建设，推动系统性管理升级

商业银行在综合化经营不断深化的情况下，信贷业务已经从总分行这条主线上延伸到了海外、子公司、直营机构，对信贷管理的系统性要求不断提高。风险偏好协调、信贷政策调整等，成为信贷管理的重要内容。近年来，全行致力于“补短板，上水平”，信贷管理由打基础、强化薄弱环节向完善系统性管理不断迈进。

——信贷全流程关键环节得到加强，管理基础进一步夯实。围绕信贷流程中的经营管理问题，采取针对性措施，强化关键环节管理。贷前环节，加强尽职调查和真实性核查，严格评级管理，规范风险缓释措施，从源头上做好客户选择和债项安排。贷中环节，推进授信审批流程精细化管理，加强新兴行业与重点领域研究，开展穿透式审查，规范“一票否决权”行使，强化了实质性风险判断；推进放款中心管理升级，三年累计拦截放款条件不落实、存在风险隐患的信贷业务 4701 笔、1746 亿元。贷后环节，建立差别化贷后管理、分级监控预警、风险控制缓释机制。对于海外机构，实施底线管理和负面清单管理模式，加强国别风险管理，增强应对突发事件能力。对于子公司，统一风险偏好，加强政策制度传导，提高经营管理的协同性。

——管理责任链条由经办岗位上延到总分行党委班子，考核同步跟进。作为信贷管理的重要支撑点，全行大力推进“风险管理职责进党委”，形成从上到下无断层的责任链条。总行党委和管理层率先垂范，直接牵头推动资产质量管控工作，连续两年开展重点分行资产质量督导，实地指导风险化解处置。出台进一步落实风险管理职责的 10 条意见，明确各级党委和主要负责人全面履责要求；37 家分行均已制定具体细则。完善信贷责任体系，补齐领导责任和管理责任的短板，健全责任认定和追究职能，坚持尽职免责、违规必究，将责任认定作为强化管理的有力工具。充分发挥考核评价指挥棒作用，实施层级和条线“双向考核”机制，提升风险管控的协同性和主动性。建立“数据化、模型化”的信用风险管理评价体系，将风险要素内化到经营激励约束机制之中。

——管理着力点由内外审督导为主转向自主核查改进，队伍得到锻炼。从检查监督做起，建立“分层级、分条线、有侧重”的常态化信贷检查机制，实现了从单纯依赖审计发现问题向经营单位主动查找问题、主动整改纠偏转变，形成了自我管理的良好态势。建立授信审批工作约谈机制，约谈近三年新发放贷款不良率较高的 5 家分行，反思剖析成因，研究整改措施。严格的管理要求促进了队伍建设，8 月末境内分行专职信贷管理人员达到 4935 人，队伍结构不断优化，呈现高素质、覆盖信贷全流程的特点。信贷人员培训覆盖面不断扩大，提升了队伍尽职履责能力，传导了健康信贷文化理念。

——管理范畴延伸到押品管理和直营业务，信用风险管理体系更为全面。完善押品管理制度，推进管理集约化，从 8 家分行试点到全行推广，将押品关键环节管理职能从业务经营部门分离出来，由信贷管理部门统一守口把关。押品风险缓释效果明显提升，近期全行押品处置变现回收率 41%，债项现金回收率 65%，较前两年大幅提升。2017 年不良贷款打包处置回收率超过 50%，其中一个重要原因就是有效的押品管理提高了投资人信心。在直营业务管理方面，主动适应监管趋严态势，不断完善制度流程，强化风险偏好和政策协调，在促进业务发展的同时，保持了行内风险标准和经营导向的一致性。

——管理手段由经验判断向模型分析和机控跃升，科学化、智能化水平持续提高。全行保持了风险计量水平“第一梯队”位置，投入应用模型 243 个，研发中模型 184 个，覆盖全行约 21 万亿元资产、14 万非零售客户、6900 万零售客户以及全部金融市场交易业务。搭建信贷管理信息平台，开发推广押品管理、责任认定、重大风险、热点群体、对公客户催收、担保圈识别、放款中心业务监测等机控功能，为信贷经营管理提供了有力支撑。推进集团全面风险监控预警平台建设，优化整合现有 9 个预警系统，实现主要风险统一覆盖、预警信息统一展示、预警流程统一管理、预警规则统一部署、预警标准统一掌握。强化信用风险统一监控，有效防范风险交叉传染。

（二）信贷政策以服务实体经济为导向，信贷结构不断优化

优化信贷资源配置是信贷政策和管理水平的直接体现。个人信贷前8个月新增占比81.8%；“快贷”业务广受市场欢迎，新增1029亿元。完善信贷政策体系，引导对公信贷结构调整，密切跟进供给侧结构性改革要求，全行优先支持行业贷款增速8.26%，高于对公贷款平均增速6.1个百分点；逐步压缩行业贷款余额较年初下降。基础设施领域传统优势进一步强化，小微企业贷款实现“三个不低于”目标。

——稳妥有序促进“去产能”。坚持分类施策、有扶有控。2016年以来累计退出钢铁、煤炭“去产能类”风险客户信贷业务203亿元。建立正面清单，加大对主产区、先进产能和优势企业的信贷支持力度，钢铁、煤炭行业新增信贷主要投向高信用等级客户。

——因城施策助力“去库存”。落实差别化信贷政策。支持实际居住需求，前8个月新发放个人住房贷款159万笔，其中三四线城市占比54.6%，较2016年提升6.8个百分点。房地产开发贷款契合国家政策导向，为重点城市增加供给、平抑房价提供了有力支持。

——积极发展绿色信贷。8月末，绿色贷款余额9636亿元，较年初增长8.37%，高于对公贷款平均增速6.2个百分点。其中，98%的增长集中在清洁交通、清洁能源、节能减排三大领域。

（三）风险管控主动有效，资产质量稳中向好

控不良是信贷管理提升的标志性指标。全行层层落实“风险管理职责进党委”，强化风险协同联防，信贷资产质量在同业中率先企稳向好，多项核心指标为同业最优，得到了监管部门、投资者的高度评价。

——不良贷款率稳步下降。8月末，集团口径不良贷款1894亿元，同比少增165亿元，不良贷款率1.50%，较年初下降0.02个百分点。信贷经营部门积极压逾期、控不良，前8个月境内分行新暴露不良贷款743亿元，同比减少64亿元，年化新暴露比率0.97%，同比下降0.18个百分点；授信审批部门严把客户准入关，纯新发放贷款不良率0.03%；资产保全部门处置不良贷款678亿元，其中，回收盘活317亿元，同比增加28亿元；已核销资产现金回收34亿元，同比增加17亿元。

——潜在风险指标同步向好。8月末，境内分行逾期贷款1965亿元，同比少增544亿元；逾期贷款月度均值1990亿元，同比减少309亿元。逾期不良“剪刀差”连续两个披露时点为负。新发生重大信用风险事项233个客户，涉及信贷余额398亿元，分别同比减少189户、324亿元，为近三年最低。

——重点风险领域管控成效显著。总行领导督导资产质量工作的10家一级分行，不良率下降0.04个百分点。总行重点帮扶的10家二级分行，平均不良率下降3.54个百分点。压缩“30大”重大信用风险项目信贷余额88亿元。完善信贷资产观察名单制度，对潜在风险“抓早抓小”，消除客户风险隐患618亿元。

总的来看，在全行上下共同努力下，信贷管理基础大为改善，管理水平和风险化解能力明显提高，资产质量得到有效控制。借此机会，我代表总行党委和管理层，向大家表示衷心的感谢！在充分肯定成绩的同时，还要正视不足，分析面临的新形势、新挑战，进一步提升工作水平。

二、金融回归本源对信贷管理提出新的课题

习近平总书记在全国金融工作会议上强调，金融要回归本源，服从服务于经济社会发展。作为国有大型银行，回归本源，服务好实体经济既是党和国家赋予的政治责任和社会责任，更是自身可持续发展的内在要求，同时也是对信贷管理提出新的课题。各部门、各条线、各机构都要认真学习贯彻全国金融工作会议精神，在回归本源、服务实体经济的问题上，进一步提高认识，把理念和实实在在的措施落实到具体工作中去。在这个新的课题当中，除了要进一步改进管理中存在的问题，还有三个方面需要重点强调。

第一，信贷管理要实现政策统一。服务实体经济的信贷政策既要与国家政策取向保持一致，又要有助于自身信贷结构的不断优化。这个统一性是体现信贷管理能力和水平的重要标志。在当前供给侧结构性改革深入推进、经济发展新旧动

能转换的大背景下，经济结构调整和产业升级蕴含着巨大的金融需求和增长潜力。全行要把服务实体经济作为信贷管理的出发点和落脚点，及时重检优化信贷政策，完善经营管理职责，强化协同联动，优化资源配置，将服务实体经济与优化信贷结构紧密结合。

第二，信贷管理要实现银行与客户双赢。服务实体经济，要真正“以客户为中心”，在有效满足客户真实需求的同时，实现自我发展。要按照习近平总书记“进一步增强服务国家建设能力、防范金融风险能力、参与国际竞争能力”的重要指示精神和全国金融工作会议要求，落实好“以客户为中心”的根本理念，紧盯国际先进银行，不断提高自身经营管理能力，提高风控水平、管理水平、服务水平和盈利水平，努力实现银行与客户的双赢，在服务客户的过程中，把业务做强、做优，在发展中提高自己、强化自己。

第三，信贷管理要实现风险共担。在控制自身业务风险的同时，也要为客户控制风险。为客户提供优质的综合金融服务，其中就包括了对客户负责、帮助客户规避风险的要求。不把风险无原则的推给客户，这是建设银行核心价值观中的重要内容。信贷经营管理要树立更高目标，要在风险可控的前提下，与客户共同应对风险、实现风险共担。

因此，在金融回归本源的问题上，既要回归办好商业银行的本源，还要落实新的支持实体经济发展的理念，进一步提高认识，将上述三个方面作为信贷管理的更高追求，履行好国有大型商业银行的政治责任和社会责任。

三、加快推进信贷管理再上新台阶

抓好信贷管理没有捷径，需要下苦功夫、“笨功夫”、筑牢基础、回归本源，通过不断学习、压实责任、提升技能，增强工作主动性，提升信贷精细化管理水平。

（一）加强理论学习，提升管理能力

客观地讲，全行现在还需要重视管理理论的学习，并借鉴发达国家和国际先进同业的管理经验，这是增加文化认知、增强文化自信、创造自身特色管理模式的重要途径。信贷管理的提升同样离不开这些先进的管理理念和普遍适用的管理模式。从管理理论的发展历程来看，主要经历了四个阶段。一是经验管理阶段，主要凭借人的经验进行管理。二是科学管理阶段，运用数量的方法和计算机等工具辅助管理，在这一阶段，数学、IT 技术等各种学科工具获得深度应用。同时，行为科学把社会学、心理学和管理学结合在一起，建立了关于人的行为的一般理论，即在提高生产率的刺激因素当中，金钱或经济激励只是第二位因素，社会因素占头等重要地位。三是文化管理阶段，利用人们的共同价值观来管理。实质就是企业文化兴起，将企业看作一个系统，利用自然科学提供的方法与工具，对相互依赖、相互联系和相互作用的各种系统要素与变量进行管理。这种人性假设与系统分析并重的管理方法，既是企业管理问题，更是文化管理问题，也就是我们经常讲到文化建设问题。四是企业再造和学习管理阶段，通过自我改变，主动适应快速变化的环境，持续学习成为最有效的管理手段。

从管理理论的发展上，可以看出一个明显的趋势，就是从重视物的管理到重视人的管理，从重视“经济人”的管理到重视“社会人”的管理，从重视人的技术层面的管理到重视人的思想层面的管理，从重视单个人的管理到重视群体人的管理。应该说，我们现在的信贷管理包括了上述几个阶段的主要内容，从客户营销的行为管理到二级行的基础性管理，再到一级分行的综合性管理，有个人的行为管理、有物的管理、有群体性管理、有思想管理。所以，一级分行领导班子要主动加强理论学习，树立先进的管理理念，提升管理能力，从长远来看，这对做好包括信贷管理在内的各项工作都是非常必要的。

（二）压实责任，进一步完善系统性管理

第一，要压实责任，坚持职业操守，将信用风险管理的基本原则、基础规则一以贯之地落实到流程中。坚持“三性”原则，强化稳健经营，确保放出去的资金能收回。坚持“三铁”要求，落实统一风险偏好，严格执行政策制度，加强穿透管理，特别是做好第一还款来源判断。坚持贷款“三查”，做好审贷分离，做实双向报告，强化轨迹管理，保持风险管理的独立性和权威性，实现适度制衡。坚持风险、收益和资本“三平衡”，内控、合规和风险“三统一”，以客户为中

心，推进全面风险管理，覆盖境内外、表内外、母子公司。坚持“脱虚向实”，缩短金融链条，更直接有效地支持经济社会发展和企业生产经营。

第二，要以信贷政策和风险偏好为主要抓手，不断完善覆盖集团四大板块、九类风险的全面风险协同管控机制。总行七个牵头部门要切实履行相关九大类风险管理职责，进一步强化信贷政策和集团风险偏好的战略引领作用，使之贯穿于经营管理的全过程，确保信息共享、策略统一、风险可控。这里强调一点，虽然不同板块间的风险偏好不完全相同，但均不得介入信贷政策明确禁止进入的领域，否则一旦造成不可挽回的损失，就是策略上的失误。同时，要充分发挥等级行、KPI、班子竞争力、风险评价、内控评价五大考核评价体系的激励约束作用，有效引导各机构、各条线和各岗位的经营行为。

第三，要切实加强党的集中统一领导，这是办好银行的根本政治保障。要将全面从严治党要求贯穿于全行中心工作中，促进经营管理能力不断提升。要持续深化“风险管理职责进党委”，把增强信贷管理能力作为各级党组织落实风险管理主体责任的关键。各级党委要强化责任担当，主要负责人要扛起主体责任，抓好监督和考核，确保风险责任在各机构、各条线、各岗位得到有效传导落实。要健全风险决策机制，深入研究资产质量管控、重大风险处置、信贷资源配置、监管要求落实、风险管理机制、队伍建设等重大事项，夯实风险管理基础，推进全面风险管理体系建设，推动全面从严治党、从严治行不断深化。

（三）优化管理工具，加强数据挖掘和系统运用

2017 年 6 月，“新一代”核心系统建设全面竣工并投入运营，建立起了业界领先的企业级信息管理平台和数据应用体系，为加强信贷管理、条线协同、风险防控、流程优化、产品创新等提供了具体的应用平台，为全行利用数据和技术手段提升经营管理水平打下了最坚实的基础。前一段时间，总行专门召开会议，强调要提高数据挖掘能力，运用大数据手段改进经营管理。各分行要主动适应大数据、信息技术、人工智能等发展趋势，养成用系统、用数据、用工具改进管理的良好习惯。

对信贷管理来说，有四个方面的具体要求。一要提升大数据运用能力。建立完善全行信贷服务体系，充分挖掘、运用“新一代”提供的丰富数据和信息，有针对性地及时推送到信贷业务流程各环节、各岗位，真正用数据说话，为各级经营管理人员提供多方位的数据支持与信息服务，最大限度地降低信息不对称问题。二要提升产品创新和精准营销能力。依托系统平台，积极运用互联网、云计算和大数据技术，创新产品和服务。当前，重点推广大数据信贷业务精细化审批流程，加强“快贷”“小微快贷”等产品投放，做好“云快贷”等产品推广，打造市场品牌优势。同时，动态优化产品模型，对客户进行精准画像，强化差别定价。三要提升全流程精细化管理能力。完善数据驱动的信贷管理信息平台，持续升级对公客户催收、押品管理、热点群体监测、放款中心管理等系统功能；以贷后为切入点，优化贷后管理、资产质量管理和信贷检查功能，形成完整的贷后管理信息支撑体系。四要提升全面风险的精确管控能力。大力推进风险监控预警平台建设，整合预警工具，升级预警模型，优化预警规则，研究建立风险预警的刚性控制机制，强化潜在风险的有效识别和提前化解。

（四）持续强化风险和信贷管理队伍建设，提升专业素质

要紧紧抓住人才队伍这个关键。一要保持队伍稳定。打造一支具备良好职业素养、专业专注的风险和信贷管理队伍，落实“四眼”原则，保持流程中风险管理岗位的相对独立，不断强化岗位的适度制衡。二要加大培训力度。开展大规模的上岗培训，强化岗位分层培训和跟岗培训，提高队伍的专业技能，筑牢职业操守和合规意识。完善岗位知识和技能的持续更新培训机制，确保队伍始终紧跟业务发展步伐。加强管理理念教育，培育健康文化，变“被动”为“主动”，提升政策制度执行力。三要培养懂管理、有经验的管理骨干队伍。管理既要体现主动性，又要体现强制性，既要讲系统性，又要讲方法，还要建制度、建规章。一级分行领导班子成员，要主动加强理论学习，追求高度的自觉性，树立与岗位职责相适应的管理理念，并付诸行动，探索协同高效的管理方式。四要继续开展信贷文化建设。风险管理不仅是风险管理部门的责任，更是前台部门的责任，全行上下都要行动起来。在制度执行上，遵章守纪、合规操作、廉洁自律；在机制建设上，营造风险和信贷管理队伍独立履职的良好氛围，实现对风险的有效判别和监控；在经营导向上，牢记风险管理是建设银行基业长青的根本，真正把审慎稳健的意识贯穿于经营活动各环节，将业务发展建立在风险可控制、财务可承受、竞争可持续的基础上。

（五）优化信贷结构，更好地服务实体经济

要牢固树立金融与实体经济共生共荣的理念，主动加强区域、行业和客户研究，优化信贷资源配置，提升客户选择和价值创造能力，进一步提高服务实体经济的效率和水平。

一要大力支持经济转型升级。主动对接国家重大战略，大力支持雄安新区建设，以发展改革委专项建设基金和13大工程包为重点，加快已储备项目落地。支持实体经济薄弱环节，加大对扶贫、小微、涉农等普惠金融、县域金融和“双创”领域的资源倾斜，全年小微企业贷款要满足“三个不低于”要求。助力经济转型升级，积极支持战略性新兴产业、新消费等新兴领域，全年先进制造业贷款增速要高于平均水平。

二要做好“三去一降一补”金融服务。严控产能过剩行业信贷投放，坚决压缩退出高风险客户。区别对待产能过剩行业中的不同企业。通过合理续贷、展期等方式，帮助出现暂时困难的优质企业渡过难关。具备管理能力的分行，要适度增加对行业龙头和先进产能项目的信贷支持。落实房地产市场调控与“去库存”政策。优先支持央企、大型集团和优质地方国有企业，强化风险较高区域差别化管理。把握住房租赁市场业务机会，树立“要住房，到建行”的品牌形象。

三要稳步推进绿色金融业务。大力支持海绵城市、地下综合管廊等基础设施建设。探索用能权、碳排放权等环境权益融资产品创新，为节能减排类技术改造项目提供信贷支持。增强环保风险意识，对纳入环保督察整改名单的客户，在整改完成前要严控新增授信，对整改无望的要坚决退出。浙江、广东、新疆、贵州、江西五省区分行，要落实“绿色金融改革创新试验区方案”，做好“绿色支行”建设。全行绿色信贷增速要确保完成董事会确定的目标任务。

四要着力增强信贷政策执行力。信贷政策是总行基于全局统筹和长期趋势判断作出的决策，具有前瞻性。各分行要正确认识，把总行鼓励的方面做得更好、更精，不在总行说“不”的问题上作变通。信贷退出要承受短期阵痛，各分行要保持冷静和定力，做好实质性风险判断，避免当断不断造成不可挽回的损失。同时，要积极研究信贷退出的激励约束机制，对主动退出风险客户的基层机构予以鼓励。

（六）长抓不懈，着力做好两项重点工作的推进

第一，要扎实推进信贷管理“五个到位”。信贷管理要在基础扎实、风控严谨的前提下，不断提高流程效率，为全行业务拓展、资源配置、价值创造提供高效专业的服务。“五个到位”是在总结正反两方面经验的基础上，针对新形势、新要求提出的信贷管理长效基础建设工程。各分行要高度重视，把“五个到位”长期坚持下去。

责任到位方面，全面落实风险管控的责任体系，分行党委对辖内风险管理工作承担主体责任；大力推进信贷责任认定专业化，精准认责，防止泛化。监督到位方面，健全“督察报”工作机制，增强风险管理的相对独立性和风险报告的及时性；加强监督检查，管住“人”这一核心要素，构建风险、内控、合规管理相结合的审慎风险文化。管理到位方面，将押品管理纳入全面风险管理体系，建立押品管理队伍，全面推进六个关键环节的集中管理；大力推进贷后管理专业化，提升管理层级，充分发挥贷后跟踪会议对客户再选择的决策作用。人员到位方面，明确二级分行信贷管理部门或团队，重点补充具备专业背景的业务骨干，确保人员配备与自身信贷经营管理需要相匹配；继续推进授信审批专业化建设，提升审批队伍履职能力。考核到位方面，探索平衡风险收益的考核奖惩机制，有条件的分行要主动研究建立信贷业务经营绩效延期支付或职业风险保证金制度，引导基层机构和员工基于长远利益作出决策。

第二，要继续保持对风险的有效控制。风险管理是银行经营管理的重中之重，但不能就风险谈风险。要充分发挥信贷结构优化在保障可持续发展、稳定资产质量方面的重要作用。服务实体经济是银行的天职，防范风险是永恒的主题，二者相辅相成。作为国有大型商业银行，总分行要有更高的政治站位，工作方向要与中央的精神保持一致，信贷结构调整要与实体经济的需求保持一致。同时，要通过有效的信贷管理和协同联动，将风险控制在合理水平。一要继续保持风险的严控态势。坚持资产质量管控既定有效做法，扎实推进“113”重点领域风险化解，为年底收官和明年工作提前做好准备、争取主动。要进一步增强不良资产的主动经营能力，不走高损失处置不良的老路。对今年以来不良贷款增加较多的分行，要衔接好不良新暴露和处置工作，加大保全资源的倾斜力度，确保重点区域不出现大的波动。资产质量已经较为稳定的分行，要强化前瞻性的风险识别和化解，严防不良反弹。二要健全风险监测预警和早期干预机制，持续加强客户信用风险统一监控，实时关注重点领域、重点产品及媒体舆情，对风险苗头保持高度警惕。对短期内业务发展较快的产品和机构，要加强前瞻性研判和风险管控，提前研究、准确预判“黑天鹅”和“灰犀牛”，做到“风险未至，管理先行”。三要加强风险分类管理。坚持高标准、严要求，落实“实质风险判断”原则，按照核心定义做好信贷风险分类，特别是将他行不良、多次逾期、财务指标恶化等风险特征作为风险判断的重要标准。要提足贷款拨备，进一步增强风险抵补能力。

同志们，抓好信贷管理、加强风险管控是一项长期任务。全行要共同努力，将思想和行动统一到全国金融工作会议的精神上来，坚持回归本源、打牢基础，沉下心来把信贷管理做精做细，把风险笼子扎紧扎牢，以饱满的政治热情和优良的工作业绩迎接党的十九大胜利召开。

深化转型　提高服务实体经济和防控化解风险的能力

——在中国建设银行夏季工作会议上的经营情况报告

王祖继

（2017 年 7 月 24 日）

同志们：

刚才，洪章董事长作了重要讲话，明天郭友监事长还要作总结，希望大家认真学习领会，抓好贯彻落实。下面，我就 2017 年上半年全行经营情况作报告，并就下半年经营和转型中的重点业务和管理工作讲几点意见。

一、上半年经营业绩又上新台阶

2017 年以来，面对复杂严峻的外部环境，全行认真贯彻落实党中央、国务院决策部署和监管要求，坚持稳健合规经营，加快推动转型发展，为服务实体经济稳中向好作出了新的贡献，经营指标进一步提升，协调性进一步优化，为完成全年的经营和转型发展目标打下坚实基础。

（一）各项业务协调发展，核心指标表现优异

1. 资产负债稳健增长。截至 6 月末，集团资产总额 21.76 万亿元（未经审计，下同），增速为 3.8%；人民币贷款新增四大行第一；非贴公司类贷款同比多增 3921 亿元；个人类贷款、个人消费类贷款及信用卡贷款新增均为四大行第一。负债总额为 20.12 万亿元，增速为 3.8%；对公核心存款日均新增 3805 亿元，新增四大行占比 42.3%，四大行第一；个人存款加理财比年初新增 4845 亿元，四大行第一。零售业务竞争力排在前列的有福建、湖南、陕西、湖北、安徽等分行。

2. 盈利增长态势良好。上半年，集团拨备前利润同比增速为7.5%；净利润为1390亿元，同比增速为3.8%，四大行第一。收支结构明显改善，净利息收入增幅为1.2%，为2016年以来首次实现正增长；克服多项监管政策叠加的影响，实现中间业务净收入757亿元，同比增速为8.6%；中间业务净收入四大行占比30.6%，同比提升2个百分点，与先进行的差距大幅缩小79亿元；信用卡、新型结算、银团贷款等转型重点产品保持快速增长，理财、代客资金、财务顾问、托管、代销基金等与对标行差额缩小，贡献度提升。其中，信用卡实现收入153亿元，同比增速为30%，是全行中间业务收入总量、增量最大的产品，值得充分肯定。加强成本管控，经营费用同比下降11.3%；减值支出同比增加140.6亿元，增幅为30.7%，列支进度快于上年同期。利润贡献大的行包括广东、北京、江苏、上海和深圳，其中深圳分行成本收入比最低，西藏、四川、贵州、海南等分行经济资本回报率表现出色。

3. 资产质量稳步向好。不良贷款率为1.51%，比年初下降0.01个百分点；逾期贷款率为1.48%，比年初下降0.03个百分点；不良贷款额为1886亿元、逾期贷款额为1860亿元，同比少增61亿元和408亿元；逾期不良剪刀差负26亿元，比年初继续扩大；境内分行新暴露不良率比2016年同期下降0.07个百分点，纯新发放不良贷款率为0.03%，保持稳定。关注类贷款占比2.84%，比年初下降0.03个百分点。拨备覆盖率为160%，提升了10个百分点，提升幅度四大行第一，风险抵补能力进一步增强。资产质量相关指标的协调性明显好于同业。总行重点督导的10家分行不良同比少增56.15亿元，不良率下降0.02个百分点；“30大”项目风险化解处置金额79亿元。这里要特别肯定江苏、广东两个分行，在区域风险和不良资产压力依然较大的情况下，通过努力实现了不良额、不良率的双降。

4. 客户、账户、渠道基础不断厚植。单位人民币结算账户总量突破800万户；现金管理活跃客户新增59.2%。公司机构客户较年初新增32.6万户，新增有贷客户超越先进行3.3万户；个人有资产客户新增1359万人，同比增长10%，创历史同期新高；私人银行客户新增5284人，增速为9%。对公产品覆盖度达到5.03，AUM 0.2万元以上客户个人产品覆盖度达到4.78，客户黏性不断增强。企业网上银行用户数达到542万户，交易额同比增长27.27%。手机银行交易额和交易量分别增长96%和123%。微信银行关注客户数突破6000万。运行智慧柜员机4.4万台，业务量达2.56亿笔。龙支付推广不到8个月，客户已超过2700万，初步打响了建行支付结算新品牌。

5. 海外机构、子公司贡献度提升。海外商业银行类机构实现净利润54亿元，增幅为78.4%。综合化经营子公司实现净利润33.6亿元，同比增长21%；资本回报水平（ROE）同比提升0.16个百分点。

6. 集团协同联动能力明显增强。母子公司协同业务规模7980亿元，增速为50%。5月末，境内外联动资产1002亿美元，增速达到24.1%。对私联动开立对公结算账户16.9万户，增加对公存款1380亿元；对公联动增加对私账户515万户，增加对私存款1403亿元。

（二）重点工作和亮点业务彰显了我行业绩和服务能力的提升

一是合理的经营策略支持了业绩的稳健增长。年初认真分析了2017年我们面临的形势和任务，为满足经济社会发展的需要，我们把支持实体经济发展摆在重要位置，在确保对公信贷同比多增的前提下，加大了支持消费经济相关业务的发展力度，最大限度地配置了消费信贷资源。针对2017年货币政策稳健中性的特征和严监管的趋势，我们主动把资产负债增长计划做了大幅度调整，资产增速由2016年实际的14.7%下调至7.5%，压缩了同业业务和资管业务增长幅度，并进一步提高了合规和防风险的要求，在风险指标稳中趋好的形势下，仍然把防控和化解风险作为重要任务。现在看，党委确定这些经营策略完全符合党中央、国务院的工作部署和监管要求，这既保证了我行业绩的提升，更体现了我们对中央关于金融工作要求的深入理解和准确把握，也体现了我行履行服务实体经济和防控风险的政治和社会责任。

二是“新一代”主体工程全面建成并投入运营，使我行形成了现实的和潜在的竞争力。“新一代”不仅使我行具备了数据资产化和经营管理的数据化，直接体现了转型的重大成果，而且由此锤炼形成的“新一代”精神这一宝贵财富，既成为推动转型发展的精神力量，又极大地丰富了我行核心价值观。“新一代”的成效也增进了我们对金融与科技融合重要性的认识，为我行在“新一代”基础上，进一步开发和应用金融科技统一了思想、储备了技术、培养了人才。这些都将成为未来的潜在竞争力。

三是创新债转股模式的示范效应提升了我行影响力。债转股模式的示范效应不仅体现在方案研究过程中我行的技术贡献，更在于我行率先把债转股模式落地，从而引领这项在供给侧结构性改革中举足轻重的任务实现了突破。在研究和解决这项改革相关体制机制等问题的过程中，又是我行深入研究，提出了一系列针对性和创新性的政策建议，为国家发展改革委和人民银行等牵头部门提供了大力支持。总的来看，这项业务创新从模式提出、方案设计到引领落地、实际成效等方面，都体现了我行作为国有大行的担当和高水平的服务能力，得到了监管部门的肯定和转股企业的欢迎，取得了良好的社会反响。

四是个人信贷业务形成新优势，为抢占消费金融新高地奠定了良好基础。上半年个人类贷款增速为10.8%，高于各项贷款增速5.6个百分点；在各项贷款中的新增占比85.1%，同比提升10.8个百分点。其中个人消费类贷款、信用卡贷款新增占比分别达14%和9.1%，较上年同期提升14.2个和8.2个百分点。“快贷”贷款余额1167亿元，比年初新增870亿元，累计客户达到410万户，比年初新增220万户。个人信贷业务快速发展优化了表内资产结构，改善了收益结构，如“快贷”平均利率高出对公非贴贷款平均利率113个基点，上浮幅度高出26个百分点，更重要的是，初步形成了消费信贷市场新的竞争优势，有力地推动了我行零售业务转型，进而抢占快速发展的消费金融新高地，支持了宏观经济的转型升级。

（三）为实体经济稳中向好作出新贡献

1. 集中优势资源，积极支持国家重大发展战略、重大改革举措、重点工程建设。创新金融服务模式，不断加大对国家重大战略、重大项目信贷支持力度。截至6月末，我行基础设施领域贷款余额为3.23万亿元，比年初新增3223亿元，增速为11.1%，高于公司类贷款平均增速8.6个百分点。通过出口信贷和贸易融资等产品，为“走出去”企业提供资金支持，余额为4228亿元，比年初新增357亿元，增速为9.2%，高于公司类贷款平均增速6.7个百分点。积极组建跨条线、跨区域的并购服务专业团队，支持国企改革、“一带一路”等建设项目，并购贷款余额为453亿元，比年初新增145亿元，增速为47.1%，高于公司类贷款平均增速44.6个百分点。PPP项目贷款余额为223亿元，比年初新增114亿元，增速为105.4%。

2. 服务供给侧结构性改革，助力“三去一降一补”取得实际成效。一是债转股成效显著，我行债转股签约规模5442亿元，项目落地投入资金454亿元，签约规模和资金落地均居四大行之首，转股企业降低负债率5~15个百分点，同时大大降低了财务费用。二是坚决控制产能过剩行业贷款，支持房地产去库存。产能过剩行业信贷余额1565亿元，比年初下降26亿元，连续四年下降。严格执行热点城市楼市调控政策，合理把控投放总量和投放节奏，个人住房贷款（纯按揭）比年初新增3405亿元，同比下降672亿元；1~6月，在三四线城市发放个人住房贷款约66万笔、金额超过2364亿元，支持居民家庭购买住房7000多万平方米。三是努力降低企业融资成本，切实减轻企业负担。上半年，新发放人民币非贴公司类贷款加权平均利率为4.58%，较去年同期下降9个基点，低于金融机构企业贷款利率约110个基点。落实减费让利措施，减免收费119亿元。四是支持经济薄弱环节，补短板。小微企业贷款余额1.49万亿元，同比新增1555亿元，同比增速为11.7%，高于各项贷款同比增速1.1个百分点；贷款客户同比新增12.2万户；申贷获得率为92.9%。创新小微企业金融服务方式，“小微快贷”贷款客户7.27万户，贷款余额为372亿元。为激发贫困地区经济社会发展内生动力，带动贫困人口实现就业和增收，加大对涉农领域支持力度，涉农贷款余额达1.72万亿元，比年初新增553亿元，增速为3.3%，新增占比9.1%。裕农通服务平台上线为推进县域普惠金融落地提供载体，上半年助农服务点达6.7万个，新增6765个。

3. 积极支持培育新的经济增长点。战略性新兴产业贷款余额为3791亿元，比年初增长123亿元。支持消费转型升级，个人消费类贷款和信用卡透支余额为6976亿元，比年初新增1267亿元，增速为22.2%，高于各项贷款增速16.6个百分点。

2017年上半年良好的经营业绩，是在我国经济深层次结构性矛盾调整过程中、实体经济仍然面临许多困难、金融风险形势严峻的情况下取得的，确实殊为不易。这主要得益于总行党委的领导，董事会、监事会的有力指导，监管机构和有关部门大力支持，是全集团干部员工团结协作、奋勇拼搏、艰苦努力的成果！除了我刚才点到了部分分行、总行部门外，子公司、其他分行和部门也做出了很好的业绩，就不一一列举了。在此，我代表管理层，向全行干部员工表示衷心感谢，向关心和支持建行事业发展的管理部门和监管机构表示衷心感谢！

二、下半年面临的形势任务和经营中要注意的问题

从宏观经济运行趋势看，上半年主要经济指标超预期，GDP增速达到6.9%，经济稳中向好的态势更加稳固。消费支出对经济增长贡献率达到63.4%，已经成为我国经济增长的主要推力，这为我们发展支付结算、私人银行和消费金融等重点转型业务创造了良好的环境。高技术产业和装备制造业同比增长分别达到13.1%和11.5%，新经济、新业态、新产品不断涌现，为我们开拓新业务提供了广泛的机遇。供给侧结构性改革效应逐步释放，企业经营状况和市场预期不断好转，为改善全行资产结构提供了有利的条件。下半年财政支出将加快进度，货币政策保持稳健中性，资金面还将维持紧平衡。从监管方面看，将继续实施信贷政策窗口指导，加强宏观审慎监管和金融乱象专项治理；国际监管措施频出，反洗钱合规要求不断加码，各国监管协同联动加强。境内外监管更趋严格，要求我们更加重视合规管理。从风险因素看，信用风险、地方隐性债务等风险还在累积，防控风险的压力仍然较大。从经济社会发展对金融工作提出的要求看，国有大行要在服务实体经济上承担更大的责任，要在守住不发生系统性金融风险的底线方面发挥中流砥柱的作用，要通过深入改革提升稳健性和服务效率。我们要认真研判经营环境和形势，查找自身不足，完善改革措施和具有针对性的经营策略，真正把党中央、国务院工作部署落到实处，把监管要求执行好。

（一）深刻认识提高服务实体经济能力的责任和差距

金融与实体经济的关系，无论是作为核心要素还是作为"血液"，都体现的是共生共荣的关系。建设银行作为国有大型银行回归本源、支持实体经济是义不容辞的责任，是我们的天职。必须树立质量优先、效率至上的理念，加大对供给侧结构性改革、存量重组、增量优化、动能转换的支持力度。全行要勇于担当，承担更大的服务实体经济的责任。建设银行作为实体经济投融资的主力银行一直发挥着重要作用，但对照习近平总书记在全国金融工作会议和对我行"三个能力"的要求，以及李克强总理视察建行提出的要求，我们还有很多提升的空间。从支持实体经济项目结构看，企业类项目偏少，优质民营企业比重又很低，高端装备制造业和高新技术产业少；从服务实体经济的内容看，还是以提供融资为主，财务顾问业务比重低，提供风险管理服务的项目还不多；从服务实体经济的短板方面看，以普惠金融为抓手，以人工智能新模式支持实体经济还存在不足；从服务实体经济效率看，支持小企业的机制、流程和人员配置上都存在薄弱环节，部分小企业中心不能完全按照"信贷工厂"模式运行，在评级授信、信贷审批等环节集中处理程度不高。

（二）不良资产多发的形势依然严峻

第一，外部环境依然复杂。金融市场波动，债市违约风险带来的交叉传染隐患不可忽视。上半年债券市场共19只债券发生违约，涉及发行主体11家，违约金额为158.3亿元，其中，涉及我行信贷客户16家，贷款余额为66.4亿元，形成不良45.7亿元。第二，风险总量仍处高位。关注类贷款仍在增加，余额已达3500多亿元。上半年中国银监会开展的银行业信用风险专项排查中，

我行存在较大信用风险隐患贷款规模虽然四大行最少，但也超过1000亿元。不良新暴露金额虽然在减少，但仍处于年暴露千亿元高位。第三，部分重点区域风险暴露集中。环渤海、东北、中西部等区域不良贷款余额较年初增幅均在10%以上。担保圈风险不容忽视，各分行共有高风险担保圈667个，涉及客户2863户、贷款余额为1096亿元，比年初增加322亿元。第四，去产能行业不良暴露较快。上半年，钢铁、煤炭行业不良贷款仍在双升，不良率分别上升0.85个和0.46个百分点。第五，风险管理仍存在薄弱环节。全行对风险的事前预测、监测、评估、缓释工作仍然不到位，对风险形成的管控力度不够；押品全流程管理薄弱，“虚置化”严重，经核查，有的分行存在将理财产品录入为存单的违规操作问题，100多张存单实际为理财产品，对应的信贷业务余额达到268.8亿元。风险选择上，此退彼进现象存在，进而出现重大风险的情况仍时有发生，集团架构下风险管控的协调机制亟须完善，如山城水都等项目都出现过分行因险退出、子公司进入出险等情况。第六，对风险形成原因的认识和反思不到位。有些分行过度依赖打包，仅4家分行的打包量就占全行打包总量的63%；有些分行出现风险总是强调客观、归咎于外部的原因，对总行的提示、预警置若罔闻，对风险隐患心存侥幸，缺乏责任意识、代价意识、危机意识，管理水平亟待提升。

（三）境内外合规管理压力较大

年初工作会对强监管虽有预判，但实际情况比预计的范围更广、频度更强、处罚更重。从“三违反”“三套利”“四不当”等专项治理及政府背景类业务自查情况看，我行在合规意识、合规操作、制度建设等方面尚存在薄弱环节。境外合规压力前所未有。2016年全行有19家一级境外机构接受了当地监管共计29次现场检查，发现问题160余项，2017年又有9家机构接受了10次监管现场检查，结果很不理想，目前有5项检查已出具正式检查结果，共发现问题48个，存在较高合规风险。集中表现在违反重大事项报告要求，子行公司治理不完善，政策、制度、流程缺失，反洗钱制度执行不到位等方面。个别海外分行还有可能面临监管处罚。案件防控形势依然严峻。2016年银行业金融机构案件数量比2015年增长了1倍，单个案件涉案金额由百万元直升为亿元级别。我行2016年共发生24起案件，达到5年来的最高值，且涉案金额较大。2017年上半年发生了10起案件，单个案件涉案金额屡破历史纪录，情节十分恶劣。合规处罚形势越来越严峻。上半年各级银监部门开出罚单1334张，罚没金额合计3.38亿元，相当于2016年全年罚款的124%。我行各级机构收到监管处罚65笔，涉及信贷收费、外汇、反洗钱和不良资产处置等，金额1350万元。随着下一步系列专项整治工作的深入，监管处罚形势会更加严峻。

（四）粗放式的经营和管理问题突出

从信贷管理层面看，审计揭示的风险原因显示，绝大多数风险问题源于工作不到位、调查工作不深入、情况不明晰、分析不细致、数字不准确。从资本占用情况看，6月末分行经济资本占用平均比例为4.99%，最低的分行2.61%，最高的7.72%。从定价政策执行看，定期存款利率超挂牌上浮占比，最低的分行只有19%，最高的超过82%；全行新发生个人住房贷款利率为四大行第一，但仍有5家分行排名第三，4家分行排名第四，差别非常大。刚才表扬的零售业务竞争力排在前列的几家分行，定价执行得都是非常好的，它们都是在经济发达地区，老百姓收益理念比较强的地区，还能做得这么好，这就看出经营管理上的水平了。从管理会计中的成本收入比这一指标看，最低的为14.3%，最高的为30%，相差超过15个百分点。从这些指标可以看出，我行经营管理中的粗放式理念和方式亟待改进，一定要引起重视。

（五）转型的结构性问题不容忽视

一是资产大行业务发展和区域内经济金融资源禀赋不匹配。信贷资产规模较大的分行，都是在我国经济最发达、金融最活跃的区域，高新技术园区、专业市场、跨境电商、文化旅游等各类客户业务拓展空间较大，拥有比其他分行更多的资源，但部分大行的拨备前利润系统内占比都在下降。存款、贷款等关键业务指标在当地排名第一的重点行只有福建一家，有的大行的存款和中收在当地排到第三和第四。二是重点转型业务发展慢，私人银行业务、财务顾问等投行业务远没有达到规划要求，有的行现金结算业务和国际业务在区域大行中居后，成为一类行和 KPI 考核前列还主要靠传统业务优势。三是重点城市行转型发展滞后。对标厦门分行，许多城市行有着与厦门行相似的经营环境、丰富的市场资源和较强的人才队伍，但却形成了截然不同的发展格局。一部分行（青岛、宁波、大连）经营思路上转变不大，业务增长还是依靠抓大项目、垒大户，已经强调多年的零售业务转型发展依然缓慢，业务指标在系统内和当地同业排名依然靠后，不仅没有上升，甚至还在下降。

三、下半年的重点工作

全行要以全国金融工作会议精神为指引，紧紧围绕服务实体经济、防控金融风险、深化金融改革等各项任务，抓好稳健合规经营、管理水平提升和转型发展深化，圆满完成全年的经营和转型发展的目标任务。

（一）进一步深入学习贯彻落实全国金融工作会议的精神，加大支持实体经济发展的工作力度

1. 领会精神实质，优化工作安排。刚刚闭幕的全国金融工作会议，对当前及今后一段时期的金融工作提出明确要求和总体部署。各单位要深入学习贯彻习近平总书记、李克强总理重要讲话精神和马凯副总理总结讲话要求，高度认识其重大政治意义、理论意义、实践意义，把思想统一到党中央对金融工作的决策部署上来，把中央关于金融工作的大政方针和决策部署坚决贯彻落实到建行转型发展各项工作中去，坚定不移地做好服务实体经济、防控金融风险、深化金融改革工作。下半年总的考虑是在年初党委研究的经营策略基础上，按照全国金融工作会议精神的要求进一步整合资源，优化业务结构。一是保证重大项目，包括涉及国家战略的项目的对公信贷需求。二是支持消费对经济的拉动作用，坚持零售业务优先，加快推进零售业务转型，进一步加快个人信贷业务，特别是个人消费信贷业务的发展。三是优化资源配置，在各项贷款新增维持 8500 亿元不变的前提下，要进一步提高信贷资源使用效率，统筹安排定向地方债置换、不良处置腾挪的贷款规模，加大贷款资产证券化工作，满足更多重点客户融资需求。四是积极做好对公贷款存量结构调整方案研究和推进，按照公司部初步测算，公司类贷款年均回收超过 4 万亿元，可移位新投放的部分约 1 万亿元，比全行全年贷款增量规模还要多 1500 亿元，只有把这部分存量到期规模利用好了，贷款的供需矛盾才能缓解。五是对困难行进一步完善帮扶措施。

2. 进一步提高服务实体经济的效率和水平。一是服务国家发展战略。紧跟"一带一路"、京津冀协同发展、长江经济带、"走出去"、雄安新区建设等国家战略实施；做好发展改革委专项建设基金和 11 大工程包项目的跟踪营销，夯实项目储备，通过打造"善行城建"金融服务品牌，优化 PPP 模式系列贷款产品，做好国家重大项目信贷支持。目前，全行基础设施领域贷款储备超过 3 万亿元，要做好客户需求跟踪，进一步提高储备转化水平，全年基础设施领域贷款增速不低于公司类贷款平均增速。二是有效对接供给侧结构性改革。继续推进债转股项目落地，公司成立后要尽快完善工作机制，充实力量，破解运行中的难题，力争年底前作出新的成效。动态重检信贷政策，满足有效客户融资需求。稳妥推进各类产业基金、市场化债转股等新业务新产品。严格贯彻落实房地产市场调控政策要求，支持三四线城市去库存，有效控制热点城市信贷投放。三是支持经济转型升级。满足产业转型升级和科技企业金融需求，全年先进制造业、绿色信贷相关贷款增速要高于平均增速。加大战略性新兴产业贷款投放力度。大力拓展文化娱乐、医疗教育、休闲旅游等新业态。支持信用卡、"快贷"等新型消费金融产品信贷投放。四是加大补短板的工作力度。支持实体经济薄弱环节，助力"双创"，大力推广"小微快贷"、大数据产品，小微企业贷款满足"三个不低于"监管要求。全年安排小微企业贷款新增 1500 亿元，支持线上产品"小微快贷"业务拓展。"小微快贷"经过一年的运行，深得客户欢迎，同时收益高、不良率低，各行要极力拓展，为此，总行将进一步加大支持的力度，新增贷款由总行统一配置信贷资源。深挖农业供给侧结构性改革机遇，做好金融精准扶贫，培育涉农贷款业务新增长点，安排精准扶贫专项规模 100 亿元。大力推广裕农通服务平台，确保完成新增计划，将我行营业网络延伸至县域村镇，推动普惠金融扎实落地。五是做实减费让利。要严格执行监管部门和总行已出台的减费让利政策，落实好发展改革委、中国银监会等新出台的基础金融服务收费减免政策，从 2017 年 8 月 1 日起暂停收取本票和银行汇票的手续费、挂失费、工本费 6 项收费。六是加快消费金融发展。准确把握消费领域发展新趋势，做好客户和市场细分，努力拓展商户，线上线下联动，变分散营销为整体营销，变单点服务为综合服务。提升“快贷”、信用卡、龙支付、手机银行、“悦生活”等系列产品的影响力，在多功能服务平台建设的基础上，做深消费金融生态圈。全年安排消费类贷款新增 1500 亿元，同比多增 940 亿元。七是做好综合投融资业务拓展。切实发挥集团综合化优势，通过母子公司协同，大力拓展债券承销、IPO、集合信托等业务，满足更多客户融资需求，全年力争实现综合投融资 6600 亿元。

（二）进一步加大防控和化解风险的工作力度

1. 着力抓好信贷风险管控。要把信贷风险管控作为各项工作的重中之重。严格按照总行党委的统一部署，突出“稳”和“实”的要求，把基础打牢，要确保完成不良贷款率控制在 1.51% 以内等全年管控目标。重点做好以下几方面工作：

一是全面落实风险管控的责任体系。总行就加强风险管理责任下发了建党发［2017］11 号文件，两个多月了这么重要的文件却仍有多家分行没有组织学习，有 13 家分行未出细则。各分行要细化明确“风险管理职责进党委”的具体要求，做实“风控委”职责，强化各层级的责任要求；继续坚持党委督导资产质量重点分行制度，加强重点二级分行帮扶工作，健全风险决策机制和轨迹管理，培育健康信贷文化，做实信贷责任认定工作，精准认责，严格执纪，对违规行为坚决不放过。

二是夯实风险管理基础。落实全面风险管理“五个到位”，坚持统一性和差异化并重，推进全面风险管理覆盖至集团四大板块和九大类风险，加快建立全面风险管理评价体系，深化风险管理的长效机制建设。下半年要重点优化押品管理流程，进一步提升对关键环节的集约化管理水平。一级分行要设立专业押品管理岗位，配备与业务适应的专业人员，加强押品目录管理。有序拓展合格押品范围，审慎选择专用设备抵押品，提高押品处置现金回收率，有效发挥押品风险缓释功能。加强贷后专业化体系建设。进一步完善统一信用风险监控、贷款催收和贷后跟踪平台机制。加强风险计量和风险督察，强化信贷全流程管控，严控新发放贷款质量。整合 9 大预警系统形成统一预警平台，实现统一归集、统一分级、统一发送，将预警能力转化为现实的风险管控能力。

三是强化重点领域风险管控。对于重点区域和分行，对风险隐患较大地区的相关行业及上下游企业，要摸清底数，控制表内外风险敞口。对于重点领域，要推动化解担保圈风险，对于已出现不良的担保圈，及时压缩余额，采取追加抵押等风险缓释措施；对于新增业务，要在审批发放等环节查询存量客户担保圈情况，有针对性地调整授信方案。要规范政府购买服务类业务合规性管理，配合地方政府按期完成整改，并争取在合规的前提下确保我行债权不悬空；相关部门要抓紧更新相关产品办法和合规审查要点，加强窗口指导和检查。积极防范房地产、产能过剩等领域信贷风险。对于重大项目，坚持经营条线分兵把守，加大重大项目的处置力度，控制不良暴露和逾期贷款。

四是抓结构调整。经营机构要严格执行统一的信贷政策和统一的偏好。审批要把控实质性风险，确保新发放贷款质量。严格再融资授信制度，优选符合供给侧结构性改革要求、可持续经营、未来具备还款能力的客户办理授信调整业务，严禁对“僵尸企业”开展再融资，严禁利用再融资掩盖和延缓风险暴露、扩大风险敞口。

五是做好风险化解。全年要确保完成 1200 亿元不良贷款处置和 460 亿元回收盘活的经营计划。要综合运用投行手段、母子公司联动、互联网平台，以及与地方政府、客户合作等方式，尽最大努力提升重组盘活和现金回收力度，要从思想上和行动上彻底摆脱打包依赖；做好处置的区域平衡，加大向环渤海、中西部、东北等地区的保全资源倾斜力度。主动安排，把握处置节奏，避免年底处置过于集中。大家要真正认识到，保持合理的资产质量水平主要得靠风险防控，而不能仅仅靠不良处置，要有代价意识，必要的代价分行要背在身上。在不良处置的节奏和程序上，分行一定要服从总行的统一安排。

2. 着力抓好集团流动性风险管控。做实流动性风险管理全覆盖，一是做好总量平衡。按照资金来源情况，合理安排资产的新增总量和结构。按照人民银行调控要求，严格控制贷款新增计划，全年债券投资和同业资产运用计划为零增长，同时加大结构调整力度，同业资产运用根据存款增长态势和流动性情况，动态调整进度安排，资产配置期限控制在1年以内。二是进一步提高资金的精准调配。保持流动性储备总量稳定，应对资金来源波动，进一步丰富流动性管理工具，平滑各期限现金流入。三是强化海外机构、子公司、资管中心的流动性风险管理。要摸清流动性资产配置底数，增强调控能力，减少资产负债期限错配，提升自身管理水平，降低母行依存度。

3. 着力抓好直营业务风险管理基础建设，有效防控市场风险和交叉金融风险。要以本轮监管检查为契机，化被动为主动，把风险管理基础打牢，使风控能力跟得上业务发展速度，要看得清、管得了、控得住。要坚持穿透和实质重于形式原则，产品链条短一点、结构设计简单一点、资金循环流程简单一点；要做好风险隔离，严格防范各类外部输入型风险；要加强基础资产风险分类和准备金管理，确定合作机构的统一评估标准，全面启动直营业务新产品风险评估和事后评价机制，开展直营业务风险管理融入业务流程的试点工作。完善直营业务双向报告机制，加强对直营业务部门风险管理的考核评价。同时，要积极应对市场风险，紧盯债市、汇市、股市等市场波动，做好重大市场风险应对和债券违约风险处置，防范风险的交叉传染。

4. 着力抓好子公司海外机构风险管控。完善风险管控机制，制订子公司全面风险管理办法，提升子公司风险管理的整体水平。全面监测评估，每个季度对子公司风险管理情况进行全面监测与考核，将子公司风险考核评价指标纳入集团四大板块全面风险考核评价体系。强化风险考核，将子公司风险偏好执行情况与子公司风险评价结果、子公司绩效薪酬考核相挂钩，确保集团风险偏好在子公司执行落地。要加强对海外机构的评估检查，切实做到风险管理融入业务流程。分批次推进信用、市场等风险管理工具和系统上线推广，提升风险管控效率。

5. 进一步抓好内控合规管理和案件防控。一是全力做好中国银监会系列专项治理工作。继续抓紧整改自查发现的问题，深入推进四个领域专项整治，确保实现总行党委提出的目标。二是完善合规管理体制机制。修订完善25项合规基础制度，建立独立垂直的合规报告制度，推行合规全流程管理，实现制度管理、合规审查、合规检查、合规报告、违规处置、违规问题整改、违规通报警示以及完善内控制度这8大步骤。三是强化反洗钱和境外机构管理。建立境内外统一的反洗钱管理政策、流程和工具，2017年10月底前8家尚未完成反洗钱集中的分行要全部实现一级分行集中；海外机构必须把合规管理放在首位，落实境外机构“一把手”合规责任；总行要加强考核，督导海外机构做好自查整改，守住合规底线。四是加强案件防控。坚持“一案双查”和“一案双通报”，落实“案防九责”，对尽职给予最大的免责，对以权谋私、以贷谋私绝不宽容。做好全行保密管理工作，加强档案库房的汛期安全管理，确保档案资料安全。

（三）进一步强化基础业务

1. 着力抓好负债业务。当前，市场和客户需求快速变化，个人客户储蓄理财化趋势明显。从行内看，上半年末投资理财资金在个人客户金融资产总量中占比已达31%，较2013年提升7个百分点。从同业看，四大行个人理财余额4.64万亿元，较2013年末增长54%，比同期个人存款增速高出26个百分点。储蓄理财化不断深化，带动利率市场化向纵深推进。表内存款定价压力越来越大，表内存款增长面临严峻压力。一是全行必须坚持“零售优先”。加大资源投入、加大考核力度，坚定不移地加快打造个人客户金融生态系统，下力气抓资金、抓存款、抓账户、抓商户，加大力度拓源头、建生态、造闭环；同时要紧盯市场急剧变化和同业竞争态势，紧盯个人存款资金，把握好存款与理财的统筹平衡和有序衔接，为业务一线和基层充分授权赋能，优化存款定价授权，支持差别化灵活定价，切实提高整体竞争力，确保个人存款市场份额继续提升。市场份额长期低位徘徊且近年来还在持续下降的个别城市行，分行党委必须高度重视，尽快拿出有力措施，尽快扭转落后局面，确保提比进位。二是细化资金体内循环措施。抓资金源头，继续抓好资金承接、商户拓展等基础性工作，全面提升公到公、公到私、私到公、私到私等资金封闭循环能力，进一步扭转代发工资资金留存率低、商户拓展不足、消费资金大量外流等不利局面。三是要继续下功夫抓财政和军警存款。董事长刚才表扬机构业务，我非常赞同，机构业务在扭转局面方面做出了非常大的努力，也收到了明显成效。四是不断深化与各类金融机构客户的合作。通过同业代理和搭建结算网络，加强金融租赁、资管、各类清算交易所等重点客户营销，大力争取证券、公募和私募基金的托管资金，提升覆盖深度和广度；要特别关注可转债和可交换债资金，大力拓展低成本结算性存款，力争全年剔除主动负债的同业存款余额达到年初水平。五是抓好主动负债。根据客户需求和市场竞争情况，合理安排公司、个人大额存单的发行规模、期限和节奏。根据流动性缺口情况，综合考虑资金价格和期限，择机发行同业大额存单、拆入货币市场资金、吸收同业定期存款和货币掉期，丰富资金来源。

2. 保持中间业务稳定增长。下半年，受监管政策收紧、服务收费减免和市场环境等影响，收入增长面临更大压力。但客观来说，市场形势对各行都是一样的，全行一定要坚定信心，正视困难，全面提升中间业务服务能力，力争更好的市场表现。一是加快推进中间业务转型。向轻资产、轻资本业务转型，向新兴业态、新型渠道转型，提高中间业务“融智”水平。要通过促进转型重点产品的快速发展，带动全行中间业务收入的稳定增长。信用卡、理财业务等要继续保持两位数增长速度，国际结算、代客资金和贵金属等产品要保持领先优势；新型结算、造价咨询、网络支付、托管等业务要继续加快发展。二是加强对标管理。通过与领先同业的对标分析，寻找差距，补足短板。对上半年增长乏力或与同业差距扩大的产品，要通过夯实客户基础、加强产品创新等措施，尽快改变现状，缩小差距。代理保险、代销基金等要转变销售理念，推进精准营销；财务顾问要加大资源投入，提升服务能力，为客户提供差异化、“一站式”综合金融服务等。这里我想说说信用卡，2012 年，信用卡收入大幅低于先进行，我们进行了深入分析，发现了不足，制定了赶超目标和措施。经过努力，2015 年中收赶超先进行成为四大行首位，目前，信用卡客户总量、消费交易额、中间业务收入等在四大行中全面领先。所以，必须正视产品与对标同业的差距和存在的问题，制订合理的赶超计划，拿出切实可行的措施，有目标、有动力、有方法，才能不断进步。三是着力解决行际间发展不平衡问题。北上广深等大行要发挥好带头作用，有效利用当地的金融资源和客户潜力，实现较高的增速水平。四大行位次第三、第四的分行，要认真分析原因，积极发掘新的收入增长点，采取有效措施尽快改变落后面貌。

3. 完善表外业务管理体系，提升资本使用效率。要加强计划管理和监测督导，健全产品管理、业务授权、收益测算和考核评价制度，力争保持表外业务合理增长、资本使用效率不低于年初水平。加强承诺类业务管理，推动“可随时无条件撤销贷款承诺”在上海、广东、安徽等分行的先行先试工作，推进信用卡承诺大数据分析项目，启动贷款承诺管理规程制定，转变贷款承诺管理模式，提升承诺类业务精细化管理水平和资本集约化水平。不断夯实管理基础，做好到期保函管理等基础工作，提升数据时效性，提升管理水平。

4. 提高定价的竞争性、针对性和有效性，实现量价平衡。总行各部门、各分行要进一步增强效益意识，加强定价管理。一是要加强市场研判，提高价格敏感性。定价策略和政策既要保持足够的定力，也要积极应对市场竞争，适时作出调整，实现量价平衡。部分分行表现就非常值得肯定，如吉林、福建、厦门、河南、湖南、深圳等分行量价表现当地同业最佳，存款市场份额提升 0.5 个百分点，付息率较第二名低 2 ~ 37 个基点；苏州和广西分行市场份额提升的同时，付息率降至四大行最低。二是要进一步提高贷款定价水平。夯实中型企业客户基础，进一步提高议价能力。加强移位再贷管理，结合风险情况，逐步压缩定价较低行业的存量贷款，腾出信贷规模投向定价较高的客户、重大项目以及总行信贷政策鼓励领域；进一步推广综合定价理念和方法，提高定价的精细化水平。江西分行上半年对公非贴贷款加权平均利率为4.83%，四大行第一；加权平均浮动幅度为5.65%，四大行位次较去年上升两位。三是要做好大额存单、灵活计息产品规模安排和销售策略安排。根据客群特点和综合贡献，完善分层定价，将稀缺的资源安排在产出率更高的地方。

（四）进一步提高管理水平

全行转型发展已经进入深化阶段，进一步提升管理水平已经成为推进转型发展的重要课题。第一，提升管理水平就是我行转型发展的重要内容。第二，提升管理水平是我行转型发展的关键支撑，规划的第五章对提升管理能力、做好转型发展保障也提出了明确的要求。前一段时间行长办公会专门听取了汇报，从汇报情况看，各部门都做了努力，但还远远没达到要求，需要加大工作力度，这也是我今天着重要讲管理问题的主要原因。第三，提升管理水平是破解风险内控、资本约束、经营效率和效益等当前诸多难题的主要途径。第四，我们具备了进一步提升管理水平的条件。一是投入运营“新一代”使我行具备了经营管理数字化的基础；二是生产运营体系的集约化为全面建设全行集约化管理体系提供了成功经验；三是有厦门行精细管理模式的成功示范。总之，我行有条件、有能力进一步提升管理水平。在这里要和大家讲一下，我们现在的讲管理主要针对经营中的管理问题，是为了把转型中的管理要求落实到经营工作中，还远不是管理学中的以人为主要对象的文化和学习阶段的管理。当前针对经营中的薄弱环节，下半年要着力做好以下四个方面的管理工作。

1. 深化“新一代”和大数据应用，提高经营管理智能化水平。依托“新一代”建设，全行建立了业界领先的企业级数据管理体系和数据应用体系。近两年，全行利用“新一代”创建的统一数据基础和大数据工具，共实施近380个大数据应用项目，绝大多数项目都取得了良好效果，“快贷”“小微快贷”、信用卡价值提升、反欺诈等大数据应用项目更是成效显著。如大数据支持下的个人快贷业务客户数同比增长3倍，交易额同比增长5倍以上；小企业预警准确率从组合指标模型的16.58%提升至42.93%，成倍提升了小企业预警覆盖率。全行的实践表明，“新一代”系统和大数据应用在管理模式与流程优化、产品创新、风险防控、精准营销、提升客户满意度等方面都能够发挥积极作用。数据分析通过与业务过程的有机融合，能够有效促进全行经营管理不断趋于精细化、集约化和智能化。

但从全行转型发展的内在要求来看，从打造数据核心竞争力的高度来看，部分分行主动用数意识不强，全行数据能力体系建设还存在不均衡的问题。全行要站在转型发展的高度上，充分认识和理解数据工作的战略意义，加快大数据工具和人才的引进，进一步强化数据资产理念；做好“新一代”数据应用推广工作，稳步推进分行特色应用向“新一代”环境的迁移；完善与新系统、新应用相适应的业务制度和工作机制；充分调动全行员工的积极性和创造性，快速释放“新一代”成效和大数据价值，推动全行经营管理从经验型向更加科学的数据智能型迈进。

全行要增强学好用好“新一代”的主动性和责任感。培养用系统、用数据、用工具来改进管理工作的良好习惯，实现系统先进设计能力向优秀产出能力转变，领先的技术优势向业务和管理优势转变。加大培训力度，确保各级管理者、各个部门和全体员工的全覆盖。进一步健全运营维护体系，优化完善配套的业务制度。要保持技术和业务力量的完整，不断调整和优化技术开发的机制。要继续加强新技术新功能的研发，始终保持“新一代”的先进性。

2. 全面构建集约化经营管理体系，不断提升集团集约化管理水平。面对日益严峻的同业竞争，提升集团集约化管理水平已成为当务之急。下一步，我们要在生产运营、资本配置等方面初步实现集约化管理的基础上继续全面深入推进集约化转型，进一步扩大集约化范围、维度，完善集约化体系建设，打破不同条线、机构、层级、业务之间的壁垒，在企业级层面实现流程精益、运营集中、技术集成、成本节约、效率提升、管理科学的集约化经营管理体系。

一是建立横向协同、纵向贯通的集约化管理机制。坚持企业级的整体视角，以“管理向下延伸、业务向上集约、专业横向协同”为原则，建立健全集约化管理机制。一方面，强化总行各条线、部门之间以集约化为经营准则的价值管理体系，在流程设计、研发创新、经营管理的全过程中实现有机协同，体现内部集约化特征，实现经营效能最大化。另一方面，强化总分行一体化集约管理，理顺总行、分行各层级集约管理侧重，明确职责与标准，增强分行集约经营责任意识；研究建立人、财、物等资源内部共享、流动机制，提高集约经营资源配置效率；推行适应集约化经营的激励机制，激励部门和员工致力于集约经营推进和流程改革创新。

二是强化全行资源要素统筹优化配置。加强人、财、物等资源的优化配置，实现经营要素的集约化和管理机制的有效化，按照“控制总量、盘活存量、优化结构”原则，合理高效配置资源，促使人员、机构、体制向集约化方向发展，实现集约化效益提升。一方面，实行资源总量控制，统筹规划并盘活现有资源，对相对集中的生产要素进行归并、分类，实现统一调配，提高资源配置的层级和科学化水平；另一方面，推进传统密集经营模式向智能集约转变，充分挖掘现有经营资源潜力，引导经营资源投向客户服务、产品营销等经营一线，以及研发创新、战略业务发展等重点领域，优化全行资源配置。

三是全面推进集约化组织实施。围绕全行战略转型方向，结合当前集约化推进情况，把握大势、服务大局，坚持顶层设计、总体规划，明确集约化发展目标、重点领域、推进路径与实施举措，完善集约管理机制，边实施边总结，不断积累、完善集约化管理经验。各条线、各层级协同，全面深入推进集约化实施，实现“对内整体提升集约效率与效益，对外快速响应市场、提升客户体验”。

3. 进一步完善协同联动机制，提升系统运行效率。随着综合化经营的深化，多功能服务范围的扩大和集约化水平的提升，协同协调已经成为经营管理的重要内容，而且直接影响到了转型的成效，影响到了全集团的运营效率和效益。2017年初在工作会议上，把协同作为管理问题提出以后，条线间协同、区域间协同、母子公司间协同和境内外的协同有了一定程度上的改进和提升，但按照转型发展的要求看仍要进一步完善协同机制。

资债、财务和信息技术部门要为完善协同机制创造激励机制和信息共享平台。在这方面三个部门已经做了大量工作，但从转型发展的要求看，完善这一机制以上三个部门还需做认真研究，特别是基于“新一代”的信息共享平台要加快建设和完善。在条线间协同方面，以对公、对私条线间的协同为例，首要的是完善以客户为中心的综合营销服务机制，包括客户部门和产品部门的融合机制，要解决多头对接客户的问题。其次是解决好商户管理问题，现在商户管理分别在公司、个金、信用卡和网络金融部，其他部门也有参与，边界清晰的部分抓得都不错，对交叉的部分还需要进一步理顺。最后是完善资金体内承接机制。在分行区域间协同方面，下一步要在总结珠三角协同经验的基础上，进一步加强长三角和京津冀协调联动。完善全行统一的客户授信信息、风险监控信息共享机制，杜绝此退彼进问题再次发生。在母子公司间协同方面，要进一步提高风险偏好的协调性，在综合化经营的框架下，对同一客户投融资需求也要完善信息共享、风险共防机制。山城水都等项目的问题提示我们，尽管投行与信贷业务在风险与收益的诉求上有差异，但必须要协调风险偏好，统一信用与风险判断。在境内外协同方面，现在总行与海外机构之间协同联动运行比较顺畅，但子公司与海外机构之间的协同还需要完善机制。

4. 在具体业务和环节上求精做细，追求细节的价值创造。下面举几个简单的例子说明精细化工作的重要性。在抓好协同和集约化的框架下，以“新一代”的数字平台做支撑，把具体业务做精做细仍有很大空间。以零售业务为例，在座的各位，你们中有许多是与厦门行的零售客户规模相近的行，如果把省会城市行包括进来应该不在少数，但你们自己算一算零售客户业务的利润率是多少？厦门行是1.12%，大约是你们同规模行的两倍甚至更多，差就差在有效客户、存款付息率和客户活跃度上，厦门行的有效客户占比为40.8%，同类行都在30%以下；个人存款付息率厦门行为0.9%，同类行均在1.6%～1.8%，这就是精和细的差距。

下面我们再比较一下公司客户的利润率。公司客户的利润率呈现两头高中间低，大型客户和微型客户利润率高，中小型客户利润率低，为什么低？主要原因是中小型客户风险相对较高，但贷款定价上没有充分体现这部分风险溢价。以大型客户和中型客户为例，我行大型客户信贷成本率为1.09%，贷款收益率为4.03%，中型客户信贷成本率为1.68%，比大型客户高69个基点，贷款收益率却仅为4.09%，仅比大型客户高6个基点，是导致中型客户利润率低的主要原因。

在这两个例子中体现的都是精细与粗放的差异，我们要以精和细作为经营管理的追求，提高经营管理效率同样是转型发展的目的。

（五）进一步推动转型的深化

在以上内容里，重点讲了深化转型的业务要求，现在再从改革的角度讲几点要求。我行的转型本身就是深化改革的过程。下一步要结合我行实际，在努力改进公司治理基础上，继续调整和优化业务流程，进一步优化协同协调职责，提升系统运行效率，释放机制活力。一是要完善普惠金融事业部的体制、机制。我行在总行层面充实了普惠金融的职能，但纵向上把事业部的机制一贯到底还有许多工作要做，总行部门间协调机制还有待进一步理顺。要推动普惠金融事业部运作机制落地，把“小企业”做成“大事业”。二是要完善直营管理。理顺总行三大直营业务中心和金融市场部的投资边界，重检授权体系，各业务单元和各机构的业务授权要与经营能力相适应；发挥资产保全经营中心作用，强化不良资产的经营和价值管理，增强不良处置效益；加快推进研发与数据类中心整合，进一步完善科技创新体制。三是要完善大行巩固业务优势和重点业务成长机制，大行的转型不仅关系到转型的引领问题，还关系到全行发展竞争力提升的问题，要解放思想，在激励创新发展、合规稳健和约束风险等方面形成有效的机制。四是要调整和优化产品和技术开发流程，提升开发部门对一线部门的支持效率。这些都是大课题，需要认真研究。

（六）进一步加强党建工作，增强办好银行的责任感

习近平总书记在全国金融工作会议上强调做好新形势下金融工作，必须加强党对金融工作的领导。刚才洪章董事长在讲话中也就我行坚持党的领导，加强党建工作作出了全面部署，大家要做好落实。加强党的领导和加强党建工作是办好银行的根本政治保证，全行各级党组织和全体党员干部要深刻领会习近平总书记讲话精神，深入思考如何把中央精神和总行党委的要求落实到自己的身上，落实到办好分行、海外机构、子公司和做好本部门工作上，落实到进一步发挥党员的先锋模范作用和基层党组织的战斗堡垒作用上。结合我行实际，我再强调以下几点：

进一步增强“四个意识”，增强办好银行的政治责任感。作为银行领导干部，最重要的是要牢记我们是在为党工作，为党的事业做银行的经营管理。作为党员领导干部，必须牢固树立“四个意识”，听党的话，严格按照党的要求做事。对党员领导干部的要求，习近平总书记讲得既全面又清楚，对建行来讲又有具体要求，那就是习总书记对建行工作“三个能力”的批示。我们党员领导干部首先要认识到自身的责任，只有当我们自身夯实了建设“三个能力”的基础时，习总书记的批示在建设银行才能真正落实到位和真正实现。在加强国企党建工作会议上，习近平总书记对党员领导干部的要求讲了五句话，就是“对党忠诚、勇于创新、治企有方、兴企有为、清正廉洁”。有政治要求，有业务能力要求，有纪律要求，也有在职业操守上的要求。我们要进一步深入学习习近平总书记系列讲话、吃透精神，切实提高政治站位，增强责任感和使命感，不断学习和提升政治素质和业务能力，把党交给我们的工作做好。建设银行作为国企一份子要真正成为党和国家最可信赖的依靠力量，成为坚决贯彻执行党中央决策部署的重要力量，成为贯彻新发展理念、全面深化改革的重要力量，成为实施“走出去”“一带一路”等重大战略的重要力量，成为壮大综合国力、促进经济社会发展、保障和改善民生的重要力量，成为我们党赢得具有许多新的历史特点的伟大斗争胜利的重要力量。

严格要求，带好队伍。把党交给我们的银行办好，不仅在于要提升我们自身的能力，还要打造一支政治过硬、作风优良、业务精通的职业银行家队伍。在这次全国金融工作会议上，习近平总书记对金融党员领导干部提出的“政治过硬、作风优良、业务精通”要求对我们来说，也就是成为职业银行家的要求。作为职业银行家，政治过硬要体现在政治立场坚定、政治信仰坚实、政治规矩坚守上。作风优良和业务精通要体现在职业操守、风险意识、服务意识、专业能力和业务水平上，并最终体现在专业专注地服务好客户、服务好实体经济上，体现在高水平的银行经营管理上。要加强各级党员领导干部培训，提升政治素养，提高业务能力，培养合规稳健意识、风险意识和服务意识。

持续做好经营管理。把党交给我们的银行办好，不仅是今天好，明天也要好，而且要持续稳健运行。前任行长在位时指标好，接任者也能继续向好这才是真好。打下的是扎实的基础，而不是埋下的地雷，这才称得上职业银行家，才是真正把习近平总书记常讲的“功成不必在我”的理念牢固树立在自身的职业生涯中。我让有关方面分析了近几年一级分行行长调整前后各一年期内风险指标变化情况，总体上还是有波动，个别行波动较大。我们一定要摒弃“V”形路线的坏习气，不要一到任之后就想着释放一下先前的问题和矛盾，为自己下一步提升好看的业绩做铺垫，这不是职业银行家应有的胸怀和作风。

同志们，全国金融工作会议给全行的改革发展指明了方向，希望大家会后要继续认真学习习近平总书记、李克强总理的重要讲话，吃透精神和实质，把自己的工作做好，以高度的责任感、使命感、紧迫感，稳健合规经营，提升管理水平，深化转型发展，推动经营业绩全面向好，提高服务实体经济和防控化解风险的能力，以出色的经营成果迎接党的十九大胜利召开。

以新思想引领新实践 实现更好质量更高水平的发展

——在学习贯彻党的十九大精神专题研讨班上的讲话

王祖继

（2017 年 11 月 29 日）

昨天，国立同志就党的十九大精神作了深入宣讲，对全行学习宣传贯彻工作提出了明确要求，各位“一把手”回去后要认真抓好落实。这里，我重点围绕学习领会习近平新时代中国特色社会主义思想，与大家交流一下最近一段时间以来的学习体会，并和大家一起来探讨如何立足建设银行实际以学促行，用新思想引领新实践，落实好党的十九大精神和习近平总书记对建行提出的增强“三个能力”的指示精神，实现更好质量、更高水平的发展，真正把建设银行建设成为适应现代化经济体系要求的现代商业银行。

党的十九大的一个重大历史贡献，就是把习近平新时代中国特色社会主义思想写入党章，确立为我们党必须长期坚持的指导思想。学习宣传贯彻党的十九大精神，最重要的就是要牢牢把握习近平新时代中国特色社会主义思想这一主线和灵魂。只有把握了主线灵魂，才能吃透精神要义，做到纲举目张。思想理论上清醒是政治上清醒的前提，思想理论上的坚定是政治上坚定的保证。因此，掌握新思想是当前全行党的十九大精神学习研讨的重中之重。

下面，我就领会新思想、引领新实践两个方面，与大家交流一下初步的学习感悟和思考；最后再结合岁末年初的工作提几点要求。希望大家做好“两手抓”，加强谋划统筹、抓好推动落实，把学习宣传贯彻党的十九大精神的成果体现在全行发展的良好业绩上面。

第一部分 领会新思想

时代是思想之母，新时代催生了新思想，新思想又领航时代不断前进。面对新时代的一系列新特点新课题、新机遇新挑战，以习近平同志为核心的党中央洞察时代变化，把握发展大势，围绕坚持和发展什么样的中国特色社会主义、怎样坚持和发展中国特色社会主义这一重大课题，创造性地提出习近平新时代中国特色社会主义思想。这个重大的理论创新成果，标志着马克思主义中国化又一次新的历史性飞跃。习近平同志是理论的主要创立者，作出了关键性、原创性的贡献。

习近平总书记强调，只有掌握科学理论才能正确把握前进方向。因此，在理论学习上下足功夫，原原本本地弄懂吃透习近平新时代中国特色社会主义思想，切实打好理论基础、增强理论自信，才能为道路自信、制度自信和文化自信提供科学指引和深厚底蕴。

结合个人学习体会，我想可以从“理论创新”的时代特质和“理论本源”的继承发展两个角度，深入领会习近平新时代中国特色社会主义思想的丰富内涵和精神实质，及其深远意义和重大贡献。

一、聚焦理论创新，深刻认知新思想的战略性、引领性意义

习近平新时代中国特色社会主义思想博大精深，需要原原本本、扎实深入地学习，做到既整体把握、全面系统，又突出重点、抓住关键。要按照《中共中央关于认真学习宣传贯彻党的十九大精神的决定》的要求，紧扣“十个深刻领会”和“六个聚焦”，精研细读、学深悟透，全面准确地理解新思想的盎然新意，把握新时代的发展脉搏，认知新时代的任务使命。

——新思想：引领新的伟大征程。党的十九大通过的党章修正案把习近平新时代中国特色社会主义思想确立为党的行动指南，实现了党的指导思想又一次与时俱进的新飞跃。党的十九大报告以“8 个明确”展示了新思想的主要内容，以“14 个坚持”阐述了新时代坚持和发展中国特色社会主义的基本方略，这为引领全党全国各族人民开启新的伟大征程起到了举旗定向的作用。新时代需要新思想的领航，面对前进道路上的各种新的困难和矛盾、新的风险和挑战，习近平新时代中国特色社会主义思想既提供了世界观、价值观的科学指引，又提供了认识论、方法论的实践利器，体现了新时代中国共产党人治国理政的重大理论创新。这是我们做好各项工作的基本行动遵循，也是破解各种矛盾问题的强大理论武器。

——新时代：标注新的历史坐标。习近平总书记在十九大报告中作出了中国特色社会主义进入了新时代的重大政治论断，这是我们党运用辩证唯物主义和历史唯物主义的方法论，着眼于党和国家事业发展的大格局，基于历史和现实的大逻辑、国内和国际的大视野，得出的科学冷静的研判和准确客观的定位。一方面，党的十八大以来，党和国家事业取得辉煌成就，我们站在了新的历史起点上，并日益走近世界舞台的中央；另一方面，随着国内国际进入大变革大调整时期，我们面临的内外部环境发生了深刻变化。“时移则事异”，在党的十九大到二十大这“两个一百年”的历史交汇期，必然要有新任务新要求，要有新气象新作为。处于这个新时代，对于每位中国人、每位党员来说既是个幸事，也意味着需要肩负新的历史责任。

——新矛盾：凸显新的问题导向。问题是时代的声音，社会总是在解决矛盾问题中不断前进。党的十九大作出了我国社会主要矛盾已经转化为人民日益增长的美好生活需要和不平衡不充分的发展之间的矛盾，这是关系全局、历史性的变化。中国共产党在 90 多年发展历史上，先后 6 次对社会主要矛盾作出重大判断，而这些判断都对党和国家的工作重点、发展战略产生了深远的影响。面对新时代人民日益增长的美好生活需要，发展不平衡不充分问题已经上升为主要矛盾，也成为当前和今后一个时期各种社会矛盾的主要根源。

从过去的“物质文化需要”到现在的“美好生活需要”，从过去的“落后的社会生产”到现在的“不平衡不充分的发展”，主要矛盾和矛盾主要方面都发生了阶梯式的变迁。过去相对“低层次”的矛盾解决了，新的更高层次的矛盾又出现了。这也体现了马克思主义哲学所揭示的矛盾运动规律，事物都是在矛盾中发展变化的，是在不断解决旧矛盾、产生新矛盾中螺旋式地发展前进的。认识和掌握好这个规律，对于我们辨析问题、做好工作非常重要。

中国共产党历史上对社会主要矛盾的六次重大判断

第一次——1937 年 5 月，毛泽东在党的全国

代表会议上指出，中日矛盾已成为“主要的矛盾”，国内矛盾降到次要和服从的地位；1939年12月毛泽东在《中国革命和中国共产党》一文中指出，近代中国社会主要矛盾是“帝国主义和中华民族的矛盾，封建主义和人民大众的矛盾”，而前者是各种矛盾中最主要的矛盾。

第二次——1949年3月，毛泽东在党的七届二中全会报告中指出：“中国革命在全国胜利，并且解决了土地问题以后，中国还存在着两种基本的矛盾。第一种是国内的，即工人阶级和资产阶级的矛盾。第二种是国外的，即中国和帝国主义国家的矛盾。”1953年12月，在中共中央印发的过渡时期总路线学习和宣传提纲中，沿用了党的七届二中全会关于主要矛盾的表述。

第三次——1956年9月，党的八大明确阐述了社会主义社会主要矛盾。这次大会关于政治报告的决议指出，随着社会主义改造已经取得决定性的胜利，“我们国内的主要矛盾，已经是人民对于建立先进的工业国的要求同落后的农业国的现实之间的矛盾，已经是人民对于经济文化迅速发展的需要同当前经济文化不能满足人民需要的状况之目的矛盾。”

第四次——1957年10月，毛泽东在党的八届三中全会上指出：“无产阶级和资产阶级的矛盾，社会主义道路和资本主义道路的矛盾，毫无疑问，这是当前我国社会的主要矛盾。”这一说法在1958年5月党的八大二次会议上被正式确认，在1962年9月召开的党的八届十中全会上进一步被系统化。

第五次——1981年6月，党的十一届六中全会通过的《关于建国以来党的若干历史问题的决议》指出，在社会主义改造基本完成以后，我国所要解决的主要矛盾是“人民日益增长的物质文化需要同落后的社会生产之间的矛盾”。

第六次——2017年10月，党的十九大报告指出，我国社会主要矛盾已经转化为人民日益增长的美好生活需要和不平衡不充分的发展之间的矛盾。

——新使命：吹响新的进军号角。习近平总书记在阐述新时代中国共产党的历史使命时说，实现中华民族伟大复兴是近代以来中华民族最伟大的梦想。他还指出，今天我们比历史上任何时期都更接近、更有信心和能力实现中华民族伟大复兴的目标。行百里者半九十，实现伟大梦想，必须进行伟大斗争、建设伟大工程、推进伟大事业。这“四个伟大”的论述，习近平总书记在“7·26”重要讲话中曾作过深刻阐释。伟大斗争、伟大工程、伟大事业、伟大梦想四者紧密联系，形成相互贯通、相互作用的有机整体，系统地展示了党和国家事业发展的愿景和使命，为新时代团结凝聚全党全国各族人民克难前进作了思想动员，指明了奋斗方向。

还有很多新的表述、新的提法，都值得我们仔细品味、深刻理解。比如，把社会主义现代化奋斗目标从“富强民主文明和谐的现代化国家”进一步拓展为“富强民主文明和谐美丽的现代化强国”，增加了“美丽”，强调了“强国”；在新时代党的建设总要求中，提出“要坚持和加强党的全面领导”，增加了“全面”，并首次提出了“把政治建设摆在首位”；在经济建设方面，提出了“建设现代化经济体系”的战略目标；在改善民生举措中，增加了“幼有所育”和“弱有所扶”等。古人讲，“微言大义”。我们在对新理论的学习研讨中，尤其要敏锐地抓住这些新的变化，努力做到洞幽烛微、见微知著，既知其然又知其所以然，做到从新变化中全面准确把握习近平新时代中国特色社会主义思想的丰富内涵和深刻意蕴。

二、追溯理论本源，深刻认知新思想的历史性、原创性贡献

党的十九大明确提出并系统阐释了习近平新时代中国特色社会主义思想，标志着马克思主义中国化又一次新的历史性飞跃，开辟了21世纪马克思主义发展的新境界。

马克思主义中国化经历了漫长而艰辛的历史进程。从完整体系和理论本源看，马克思主义包括三个重要组成部分：一是马克思主义哲学，二是马克思主义政治经济学，三是科学社会主义。我个人学习体会，之所以讲习近平新时代中国特色社会主义思想是我们党在新的历史时期的重大理论成果，是马克思主义中国化的又一次历史性飞跃，实际上正是从上述这三个重要方面，整体性、系统性地发展了马克思主义。

——对马克思主义哲学的发展创新。习近平新时代中国特色社会主义思想将“中国实践”上升到了马克思主义哲学的高度，在哲学思想、哲学方法、哲学范畴、哲学思辨等方面实现了新的发展。比如，党的十八大以来，新发展理念中所蕴含的科学世界观、方法论，“五位一体”“四个全面”中所体现的唯物辩证法特质、科学认识论内涵，新时代、经济发展新常态等重要论断中所揭示的量质变化、矛盾运动规律，等等。这些理论不仅反映了时代精神和中国特色，而且在哲学上形成了逻辑的一致性和体系的完整性，把21世纪马克思主义哲学、当代中国马克思主义哲学推向了一个新的高度。

“五位一体”“四个全面”中体现的哲学思维

“五位一体”总体布局、“四个全面”战略布局解决了传统发展模式中存在的重经济轻社会、重物质轻精神、重速度轻效益等片面性问题，统筹经济、政治、法治、社会、生态和党的建设各方面，在方法论上体现了唯物辩证法总要求，突出了发展的全面性与协调性。“五位一体”“四个全面”从社会主要矛盾出发，着眼于解决我国发展所面临的最突出问题，抓住了我国当前的主要矛盾和矛盾的主要方面，体现了唯物辩证法的矛盾观，拓展了解决复杂社会矛盾的思路。“五位一体”“四个全面”把握了哲学思维的基本规律，构建了一整套体系化、科学化的改革发展方法论。“五位一体”“四个全面”立足于马克思主义认识论基本原理，准确把握了事物发展内在规律，对新时代中国特色社会主义实践发挥科学指导作用。

——对马克思主义政治经济学的发展创新。习近平总书记多次强调，要以马克思主义政治经济学为指导，总结和提炼我国改革开放和社会主义现代化建设的伟大实践经验，同时借鉴西方经济学有益成分。习近平总书记作出的一系列重要论断，体现了中国特色社会主义政治经济学的价值追求和发展创新。比如，强调始终坚持以人民为中心的发展思想，充分体现了马克思主义政治经济学的根本立场和价值追求；强调将适应把握引领新常态作为大逻辑，把供给侧结构性改革作为经济发展和经济工作的主线等，为新时代中国特色社会主义政治经济学注入了与时俱进的鲜活内容。

习近平总书记关于发展马克思主义政治经济学的有关要求

2014年7月8日，习近平总书记在中央经济形势专家座谈会上提出：“各级党委和政府要学好用好政治经济学”。2015年11月23日，在主持中共中央政治局第二十八次集体学习时强调，要立足我国国情和我国发展实践，揭示新特点新规律，提炼和总结我国经济发展实践的规律性成果，把实践经验上升为系统化的经济学说，不断开拓当代中国马克思主义政治经济学新境界。2015年12月，在中央经济工作会议上强调，要坚持中国特色社会主义政治经济学的重大原则。2016年7月8日，在主持经济形势专家座谈会时指出，要以马克思主义政治经济学为指导，加强研究和探索，加强对规律性认识的总结，不断完善中国特色社会主义政治经济学理论体系，推进充分体现中国特色、中国风格、中国气派的经济学科建设。

坚持以人民为中心的发展思想

习近平新时代中国特色社会主义思想强调坚持以人民为中心的发展思想，体现了马克思主义政治经济学的根本立场。马克思主义政治经济学的根本立场和价值取向，就是无产阶级和广大人民群众的立场，就是为广大人民谋福利的价值取向。“坚持以人民为中心”，休现了我党全心全意为人民服务的根本宗旨，体现了人民是推动发展的根本力量的唯物史观。习近平总书记指出：“要坚持以人民为中心的发展思想，这是马克思主义政治经济学的根本立场。要坚持把增进人民福祉、促进人的全面发展、朝着共同富裕方向稳步前进作为经济发展的出发点和落脚点，部署经济工作、制定经济政策、推动经济发展都要牢牢坚持这个立场。”

马克思主义所追求的人类解放实践既包括把人从自然界的盲目必然性的奴役中解放出来，使人“成为自然界的主人”，同时也包括通过革命性实践摆脱社会中阶级的奴役和压迫，使人成为“自己的社会结合的主人”，两者统一于社会主义运动和共产主义实践。因此，这就要求社会主义必须坚持生产力标准和人民利益标准的统一，在发展生产力的基础上让广大人民群众共享发展的成果。坚持以人民为中心的发展思想，凸显了全体人民作为社会主义物质文明、精神文明、社会文明、生态文明的参与者、建设者、推动者的主体地位，共同充分享有经济社会发展的成果。正如习近平总书记所指出的要让社会主义制度的优越性得到更充分体现，让人民群众有更多获得感。

——对科学社会主义理论的发展创新。习近平新时代中国特色社会主义思想是科学社会主义基本原则与中国实际相结合的产物。这不是简单的结合，而是基于中国国情和新时代特征进行的创造性结合，开辟了科学社会主义发展的新境界。比如，党的十九大报告强调“使市场在资源配置中起决定性作用，更好发挥政府作用”，这看似简单的一句话，实际上是在深刻总结包括前苏联社会主义模式在内的历史经验教训、中国改革开放探索实践的基础上，作出的重大理论创新。习近平总书记关于社会主义发展“六个时间段”、中国特色社会主义是“两个逻辑辩证统一”等论述，揭示了科学社会主义发展的内在规律。习近平总书记强调，中国特色社会主义是社会主义而不是其他什么主义，科学社会主义基本原则不能丢，丢了就不是社会主义。立足中国实际始终坚持并不断发展科学社会主义，体现了中国共产党人高度的道路自信、理论自信、制度自信、文化自信。习近平新时代中国特色社会主义思想系统地总结、创新地发展了科学社会主义理论并将其推向了新的历史高度，正如党的十九大报告所指出的，科学社会主义在21世纪的中国焕发出了强大生机活力。

习近平总书记关于社会主义发展“六个时间段”的论述

2013年1月5日，习近平总书记在新进中央委员会的委员、候补委员学习贯彻党的十八大精神研讨班上讲话中，把世界社会主义五百年的发展划分为“六个时间段”：空想社会主义产生和发展、马克思恩格斯创立科学社会主义理论体系、列宁领导十月革命胜利并实践社会主义、苏联模式逐步形成、新中国成立后我们党对社会主义的探索和实践、我们党作出进行改革开放的历史决策并开创和发展中国特色社会主义。习近平总书记强调，之所以要从世界社会主义思想源头讲起，从中国特色社会主义的历史发展讲起，就是要说明，我们党在推进革命、建设、改革的进程中，是怎样经过反复比较和总结，历史地选择了马克思主义、选择了社会主义道路的；是怎样把马克思主义基本原理同中国实际和时代特征结合起来，独立自主走自己的路的；是怎样历经千辛万苦，付出各种代价，开创和发展了中国特色社会主义的。

习近平总书记明确地把中国特色社会主义作为世界社会主义五百年发展“六个时间段”中的一个完整阶段，并指出：中国特色社会主义，是科学社会主义理论逻辑和中国社会发展历史逻辑的辩证统一，是根植于中国大地、反映中国人民意愿、适应中国和时代发展进步要求的科学社会主义，是全面建成小康社会、加快推进社会主义现代化、实现中华民族伟大复兴的必由之路，揭示了中国特色社会主义从哪里来、往哪里去的问题。

第二部分　引领新实践

在学懂弄通习近平新时代中国特色社会主义思想的基础上，做实落地是关键。要发扬马克思主义学风，学以致用，知行合一。要立足金融工作实际，融会贯通地运用好新的思想理论武器，紧扣新时代的目标任务、总体布局和战略布局，紧扣经济社会发展路径、方式、动力变化等一系列重大问题，做到把握时代脉搏、认清发展方向，增强政治能力和业务能力，以习近平新时代中国特色社会主义思想引领全行党的建设和改革发展的新实践。

建设银行作为国有大型银行，要在笃践力行党的十九大精神方面走在前列。结合国有金融企业的特点，要把以下三个方面作为着力点。

一、提高政治站位

习近平总书记强调，要把党的政治建设摆在首位，以党的政治建设为统领。党的政治建设是党的根本性建设，决定党的建设方向和效果。从这样的高度来强调政治建设，在我们党历史上是第一次，说明了这个问题的极端重要性。金融作为现代经济的核心，深刻影响经济基础和上层建筑。国有商业银行作为我国金融的中坚力量，尤其要提高政治站位，始终将其作为根本性、方向性的大问题加以重视。

——政治建设是抓好新时代党建工作的根本要求。党的政治建设在党的各项建设中是管总的，是具有根本性、引领性的基础建设。党的政治建设如果抓不好抓不实，思想建设、组织建设、作风建设、纪律建设、制度建设也就失去坚实根基甚至偏离方向。作为国有大型银行，要旗帜鲜明地把政治建设摆在全行党建工作的首位，增强“四个意识”，始终坚持党的政治路线，严格遵守政治纪律和政治规矩，在政治立场、政治方向、政治原则、政治道路上同以习近平同志为核心的党中央保持高度一致，全面落实加强和维护党中央集中统一领导的各项要求，自觉把中央经济金融政策方针落实到全行具体工作中。要以党的十九大精神为指引，积极探索新时代国有金融企业党建规律。针对金融行业特点持续加大党风廉政建设和反腐败力度，保持对“四风”高压态势，从严管党治行。要按照习近平总书记提出的对党忠诚、勇于创新、治企有方、兴企有为、清正廉洁“二十字标准”，着力打造过硬的党员干部队伍。要通过持续强化政治建设，锻造国有金融企业忠于党、忠于国家、忠于人民的政治品格。

——政治优势是国有商业银行发展壮大的独特优势。党的十八大以来，面对越发复杂多变的内外部环境、交互叠加的各种风险挑战，以习近平同志为核心的党中央指挥若定，引领全党全国人民克难奋进，取得了举世瞩目的成就。从经济金融领域看，虽然这些年来海外形形色色唱衰中国的“噪音”不断，但是我国经济金融发展的态势和质效、展现出来的韧性和活力，在全球各大经济体中始终是“风景这边独好”，对世界经济增长的贡献更是逐年提高。2017 年以来，国际货币基金组织等外部机构连续多次上调了中国经济增长预期。以国有商业银行为代表的中国金融企业，不仅经受住了全球“后金融危机时代”的重重考验，而且保持了持续健康发展的良好态势。我国金融业的综合实力明显增强，多家银行都进入全球系统重要性银行之列，业绩表现在全球银行业“一枝独秀”。透过这些历史性变化可以看到，我国国有金融具备自身独特的优势，这其中最鲜明、最重要的就是政治优势。政治优势源于党的坚强领导，源于党拥有坚强的领导核心。没有党的坚强领导，就没有今天中国金融欣欣向荣的良好局面；只有坚持和加强党的全面领导，才能确保中国金融改革发展不偏离正确方向。进入新时代，国有商业银行要始终保持政治本色，以强化党的建设促进经营管理、推动改革创新，不断将政治优势转化为改革发展和市场竞争优势。

我国银行业情况

资产负债规模稳步增长。截至 2016 年底，银行业境内外本外币资产总额为 232.3 万亿元，同比增长 15.8%；负债总额为 214.8 万亿元，同比增长 16%。资产和负债均比 2011 年底翻一番。

金融服务改善。截至 2017 年第三季度末，银行业金融机构涉农贷款余额 31 万亿元，同比增长 10.5%；小微企业贷款余额 30 万亿元，同比增长 15.7%，连续多年实现“三个不低于”。银行业客户满意度 98.5%，连续 5 年稳步提高。

利润增长保持稳健。2016 年，银行业当年累计实现净利润 1.65 万亿元，同比增长 3.54%，较 2011 年增长 58.37%。

资产质量总体平稳。截至 2017 年第三季度末，银行业不良贷款余额 1.67 万亿元，不良贷款率 1.74%，处于国际同业较好水平。

风险抵补能力较强。截至 2017 年第三季度末，银行业拨备覆盖率为 180.4%；加权平均核心一级资本充足率为 10.72%，加权平均一级资本充足率为 11.19%，加权平均资本充足率为 13.32%。

我行进入 2017 年全球系统重要性银行第二档

近期，金融稳定理事会（FSB）发布 2017 年全球系统重要性银行（GSIBs）名单，我行进入 2017 年全球系统重要性银行第二档。这表明建行的业绩表现良好，业务规模和全球影响力增大，同时也意味着对资本充足率等方面提出更高的要求。我国四大行都进入全球系统重要性银行，说明中国金融发展壮大了，在全球影响力增加了，引起了国际上更大的关注。

——政治能力是各级党员干部首要的本领修

炼。习近平总书记指出，政治能力就是把握方向、把握大势、把握全局的能力，就是保持政治定力、驾驭政治局面、防范政治风险的能力。中央强调党是领导一切的，强调党员干部“一岗双责”，是否具备过硬的政治能力是能否履行好“一岗双责”的关键。应该讲，这方面我们不少党员领导干部还存在差距。基层调研也发现，有的负责同志谈起抓业务头头是道，但是谈起抓党建却办法不多，业务能力很强但政治能力不够，这也是不合格不称职的。在提升政治能力方面，各级机构党委班子要作出表率，虽然现在经营管理工作千头万绪，但要善于“两手抓”，学会“弹钢琴”。要以学习宣传贯彻党的十九大精神为契机，把政治能力提升作为首要的本领修炼，这也是新时代党员领导干部最重要的素质。

——政治站位是打开发展新格局的重要前提。任何时候都没有离开政治的经济，也没有离开经济的政治。作为国有商业银行，讲政治和抓业务是分不开的。政治站位直接决定了业务站位，政治站位不上去，业务站位也不会高，视野和格局就上不去。古人讲，“不谋全局者，不足谋一域。”我们讲要用习近平新时代中国特色社会主义思想来引领全行党的建设和改革发展各项工作，这本身就体现了政治站位的要求。这个“引领”不是虚的，而是实实在在的。像近期总行党委和国立同志力推的住房租赁金融服务创新，就很好地落实了党的十九大精神和习近平总书记的要求，政治站位高，把握了大势、服务了大局，既履行了国有大行的政治责任和社会责任，又抢占先机切入了商机无限的住房租赁“蓝海”市场。这就是大银行的大格局，也是经营的大智慧。

二、认清历史方位

党的十九大报告指出：“经过长期努力，中国特色社会主义进入了新时代，这是我国发展新的历史方位。”新时代昭示着我国发展格局的深刻变迁、战略任务的深远变化，以及从站起来、富起来到强起来的新跨越新征程，这其中蕴含着中华民族走向伟大复兴的历史逻辑和现实使命。只有认清历史方位，才能准确把握经济社会发展大方向大脉络，才能在更加复杂多变的内外部环境中保持清醒的辨析能力和战略定力，认清银行发展的方向和路径，避开歧路和风险。

——在新时代大潮中把握新机遇。党的十九大绘就了全面建设富强、民主、文明、和谐、美丽的社会主义现代化强国的宏伟蓝图，明确了“分两步走”的推进路径，强调全面提升经济发展的质量与效率（不再提出“翻番”等量的增长指标），促进经济发展方式、产业结构全面转型升级。中国经济社会发展在新时代正迎来历史性变革。在变革大潮中，谁能够先知先觉地辨明方向、快步跟进，谁就能赢得发展先机。

回顾建设银行的历史，每次跨越式发展都是得益于敏锐地抓住和用好中国经济改革发展的重大机遇。建行由专业银行向商业银行转轨伊始，就大力拓展综合性零售业务，既大幅增强全行资金实力又培育了新的效益增长点，奠定了后续发展的格局；商业化转型之后，建行审时度势提出了“双大”战略，进入国家经济建设主战场，在服务大局中实现了自身快速发展壮大；在全国住房制度改革初期，建行就率先创新推出了房贷、公积金等金融服务，确立了房地产金融领域的龙头地位，形成了“要买房　到建行”的响亮品牌；在股份制改革时期，建行凭借试点先发优势，对作业流程、服务模式、管理制度、资源配置机制等进行了变革，率先实现了“脱胎换骨”式转变；在新一轮信息技术大变革时期，建行以极大魄力、超前眼光和战略定力，高起点建设“新一代”系统，率先完成了银行业的“企业级”创举。可以讲，建行在每次关键历史节点都是先人一筹，赢得了新的竞争优势，打开了新的成长空间。在新时代变革大潮中，全行仍要继续发扬勇立潮头的优良传统，增强敏锐发现机遇、果断抓住机遇、善于用好机遇的意识和能力，从战略高度提前谋篇布局、从战术层面抢先抓实落地，努力在新一轮经济金融改革发展创新中继续走在前列。

——在新矛盾破解中展现新作为。作出中国特色社会主义进入了新时代重要论述的基本依据，就是社会主要矛盾的转化。准确把握社会发展的主要矛盾，是我们党制定科学战略的重要前提，更是银行改革创新的问题导向。进入新时代，我国经济由高速增长阶段转向了高质量发展阶段，社会主要矛盾已经转化为人民日益增长的美好生活需要和不平衡不充分的发展之间的矛盾。金融作为现代经济的“血液”，国有大型银行作为中国金融的主力军，在破解发展不平衡、不充分问题的过程中不仅大有可为，而且可以大有作为。

前面谈到的住房租赁金融服务创新就是个典型的例子。国立同志一来建行就亲自推动，总行和分行密切联动，IT部门和业务部门通力配合，实现了在同业中率先破题。习近平总书记在党的十九大报告中强调“房子是用来住的、不是用来炒的”，提出了推进租购并举、让人民住有所居的要求。建设银行在银行业中第一个作出了行动响应，第一个提出了解决方案，第一个推出了住房租赁开放共享平台和一揽子综合金融服务，既落实了党的十九大精神和习近平总书记的要求，有力地支持了供给侧结构性改革，又抢占了市场先机，打出了“要租房　到建行”的品牌，赢得了监管部门和客户的高度认可。著名管理学家德鲁克指出，社会问题也是企业的机遇。针对社会矛盾问题提供经济可行的金融解决方案，不仅能够带来巨大的社会效益，也必然会给银行带来良好的经济效益。作为国有大型银行，在破解社会矛盾问题方面要有更加主动的担当、更加积极的作为，这既是履行社会责任的要求，也是赢得市场商机的关键。

——在新变化洞察中驾驭新风险。新时期金融风险形态呈现很多新特点、新趋势。从产生根源看，这一轮金融风险不同于以往，正如习近平总书记所指出的，是周期性、结构性、体制性矛盾叠加的结果；从传导路径看，风险演化和衍生路径也远比过去复杂，呈现跨市场、跨业、跨境交叉传染的趋势。可以讲，银行业将面临新的风险大考，其复杂性可能不亚于数年前国际金融危机后的情形。当然，具体到每家银行风险考验又是不同的，除了平常业务性、操作性的风险，大型银行还需要更多地关注趋势性、方向性的风险。

近期，国务院成立了金融稳定发展委员会，监管部门也在不同场合提出要求，强调要认真落实党的十九大精神，把主动防范化解系统性金融风险放在更加重要的位置，牢牢守住不发生系统性金融风险的底线。作为国有大型银行，我们要坚决贯彻中央的统一部署，落实好监管部门的各项要求，始终绷紧风险管理这根弦。这几年经过全行上下的艰苦努力，我们实现了资产质量率先企稳向好，风险指标和迁徙态势逐步稳定，不良和逾期贷款呈现负的“剪刀差”；风险防控由被动开始转向主动，调度安排更加游刃有余，指标之间更加平衡协调。但是，全行还不能有丝毫松懈大意，要继续稳扎稳打、由标及本，巩固和发展这个好的势头。同时，要洞察经济转型升级的大势，从国际和国内经济金融的宏观面，行业、区域、客户群的基本面，作出综合性研判和前瞻性安排，提前识别预警和防范化解趋势性风险、“灰犀牛”风险，避免出现对大方向的误读误判、对大问题的失察失管。要深入跟踪研究新的市场环境下金融风险演化特点和规律，模型和系统该优化的要抓紧优化，信贷政策和风险指引、标准、底线等该调整的要抓紧调整，把风控关口进一步前移，真正掌握全面风险管理的主动权。

三、找准自身定位

习近平总书记反复强调不忘初心、牢记使命，强调金融要回归本源。深化落实党的十九大精神、全面服务现代化经济体系建设，金融需要找准自身的定位，国有大型银行更需要在不忘初心、回归本源中，找准自身在新时代经济社会发展中的准确定位。

落实习近平总书记关于增强“三个能力”的指示精神，建设现代商业银行。党的十九大报告关于建设现代化经济体系相关内容中强调要加快建设现代金融，这是个新课题。习近平总书记对建设银行作出的批示，实际上为我们指明了改革发展的方向。

2004年，国务院决定对中国银行和中国建设银行实施股份制改造。当时提出的目标和定位是，按照现代商业银行要求，建立规范的公司治理结构和严明的内部权责制度，形成良好的财务约束和内在风险防范机制，建立良好的财务基础和严格的财务标准，成为资本充足、内控严密、运营安全、服务和效益良好的现代金融企业。从后续实施情况看，既定目标都陆续实现，与国际领先银行也逐步接近。公司治理和管理能力得到提升，内控和风险管理得到完善，服务质量和效率显著提升，各项经营指标实现了质的飞跃（2005年底，建设银行净利润为392亿元、ROA为

0.92%、ROE为17.99%、资本充足率为13.59%、不良率为3.84%、拨备覆盖率为66.78%。到2016年底，净利润达到2324亿元，ROA为1.18%，ROE为15.44%，资本充足率为14.94%，不良率为1.52%，拨备覆盖率为150.36%），股票市值在全球银行业名列前茅。

但是也要看到，我们与真正意义上的“现代商业银行”还有差距，对照现代化经济体系建设对金融服务的新要求，仍存在能力不足的问题。习近平总书记强调的“三个能力”里头，应该讲在服务国家建设能力方面，我们有自信是合格的，但是在参与国际竞争能力方面，由于历史上的业务定位和发展路径，我们还需要努力；在防范金融风险能力方面，虽然近年来取得了长足进步，但是还任重道远。同时，与国际领先的大型银行相比，我们在资产配置和盈利结构、产品创新和技术运用、全球服务能力和海外业务贡献等方面都有不同程度的差距。比如，在资产结构上，我们仍是以贷款为主，而国际先进银行则是贷款和投资并重，且交易性金融资产占比较高；在收入结构上，我们以存贷利差收入为主，而国际先进银行非利息收入接近50%，投资银行、资产托管、私人银行、顾问咨询、代理业务、衍生品交易等收入贡献较高。这其中固然有些是受制于市场环境或客观因素（如金融交易市场不活跃），但更多还是源于业务核心能力上的差距。

此外，在经营管理方面还存在粗放现象，精细化、专业化程度不高，这方面与国际领先银行的差距尤为明显。美国银行在与我行战略合作时，给我们介绍过“六西格玛”等现代管理工具方法，遗憾的是我们没有真正学过来，或者学了但没有很好地用起来。没有现代管理就根本谈不上现代商业银行。这几年我在不同场合一直呼吁和推动加强管理，目前来看这个任务显得越来越紧迫。党的十九大报告强调了“工匠精神”，现代商业银行同样要发扬“工匠精神”，着力提升精细化管理能力，这是当前的一项急务要务。

当前国际先进银行的经营特征

2008年国际金融危机之后，世界经济进入低速增长阶段，国际银行业的监管环境更加严格，业务发展和管理实践出现较大变化，以国外市值前五大银行（摩根大通、富国银行、美国银行、汇丰控股和花旗集团）为例，表现出以下经营特征。

一是资产业务方面，告别高速扩张期，资产总额低速增长（5%以下），更加重视对客户提供综合性金融服务。大类资产配置上，贷款和投资并重，在总资产中占比分别为40%和30%；贷款结构上，对公和个人并重，在贷款余额中占比各一半；投资结构上，依托发达金融市场和丰富金融产品，交易性金融资产和可供出售金融资产占比近90%。

二是负债业务方面，客户存款是主要资金来源，在总负债中占比65%（低于国内大型银行10个百分点）；得益于外部发达的金融市场，国际银行更加注重主动负债获取资金，其交易性金融负债和长期债务（金融机构和金融市场融资）占比达到30%。从趋势看，金融危机之后国际银行明显加强了客户存款拓展，主动负债呈现高位回落态势。

三是盈利能力及收入结构方面，ROA、ROE普遍提升，成本收入比较高（45%以上），且多为员工成本。收入结构上，利息收入与非利息收入配比均衡（接近1:1），主要通过发展投资银行、资产托管、顾问咨询、代理、衍生品等多类型业务实现真正意义上的“金融超市”；收入地域来源更广泛，境外收入占比与所在国收入基本相当。

四是资产质量方面，资产质量逐步向好，不良贷款额、不良贷款率均有所下降，信贷成本率在近几年均维持在较低水平；化解资产质量压力的重要手段仍是核销与转让。

五是资本管理方面，资本充足率保持较高水平（平均水平达到15.45%），资本补充手段和工具更为多元化。股东权益中，股本占比仅为个位数，优先股占比达到10%左右，长期资本债等工具占比远高于国内银行。

美国银行的六西格玛管理

美国银行早在2001年就推行六西格玛管理，其核心就是通过对流程的定义、测量、分析、改进和控制，实现出错率不超过百万分之3.4，即6个西格玛（σ）。这套基于流程的现代管理技术，有助于最大限度减少缺陷、防范风险、降低成本、提高效率和提高客户满意度，最终实现效益提升和竞争力的突破。美国银行将六西格玛管理运用于改善成本、服务、销售、风险管控、并购整合等方面，取得了很好的效果。

党的十九大开启了新征程，在现代化经济体系建设中现代金融要发挥更大的能动作用。商业银行要紧扣现代化经济体系建设的迫切需求，努力成为金融解决方案的提供者，而不是围绕自身核心指标来追求现代化。像刚才讲的住房租赁业务，这是针对经济社会发展迫切需求或者说是“痛点”问题，提供金融解决方案的最好案例。此外，还有市场化法治化债转股模式等。金融是现代经济的核心，建设现代化经济体系必须要有与其需求相适应、功能相配套的现代金融体系特别是现代商业银行。现代化经济体系建设强调质量第一、效益优先，把提高供给体系质量作为主攻方向，商业银行要主动适应这个变化，拿出高水平的金融解决方案，着力提升金融供给能力和供给质量，在服务现代化经济体系建设中推进自身的现代化。结合新变化、新趋势，以下从 3 个方面简要阐释我行在现代商业银行建设中应有的基本定位和功能。

——传统业务要赋予新内涵。商业银行传统业务是“看家本领”，必须长期坚持扎实抓好，固有优势不能轻易丢掉。同时，要基于现代化经济体系的特点和客户需求的变化，赋予传统业务新的内涵，促进传统服务功能的提升和拓展，实现由过去“信用和支付中介”为主逐步向“金融解决方案提供者”转变。

对公业务方面，毫无疑问对公业务仍是全行的业务基石，需要持续加强，不断强化优势，这一点上全行是有共识的。但从哪些方面来强化这个基石，还需要有一些新的思维。从国际经验看，强化这个基石主要着眼于中型和小型企业客户业务，以及交易性业务、投行、同业和资管等业务。而就我行实际情况看，大型客户、战略性客户始终是立行之本。我们说回归本源、不忘初心，建行从哪里来的，就是从服务“双大”中发展起来的。同样毫无疑问，我们要做优做强传统大型客户、战略性客户的金融服务，但业务重点要跟随客户需求变化逐步作出调整，即在做好传统信贷等业务基础上，强化交易性业务，做大做优投行、资管等业务。把中小型客户业务作为重点，有的同志一时可能难以接受，因为这些年我们风险损失之痛很大部分源于中小型客户，但是，我们必须认真研究国际先进银行发展演进过程中所揭示的内在趋势，经济金融发展规律是客观的，不会因为我们的认识水平、主观感受和偏好而改变。回到国内经济的实际需求上，今后一个时期我国经济将转向重视质量和效率，跨越加快转变发展方式、优化经济结构、转换增长动力“三大关口”，都迫切需要金融特别是银行业助力中小企业转型升级，这是金融服务实体经济的必然要求。很显然，需要改变的是我们自己。

零售业务方面，我行是较早提出零售优先战略的大行，现在看这是非常有前瞻性的。波士顿咨询公司的研究表明，国际先进商业银行对公业务和零售业务的结构在发生变化，零售业务在收入和利润中占比持续上升，有的银行的占比超过了对公业务。国内四大行也呈现这样的趋势。从国内经济社会发展情况看，消费经济已经成为经济转型的重要驱动力，而且供给侧和需求侧的金融需求也都呈现个性化、定制化的特征。再从我行收益结构看，2017 年前 9 个月个人客户收入占比达到 × ×%，比 2015 年提高了 × × 个百分点；利润占比达到 × ×%，提高了 × × 个百分点；EVA 占比达到 × ×%，提高了 × × 个百分点。所以无论从哪个角度讲，都需要把零售业务摆到更加重要的位置。因此，要突出大零售金融的定位，整合大零售平台的功能，拓展大零售服务的外延；要强化数据驱动，依托大数据提升客户深度经营、商机发现、价值挖掘和风险识别管控能力；要精准定位客群，不断丰富客群经营的方法论，提升识别和拓展目标客户群体的核心能力；要完善企业级平台，整合集团资源，加强公私联动和母子公司协同；要大力拓展金融生态圈，丰富服务场景，发展创新获客、留客、活客的新模式。

零售业务中负债业务仍是重中之重。现代商业银行发展更有赖于低成本的资金来源，所谓“主动负债”是在低成本资金受限情况下的筹资策略性安排。我们有增存的前提条件，那就是我国属于高储蓄偏好的国家，也是投资率偏高的国家，有客群、有资金、有财富，有巨大的金融需求。2016 年我国的储蓄率为 47%，投资率为

44%。尽管负债业务面临挑战，但我们有庞大的网点、完善的渠道和较强的营销队伍等优势，而且公私联动协同也是大行抓存款的有效手段，要把这些有利条件用好，把潜力挖掘出来。同时，要不断地创新产品和业务模式，包括应对跨界竞争，围绕消费方式建立生态，依托现有的“惠生活”等平台抓客户抓商圈，应用“新一代”优化客户关系管理和精准营销平台，不断做实客群经营，夯实客户基础。

网络支付是应对跨界竞争的利器。近几年我行先后推出线上快捷支付、二维码支付、APP跳转支付、跨行支付等产品，并推出全行统一支付品牌“龙支付”。与互联网支付机构相比，我行网络支付产品布局基本完善，但在新技术应用、产品体验、场景搭建等方面仍有差距。因此，要着力在以下三个方面加大推进力度：一是加大投入，强化现代金融科技应用；二是开放互联，完善以商户为核心的生态；三是强化场景建设。

——新兴业务要找到新打法。现代商业银行要在新兴业务上形成优势，就需要树立市场化的新理念，提升融智业务能力，形成专业化、差异化的新打法。

资管业务方面，其重要性和广阔前景大家都有不同程度的了解，对此不需要多作阐释，这里主要从建行自身转型的角度再作些强调。今年我们都意识到了规模限制的压力，分行体会尤为深刻。资本充足率的硬约束对资产负债管理提出了更高要求，总行对信贷规模的把控成为最敏感的因素；还有存款对资产增长的约束，也是个重要因素。以上两项硬约束，无论是从内部管理要求还是外部监管趋势看都将是长期的。应该讲，商业银行谁能早一点从传统信贷为主的业务模式和运营模式中突破，建立起更有效的信贷资产配置机制和更多元的市场化业务体系，成为资金组织者、服务集成商、交易撮合者、财富管理者，谁就能真正成为“资产立行”的先行者。而实现这一转变的关键是大力发展资管业务。从服务实体经济角度看，资管业务可以使商业银行成为直接融资体系和资本市场的重要参与者，从供给与需求两端促进直接融资和资本市场发展。从全球资管市场看，前二十大资管机构中近一半是商业银行，建行必须当仁不让。另一个行业特征是赢者通吃，如果我行不奋起直追，日后必有被人甩掉的危险。当前，打开市场、做大规模与提升差异化、专业化服务能力同等重要和紧迫。资管中心和相关子公司都开展了许多卓有成效的业务，但是还不够。国际有关咨询公司总结出了资管业务的四种差异化模式和我国资管市场三大发展趋势，也排出了优势明显的资管机构名单，这说明路径和引领者都是清晰的，关键是我们如何加强学习和对标，如何结合国内市场实际和监管新要求，打开资管业务的新思路、新局面。

同业业务方面，也同样面临着监管规制和市场压力下回归本源的问题。应该看到，我国金融机构多、金融资产体量大，金融业产值在GDP中占比高（超过8%），客观上同业业务的市场空间很大，关键是怎么来做。因此，一方面要严格落实好监管要求，继续抓好同业业务不放松；另一方面要立足自身优势，摸索发展新路子。同业业务中心作了研究，探索基于建行平台对同业提供金融和技术服务型业务的新模式，目标是打造“金融机构的银行”。具体来讲，要依托“新一代”丰富功能，面向中小商业银行和非银行金融机构，提供金融科技解决方案、大数据服务解决方案、同业金融服务解决方案、中后台外包服务解决方案、咨询服务解决方案。对此，近期总行召开会议进行了专题研究，形成了初步方案。要力争用1~2年的时间，把这项新业务作出成效、作出规模。

投行业务方面，无论从国际趋势、国内市场需求还是银行自身发展需要来看，大型商业银行都应当把投行业务作为转型的重点业务，作为承载传统向新兴领域迈进的重要工具和路径。我国经济转型升级过程中，发债、证券化、并购等业务方兴未艾，对投资顾问等需求非常迫切，当下关键是我们能否应势而变，尽快实现传统到新型、融资到融智、重型到轻型的转变。做好投行业务离不开五大要素，即品牌、客户、产品、人才和系统。除了客户之外，其他4个方面都是我们的短板。2017年我主持召开了3次专题会议，对财务顾问、并购重组和债券承销业务进行专题研究，努力在现行体制下有效应对市场挑战。这些都需要长期努力，非一日之功，必须从现在开始，从易到难、锲而不舍地培育投行业务能力。一是抢抓先机，加快推进资产证券化业务。近期正在推动长租公寓资产证券化，即将承销发行阿里巴巴小额贷款 ABN，作为财务顾问完成我行首单母子公司联动交易所资产证券化项目，以及开展我行首单公司类信贷资产证券化项目等。上述工作专业性要求较高，人力资源部门要考虑相应增加资产证券化处级建制。二是多策并举，并购重组业务全流程介入。这方面我们与同业领先者还有差距。要做实上海、广东两个并购中心和境外全球投行中心，组建全行并购专家队伍，努力打造建行并购重组优势。三是完善联动机制，在推动财务顾问业务取得全新突破的过程中培育专业力量。联动机制非常重要，我行推出的债转股模式，就是在秀生副行长领导下多方面协同合作的成果。目前全行有一批财务顾问专家，但分散在行内有关部门和子公司，要纳入总行投行部的专家库，完善联动机制，针对客户需求组成专业团队攻关。要按照职责分工，加强专业能力培养。专家资源要相对集中、统筹调度，这有利于提高服务效率和建立配套激励机制。财务顾问人才培养要眼睛向内，加大对行内有条件人才的培训。近年来人力资源部在狠抓专业化培训方面做了很好的工作，及时弥补了不少薄弱环节。这方面工作还要持续加强。

电子银行方面，包括手机银行、网上银行、微信银行等，是我行在移动互联网时代以智慧、协同理念构建个人金融生态的核心平台。应当说，无论在客户数量、业务交易量还是品牌影响力上，我行电子银行业务发展已小有成就。但必须保持强烈的紧迫感，电子银行领域将是未来银行业竞争的焦点。全行要进一步提高认识，毫不放松地抓创新发展，把电子银行业务做大。其他业务我们很少讲做大，但电子银行首先要强调做大，做大就有流量，有流量就有数据，有数据就有了丰富的衍生业务资源。下一步的重点工作：一要加强金融科技运用，深化线上线下融合，全面强化数据驱动，打造更智慧的手机银行服务。二要针对高净值客户特点，打造“新型网上银行”，在此基础上实现全新的服务、营销、运营方式。创新实现智能交互服务，以“智能机器人 + 人工客服”模式提升客户服务能力。通过构建业务对话深度了解客户需求，实现线上主动营销与精准推荐；打造“智能投资理财”，以智能投资为核心，推出全面综合个人财富管理增值服务，实现行内行外账户以及他人账户管理，以图表等直观展现形式让客户实时清晰地了解整体财富情况，全方位满足高净值客户对财富综合管理的需求。三要持续优化企业网银服务，创新企业非金融云服务。为大中型企业提供优质的银企直联服务，将我行网上银行嵌入客户系统与业务流程之中，满足企业财务集约化管理、业务自动化处理、银企信息同步共享等需求；创新推出“跨行版企业网银”服务，依托强大的多银行账户管理功能，方便企业更高效管理多家银行账户，满足集团企业对资金的灵活、精细化管理需求。通过云服务方式，满足企业信息交互、产品营销、客户审批等需求，将非金融云服务与企业网银金融服务相结合，构建全方位的企业服务体系。

私人银行方面，涉及的业务既重要又极具挑战性。这也是我行明显的短板，尤其表现在大行、城市行身上。不仅是业务处于初期水平，更大的问题是认识不到位。私人银行作为高度专业化的财富管理，既是“金字塔的塔尖”，也是一流商业银行的标志性业务。这里重点讲五个方面。一是我国私人银行市场机会巨大。截至 2015 年底，我国个人可投金融资产总额为 113 万亿元，较上年增长 24%，预计到 2020 年底，个人财富将保持 12% 的年均复合增长率，达到 200 万亿元。另一个特征是，在私人银行市场上尚不存在绝对的领导者或赢家，各银行基本上处于同一起跑线，我们有很大的发展机会。二是认真研究国外财富管理模式。根据波士顿咨询公司的研究，美国高端财富管理市场涌现的家族办公室、私人银行信托和私人财务顾问等，已成为服务高资产净值客户的重要渠道。我国的现状是，商业银行的私人银行和信托业务占到财富管理的九成比例，家族办公室和私人财务顾问等业务还很少，这些都值得对照研究。三是加强基础设施建设和服务能力建设。这其中培养专业人才尤为重要，要花大力气建成具有领先专业资产配置和顶尖服务能力的私人银行财富顾问、私人银行客户经理等专业化队伍。四是逐步形成联动融合的工作机制，把相关部门和子公司有效协同起来，形成专业化服务优势和差异化经营品牌。私人银行客户愿不愿意把资产交给你打理，关键看客户经理能不能赢得他们的信任，而优秀的客户经理背后，需要密切协同的专业化团队作为支撑。另外要看到，目前私人银行业务还是最好的联动业务。我国99%的私人高端客户是企业家，自身就是家族财富的创造者，不像欧美很多私人银行客户是继承上辈的家族财富。因此，抓好私人银行业务，往往可以带动对公对私多方面的业务。五是大城市行和重点省会城市行要勇于担当，作出成绩、作出表率。

——金融科技要成为新战略。云计算、大数据、人工智能、区块链等新技术快速发展，极大地扩展了金融服务的广度和深度，重构了客户关系、业务模式、风险管控及运营体系，将对金融格局产生深远的影响。我们也可以把这种变化叫作科技金融的新生态。全行要密切跟进“第四次工业革命”浪潮，依托建设银行“新一代”系统，推动现代科技深度融入金融服务。我一直在思考，从“新一代”建设到运用，及其产生的重要而深远的影响和作用看，我行应当把新技术开发与运用作为一个重要战略早日推出来。我请教秀生副行长，他建议就叫金融科技战略。今天就在这里提出来，我们要在“新一代”基础上推进实施金融科技战略。在观念上，要进一步提高科技进步对形成商业银行竞争优势重要性的认识。在实务中，要改变过去把自己单纯作为金融科技运用者的狭隘认知，更加积极主动参与金融科技核心领域的创新迭代和实务运用，努力从过去的金融技术应用者，转变为活跃的创新主体，进而成为行业的引领者、标准的制定者。在机制上，要调整优化科技开发体制，秀生和立林副行长已经组织专门团队开展研究，下一步实施过程中还要加大投入。在培育增强自身技术实力的同时，还要在人才和技术层面加强与外部合作，只要是有利于我行掌握技术主动权的，各种形式都可以探索。要推动业务与技术的深入融合，构建以用户体验为导向、以数字为驱动、以互联网为手段的产品和服务模式研发体制。在服务对象上，也要拓宽视野，不仅为客户提供金融产品和服务，还要努力为客户提供技术与金融一体化的综合解决方案。这方面，我们既有客户资源、数据积累等固有优势，也有新技术方面的后发优势，要着力在现有高平台上快速推进，努力走在新一轮金融科技创新的前列。

现代金融科技带来三大机遇

重新发掘长尾客户价值。互联网技术使得客户拓展边际成本趋近于零，颠覆了传统客户经营的“二八定律”。银行可以借助大数据技术，实施客户360度画像，精准判断客户需求类型，提高精准销售和服务效率。

建立直销银行新渠道。银行基于自身信贷、结算、代收代付等传统业务优势，利用互联网和大数据技术进行创新，为客户提供便捷、高效、低成本的产品，探索直销银行服务新模式。

打造风险控制新模式。互联网公司介入金融业务的最鲜明特点是数字化风控，通过整合结构化和非结构化的客户海量行为数据，使风险防控更有针对性、更准确、更主动。国际先进银行业在积极利用大数据、人工智能等新技术，推动风险管理迈入机器化、智能化时代。

现代金融科技带来三大挑战

颠覆商业模式。一方面，金融科技巨头掌控流量入口，垄断大数据资源。相对于传统银行以价值链为本位的思维模式，金融科技更突出“用户＋云＋端”的客户本位思维，金融产品和服务从用户需求出发，应用到场景中，实现“金融生活化”。金融业务的在线化和移动化，使得银行实体网点投资回报率下降，网点和人员面临转型挑战。2016年四大行物理网点数下降300个，人员减少近2万人；另一方面，监管不对等造成银行和金融科技企业事实上的不对等竞争。银行遵循的是传统监管规则，金融创新、资本计提、业务连续性都面临较大的监管成本，而长期以来对金融科技企业的监管则相对宽松。

撬动客户关系。移动互联网加快发展，客户行为由线下向线上转移，客户脱媒和金融脱媒加剧。对公客户融资选择多元化，直接融资快速发展，“轻资本、轻资产”客户转向模块化、定制化、综合化服务，客观上要求银行提供更加符合行业特性的解决方案。个人客户投资渠道多元化，理财需求强烈，高收益的资管类产品快速发展，对传统存款业务造成巨大冲击；年轻客户对移动化、场景化、个性化的需求日益增加；移动互联网用户利用数字化渠道获取金融服务逐渐成为主流。

蚕食银行盈利。互联网金融跨界进入支付结算领域，从事实质性的存贷汇业务。2016 年互联网金融的市场渗透率接近 40%、用户超过 5 亿，第三方支付超过 20 万亿元；2013 年以来存款“搬家”到互联网做理财的金额超过 4 万亿元，P2P 网络贷款交易规模超过 2.6 万亿元。以 BATJ（阿里巴巴、腾讯、百度和京东）为代表的互联网巨头凭借多元化场景、低成本且快捷的获客能力，大范围蚕食银行传统优势业务领域。麦肯锡预计到 2025 年，消费金融、支付结算、财富管理和按揭业务的利润将分别下降 60%、35%、30% 和 20%。

作为“新一代”的运用和升级，我们还要着手建设集团“大运营”平台。通过实施企业级、内涵式的集约化经营，构建现代化的高效运营体系，这将是下一步商业银行提升核心竞争力的关键。近期，总行把搭建集团范围的“大运营”体系提上日程，开展了方案研究论证。总的考虑是，在已成功实施的前后台分离和集约化运营基础上，依托“新一代”技术系统和业务流程，将其拓展到集团层面所有运营事项；引入现代管理的精益方法和共享理念，通过优化组织管理和系统建设，构建贯穿经营和管理活动，承载产品生产交付、业务作业处理、客户营销支持，以及流程、风险、数据集中管控的大运营体系，促进全集团资源更有效整合和优化配置。

以上三个方面，大体描述了我行向现代商业银行发展的主要路径或者说基本轮廓，供大家讨论。

第三部分　创造新业绩

岁末年初各项工作任务繁重，全行上下要把学习宣传贯彻党的十九大精神摆在首要位置、融入经营管理，以此为引领做好全年收官和来年工作谋划，把学习贯彻党的十九大精神的实际成效体现到全行发展的亮丽业绩上面。

一、全力做好 2017 年收官工作

到年底只剩下 1 个多月时间，各条线、各分行都要全力以赴，对照年初计划目标做好收官措施安排，力争把任务完成得更好一些，为明年工作赢得主动。

（一）完成好全年经营目标任务（略）

（二）抓好几项重点工作

——全力拓展住房租赁业务。经过前一段时间的努力，从平台建设到投放新产品和新服务模式，基本涵盖了地方政府、国企、民企、中介和个人等主要参与者，服务模式基本满足当前多主体供给和多渠道保障的金融需求，形成了业务领先优势，取得了很好的经济和社会影响力。我行推出的住房租赁金融服务创新，无论是助力住房租赁市场培育壮大、支持供给侧结构性改革，还是促进消费经济增长和满足消费者需求，都体现了金融解决方案对形成可持续租购并举住房制度的重要作用。因此，也得到了主管部门、监管机构的大力支持和充分肯定，得到了社会各方面和媒体舆论的广泛赞许。但是也要看到，同业竞争态势已经出现，所以我们更要集中力量巩固先发优势。要下大力气拓展房源，包括政府和企业作为主体的房源；要抓好平台建设和功能完善，各地市的平台我们能帮助建设的都要全力以赴，做到与主管部门的大系统直联对接，形成绝对优势；要丰富金融产品线，现在我们做到了人无我有、人有我优，但还不够，还要下大力气创新产品满足租客的消费需求和出租方的融资需求，使更多衍生业务落户建行；要创新服务模式，巩固短租转长租的机制，借助平台拓展业务空间，收复“长尾客户”。

——做好人民币贷款有序投放。2017 年第四季度全行贷款新增规模异常紧张，根据监管要求，新增规模重点支持普惠金融、住房贷款和消费信贷需求。总行已多次就普惠金融作出调度，大家一定要认识到这不仅是讲政治讲大局的要求，也是开拓“蓝海业务”的需要。全行要齐心协力，2017 年务求达到定向降准“二档”条件。总行已安排了普惠金融专项贷款，各分行在严格执行规则和做好风险防控基础上要加大业务拓展力度，新增超过专项规模的部分总行将足额保障，不足部分总行将统筹调剂给其他分行使用，规模不得挤占挪用。各分行要做好贷款总量和结构安排，严格执行好总行的贷款计划。

——强化稳存增存措施。2017 年存款增长与

资产增长不匹配，存款新增与同业差距很大。岁末年初是稳存、增存的关键时期，每年12月财政拨付超过2万亿元，要做好资金承接。总行部门和各分行要有紧迫感，想方设法确保存款稳定增长，资金要应收尽收，扭转被动局面，保持市场份额。要及早部署旺季营销，做好营销力量和财务资源的配套，增强基层网点负债拓展能力，确保2018年第一季度“开门红”。

——保持中间业务稳定增长。2017年前三个季度中间业务整体发展态势较好，但受市场环境和监管政策叠加影响，增速逐季度下滑。造价咨询、财务顾问等融智型产品发展不及预期；理财产品利差持续收窄；代理保险、个人结算及借记卡、国内保理等延续大幅负增长态势。北上广深四家分行要继续发挥带动作用，第四季度中收在全行占比不能低于前三个季度；浙江、湖南、安徽等分行要保持良好增长态势，多作贡献，争取超额完成计划；中收持续负增长或计划执行进度偏低的分行，要查摆分析问题和差距，尽快采取对策措施扭转颓势。

——切实加强表外业务管控。前10个月信用类表外业务加权风险资产增速大幅超出年初计划，给资本管理带来较大压力。这其中既有客户需求旺盛带来个别高资本占用产品和业务快速增长的原因，也有押品系统升级、存量业务风险计量变化等因素。各分行要加大管控力度，切实采取针对性措施。一是存单押品虚化的相关债项，到期一律不得叙做。二是新发生业务要统筹考虑计划额度、到期回收量等因素，作出合理安排；已超计划的分行，要加大到期回收力度，将风险加权资产（RWA）新增逐步压缩到计划之内。三是加大对到期保函和无效承诺的清理。五家可随时无条件撤销贷款承诺试点行，要积极与客户协商，尽可能在合同中增加补充条款以降低资本占用。

——确保实现资产质量控制目标。一是保持资产质量严控态势，协调好暴露与处置节奏。对于不良率较低且资产质量持续向好的分行，不过于追求指标继续下降；对于前期集中暴露、不良额和不良率有所降低的分行，要继续夯实基础，努力“稳中有降”；对于仍处不良集中暴露期或潜在风险较大的分行，要着力夯实质量，实现“稳中可控”；切实避免季度末突击压控逾期贷款，减少逾期贷款大幅波动。二是抓住当前资产质量稳中向好有利时机，严格风险分类。对于风险化解长期无实质进展的重大风险项目，要主动作为，避免“久拖不决”；对于具有僵尸企业特征、多次逾期、财务指标恶化、环保违规且整改无望的，要从严分类；对于监管部门检查最终认定的事项，年底前要完成整改。三是打牢信贷管理基础。做好去产能风险客户退出，对于环保不达标客户要及时下调分类；完善押品集约化管理；推进贷后专业化管理，增强贷后决策效力。四是加大不良贷款处置力度。按财政部新核销办法，逐一梳理存量不良资产项目，及时申报核销；加大重组盘活和现金回收力度，提高资产包成交率和回收率，强化已核销资产回收工作。

二、2018年形势研判及总体策略安排

当前国内经济稳中向好，随着党的十九大后新的改革发展政策落地，经济基本面有利于银行经营。我国经济从高速增长阶段转向高质量发展阶段，预计2018年经济增长保持在合理区间（GDP 6.5%～7%），物价温和上涨（CPI 2%～3%），企业盈利继续较好增长，新产业和新业态发展加快。

政策取向上，中央银行将健全货币政策和宏观审慎政策双支柱调控框架，流动性紧平衡格局延续，市场利率维持较高水平（以十年期国债为例，目前收益率已升至4%，为近3年来新高，超历史均值40个基点）。近期资管新规出台，金融监管仍将趋严，金融去杠杆持续推进。竞争态势上，银行业战略趋同现象突出，大型银行面临竞争更激烈的市场环境，市场份额降至不足四成。客户资金形态加速变化，投融资渠道多元化，互联网及金融科技影响加剧。银行存款增速放缓至8%，高收益资管产品保持两位数增长，互联网理财增长超过30%，银行经营面临较大“负债荒”压力。

2018年是全面落实党的十九大精神的第一年，及早谋划、开好局、起好步非常重要。2018年全行综合经营计划正在研究编制之中，总行还要进行综合测算、协商统筹和党委会最终审定。这里，主要谈些思路和初步考虑，供大家做明年工作安排时参考。

（一）2018 年经营思路和经营目标

总体经营思路是，认真落实党的十九大精神，紧扣新时代社会主要矛盾变化，立足建行实际贯彻好新发展理念，把握住新发展机遇，坚持稳健合规经营，做好服务实体经济、防控金融风险、深化改革发展各项工作。着力提高资源配置效率，着力向轻资产、轻资本业务模式转型，着力推动业务结构调整和打造新利润增长点，着力提升精细化管理水平；保持资产负债业务协调发展，保持资产质量稳定，保持关键经营指标同业领先。

根据外部形势和转型要求，综合考虑资本、资金、盈利、风险等各方面因素，2018 年全行资产负债目标增速与 2017 年保持衔接，更加突出结构调整；统筹资金来源与运用，把低成本资金拓展摆在更加重要的位置，实现资产负债协调发展；持续提升"新一代"核心系统和大数据应用的深度和广度。

明年盈利增长的主要有利因素在于息差和资产质量。预计 NIM 保持平稳，净利息收入稳中有升，中间业务收入小幅平稳增长；考虑到我行潜在资产质量压力最小且近年来减值计提相对审慎，拨备政策空间更大，预计减值计提增幅将回落，初步预计净利润增长保持较高个位数，费用安排与整体盈利形势保持协调，费用总量小幅正增长。

（二）主要经营策略及措施安排

——重点抓好存款和负债业务增长。储蓄存款既是商业银行负债业务中更为稳定、成本相对更低的核心来源，也是应对利率市场化、发挥大型银行特有禀赋、破解当前经营资金压力的重要途径。其重要性和战略性在本周一的旺季金融服务启动会上已作了强调，相信大家都有深刻认识，关键是结合各分行情况抓好落实。下一阶段，储蓄存款业务要继续巩固两个有效打法、加快锻造两个新型能力。

要继续巩固并扩大对公业务转化的源头性资金。按照资金在社会经济体流动基本规律，大量积聚的对公资金通过代发工资、生产采购等方式流转到个人账户，这既是储蓄存款的核心源头，也是联动经营的独到优势。虽然过去通过公私联动取得了一定成效，但仍有很大潜力可挖，各分行要将其作为"一把手工程"全力推动。

要继续巩固并扩展县域源头性资金。一是扩大覆盖；二是用好价格机制，采取跟随同业策略，在同等价格情况下通过提供优质综合服务扩大县域资金来源。

要加快打造从商圈生态链中获取低成本资金的能力。在储蓄理财化不断加剧、金融科技迅猛发展的新形势下，有效获取低成本资金就必须将账户渗透到场景，深入客户衣食住行需求建立资金生态闭环，从流量中抓资金沉淀。这是新形势下大型银行负债业务必须打造的核心能力。

要加快打造从客户分群和产品组合运用中获取稳定性资金的能力。利率市场化条件下，定期存款和存款创新产品都是个人客户资产配置的必要产品，这就需要我们以市场化价格和综合配置思路做好主动经营。

要全力以赴抓好旺季关键时间窗。历史规律表明，旺季资金流和客户流特征突出，零售业务抓好旺季一直是决胜全年的重要策略。2018 年旺季面临的冲击比以往任何年度都要严峻，只有集全行之力抓紧抓好旺季营销，不遗余力地将资金引进来、稳下来，才能实现开局主动，才能为全年顺利经营打下扎实基础。总行将在明年旺季期间加大政策倾斜和资源投入，支持分行稳存增存。各分行要全面落实、全力以赴，确保旺季开门红。

——加快向轻资产、轻资本业务模式转变。银行业发展已进入了增长动能重构、发展方式转变和业务结构优化的新阶段，传统拼规模、跑马圈地的外延式扩张已不可持续，必须转向更加注重质量和效益的轻资产、轻资本业务模式。

近年来全行在这方面采取了很多政策和措施，集约化、精细化管理取得了很好的成效，在外部融资四大行最少的情况下，资本充足率和资本回报率保持四大行第一。但从整体看，重资产、重资本的业务模式还没有得到根本改变，主要表现在：一是核心负债增长难以支持资产快速扩张。存款自然增长与贷款、债券投资等资产增长之间的缺口呈扩大趋势。随着客户资产配置更加多元，同业竞争加剧，存款理财化和互联网理财分流银行存款，资金"高成本化"，未来存款增长将持续面临压力。同时，部分分行资产扩张冲动仍较强烈，资金紧张局面难以根本扭转。二是主动负债利差薄，流动性监管指标承压。在核心负债增长乏力的情况下，依靠主动负债支持资产增长导致边际利差趋薄。目前包括同业定期存款和同业存单在内的主动负债超过××亿元，平均成本××%，逼近贷款收益率，利差远低于存贷款利差，而且还给流动性覆盖率等监管指标带来较大达标压力。三是内生资本积累速度慢于业务增速，资本充足率难以继续保持同业领先。近两年来我行实施资本集约化管理，取得了较好成效，但由于资产增速较快，资本充足率下降明显，领先同业优势不断缩小。从我行内部看，部分低回报业务发展较快，监管资本激励传导有待加强，资本回报管理机制需要进一步完善。

谋划2018年经营工作，全行要围绕塑造轻资本、轻资产业务模式和可持续发展，做好发展策略调整，推动以下几个方面转变：一是坚持资本集约化和资本回报的导向，重点发展低资本、高回报业务，压缩和控制高资本消耗业务扩张。二是保持资产适度增长，要与负债增长相协调，充分考虑资金和资本的承受能力。三是信贷资源配置存量和增量并重，提高使用效率和回报水平。四是做好综合投融资服务，加快非信贷融资发展，围绕客户多元化需求大力拓展并购财务顾问、造价咨询、托管等融智型业务。五是做大做强交易性业务，提高资产周转速度，加快发展轻资本、轻资产、新型渠道的中间业务产品。六是依托“新一代”和大数据应用平台，深化金融科技与经营管理的有机融合，推广直销银行服务和精准营销模式，降低运营成本。

——盘活存量、用好增量，持续推进信贷结构调整。信贷管理是银行经营管理的重中之重，信贷资源配置效率是衡量银行经营管理水平的关键标尺。长期以来，中国银行业在信贷管理方面普遍存在重增量管理、重规模增长而轻结构优化、效率提升和周转加速的问题。这些年，我行在同业中率先实施了以经济资本为核心的计划管理和资源配置机制，着力强化信贷资源的统筹管理，坚定推进信贷结构零售化转型，取得了很好效果。2018年人民币贷款新增规模仍较有限，各分行要在存量调整上多下功夫，从重增量向增量与存量并重转变。

一是做好公司类贷款移位再贷。贷款到期腾挪出的规模向重点优质客户、资本回报高的产品以及符合未来经济发展趋势的领域倾斜。全行公司类贷款年均回收超过××万亿元，是当年各项贷款新增规模的××倍多；这其中，新客户新发放的贷款占比仅××%，且行际差异很大，回收再贷和再融资业务占比最高的分行约为××%的水平，高于全行均值××个百分点。存量到期规模有一半不能盘活，新项目又等着投放，必然带来规模紧张。各分行要把存量贷款中资本使用效率低、只有贷款根本带不来存款和中收的客户找出来，把到期收回的规模腾挪出来用在更有效率的地方。

二是加大贷款资产证券化力度。这两年来房贷证券化取得较大进展，预计到年末累计发行规模接近××亿元，相当于为全行房贷新增投放腾出了近××个月的空间。对公贷款方面，证券化工作上半年就作了部署，但启动较晚，整体进度也比较慢。明年要尽可能多做一些，总行也将采取措施调动各方面积极性。

三是提升贴现业务交易能力，培养获取价差的能力。票据业务一直以来充当信贷业务“蓄水池”的角色，鉴于票据业务流通性强、变现快、风险小，未来不能仅仅作为规模调控的手段。要精打细算、紧盯市场，让票据周转起来，优化票据结构，使票据业务从产品中心转向利润中心，成为新的利润增长点。

经济资本要进一步加强精细化管理。2017年前9个月，剔除不良处置、减值计提等因素影响后，分行实际经济资本增速××%，新发生人民币对公非贴贷款经济资本占用系数××%，但有××笔业务的占用系数超过了××%。节约经济资本方面能做的工作还很多，精细化管理的余地还很大。2018年，要继续坚持以经济资本为核心的计划管理和资源配置机制，并进一步强化经济资本刚性约束和考核。

——进一步提升服务实体经济质效。这方面工作将在年度工作会上作具体部署，这里着重强调几个方面问题。

一是大力推进住房租赁业务。经过大力推动平台建设，全行已签约近××个城市，到年底上线房源包括期房在内将达到几万间；“租赁通”“按居贷”等产品日渐成熟，将由试点城市向全国推开。各分行特别是一二线城市分行，要全面部署推动住房租赁业务，加大对政府、国企、民企、个人等多主体的融资和服务力度，拓展租赁客户端的需求，并研究与中介机构的合作模式，探索开展多种衍生业务。总行层面要加快住房服务公司筹建工作，力争明年初正式运营。总行工作组要加强调度，及时发现并解决问题，梳理和总结好的经验做法，迅速在全行复制推广。

二是加快消费金融发展。包括个人住房和个人消费贷款等，作为我行重点业务还要加快发展，要在规模上给予保障。需要强调的是，要抓紧把2017年发现的问题解决好，把监管要求落实好，使消费信贷真正用在助力消费者生活改善上面。

三是普惠金融业务。强调两个方面要求，第一，坚持把普惠金融作为重点业务长期持续抓好，这不是权宜之计。要转变思想观念，提高认识水平。第二，深入探索做好普惠金融的流程、规则、机制和防范风险的有效方式方法。这项工作已委托更生副行长牵头研究。

——保持严控态势，增强驾驭金融风险能力。这几年，全行下了很大力气抓信贷管理和风险防控，保持了高压态势，初步形成了适应新常态的信贷管理和风险管控模式，资产质量率先企稳向好。中央对防控金融风险提出了更高要求，全行要始终守牢不发生系统性金融风险的底线，本着“稳”和“实”的原则，着力健全各方面风险防控机制，实现由“被动控”向“主动管”转变。

继续保持资产质量严控态势。一是持续深化落实“风险管理职责进党委”，压实风控主体责任，巩固和发展资产质量稳中向好的势头。二是继续坚持和深化行之有效的管控措施，做好“去产能”风险客户退出，加快重点领域风险化解。各分行要根据自身实际把控好不良暴露与处置节奏。要强化逾期贷款管理，坚持“实质风险判断”原则。对于风险化解长期无实质进展的重大风险项目，要抓住时机主动作为，避免重大风险隐患“久拖不决”。三是以信贷政策和风险偏好为主要抓手，不断完善全面风险协同管控机制。继续抓好“四大板块”、做实“五个到位”，提升风控专业能力，着力管住源头疏通出口，强化重点区域、重点行业和重大项目的风险管控。四是强化押品集约化及贷后专业化管理。将押品管理纳入全面风险管理体系，强化押品日常监测；充分发挥贷后会议对客户再选择的决策作用，治理“重贷轻管”顽疾，提高贷后决策效力，使贷后管理真正融入信贷全流程。五是强化不良资产经营和价值管理，加大重组盘活和现金回收力度，提高资产包的成交率和回收率；强化已核销资产回收，提升价值贡献。

着力加强内控合规管理和案件防控。一是全力做好中国银监会系列专项治理工作，落实好整改要求，补齐同业、资管等新业务新产品的合规短板。二是高度重视案件防控和预防腐败工作，把案件防控与内控合规日常管理有机结合；用好员工行为积分管理工具，强化正向激励和负面警戒，引导形成合规操作、守法经营的习惯。三是深化境外机构合规管理。加快完善海外机构合规体系，加大反洗钱、反恐怖融资排查和防范力度，加强与当地监管部门沟通汇报，确保海外业务稳健合规发展。

——补齐业务短板，深化重点领域发展。一是直营业务要提升盈利水平。同业、资管和金融市场交易三大直营中心成立以来，业务经营机制已基本理顺。受监管收紧和市场变化等多重因素影响，2017年同业和资管业务面临较大经营压力；金融市场交易业务逆势而上，保持了较好发展势头。2018年三大直营中心要进一步回归本源，在规范发展的基础上，着力提升盈利能力和经营管理能力，拓展客户服务广度和深度，加快资产负债统筹发展，有效把控经营风险，全面推进集约化发展。同业业务要向交易型、轻资本业务模式转变，充分考虑产品定价、资本占用和税收政策，统筹广义信贷和资产负债缺口安排；深化与各类金融机构合作，加大低成本结算性同业资金拓展力度，增强同业定期存款等主动负债能力，为同业资产业务提供稳定可靠的资金来源。资管业务要落实好监管新要求，做实理财客户基础，优化产品和期限结构，加快非保本理财和净值型产品发展，保持理财利差稳定；在符合监管政策和有效控制风险前提下，持续丰富资产配置品种，大力拓展优质资产。金融市场交易业务要着力提升交易能力，以赶超同业领先者为目标，抓住市场阶段性价格波动机遇，提高资产运用能力和做市交易影响力；主动参与到更多市场，拓展交易对手，引入量化模型，提高敞口管理和做市报价水平；提高利率衍生产品交易活跃度，加快贵金属和大宗商品业务产品创新，拓展账户外汇业务客户量，提高结售汇业务交易量。债券投资业务要坚持“安全稳健”经营原则，在市场利率高位震荡环境下，以考虑免税和资本占用后的实际收益率为导向安排投资，调整优化组合结构，努力提升收益率，保持同业领先优势。合理配置高流动性资产，增加流动性储备规模；加强市场形势研判，优化调整债券投资的品种策略和久期策略，合理把握投资进度和新增规模。

二是重点分行要有新作为新贡献。2015 年以来，总行对北、上、广、深等 10 家重点分行提出“高水平上补短板”的要求。通过各分行的艰苦努力，传统优势得到巩固，创新能力持续提升，转型发展排头兵和示范行的作用初步显现。2017 年前三个季度，10 家分行的税前利润合计约 × × 亿元，系统内贡献达到 56% ，同比大幅提升 16 个百分点。同时也要看到，重点分行的转型发展还存在较多弱项，仍有超过一半指标四大行占比低于 25% ，与“大行有大作为”的要求还有较大距离。针对经营管理中存在的突出问题，总行相关部门要加强分类指导，在客户准入、行业研究、产品创新、资源配置、授权管理等方面做好差异化政策支持，完善配套的激励约束机制，激发经营活力。重点分行要强化对标会诊，找准问题根源，加大补短板力度，争取关键业务指标一年比一年有进步，管理水平一年比一年有提高。其他分行特别是 23 家重点城市行，三年行动方案已接近验收阶段，少数分行距离目标还有一定差距，要排出进度表，在冲刺阶段再添把火加把劲；8 家精细化管理试点行要把零售业务转型摆在突出位置，抓好典型案例推广应用，强化内部管理和资源配置，不断做实精细化管理。

——抓好重点环节，进一步提升管理水平。一是加强定价管理。2018 年价格政策将更加积极应对市场竞争，提高定价的竞争性、针对性和有效性。坚持量价平衡，采取更加灵活方式支持业务发展，提升定价管理的精细化水平。（1）定价整体保持竞争力。根据市场和同业竞争变化，会同业务部门及时解决当前存在问题，调整应对策略。（2）继续采用灵活、差异化的价格政策。重点支持军队、社保、财政等重点领域和县域等薄弱环节的业务拓展；开展个人客户利率敏感性分析，研究产品、客户、渠道差异化政策、建立差异化标准体系。（3）进一步提升贷款定价水平，发挥价格在资源配置中的引导作用。

二是做好流动性管理。2018 年市场资金面紧平衡状态将持续，在计划安排上，一要合理统筹匹配资金来源与运用，特别是以一般性存款增长匹配资产增长，稳定主动负债规模，减少对不稳定同业资金来源的依赖。二要实现同业资产回归流动性调节本位，控制压缩较长期限、“通道类”资产规模，确保同业资产规模与同业负债相匹配。三要优化资产投向，考虑流动性覆盖率（LCR）监管要求，保证资金来源投向合格优质流动性资产或流动性组合的合理比例。

三是推进资本集约化。随着监管要求提高、同业竞争加剧、盈利能力下降，未来资本紧缺将会是长期趋势。2017 年我行资本管理面临很大压力，2018 年压力会只增不减。未来要保持资本充足率领先，需要制定更具挑战性的资本充足率管理目标。要综合考虑资本回报水平和对资本贡献水平，统筹制定表内外、境内外、母子公司等各类风险加权资产计划，强化境内分行经济资本刚性约束和考核，确保经济资本新增符合计划安排。表外业务要进一步深化结构调整，大力发展资本占用较低、收益较高产品；加强期限管理和风险缓释管理；建立产品到期定期清理的机制；下大力气促进信用证、贷款承诺等产品中长期限业务向一年以内转化。外部资本融资方面，要稳步推进资本工具发行工作。

四是继续加强成本管理。员工费用方面，重点仍是坚持价值创造导向，特别是基层机构的价值创造传导力度还要加大，资源配置进一步向基层机构和基层员工倾斜；近年来全行盈利低速增长，总行释放了以往累积的大量资源。在经营好转的时候，还需考虑全行效益增长、工资安排和储备资源的良性循环，鉴于各分行资产质量普遍好转，2018 年将不再安排困难分行补助。业务管理费方面，全行费用总量大幅下降后已基本达到合理水平，2018 年将安排恢复性增长，但内部挖潜仍有空间，要防止管控类费用反弹，并注重提升支出效率。重点加大战略性业务和金融科技投入。战略性业务方面继续积极支持，但资源投入与业务质量之间要更匹配、更协调。例如，2017

年总行调整了小微企业专项费用配置政策，多维度评估其业务发展质量，并据此差异化挂钩费用。2018年利润形势相对较好，也是增加科技研发投入的好时机。我们已建成"新一代"系统，功能持续释放，后续还要跟进金融科技发展方向继续加大投入，比如完善大数据建设和应用、增加自建和外购大数据支出等，不断增强发展后劲。

——强化集团协同联动，做优做强子公司，保持国际业务和海外机构稳健发展。目前我行已搭建了综合性银行集团框架，非银行金融牌照优势领先同业，国际化和海外机构布局深入推进，但配套经营管理能力还有待提升，集团协同联动亟待改善。要着力抓好以下工作。

一是提升母子公司协同效率。充分挖掘客户非银行金融服务需求，强化母子公司功能互补、业务联动，为客户提供优质的综合金融服务。各分行在符合市场公允原则前提下，首选与子公司合作。各子公司要以服务集团客户为宗旨，不断增强产品竞争力和对分行销售支持能力，提升子公司协同效率。2017年，总行在分行和子公司的考核中进一步加大了联动业务的权重，2018年的协同计划中整体新增额不低于上年计划安排。

二是优化子公司业务结构，提升对集团贡献度。一要通过强化对标管理，提升市场位次和盈利水平，逐步形成与母行相匹配的市场地位。丰富集团非银行业务功能，有效提升集团整体的综合化服务能力，为集团利润增长的稳定性和可持续性作贡献。二要在依托母行资源的基础上，不断优化业务结构，提高轻资本和高回报业务占比，提升自身资本积累能力和资本回报水平。三要注重流动性风险管理。在金融市场波动加剧、市场资金面趋紧的情况下，子公司流动性管理面临新的挑战。子公司要担起主体责任，抓好流动性风险管理；总行相关部门要加强对子公司的支持和指导，完善流动性应急支持机制，防范子公司流动性风险在集团内部传导。

三是促进海外业务健康协调发展。我国经济已深度融入世界经济，2018年是改革开放40周年，对外开放的大门只会越开越大，国有大型银行提升国际竞争能力的现实要求更加紧迫。一方面，海外机构资产要合理适度增长，明确各海外机构经营定位，深化"一行一式"转型，不盲目追求扩张；加强风险加权资产约束，提高资本回报；海外机构要承担自身流动性管理的第一职责，严格执行属地监管要求；着力提升资金自筹水平，努力吸收本地存款，充分利用当地的金融市场和资本市场发债，减少错配，同业拆借用于满足短期头寸调动需要。另一方面，总行要充分利用境内外两个市场两种资源，以金融创新大力支持"走出去"战略和"一带一路"建设，做好已有项目储备落地；复制推广自贸区综合金融模式，积极研究自由贸易港的金融服务方案，把握对外开放的新机遇。

——加强科技引领，加快"新一代"和大数据应用推广。面对新技术浪潮，全行要加强科技引领，跟进技术前沿，以开阔的心胸推动创新和共享，探索金融和科技融合之道。要加快"新一代"和大数据应用，加强技术人才队伍建设，持续做好"银行＋互联网"，充分发挥大银行的网络优势。要善于运用互联网思维和技术，扩展营销渠道、创新产品服务、优化业务流程、提高运营效率，不断把"新一代"技术优势转化为竞争胜势。

学习宣传贯彻党的十九大精神是个持续深入的过程，大家要坚持学中用、用中学，从实践中来到实践中去，不断把所学所悟运用到日常工作中，增强新形势下解决问题、推动工作的本领，实现全行各项业务更好质量、更高水平发展。

在中国建设银行2017年工作会议上的总结讲话

郭　友

（2017年1月19日）

同志们：

按照会议安排，我对这次会议做个简要的总结。

这次会议主题鲜明，内容丰富。在一天半的时间里，洪章董事长作了重要讲话，祖继行长作了经营情况报告，系统总结了全行党的建设和经营管理工作，就认真学习贯彻党的十八大和十八届三中、四中、五中、六中全会，中央经济工作会议、全国国有企业党建工作会议精神，推动转型向纵深发展和2017年经营任务作了全面部署。大家围绕“两长”讲话进行了深入讨论。下面，我讲三点意见。

一、保持定力，乘势而上

分组讨论中，大家一致认为“两长”讲话系统总结了党的十八大以来特别是2016年我行党的建设和经营管理工作，深入分析了面临的国际国内形势，围绕深化转型发展明确了2017年的工作思路，指导性和针对性很强。2012年以来，我行率先以转型破题，在服务实体经济、厚植发展基础、加强风险防控、全面从严治党等方面开拓创新，各项业务稳步发展，走在了金融同业的前列。2016年我行又实现了经营企稳、逐季度提升、超出预期的业绩，在复杂严峻的外部环境下，能有这样的成绩实属不易。这些成绩的取得，一是得益于准确把握大局和形势，注重研判经济金融形势，透彻分析各方面因素，做到因势利导、趋利避害。二是得益于对标先进银行打造竞争新优势，公司治理博采众长，战略转型赢得主动，经营观念和工作作风深入转变，关键领域改革取得突破，干部队伍活力得到激发。三是得益于积累了成功经验，即坚持党的领导是立行之本、坚持扎根实体经济是发展之源、坚持改革创新是关键之招、坚持科学发展是第一要务。四是得益于协调处理好趋势性把握和结构性选择、“稳”和“进”、支持实体经济和防范风险、转型与传统业务发展、银行与子公司发展五个方面的关系。经过全行上下共同努力，我们已成功探索出一条新常态下国有大型银行转型发展的新路子。因此，要坚定信心、抓住机遇、乘势而上，推动全行发展迈上新台阶。

讨论中，大家还提出了很多好的意见和建议，主要包括母子公司协同联动、政策考量、资源配置、风险防控、流程优化等方面，会后请办公室汇总梳理，并转有关部门研究尽快反馈。

二、盯住问题，切实整改

尽管我们取得了良好的业绩，但仍要清醒地看到，业务发展中还存在一些问题，部分经营管理重要环节还需完善。洪章董事长和祖继行长在不同的场合多次提到过，今天再次提醒大家，目的是在充分肯定成绩的同时，引起大家高度重视，强化风险防范意识。下面我通报一下2017年内部审计和业务部门在检查中发现的一些问题，以及监管机构、监事会关注的重点问题，希望大家引起重视，认真整改。

第一，“一加强、两遏制”自查发现的问题需认真落实整改。2016年全行“一加强、两遏制”自查工作共发现问题11176个，数量与上一年相比虽有所下降，但其中有六成以上是2015年自查揭示过的同类问题，说明在体制、机制上的根源性整改做得还不到位，屡查屡犯的问题比较突出。反映的问题主要集中在以下几个方面：一是重点业务方面。信贷业务问题较为突出，问题占比超过半数，贷款“三查”制度执行不到位，资金使用监控不严，贷后管理不够到位，未落实授信审批前置条件、持续条件，抵（质）押物的贷后检查不力。少数机构理财产品销售不规范，个别机构通过理财产品承接贷款。少数票据承兑或贴现业务贸易背景真实性存在瑕疵，保证金管理不够严格。二是内部管控方面。少数机构制度梳理和重检滞后，业务操作流程不够细化和统一，部分关键岗位和控制环节制衡不足，重要空白凭证和印章保管和使用控制不严。个别基层机构员工违反从业禁令，违规经营企业、参与民间借贷、充当资金掮客，牟取个人利益。在2016年全行立案查处的14起案件中，员工操作性案件8起。三是服务经济实体方面。个别机构存在收费不合理、存贷挂钩、绩效考核管理不严格等情况。

第二，信贷管理有效性需进一步加强。2017年是供给侧结构性改革持续深化的一年，银行信贷资产风险管控压力仍然很大，我们不能掉以轻心。当前，信用风险存在行业间、区域间以及由中小企业向大中型企业转移的趋势；少数中西部分行不良上升较快；部分分行在政策执行和风险管控上存在不足。一是信贷政策执行力需要加强。少数分行未及时跟进国家宏观调控政策、政府举债方式的变化，对总行要求严控和主动退出的客户或项目，个别分行落实迟缓，未及时压缩风险敞口。有的分行存在“边退边进”问题，向产能过剩企业提供融资。二是真实性管理不够到位。中国银监会2016年上半年监管会谈，第一条就要求我行加强授信业务全流程的真实性管理。2016年“一加强、两遏制”自查发现的信贷类问题中，真实性管理不到位的占比达16%。部分机构在贷前调查、信息获取方面缺少监督和制衡，对借款人和关联企业经营、担保状况调查跟踪不够深入。个别分行还发生了客户骗贷事件。三是押品管理不够精细。审计发现，押品选择和准入不当，设定和登记环节操作不严谨、不合规，已成为导致押品风险缓释能力不足最主要的原因，占比为39.8%。在押品受理、评估、处置等环节仍然存在管理相对分散、专业力量不足等问题，押品估值重检和动态监控还需进一步加强。2016年，全行在优化押品管理机制、完善制度办法、提高机控水平等方面做了大量工作，下一步关键是抓好制度措施在基层的落实。四是担保机构管理不够严格。近年来全行对担保业务进行了压缩，但与我行合作的担保机构数量、担保责任余额仍然偏高。担保机构管理相对分散，缺乏相关数据信息和系统控制，部分担保机构违规经营、“担而不偿”的状况增多。2016年审计发现，三成以上存量担保公司存在代偿不及时、不主动的情况，部分分行对担保机构的准入审核不严，在担保能力明显不足甚至违约的情况下，继续与其合作并形成新的不良。

第三，部分新业务的风险特征需引起关注。总行高度重视资管、同业、金融市场等新业务的风险管控，明确了风险有效隔离和集约管控要求，但分行层面风险管理职责、岗位设置和管控流程等需进一步研究。监事会调研和内部审计检查发现，同类业务在不同条线分别运作，信息互通及资源共享不充分，客户选择标准和风险偏好缺乏统筹，集团层面难以总体控制风险敞口。资管业务方面，一些政府类项目尽职调查和确权管理不够到位；部分理财资金投向不合规，变相为房地产企业和土地储备机构提供融资；委外业务和创新型产品的风险管控有待加强；个别基层行私下与客户签订“抽屉协议”，为非保本理财提供本金及收益承诺，为客户绕道同业融资提供隐性担保。个别机构已发生垫款，教训深刻。同业业务方面，部分票据背书转让的合理性和真实性不足，同业账户开立及使用管理不严，个别同业投资的基础资产存在瑕疵，系统建设需要加强。金融市场业务方面，部分机构未严格执行汇率交易背景审核、保证金管理和展期管理相关要求。信用债券违约事件有所增加，尽职调查、投后管理以及对子公司管理需进一步加强。

针对上述问题，各条线、各分行要认真总结成因，在体制机制上研究制定整改措施，注重问题的根源性整改，分期分批解决屡查屡犯问题。总行部门要主动承担起本条线制度、流程、系统等问题的整改，做好对分支行整改工作的督促指导。各分行“一把手”要担起整改责任，对整改总体情况负责，做到亲自抓亲自管。要进一步加大信贷政策执行力度和信贷业务全流程的真实性管理，加强押品和担保机构的准入管理和集中管理，优化完善风险管理技术手段，提升机控水平。当前，总行相关部门要特别关注，强化覆盖表内外、境内外、母子公司、各类产品敞口的全面信用风险监控，完善配套制度，推进信息系统建设，加强风险穿透管理，完善委外业务和异地业务风险管控机制。定期开展制度梳理和重检，加大关键岗位和控制环节的制衡监督，将合规管理嵌入业务流程。加强基层员工法制合规教育，加大对员工行为排查力度，强化反面典型案例的警示教育。审计条线要坚持“严于揭示问题、实于解决问题”，加强对风险突出领域审计，加大督促整改力度，推动解决屡查屡犯问题，更好地服务全行转型发展。

三、明确方向，严抓实干

2017 年是我行转型“棋至中盘”关键的时间窗口。全行要认真落实本次会议确定的方略和总体部署，严抓实干，确保完成会议确定的各项目标和任务。

第一，围绕“五大转型”齐头并进，着力构建集团综合金融服务优势。要发挥综合性牌照领先优势，优化多功能的服务平台，推进集约化促进内部挖潜，完善创新型银行组织体系，跟踪前沿打造智慧型银行技术优势。不断强化协同联动的理念，加大统筹整合力度，打造一体化的综合金融服务体系，实现由相加到相融。深入推进北上广深和 23 家重点城市行转型发展，高质量完成三年行动方案。

第二，围绕明大势、讲看齐、见行动，着力支持实体经济振兴发展。积极履行国有大型银行职责，多渠道引导资金对接国家重大战略项目。坚持从供需两端发力，因地制宜制定供给侧结构性改革配套服务方案。以“融资 + 融智”方式服务“三去一降一补”，把市场化债转股的模式做实，进一步扩大引领效应。大力发展移动金融服务，拓展社区商户生态圈和农村金融生态圈，助力新消费。

第三，围绕做强做优调整结构，着力全面提升经营绩效。突出价值创造理念，科学平衡规模、质量和效益。提升和挖掘管理潜力，提高资源配置效率，促进资产负债结构协调发展。加大资本集约化经营力度，优先发展轻资本、高回报业务。完善全量客户经营管理体系，加大结算账户拓展力度，强化中间业务重点产品对标管理。优化盈利结构，提高收益水平。

第四，围绕强基固本守牢风险底线，着力抓早抓小推进标本同治。全行要时刻绷紧风险这根弦，统一前、中、后台风险偏好，更加全面地密织防风险网络。将治标和治本结合起来，管住风险源头和出口。强化重点领域、关键部位合规管理，健全制度，细化标准。构建“五位一体”的信贷岗位尽职尽责体系，强化风险预警监督，抓早抓小抓苗头。

第五，围绕压紧、压实“两个责任”，着力党建与业务发展深度融合。深入贯彻党的十八届六中全会精神，从严、从细抓好管党治行。认真落实《准则》和《条例》，不断增强“四个意识”。以深化党建责任落地推动转型下沉，实现互促共进。对照党员干部“四个合格”和国企领导干部“二十字”标准，进一步加强各级领导班子建设。深入推进作风建设，严肃查处违反中央八项规定精神的行为，严厉整治“四风”。总分支行要认真抓好扶贫工作，确保如期完成任务。

最后，我强调一下，春节将至，节日期间走亲访友、外出旅游会比较频繁，大家一定要严格执行中央八项规定精神和总行党委十项要求。同时，要注意人身安全。

会议结束后，请各单位迅速将会议精神和工作任务传达布置下去，贯彻落实情况于 2 月底前报告总行。

把握大势　真抓实干
为全行转型发展作出新的更大的贡献

——在2017年审计工作会议上的讲话

郭　友

（2017年4月25日）

同志们：

为深入贯彻落实全行工作会议精神，总结2016年内部审计工作，分析研究当前面临的形势，部署2017年的审计任务，总行决定召开这次审计工作会议。2017年以来的会议代表相对多一些，董事、监事、总行几个部门也派同志参加会议，说明大家对审计工作还是相当重视的。上午秀昆同志作了工作报告，讲的内容我都同意。下面，我再谈几点意见。

一、总结成绩，2016年审计条线发挥了重要作用

2016年，审计条线认真落实总行党委的部署和要求，围绕服务全行转型发展大局，组织开展工作，揭示了很多风险和违规事项，在促进全行有效防控风险、堵塞漏洞方面起了关键的作用。其中，以下几个方面应该充分肯定。

一是促进了全行依法合规经营。牵头开展全行“一加强、两遏制”回头看自查，发现并上报问题1万多个，对违规经营行为起到了强有力的震慑作用。全行立足边查边改、立查立改，整改率超过了96%，在四大行中处于前列。

二是促进了信贷领域风险管控优化。紧跟国家宏观经济政策，主动提示钢铁、煤炭等重点行业和“僵尸企业”特征客户的潜在风险。结合全行信贷精细化管理要求，开展动态审计和调查研究，提出解决信贷重点难点问题的应用性建议，为各级行防控信贷风险争取主动，为全行资产质量稳定向好贡献了力量。

三是促进了重点领域转型落地。持续跟进转型发展重点工作，密切关注全行集约化建设、人力资源结构与配比、重点城市行和二级分支行转型。针对同业、资管、财务顾问、金融市场、网络金融、海外和子公司面临的风险状况和制约发展的因素开展了调查分析，形成了一批分量很重的报告，总行党委和管理层高度重视，一些内容纳入了2017年全行转型的整体工作安排。

四是促进了基础管理进一步夯实。组织开展16家一级分行主要业务经营管理审计，提示了十类重点风险事项和十六项重要内控缺陷。针对不良贷款、柜面业务等违规高发领域实施专项审计，揭示了一些比较严重的问题，促进了全行举一反三，加强管理。

五是促进了整改工作取得新进展。审计及时发现、提示纠正和促进解决问题，取得了实实在在的效果。2016年，全行通过整改提前收回问题贷款、理财产品共455亿元，化解不良资产或挽回损失44亿元，完善各级制度、流程及系统功能1000余项。在促进外包成本管控、不良资产追索，以及“飞单”和“发票验真”等问题根源性整治方面成效明显，相关问题数量大幅减少。

此外，审计在全面落实监管要求、支持中央巡视组和中央国家机关纪工委检查等方面做了大量工作，得到了外部单位的认可和赞誉。以高度负责的态度，配合审计署检查，积极沟通，实现了既不回避问题，又认真研究整改措施的目的。

总体而言，过去的一年审计条线任务非常繁重。总行领导根据当前形势变化，做了一些部署安排，但增量不增人，同志们牺牲了很多自己的时间。在全行转型发展的关键时期，审计条线主

动作为、履职尽责，经受住了考验，对顺利地推动全行转型落地和平稳起到了保驾护航的作用。从实践来看，审计转型取得了一些成果，希望再接再厉，进一步做好工作。

二、把握大势，找准审计工作重点和着力点

当前，国内外金融环境依然复杂，不稳定、不确定的因素依然存在，经济运行中结构性矛盾突出，全行转型发展面临新的挑战。总行领导对审计工作十分重视，对审计报告提出的问题也非常重视，有些做了大段批示，连续召开几次会议研究落实，体现了审计的价值。在错综复杂的形势下，如何能够做到前瞻性，需要我们与时俱进，至少有几个方面应该予以关注。

第一，要关注经济变化对银行经营的影响。在经济增长放缓的新常态下，根据中央经济工作会议精神，2017 年是供给侧改革持续深化的一年。“三去一降一补”对传统实体经济的冲击进一步向金融体系传导，对银行经营带来了挑战，特别是信贷资产质量持续承压。最近中国银监会接连发文，将集中开展银行业市场乱象整治，进行“三违反”“三套利”“四不当”等专项检查和治理，这里面很多内容都是针对同业和理财业务的。从监管的角度来讲，方向已经很明确了，就是去杠杆。这对银行会有新的约束、新的挑战。审计要把握好这个大势，认真研究分析银行会面临哪些挑战，可能出现哪些问题。其中，一个突出问题就是原来做的一些业务，按照现在理解可能存在违规或套利的问题。这些业务涉及的范围有多广，影响到底有多大，严重到什么程度，审计应该关注。

第二，要关注流动性问题。受利率市场化深入推进、人民币贬值预期、中央银行货币政策管控手段调整等因素影响，大额资金在银行间、境内外、不同市场间波动更加频繁，风险逐步凸显。市场变化很快，审计要保持高度敏感性，及时跟进提示。

第三，要关注内外部监管变化。现在海外监管相当严格，尤其是以欧美为代表的监管要求不断趋严，各国监管机构普遍加大了对反洗钱、反恐怖融资、反偷税漏税等事项检查和处罚力度，很多中资银行受到了处罚，我们在海外也出现了一些风险点。随着中国金融体系进一步融合到全球体系当中，全球监管的趋同化日趋明显。中国人民银行、中国银监会、中国证监会、中国保监会出台了一系列新的办法加强监管，相比过去，监管范围更广、力度更大、问责更严，而且强调“三铁”原则，处罚力度很大。2016 年监管机构对我行的处罚频率和金额大幅上升，2017 年还有可能进一步增加。合规是银行经营最重要的基础，是立行之本、发展根基。从现在开始，我们要对监管动向和监管合规风险给予高度关注，积极主动应对。

第四，要关注管理中的薄弱环节。从管理层面看，少数重点领域风险管理体系还不够健全，部分业务操作制度不够细化和统一，部分关键岗位和控制环节制衡不足。经营管理中很多问题，包括政策制度执行不严格，问题整改不彻底，都与体制、机制、制度设计不合理和控制不严密有关系。从操作层面看，少数机构和员工违章违规时有发生，而且手段更加多样化、隐蔽化。很多不良贷款形成的背后都隐藏着违规问题，财务管理、集中采购操作不规范情况仍然存在，员工违反从业禁令的行为屡禁不止。

针对管理中的薄弱环节，要注重发挥合规和审计相辅相成的作用。海外现在把重点放在合规上，合规体系相对完整，也比较垂直。合规融入业务流程、嵌入业务操作，合规官审批通过以后业务才能开展，大量的问题解决在前端。总行在几家试点行派驻了合规官，洪章董事长、祖继行长讲话中提到要把合规融入业务流程中，甚至要嵌入组织架构体系。审计可以关注一下，要把这些要求落实。近年来，我们开展了大量的检查，工作量不断增加，但问题并没有明显减少，屡查屡犯的情况相当突出，很多是基层的问题，也有制度机制本身不健全的问题。审计既要查实事项，也要避免就事论事，要从体制机制上找原因，每年抓住几个重要问题，从根源上加以解决，控制和减少屡查屡犯。

三、真抓实干，推进审计工作提质增效

根据年初工作会议精神，审计条线要促进全行不断厚植“稳”的基础，激发“进”的动能，

既要在稳控风险方面发挥监督作用，又要在进而有为方面提供增值服务，从服务转型、提示风险、解决问题、强化管理、提升能力五个角度，把审计工作进一步做实。

第一，要更加全面地服务转型发展。全行正处在转型"棋至中盘"的紧要时间窗口，审计要更多围绕转型大局开展工作。一是盯牢转型发展基础。转型的基础筑得有多深，决定了转型的步子迈得有多远。审计服务转型，首先要关注制约业务发展和转型落地的基础性工作，揭示深层次问题。二是督促转型深化落地。要加强对重点分行和转型重点工作落实情况的监督检查，关注行际间和重点业务方面发展不平衡的情况，及时跟进新风险、新问题，为全行转型发展保驾护航。三是加强对转型经验的总结。既要揭示问题，也要注意总结一些实践中具有示范意义和推广价值的经验做法，在全行共享，多维度促转型深化落地。

第二，要更加前瞻地把控各类风险。当前形势下，审计要特别重视前瞻预判风险，争取问题早发现、早提示，为化解风险、堵塞漏洞争取主动。一是增强审计针对性。加强对内外部形势和政策的研究，分析研判经营管理整体情况和风险演变趋势，前瞻性地谋划审计工作。把有限审计资源投到预判风险较大的领域，提高精准揭示风险和问题的能力。二是增强审计敏感性。很多问题的暴露都有规律性，要善于从海量问题中总结教训和规律，分析区域性、系统性、行业性风险特征，提高对风险高发领域的预警能力。三是增强审计主动性。针对一些事前难以预料的新情况和苗头性问题，通过日常监督和动态跟踪分析，快速跟进提示，体现主动作为的意识。

第三，要更加有效地推动解决问题。审计效果体现在问题整改和经营管理水平提高上，目前还有很大空间。每一份审计报告都凝聚了审计人员辛勤努力，都是沉甸甸的，但报告揭示的问题有相当一部分没有解决，或者说没有从根本上得以解决。希望审计在推动问题整改方面力度更大一些，真正做到"严于揭示问题，实于解决问题"。一是要落实责任。按照制度建设抓条线、问题整改抓分行的原则，厘清并落实好各层级、各环节的整改主体责任。审计部门要切实承担督促整改之责，发现问题后要盯住不放，一跟到底，同时督促各级行落实领导班子整改责任制。二是要抓住重点。对审计发现问题进行分层分类，进一步研究纳入整改问责范围，明确标准。既要做到件件有着落，同时也要突出重点，每年抓住几个典型问题，持之以恒地推下去，直到问题彻底解决。

第四，要更加有力地支持从严治行。在加强全面从严治党、全面从严治行中，审计要当好全行监督"重器"。一是坚持审计独立性。独立性是审计最基本的要求，也是最核心的要求。要从全行整体利益出发，以对建行事业高度负责的态度，去审视问题、反映问题，督促各级行认真贯彻落实总行提出的管理政策和要求。二是坚持守土有责。增强担当尽责的意识，主动融入全行公司治理、风险管理和案件防控体系中去，切实守好底线，保一方平安。针对分行经营管理上出现的一些严重问题，有的是大面积出现问题，驻地审计机构要提前介入、坚决制止，有效控制和化解风险。三是坚持问题导向。对违规和廉洁风险高发领域，要进一步加大审计力度，形成震慑。同时，加强对审计发现问题的整改落实和责任认定，促进解决责任认定工作中不规范、基层责任偏重、管理责任偏轻等方面问题。四是坚持合作监督。与内控合规、纪检、巡视等部门加强沟通与信息共享，构建全方位的内部监督体系。

第五，要更加重视提升审计能力。总行党委对内部审计期望很高，审计条线责任和压力也比较大，需要进一步提升履职能力，提高工作效率。一是研究改进审计方法。要发挥好审计条线优势，最大限度地利用非现场审计来提高数据挖掘分析能力，更加高效地实现风险全覆盖。要研究大数据应用及未来产生的影响，运用大数据来驱动和管理审计工作，特别是对很多重复的、标准化程度高的业务审计，今后可以研究通过智能化手段替代。要抓住新一代系统上线的契机，在如何运用大数据全面服务客户、全面分析管理、减少重复操作环节等方面进行一些研究和探索。二是打造专业人才队伍。随着银行业务创新加快、风险复杂性增加，跨界特征越发明显，要在培养前沿性专家人才和打造综合性专业团队方面多下功夫，更好地适应转型发展的要求。对于审计队伍中年轻的、知识结构相当不错的同志，要给予更大的发挥空间。布置一些重要课题，让他们提升视野，学到东西，得到锻炼。三是搭建信息传递共享平台。审计发现的问题有很多相似或共通方面，其背后可能隐含着风险的传导扩散。要探索建立更加统一、高效的信息传递共享机制和平台，促进各级经营单位、各审计机构互为借鉴，共同提升风险识别和预警能力。现在很多条线独立研发了自己的系统，功能比较完善，要加强学习借鉴，实现大数据的共享、共通，有效扩大审计成果。

四、夯实党建，加强队伍自身建设

最后，各机构负责人要注重发挥党建工作的凝心聚力作用，提高以党建带业务的能力。董事长最近批示审计干部要更严格要求自己，希望大家高度重视。审计队伍总体是好的，包括政治素质、专业素质、敬业精神等各方面，但也存在一些问题。例如，2016 年总行巡察发现审计条线个别机构存在党建薄弱的问题；审计条线的领导干部更要注重提高自身的领导素质、领导能力，主动团结同志，尽可能调动大家的积极性，营造相对宽松、和谐的氛围，保证审计工作的顺利运行。

最后希望大家进一步把思想和行动统一到总行党委的部署和要求上来，坚持严于揭示问题、实于解决问题，把 2017 年的审计工作做得更好，为全行转型发展作出新的更大的贡献！

在中国建设银行夏季工作会议上的总结讲话

郭 友

（2017 年 7 月 25 日）

同志们：

按照会议安排，我对会议做个简要的总结。

这次会议开得非常及时，也非常高效。在一天半的时间里，洪章董事长作了重要讲话，祖继行长作了经营情况报告，系统总结了全行上半年工作，就学习贯彻全国金融工作会议精神，落实服务实体经济、防控金融风险、深化改革转型等重点任务作了全面部署，并对下半年工作进行了布置。大家进行了充分讨论，达到了统一思想、厘清思路、明确方向、坚定信心的目的。下面，我讲三点意见。

一、认清形势，抓住转型发展主动权

分组讨论中，大家一致认为，“两长”讲话传达了全国金融工作会议精神，分析了当前面临的形势，提出了下半年工作任务，定位准、措施实，具有很强的思想性、针对性和指导性。大家认为 2017 年上半年全行取得良好业绩，充分反映出转型引领的积极作用，一定要坚持走好转型发展的新路子。

这次会议非常重要，传达了全国金融工作会议精神。全国金融工作会议阐明了做好金融工作需要把握好回归本源、优化结构、强化监管、市场导向四个方面重要原则，为我行改革发展指明了方向，提供了基本遵循。我们要把主动防范化解系统性金融风险放在更加重要的位置。要对标全国金融工作会议提出的要求，结合实际，完成好服务实体经济、防控金融风险、深化金融改革等任务。坚持党中央对金融工作集中统一领导，确保金融改革发展正确方向，确保国家金融安全，扎扎实实抓好企业党的建设。要加快战略转型，树立质量优先、效率至上的理念，把更多金融资源配置到经济社会发展的重点领域和薄弱环节，适应客户需要进行金融创新，更好地服务实体经济。全行上下要认清形势，保持定力，增强紧迫感，依靠改革、依靠转型、依靠创新提质增效，

实现更好的经营业绩。

大家在讨论中还提出很多好的意见和建议，办公室已归纳整理出来了。洪章董事长和祖继行长十分重视，均作了批示。会后总行将认真分析研究，逐一反馈。

二、严管严控，做好问题根源性整改

习近平总书记在全国金融工作会议上指出，防止发生系统性金融风险是金融工作的永恒主题，要特别关注当前金融领域8个方面风险。大家一定要增强忧患意识，保持住风险管控高压态势，切实履行好金融机构防范风险的主体责任。下面，我通报一下2017年上半年内外部审计、监管检查发现的重点问题。

第一，信贷风险管控压力仍然很大。上半年，全行信贷风险管控取得成效，但风险贷款总量和新暴露不良贷款仍处高位，新发放贷款不良率偏高。部分非不良客户的潜在风险较大，6月末全行关注类贷款达3570亿元，约三分之一风险相对较高。2017年对11家分行主要业务经营管理审计发现，有明显风险征兆的非不良客户共915户，涉及金额920亿元，占11家分行对公信贷余额的3.67%。债券市场违约风险加大，并且风险有向信贷客户传导趋势，2017年以来债券违约客户在我行的贷款余额有半数以上已形成不良。钢铁、煤炭等产能过剩行业不良上升较快，部分国有企业客户已出现“僵尸企业”特征，需择机加快退出。近期，我行政府购买服务贷款增长速度较快，部分政府购买服务项目透明度低、期限长，难以满足“先预算后购买”的原则。财政部密集发文，进一步规范地方政府举债融资行为，总行已出台具体政策制度规范相关业务，各分行要认真研究落实整改，确保业务经营合规。这次全国金融工作会议再次强调了严控地方政府债务增量，终身问责，大家要高度关注相关业务政策性风险。

第二，全面风险管理体系需持续完善。目前货币政策趋于稳健，金融行业杠杆率较高，受外部不确定性因素等影响，流动性管理需引起高度重视。集团层面统一的风险偏好和客户选择标准需进一步传导落实到位，存在此退彼进的情况。同业业务、资管投行业务、部分子公司债权类业务未完全纳入统一的授信审批和风险监测体系，未实行统一的风险敞口管理。海外个别区域受当地经济和市场波动影响，信用风险集中暴露，资产质量和盈利能力受到很大影响，需认真研究应对和帮扶措施，进一步提升海外信用风险管理能力。当前，合规管理尚未完全嵌入业务流程和体系之中，缺少境内外统一的合规管理框架、系统建设和有效的监控管理手段，未能在集团层面形成合力。近期海外监管检查发现了一些问题，反映出我行海外合规管理基础工作还很薄弱，风险隐患较大，需引起高度重视。

第三，屡查屡犯问题整改需加大工作力度。部分机构整改过程和结果管控职责未有效落实，整改重心偏低，整改措施局部化、简单化。审计跟踪发现，部分基层机构客户真实性核查不到位、贷后检查不及时、未落实信贷审批条件、押品准入偏松、重要物品及单证保管不合规等问题整改率偏低，复发程度较高。员工违反从业禁令的行为屡查屡有，有的性质比较严重。2017年上半年发生员工违法案件7起，需予以高度重视。

第四，审计署和监管检查发现问题需抓紧整改。2017年上半年，审计署和中国银监会重点检查了我行落实国家政策以及信贷、同业和理财资管业务的合规性和风险管控情况。从检查结果看，还存在一些不足，有的问题比较严重。少数机构向不符合准入条件的客户发放贷款，部分信贷和理财资金用途不符合国家产业政策，投向“四证不齐”房地产企业、土地储备机构和政府融资平台。少数分行以委外和通道业务，绕道投资于信贷退出客户，部分同业投资交易结构较为复杂，资管计划“循环嵌套”，变相放大融资杠杆。理财资金与自营贷款相互承接，自营资金为到期理财产品垫款，导致表外业务风险向表内渗透。个别分支机构存在违规提供第三方隐性担保或签订理财产品协议的情况，2016年以来全行先后发生了3起类似案件。

针对上述问题，各条线、各分行要认真分析研究，切实抓好整改。要做好、做实“风险管理职责进党委”工作，明确管控风险的主体责任。要高度重视此次中国银监会“市场乱象、三违反、三套利、四不当”专项治理监管检查，认真做好沟通和自查整改工作；对于前期审计署和监管检查提出的意见，要按时提交整改报告，争取理解和支持。要充分认识当前信贷风险管控压力，加大对重点区域和分行督导与帮扶力度，积极处置化解风险。做好同业业务、资管业务以及交叉性金融业务等监管重点领域专项整治，开展全面风险排查，强化基础资产穿透管理，把控实质性风险。根据国家最新政策要求，做好我行政府债务相关资产的重检和整改工作，建立并持续优化地方政府偿债能力的测评指标体系，有效识别客户风险，确保业务合规。加强集团层面境内外、本外币流动性管理，统筹集团层面的信用风险偏好。将境内信贷管理的制度和系统尽快延伸到海外，提升海外机构信贷管理能力。尽快搭建全行合规管理框架。注重加强基层负责人和员工的法制合规教育，加大员工违反从业禁止性行为问责力度。高度重视屡查屡犯问题的整改工作，针对重点问题，总行各业务条线要从体制、机制上研究采取相应举措，努力实现根源性整改。

三、突出重点，高质量完成全年任务

全行上下要认真落实本次会议各项部署，突出重点，笃行实干，高质量高水平地完成全年各项任务。

1. 加强责任担当，认真落实好中央要求。坚持党中央对金融工作的集中统一领导，增强“四个意识”，把思想和行动统一到习近平总书记重要讲话和全国金融工作会议精神上来，统一到党中央对金融形势的分析判断和对金融工作的决策部署上来。党员领导干部必须增强党性意识，始终牢记第一职责是为党工作，切实履行好国有大型商业银行职责。

2. 加强服务实体经济，回归银行本源。继续坚持“三大一高”经营策略；全力做好“移位再贷”工作，在“大小新”上发力，加强对国家重大发展战略、重大改革举措、重大工程建设的金融服务，全力支持供给侧结构性改革和“三去一降一补”；支持实体经济薄弱环节，积极推进普惠金融，大力推广小微快贷、大数据信贷产品；做好金融精准扶贫，培育涉农贷款新增长点，将“裕农通”模式在全国范围推广。满足产业转型升级和科技企业金融需求，支持经济转型升级。加快向综合性、大零售管理与服务转型，在大数据驱动、大客群定位、大平台支撑、大生态扩围等方面发力。加快消费金融发展，拓展商户和线上线下支付场景，提升快贷、信用卡分期、龙支付等重点产品影响力，做深消费金融生态圈。

3. 加强合规经营，守牢风控底线。提高风险防控的站位，从政治高度来认知金融风险。全面落实风险管控的责任体系，以“五个到位”为抓手，加快信贷岗位履职尽责体系建设。持续优化押品管理流程，提升对关键环节的集约化管理水平。整合9大预警系统，提升风险预警能力。强化重点区域、重点领域和重大项目风险管控，积极化解风险。紧抓信贷结构调整，严格再融资授信制度。加强同业、理财、通道、委外等业务管理，夯实直营业务风险管理基础，防范交叉性金融风险。强化政府债务融资合规性管理。着力抓好内控合规管理，完善体制机制，强化反洗钱和境外机构合规管理，落实境外机构“一把手”合规责任。加强案件防控，坚持“一案双查”和“一案双通报”。

4. 加强转型创新，激发内生动能。统筹推进管理转型，形成持续改进、不断创新的管理和运营机制，进而达到全面转型的要求；强化七大转型支撑保障，逐步形成企业级的管理响应流程。对于基层优秀的转型经验和案例，要在全行复制推广。完善转型考核办法，推动转型在基层落地。强化创新驱动，整合集团的系统和数据资源，搭建面向广大员工的创新平台。着力抓好负债业务，细化资金体内循环措施；加强中间业务对标管理；完善表外业务管理体系，提升资本使用效率；增强效益意识，提升定价管理能力。

5. 加强基础管理，提升价值创造。学好、用好“新一代”，完善与新系统、新应用相适应的业务制度、工作机制，充分发挥系统和数据对提升全行经营管理水平的支持作用。坚持企业级的整体视角，构建全行集约化管理体系，理顺总、分行各层级集约管理侧重，推进传统密集经营模式向智能集约转变。内部流程和协同要做到精要、精细，客户响应和服务要做到精准、精密。完善条线、部门间协同机制，使全行真正成为“一盘棋”。

6. 加强党建引领，打造高素质的人才队伍。持续加强各级党组织建设，要通过加强基层党建推动转型下沉落地。把加强理想信念教育、党性教育、纪律教育、党风廉政教育贯穿于“两学一做”全过程，紧盯“四风”，严防反弹。大力培养、选拔、使用政治过硬、作风优良、业务精通的金融人才，加快实施“213 人才工程”。推进脱贫攻坚，定期检查督导，严格考核问责。

最后，我再强调一下，这次会议不仅传达了全国金融工作会议精神，而且对下半年工作进行了周密部署，请大家回去后认真贯彻落实，并注意保密。同时，对中央有关部署、监管检查情况等非公开内容和敏感信息，务必遵守保密规定。未经批准，任何部门、机构和个人不得以任何名义、任何形式对外披露我行内部风险防控措施、企业及项目授信、经营管理情况等业务信息。党的十九大即将召开，全行各项工作一定要更实、更细，把做好安全稳定工作作为重中之重。在抓好业务的同时，要认真做好安保、消防、信访等工作。严格执行重大事项请示报告制度，加强舆情监测和预警预判。全行上下要全力以赴，以过细的工作确保安全稳定，出色完成各项目标任务，以优异成绩迎接党的十九大胜利召开。

在“全国文明单位”创建经验交流活动中的讲话

郭　友

（2017 年 7 月 28 日）

尊敬的吴局长、黄部长，各位领导、各位同仁：

大家早上好！非常感谢吴局长的重要讲话。刚才，吴局长传达了中央关于精神文明创建的有关精神，为建行下一步做好文明争创工作指出了方向、明确了要求，指导性很强。我们一定要落实好吴局长的讲话要求，加倍努力，圆满完成今年第五届全国文明单位争创工作。

刚才，大家听了嘉兴分行“最美建行人”员工故事会。这些故事都来源于他们的日常工作和生活，点点滴滴、凡人小事，但都真情意切、令人动容。一方面，通过这些故事展现了建行员工的良好精神面貌；另一方面，说明建设银行的精神文明创建已经融入员工的日常工作和生活当中。这些工作在一线的“最美建行人”，是建行 38 万名员工的优秀代表。我们可以看到，精神文明建设如星星之火、生生不息，已经在全行 15000 个网点形成燎原之势，在服务国家战略、服务社会大众、服务经济发展中，有力地推动着全行的转型发展。

社会主义精神文明是中国特色社会主义的重要特征，是实现“两个一百年”奋斗目标、实现中华民族伟大复兴中国梦的重要内容和重要保证。党的十八大以来，以习近平同志为核心的党中央高度重视精神文明建设，提出以“三个倡导”为基本内容的社会主义核心价值观，为深入开展精神文明建设提供了基本遵循。国有金融企业包括建行的改革发展实践都证明，社会主义核心价值观为我们提供了重要的目标方向和前进动力。大力培育和践行社会主义核心价值观，深入开展精神文明创建活动，是我们义不容辞的政治任务。

建设银行走过了 60 多年的风风雨雨，已经成长为一家总资产超过 20 万亿元的现代综合型银行集团。我们依托中国强大的经济发展实力，在各项资产与综合指标上都走到了全球银行的前列。建设银行现在拥有近 38 万名员工和 15000 多个网点，服务着 3.4 亿个人客户、406 万公司客户，业务范围覆盖着几乎所有金融领域，是金融界几大行中业务牌照最全的银行。这几年，我们积极服务国家“一带一路”倡议，加快在海外布局，在全球三十多个国家和地区都设立了分支机构，建行海外资产已经达到将近 3000 亿美元。作为一家大型国有银行，我们的员工道德素养、客户服务水平、风险合规能力、社会声誉口碑不仅代表了建行形象，还代表中国金融业的总体形象。因此，带头深入推进精神文明建设，是建设银行作为窗口服务单位必须承担的重要责任。

建设银行党委始终高度重视党建工作、思想政治工作和精神文明建设，切实承担主体责任，坚持“两手抓、两手都要硬”，把精神文明建设纳入全行改革发展总体规划，列入各级领导班子和领导干部业绩考核的重要内容，我们不仅“提要求”，还“严考核”，形成了党委统一领导、党政齐抓共管、有关部门各负其责、全行积极参与的领导机制和工作机制。

在精神文明建设中，我们注重在核心价值观落细落小落实上下功夫。近年来，在全行开展了“践行核心价值观，服务合规促发展”“知行合一，实干兴行”“身边人讲身边事”“十大最美建行人评选”“建行公益，有你最美”等主题活动，树立了“向党工作站”“红梅理财中心”“刘艳快线”，以及以全国“最美人物”李红英同志为代表的一大批先进典型，激励广大员工见贤思齐、争当先进。同时，在全行推广“十小文明”创建活动，提出文明成果“六个一”载体建设，搭建了平台、建立了机制，夯实了创建工作基础。

在全行员工的共同努力下，我们的工作取得了阶段性成果。截至2017年7月，全行各级机构通过属地和系统，创建了54家全国文明单位，占全国文明单位总量的百分之一，这份荣誉来之不易。此外，我们还创建了省级文明单位359家、总行级文明单位174家，取得了领先同业的良好成绩。在此，我们要特别感谢中央和地方各级文明办领导多年来对建行的关怀，以及监管部门和相关政府部门多年来对建行工作的支持。这些以全国文明单位为代表的各级文明单位，深入培育践行社会主义核心价值观，以人为本、锐意创新、敢为人先，在转型发展中发挥了一定的示范引领作用。

“知之愈明，则行之愈笃”。我们要坚定信念、看齐中央。深入学习贯彻习近平总书记系列重要讲话精神和中央金融工作会议精神，扎实推进“两学一做”学习教育常态化和制度化，不断深化“四个意识”“四个自信”。我们要敢于担当、守牢阵地。各级党委要切实承担起意识形态工作、思想政治工作、精神文明建设等工作的主体责任，敢于担当，勇于创新，守牢宣传思想阵地，守住声誉风险底线。要价值引领、知行合一。加强转型期企业文化建设，将社会主义核心价值观和建设银行核心价值理念，融入客户服务、经营管理及员工日常行为当中。要讲好故事、塑造形象。积极主动做好正面宣传，讲好转型发展故事，唱响金融服务实体经济、金融报国的主旋律。要严抓作风、寸步不让。牢固树立作风建设永远在路上的观念，坚持从严治党、从严治行，反“四风”、树新风，有力激发全行崇德向善的正能量。

2017年是第五届全国文明单位评选年，我们要以此为契机，在中央及各级文明办、中国银监会的指导下，持续深化全行精神文明建设，巩固创建成果，争创更多文明服务品牌，与此同时，我们要珍惜荣誉，擦亮“全国文明单位”这一金字招牌，以文明助力转型，让典型引领发展，为建设最具价值创造力的国际一流银行集团提供强大的精神支撑和智力支持！

谢谢大家！

坚定意志 提升能力 推动金融市场业务更积极 更活跃 更有影响力

——在金融市场业务专题研修班上的讲话

庞秀生

（2017 年 3 月 13 日）

近两年金融市场业务做得很好，2017 年要按照既定的工作思路继续坚定不移地推进转型发展，三年的部署要求一以贯之。下面谈几点意见。

一、坚持“三年赶超工行”目标，奠定市场领先地位

（一）2015—2017 年这三年是中国金融市场发展的一个很重要的时期

不管各个市场主体怎样理解、怎样行动，在这段时期，从金融市场业务服务的深度、增长的速度以及面临的挑战来说，都将是非常有历史意义的。经过这三年的发展，中国金融市场各个主体的地位会发生变化。市场影响力、市场份额、竞争格局在三年内有一个很大的调整并基本定格，未来再想改变，将是事倍功半的。因此，这三年对于各个重要市场主体来说是个很大的挑战。

（二）建设银行应以更加积极的姿态应对变化和挑战

建行在这个阶段应采取什么样的态度？我们是稳当一点还是积极一点、活跃一点？董事长、董事会、经营班子的共同判断是，建行要有更积极、活跃的姿态，在市场上争取更好的表现，但不是不控制风险，不是盲目地追求规模。其实在“三年赶超工行”目标提出之前，2014 年我第一年分管金融市场业务，主要精力就是放在风险防控。在金融市场部、风险管理部（特别是市场风险管理部）做了很多工作之后，心里比较有底数了，我们才提出“三年赶超工行”的目标，为的是贯彻转型发展规划和董事长的要求，即在金融市场业务上要更积极、更活跃、更有影响力。为什么要作出这样的选择？一是我们拥有富有价值的庞大客户基础，这是所有市场主体中不多的；二是我们自己有一个很好的队伍和网络；三是我们风险内控的基础，虽然还需要巩固、加强，但是能支持我们在这三年内拿出更积极、更活跃的姿态来。

（三）“三年赶超工行”是总行基于内外部形势判断提出的目标

对标工行其实就是找个标尺，给出一个明确的信号：在中国市场上做最佳。这也和建行多年来不断创新、追求卓越的文化是合拍的。我们知道，建行在多年之前跟工行、中行、农行是不好比的，但现在我们在很多业务，包括传统业务上，超工行的分行已经很多了，超工行的产品也已经很多了。不是说要追求规模，占工行比值一定要达到多少，而是以此为目标，调动全行积极性，让全行统一意志，以坚定的决心把金融市场业务做得更积极、更活跃、更有影响力。

二、继续挖掘潜力，实现健康、可持续发展

（一）从客户、队伍、产品来看，发展潜力仍然很大

2014 年，我们的贵金属收入只是工行的一半，现在稳稳当当超过它。这不是盲目扩张做出来的，潜力还是很大，潜力在什么地方？潜力就是我们的客户、我们的队伍还远远没有充分地调动起来。客户的需求需要我们去挖掘、去启发，客户本身也需要在金融市场的发展中找到、说清

楚自己的需求。我们自己的队伍也是，真正参与金融市场业务的人不多，但实际为客户提供综合服务的人很多。这些人都需要在某种程度上了解和参与金融市场业务，但目前参与度还不高。产品创新和拓展的余地也很大。

（二）各分行之间发展还很不平衡

有一句话叫“事在人为”。造成不平衡的原因有内因也有外因，我们还是要多注意内因，多注意人的作用。观察一下进入“双超”（指代客资金交易收入和贵金属业务收入均超过工行）名单的21家分行和没有进入的16家分行，这个名单和我们对各个分行工作状态的判断以及好多业务的市场份额是有关系的，有正相关的也有负相关的。例如，2016年江苏行的面貌有很大转变，等级行考评由三类行又回到了一类行，它的金融市场业务当地市场份额也是最高的，也发生了很重要的转变。还有一些分行，刚好是负相关的，好像各项业务都不错，反倒是金融市场业务发展停滞，总是上不去。把正相关的、负相关的分行对比一下，我真的相信事在人为。这个“人”是谁？是分行班子、分行“一把手”和主管副行长。这三个方面各占多大比例不好说，但是“一把手”和主管金融市场业务的行长决定了这个分行的状态，主要体现在三点：一是意志（是否重视），二是能力，三是用不用力。关键在坚定的意志，你有没有这个意志、是不是一以贯之地坚定很重要。要是把原因归结到别的地方，找不到很好的数据和证据来支持。总体上，班子、“一把手”、主管行长是不是真投入、真重视，对分行的金融市场业务发展起到决定性作用。省分行、城市行、省会行，东南西北的分行，都有做得比较好的。以前说大行上不去，2015年上海上去了，2016年深圳也上去了。小行也能上去，西藏、青海、宁夏、海南就上去了。内地分行有能上去、有上不去的，沿海、边疆的分行也有能上去、有上不去的；最西北、最东北的分行上不去，最西南的分行上去了，最东南的分行也上去了——福建、厦门都实现了“双超”。所以还是要给大家一些压力。

（三）坚持稳健规范经营，实现健康、可持续发展

我们确立“三年赶超工行”这个目标，不是为了超越而超越，为了争份额而争份额。大家可能会发现，我们开始加强风险管理、内部控制、流动性管理等方面的工作。比如黄金租借，曾经放手让大家发展了几年，现在行内政策、监管政策都要求进一步加强管理。我们反复说，别人做的那些不具有可持续性的业务我们不做，要走正道。于是我们开始逐步地调整、引导，争取更健康地、可持续地发展。

三、加强总行核心能力建设，积极向分行传导知识和信息

（一）金融市场业务的核心能力在总行

金融市场业务和很多传统业务不一样。传统业务，总行就是下计划、下办法，然后分行去干。我在分行当过行长，知道分行干得如何主要取决于二级行行长甚至支行行长的能力。支行行长能力强、活跃，业务就做得好；如果支行行长能力不行，我们在这个区域就失去了竞争优势。但是对于金融市场业务，确定目标客户，提供适合产品、合理报价和便捷交易的能力在总行。有人说，选择什么样的目标客户不是分行最清楚吗？实际不是。总分行要共同分析、定义一批客户，把客户标签化、分层化，形成目标客户群，研究各个客户群的偏好和潜在需求，以及如何满足这些需求；接下来，把目标客户名单和相应产品推荐给支行和基层员工，同时提供合理的报价、方便的交易方式和到位的风控措施，比如可以建立重要客户“白名单”给予优惠报价，帮助基层成功营销。组合管理、集约化经营的能力也在总行。债券投资要重点投向税收和资本调整后收益率较高的品种，地方政府债投资认购不明显下降，可按8000亿元掌握，同时坚持地方债投资的利率底线，并根据利率走势进行调整。对于信用债券投资，要控制增量、压缩存量，积极开展结构调整。要把握市场机会，主动经营，资金、资本、MPA考核视实际情况配套调整。海外机构向总行借款既要支持也要管理，将境内吸收的外币资金大量运用到海外，一旦国内外形势发生变化，可能带来麻烦。全行金融市场业务应该集中统一，前、中、后台的工作都要高度统一和简化，现在各海外机构独立报价，效率不高，反而失去话语权、削弱市场影响力。

（二）总行要加强系统、数据和智能化应用能力

整个银行业对数据管理和服务的依赖很大，金融市场业务更是如此。例如，“五百寺庙、万两黄金”对公黄金积存专项营销活动就是基于客户群的分析提出来的。所以金融市场业务要更重视“新一代”系统建设、大数据应用、智能化应用。要做好“新一代”系统在境内外机构、各个产品线的推广，更好地发挥系统对业务的支持作用。要更深入地分析数据，充分发挥我行数据优势。要推动定报价、交易处理、客户服务智能化，提升交易效率、降低操作风险、改善客户体验。

（三）总行要积极向分行传导知识和信息

总行不仅要把核心能力建设起来，还要将掌握的专业知识和信息有效地传导下去，与全行员工共享。例如，总行可以整理客户营销、员工培训等工作的成功案例及营销诀窍，在微信公众号“建行金融市场业务”“建行贵金属业务”上发布。全行员工经过学习和实践，不断深化对金融市场业务的理解和认识，营销能力会有显著提升。我经常看到分行的同事在微信群里报告营销成果，大家兴高采烈，特别有成就感，因为不仅把这项业务做成了，还克服了很多困难、学到了很多东西，并且带动了其他业务的发展。进一步讲，不是每一个二级分行、支行都要配备一个金融市场业务的专业团队或部门，这不太可能，因为金融市场业务人才培养起来不容易，需要很多经历和见识。二级分支行对客户有基本的了解，对产品有基本的理解即可，更复杂的业务、更重要的客户可以从总行、一级分行找产品经理共同营销。

（四）总行部门要有问题导向意识

不要只在正式会议听取分行问题，平时就要多收集、多了解。要把接到的问题一个个抓住、剖析，给出解决方案。深圳分行提出的租借额度不足的问题，总行通过调度都能解决，只要总分行做好信息沟通即可；一个分行不一定能把时点额度控制好，但37个分行放在一起统筹考虑基本上能满足任何一个分行的需求。建行亚洲提出了授信额度不足的问题，目前央企客户授信使用率不高，公司部要牵头相关部门研究在系统中采取智能化办法让更多的业务可以用信。有些问题在开会的场合提出来不一定合适，也不一定能说明白，但只要加强沟通，传递出清楚的信号，就能保证业务正常发展。

四、动员全行参与金融市场业务，提升整体竞争实力

金融市场业务的真正发展要依靠分行、依靠全行，让全行的客户和员工更多地、更深入地参与进来。客户关系、市场营销主要靠分行、靠全行员工的努力。我们有38万员工，如果能够比别的银行的员工都更懂一点、参与得更多一点，建行就能取得优势，就能达到“更积极、更活跃、更有市场影响力”的目标。所以要千方百计培训、动员全系统的员工参与金融市场业务。不仅是金融市场条线，好多产品条线、好多客户服务部门要想实现转型目标，都得懂得和参与一些金融市场业务——要给客户提供综合服务就少不了金融市场业务，很多转型业务直接或间接与金融市场业务有关。我经常在“真金白银”微信群里看到金融市场部和金融市场交易中心的部门负责人、处长到全国各地去宣讲，就是要这样广泛地动员、广泛地参与、大力地推动。

三年来，每年的金融市场业务研修班我都很重视，都来听一听，和大家聊一聊。真的对大家期望很大，而且你们做得好不好我是知道的。我相信，只要分行班子、“一把手”和主管行长拿出坚定的意志，充分发挥领导能力和才华，调动员工积极性，调动各方面资源，一定能把金融市场业务做好。

谢谢各位！

在信息技术专题研修班上的讲话

庞秀生

（2017 年 5 月 26 日）

同志们：

这次会议至关重要。我们先请业务人员讲，又请技术人员和分行的同志讲，都是真正做了"新一代"、推动"新一代"的人来讲的。我们就是要让全行都比较充分地了解"新一代"，推进"新一代"的应用。五天的会议中安排了两天的讨论，讲课的人做了充分的准备，听课的人几乎也都发了言。大家的讨论很充分，根据大家的讨论，我重点讲三个方面的内容。

第一，学好用好"新一代"，充分发挥"新一代"优势。

"新一代"在六年前的设计，无论是设计理念还是技术业务架构等方面都是非常先进的，它在实施过程中还有一个很重要的特点，就是在这六年的时间内，建设银行在业务上、技术上学习吸收消化了很多全球领先的业务进步和技术进步，"新一代"就是源源不断地将这些学到的东西都转化为自身的优势。"新一代"是集中了全行一流的专家、外部的专家，以及许许多多优秀员工的共同智慧、共同创造出来的，是对我行宝贵的管理和经营经验、知识的固化。

学好用好"新一代"是全行2017 年的重大任务，不要理解为仅仅是技术条线的事，也不单单是总行的工作，更主要的是全行各个业务部门、各分行、各子公司，需要全行上下、技术和业务的共同努力。

同时，技术的进步和业务的进步一定是日新月异的，新技术、互联网在银行的应用，离不开信息技术人员的支持，我们信息技术人员要主动融入业务中，协助业务人员学好用好"新一代"。

通过学习，将"新一代"的精华融入业务中去，融入全行员工的脑子里去，充分发挥"新一代"的优势，才能对建行的转型发展、对于我们提升客户服务水平有实质性的贡献。

2017 年 12 月，我们要对"新一代"上线之后的推广组织实施和学习情况，以及推广之后的业务效果进行评比。总行各部门、"新一代"人员，共同组成评价小组，从 37 家分行中取排名靠前的 6 家分行予以奖励，在其 KPI 的最终考核结果中予以体现。

另外，我们在 2017 年底或 2018 年初，搞一个"新一代"应用案例比赛。每个分行都要参加，并推荐 1 ~ 3 个非常有创新性的案例，信息技术部具体设计一下活动方案，业务和技术相互配合完成，初选后，再让全行员工共同参与评价，选出 20 个案例进行奖励。

第二，建立快速响应机制，保障敏捷开发实施。

敏捷开发的问题也是 2017 年很大的事情。对于大家在应用中反映的问题，如何快速响应、敏捷开发？这是对全行信息技术转型的一次实战、一次考验。在完成快速响应及敏捷开发的同时，也完成了一次转型。

全体信息技术条线、全行各业务部门都要适应新的形势，以"新一代"企业级的思路，发挥"新一代"快速响应、敏捷开发的优势。当然，这并不是指所有的业务需求，对于有的业务需求，那是要一步一步做的。我指的是"新一代"上线后，在应用和运行过程中反映的问题，要尽可能地快速响应、敏捷开发。好多问题本来不是什么问题，有可能是技术的，也有可能是业务的，抓紧找到问题，抓紧解决就没问题，不解决，时间久了，就成了大问题。

我们要建立快速响应机制，明确职责，用系

统记录每个人做的效果，保证快速响应、敏捷开发的实施。

第三，用企业级的思路，做好信息技术转型。

学好用好“新一代”，还需要克服干扰因素和旧有惯性，不要强调分行特色。要知道，现在是没有分行的问题，都是建设银行的问题，我们不能再搞部门系统、分行系统或中心系统。

每个机构、每个团队、每个成员都是建设银行的一部分，我们是一体化的。企业级不仅仅是技术问题，是全行集约化的基本要求，需要银行共享每个人的智慧，也只有每个人的智慧、创造都变成企业级的，才有真正的价值。

当然，在具体工作中，会有很多特殊情况，我们不是说什么特殊情况、特色的东西都不能搞，能搞，搞一定要是企业级的。只有把握这一点，业务的创造性变成企业级，让全行应用共享，才最有效果，我们的工作才有意义。这是我们要把握的原则。

我们要建立各种机制，鼓励全行企业级、一体化的管理。这和全行的转型策略，和综合性、多功能、集约化、创新型、智慧型是一回事。

从讨论中，可以看出，参加会议的同志都感到很有收获、很有信心，希望大家回去一定要把会上的收获、把大家相互的启发、提示和想到的办法都用起来，让“新一代”在全行充分发挥作用，取得实际业务效果。

谢谢大家！

在“新一代”应用案例研讨会上的讲话

庞秀生

（2017 年 9 月 7 日）

同志们：

我们用一天半的时间，讲述了一个个精彩、漂亮的建设银行“新一代”应用故事。讲故事的舞台是“新一代”搭的，故事的作者是“新一代”各分行、各部门一些富有才华的员工，故事的内容展现了“新一代”给建行带来的胜果与竞争优势，也展现了我们解决的一批客户及社会所关心的痛点、难点问题，这才是让我们感到踏实、感到有成就感的事情。

完成这么精彩的故事，真的很不容易！这些作者富有创造性、富有学习力，同时也富有执行力。其实，不管提供什么样的舞台，总有些人能演绎得很精彩，另一些人却只能跑龙套、当配角，这是每个人自己的选择。我们创造出来的这些优秀的故事，其实也是建设银行共同的知识和财富，搭载了全行企业级平台，可以向更多的人开放共享，总行各部门、各分行在交流的过程中学习这些故事，交流之后可以复制这些故事。也正是这些精彩的故事，让建行的员工、客户以及社会真正地了解建行“新一代”的舞台，尤其提醒那些没有加入这个故事的人，让他们注意到舞台本身和舞台上演绎的故事是多么精彩，多么值得他们关注、学习及借鉴。

我一直觉得，谁用自己的实践、用自己的创造站在了高的地方，谁就会看到更高的地方，进而就会上更高的台阶。但是，有些人即便站在了低处，还是不注意，原因是他们的知识和技术能力不够、视野不够，他们的观念落后、知识的惰性及惯性太强，他们的胸怀不够开阔。所以，眼界、胸怀及格局是非常重要的。这里的每个故事都有很多的参与者，如果每个人都计较“谁的成绩谁出力”“给谁做了嫁衣”“我做会不会有麻烦”等想法，那这些故事都完成不了。因此，新的舞台也给我们所有员工提出了新的要求，那就是心要大，心有多大舞台就有多大。

在座的各分行、各部门、各中心，都要总结

这次会议给大家带来的启发，想一想我们是不是有责任在自己所分管的工作岗位上、工作条线里，把这些故事推广下去。在自己学习消化的同时，帮助和成全更多的条线、更多的员工，让他们能够登上这个丰富多彩的舞台，复制、创造、演绎出更多的精彩故事。

非常感谢大家，同时特别感谢福建分行、南平分行、武夷山培训中心以及武夷山支行的同志们为这次会议作出的努力。

在2017年计财条线工作会议上的讲话

庞秀生

（2017年10月31日）

同志们：

这次两天的会议中安排了一天多的讨论，各分行都发了言，大家的讨论很充分，在讨论过程中我也基本上把观点表达了，所以总结发言就短一些。

最近几个月，我的主要精力都在关注推动“新一代”的深入应用上。每个新的信息系统，在任何企业或银行的应用，要发挥效果都有一个过程。前一两年，一般是把旧的应用迁移到新系统中，有什么问题解决什么问题；再过一两年，“新一代”系统设计的先进的、提升的东西就会慢慢发挥出来。所以，“新一代”的见效需要两三年的时间，但是建设银行等不了，我们努力地希望缩短这个过程，让“新一代”更快地发挥效果。

董事长近期听了各部门的汇报，走了几个分行，看了很多网点，对事情了解越来越多，不止一次提到如果我们有一个好系统，并且在这个重要的时刻、重要的节点上处于领先地位，如果不发挥出它的效果，那就太遗憾了，就像董事长说的，我们需要把“新一代”的优势变成业务竞争的胜势。

对于“新一代”，我深有感触也非常高兴。我已经接触了二三十个案例的创造者，每个人都让我很感慨、很激动，也很佩服。我们的员工是非常富有创造力和学习力的员工，在“新一代”应用上做出了很多漂亮的故事。每一个成功的案例其实都是身处在不同岗位的人做的，有很多是基层的员工、基层的领导，也有各个业务部门的人，也包括总分行部门的员工、领导。他们处在不同的岗位，抢先别人发现了机遇，创造了精彩的故事，做得很好。

计财部门作为全行业务的综合管理部门，更应当抓住机遇强化大数据的深入运用。为什么这么说，在信息技术和大数据应用上有两个重要条件：一是复杂的工作，二是工作颗粒度要求细的工作，这两个工作更需要应用信息技术和大数据。用这个标准去衡量，计财条线更需要加大信息技术和大数据的应用。例如，如何将间接的收入和成本精确地分配到会计核算对象，就是非常复杂的事情。在过去的信息技术条件下，财务会计的核算只能尽量简化，做一些简单的分配。但是现在大数据彻底改变了这种状态，同时“新一代”又刚好能帮我们实现这一需求。计财部门处在组织全行综合运营的位子，承担相当重的任务。要实现这个任务，加大信息技术处理、分析数据是最重要的一个方面。计财部门应该是利用信息技术和大数据的重头部门、重头条线。每个部门、处室、岗位，只要是复杂的工作都需要应用信息技术和大数据。

“新一代”系统和大数据的推广应用是全行系统性的工程，关系到每一个分行、每一个部门、每一个员工。但在深入学习“新一代”、应用“新一代”上，却表现出了差异性。部分分行在

“新一代”的创新应用上较为突出。比如说，深圳分行一直是全行创新的“领头羊”，智慧银行、智慧柜员机都是深圳分行创造出来的，然后在全行推广。又比如，福建分行在互联网、信息技术的应用上非常精彩，凭借技术的应用和创新，福建分行是省分行层面中个人储蓄存款第一个超越工行的分行。广东分行在管理会计的应用上也很精彩，可以说主管行长的专业素质和职业判断起到了非常重要的作用。再比如，山东分行“慧兜圈”等几个创新做得都很漂亮。江西分行是2017年“新一代”上线的第一个分行，做得也很不错，这些创新创造出的精彩各有各的不同。

再看看各部门，各部门对“新一代”的感受也很深。经营责任重的部门，做得就比较好，比如个人金融部、公司业务部、资金结算部、小企业部、信用卡部等；经营压力小的部门，就做得弱一点。数字化程度弱、一般要求定性分析的部门做得也会弱一些；数字化强的部门做得就会强一些。财会部和资债部这两个部门应用数字相比许多部门都要多，对信息技术专业要求肯定不低，在管理的提升以及推动全行业务的经营发展压力也肯定大，因此更应该着眼全局、主动思考、创新思维，在大数据的应用上做得更好一些。

讲到这里，我想到我们常讨论的有两个问题挺有意思。一是人工智能是否能代替人的问题。这句话听起来好像是说，如果人工智能能代替人，我们才干；不能代替人，我们就不干。我想说，未来人工智能不是说一定能代替人，但是一定在有些方面，人比不了机器。所以，我们不要局限于这个问题，比人厉害的工具我们就要用。二是大数据应用是技术部门的事还是业务部门的事。在我看来，没有技术的业务不存在，没有业务的技术也不存在。业务部门牵头项目立项，数据管理部、技术部提供支持。

这几年，每次去分行调研，我听到的都是细碎的事情，没有大事汇报。实际上，计财处长处在一个特定的岗位上，帮助行长抓业务的综合牵头，大事肯定少不了。2011年，我就讲过计财部门是全行的调度中枢、专业大脑、变压器和情报系统，这都是要求计财部门要从行长的角度看全行经营，计财部既是部门序列中的一个部门，同时也有站在全行大局的职责。

前段时间，我去黑龙江分行，提到计财部门要考虑的三件事情：一是要看资产负债表是否干净，有没有窟窿、包袱。二是要看资产负债项目效率是高还是低。三是要保持弹性。弹性是什么？第一，遇到特殊情况、困难时，能否应对及保证适应形势的变化。第二，在整个结构设计上是否做了不同周期的配置。打个比方，资源配置是着眼于长远的平衡的安排。在资源配置时，有些是当期效益好，有些是当期效益差、未来效益好的，这样一来整个资源配置不会上下大幅波动，这里有很高的管理含量。计财部门要盯住大事，盯住大事就会发现，只要能抓到的问题就不是一个部门的问题，而是涉及多个部门的问题。要使我们的资产负债表更干净、更有效率、更有弹性，就需要开展全行各方面工作，就需要计财部门与各个部门协调一系列的问题。通过与各个部门之间的沟通、反馈，我们就能学到、提炼、生发一些东西，从而支持行长进行对全行的发展战略和中长期发展规划的考虑和决策。这些事在做的过程中，都与信息技术和大数据的应用息息相关。

那么，如何推动各部门应用“新一代”。首先计财部门要带头使用信息技术和大数据。在分析问题、发现问题、解决问题的过程中自然会提出一些课题、牵出一批项目。然后，由业务部门牵头项目，数据管理部、技术部提供支持。整个过程，计财部门既是提出部门也是参与部门。我所说的推动是指从全行业务发展蓝图出发，计财部门来提出若干题目，自身参与，让各部门研究解决一些问题。在研究解决问题的过程中，“新一代”和大数据的应用就显得非常重要。

最后，我一定要强调两点：一是计财条线要富有挑战性、创造性，要对工作充满新意；二是要认识到“新一代”和大数据的应用在这个时代很重要，要着眼全局、开拓思维、全方位地寻找使用新技术、大数据的切入点，通过大数据的应用推进计财管理工作的变革。

在2017年数据条线学好用好“新一代”案例交流暨工作会议上的讲话

庞秀生

（2017年12月8日）

同志们：

我从学校毕业参加工作，就来到了建设银行，在典型的算账部门里工作。刚来行里的那几年，就是统计员，那时候的装备基本上是算盘、报表和油笔，现在想起来的感觉，真是“负霜戈而直进”。在我退休前的这几年，我又回到数据管理队伍，感慨良多。走到今天，我们装备了“新一代”，感觉是“今宵扫云阵，极目净天宇”，不是鸟枪换炮，而是从大刀长矛，跃进到云阵（计算）之中，多不容易。几度风雨春秋，总分行各部门的数据精英融入“新一代”的建设当中，为了员工的微笑和建行的丰收，“显身手，竞风流”，在数据管理方面践行了梦想。

建行的数据能力，不仅在国内，在全球也算是走上了高地。我们的数据管理工作从舞台边缘敲锣打鼓地走到舞台中央，是重要的配角，不可或缺的配角，成全了主角，成全了整台戏。这样的变化，让我心生骄傲。2017年是我们看到数据之美的开局之年，也仅仅是开局之年。说实话，我们的企业级数据应用平台还是“小荷初露”，我们的大数据工作平台也只是“初试牛刀”，2018年肯定不一样，2018年应该是“百花竞放”，丰富多彩。但是这还不够，百花园里还得有奇葩。没有更高档次的东西，没有含金量更高的东西，有时候效率可能还是不高。我2017年去山东招远的金矿看，矿石用大货车拉进来，一卡车矿石里面没有几克黄金，跟别的石头差不多，看不出有什么不一样。但是经过了一道工序之后，一公斤矿泥中可能就有几克黄金，但这个时候还是看不到一点黄金的风采，只是黑黝黝的泥浆。然后再一道工序，再几道工序，万分之9999，这才成了24K金，再往下走，十万分之99999，一道道工序往下走，含金量越来越高，才越有价值。我们现在已经有了一定价值的“数据”矿石，但经过的工序还不多，还得加几道工序，才能让人清楚地看到数据中的含金量，才能感受数据之美。要想走到这一步，还要依靠深度学习、机器学习和人工智能。

人工智能的广泛应用离我们已经不远了，明年就有可能刮起劲风，再过一两年，可能就是一个万众创造的氛围。建设银行得往前走，特别是总行各部门和有原创能力的分行，要在人工智能上早做准备、早投入。这需要一段时间的积淀，如果我们两三年还不能打开局面，不能在全行大范围地展开，那我们还不算是领先。有些事情的进步，量变到一定的点，就会出现跳跃，不说颠覆性，但会是重大改变。这对于总行部门来说更重要，人工智能如果全都靠分行来做，可能挑战性更大，总行部门要早做准备。有些数据能力领先的分行，如北上广深，福建、山东、江苏、四川、云南、辽宁、陕西等分行，要开始在这方面有所投入，配备相应的资源和人员。资源、力量到位之后，全行还需要一定时间的学习积累和迭代，如果没有这个时间，实际上还很难拿出有价值的东西，所以要早做准备。

要注重数据队伍的建设，尽快建立专业技术体系，通过强化培训，充实队伍力量。董事长明确要求，对我行未来发展特别重要的工作和领域，比如金融科技、大数据人才等，要建立起专业技术体系，下决心充实力量。数据分析师队伍要抓紧建设，而且一开始就应该宁缺毋滥，要让那些有能力、有实践、有成果的人进来。数据分析师不是数据部门、技术部门、开发中心才可以有，各个部门都可以有，而且也都应该有。特别是总行40个部门都应该有数据应用的能力，否则你真的是落后于建设银行整体步伐。所以2018年我们就要把数据队伍建设起来，把专业的数据分析师队伍和体系建起来。在有些分行和有些部门，可能还是属于打一枪换一个地的民兵班，但现在是时候建武工队了。武工队别看人少，十几个、几十个那都是精兵强将，甚至在正规军中也是挑出来的。我听说今天有的分行已经配备了几十人，储备了人才，这样的分行你会看出来不一样。要开始早点把数据队伍拉起来，建立体系，然后学习培训，充实起来，进行有效的跟踪评价，这个要早点做。上海数据分析中心明年的绿树工程培训班最好要能力比较强的人参加。对于更多的人，可以在常培和哈培搞一个大一点的班，抓紧培养，在一个为期不长的培训班里面，尽快培养有复制大数据能力的人。另外在技术上要想办法，要通过技术的改进把数据服务简化、傻瓜化。

我有的时候想，既然强调企业级，那我们不要总对各分行提出一样的要求，有十几个分行拥有原创能力就行了，更多的分行主要是复制和共享。这并不是否定原创，分行孵化复制和共享的力量要多些。我也接触过几个二级分行员工，在二级分行里，一个员工领着几个小兵，其实也创造出很多精彩的东西。党的十九大的报告里，强调的是开放共享。“新一代”的一个重要的能力，是把一个局部、一个分行、一个部门创造的知识，能够很快地装到系统里，让全行共享，这是我们的一大优势，要发挥好。对于更多的分行来说，复制共享可能是更重头的工作，是投入分量更重的任务，你们要想办法。

观念的转变很重要，但关键的转变是在实践中干出来的、感受出来的。2017年下半年，我参加了七八次“新一代”应用、大数据应用案例分析会，感受深刻的一点就是，每一次参加的人都有新的认识、新的变化。2017年5月，全行分管信息技术的行长、处长们在明苑开会的时候，好多人还在关注要建设分行特色系统，但现在已经没有多少人再说那些事情了，因为他们都已经发现，“新一代”是全行共创共享的平台，任何人的创造都可以给更多人带来价值，带来效益。同时，更多复制的人也给银行带来丰富多彩。我们会变，在实践中继续变。很高兴大家来了一天多，收获非常多，感觉未来有很多能够做的东西，可以创造的内容。

我今天早上看了一下数据管理部的工作报告，其中提到四个字“成人之美”，这还是我今天要特别说的一项。总行的数据管理部门，以及上海数据分析中心、各分行的数据管理部门，跟其他业务部门不要成为“两张皮”。不要他们做一套，我再选择几个题目，另做一套，甚至我们两个部门做的是同一个课题，不要往这方面转。数据管理部门就是专业队伍，要集中精力，支持各业务部门把队伍建立起来，把题目选好，创造出有价值的东西。这个部门更多的应是推广、支持、成全。

大家回去之后，要把这次会议的精神和内容传达到全行，这样才会更有放射性地带来影响。大数据时代，现在已经不再是炒作造势的初始阶段，数据已经全面融入我们的经营管理活动当中，数据管理工作已经直面挑战，刺刀见红。所以，数据管理工作的分管行长一定要让全行以及你所在的分行，方方面面对数据应用、数据管理工作都有一个全新的认识。各分行的分管行长一定要在这方面多下功夫。

我就说这么多，谢谢大家。

深化转型　勇拔头筹 持续推动对公业务稳健快速发展

——在中国建设银行2017年对公业务工作会议上的讲话

章更生

（2017年3月22日）

我们这次会议的主要任务是贯彻落实全行工作会议精神，分析形势和面临的问题，进一步深化公司业务转型，加强协同发展，持续提升市场竞争力和价值创造力。总行党委对这次会议高度重视，黄毅副行长、静波副行长专门抽出时间出席这次会议，一会儿他们还要做重要指示；三位董事也应邀出席了会议，亲临指导。下面，我讲五个方面的意见，供大家讨论。

一、2016年以来对公业务工作回顾

2016年，全行对公条线按照总行党委、董事长、行长、监事长及高管层的决策部署与工作要求，认真贯彻执行国家宏观调控政策和监管要求，积极应对复杂的经济形势和激烈的市场竞争，开拓创新，奋勇向前，在相关条线的大力配合支持下，经过全行上下共同努力，各项业务取得了优异的成绩，市场竞争力不断增强，转型发展逐渐深入。2017年初以来，开局平稳，继续保持了良好的增长态势。

（一）账户总量取得历史性突破，客户基础不断厚植

1. 账户新增稳居首位，总量跃居四大行第二。单位人民币结算账户总量新增和增速连续五年保持四大行第一，账户总量及基本户均实现赶超，首次跃居四大行第二。账户总量达到672万户，全年新增超百万户，反超第二名35万户，与领先者的差距只有73万户，缩小了44万户，领先第四名253万户、扩大了82万户。基本户总量475万户，新增90万户，四大行占比为27%，较年初提升2个百分点。基本户占比为71%，较年初提高3个百分点，连续七年提升。

2. 客户总量平稳增长，结构不断优化。

——公司机构客户突破400万户，达到406万户，新增39万户，增速为11%；有效客户新增17万户，总量达到178万户，增速为10%。

——总行级主办银行客户909户，新增133户。

——扭转了社保业务市场格局，独家中标中央国家机关事业单位养老保险账户、职业年金归集账户和全国社会基金理事会地方养老保险基金归集账户。

——银校通、银医通合作客户近2000家，公检法司系统客户数较年初新增675户，达8071户。

——首批明确43家同业直营客户，签署总行级全面战略合作协议38项，重点直营客户存款余额、日均、结算量等多项指标四大行第一。同业客户中七大类非银行金融机构客户法人与我行具有合作关系的有382家，合作覆盖度79%，其中证券公司、资产管理公司、金融租赁公司实现客户合作全覆盖。

——法人小微企业贷款客户新增9755户，新增和总量均居四大行第一，户均贷款实现四大行最低。

——现金管理活跃客户113万户，覆盖全行对公客户的26%，新增39万户；五项结算类产品覆盖度达3.36，同比提升0.43，总行级客户现金管理覆盖率超过90%。

——对公网络活跃客户167万户，新增49万户，增幅达41%。

（二）扎根实体经济建设，信贷结构持续改善

2016年累计发放本外币公司类贷款超3万亿元，全年贷款新增1473亿元，余额达到63617亿元。支持国家重大工程项目6453个，签约投放金额和贷款储备金额合计1.47万亿元。

1. 巩固传统优势，支持实体经济建设。

——基础设施领域贷款新增1891亿元，在公司类贷款新增占比128%。成功营销中广核防城港二期、北京新机场、蒙华铁路、京津冀城际、武汉轨道交通8号线等众多优质项目。支持政府购买项目578个，贷款投放1142亿元。

——小微企业贷款圆满完成“三个不低于”，贷款增速高于各项贷款增速2.28个百分点；贷款客户、申贷获得率同比提高；国务院《政务情况交流》刊发我行支持小微企业发展的措施，人民银行信贷政策导向效果评估分支机构优良率位列国有银行第一，中国银监会银行业新闻发布会专场推介我行小微企业服务成效。

——金融精准扶贫贷款余额948亿元，比年初新增173亿元，增速达22%。成功举办“建行杯”大学生创新创业大赛，与教育部联合发起设立“中国高校双创产业投资基金”。借助“裕农通”产品大力支持“三农”，全年办理助农金融业务25万笔，交易额超过5700万元。

——网络银行业务已经为超过1.9万客户提供2577亿元网络融资支持。

2. 坚决落实监管要求，信贷结构持续优化。

——剔除低风险业务，产能严重过剩行业信贷、贷款余额分别较年初下降104亿元、50亿元。

——全口径平台贷款比年初减少1111亿元；监管类平台贷款比年初减少871亿元。

——房地产开发类贷款投向优化，一二线城市贷款余额2357亿元，占比为79%，比年初提高0.66个百分点。

——全行合计压缩退出贷款607亿元，累计退出金额超过3000亿元。

（三）对公存款新增突破万亿元，稳定性近五年最优

1. 存款新增稳居四大行第一，市场占比稳步提升。本外币核心存款时点余额突破8万亿元，比年初新增1.14万亿元，比去年同期多增7777亿元；本外币核心存款日均余额7.5万亿元，比年初新增7789亿元，计划完成率达194%；全年时点与日均新增均位列四大行首位，余额占比分别较年初提升1.01个、0.39个百分点。

2. 认真落实监管要求，稳定性近五年最优。人行口径本外币对公存款余额8.2万亿元，比年初新增1.15万亿元，全年存款负增长天数仅10天，为近五年来最少。

3. 机构存款有力支撑全行负债，重点结算产品贡献显著。机构类存款余额3.2万亿元，日均新增3812亿元，在对公新增中的占比达50%以上。全行军警师级以上账户新增52个，增速为33%；成功开立军委机关事务管理总局、陆军装备部、陆军参谋部等重要账户，军警存款时点余额为2398亿元，达到历史最高水平。地方国库定期存款累计中标金额四大行位次第一。把握机关事业单位养老保险改革重要机遇，23家分行取得省级机关事业单位养老保险业务代理资格，同业绝对第一，社保存款突破万亿元大关。对公一户通、多模式现金池、票据池等产品吸收存款沉淀3.8万亿元，固化集团客户存款余额4.3万亿元，分别占对公存款的48%、54%，稳存增存效果持续显现。

4. 同业负债多元化发展，余额、新增四大行第一。同业负债（含保险公司存款）余额为1.45万亿元，比年初新增713亿元，增速为5%；同业负债时点余额（人民币口径）四大行居首；日均余额（全口径）四大行第一，负债全年增量、增速均为四大行首位。四大行占比较年初提升到6个百分点，达到30%。同业负债综合付息率为2.04%，较年初降低17个基点。

5. 资金统筹管理能力不断增强。对公存款累计资金循环率（承接率）达到44.94%，较年初提升0.79个百分点。

（四）转型发展持续推进，集成意识深入人心

1. 协同联动，搭建综合营销平台。

——市场营销全面开花。与新疆维吾尔自治区政府等11个省、市高层会谈暨战略合作签约。与海航集团、浙江交投、物美集团、国家林业局、浙江大学、西安交通大学、新华网、淮南矿业、淮北矿业、皖北煤电、马钢集团等客户签订战略合作协议；总行直接营销走访总行级主办银行客户74户。2016年业内额度最大（70亿元）养老金托管项目中国大唐养老金托管资格被我行取得。国家领导人先后在出访智利、加拿大期间见证我行项目签约，我行与越南越捷航空签署的飞机租赁融资协议成功纳入越共中央总书记访华成果。

——条线联动高效务实。协同推进ETC、代发工资、信用卡发卡等业务。通过联动营销，2016年全行累计发行ETC电子标签（OBU）1577万个，较年初新增664万个，增幅达73%，市场占比为35%，较年初提升了3.54个百分点；带动信用卡客户净新增175万户；协助代发工资户新增1564万户。面向湖南、陕西省工商联优质企业发行"湘商""陕商"联名卡，累计发行带有企业标识的结算联名卡1万张。在同业中率先发行单位公务卡。

——母子公司联动快速增长。2016年成功推荐建信租赁新增放款额571亿元、向建信信托推荐并成功设立的项目规模为1365亿元、向建信期货推荐客户日均权益增量为6.95亿元。全年委托建信基金管理2200亿元，委托建信人寿资管管理1483亿元，建信信托、建信资本通道规模分别达到1568亿元、1480亿元。企业年金运营托管资产规模为1631.30亿元，比年初新增230.14亿元，运营受托资产规模为636.63亿元，比年初新增75.38亿元，运营个人账户数为324.11万户，比年初新增28.32万户；养老金业务三项经营指标余额均保持四大行第二。

2. 创新模式，全力推进综合服务。

——综合金融服务深入推进。全年直接与间接融资配比为10.31，高于2016年同期水平的6.31。以综合金融服务方案为抓手，组织召开4次综合金融服务方案评审会，集中评议分行上报方案56个；组织召开轨道交通类等17类行业客户综合金融服务方案典型案例复制推广会；全行超额完成年初制订的380户综合服务方案编制目标，共计完成405户，覆盖37家分行和主要行业门类，"三覆盖"工作计划完成率达到106.6%。通过一揽子综合性金融服务，对国电投、中国远洋海运、宝武钢铁等集团实施重组和业务整合给予支持。创新推出资管项下委托贷款业务，打造"鑫委贷"新模式，单位委贷增速高达42%。

——中间业务连续六年居四大行首位。实现公司中间业务收入336亿元，占全行手续费及佣金收入的27%。按照四大行可比口径，对公中间业务收入为415亿元，四大行占比为31.56%，连续六年居四大行首位。境内保证、转贷款、CTS、单位人民币结算、代理保险、托管、国际结算、代收代扣、承诺9项产品收入居同业前两位。

——战略客户服务能力持续提升。紧跟国家"一带一路"、国际产能合作等"走出去"战略，全年新增签约海外项目154个，签约金额达340亿美元，项目数量和金额分别是2015年的2.26倍和1.61倍。对中国国有资本风险投资基金进行200亿元股权投资，参与铁建蓝海、中电建等一系列产业基金。全年累计实施78个战略客户的综合金融服务方案，信贷支持央企客户余额近2万亿元，较年初增长6.92%，其中能源、交通、建筑等行业新增占比超过70%。

——同业资产规模破万亿元。同业资产突破万亿元大关，比年初新增3207亿元，增速为45%；全年压缩票据买返业务1460亿元，压缩存放同业等传统同业业务733亿元，积极将资金向新型同业投资配置，同业投资余额在同业资产中占比提升至58%。同业资产规模四大行位次显著提升，由年初四大行第三跃升至四大行首位，全年资产余额以及对应增量、增速均为四大行第一。

——小企业业务小额化转型成效显著。坚持以小为主、以微为重，单户贷款500万元（含）以下客户占比较年初提高7个百分点。大数据产品贷款增长184%，不良贷款率为0.54%。"小微企业快贷"累计为13070户小微企业在线提供279亿元信贷资金支持。

——托管业务发展打开新局面。托管业务三年来经营成效显著，规模连续跨越六个万亿元台阶，增长两倍，达到9.25万亿元。2016年收入较2014年翻一番，三年累计收入超百亿元。基本改变了在几大银行中托管业务相对落后的局面。

——现金管理服务能力进一步增强。新拓展贵州茅台、中国铝业、一汽集团等票据池客户7549户，以及中铁财务、上海城投、中联重科、南京公交等多模式现金池客户1130户，为南海舰队、安利（中国）、碧桂园、首钢财务、北汽财务等162个重要客户组建现金管理服务网络，现金管理服务“三大一高”客户、支持实体经济发展能力不断凸显。

（五）基础管理持续夯实，资产质量逆势向好

1. 加大产品创新力度。

——创新引领能力不断增强。积极打造我行绿色信贷金融服务品牌，创新推出了海绵城市建设贷款、综合管廊建设贷款、城市疏解贷款和“节能贷”四个绿色金融服务产品；创新农村集体经营性建设用地使用权抵押贷款和政府采购贷款。创新打造市场服务最佳品牌，推出“军建安鑫”“民政E线通”特色产品和《党费收缴管理金融服务方案》。创新推出委外投资业务、债权类同业投资，巩固我行高收益资产配置优势，扩大了同业业务的内涵和外延。完成全球现金管理项目的落地实施，为海航集团、安利（中国）搭建客户全球成员单位账户信息视图，在四大行中首推“智能跨行收款”产品，使我行具备了完整的跨行B2B、B2C主动收款服务的能力。领先同业推出电子证照结算卡、农民工工资监管服务、票据池同业投资等创新产品，同业优势持续巩固。

——品牌影响力不断提升。在《银行家》杂志及“中国金融创新论坛”举办的2016中国金融创新奖颁奖典礼上，“保险资金实业投资综合金融服务方案”荣获“十佳金融产品创新奖”（对公业务）；“汽贸融”获得2016年度注册商标权取得奖；“禹道”现金管理品牌荣获《贸易金融》《环球金融》《首席财务官》评选的“最佳现金管理产品创新银行”“2016年亚太区最佳流动性管理银行”“2016年度最佳现金管理品牌奖”；“税易贷”获中国国际金融展优秀中小企业金融服务奖；“小企业 大事业”品牌代表建行获评2015—2016年全国金融系统企业文化建设奖。托管业务荣获《环球金融》杂志2016年度中国市场唯一一家“最佳托管银行”；连续11年获得《全球托管人》《财资》《环球金融》各项托管专业荣誉；连续四年荣获“中国债券市场优秀托管机构”奖项。

2. 持续提升盈利能力。对公存款付息率为1.35%，低于全行一般性存款11个百分点，连续两年保持四大行最低，分别低于工行、农行11个基点和18个基点，由此带来的相对效益额分别为78.98亿元、129.25亿元。存贷款利差为3.38%，高于全行平均水平0.35个百分点。

3. 加强对公客户经理队伍建设。全行客户经理聘任人数2.5万人；全年共组织举办对公客户经理信贷业务培训班及转培训723期，37505人次参训，培训期数计划完成率达129%；举办对公客户经理兼职师资、公司及机构业务百佳客户经理香港培训班，有效提升客户经理综合金融服务及风险防控等能力。

4. 稳定对公信贷资产质量。保持资产质量管控高压态势，持续做好对公信贷内控名单管理工作，组织实施大中型公司客户“体检”工作，从防新增、压存量两方面着手，持续加大不良贷款、逾期贷款和垫款的清收与处置力度；积极推动总行“30大”风险项目化解处置及分片包干压控不良工作。2016年我行率先同业实现信贷资产质量向好。

5. 完善科技系统，保障业务发展。按照“新一代”核心系统建设计划安排，完成了对公客户信息、海外现金管理、CLPM、OCRM等应用组件在建亚（香港分行）、澳门分行的推广上线；全行15家试点机构成功接入票交所系统，客户端运行稳定，相关各项业务顺利开展。创新“小微企业快贷”全流程在线服务模式，实现信息自动获取、客户自动评价、贷款自动审批。基于大数据分析优化小企业评分卡模型、早期预警工具，有效提升风险预警效率、客户选择和风险管控的精准度。推出微信预约开户，优化开户流程，联合工商部门发行电子营业执照、深化全流程电子化登记管理，不断升级账户服务。在“新一代”推出代收、代付、缴费三大产品线，实现代收代付产品的标准化应用。

2016年在国内外经济形势异常复杂、同业竞争激烈的情况下，对公条线能取得突出的成绩，从总结经验来看，主要有以下几个方面：

一是只有立足大局，敢于担当，才能方向明、任务清、格局大。2016年，面临复杂多变的内外部形势，党中央、国务院高瞻远瞩，突出长期发展与短期增长相结合，通过降成本、优结构、促改革，不断为经济增长提供新动能。总行党委坚决贯彻国家各项政策精神，科学决策、正确部署，为各项业务稳健发展指明了方向。对公条线始终坚持业务发展着眼于大局，主动对接基础设施重大项目、加大信贷投入，创新推出了PPP模式及政府购买服务等产品，全力支持实体经济转型升级；加大信贷结构调整的力度，助力供给侧结构性改革，切实担负起国有大行应有的责任。对于总行的决策部署和目标任务，不讲条件、不遗余力，坚决贯彻执行，从而业务规模得到快速增长，协同发展深入推进，市场地位巩固提升，有力地支撑着全行各项业务持续健康发展。

二是只有积极转型，抢占先机，才能创新发展，以智取胜。建设银行在五大行中转型是起步最早、步伐最快的；而我们对公条线的转型又是全行最早、最快的，2014年初就完成了对公业务转型发展的顶层设计，明确了转型思路、方向和目标，全行转型规划一出台，我们对公条线就立即作出了反应、坚决贯彻执行，通过有效的整合集成建设银行集团全牌照优势，推动形成了以综合融资服务客户的全新局面，探索出了一整套新打法。经过3年多的实践，我们相继提出了主办银行客户、综合金融服务方案等全新的概念，组建了同业业务中心、资管中心，建设银行传统优势和优秀文化不断传承，奋勇向前的拼搏精神在全行对公条线不断激发，为对公业务发展不断注入源源不断的活力。

三是只有对标同业，勇于赶超，才能目标明确，奋勇争先。近年来，对公业务发展面对巨大压力和挑战，全条线员工凝心聚力，不畏困难，敢于对标，能够在气势上压制对手。特别是在2016年末存款竞争的胶着状态下，我们持续调度、不轻言放弃，在年末最后一天，工行负增长446亿元的情况下，我行反新增621亿元，完胜同业。在机制上，能够激发斗志，全条线能够做到各级领导靠前指挥、身先士卒、以上率下，在军队武警业务、养老金业务、社保业务高层营销等方面形成了彼消我长的优势竞争局面。

四是只有主动联动，协同发展，才能实现全行利益最大化。建设银行是做基建起家的，对公业务一直是全行业务和利润贡献的主力军，我们对公条线始终坚持以全行利益最大化为价值取向，树立全局观念，以推动全行业务发展为根本目的，通过搭平台、建机制，不遗余力地带动友邻条线、分行、子公司、境外分支机构协同发展，极大地提高了全行的业务拓展能力和价值创造能力，这也成为建设银行优势的核心竞争力之一。

五是只有合规经营，严守底线，才能实现健康发展。面对复杂多变的外部形势和结构调整期，全行坚持底线思维，始终保持资产质量管控高压态势，创新方式方法，强化工具化、标准化建设，全条线建立包括行业限额、名单制、专项排查、内控名单、客户体检等工具化管理模式，将合规经营、风险防范的意识固化到日常工作中，不断提升对公条线内控管理水平，守牢对公信贷业务风险防范第一道防线，从而才有精力抓发展。

同志们，2016年我们的成绩很突出。成绩的取得得益于总行党委、董事长、行长、监事长及高管层的正确领导，得益于有关条线大力支持与配合，得益于对公条线全体员工齐心协力、努力打拼。在此，谨向有关条线、子公司及海外机构，谨向你们并通过你们向对公条线全体员工表示衷心感谢！

二、当前对公业务面临的内外部形势

（一）外部宏观经济金融形势

从国际看，外部不确定性上升。美联储加息步伐预期加快诱发资本回流本土，民粹主义抬头诱发贸易保护主义加剧，境内客户对外投资并购风险有所增加，经营布局可能将更多聚焦在国内。

从国内看，宏观经济稳中向好。随着“三去一降一补”供给侧结构性改革的推进，在上游原材料、中游制造业盈利改善的同时，民生、消费领域对经济增长的贡献作用日益增强，反映出经济增长的新动能正在逐步形成。同时，从用电量、铁路货运量等指标看，经济活跃度有所增强，从而进一步奠定了宏观经济企稳向好的基础。货币政策稳健中性。货币政策将适应外汇占款减少等货币供应方式新变化，流动性基本稳定，市场资金价格将有所上涨，这使我们在面对信贷规模瓶颈的同时，也蕴含着提高贷款定价能力的机遇。财政政策延续积极。尽管结构性减税、财政转移支付、基础设施建设专项投资力度的加大，增加了财政存款的增存压力，但也给我们带来了财政下游客户企业存款业务营销机遇。产业政策力促供给侧结构性改革。“去产能”的持续推进以及僵尸企业出清步伐的加快，在增加我们风险防控压力的同时，也给我们带来了参与产业并购整合、市场化债转股的业务机会。监管政策力促社会资金脱虚向实。银行业监管定调提质增效，严控“七大风险”，持续规范同业和理财业务；房地产非信贷融资在受限的同时，也给我们带来了巩固房地产开发贷款等传统优势的业务机会。

（二）内部发展存在的短板和不足

1. 对公转型有待向纵深推进。对公转型已经进入深化期、攻坚期，先发优势、制度红利已逐步释放，转型发展瓶颈也有所显现，客观上要求我们必须把市场和客户做深、做细。但目前我们还存在着诸多不足。一是开源的思路不够，客户资源深挖利用不足。2016 年对我行客户账户来说，应该是重大突破的一年。然而，就像农民种地一样，首先要有地，然后才能种庄稼。现在我们是有地了，那么接下来我们就要转换思路，要想着如何提高单位产量。阿里巴巴的淘宝最开始就是个交易平台，但它就是依托这个平台，挖掘出来很多需求，它的支付宝基本涵盖了日常生活的各个方面，多少人的生活已经离不开它。我们也应通过供给侧改革，主动引导客户的需求及潜在需求，利用客户的资源实现我们的业务发展。二是节流管理不够细，存在大量资源的跑冒滴漏现象。假日对私对公存款存在此消彼长的现象。2016 年假日期间，个人存款累计减少 1.9 万亿元，对公存款累计增长 1 万亿元，这中间存在 8873 亿元的差额，根据分析，假日期间个人存款流出资金中 28% 我行未承接，其中 9% 是对公未承接，数量达 1.17 万亿元，其中 7100 亿元流失在消费领域，电信电视缴费、典当拍卖信托、超市、餐饮、汽车销售行业等承接率都很低，这是个很大的存款资源流失。这几年我们一边在很辛苦地一点一点拉存款，一边又在大量流失，很可惜啊！

2. 个别环节执行力不够。虽然从各项市场竞争力指标看，我们大部分指标已经居于同业前两位，并且很多指标还是居于同业首位，但仍然有个别指标处于同业后两位，比如并购业务，工行 1600 亿元，我行才 350 亿元，四大行第四，与我行的市场地位很不相符合；部分分行表面看业务增长良好，但这只是跟自己比，放到市场上一比，发现才仅仅位于同业第二、第三；有的拿到第一的分行，存在满足于现状的思想，没有进一步拉大优势的劲头；更是有的分行，放任个别业务同业落后的局面，认为差距大、困难大，追赶不上，没了追赶的勇气。这种小富即安、小胜即满、裹足不前的思想一定要扭转。市场竞争，不进则退，我们要有勇争第一的胆识和气魄，要有不断前进的决心与霸气，主要业务指标市场份额要努力达到 30% 以上，这是我们新提的目标，以后绝大多数指标都要“奔三”，努力打造市场竞争的绝对优势。

3. 信贷管理能力仍有待加强。一是客户选择能力有待加强。行业趋势性研究不足，对行业、客户经营的经验、数据积累不足，趋势性研判的准确度不高。对新兴领域重视不够、缺乏研究，对文化、养老、旅游等消费领域、战略性新兴行业的研究不够，对产品服务模式探索欠缺。客户调查评价不够深透，对客户基本面和具体风险欠深入考量。二是真实性问题依然突出。对部分客户融资需求的真实性、合理性调查分析不够透彻，虚构交易背景套取信贷资金的现象仍比较突出，信贷资金用途真实性管控仍乏力。三是风险管控效力仍显不足。风险预警预控能力有待加强，对部分行业风险特征、风险类型、风险迁徙规律掌握得不精准，对部分业务、产品关键风险点把控不到位，对部分企业出现盲目扩张、多元经营、负债过度、资金紧张等风险信号预警不及时。关联关系识别、贷中条件落实、贷后管理等薄弱环节仍存风险隐患。风险化解处置能力有待提高，部分化解方案论证不够充分，部分风险化解决策不果断。风险缓释效力有待加强。部分担保权利设立忽视权利标的实际价值，未能持续关注押品价值及保证人资信的变化情况，担保机构违规经营、“担而不偿”的现象有所增加。这些表象反映出的问题是我们对信贷管控用心、用脑不够，对信贷风险的关键点、实质风险、最终风险研判能力不强。

三、2017 年对公业务发展思路和目标

（一）2017 年对公业务发展思路

按照全行工作会议及转型发展规划的总体部署，进一步解放思想，以勇拔头筹的精神，加强

协同，坚定不移地将对公业务转型推向深入，以综合营销、综合服务、综合定价为主线，以风险管控和队伍建设为保障，以创新发展为引领，全面提升精细化经营管理的能力，不断增强价值创造能力。

（二）2017 年对公业务主要发展目标

1. 公司机构有效客户新增 8.76 万户，增速为4.92%以上；对公网络活跃客户净增 40 万户，增速为24%；现金管理活跃客户净增31 万户，增速为28%；单位人民币结算账户新增70 万户，基本结算账户新增 55 万户，增量保持同业第一，力争再用3 年左右的时间超越为第一；加强本外币账户的协同发展，大力拓展外汇账户，正常外汇活期账户新增 2 万户；新增“新一代”代付产品有效客户 7 万户，抓好代发工资源头客户拓展；法人小微企业贷款客户新增和总量四大行第一，大数据产品客户新增 4 万户，各行小企业业务效益较上年度要显著提升；机关事业单位养老保险账户覆盖度达46%；银医通银校通合作客户新增200 户。

2. 本外币企业存款日均新增 5330 亿元，人民币企业存款日均新增5400 亿元。同口径同业负债时点、日均余额继续保持四大行首位。军队武警存款新增达千亿元。国库现金管理市场竞争力四大行位次保持第一。

3. 同业业务中心资产业务日均余额计划新增500 亿元。小微企业贷款新增确保完成“三个不低于”的监管要求。

4. 实现公司中间业务收入 349.46 亿元，增速为4.16%，保持四大行首位。

5. 直接融资与间接融资配比水平不低于 2.5。

6. 资产质量相关指标控制在全年高线计划之内。

7. ETC 新增461 万个，代发工资户数新增800 万户。

四、2017 年对公业务重点工作

（一）深挖客户资源，强化客户经营能力

要树立客户间“互通有无，各取所需”的经营理念，善于把客户的资源运用到客户身上，善于把建行的资源运用到客户身上，通过搭建平台、构筑场景，不断地拓展我行服务的内涵与外延，引领银行业务的未来发展方向。充分发挥信息中介职能，梳理整合我行存量客户信息，利用客户来做客户之间的生意。通过我行掌握的不同行业、不同规模的优质客户信息，帮助客户畅通销售渠道、丰富链条上下游客户；利用我行多渠道融资优势，为客户寻找并购、投资对象；甚至于我们可以凭借对企业高管人员的了解，帮助客户拓展人力资源选择渠道；等等。对我行来说，不仅可以赚取中间业务收入，更可以黏住客户，创造更多业务机会，只有存量客户业务更好地运转起来，我们才能赚取更多的利润。

（二）加强协同联动，强化集成意识

强化协同联动意识。持续深入推动对公“三综合”，继续搭好对公客户综合营销平台，实现“一点接入、全行响应”。在营销问题上，前期客户部门负有牵头的责任、综合平衡业务取舍的责任，产品部门、渠道部门要积极配合；具体到推介产品与渠道运用时，由产品与渠道部门负责，客户部门积极配合；如有必要，定价、审批等中后台部门要一同参与营销。前、中、后台共同推动全行产品、服务和渠道的“集成”。要畅通母子公司间、条线间的信息共享与联动路径，在综合服务团队建立、综合金融服务方案制订和综合金融服务实施等环节，将子公司、关联条线的人员、产品和服务嵌入其中，把与子公司业务相关的客户需求分析、产品配置等作为编制综合金融服务方案的规定动作，固化集团联动的意识。

在这里，我再强调和明确一下客户部门与产品部门、渠道部门的关系。一是今后所有的产品在渠道上的运营、营销，都要由客户部门牵头。有些部门，过去是客户部门还是产品部门不清楚，产品部门去营销客户，肯定没有客户部门去营销的效果好。二是从对客户需求的把握能力看，还是客户部门更了解客户；而产品的推介和渠道的运用，还是产品部门和渠道部门最熟悉。所以这个时候，产品渠道部门一定要与客户部门一道出去推介。如果说一些大的、复杂的，牵涉到定价问题，甚至包括我们审批的政策问题，我们的中后台，一定要一起参与营销，以后我们就按此模式办。三是一级分行、子公司、海外分行到客户去推介营销、介绍业务，一定要跟客户部门通气，客户部门要了解有关信息。客户部门要权衡利弊、集中统筹，对外营销一个声音、一体化服务。总行后续要探索建立全行对公业务信息共享平台。

强化母子公司协同，服务国企改革。国企改革的持续深化为我行创造了良好的发展机遇，全行对公板块要深入挖掘混合所有制改革、兼并重组、结构调整等重点领域的业务机会，加快服务模式创新和产品研发。要想赚大钱，又要省力，就是要在服务模式里创新发挥建行集团合力，多渠道为国企改革提供优质、高效的综合金融服务，实现国企业务的全面可持续发展。

强化内外联动，提升海外拓展能力。一是进一步加大国家“走出去”战略服务力度，紧紧围绕“一带一路”建设和国际产能合作两条主线，重点支持符合国家政策、具备行业优势、彰显国际影响力的海外重大项目。对公板块要与相关条线、境内外机构进一步加强联动，为优质中资企业“走出去”提供“一站式”优质服务，在融资业务的基础上，综合拓展境外投行、跨境托管、大宗商品套保等一系列业务。二是加大全球现金管理客户营销。紧跟“走出去”客户全球化步伐，在全球综合服务方案中提供跨境资金集中管理、收付款、信息报告等产品支持，提升全球现金管理服务能力。

（三）巩固账户市场地位，持续夯实客户基础

继续狠抓账户源头拓展，主动与各层级工商部门开展全面合作，精准对接工商部门诉求，向工商部门提供多层次服务；积极进行工具创新和流程创新，加快微信开户、营业执照二维码扫描、后台年检等功能的全行推广，通过新平台、新手段、新方式带动工商合作水平的跨越提高，努力构筑工商服务生态圈。再强调一下，抓客户，就像农民种地一样，就是要买地、开荒，有再好的种子，没有地，在哪种。所以我们在针对营销的时候，宁可不要存款，也要把账户开在我这，你存个十几亿元的存款，我有了基本户，客户的流水就要自动在我这里流转。所以洪章董事长在我2013年分管对公和公司部以来，就说，你就去抓两户，实践证明绝对正确。我们存款为什么好，因为我们两户是第一啊，要一直抓下去。

全面推动对公账户本外币一体化经营。加大对人民币账户开户客户的外汇账户同步营销，着力推动外汇账户快速增长，希望大家以后在营销的时候，只要这个企业有外汇业务，一定要去营销。强化本外币账户协同发展和账户质量提升。提高外汇账户制度规定的执行力，将人民币账户管理经验向外汇账户移植，推进外汇账户的精细化管理。

扩充客户总量，提升客户有效性。通过构建“客户、产品、第三方”三位一体的金融生态圈，优化服务模式，延展拓客空间，提升经济发展新常态下持续拓展客户的能力。开展上市公司客户专项营销，拓展与互联网信息技术、绿色产业、文化产业等504户新兴行业上市公司客户的合作领域。

在客户增量上发挥长尾的聚合效应，做好规模以下无贷客户拓展，重点关注初创企业，不断扩大客户基础。挖掘我行小户他行大户类客户，通过产品配置、营销维护，加大无贷户向有贷户的培养、规模以下客户向规模以上客户的提升，挖掘客户增长潜力。

（四）积极支持实体经济建设

服务好重大工程项目。各分行要加大对重大工程项目的营销和储备转化力度，以PPP贷款、政府购买服务贷款等产品为依托，丰富服务重大项目融资模式。充分发挥银团贷款分散风险优势，加强大型基础设施项目营销和储备，提升储备转化率，建立银团贷款服务型团队，积极争做牵头行和代理行。充分利用公司现有招标代理、工程咨询、资产评估等业务牌照和资质，增添营销的手段，延伸造价咨询业务服务链条，增加咨询类业务收入来源，提升服务重大工程项目建设能力。

深挖农业供给侧结构性改革机遇。要研究如何加强对新型农业经营主体、农村一二三产业融合、农村基础设施建设等重点领域的营销力度。要加强新产品创新推广，把握农村土地“三权”分置改革机遇，稳步推进农村承包土地经营权抵押贷款、农民住房财产权抵押贷款和农村集体建设用地抵押贷款，培育涉农贷款业务新的增长点。

扎实有力推进金融扶贫工作。总行将进一步完善金融扶贫资源配置及相关支持政策，打造东西部分行联动协作扶贫模式，积极支持西部贫困地区承接东部转移的相关产业。拓展抵（质）押物融资范围，探索与财政扶贫资金、扶贫基金、保险等合作。各分行要因地制宜创新，积极拓展对公网络系统、单位结算卡等便捷结算产品，努力提升支付结算普惠金融服务能力，支持贫困地区特色产业和实体经济发展，激活贫困地区经济社会发展的动力，提高贫困地区“造血”能力。

（五）持续做好对公存款稳存增存

摸准资金来源，做好精准营销。积极营销资金聚集平台，如城市一卡通、各类交易所、电子商务公司、大型产权交易平台、第三方支付平台等客户的资金监管账户，以点带面，发挥资金聚集效应，打造资金交易闭环。努力获得上市公司募集、增发、企业发债等信息，合理匹配我行产品，从源头营销直接融资资金。梳理辖内重大项目，抓资本金沉淀、贷款沉淀、资本市场募集资金。

深化结算产品推广应用，发挥其吸存稳存优势。大力推进多模式现金池、票据池、对公一户通等吸存能力强的产品营销，深入开展结算产品的方案化、个性化、组合化推广，为集团客户提供内部资金归集、内部借款、资金计价、质押融资、投资理财等专业财资管理，为现金、票据等高流动性资产提供闭环运行平台，吸收低成本结算存款沉淀。全面推广金融IC单位结算卡，加大电子证照单位结算卡推广和优质企业结算卡联名卡发行力度，拓展单位结算卡在工商管理、交通运输、民生等领域的应用；优先发展公用事业、行政事业、通信服务等行业的智能跨行收款优质客户，主动地吸收他行存款，抢占结算交易入口，争夺结算主办行地位，推动银企关系从信贷合作向结算合作转变。

明确负债产品策略，做好量价平衡。加大拓展消费旅游、信息消费等新兴领域，以商户收单、资金结算网络、现金管理服务、相关行业或第三方资金结算及服务平台为主要抓手，促进对私存款向对公存款转化，利用我行在供应链金融领域的领先优势，带动上下游企业的资金沉淀，促进低成本资金在我行的动态沉淀。高效分配有限高成本存款资源，重点满足财政、社保、军警、住房资金客户、总行级主办行、总战、总重等优质客户投资需求。通过国际保函、信用证、海外代付等表内外联动产品，争取外汇交易保证金存款。

（六）狠抓商户收单业务

优化线下商户结构，充分发挥商户在资金承接和生态圈构建方面的重要作用。积极拓展批发、房地产业、汽车销售等个人消费资金量大的行业商户，大力拓展与居民生活息息相关的餐饮、酒店、旅游、娱乐、超市等行业商户，大力营销该类客户的收单和结算账户。尽管没有资产业务就很难营销，但我们要尽可能地少做资产业务，要风险可控，要通过结算抓负债，比如节假日对公对私存款承接问题，以后总行的政策要做适当调整，大家要做好相关的工作。抓住“互联网+”的机遇，加快发展线上网络特约商户。大力拓展直连商户，以电商、商旅、航空客票等传统电子支付行业商户为基础，抢占共享经济等新兴行业兴起的支付新商机。像北京的共享单车，也就一两个月时间，遍布全城了，听说现在人家的客户保证金已经达到400亿元了，还会增长，虽然每个人交的押金不多，但积少成多啊。借助我行互联网站以及移动客户端的巨大流量，在提供基本收单服务的基础上，融合商户会员管理、营销活动管理等个性化增值服务，扩大商户服务覆盖面，精耕细作，为商户的经营活动订制综合支付解决方案。

合作共赢，拓展与第三方支付机构合作的新领域、新模式。继续巩固提升第三方支付备付金存管市场份额。加强对重点客户的一对一服务，积极争取财付通备付金存管行资格，同时积极争取其他第三方支付客户的备付金存管业务。以积极开放的互联网思维，不断拓展与第三方支付机构合作的新领域，例如将我行业务嵌入第三方支付平台，共享其庞大的客户流量，充分发挥我行集团化经营、资金安全及建设银行品牌信誉优势，与第三方支付机构各展所长，探索服务第三方支付机构二级商户的新模式，争取其二级商户落户建行。

全力推进代收代付业务。从产品应用源头抓客户、抓增长、抓应用，加大代收代付产品在公用事业、社保、保险等行业及工资代发、信用卡收付款、公积金代发等领域的应用，最大限度地促进公私联动、稳客固客、带动个人客户批量增长，促进对公对私资金承接。持续丰富代收代付业务应用场景，推出全渠道综合缴费，在智慧柜员机上布设各类缴费应用，分流柜面业务压力。

（七）持续发挥机构业务在对公存款中“压舱石”作用

持续巩固“机构业务营销年”成果，在全行开展“机构业务双提升”活动。按照“决心要大、力度要大、胃口要大”的整体要求，在全行开展“八一工程专项营销”“社保业务量质齐升”“财政业务拼抢争先”“政府业务转型开拓”“打造大消费金融生态圈”“创推大资产经营模式撬动全量资金”“单位委贷新模式助转型促发展”“社团业务抢滩突破”8项活动，进一步提升机构业务核心竞争力，提升机构客户综合贡献度。要始终将客户、账户拓展作为机构业务的核心。要以部委司局和客户总部为源头，全力拓展与各级政府及总部客户的战略合作，带动上下游全量客户和全量资金。要加速弥补机构类“资产业务”短板，构建“大教育”“大健康”“大文化”“大体育”等为一体的机构业务“大消费”金融生态圈，打造“一打一条线，一抓一大片”的市场拓展和客户营销新模式。

深层次把握军改契机，争取军队业务市场格局的结构性转变。一是要集中优势兵力，进行全面营销攻关，不断加深合作，为全行军警业务的发力提供支撑。二是继续抓住军改契机，重点关注军改中的新设机构，务必找准人，抓住先机，提早切入，做到先发制人。2016年军改主要解决的是“脖子以上”的问题（包括军委各部门、各军兵种总部、战区军兵种机关、联保中心等），2017年军队改革将主要涉及“脖子以下”的单位（包括省军区、集团军、联勤分部、医院院校、科研单位、训练机构、干休所、联勤部队等）。全行要重点关注军改中的新设机构（比如战区支付中心、网军情报中心、海军后勤保障中心、海军陆战队等），这些改革信息至关重要，要第一时间掌握并及时传导，制订具体的行动措施。三是将“军建安鑫”作为营销手段，与各战区、军兵种建立战略性合作关系，形成建行自身的品牌，在军队中建立建设银行的资金流体系，实现军队基建账户和资金的落地。

（八）加大养老金业务营销推进力度

明确养老金营销管理体制。全行养老金业务由公司业务部总负责，其中公司业务部具体负责企业年金的牵头营销，机构业务部具体负责职业年金的牵头营销，其他客户部门按照客户归属，做好所属客户养老金业务的牵头营销。

要强化养老金业务的市场营销。对于重大项目要请行领导出面营销，挖掘与客户的关系，利用好各项行内资源。坚持建行集团利益最大化。营销目标按照托管、受托、投资、账管排序；营销中各部门及子公司要精诚团结、发挥合力，托管市场新增份额占比不低于40%。

加快拓展职业年金业务，抢抓养老保险第二支柱市场份额。以机关事业单位养老保险省级账户市场第一的优异成绩为基础，继续巩固各省人社部门客户关系，紧抓职业年金改革机遇，从整个业务链条中要效益。一是抓源头，省级职业年金归集账户是资金的源头，向市场份额第一的目标迈进；二是争资格，在职业年金各项资格的拓展中，坚持建设银行利益最大化原则，机构业务部、公司业务部、资产托管部、建信养老金公司要强化协同联动，发挥集团作战效应，打好职业年金这一具有时效性的资格争夺战。

（九）推进同业业务资产负债业务平衡发展

努力拓展低成本同业负债来源。一是拓宽思路，寻找结算性存款新来源。不局限于传统的金融机构自有资金、客户保证金等，企业发债、金融机构发行资管产品、各类产品托管等融资和托管方式，都带来大量资金的流动。金融要素客户快速发展，如第三方支付机构、登记结算平台、各类交易所，也都聚拢了大量资金。二是用好价格，合理控制负债成本。统筹考虑客户的综合贡献程度，对于高贡献客户，可适当提高存款价格；合理判断客户的战略地位，把握好短期效益和长期效益关系；理性区分存量和增量，对于存量部分应以稳价为主导，增量存款可适当以价格来撬动。三是做好同业负债谋划。同业结算性负债的增长是客户综合营销的结果，是多产品满足客户需求、多维度资源互换、多层次联动营销的结果。因此，要提高对同业负债工作的认识深度，进行客户综合化营销，把我们的客户和负债切实抓好，做长期的谋划，为资产业务发展提供资金储备。

大力发展高收益和交易型同业资产业务。一是进一步做大债权类同业投资规模。高收益债权类同业投资选择目标包括：同一评级下，高出可比主体发债价格100个基点以上的资产；政府优先支持领域（如绿色用途、扶贫项目）的债券、资产支持证券等；银行、央企等高信用等级债券。二是开拓思路，发展交易型同业资产业务。2017年力争将30%以上的同业资产（约4000亿元）转化为兼具收益性和流动性的可交易资产，探索、挖掘更多交易型业务机会。这一方面可以将存量资产进行证券化，转化成标准化资产后进行转让或自持，节约资本占用；另一方面也可以直接转化特殊目的载体，赚取价差、缩短资产久期，提高资本回报率。要善于用客户来做客户，高来高去，发掘利用客户的需求和资金，做好中间撮合，赚取固定收益。

优化业务模式，积极开展跨境同业投资业务。在国内“资产荒”大背景下，海外同业投资将成为我行服务优质客户新的重要方式，同时也成为我行同业投资重要的利润新的增长点。2017年，同业业务要借助我行“国内客户基础+海外分支机构布局”的优势，以客户为中心，以产品为抓手，以境内外资金渠道为桥梁，运用境外较低成本资金，在符合现行国家宏观管理政策前提下，细化操作规程，积极地拓展境外债权类同业投资业务，特别是境内全额保证金项下的跨境同业投资，使其成为同业投资范畴的重要组成部分。

（十）加大小企业业务推进力度

2017年的政府工作报告提出要加强普惠金融工作，将小企业业务做上去没有商量，年初我已在一次会上说过对小企业业务“三个不用怀疑”“三个一定”，希望各行切实高度重视，立即行动，尽快见成效。

大力推广小微快贷、大数据业务。大数据业务已经过4年经济下行期检验，小微快贷模式已在部分分行实践，不良率低、资本占用少、综合效益明显，是破题“以小为主、以微为重”的重要抓手。2017年这两项业务要强推，总行对做得好的分行要加强经验交流推广，各分行要发挥各层级积极性，完成或超额完成总行下达的经营任务，在白名单营销、信贷审批、流程优化、营销激励、队伍建设上要多想办法，创造条件，加快进度，充分利用网点营销渠道，依托小企业中心集约化处理优势，推动转型业务上量，提高价值贡献。

稳定存量业务，稳固效益基础。在坚持业务转型的同时，必须稳住贷款总量，严控新暴露不良贷款，实现业务规模和利润增长，推动业务长期健康发展。各分行要在摸清存量业务家底的基础上，加强对优质存量客户的到期维护和业务叙做。做好对潜在风险客户的研究分析和差别化安排，既要有效化解风险，又要区别情况，避免对客户一退了之，一退就死。做好新客户营销。按照业务转型要求，挖掘商机，做好规划，既弥补存量业务到期缺口，又优化信贷结构，提高新发放贷款的质量。

（十一）做大做强托管业务

充分认识托管业务的纽带作用。托管是连接商业银行与资本市场的重要纽带，是全行战略转型的重点业务，是对公业务板块和资产管理板块的重要组成部分。托管可以产生综合效益，是我行拓宽中间业务收入的重要渠道；托管不仅有稳定的资金沉淀，而且是资金流动的中枢；托管还有利于发展和维护优质客户基础。托管业务许多效益都体现在分行，并且将来会越发明显。全行上下要高度重视托管业务，抓住难得的市场发展机遇，实现总行直营和分行经营业务的协调发展，将托管业务做大做强。

完善托管业务与其他业务的联动。本行业务或本行提供资源的业务涉及派生的托管业务要由本行托管。特别是同业业务、理财产品及各层委外投资管理计划，要由我行全托管；集团内其他业务以及子公司业务，也要由我行托管；政策上存在限制的，要直接或间接支持我行托管业务。把整个业务链条留在建行，实现整体利益最大化。

加强重点托管业务经营力度。一是做好基金公司营销和托管产品代销，大力拓展基金专户和专项托管业务，提高基金客户综合贡献度。二是与相关部门及子公司联动，实现单一资金信托、我行代理销售信托产品、行内资金信托通道的全保管。三是积极营销不具备托管资格的中小银行理财产品的托管业务。四是我行在产业基金领域有广泛深入的业务基础，各分行要重视产业基金托管业务的发展。同时，要巩固私募股权投资基金托管业务既有优势，拓展优质私募证券投资基金托管业务，推进私募基金托管业务“一站式”配套服务体系。五是挖掘保险客户存量托管资产，对新增保险托管客户和托管品种逐一攻破，不留盲区，大力拓展保险公募、保险资管和保险实业托管业务。六是积极开展券商集合、公募、定向、专项和直投等托管业务。

（十二）不断加强产品创新，提升产品创新能力

探索利用社会资源，打造开放式创新模式。通过加大加强与大学、社会科研机构等专业机构的合作，打造产学研一体化的开放式创新模式，实现行内外技术、渠道、知识的合理流动与整合，进而提高全方位创新的效率。目前总行已经与厦门大学、北京航空航天大学、北京物资学院开展了物联网等合作创新研究，预计2017年将有部分地创新成果落地。这是一项借力工程，是花钱少、效益大、出成果快、多方受益之事，各分行可比照总行模式，充分利用社会资源开展创新。

培育创新思维。要加强对新业态的分析与研究，及时把握创新走向，找准突破口，增强创新的引领性。要加强同业信息的收集、分析、借用或改造使用，对于我行没有的产品和业务，市场需求迫切的，要及时地开展研发和创新，填补空白；对于我行已有的产品和业务，要借鉴同业的做法进行优化完善。要将工作中的行为模式、工作套路、IT工具等进行提炼固化，转化为创新成果，有效提升工作效率，将归纳、创新的思维融入日常工作中，最终形成我们文化的重要内容。

持续推动结算产品创新。加快全球现金管理项目实施，大力推进境内跨银行现金管理、跨境现金管理、“票据池+”等产品创新，创新推出“监管易”对公资金监管产品线，推动产品的“国际化、智能化、移动化、场景化”创新，打造对公支付结算生态圈，全面提升我行本外币、境内外、跨银行现金管理服务能力。

（十三）持续推进信贷结构调整

严控产能过剩领域贷款总量。按我行信贷政策管控口径，产能过剩行业信贷、贷款余额要低于年初水平。对于违规新增产能项目，一律不予信贷支持；对于工信部发布的违规项目和淘汰落后产能名单内客户，纳入年度退出计划，制订切实可行的巧妙的退出方案，重点实施退出。

做好2017年地方债置换贷款监测工作，密切跟踪地方政府存量债务置换情况，及时应对置换债的影响。密切关注平台公司转型情况。对于资金实力雄厚、自主经营能力较强、盈利状况较好的平台客户，积极推动其转型成为市场化运作的一般公司类客户。对于能够吸引社会资本进入的基础设施和公共服务领域，积极协助地方政府和平台公司通过PPP方式建设和运营项目。

审慎稳妥发展公司类房地产信贷业务。继续坚持区域、客户和产品的差别化政策。不断完善客户名单制、城市分线和产品差别化管理，加强客户选择，着重提升对优质大型客户的服务能力和营销力度，通过信贷结构调整减少行业周期波动对我行信贷资产质量的影响；坚持合规经营，加强资产质量管理，严控高风险区域和中小型客户的信贷投放，保持房地产信贷业务平稳健康发展。

（十四）加强客户经理队伍建设

加强与人力资源部等相关部门沟通和配合，以“对公客户经理岗位花名册”为抓手，建立清晰的标准界定和完整的视图管理，解决对公客户经理队伍建设的基础问题，完善对公客户经理队伍建设的制度设计。

建立对公客户经理分级分类培训体系，打造以分层分级培训为主、系列特色培训为辅的全方位、多层次对公客户经理培训体系，充分利用网络学习系统，培养和巩固对公师资队伍，探索建立跨机构跟岗培训制度、导师制，实现对公客户经理培训正常化、正规化、实效化。

（十五）提升风险防控能力

1. 深入调查分析，加强客户选择。

一是加强研究分析，扩大客户选择范围。抓住新业态、拓展新领域、支持新消费，紧盯国家重大战略和区域发展规划落地实施的重要机遇，密切关注政府相关政策、客户运营和重大项目进展情况，抓住源头性、关键性的营销契机，抓好客户及项目储备。对于辖区主要行业，特别是与宏观经济形势密切相关的行业，在贯彻好总行行业信贷政策、执行好信贷结构调整方案的前提下，深入分析研究，做好前瞻性研判，根据区域特点精准施策。强化企业生命周期的研判，把握企业所在产业链、资金链、担保链的风险迁徙规律，抓住发展期、成长期的进入机遇，尽量避免在企业衰退期介入。

二是深入调查，全面掌握客户基本信息。对企业信用状况要全方位了解、掌握，做好关联关系识别梳理。对于法人关系、担保关系、股东关系、战略联盟关系、上下游关系等显性关联关系，务求识别到位、揭示充分；对于间接和隐性关联关系，主动拓展内外部信息渠道，尽量削减信息不对称的影响。

三是加强调查工具应用，提升客户调查效果。推进异地客户风险信息共享，用足内部信息资源。利用各类负面名单等名单制管理信息资源，应用预警跟踪等系统工具，掌握客户信用违约信息及账户交易情况。利用内部信息平台、客户经理助手等渠道，发布客户预警信息，推广好的经验做法或经典案例。拓展外部信息调查渠道，定期监测媒体舆情，充分利用人行、工商、税务、环保、司法、房管、行业协会等查询系统及互联网工具，对客户及担保人开展全方位的信息查询、检索和监测。

四是严格客户准入、退出管理。准确识别高风险企业特征，审慎介入。严格信贷退出，对于低质低效、无法转型、丧失市场的企业，以及长期亏损、失去清偿力和竞争力的企业，合理把握信贷退出时机，稳妥有序地实现市场出清或推动企业重组整合。坚决退出环保排放不达标、严重污染环境且整改无望的企业授信。

2. 合理合规经营，严控信用风险。

一是坚持合规稳健经营，加强信用风险整体把控。坚持理性经营和依法合规经营，处理好业务发展和风险防控的关系，不碰触监管红线，守牢不发生系统性风险的底线。避免辖内不同分支机构无序竞争导致统一授信执行不力。要深入核查产业链上下游企业之间、担保人与被担保人之间、近亲属等重要关联人名下企业之间的关联关系，以实质大于形式为原则，将符合标准的集团客户成员企业依规纳入集团统一授信。充分评估客户的还款能力，科学合理配置产品的结构、设定产品期限及还款计划，防范贷款逾期风险。

二是做实规定动作，提升制度遵循性。充分利用调查工具，全面落实贷前尽职调查规定动作。做足真实性核查规定动作，对于隐瞒关联关系、粉饰财务报表等非诚信行为，保持高度警觉，逐一追踪核查到位。对于单证不符、交易链条冗长、舍近求远等违背商业原则、交易惯例、业务常理的行为，实行“一票否决”，不予开展业务合作。针对客户和项目特点，结合行业、区域、产品属性，做实“一户一案”贷后管理。开展信贷检查，加大信贷资金用途、资金流向合规检查，落实授信审批持续性条件。严格报告纪律，加强重大信用风险的主动应对和有效化解。强化对公信贷内控名单管理，及时补录、完善客户信息，确保客户信息真实有效。申请退出名单、重新发放信贷业务放行的，应提前沟通，提早备齐申请材料。

三是加强风险预警预控，抓早抓苗头。抓账户交易风险信号，高度警惕分散融资、统借统还的客户，防范其利用“空壳”企业或隐性关联关系过度融资。抓债券违约信号，高度警惕债市违约风险，将发债企业债券到期出现违约视为客户全面违约的“风向标”，重检发债企业的信贷业务，一旦发现实质性风险要及时采取果断措施。抓逃废债信号，警惕企业通过股权转让、股权质押等“抽屉协议”转移高净值资产，虚构租约对抗不动产抵押权执行，利用“先刑后民”拖延履行债务责任等行为。抓资金链断裂风险信号，警惕企业参与高成本民间融资、将信贷资金所购资产或信贷押品以融资租赁方式重复融资。

四是强化资产质量管控，确保资产质量稳定。摸清风险底数，排查重点区域、行业和客户的信用风险隐患，全面摸清可能影响本机构信贷资产质量的重大风险迹象。继续做好重大信用风险项目处置化解。严控风险增量，确保纯新发放贷款实现“零不良”。积极牵头或参与组建债委会，加大对有发展前途、技术先进但暂时资金紧张企业客户的帮扶力度。

五是强化担保机构管理。要严格准入管理，审慎准入政府背景担保机构，大力压缩退出存量非政府背景担保机构，加强与借款人的沟通工作，做好担保方式置换，力争2017年末全部退出非政府背景担保机构合作，这一点董事长提出了明确的要求。总行下一步将修订担保机构管理办法，进一步优化完善担保机构相关制度，同步进行系统改造，对担保机构系统功能进行优化完善，防范操作风险。

六是落实问题整改，总结经验教训。认真做

好内外部审计检查发现问题整改，提高整改的时效性、实效性。强化问题导向，挖掘既有问题根源，梳理重大信用风险事件，剖析突出性、普遍性的风险成因，总结规律性的应对办法，编纂典型风险案例。各级经办机构要每月组织全辖客户经理开展风险案例研习。要举一反三，推广行之有效的好经验、好做法，着力解决屡查屡犯问题。

七是加强风险缓释措施管理，严格可接受押品的准入，做好押品的日常管理和维护。对风险客户相关押品的价值按要求进行重估，及时补充风险缓释措施。加强保证业务管理，严把准入关，严格评级，严控保证担保限额，提高关联、交叉和连环保证、异地保证等高风险保证类型的准入门槛，确保保证担保效能。强化担保机构管理，落实《专业担保机构管理办法》的相关要求。

3. 加强党建工作，防范案件风险。

一是要以党建带管理，加强日常的思想教育，提高全体对公业务人员的思想素质与业务素质，增强责任心与敬畏制度规定的意识、廉洁从业意识。

二是高度重视案件防控和预防腐败工作，坚持业务发展和案件防控两手都要抓、两手都要硬。

三是强化内控合规文化建设。持续推进廉政合规文化的宣导落实，实现对业务经营的合规指导和底线支撑。强化员工案件防控培训，加强反面典型案例的警示教育，防范道德风险。

四是切实做好“两防”相关工作。严格落实案防工作“九项职责”，以强化内控管理为抓手，把合规管理和案件防控相结合，谨防“两张皮”，坚守廉洁信贷、合规信贷。贯彻岗位制衡原则，将合规管理嵌入业务流程，加大关键岗位和控制环节的制衡监督，加强员工行为和重要业务风险排查，强化案件高发岗位风险监控。在全行统一部署下，做好信贷业务领域违规问题专项治理、“三清查”自查自纠、反洗钱、反恐怖融资等相关工作。

五、几项要求

为了确保我们的各项措施得以落实，各项指标能顺利完成，我再提几点要求。

（一）要进一步解放思想，打破思维禁锢

当前，市场需求和金融服务日益多元，如果不创新、不转型，迟早要被赶超，甚至被甩得很远。就是现在做法很好，随着时间的推移、情况的变化，要不了多长时间可能就会变成落后的做法。因此，创新转型应成为对公条线业务发展的一种常态。创新的大敌是惯性做法、传统思维。大家一定要打破思维禁锢，用转型的思维甚至颠覆性的思维去解决问题、发展业务。要坚信没有解决不了的问题、做不到的事，就看如何去想、如何去做。要有解决难题的勇气，敢于拿大业务的豪气。在这个方面，我们有些同志在对待难的问题、大单的业务时，思想保守，气魄不够，前面也讲了一定不能小富即安，小利即止。

（二）要始终保持旺盛的斗志，有勇拔头筹的气魄

“勇拔头筹”是李克强总理2016年6月视察建设银行支持实体经济发展时对我行提出的要求，是我们今后的奋斗目标。怎么做到“勇拔头筹”？第一，一定要有拔头筹想法，也就是做就要做第一。遇到什么事情，要有把它拿下的气势。第二，要有明确的目标，各行要认真全面梳理业务指标，逐一设定最终目标和阶段性目标。第三，要制定切实可行的工作措施，认真落实推进。第四，将竞争当乐趣，把竞争所取得的每一个胜利都当做开心果。这样，我们才有不竭的动力、旺盛的斗志。这也是勇拔头筹所必备的精神状态。

（三）要增强市场营销意识，敢于向客户提出“要”

做业务一定要经营客户，我们有的分行经营客户的观念还不强。经营客户的目的不是一笔贷款或者一笔中收，在现有合作的基础上，还要敢于向客户去“要”业务，要充分表达我们的需求，“张口三分利”，即便暂时难有收获，也为以后争取业务奠定了基础。我们与不少客户其实关系维护得很好，只是碍于面子和心理原因，就差一句向客户提出需求的话，希望大家要过这一道心理关。

（四）要在队伍上做好文章

队伍是我们市场竞争力最为关键的一点。队伍首先要有一定的数量做保证，2015年我们增加了1万名客户经理，充实了队伍，但与工行、农行比仍然少不少。其次，光有数量还不行，还要提高队伍素质，因此，一定要把对公客户经理培训放到重中之重的位置，作为一个专项工作来抓，分级分类，丰富培训方式方法，把培训工作规范化、体系化，不断提高对公客户经理的专业化履职能力。只要银行办一天，培训就要认认真真地抓好一天。最后，要充分运用好人力资源，要因人因事而调配，使得人尽其才，人尽其用，事事有人做，人人有事做，做好做坏有考核、有奖惩。

（五）要用心做事，善于分析总结

其实，只要用心，好多风险是完全能够及早发现、及早化解的；只要用心，好多商机便不会从眼前溜走；只要用心，好多困难便不是困难。用心想事做事是做好事的前提，加强分析总结是用心做事的具体体现，不做“切片”分析，问题的深层次、根源性的原因就难以被发现，问题就会长期存在。工作不总结，好的做法就得不到发扬光大，失败的教训就不会被吸取而可能重复犯错误。总结包括总结自己的，也包括总结他行的，任何事情有其因必有其果，究其果，寻其因。只要择其优而学之，想不成功都很难。

同志们，2017 年，对公业务经营面临诸多挑战，我们面对挑战、面对竞争，要有敢于拼搏的气魄和决心，发扬对公条线敢打硬仗、敢打胜仗的优良传统，用心用智、勇于开拓、稳健经营、撸起袖子、说干就干，拼命干，全力打造新常态下对公业务发展新优势，努力提升对公条线的价值贡献度，以优异的成绩向党的十九大献礼！

精准对接　精准施策
扎实有力推进金融精准扶贫工作

——在中国建设银行金融精准扶贫工作（视频）会议上的讲话

章更生

（2017 年 5 月 10 日）

2016 年 11 月，总行召开了全行扶贫工作会议，今天我们再次召开全行金融精准扶贫工作（视频）会议，主要是对前期全行金融精准扶贫工作作一个总结回顾，对下一阶段工作做出安排部署。下面我讲几点意见。

一、2016 年以来我行金融精准扶贫工作回顾

（一）加强组织推动，建立健全工作机制

一是健全组织领导。2016 年成立了由王洪章董事长任组长的金融扶贫工作领导小组，22 个相关部门负责人为小组成员，推进工作落实。二是制定工作方案。总行制订印发了“十三五”金融扶贫工作规划，并于 2016 年和 2017 年分别制订了金融扶贫工作计划，还专门制订了总行定点扶贫工作方案，明确以移动金融覆盖、电商扶贫先行、信贷扶贫创新、普惠金融延伸等商业可持续模式，推动精准扶贫。三是全面部署金融扶贫各项工作。总行党委多次专题研究扶贫工作，行领导多次批示要切实做好扶贫工作，拓宽扶贫资金来源。2016 年 11 月，总行召开全行扶贫工作会议，交流金融扶贫工作经验，全面安排部署，细化工作要求，从会议贯彻落实的情况看，效果良好。四是建立金融精准扶贫贷款数据统计制度。组织完成全行首次金融精准扶贫贷款数据采集和统计工作，积极推进与人民银行金融精准扶贫信息系统对接。五是实行总分行结对帮扶制度。总行金融扶贫领导小组 22 个成员部门与贫困地区相关 29 家一级分行结对子，指导、协助对口分行制订金融扶贫计划，并负责开展调研和督察工作。六是积极推进各方协作。与国务院扶贫办、各省政府广泛开展扶贫政策交流和金融合作，与多地政府签署金融精准扶贫战略合作协议，批复甘肃、贵州毕节等地区金融扶贫服务方案及支持政策。

（二）加大资源倾斜，为金融扶贫工作保驾护航

我行持续加大在金融扶贫工作领域的资源配置力度。一是信贷资源支持。2017年在经济资本计划配置中，将扶贫贷款纳入经济资本战略性专项配置范围，对贫困地区所属一级分行因扶贫贷款带来的经济资本需求予以统筹支持。二是服务价格支持。落实国家对贫困地区减免金融服务费用的要求，加大贫困地区分行存贷款业务定价政策倾斜和中间业务收费减免力度。三是财务资源支持。2017年专项安排业务管理费1000万元，固定资产投入2000万元，用于“善融商务”电商扶贫涉及的计算机等相关设备购置及相关费用支出，以及贫困地区分行设立自助银行、“助农支付服务点”所需的POS等设备购置投入及费用支出。四是扶贫捐赠支持。在2016年安排4290万元用于定点扶贫捐赠资金的基础上，继续加大扶贫捐赠资金分配力度，利用长期公益项目支持定点扶贫工作。

（三）强化信贷投入，精准对接融资需求

持续加大对贫困地区信贷支持力度。我行在制定2017年信贷政策时，明确提出精准对接贫困地区基础设施建设和特色产业发展需求的政策导向。加强对扶贫相关行业领域信贷审批研究，优化审批授信流程，建立绿色通道，优先安排贫困地区项目授信审批。提高贫困地区信贷风险容忍度，按照分行扶贫贷款的一定比例增加分行逾期贷款计划。创新信贷扶贫产品和业务服务模式，加大全行扶贫创新产品移植推广力度，精准对接重点领域业务需求。

一是积极支持贫困地区基础设施建设。通过政府购买服务贷款、新农村贷款、城镇化贷款、PPP模式系列贷款等产品，允许通过特许经营权收益、未来应收账款等设定质押，加大对贫困地区公路、水利、棚户区改造等基础设施项目金融支持力度。湖南省分行支持全省贫困县重点建设项目84个，助推贫困地区小型农田水利建设；广西壮族自治区分行全力支持广西建工集团做好县域地区污水处理项目，着力改善贫困地区生产生活环境。二是支持贫困地区特色产业和小微企业发展，依托农业产业链，在核心企业提供增信基础上，为产业链上下游小微企业和农户提供供应链金融服务。通过小微企业“助农贷”产品，为贫困农民、专业合作社或涉农小微企业提供信贷支持。采用“助保贷”业务模式，充分利用地方政府贷款贴息政策及风险补偿基金，发挥政府专项资金的杠杆效应和增信效应，提高贫困地区小微企业贷款可获得性。近期，总行正在创新研发“扶贫供应贷”，以定点扶贫单位采购订单为基础，支持扶贫地区小微企业生产经营。三是加快个人扶贫贷款产品创新。在已推出甘肃行“精准扶贫小额农户贷款”、宁夏行“支农扶贫贷款”和湖北行“光伏支农贷”的基础上，逐步拓展，形成针对特定地区、特定客户、特定需求的扶贫贷款系列产品。

据统计，截至2016年12月31日，我行金融精准扶贫贷款余额为948.24亿元，比年初新增173.24亿元，增速为22.35%。2017年第一季度，金融精准扶贫贷款继续保持高速增长。3月末，我行金融精准扶贫贷款余额为1022.03亿元，比年初新增73.80亿元，增速为7.78%，高于同期各项贷款平均增速。我行通过信贷支持贫困地区企业及个人，带动建档立卡贫困人口实现就业和增收超过10.37万人次；通过信贷支持农田水利、生态环境改造、交通基础设施、学校建设等项目，惠及众多建档立卡贫困人口，有效激发了贫困地区经济社会发展的内生动力。

（四）强化协同联动，以综合化服务助力脱贫攻坚

我行充分发挥集团优势，为扶贫重点企业和项目提供信贷、理财、债券、基金、信托、租赁等综合化服务。我行积极协助张家界市政府成功设立了20亿元的“张家界旅游扶贫基金”；河北分行针对全省62个贫困县定向发行“乾元通宝——扶贫专享”理财产品；吉林分行通过资产收益权类理财产品向延边州投放4亿元资金用于基础设施建设；贵州分行与建信金融租赁公司在贵州共同举行“助推贵州脱贫攻坚——引资入黔暨多方合作协议”签约，通过建信租赁、建信信托公司为扶贫企业提供资本金、项目周转资金。近日，由我行独家承销的重庆鸿业实业（集团）有限公司扶贫超短期融资券成功注册发行，该笔超短期融资券是中国银行间市场首笔扶贫债券，是金融扶贫又一项重要创新，为贫困地区经济发展提供了新的直接融资品种。

（五）延伸服务网络，丰富扶贫手段

通过在贫困地区设立网点和自助银行、布放设备机具等方式，我行积极扩展网点职能，延伸服务网络，扩大服务半径。全行现已在贫困县布放自助柜员机6820台，建设自助银行2048家，较2015年末分别提高20.3%和16.8%。我行积极在金融服务缺乏的贫困乡镇地区与供销社、烟草零售商等合作设立“普惠金融服务点”，不断扩大“普惠金融服务点”覆盖度，促进结算与现金管理产品智能化和移动化。对于我行网络暂时无法触及的区域，借助同业网络系统为贫困地区提供优惠便捷的代理结算和清算等金融服务。

如湖北分行创新推出“裕农通”助农取款服务项目，打造出“普惠金融+移动金融”的“村口银行”模式，实现贫困地区基础金融服务村村通。2016年4月，在银企全面战略合作协议和湖北等地区县域金融合作试点的基础上，总行与中华全国供销合作总社签署了《普惠金融合作框架协议》，约定双方将利用各自的优势资源，共同为广大农户提供全方位、便捷、优质的普惠金融服务。此外，总行积极研发推广“建行裕农通”普惠金融服务平台，该平台已于2017年在江西、湖北、苏州等17家分行上线试点，将持续丰富平台功能，逐步在全行推广应用。截至2017年第一季度末，全行裕农通普惠金融服务点已超过6万户，覆盖10%以上的行政村，2017年实现我行定点扶贫村覆盖。

（六）开展电商扶贫，助力产品“走出去”

通过“善融商务”电商平台，我行帮助贫困地区产品“走出去”，带动贫困人口就业增收、脱贫致富。开辟电商扶贫绿色通道，依托地方政府，精准对接特色农业基地，实现贫困地区农业龙头企业和优质农业合作社入驻善融商务；积极开展精准扶贫电商洽谈会，邀请全国客商到贫困地区现场推介、洽谈特色产品，提供线上线下融资支持。

2017年第一季度，总行策划设计了“地方特色　献礼善融”专题，利用“甘肃馆”“三秦馆”“河南馆”“湖北馆”和“海南馆”等地方特色馆进行贫困地区商户宣传，提升商户知名度。目前，总行正在加紧梳理贫困地区商户，筹办“善融商务精准扶贫馆”。

（七）开展民生领域扶贫，推进公共服务发展

近年来，我行高度重视民生领域普惠创新工作，通过创新转型支持扶贫，先后打造“建融慧学”“建融智医”综合服务品牌，加强与贫困地区教育、医疗系统合作，有效提升学生就学、患者就医的便利度；积极介入贫困农村地区社会保障体系建设，新型农村合作医疗、失地农民养老保险等针对贫困农民的新兴社保业务，并已成为我行提供社会保障金融服务的工作重点；发挥我行在资金监管方面的优势，全力协助中央完成全面治理和遏制拖欠农民工工资的社会问题；推动社会保障卡在农村地区的深入普及，优化产品功能，丰富服务内容，搭建用卡环境，提高贫困地区参保人用卡体验。

（八）开展公益扶贫，打造建行形象

自2005年上市以来，我行开始有计划地组织开展公益捐赠工作，先后捐款近9亿元，实施了100多个重要公益项目，重点投向贫困地区。2016年以来，总行又从捐赠政策支持、捐赠资金支持和公益项目支持三个方面加大了对扶贫工作的支持力度。明确将定点扶贫捐赠作为2020年前公益捐赠的重要内容、将扶贫捐赠资金额度授权分行管理使用、将长期公益项目落地到定点扶贫地区，形成了合力，使公益扶贫在“雪中送炭”中发挥了积极作用。

截至2016年底，已在贫困地区建立“建设银行希望小学”45所，培训教师近500人次，2017年总行又创新教育扶贫举措，并成功举办了第一期定点扶贫村教师培训班；累计发放4556万元资助款，资助贫困英模母亲14504人次；累计捐资3700万元，购置母亲健康快车247辆；累计发放1.35亿元资助款，资助贫困高中生8.85万人次；持续优化积分慈善捐赠平台功能，在贫困地区积极开展积分助学活动，爱心100分积分助学项目累计捐赠超过2.16亿分。

（九）推进定点扶贫，完成帮扶任务

当前，全行共有各级政府安排的定点帮扶村超过1000个，共有建档立卡贫困户近6.5万户，贫困人口近20万人，其中总行负责帮扶陕西省安康市下辖一区三县。我行历届党委高度重视在安康的定点扶贫工作，早在1988年，总行就会同陕西分行和安康市分行在陕西安康开展扶贫工作。在我行帮扶下，2016年，安康四个定点帮扶村实现建档立卡贫困人口脱贫165户、656人。

应该说，全行在金融精准扶贫工作方面做了积极探索，取得了较好的阶段性成果，也得到了国务院扶贫办、监管部门和各级地方政府的高度认可，树立了良好的企业社会形象，前不久我行还受邀参加了人民银行在贵州举办的金融支持贵州扶贫开发座谈会，并在会上做了交流发言。回顾既往取得的成绩，从总结经验来看，主要有以下几个方面：

一是统一认识，立足大局。以习近平同志为核心的党中央高度重视扶贫工作，并将金融扶贫作为重头戏，要求我们做好金融扶贫这篇文章。总行党委高度重视扶贫工作，从总行到分支行都将扶贫作为各项工作的重中之重。应该说，我们建设银行行动早、力度大、建章建制、组织推动。我们在同业中率先谋篇布局，制订"十三五"金融扶贫工作规划，增强了全行上下强烈的责任意识和大局意识，统领金融精准扶贫各项工作有力、有序开展。

二是对标同业，目标明确。我们在包括金融扶贫在内的各项工作中，始终坚持对标同业，取长补短。2017年第一季度末，我行金融精准扶贫贷款余额和增幅均超过工行。

三是协同联动，合力攻坚。金融扶贫工作不是单枪匹马就能完成的，要依靠资源整合，发挥协同效应。总行相关部门前期积极与国务院扶贫办、中国人民银行、中国银监会、中国证监会等部门积极沟通，建立了良好的协作关系；各部门、各条线、母子公司之间有分工、有合作、有牵头、有配合；总分行之间2017年也建立起对口帮扶制度。应该说，在协同这一点上，大家做得还是很不错的。

二、当前金融精准扶贫工作面临的新形势及新问题

（一）精准扶贫精准脱贫向纵深推进

党的十八大以来，党中央对脱贫攻坚作出新的部署，吹响了打赢脱贫攻坚战的进军号。2013—2016年四年间，每年农村贫困人口减少均超过1000万人，累计脱贫5564万人，其中2016年贫困人口减少1240万人，贫困发生率从2012年底的10.2%下降到2016年底的4.5%。目前，全国还有4300多万贫困人口，2017年政府工作报告提出将再减少1000万以上农村贫困人口。

2017年是推进脱贫攻坚战的重要一年，是精准扶贫精准脱贫的深化之年。中央农村工作会议和全国扶贫开发工作会议精神，聚焦建档立卡贫困人口，更加注重精准落实落地，更加注重综合分类施策，更加注重激发内生动力，更加注重脱贫攻坚质量。

1. 精准扶贫要下"绣花"功夫。2017年3月31日，习近平总书记主持中共中央政治局会议，会议指出，要继续坚持精准扶贫精准脱贫方略，用绣花的功夫实施精准扶贫。精准扶贫首先要打牢基础，做实做细建档立卡，实现动态管理。要坚持分类施策的基本原则，针对致贫原因采取有效措施。要激发贫困地区广大干部内生动力，靠辛勤劳动改变贫困面貌，过上幸福的生活。对贫中之贫、困中之困、难中之难、坚中之坚的地方，要采取超常措施加以扶持。2017年2月21日，习近平总书记主持中共中央政治局第三十九次集体学习时强调，言必行，行必果。农村贫困人口如期脱贫，贫困县全部摘帽，解决区域性整体贫困，是全面建成小康社会的底线任务，是我们作出的庄严承诺。要充分认识打赢脱贫攻坚战的艰巨性，今后几年，我国脱贫攻坚面临着十分艰巨的任务。越往后难度越大，因为剩下的大都是条件较差、基础较弱、贫困程度较深的地区，要把深度贫困地区作为区域攻坚重点，确保在既定时间节点完成脱贫攻坚任务。

2. 国家持续释放政策红利，支持脱贫攻坚。国务院下达"十三五"脱贫攻坚规划，提出要不断创新体制机制，充分发挥政府、市场和社会协同作用，加快破解贫困地区发展瓶颈制约。在财政政策方面，中央财政将继续加大对贫困地区的转移支付力度，中央财政专项扶贫资金规模实现较大幅度增长，各项惠民政策最大限度向贫困地区倾斜；在投资政策方面，加大贫困地区基础设施建设中央投资支持力度，省级政府统筹可支配财力对贫困地区加大投入力度，在扶贫开发中推广政府与社会资本合作、政府购买服务等模式；

在金融政策方面，鼓励金融机构创新产品和服务方式，稳定和优化大中型商业银行县域基层网点设置，支持有条件的地方设立扶贫贷款风险补偿基金和扶贫开发产业投资基金，支持贫困地区符合条件的企业通过主板、创业板、全国中小企业股份转让系统等进行股本融资；在土地政策方面，新增建设用地计划指标优先保障扶贫开发用地需要，积极支持贫困地区土地整治和高标准农田建设，积极探索市场化运作模式，吸引社会资金参与土地整治和扶贫开发工作。

此外，国家还陆续出台了一系列文件，打出政策“组合拳”。例如，在全部832个国家级贫困县推进涉农资金统筹整合用于脱贫攻坚；出台加强东西部扶贫协作工作的指导意见，促进产业合作带动脱贫；借助农村电子商务发展时机，促进电商精准扶贫，动员社会各界开展消费扶贫；进一步运用增减挂钩政策支持脱贫攻坚，增减挂钩节余指标省域范围内流转使用，由集中连片特困地区和片区外国定贫困县扩展到省定贫困县；对符合条件的贫困地区企业申请上市、发行公司债的，通过即报即审、专人对接、专项审核等措施，支持扶贫企业利用多层次资本市场进行融资；持续加大连片特困地区、革命老区、民族地区、边疆地区的扶贫支持力度；出台易地扶贫搬迁和交通扶贫规划等。这些政策红利为我行在贫困地区的相关业务转型发展提供了难得的机遇。

3. 国家加大扶贫考核评估督察力度。中央近期对部分省政府扶贫开发工作进行了考核通报，对考核评价好的省份予以专项扶贫资金奖励，对评价一般、较差的省份约谈相关负责人。考核中发现的具体问题包括脱贫质量不高、帮扶工作不实、扶贫举措不够精准、扶贫资金监管有待加强等，并要求相关省份加强整改。

（二）监管部门要求金融机构持续加大金融精准扶贫力度

人民银行在2016年金融精准扶贫信息系统、金融精准扶贫统计制度以及金融精准扶贫评估制度“三位一体”制度的基础上，2017年继续强力助推脱贫攻坚，提升金融扶贫的精准性和有效性，要求各地人民银行统筹做好金融精准扶贫信息对接和统计监测，做好系统及统计制度的衔接一致，考虑把金融机构的扶贫效果评估纳入MPA考核。同时要求各金融机构应进一步提高对精准扶贫工作的认识，做好内部机构下沉、调整授权、单独绩效考核等制度安排，发挥各自业务优势，找准切入点和着力点，聚焦精准，把扶贫工作和绿色金融、普惠金融、农业供给侧改革有效结合。拓宽融资渠道，积极参与地方扶贫产业基金。注重智力扶贫，加大对教育培训机构的金融支持力度，招聘建档立卡贫困大学生就业。

中国银监会在2017年银行业普惠金融工作（电视电话）会议上要求，巩固开局成果，进一步加大银行业扶贫力度。一是精准对接需求，推进金融资源向县域地区、贫困地区的倾斜，精准落实到建档立卡贫困人口、贫困户、扶贫开发项目。二是明确工作责任，着力提升建档立卡贫困户小额信贷质效，全面落实扶贫小额信贷包干责任制，推动金融机构做好扶贫小额信贷的发放工作，确保资金用于帮助符合标准的建档立卡贫困户。三是创新方式方法，开发覆盖易地扶贫搬迁对象、返乡农民工、农村妇女等特定人群的扶贫小额信贷产品，引导金融机构合理确定扶贫项目贷款、扶贫小额信贷的不良贷款容忍度，对扶贫开发贷款作出尽职免责安排。

（三）总行领导对金融扶贫工作高度重视

总行党委高度重视扶贫工作。洪章董事长2016年12月批示：“按照中央扶贫工作会议和经济工作会议要求，扶贫工作已立下军令状，全行不可掉以轻心，要确保完成2020年脱贫攻坚任务。”祖继行长批示要求组织研究扶贫资金问题。

全行2017年工作会议对金融精准扶贫工作进行了部署，要求严格落实责任，确保如期完成脱贫攻坚任务。完善金融扶贫政策、制度、授信等方面的支持措施。严格落实总分支行“四级书记”抓定点扶贫工作，按照进度表监测考核。

（四）扶贫工作中存在的问题

在肯定所做工作的同时，我们也要清醒地看到目前全行推进金融扶贫工作过程中还存在一些不足：一是有的分行存在形式主义，对金融精准扶贫工作重视不够、推动力度不强，甚至出现部门之间相互推诿的情况。二是有的分行对中央的精神吃得不透，政策掌握不准，实地调研不深入，对贫困地区实际情况、建档立卡贫困人口致贫原因不掌握，与地方政府、扶贫企业和项目的金融需求精准对接不够。三是有的分行精准扶贫措施不实，相关领域创新不够，缺乏有针对性的、特色化的、多样化的融资模式和服务的探索。

此外，总行在扶贫领域的差别化支持政策和精细化管理手段方面尚待进一步完善。如对于近年来中央财政转移支付力度大且支付资金平稳增长的国家级贫困县和我行定点扶贫县，可根据分行信贷管理水平，进一步探索和细化在产品准入、信贷审批授权、经济资本占用系数等方面实行区域差别化管理政策。

以上这些，相关部门、相关分行必须在今后的工作中加以改进并予以解决，否则我行的扶贫重任就很难完成。

三、下一步工作思路、目标和支持重点

（一）工作思路

全面贯彻党中央、国务院关于脱贫攻坚的决策部署，认真落实监管部门系列会议和文件精神，按照全行工作会议及我行金融扶贫“十三五”规划总体要求，突出“精准”二字，坚持精准扶贫、精准脱贫的基本方略，精准对接脱贫攻坚多元化金融需求，完善工作机制，强化政策保障，明确支持重点，开展产品创新，聚合各方资源，加强业务协同，精准施策，精细管理，不断提升金融扶贫工作的精准性和实效性。

（二）工作目标

一是加大信贷投入，力争实现2017年全行金融精准扶贫贷款增速不低于全行各项贷款平均增速。二是注重考核评估，在人民银行金融精准扶贫政策效果评估考核中力争处于同业前列。三是推进普惠金融，收集贫困地区各普惠金融主体的金融服务需求，推进普惠金融大数据业务发展，监测分析并评估普惠金融发展实施推进情况和存在的问题，在贫困地区搭建方便快捷的普惠金融服务平台。四是依托电子支付，进一步发挥手机银行、网上银行和善融商务的扶贫脱贫作用，提高新兴电子支付在贫困地区覆盖度。五是注重帮扶实效，确保各级政府交给建设银行的帮扶脱贫任务按时保质保量完成，确保脱得了、稳得住。

（三）金融精准扶贫支持重点

一是发挥我行基础设施领域传统优势，按照商业可持续原则，为贫困地区重点基础设施建设项目提供综合化金融服务。基础设施建设是脱贫攻坚工作的基础性工程，也是目前制约脱贫攻坚的最突出短板。全行要利用贷款、基金、信托、租赁等综合化金融服务手段，精准对接贫困地区交通基础设施、能源水利工程、易地扶贫搬迁和生产生活环境改善等项目，着力改善贫困地区生产生活环境。

二是立足贫困地区资源禀赋，以市场为导向，支持和培育贫困地区特色产业。产业扶贫是扶贫的重要主攻方向。全行要积极支持农民合作组织、龙头企业等发挥市场主体作用，通过定制个性化产品和服务，精准对接并支持培育贫困地区建成一批脱贫带动能力强的特色产业，打造特色拳头产品，实现贫困户经营性、财产性收入稳定增加。

三是围绕小企业业务转型发展思路，精准对接贫困地区特色小微企业金融需求。以“助保贷”“助农贷”等特色产品，重点给予具有地方特色优势、经营状况良好、具备特殊工艺且市场口碑良好、带动建档立卡户就业较多的小微企业信贷支持，推动扶贫实现“农户增收、企业获益、多方共赢、精准脱贫”的目标。

四是加快个人扶贫贷款产品创新，形成针对特定地区、特定客户、特定需求的扶贫贷款系列产品。中国银监会高度重视建档立卡贫困户小额信贷投放。各行要积极推进各类个人贷款产品向贫困户及相关领域和群体的延伸和覆盖，满足贫困农户的住房改善、生活消费、生产经营、教育学习等相关信贷需求，积极帮扶贫困户脱贫致富，培养农村致富带头人。同时，贷款也要选好、管好，尽量减少或避免出现损失。

五是强化民生领域扶贫。加强与贫困地区学校合作，提供安全化、便捷化、无纸化的结算服务，支持贫困地区进行基础教育和职业教育基础设施建设。积极配合国家实施健康扶贫工程，支持政府购买医疗服务，加强与贫困地区医疗卫生机构合作，充分利用建行“银医通”等特色化产品，搭建贫困地区医院结算网络。加大社会保障卡发卡力度，丰富金融社保卡服务内容，提高贫困地区参保人用卡体验。

六是进一步扩展贫困地区网点职能，延伸服务网络，拓展普惠金融。在监管政策允许并做好投入产出分析的前提下，积极谋划在无机构贫困

县域设置网点，布设自助银行、设备机具等。各行对还没有机构的县可抓紧进行评估，如有增设的计划，请抓紧上报。要推动县域网点职能向下延伸，解决客户“最后一公里”服务需求。继续推进贫困地区普惠金融服务点建设，通过与供销社等第三方公司合作，快速搭建助农服务网络。从湖北、河北分行的经验看，与供销社合作的收获已显现。积极与贫困地区县医院、服装城、农贸市场等重点市场合作，通过助农、新农保、新农合业务，构建县域金融生态圈。利用“龙支付”和“裕农通”两大平台，探索县域普惠金融合作新模式。

七是积极发挥“善融商务”电商平台和支付结算网络的融合优势，推广电商扶贫。在善融商务开办精准扶贫专区，推广线上、线下相结合的“爱心购”综合金融服务扶贫方案，为贫困地区“名特优新”农产品和休闲农业搭建网上销售平台。对于有一定知名度和生产能力的优质地方特色扶贫产品，积极提供线下推介撮合服务。组织分行利用当地辅导资源和线上辅导方式，为贫困地区商户提供辅导服务，助力国家“十三五”电商扶贫工程目标实现。

八是完善定点扶贫地区金融服务。金融精准扶贫的产品和服务应优先投放或安排于我行定点扶贫村并惠及我行定点扶贫的建档立卡贫困户。整合各类捐赠资源，向定点扶贫地区倾斜，主要用于支持定点扶贫地区用水、照明、危房、交通等设施建设。在此说明一下，金融精准扶贫是相对于量而言，要对贷款数据等进行统计，定点扶贫是针对所对应的机构，即我们所包的县、乡、村、户要确保实现脱贫，两者都要考核。

四、工作要求

（一）各级党委要强化领导责任，勇挑重担

全行上下对扶贫工作要有清醒的认识，各级党委思想上、行动上要坚决统一到中央的重大决策部署上来，增强使命感和责任感，必须把从严要求贯穿到金融扶贫的全过程、各方面。要落实好“一把手”问责制（做不好要拿“一把手”是问），“一把手”要亲自抓、亲自上、亲自过问、亲力亲为，要统筹、协调好各部门之间关系，理顺职责，分解任务，倒排时间表，确保各项任务、各项措施责任到人，落实到位。

（二）要进一步强化政策保障，措施要实，要能落地

一方面，总行的政策要细化，要落地，要明确流程，要可操作。各部门都要认真梳理本部门承担的具体扶贫任务，看看各项政策保障措施是否落实到位。例如，相关的资源有没有统筹配置，业务流程有没有优化，绿色通道有没有建立起来，不良容忍有没有实施差异化考核，尽职免责有没有认定标准，扶贫产品创新有没有突破，数据统计有没有推进系统优化等，要坚决杜绝做纸面文章。

另一方面，分行要认真学习中央文件和总行文件，把总行各项政策用好用足。例如，分行自身经济资本计划无法满足扶贫信贷需求的，可以报到总行追加经济资本，总行将统筹支持；有扶贫相关财务费用需求的，可以按照总行统一安排报送需求，财务会计部将和相关业务部门一起研究支持。同时，总行现行政策制度不能满足扶贫要求的，分行要多与总行沟通，提出合理化建议，总行相关部门要高度重视，研究解决。

（三）要积极拓宽思路，因地制宜开展创新

金融扶贫不光要当成政治任务来抓，也要当作业务机遇来看。特别是部分贫困人口多、贫困程度深、扶贫任务重的省市，地方政府已明确将脱贫攻坚作为地方经济发展的主线，各项工作要围绕扶贫来抓，确保各项资源优先用于扶贫产业和项目。各分行要充分抓住扶贫中的业务机遇，立足各地实际，将金融扶贫作为业务拓展的重点领域之一，将金融扶贫作为密切银政企关系的重要手段之一，因地制宜开展创新，思路要活、方式要多样。同时，还要吃透国家政策，对于国家在扶贫领域给予的特殊优惠政策要保持高度的敏感性，如扶贫资金搭桥、扶贫企业上市等，都可以成为我们业务创新的突破口。

（四）要广泛聚合资源，全行上下协同作战

最近我们经常提“协同”二字，协同是要求，更是我们建设银行集团化经营的优势。我们要充分发挥这种优势，有效整合母子公司、对公对私、境内境外、线上线下，为贫困地区提供全方位、综合化的金融服务，协助贫困地区企业通过上市、发行债券等直接融资方式，降低融资成

本。此外，要充分发挥内部网络优势，打造东西部分行联动协作扶贫模式，对大型扶贫项目可采用内部银团方式予以支持。

（五）要注重分类施策，差别化管理

要提高扶贫措施的有效性，核心是因地制宜、分类施策。总行在扶贫相关政策的制定过程中，也要注重摸清状况，细化研究，分类管理。例如，在制定和优化某些产品办法时，在考虑实施差别化信贷审批授权时，要把中央给予贫困地区的支持政策考虑进去，可以研究探索在风险可控的前提下，对中央财政转移支付力度大、支付资金平稳增长的国家级贫困县和我行定点扶贫县给予政策倾斜。

（六）要做好评估督察，发挥好考核指挥棒作用

总行已经下发了扶贫效果评估和督察工作通知，明确了评估和督察工作的内容、指标体系和评分规则。目前，各分行的自评估工作已基本完成，下一步，总行相关部门将赴各分行实地督察，检验我们的扶贫工作开展情况、各项政策落实情况，以及扶贫取得的成效和存在的问题。通过考核评估，把求真务实的导向立起来，把真抓实干的规矩严起来，这也是总书记对脱贫攻坚工作要建立责任制度、考核制度、强化任务落实的硬要求。

（七）要打牢精准扶贫基础，做实做细数据统计工作

在金融精准扶贫贷款统计方面，数据要统计全，明细台账要做实，使数据能精准反映我行扶贫成果。分行要严格按照人民银行总行下发的全国建档立卡贫困人口名录，确定扶贫贷款债项及客户信息，准确填报金融精准扶贫各项指标数据。总行要加快推动系统优化上线工作，完善扶贫信息采集、数据统计和质量监测。从2016年开始，上市公司履行扶贫社会责任工作信息已作为年报中的重要内容之一进行披露，因此，要坚决夯实数据基础，确保对外信息披露及时准确。

（八）要及时总结，加强宣传

各级行要善于总结、提炼经验做法，利用内外部多种类型媒体，大力宣传我行扶贫工作成效和典型案例，树立大行形象和良好口碑。同时，在系统内推广案例。在全行评估和督察工作结束后，总行相关部门要对评估督察结果进行总结和通报，对扶贫措施不力、考核结果不佳的分行督促整改，对成绩显著、表现突出的分行及个人，及时总结经验、推广宣传并予以奖励。

（九）要将风险防控挺在前面

这里我要特别强调，金融扶贫不是搞慈善，各项业务要坚持履行社会责任与风险可控、商业可持续相结合，坚持依法合规扶贫，规范业务运作，强化制度安排，做好风险评估，守牢风险底线。贷前严格落实核查相关管理要求和规定动作，杜绝核查工作流于形式，要把扶贫项目和贫困对象认定结果的真实性作为发放贷款的首要条件，把确认的还款来源作为还款主要保障。加强客户走访，落实贷中贷后管理，把贷款资金是否专款专用、支持对象是否精准、还款来源是否稳定作为贷款检查的重点，及时识别化解风险。此外，还要对扶贫相关领域开展趋势性、前瞻性研究，增强风险预判能力。

同志们，如果说2016年是我行全面推进金融精准扶贫工作首战之年，那么2017年就是我们金融精准扶贫工作细化深入、强化执行、全面突破的关键之年。面对金融扶贫工作的诸多挑战，面对定点扶贫的艰巨任务，需要我们全行上下以高度的社会责任感和担当精神，发挥建设银行集团整体合力，通力协作，真抓实干，精准助力脱贫攻坚战，确保不折不扣地完成各项扶贫任务！

谢谢大家！

厚植客户 协同联动 全力推进商户营销拓展工作

——在中国建设银行商户营销拓展工作（视频）会议上的讲话

章更生

（2017年5月27日）

今天，我们召开一个全行商户营销拓展工作视频会议，主要是为了贯彻落实总行党委关于大力发展商户业务和提升消费资金承接水平的有关要求。

银行是以经营资金为主的企业，资金量上不去，不仅会影响到经营效益，更重要的会影响到流动性，甚至可能影响银行安全。存款是最主要、最稳定的资金来源，其中最主要的就是一般性存款。从全社会资金来源与资金运用来看，2017年以来，由于经济稳中向好，一些国家重点工程和大项目陆续上马等，资金运用大幅增加；而资金来源方面，由于外汇占款减少，再加上美联储6月有加息的预期，使得资金供应量相对减少，导致市场上资金相对紧张，资金价格上扬。如无政策调整，预计2017年的资金面可能一直都会比较紧张，这要引起大家高度重视，积极正确应对。

2017年初以来，M_2 逐月下降，目前3个月Shibor已高达4.5%，中央银行又连续两次上调了逆回购利率；债券利率持续上行，AAA级企业发债1年期、5年期、7年期、10年期利率均高于中央银行贷款基准利率。目前，有的银行销售的期限30多天的理财产品收益率已经达到5%以上，和贷款利率是倒挂的。在这样的市场环境下，同业纷纷加大增存力度，一般性存款增长面临日益激烈的竞争态势。2017年我们花了比以往年度更大的力气抓存款，但截至4月末，我行人民币一般性存款比年初新增4535亿元，位居四大行第二，但是对工行的领先优势已经缩小到68亿元，与农行的差距扩大至611亿元。对此，我们绝不可掉以轻心。

通过数据分析，我们发现假日期间我行存款呈现一个明显特点，即每逢双休日、节假日，一般性存款出现负增长，多数情况下节假日每天要负增长100多亿元。为此，祖继行长让我研究一下。我请数据中心进行了数据挖掘，布置相关部门进行了分析研究，并先后主持召开了三次由10个部门主要负责人参加的专题会议，研究对策。通过研究，发现商户是抓消费资金沉淀的关键点。对此，相关部门形成了“客户部门搭台、产品部门唱戏”的共识，明确了客户部门是营销的主体，产品部门要配合客户部门做好产品推介，相关部门要做好支持保障。会后公司部和个金部分别研究制订了对公商户和个人商户的营销策略，同业中心研究了第三方支付机构合作发展的方案，其他相关部门也都做了相关的研究布置。

关于抓存款问题，总行高管层分别就相关工作进行了研究部署。今天，我重点就围绕抓商户消费资金承接做一个专门的部署。因为此事重大，牵涉的方面多，所以请了各机构“一把手”出席今天的会议。下面我讲几点意见。

一、为什么要抓商户和消费资金承接

具体来讲，有以下几个理由。

（一）以抓消费资金承接促进存款增长尚有很大潜力

2016年全年节假日共有115天，占全年的31%，我行节假日对私对公存款此消彼长的趋势明显。2016年节假日期间，个人存款累计减少19003亿元，对公存款累计增长10130亿元，两者的差额是8873亿元。通过分析资金流水，假日期

间个人存款流出资金中，28%我行未承接。其中，个人未承接占19%，主要是个人跨行转账资金，占个人未承接资金的94%；对公未承接占9%，主要是消费资金，占对公未承接资金的61%。贷记卡未承接资金几乎全部为消费资金。总体而言，线上消费资金承接水平优于线下。进一步分析消费资金承接行业结构，借记卡除了旅游售票行业承接率达到74%外，其他行业均不足35%；贷记卡除了汽车销售承接率达到69.85%，旅游销售承接率达到60.27%，其他行业承接率都不足35%。

资金承接关键点在哪呢？为摸清消费资金承接特点，我们选取了线下线上五个典型消费场景来分析，其中，线下包括在本行收单商户消费、在他行收单商户消费、在第三方支付机构收单商户消费；线上包括在直连商户消费、在第三方支付商户消费。通过细致分析资金走向，得出假日对公资金承接的关键点是借记卡、贷记卡用卡及绑卡，商户收单，商户开立并使用我行结算账户，以及第三方支付机构备付金主存管行。因此，我们必须统一思想，想尽一切办法把这块工作抓上去。

（二）商户业务价值链长，可助推战略转型纵深发展

商户覆盖面广、涉及行业多、价值链长，是串接金融生态系统中资金流、信息流和物流的重要节点；是对公对私业务交汇的关键点；是将金融服务嵌入消费者日常生活场景的有力载体；是银行围绕供应链、生态圈、产业集群、线上线下渠道延伸金融服务的触角和探测器。抓好商户业务，以商户为中心营销拓展消费价值链，既是提高商户综合贡献和抓全量资金的要求，也是升级个人客户消费生态圈体验的要求，对带动全行资产、负债、中间业务统筹协调发展具有重要作用，对于全行综合化、多功能、集约化、创新型和智慧型银行转型意义重大。

（三）商户涉及面广，是厚植客户的重要阵地

商户一端连接消费者，另一端连接供应商、经销商，是客户资源的重要聚集地，也是我们厚植客户基础、改善客户结构的重要切入点。随着商事登记制度改革的推进和“全民创业”时代的到来，商户类企业和私营业主大规模涌现。截至2016年末，全国共有各类市场主体8705万户，其中，企业2596万户，个体工商户5930万户。2016年新登记1651万户，同比增长11.6%，平均每天新登记4.5万户。因此，一是要从商事登记源头抓起，把抓商户作为调结构、补短板的重要抓手，营销优质新登记注册商户在我行开立基本结算账户，快速提高“衣食住行娱医”等生活消费领域的商户数量。二是要沿着消费资金流按图索骥抓客户，要把握好社会资金流动新规律，充分利用大数据技术，遵循资金流动规律，拓展客户边界，进而提升客户需求分析和金融服务水平。

（四）消费市场商机可观，蕴藏着巨大的利润增长点

近年来，消费已成为国民经济增长的第一驱动力，2016年消费对经济增长的贡献率达到65%，2017年第一季度进一步提高至77%。全社会消费品零售总额33.2万亿元，近五年累计增长60%。居民购买力持续增强，2016年居民个人可支配收入23821元，近五年累计增长62%。消费增长和个人收入增长的幅度几乎一样。随着居民可支配收入的不断提高，国民经济发展水平不断进步，需求侧和供给侧共同发力，引领消费升级，大消费时代已扑面而来。在这种大趋势下，我们要更加敏锐地洞察和发掘市场商机。商户业务现金流量大、交易频度高、资金成本低，抓好商户业务、抓好消费资金承接，就是要让低成本的消费结算资金在我行内部形成大闭环，与收单创收一起，为拓展利润空间提供有力支撑。我们不仅要通过抓商户承接我行自身流出的消费资金，还要积极承接其他同业流出的消费资金，将商户业务打造为承接低成本消费结算资金的重要载体。

假日期间，对公对私存款差额有8873亿元，如果缩小一半，可以带来4400多亿元的存款新增，如果能全部承接，资金增量更大。再有，如果我们不仅承接我行资金，还能更多承接他行资金，资金量可超过万亿元规模。

在打造客户资金大闭环方面，还有一个重要环节，就是要承接好个人客户转账资金。2016年全年，我行个人客户跨行转账流出资金20.6万亿元，这其中，转出流向工行、农行、中行三大行合计6.6万亿元，占全部转出资金的32%；转出流向招行的资金量也较多，接近转向工行资金量的一半。因此，在转账资金挽留和资金承接方面，需要我们狠下功夫。

（五）互联网金融发展迅猛，创新发展大有可为

当前，“互联网金融”已呈爆发性增长，第三方支付、在线理财、物联网、共享经济等互联网金融创新业务发展迅猛；扫码支付、近距离无线通讯支付（NFC）等新型移动支付方式已势不可当，科技发展为服务长尾客户带来可能，对商业银行的存款、结算等核心业务，尤其是银行卡和商户收单业务形成了巨大的挑战。截至2016年，非银行支付规模达120万亿元，是2013年的6.7倍。在此局势下，银行同业也在积极应对，纷纷进军电商和移动支付领域。应接不暇的互联网金融逼着我们必须转型求变，不断研究商户服务新方案，不断审视与新兴互联网企业和第三方支付公司的合作，正确处理竞合关系，探索双赢合作模式。下一步，要持续认真地践行智慧型银行转型要求，发挥我们客户资源丰富、科技力量领先、系统功能安全的优势，加强线上线下渠道整合，为商户提供多渠道、多功能、多方位的综合金融服务，在与互联网金融竞争合作的过程中不断提升建设银行服务价值和竞争力。

二、怎样来抓商户和消费资金承接

（一）转变观念，提高认识

这是当前推动商户业务快速发展的前提。过去，我们强调二八定律、重视抓大客户，是为了发挥我们的传统优势，合理利用有限的资源产生最大化的效益。如今，时代在发展，消费已经取代投资成为拉动经济增长的第一驱动力，居民消费结构、支付习惯，消费场景的形态，商户经营的模式都在不断转型升级，互联网技术发挥了重要影响，要求围绕消费的金融服务也要转型升级。这对我们银行来讲，既是机遇，也是挑战。当前传统和新兴业态并存，仍处在过渡期，只有转变观念，拓宽思路，发扬优势，弥补短板，才能顺应消费升级的大势，收获长尾效应带来的长期收益，才能在日益激烈的市场竞争中保持长久的活力。

因此，各行务必要把商户拓展和消费资金承接作为“一把手”工程来抓，要把抓商户作为拓展客户资源、优化客户结构的新选择，把抓消费资金承接作为我们深化转型抓存款、抓创收的新举措。全行上下思想上要高度重视，行动上步调要一致，切实将商户业务抓好、抓实、抓出成效。

抓好商户消费资金沉淀的同时，也要多措并举，群策群力，开拓各种渠道抓存款，特别是对于资金量大的客户，尤其是机构类客户、金融同业类客户、央企客户，要下比以往更大的力气来抓。

（二）找准目标，明确打法

商户市场业态多元化，消费者数量庞大，消费行为特点五花八门，要想在短时间内有所成效，就要解决好抓什么的问题。只有找准关键点，对症下药，才能早见成效。总行相关部门已经分头做了深入研究，归根到底还是要根植消费场景，分类施策。要找准什么样的商户能够为我们带来更多的价值，深挖这些商户有哪些金融需求，我们应通过什么样的金融服务来满足这些商户需求，这样才能真正推动营销措施的落地。下面我从重点行业、生态圈链、互联网、第三方支付机构以及个人商户等几个重要方面讲一讲如何来抓。

1. 抓重点行业。

一是要积极拓展房地产、汽车销售等资金富集的商户，研究有针对性、有吸引力的客户综合金融服务方案和针对消费者的优惠政策，大力营销该类商户的交易结算账户和交易监管账户，协助搭建现金管理网络，充分发挥“E销通”等供应链融资产品的带动作用，全方位服务商户和消费者，促进消费资金承接和资金体内循环。

二是大力拓展与居民生活息息相关的餐饮、医院、酒店、加油站、日用百货、超市等交易频度高的商户。一方面要充分关注该类商户“多获客、好结算、易管理、增收入”的需求，为其搭建商户收单和结算网络，创新探索互联网与资金网络的有效结合，满足商户在支付结算、物流管理、库存管理、账户管理等方面的需求；另一方面要制定行之有效的消费者激励策略，针对消费场景特征搭建餐饮、出行、娱乐、缴费等消费平台，提高持卡人消费满意度，将居民生活方方面面的消费资金吸引到我行体内，同步拓展客群边界，提升客户黏性。

2. 抓生态圈链。在这方面，要积极探索高效打法，转变传统单点拓户思路，主攻各类商业综合体，通过圈式、链式营销提高市场拓展效率，实现商户客群的批量、快速拓展。

一是抓核心商业生态圈。梳理集“衣、食、娱、教”于一体的商业综合体、特色步行街以及家居建材市场等专业商圈，加强与所属行政区域市场监管部门、商用物业开发管理公司等的沟通合作，寻求商机和业务突破口，力争通过“圈”和“群”的打法批量拓展商户。

二是抓生活服务生态圈。围绕居民生活社区、大型写字楼群等员工工作社区，构建生活服务生态圈，提供集物业管理、餐饮、宾馆、物流、缴费、家政、运动健身等于一体的综合生态圈金融服务，以我行网点、银行卡、手机银行、龙支付为载体搭建平台，批量拓展社区周边商户。

三是抓综合化园区生态圈。要敏锐把握政策契机，挖掘各地发展规划中如“度假＋生活”综合化休闲园区、“生产＋生活”综合化产业园区的商机，通过强化银政合作关系，提供一揽子综合金融服务，力争建立园区综合金融服务生态圈。

四是抓供应链核心企业生态圈。要以供应链核心企业客户或商品交易平台客户为关键切入点，实现以点带面的链式营销、集群营销，为上、下游商户提供一体化综合金融服务，打造资金交易闭环。引导客户搭建线上销售渠道，策略嵌套我行产品服务，提升我行获客能力和业务发展潜力。

五是抓专业市场生态圈。对于农副产品批发市场、美食广场等从事某一类型商品批发、零售等业务的专业市场，要从源头营销市场管理方，积极提供我行专业市场资金结算服务方案，满足市场管理方资金归集、与市场商户资金清算等需求，批量拓展场内商户结算账户，承接场内消费资金。

3. 抓个人商户和转账资金挽留。个人商户具有公司经营和个人客户的双重属性，是我行潜力较高的个人客户群体，其结算账户内时常会逗留大量短期流动资金，活期存款占比高，是承接消费类资金的重要通路，是吸纳低成本资金的重要来源。抓好个人商户客群经营，对于夯实客户数量质量，优化我行客户结构，推动经营性小额信贷等资产类业务，延伸投资理财业务都具有重要意义。

各分行要重点围绕连锁商户、批发商户、助农商户和小微商户四类重点个人商户群体，依托营业网点，立足自拓、联动营销，结合各类客群差异，分别制订专项营销打法，重点依托龙支付（聚合支付）、商户快贷、商户现金管理套餐和裕农通四大主推产品，形成组合拳，做好个人商户的综合服务，实现个人商户规模和质量的跨越式发展。

一是批量拓展连锁商户。做好区域内小型连锁商户的摸排调查，筛选优质商户，加强公私联动，开展总部营销，覆盖辖内民生类品牌小型连锁商户，如便利超市、连锁餐饮、连锁药店、彩票销售等典型场景。通过解决商户资金归集、综合对账等痛点，实现链式批量拓展。

二是集中拓展批发商户。筛选区域内目标市场，逐个摸清市场规模、同业入驻情况，实行名单制管理，分派责任网点进行拓展维护。要抓住其统一管理、大规模集中性经营的特点，从市场管理方切入，强化部门联动，发挥整体优势，尤其是在我行有信贷支持、商铺按揭、合作关系紧密的专业市场要开展高层营销，各分行要在年内覆盖辖内年交易金额1亿元以上的专业批发市场，如服装家纺、家居建材、珠宝玉器等典型场景，实现商圈批量拓展。

三是借力拓展助农商户。结合当前精准扶贫、服务“三农”、电商下乡的热点区域，打造商圈，推广裕农通产品服务，根据当地实际情况积极发展供销社、卫生系统、通信公司等合作伙伴，借助其渠道和人员优势，高效率、低成本地快速打造“村口银行”，提升县域闲置资金的沉淀。

四是广泛拓展小微商户。对于营业网点周边商户，要深耕周边1公里，做透其中500米，确保覆盖网点周边与居民衣食住行密切相关的零售店面，打造建行“微商圈”。对于核心场景周边商户，要公私联动开展营销。深度拓展校园周边服务年轻客群的“微商圈”，承接校园年轻客户消费资金。

在抓个人转账资金挽留方面，要匹配有竞争优势的产品和服务，加强产品交叉销售，做强客户黏性，针对个人商户、高代发、县域等重点客群，推出专享创新产品或优惠价格，做好大额资金转出的精准对接，加大资金挽留力度。

4. 抓互联网商户。要把握“互联网 +”的机遇，运用互联网思维，加快发展线上网络特约商户，尤其要大力拓展直连商户，实现消费资金的百分之百承接。

例如，抓住政府职能部门、公用事业单位互联网转型的契机，拓展土地拍地、海关出口退税、法院司法拍卖、政府采购、公共服务缴费缴款等交易平台，创新“互联网 + 政务”“互联网 + 平台”的新型金融服务模式。又如，可以抓住传统线下商户的线上转型契机，关注大型商贸连锁企业、交通运输企业、酒店集团等线上经营管理的需求，提供集收单结算、商户会员管理、库存信息管理、供应链管理、数据分析挖掘等个性化增值服务，拓展其成为我行直连商户。再如，通过抓住新兴产业、新型业态商户，积极关注各地创新改革试验区、科技企业孵化器等，抢抓共享经济（共享单车、共享民宿、网约车平台等）的优秀科技创新项目，在创新企业成长初期提供支持，进而在生产经营各环节嵌入我行金融服务，共享其快速成长带来的收益。

这里还有一类重要客户，那就是第三方支付机构。近年来随着互联网经济的快速发展，第三方支付机构已拓展和积累了数量庞大的二级商户和个人消费客群，在线下、线上消费支付市场均有抢眼表现，甚至对传统银行支付结算领域造成一定威胁。另外，第三方支付机构备付金的资金量很大，腾讯财付通有 3000 多亿元，蚂蚁金服有近 2000 亿元。在这种情况下，我们更要冷静分析其优劣势，处理好与第三方支付机构的竞争合作关系，策略地寻求合作共赢。一是在网联上收备付金的过渡期，仍要持续抓第三方支付机构备付金账户和存管规模。根据人民银行新政，第三方支付机构的备付金存款，2020 年前要全部存到人民银行。但不是一次上收，是逐年来收的，因此这一块近三四年还是要抓。二是要策略处理与支付宝、财付通等第三方支付巨头的竞争合作关系，积极获取第三方支付机构返还数据，挖掘其二级商户资金运用规律和发展潜力，通过第三方支付机构引导二级商户在我行开立账户，进而择优择机拓展直连合作。三是要围绕支付牌照抓大型线上商户。目前许多优质大型互联网企业纷纷出手收购支付牌照，部分大型央企出于互联网转型需求，也有意涉足支付领域。我们可以通过提供综合金融服务，发挥我行服务央企国企以及大型企业客户的优势，链式营销其第三方支付企业的备付金及线上商户销售资金的承接。这些信息非常重要，大家要及时捕捉商机。

三、工作目标

总体目标：要以消费转型升级为契机，大力推进商户营销拓展，要以综合金融服务为抓手，主攻圈链群，协同联动，力争商户数量质量、消费资金承接同步实现快速发展，有效促进资金体内循环。

具体目标：

第一，对公商户业务。一是综合贡献度高的对公商户客户新增 1.6 万户，力争新增 2 万户以上（指结算账户日均存款净新增≥5 万元、全年收单金额≥20 万元的商户客户）；二是对公商户结算账户日均存款新增 1500 亿元以上。

第二，个人商户业务。一是实现个人商户总量“翻番”，活动个人商户新增力保 130 万户，力争 156 万户以上；个人商户整体活动率要提升至 60% 以上，单户年日均存款 5 万元以上商户占比提升至 60% 以上。二是“裕农通”服务点在县域农村地区新增不少于 3 万个；单点签约农户数量达到 50 户及以上，单点年日均存款余额达到 50 万元以上。

第三，资金结算业务。针对专业型市场、大型商场、连锁性企业的资金结算需求，大力拓展专业市场资金结算服务，2017 年完成专业市场资金结算服务方案 256 个，力争完成 652 个以上。

第四，第三方支付客户。备付金存款比 4 月末时点新增 300 亿元以上，备付金存款比 2016 年末日均新增 500 亿元以上。

第五，信用卡中心归口商户业务。2017 年确保商户净增 30 万户，力争净增 60 万户以上；确保商户交易额达到 2.3 万亿元，力争达到 3.5 万亿元以上。

第六，网络特约活动商户。2017 年网络特约活动商户达到 1.9 万户以上。

四、几点要求

（一）团结一心，敢打硬仗

通过这次抓商户和消费资金承接，进一步体现建设银行团结一心、协同作战、善打大仗、善打硬仗的企业文化。在很多业务上，我们凭着优秀的建行文化，敢于竞争，敢于胜利，都做到了同业领先。北方有一句话，“不蒸馒头蒸（争）口气”，我们要勇于应对同业的挑战，一定要将存款抓上去。往哪里抓呢？除了要抓大的机构类客户、金融类客户、央企客户，商户和消费资金承接就是一个有待开采的巨大富矿，消费资金量巨大，而且还在快速增长，资金利率相对较低，是优质的资金。因此大家一定要团结一心抓好、抓实。

（二）马上就办，真抓实干

习近平总书记1990年5月17日在担任福州市委书记第9天时，提出了“马上就办，真抓实干”这几个字。我觉得讲得非常好，希望大家立即在全国各个角落同时打响商户和消费资金承接攻坚战，并且要取得丰硕的成果，战则能胜！为此，各一级分行要将其作为“一把手”工程来抓，立即成立商户营销领导工作小组，统一指挥，统筹协调，分解任务，配置资源，加强指导，取得实效。

（三）周密部署，分工协作

总行已制订下发了商户营销指引和商户拓展营销方案等，但由于各地商户资源禀赋不同，分行要先谋而后行，谋定而后动，因地制宜，细化制订切实可行的营销方案。在职责分工上，各业务条线要职责明确，分工协作，形成齐抓共管、协同作战的良好局面。前台、中台、后台要唱好“大合唱”，公司条线、个人条线、同业条线要分别牵头做好对公商户拓展、个人商户拓展及个人转账资金承接、第三方支付机构拓展等工作；信用卡条线、网络金融条线等产品与渠道部门要发挥专业优势，主动积极参与营销；数据部门要继续做好数据支持和数据分析，为精准营销提供支撑，“谱好曲、填好词”，实现精准发声；各条线各部门一定要立足全行发展商户业务，只要整体有利于建行的，都要去做；此外，财会部门要加强综合算账，加大资源配置和考核激励力度，调动各条线发展商户业务的长久的积极性，充分反映条线和部门的业绩和成果，做好支持保障工作。

在各分支机构层面，各机构要发挥主观能动性，敏锐观察辖内消费趋势和变化，在总行、分行部署要求的基础上，结合当地资源特点，迅速形成一套适合自身的打法，抢抓商户市场。希望基层行不要有畏难情绪，基础工作一旦做好了，就能够多年受益，也只有这样，才能够引来消费大势下的资金流，可以收获长尾效应带来的长期收益。要通过加强前台环节的客户行为引导及专享产品营销等，做好客户转账资金挽留工作。会后总行各相关部门、各一级分行要形成具体的推进落实工作措施，将事项、对策措施、承担任务的机构、人员、目标任务量要求等逐项列出，确保相关工作尽快落实。

（四）综合服务，综合算账

客户营销服务工作一定要有大思维、大局观，切忌短视行为，千万不能只算眼前账。长期见效益和短期有回报的客户都要服务好。维护好客户是做业务的根本和前提，丧失了客户不仅影响短期收益，还丢失了业务发展的根基。

我们要将综合服务当做抓手。加强综合服务，就是要充分发挥建行集团全牌照、多功能的优势，提供涵盖对公对私、线上线下、表内表外等多项产品服务的综合金融服务解决方案，避免单一产品的多头营销，全面提升客户体验和综合贡献度。这里要做到四个转变。一是要由单纯提供支付结算服务向提供综合金融服务方案转变，抓住商户这个关键点，围绕消费资金链条，拓展商户业务合作的深度与广度，提高综合金融服务水平。二是要由单点拓户向批量拓户转变，开拓思路，转变打法，通过圈式、链式营销提高市场拓展效率。三是要由线上线下业务相对独立营销向统筹营销转变，积极运用互联网思维，挖掘线上线下商户的金融需求和潜在商机，紧跟商户自身经营发展的需要，做到我行业务线上线下同步延伸。四是要由单兵作战向协同作战转变，这里再次强调要唱好“大合唱”，这是我们建行服务品质的重要体现，是确保我们的营销措施能够快速落地的重要抓手。

我们要将综合算账作为价值衡量的重要方法。

前面说过商户业务价值链长，能够有效带动资产、负债、中间业务的发展。为了让这条价值链给我行创造更多价值，一定要统筹衡量商户业务的各项收益、成本，客观反映各条线的工作效果和效率，在综合算账的基础上，力争商户拓展综合营销服务效益最大化。

（五）在全行营造比学赶超的商户业务营销氛围

在前期总行10个部门达成共识的基础上，总行决定2017年要花大力气营销拓展商户，抢抓消费资金承接。公司部、个金部分别印发了《2017年对公商户营销指引》《2017年个人商户拓展营销方案》，近期总行将开展商户拓展“招商引资”主题营销活动，同步下发潜力商户名单。财会部在费用上给予了大力支持，在2017年综合经营计划相关激励政策的基础上，又配置了专项费用，用于激励年内商户业务拓展表现优异的分行和个人，积极支持商户拓展营销活动。此次活动的激励费用一定要奖励到团队和个人，确保激励达到预期效果。

各分行要洞悉内外部形势，把握商户业务发展机遇。可比照总行，进一步加大资源配置力度，以激发基层机构和一线营销人员拓展商户业务的积极性。在商户营销拓展方面，有的分行已经做了有益尝试，结合当地情况提出了具体策略和打法，比如山东分行提出的“慧兜圈”业务模式，北京分行开展的“万户千家”专题营销活动，都非常好。希望大家要互相学习借鉴，充分利用当地资源，结合商圈特点，周密部署，全面营销，在全辖营造比学赶超的营销氛围。总行将定期通报商户营销拓展情况。

借这个机会，我再提两点要求。一是贯彻落实好监事长关于抓好外汇账户的要求。目前我行已连续16个月结算量保持四大行第一，但是我行的外汇账户与中行、工行相比还较少。2017年在对公条线工作会上已经下达了任务，大家一定要像抓商户一样，全面发动，狠抓落实。二是要加强保密意识。最近发现有些内部交流信息竟然很快被他行掌握，这是绝对不能容忍的。大家一定要进一步强化思想认识，加强保密意识，尤其是在我行核心商业机密和产品创新等方面，必须确保重要营销信息、措施打法等不外泄，以持续保持领先优势，保障行内各项经营决策达到预期效果。

同志们，2017年的存款形势十分严峻，存款市场竞争将会十分激烈。希望各行以此次抓商户营销为起点，全面发动，群策群力，奋勇向前，不获大胜绝不罢休。预祝各行、各条线捷报频传，取得辉煌的战绩！

谢谢大家！

落实中央要求　建构普惠体系
促进全行普惠金融业务快速持续健康发展

——在普惠金融业务发展推进（视频）会议上的讲话

章更生

（2017年10月24日）

受祖继行长委托，今天我们召开全行普惠金融业务发展推进会。为了开好今天的会议，普惠金融领导小组近几天接连开了两次会议，就有关问题进行了研究，之后，祖继行长又专门主持召开会议听取汇报。今天的会可以说是公私联动，中后台助力，形成合力，共图发展。今天的会议主要有三个目的：一是统一思想，提高认识；二是传达政策，明确导向；三是布置任务，提出要求，推动全行普惠金融业务尽快取得实质性成效。

一、要切实提高对发展普惠金融重要性的认识

党中央、国务院高度重视普惠金融事业发展。2017 年以来，普惠金融更是受到高频关注。中央领导多次作出批示，中国人民银行、中国银监会、财政部先后出台了相关的政策措施，既有刚性要求，也有激励政策，力度之大，措施之实，要求之高，是前所未有，目的就是要将普惠金融尽快发展起来。可以说，这是一项我们不得不做、不得不做好的事情。我们作为国有大型银行，一定要高度重视，坚决贯彻执行。

（一）提高思想认识，形成行动共识

第一，普惠金融业务是我行必须完成的一项政治任务。党的十九大报告指出，要深化金融体制改革，增强金融服务实体经济能力；第五次全国金融工作会议提出，要建设普惠金融体系，着力解决融资难融资贵问题；2017 年《政府工作报告》就大中型银行设立普惠金融事业部提出了具体要求；国务院常务会议 3 次专题研究部署，推动大中型银行普惠金融事业部落地工作；根据中央精神，中国人民银行、中国银监会等监管机构多次召开由大型商业银行负责人参加的关于发展普惠金融业务的会议，就组织机构设立，“五个专门”经营机制建设，即专门的综合服务、专门的统计核算、专门的风险管理、专门的资源配置、专门的考核评价，以及可持续发展等问题提出了明确要求。近日，中国银监会组成专项督导组分赴五家大型银行，就普惠金融事业部设立工作开展专项督导，要求相关工作分别在 2017 年 10 月底、12 月底前都必须有实质性进展。

第二，普惠金融业务是我行应尽的社会责任。普惠金融工作对党的事业和人民生活具有重大意义和深远影响。发展普惠金融，能够加大金融对实体经济的服务力度，更好地以金融资源撬动经济发展活力，是银行业坚持主业、回归本源的重要体现。它能够将金融服务向小微企业、“三农”和偏远地区扩展，促进民生改善，推进金融精准扶贫。脱贫是我们党对老百姓作出的庄严承诺，我行作为国有控股银行，我们理应要为国家排忧解难，为国家实实在在解决一些现实性问题。我们的业务来自社会，理应为社会作出贡献，对社会有所回馈，这是我们建设银行的愿景理念。

第三，普惠金融业务是我行调整业务结构、创造盈利的重要领域。我行是做大行业、大企业、大客户出身的，做小微是我们的短项，我们必须尽快努力，把短板补上。通过业务模式的创新，充分拓展普惠性的长尾市场，拓宽客户服务范围及市场空间，推动自身的持续发展。同时，普惠金融业务，特别是小微企业业务，融资周期短，资本占用少，单户收益高，这里本身就充满着创利商机。9 月 27 日的国务院常务会议，针对普惠金融业务领域，研究提出了免税、定向降准等支持政策。包括扩大金融机构利息收入免征增值税范围，对普惠金融领域贷款增量或余额达到一定比例的商业银行实施定向降准等。9 月 30 日，人民银行下发《中国人民银行关于对普惠金融实施定向降准的通知》，明确了定向降准的实施范围和标准。政策红利的释放，有助于我行争取低成本资金，从而增加收益。

总行党委高度重视，对普惠金融工作提出明确要求。国立董事长近期两次作出重要批示，指出普惠金融是国有大行应承担的责任和义务，要求务必抓好抓实，切实把普惠金融的工作做好，搞出建行特色。祖继行长强调，要加大力度探索建立大银行发展普惠金融的机制、体制。为加强对我行普惠金融工作领导与推动，2017 年 4 月总行成立了普惠金融发展委员会，由王祖继行长亲自担任委员会主任。2017 年 9 月以来，总行已召开了三次普惠金融发展委员会会议，把握方向、明确任务、解决问题，推动建立全行支持普惠金融发展的政策体系。上周五，祖继行长又专门召开会议，听取工作进展情况汇报，目前总行有关部门正在全面着力落实推进。

目前，在小微企业等普惠金融业务的发展方面，全行还存在“上热下冷”的问题，部分分行对发展普惠金融重要性的认识很不到位。认识上不去，就要影响行动，业务也就上不去。以小企业业务为例，这也是近年来国家、监管机构包括总行党委反复强调的，有些分行执行得较到位，积极探索，推动有力，例如广东、深圳分行“小微快贷”客户数已突破了 1 万户，但是有的分行执行很不到位，特别是一些发达地区的重点城市行，有的客户仅几百户。普惠金融业务不是要不

要做的问题，而是必须要做、必须要做好的问题。希望全行一定要站在讲政治、讲大局的高度，带着责任感、使命感和情怀将普惠金融业务做实做好。

（二）厘清业务范围，明晰发展目标

无论是监管的刚性要求，还是财政、税收、货币等优惠政策，都有赖于以相关业务统计数据来厘清政策支持边界，评估实施效果。为此，我们首先得知道业务范围是什么、客户在哪，然后才能精准施策，有的放矢。

普惠金融是个大的概念，不只是包括小微企业，也包括“三农”“双创”、个人经营、“助学”以及对困难群众的精准扶贫等。中国银监会、中国人民银行分别有相应的评价指标和政策支持措施。总体来看，监管机构评价银行支持普惠金融的效果，关注点还是在解决融资难的问题，服务对象聚焦真正的小客户，对普惠金融领域的贷款，单户授信总额界定在不超过3000万元。

目前，中国银监会普惠金融贷款指标体系，初步确定了五大类27个指标，包括普惠型小微企业法人贷款、普惠型个体工商户和小微企业主贷款、普惠型其他组织贷款、普惠型农户经营性贷款、普惠型消费贷款。人民银行定向降准范围的普惠金融贷款指标，主要是8项，包括单户授信小于500万元的小型企业贷款、单户授信小于500万元的微型企业贷款、个体工商户经营性贷款、小微企业主经营性贷款、农户生产经营贷款、创业担保（下岗失业人员）贷款、建档立卡贫困人口消费贷款和助学贷款。具体的口径和业务范围虽存在一定的差异，但总体导向是一致的，覆盖面不只包括小微企业等对公领域，还有相当一部分是个人经营性贷款领域，各行会后一定要组织相关部门认真学习文件，精准把握统计口径和业务范围。

二、总行对发展普惠金融业务所做的政策支持

近期，总行各相关部门围绕普惠金融业务发展问题，紧锣密鼓地在研究制定相关的配套支持政策，已初步形成了一整套政策体系。这些支持政策可以说是动了脑筋、费了精力的，各项支持政策可以说基本上用到极致，目的就是通过政策激励，尽快将我行的普惠金融业务坚决做上去。主要的支持政策如下，最近几天将会陆续下发。

（一）调整信贷投放结构，配置专项贷款规模

总行已对2017年第四季度普惠金融贷款作出700亿元规模安排，专项使用，不得挪用到其他领域。上周，总行已经把10月普惠金融贷款增长计划分解到了各分行，11月、12月的普惠金融贷款增长计划也将随后下发，这是硬指标、硬任务，各行在执行中不能有半点懈怠和马虎，必须不折不扣、全力以赴。

另外还有几点要特别强调一下：一是各分行完成普惠金融贷款增长计划之外的超额规模需求，总行将足额保障；二是对分行自身经济资本计划不能满足的普惠金融贷款需求，总行将在年末予以支持；三是总行将对各行完成情况进行监测，对于未完成计划的一级分行，将回收其贷款规模调剂至其他分行使用。

（二）强化考核激励政策，提高专项人力费用

一是提高小微企业客户新增专项费用。2017年初，总行对小微企业授信客户新增按照开立账户性质配置了员工费用，根据业务实际发展情况，将按照客户定价水平、存款日均、产品覆盖情况等情况设立不同的激励条件，费用总量安排将在年初计划的基础上翻番。

二是安排普惠金融贷款新增专项费用。按照普惠金融领域贷款全年新增计划完成情况，挂钩普惠金融贷款新增额的千分之一配置员工费用。

这项政策是总行最近制定的，导向很明确，多劳多得，谁做得多相应拿到的激励就多。这部分费用跟普惠金融贷款新增全年计划完成情况挂钩：百分之百完成或者超额完成的分行，全额激励；对于完成全年计划目标90%以上的分行，激励标准打八折；对于完成全年计划目标80%以上未达90%的分行，激励标准打五折。如果连全年计划目标80%都没有完成，那说明不是能力上的问题而是态度出了问题，对不起，这部分费用就全都没有。

三是强化KPI考核导向。总行在2017年对一级分行KPI考核指标体系中，把“普惠金融”指标作为一项可选指标，并在加减分指标中设置

"小微企业三个不低于"指标。最近，总行正在着手对一级分行KPI指标体系进行优化，在"小微企业三个不低于"减分指标基础上，设置普惠金融贷款增长加分指标，合计分值区间［-3，3］，要知道这几分之差，将要直接影响到你的排位。具体政策总行财务会计部正在加紧研究制定，近期将下发执行。

（三）调整信贷审批授权，下沉转授分支机构权限

对于小企业不良问题，要用历史眼光来看，要新老业务分开看，过去是过去，现在是现在，这样看问题才是历史的、辩证的。这次总行要对小企业业务二级分行转授权不良警戒线触发机制进行相应调整。

同时，总行将区分存量和新增，以及不同业务品种，进一步扩大对小企业信贷业务向二级分支机构的转授权范围，并鼓励各行将小企业业务信贷审批授权进一步向条件成熟的支行下沉。具体政策总行授信审批部正在加紧研究制定，预计10月底前可下发执行。

（四）鼓励设立特色机构，安排专项财务和人力资源

县域机构是普惠金融服务的基层触角，是拓展农户、县域小微企业等普惠金融业务群体的重要平台，也是中央和监管机构鼓励发展的领域。对于普惠金融特色机构建设，总行也将给予资源倾斜：

一是费用补贴。对于新设的普惠金融特色机构，总行将对其设置三年宽限期，按照经营年限对其员工费用给予补贴：第一年全额补贴，第二年补贴70%，第三年补贴30%。相比其他新设网点，此次政策支持力度之大也是前所未有的，各行要用心经营，积极探索，作出建设银行服务普惠金融客户的特色。

二是充实人员。对于新增的普惠金融特色机构，按照10人以内标准进行配置，其中，总行给予新增5名员工编制，其余人员由各机构内部调剂解决。每个机构新增员工由各行自主招聘。需要强调的是一定要把住进人关，注意进人质量。各行要充分应用智慧柜员机、自助设备等新的电子化技术，在满足业务发展需求的前提下尽量减少网点人员投入。

（五）优化差异化信贷政策，针对性支持普惠金融

一是明确差别化行业政策。对于普惠金融业务范围内的信贷政策进行调整优化，包括500万元以下评分卡业务的行业余额管控和行业限额限制、部分网络银行业务行业余额管控、供应链链条企业办理条件等。

二是调整抵押担保条件。在优先发展足额抵（质）押、纳入省级以上再担保体系的政府背景担保公司担保业务的前提下，调整部分产品抵（质）押办理条件、部分押品抵（质）押率。

三是优化客户结算要求。符合普惠金融业务范围的小企业客户要在我行开立主要结算账户，在我行账户结算比例要不低于我行贷款占比。客户在我行的结算量既是判断贷款资金安全程度的一个重要指标也是提升存款的一个利器，对此各分行要抓实抓牢。

四是提高业务风险容忍度。在满足全行总体管控要求的基础上，充分考虑普惠金融业务风险特征和业务发展实际，提高风险容忍度，强化落实尽职免责要求。

以上这些鼓励政策，希望各行认真解读，以便充分利用好。

三、如何强有力地推进普惠金融业务快速、健康发展

各分行清楚了总行的激励政策之后，接下来就要在"怎么做"上狠下功夫。全行2017年第四季度普惠金融领域贷款新增目标是700亿元，将分月下达到各分行，这个指标不是可完成可不完成的问题，而是必须完成，完不成就要受罚。为此，需要在以下方面下功夫。

（一）在客户拓展上"下功夫"

一是抓好"五大客群"，加强客户选择。要增强客群意识，牢牢抓住小微企业、小微企业主、个体工商户、农户、商户五大类客户群，做实优质客户的营销储备。对小微企业，要加强营销发展稳定、竞争力强、成长性好、具有品牌优势的客户群。对个人类客户，总行将统一部署扩大"快贷"普惠金融客群覆盖等工作，并通过新一代精准营销平台部署到全辖。各行要将其作为2017年第四季度"快贷"的重点营销客群，列出

名单，组织营销。

二是着力“四类平台”，做好客群聚类分类和批量营销。要组织辖内二级分行，深入市场调研，全面摸排辖内小微企业客户群，掌握客户群分布情况、所属行业或领域、规模、经营特征、金融需求等，从商业聚类、政府聚类、数据驱动聚类、内部聚类等方面对辖内客户群进行聚类分类，批量挖掘目标客户，进行指向性营销，下沉式推进营销，规模化拓展客户。

三是深挖客户需求，做好客户“二次营销”。特别是“小微快贷”“快贷”等通过互联网渠道办理的客户，要充分发挥互联网渠道优势和小额信用贷款的撬动作用，加大与客户规模相匹配的信贷投放和综合服务，更好地满足客户金融需求。将小额信用贷款这种“体验式服务”转化为更加长期密切的银企关系。

（二）在贷款投放上“下功夫”

一是紧跟中央战略部署，均衡发展。要跟随“一带一路”、京津冀协同发展、长江经济带、雄安新区建设等战略布局推进情况，强抓重点区域、重点机构，补齐弱势短板，切实加强贷款投放，确保完成全年计划任务。加大力度督导推动业务发展的重点行、资产质量管控的重点行，推动业务增长，保持资产质量稳定。

二是明确“四地”行业投向，加大贷款投放力度。要按照“大消费、弱周期”的行业布局策略，积极跟进新技术、新产业、新业态，把握养老、旅游、绿色、教育文化、涉农等领域业务机遇，全面梳理科技高地、农业腹地、文化园地、旅游目的地“四地”等普惠金融领域客户分布集中的重点领域，加强有针对性的金融支持。

三是增强“五信”意识，积极推进额度扩容。要增强集信、授信、用信、增信、诚信意识，对客户授信额度支用情况进行梳理，对于授信额度使用不足的客户，积极营销客户用信，扩大融资额度，提升业务规模。

四是加强重点产品营销，加大新客户拓展力度。针对小微企业，加快推广“小微快贷”，以小额标准化产品快速抢占市场。要重点做好“云税贷”和“房押快贷”的业务推广，对“云税贷”业务，各行要聚焦代缴税成果的运用，加强总行名单客户的营销，提高转化率，提高贷款支用额度。对“房押快贷”业务，要加快推广，特别是重点城市行，要发挥资源禀赋优势，促进贷款上量。针对科创类小微企业，要重点做好科技金融综合服务方案的营销推广。

针对个人类贷款业务，要稳健发展个人助业贷款，满足个体工商户、小微企业主生产经营融资需求。要推动符合普惠金融领域的“快贷”业务增长。已开办房抵贷、结算贷、精准扶贫小额贷、校园贷等相关业务的分行，要加大相关产品营销力度，积极推进业务发展。尚未开办上述业务的分行，结合本地区经济政策环境情况，研究相关业务发展的可行性，有条件的分行要尽快制订相应的产品服务方案，推进业务开展。

针对“三农”客户，要积极支持家庭农场、专业合作社等新型农业经营主体，推广“助农富通”涉农金融综合服务方案、“裕农通”服务模式。针对精准扶贫领域，要推广“扶贫供应贷”、精准扶贫小额贷，支持贫困地区特色产业和实体经济发展。

五是确保存量贷款业务稳定。要在对存量业务逐户梳理、逐笔分析、摸清存量业务家底的基础上，加强优质存量客户维护，及时做好信贷业务的承接，使业务链条具有连续性，确保存量业务规模总体稳定。

（三）在网点动能和产能上“下功夫”

一是提高普惠金融业务网点开办率，重点网点重点推动。充分发挥网点贴近市场、贴近客户的优势，提升网点营销服务支持能力。目前，小企业业务网点开办率仅为70%，亟须提高，力争具备条件的网点全部受理小企业业务。要综合考虑网点覆盖范围、网点职能、人员配备、岗位设置等因素，对网点进行分类管理，重点推动客户资源丰富、功能齐全、人力资源配置充足的网点拓展普惠金融业务。

二是将营销下沉到网点，调动尽可能多的力量推进普惠金融。各分行要组织辖内二级分支机构开展营业网点普惠金融营销推进工作，各业务条线、各部门要根据营业网点所处的市场环境、客户资源、客户群体特征进行营销规划，辅导营业网点开展普惠金融领域客户营销服务及业务办理相关工作。

三是强化责任制，加大激励考核力度。各分

行要加强激励与约束机制建设，以充分调动网点的积极性、能动性，对网点要实施跨条线、跨层级的穿透式考核。要“任务到点”，每个网点都要承担小企业业务营销推荐职责；要“责任到点”，网点负责人和营销主管是网点推进小企业业务发展的主要责任人；要“激励到点”，尽快出台考核激励标准，要让做得好的网点切实得到实惠；要“政策到点”，给予激励政策倾斜支持，优先配置相应人员和费用。

四是延伸普惠金融触角，加大普惠金融服务点拓展力度。要在农村地区搭建方便快捷的多层次结算通道，拓展农村地区、贫困地区无网点县域便捷结算产品的应用。

（四）在数据管理上“下功夫”

一是确保客观、真实地反映我行普惠金融服务成效。普惠金融领域涉及的业务范围较广，但并不是新兴的业务，过去我们在相关领域也在发力。目前中国人民银行、中国银监会的统计口径和范围也在逐步明晰，总行正在做初始化的测算工作，对符合普惠金融客户群体定义和范围的客户在系统上进行标识。各行要逐项对照监管部门统计口径，做好客户信息中客户职业身份、农户标识、建档立卡贫困户标识等信息的核对、补录工作，同时也要做好与同业的比对，主要是对统计口径的理解，确保将属于普惠金融领域的业务纳入其中，全面、真实地反映我行对普惠金融群体的服务成效。

二是加强数据监测和跟踪分析。普惠金融虽然不是一个新概念，但是相关统计范围是新近明确的。这些客户有什么特征、业务呈现什么样的发展趋势，都要依靠数据说话。各行要持续做好数据支持和数据分析工作，加强普惠金融贷款发展趋势、业务结构、资产质量的监测分析，更好地指导分行找准贷款投向，加大营销力度，同时也要做好风险监测和质量管控。

（五）在对接产品和市场上“下功夫”

一是梳理优化现有产品体系。近几年，我行针对普惠金融领域客户群体，创新推出了不少产品，比如“小微快贷”“快贷”“裕农通”等认可度较高的产品，但总的来说还没有形成体系化，没有形成具有品牌效应的普惠金融产品体系。为此，要对标普惠金融几大领域，对现有产品进行重新梳理，可以通过名单制表格化的方式，厘清内在逻辑，针对不同领域客户，逐步建立我行服务普惠金融的产品体系，并从中提炼产品品牌和产品理念，形成集成效应，使产品和普惠金融的市场需求做到有效对接。

二是围绕客户需求布局小微企业产品线。要尽可能根据客户特点，围绕客户需求来整合产品。比如说针对科技类客户，我们现在已经有了科技助保贷、科技智慧贷、科技信用贷等专属于创新科技型小企业的产品，马上还要推出科技金融综合服务方案，这一类产品就是围绕科技金融领域推出的一整条产品线。又比如针对涉农小微企业，我们有助农贷、农业助保贷、供应链增信贷和农产品动产质押贷等产品，也是富有特色的一条产品线。

三是加强创新产品推广，扩大业务规模。要善于从基层汲取经验和智慧，对于分行已有的高度契合客户需求、具有较强市场竞争力的产品，由总行相应业务经营管理部门制定统一的对接安排，扩大适用范围或推广至全国。

四是做好利率和期限安排。要在一定时期内制订灵活的利率安排，扩大弹性空间。将给予各分行在一定幅度范围内进行利率灵活安排的权限，各分行要有计划地做好贷款期限安排。

（六）在政策引导和落地上“下功夫”

中央和监管机构持续释放这么多政策红利，总行也精心策划、制定了一系列配套支持政策，发展决心之大、激励力度之强前所未有。各分行要切实抓好这些政策的传导和落实，脑子要活、行动要快、力度要大，把政策激励尽快转换为生产力。

一是要将政策穿透到最基层。总行有关贷款规模、费用安排、授权调整等一系列支持政策即将下发。各分行要先谋快动，特别是各个资源配置部门，一方面要与总行对口管理部门进行政策对接，掌握政策内容，抢先抓早，把各项准备工作做好；另一方面要在总行政策发布后迅速细化、加快实施，把各项政策具体化，使之具有好操作性、能落地，穿透至最基层机构、最前线员工。

二是要确保政策对普惠金融领域客户的全量覆盖。要着力解决业务发展不平衡的问题，各行要对各机构的区域和市场储备、客群分布等要素进行统筹谋划，找到业务潜在增长点进行重点推动和突破。对于有潜力的重点机构、重点业务、重点客群，在贷款规模上要进行重点安排，同时在配套的考核激励政策上要给予适当倾斜。对于条件成熟的机构，要在信贷业务转授权上进行放权，让他们甩开膀子、迈实步子加油干。但是一定要注意这里讲的条件成熟，就是要兼顾业务发展和风险管控两个方面，不能激进，更不能冒进。

（七）在组织机构建设上“下功夫”

对这项工作，党中央、国务院和监管部门有明确的时间要求。2017 年 10 月底前，各分行要全面完成普惠金融事业部设立工作，并在首批 16 个“中国制造 2025”试点示范城市（群）全面建成普惠金融服务机构。2017 年 12 月底前，要将普惠金融服务机构进一步向二级分行以及县域、乡镇等末梢延伸，并要取得实质性进展。

组织架构落地是推动普惠金融工作开展的前提和关键。我行除了要完成规定动作，还要创新自选动作。目前，37 家一级分行都已完成了事业部挂牌工作。下一步，这些机构要尽快发挥好作用，向下延伸触角，推动条线化管理机制的落实。

一是二级分行要抓紧建成普惠金融服务机构。除了 16 个“中国制造 2025”试点示范城市（群），其他二级分行也要有专门的机构。目前全行只有不到 80 家二级分行挂牌普惠金融事业部，其他分行要抓紧推进，并且要确保有足够的人、财、物从事普惠金融业务经营管理。

二是垂直组织机构要进一步向县域支行延伸。2017 年，中国银监会对大型银行普惠金融县域支行申设工作给予了特殊政策，不受 2017 年网点规划指标限制。近期，我行已向中国银监会报送了 153 家县域支行申设需求。同时，总行对网点初设期面临的财务瓶颈，前面已讲了将给予三年宽限期的政策安排，各行要抓住行内外政策机遇，全力以赴安排落地工作。对此，要做实质性的动作安排，不能仅有空架子，有名无实。

三是要加强特色支行和示范机构建设。要加快探索普惠金融特色支行建设，在普惠金融客户群体相对集中的区域，根据地域和分支机构的经营优势，成立特色支行，科学配置相关资源，打造示范机构。例如，立足科技金融区位优势，打造科技类特色支行；依托地方农业优质禀赋，创建助农类特色支行等。要力争年内建成百家特色支行，争取明年每一个二级分行都能有一个特色支行。要举全分行之力，配套相应的资源，安排差异化的机制，打造样板行和标杆行，发挥牵动与带动效应。对做得好的、已较为成熟的专业化特色化模式，总行将在全国予以复制推广。

（八）在业务推动上“下功夫”

要积极组织营销活动、劳动竞赛、评比表彰、案例分享等形式多样的普惠金融宣传推广活动，增加普惠金融在各个渠道的广告投放和媒体宣传，特别要注重借鉴互联网思维，着重通过网络平台、手机银行和自媒体等新兴渠道进行宣传推广，提升社会影响力。

一是开展“万户百亿”小微企业客户营销活动。要想深入推进小企业业务转型，促进小企业业务拓户、上量、增效，需要在全行范围内，营造比学赶超的氛围。

二是组织小微企业“五信”推动活动。要有效推进集信、授信、用信、增信、诚信的信息生态建设。

三是开展网点“一点一周一户”活动。要充分挖掘网点营销潜力，发挥网点贴近市场、贴近客户的优势，依托我行分布广泛的网点机构，加强普惠金融领域客户营销，有效拓展客户。

四是开展百佳二级分行、千佳网点机构评比活动。根据各二级分行、各网点机构在普惠金融推进工作中的业绩表现，拟在全行范围内，按照“公开、公平、公正”的原则评选表现突出、成效显著的 100 家二级分行、1000 家网点机构进行表彰。

五是开展百佳案例评比和分享活动。要通过企业网、建行报等多种平台，对普惠金融推进中好的经验和做法，以及涌现出的先进个人及其事迹开展宣传，并及时将相关情况报送中国银监会、中国人民银行等，通过媒体、报刊等积极对外宣传我行普惠金融成果，营造良好舆论氛围。

（九）在跟踪监测上“下功夫”

一是逐级明确任务。总行将在对业务发展情况、目标客户储备等进行分析的基础上，根据各分行区域环境、市场潜力、客户基础、管理水平等因素，将普惠金融贷款新增计划下达至各分行。各行要比照总行，将任务目标逐级分解，压实责任，将发展要求传导至各条线、各层级。

二是做好监测通报。年底前，总行将按日监测普惠金融贷款新增及变化趋势，跟进业务推进情况，按周对各分行计划完成情况进行通报。各分行也要加大对所属的监测通报频率，抓两头，促中间，对各级机构进行横向、纵向的信息对比，督促其跟进序时进度。

三是加强检查督导和指导帮助。通过决策推动、目标牵动、政策引导、专题会议部署等多种形式，督促分支机构落实好总行政策和业务推进要求。要采取领导分片包干等多种形式，加强工作推进过程中的调查研究，对业务重点发展分行进行有效指导、督促，对所属执行中面临的困难和问题，要及时采取帮扶措施，切实发挥重点分行的带动作用。

（十）在风险管控上“下功夫”

一方面要加快发展，贯彻好上面的意图；另一方面又要加强风险防控，使发展不出问题，既快又好地发展。发展与风险似乎是一对矛盾，但也不是不能统一的，我们这次绝不能像前些年那样在发展中造成诸多的不良。放权不能一放了之，放完后必须要加强后续监控，一旦发现风险点要立即分析、立即处置。

一是强化风险防控责任意识。要落实风险管理主体责任，真正做到“责任到位、监督到位、管理到位、人员到位、考核到位”。一方面要执行好一级分行KPI关于“小企业不良贷款率容忍度”的考核工作，严格落实“对小企业不良贷款率控制在高于全部贷款不良率2%以内或小企业不良贷款率控制在3.5%以内的分行进行加分”的考核要求；另一方面要做好重点分行资产质量管控。小企业不良率高于全行平均水平的一级分行，要确保年末小企业不良率比年初下降2个百分点。

二是把好新增业务风险管控的第一道关口。要加强与外部机构和大数据平台的合作，运用纳税、工商、司法等信息甄别筛选优质客户，坚持不触碰信贷准入的底线、红线、高压线，杜绝客户“带病准入”，从源头上控制风险。要加强对企业实际经营状况的调查了解，准确了解贷款资金用途，以现金流为主要依据合理测算资金需求，并通过人行征信系统、全国企业信用信息公示系统，摸清借款企业的真实融资情况，确保融资金额与企业正常经营需要相匹配。

三是做好业务风险监控。要加强多维度业务风险监控，从区域、行业、产品、客户群等维度分析信贷业务结构分布和变化情况，建立对辖内重点风险领域的管控机制，制订重点风险领域经营质量管控方案，明确管控目标、管控措施，及时发现潜在风险问题，加快风险化解。

四是建立集中会诊机制。在监测分析基础上，要定期与适时召开专题分析会，对存量风险化解遇到的问题以及经营管理过程中出现的新的风险因素做一个集中诊断，提出相应管控措施。

五是利用好系统工具做实预警监测和跟踪分析。要综合运用小企业业务贷后三大平台，做到风险早发现、早处理。要严格落实小企业早期预警工具推广和应用工作要求，认真核实、处理预警信号，对于出现预警信号未处理导致严重后果的，要加大惩处力度。要利用信贷客户监测工具加强对辖内机构的管理，对于指标值突出或出现明显异常的机构，应及时了解问题原因、采取应对措施；要利用统一催收组件，及时掌握企业还款情况，做实到期提醒和逾期催收。

以上十个方面实际就是十个课题，面对这么多问题，各行要注意工作的方式、方法，集中前、中、后台人员，采取团队或小组式工作方式，对这些题目会后各分行要逐个进行深入分析研究，提出具体的符合自己实际的措施，从中挖掘执行效率效果。

四、几点要求

（一）要坚定信心

普惠金融领域所服务的群体具有广、小、杂、政策性强等特点，风险相对较高，但其中也有不少好的客户，只要我们将客户选择好、将业务合作精心设计好，加上其收益相对较高，通过高收益覆盖高风险，最终总体收益是有保障的，就看怎么经营了。因此，不能因为风险相对高就不做业务。前几年，由于经济下行及自身重视程度、管理不善等因素，小企业的资产质量和账面盈利都受到了影响，但不能以过去的小企业经营数据来衡量现在和未来的普惠金融业务。现在我们运用大数据，依托“新一代”系统，能够准确辨别客户信用。我在年初大数据业务推进视频会上，曾对小微企业业务提出“三个不用怀疑”“三个一定”。希望全行上下统一思想、坚定信心，破除畏难情绪，在市场容量、市场占比上全面发力。短板行要快速跟进，形成一定规模，实现市场的快速覆盖。

（二）要组织推动

组织推动力是一个单位是否有战斗力的重要体现，是一个组织者是否有能力的重要体现。一项工作如果组织推动能力不足，就很难很好地去完成，就会直接影响到工作效果。反映到业务数据上，差距一目了然。习近平总书记1990年在担任福州市委书记第9天时，提出了“马上就办，真抓实干”这几个字。希望大家能够立即行动，各级行要将其作为“一把手”工程来抓。要搞清楚政策，吃透中央精神、监管部门精神、总行精神，科学组织、加力推动、加强指导，落实好组织架构和机制建设要求。要确保资源配置到位、加强协调、善于借力、协同作战。

（三）要做好宣传

对看准的事情，要突出个“骤”字，关键要做好“宣”字，不宣传，再好的产品客户也未必知道，客户如果不知道，那怎么和他做业务？所以我们一定要善于宣传、积极营销，看准的事就要强推。对普惠金融业务要大力宣传，一方面可以展示我们的工作成果，自身也会有成就感；另一方面可以带动全社会一起做好普惠金融工作，通过推动全社会的积极参与为普惠金融事业作出贡献。

（四）要加强协同

普惠金融是个大范畴，是全行的事，不是哪一个部门的事，靠哪一两个部门、几个部门是达不到良好的效果的，它需要前中后台、全行上下齐努力，“唱好大合唱”，才能完成好这个艰巨任务。各级行普惠金融事业部要做好有关的协调、沟通、督导工作。其他相关部门要各负其责，协同配合，要站在建设银行整体的角度、站在讲政治的高度做好相关工作。要立足于解决问题，加强分析研究，需要部门联动的，部门间要主动做好沟通协商，积极开动脑筋想办法，把普惠金融工作做好，把中央、监管机构的各项要求和总行党委的工作部署落实到位，力争在不长的时间内就能见成效。

（五）要锻造队伍

人才队伍建设是实现普惠金融业务可持续发展的基础和重要保障。普惠金融领域的客户数量多且分散，经营规范性相对较差，这对我们从业人员的专业素质和经营能力等提出了更高要求。要摸清队伍现状，该充实人员的就尽快充实人员，使人员数量与所管客户的数量相适配；人员质量跟不上服务客户需求的，就要想办法通过培训等方式提高人员素质。培训不是一次两次、一年两年的事情，要一直抓下去，而且要确保培训的实际效果，不能走过场。各行要做好培训项目的规划、设计、组织，创新培训形式，针对不同岗位，实施分类培训，增强培训的针对性。

同志们，具有划时代的、重大历史意义的党的十九大已胜利闭幕，让我们就以这次会议为实际行动，来认真贯彻落实党的十九大报告中对金融工作所提出的要求。2017年只剩下两个月加一个星期的时间了，要完成新下达的后两个月的普惠金融业务任务，可谓是时间紧、任务急、要求高、任务重，同时，还有其他业务要抓，又要到年终收官的时候了，需要我们精密谋划、科学统筹安排。这是考验我们工作作风的时候，这是考验我们工作能力的时候，这是考验我们组织推动力的时候，我们建行人从不畏惧艰难、从不怕打硬仗，我深信，对总行党委交给的重任，大家一定会完成或超额完成。让我们全行上下齐心协力、快速行动、一抓到底，向总行、向监管部门、向中央交一份满意的答卷！

谢谢大家！

在京津冀协同发展委员会2017年例会上的讲话

章更生

（2017年11月21日）

刚才大家就当前业务发展的重点问题进行了讨论交流，对提到的希望总行各部门解决的问题，会后总行有关部门要抓紧研究。三年来京津冀协同发展的工作成果还是比较显著的，“看似寻常最奇崛，成如容易却艰辛”。在复杂的经营环境下，取得这样的成绩实属不易，这是全行上下不忘初心、不畏艰难、不懈努力、不断实干的结果。实践不断证明，总行党委将支持京津冀协同发展写入转型发展规划，明确提出全力支持京津冀协同发展等国家重大战略的实施是完全正确的，是经得起时间和实践检验的，也进一步增强了我们继续服务好京津冀的信心和决心。

一、国家推进京津冀协同发展的成效

2014年至今，京津冀三省市在基础设施网络、城镇体系、经济规模、产业布局、合作机制等诸多领域的发展格局基本形成。2017年是京津冀协同发展的关键一年，国家宣布设立雄安新区，定位为“千年大计、国家大事”，雄安新区与通州的城市副中心相互支持、相互配合、相互促进，构建首都“两翼齐飞”的新格局，标志着京津冀协同发展和非首都功能疏解已经进入更高层次的发展阶段。

（一）非首都功能疏解取得一定成效

一是北京制定户籍改革制度实施意见，常住人口增量、增速继续保持双降，城六区常住人口实现从增到减；二是强化城市治理，多个大型市场整体搬迁，拆除违章建筑超过3000万平方米；三是部分学校医院疏解稳步推进，中国人民大学、北京第二外国语学院、北京化工大学、中央民族大学新校区建设有序实施；四是北京城市副中心主体建设基本完成，年底市级机关和相关市属行政部门将率先搬迁，疏解北京非首都功能将迈出更具实质性的一步。

（二）雄安新区高标准规划

党的十九大报告明确指出，“以疏解北京非首都功能为‘牛鼻子’推进京津冀协同发展，高起点规划、高标准建设雄安新区”。北京市委书记蔡奇表示“雄安新区需要什么就支持什么，做到有求必应，积极配合，毫不含糊”。天津市委书记李鸿忠表示“需要天津付出什么、调整什么我们都坚决落实”。前河北省委书记赵克志表示“把雄安新区建设作为工作重中之重”。中核集团、航天科技、航天科工、中船重工、中国石油、中国国电等超过40家央企集体表示“雄安新区建设不缺席，与发展政策同频共振”。雄安新区总体规划尚未出台，但各方的表态彰显了国家高标准建设雄安新区的信心和决心。

（三）一体化交通网络基本形成

京津冀是中国铁路梦开始的地方。1865年，中国第一条铁路在北京城外诞生；1905年，中国第一条不使用外国资金及人员，由詹天佑设计的京张铁路在北京修建；2008年，中国第一条时速350公里的京津城际铁路将中国带入高铁时代。在京津冀战略的引导下，围绕“京津、京保石、京唐秦”三条主轴，京张、京沈高铁加紧建设，干线铁路、城际铁路、市郊铁路和地铁四层轨道网正在规划，总计2300公里的断头路瓶颈路到年底将完全打通扩容，京台高速北京段建成通车，京秦高速、首都地区环线高速公路开工，北京新机场项目建设加快推进，“1小时交通圈”逐步形成，京津冀逐渐成为世界上轨道交通最密集的区域。

（四）生态环境协同治理效果显现

京津冀地区不断加大生态建设力度，北京、天津、保定、廊坊主城区实现散煤“清零”，京津风沙源治理二期工程完成19.7万亩林业建设，京冀生态水源保护林建设工程全面实施，122万亩张家口坝上地区退耕还林改造试点工程全面完成，森林覆盖率不断提高，$PM_{2.5}$平均浓度比三年前降了三成。

（五）产业合作格局加快构建

京津冀产业布局不断优化，曹妃甸示范区建设步入快车道，首钢京唐公司二期以及城建重工专用车及新能源汽车生产基地、北京君和相变循环控能产业园等一批项目开工建设。2017年2月，在京津冀产业协同招商推介会上，200家企业签订了311亿元意向性投资额的超级大单，可见在京津冀产业协同发展的广阔前景下，更多的企业在寻找新的发展契机。

二、我行京津冀协同成绩值得肯定

当前的经营形势十分复杂，竞争压力很大，京津冀地区三家分行都能够克服困难，积极开展业务联动，取得了较好的经营业绩，成绩值得肯定。

一是存款情况。京津冀地区各项存款余额为2.40万亿元，列四大行第二，比年初新增189亿元。其中对公存款余额1.21万亿元，比年初新增740亿元，余额及新增排名均列四大行第二；储蓄存款余额为8788亿元，比年初新增350亿元。

二是贷款情况。京津冀地区各项贷款余额为1.42万亿元，比年初新增890亿元，均列四大行第二。其中：对公贷款余额为1.42万亿元，比年初新增890亿元，余额四大行排名第二，新增排名四大行第一，个人贷款继续保持同业领先，余额、新增均排名同业第一。

三是中间业务收入系统领先。京津冀地区2017年前三个季度实现中间业务收入123.83亿元，列四大行第二。

四是客户账户保持快速增长。京津冀地区前三个季度公司机构加权前有效客户总量达到23.33万户，较年初新增2.83万户。

五是业务联动不断深化。京津冀三家分行联动项目需求达到127个，累计批复授信额度775亿元。三地协同支持京唐铁路、京张城际铁路、太行山高速公路、北京新机场、天津南港海上风电场一期工程、中国国电廊坊热电厂等重大项目合计358.2亿元，累计投放100.7亿元。三地分行联合出资35亿元认缴国内首只千亿级投资“京津冀交通一体化”产业基金。同时，加强母子公司战略协同，为天津轨道交通集团在香港成功发行5亿美元境外债、营销天津高速公路集团30亿元融资租赁业务、与河北省国资委推进300亿元国企结构调整基金。

六是产品创新及时有效。创新投行业务品牌“飞驰·合翼”，为京津冀区域企业提供表内外结合、覆盖前中后期的“一站式”全方位并购重组金融服务；针对非首都功能疏解及雄安新区建设特点，总行研发推出“雄安贷”专属产品，北京分行继续推进“非首都城市功能疏解贷款”，河北分行率先创新“财资融”产品，天津分行针对科技型小企业轻资产的特点，以知识产权质押方式为中关村搬迁企业提供融资。

三、认真学习贯彻好党的十九大精神，把握发展商机，规避金融风险

党的十九大具有划时代的深远意义，受到国际国内一致好评与高度关注。党的十九大绘制出了未来发展蓝图，指明了未来发展方向，布置了未来具体工作，其中，有诸多内容与金融工作紧密相关。我们一定要学深、学透，坚决贯彻执行好中央的有关要求，落实好大行的社会责任。中央将要执行的政策就是我们的商机；中央指出限制、禁止的内容，就是我们风险防范的重点。该做的要去做，不该做的坚决不能去做。党的十九大报告指出“增强金融服务实体经济能力”，金融业要回归本源，把服务实体经济作为出发点和落脚点。本固才能枝荣，根深才能叶茂。大家要加强学习，与国家建设发展基调一致，切实发挥金融服务实体经济的源头活水作用。

（一）关注基础设施领域机遇

北京城市副中心和雄安新区的建设，大量外迁企业新建和扩建，京津冀地区几十个产业园区、几百个国家重点项目纷纷启动，总投资金额巨大，融资需求迫切。雄安新区总体规划虽然尚未出台，

但目前来看，从土地整理、住房建设和运营，到高速铁路、城际快轨、城市轨道、高速公路的交通建设，到供水、供电、供气、供热、地下综合管廊等地上和地下的市政建设，再到新区新能源和清洁能源的开发利用及周边环境整治，保守估计基础设施和公共建设服务投资将达到5000亿元规模。京津冀和雄安新区的机遇重大，同时，参与千年大计的实施是我们的光荣和使命，我们也要用世界眼光、国际思维、创新理念参与建设雄安的明天、后天与未来。我们要发挥“哪里有建设，哪里就有建设银行”的精神，发挥服务基础设施建设的“看家本领”，发挥建行集团综合化牌照优势，积极把握京津冀和雄安新区基础设施建设增长的新动能，以基础设施融资为切入点，抓住源头、抢占市场、扩大份额，带动定制债券、理财、基金、租赁、现金管理、财务顾问、造价咨询等增值业务的全面发展。

（二）关注新兴产业发展机遇

根据京津冀协同发展纲要的规划，京津冀地区聚集了新兴产业的五大产业带，包括京津走廊高技术和生产性服务业产业带中的新能源智能汽车、集成电路、软件及“新一代”信息技术、生物制药等产业，东部沿海临港产业带中的智能装备、高端装备制造、港口物流等产业，沿京广线先进制造业产业带中的新材料、新能源、冶金装备、光机电一体化等产业，沿京九线特色轻纺产业带中的食品加工、纺织服装产业为特色的产业，张承线绿色生态产业带中的绿色食品加工、生物产业为特色的产业和一大批节能环保、食品、家具、皮革、陶瓷等特色产业基地和产业集群都是国家重点规划和支持的新兴产业，要重点关注和择优支持。

（三）关注创新驱动发展机遇

创新是五大发展理念之首，体现了以习近平总书记为核心的党中央对中国经济和世界经济发展的新思路。京津冀聚集了众多创新要素，包括丰富的站在行业前列的企业和研发机构，资源优势和发展潜力巨大。目前，大数据和人工智能是智慧城市建设的有力抓手，我们了解到，雄安新区发展注重改革创新，在金融领域对新型融资模式、数据金融、金融创新等具有浓厚兴趣，在产业布局方面对信息技术（如5G、网络安全、物联网、人工智能等）、生物健康（医疗中心、科研机构等）等领域较关注。此外，新区近期批准了首批入驻48家企业，其中前沿信息技术类14家，现代金融服务业15家、高端技术研究院7家、绿色生态企业5家，我们要密切关注相关领域优质企业金融需求。

（四）关注压缩退出行业

对于高耗能、高污染、低端制造业、产能过剩行业等国家未来将下大力度整治的产业，要尽量避免介入。对于已有业务，要做个计划，下定决心，该退就要提早谋划退出，不能恋战，否则将来想退也退不出来，这方面的教训已经有很多。

四、下一步工作的要求

（一）立足于在协同发展中提高竞争力

首先，京津冀三地分行，从“一把手”到班子，再到中层，都要有赶超意识。在竞争中要增强狼性，对标同业找差距。有些指标排在同业第三、第四，不能甘心，更不能若无其事，甚至还自我感觉良好。其次，要以强有力的力度作保障，业绩都是做出来的、拼来的、抢来的，不是等来的、靠来的。最后，要发挥协同优势，共同携手发展。

我们说的协同，既包括京津冀三行之间的协同发展，也包括总行各部门之间以及总行部门与分行、子公司之间的协同联动。因此，各分行、总行部门、子公司都要在协同上表现出高姿态，都要主动为其他分行、其他部门、其他子公司作出贡献。特别是在信息配合传递、营销配合联动、资源配置等方面，只要是能够作出贡献的，都要积极去做，要充分利用我行的企业文化优势。我们不像有些银行，有客户传承的红利，我们只有以协同配合、发挥整体合力来取得优势。有多大的心胸就有多大的格局，有多大的格局就做多大的事业，该帮忙的大家一定要帮，不要小聪明才是最聪明的，有些事眼前吃亏，长远看并不一定吃亏。

（二）继续做好具体的协同工作

一是要深刻理解新形势下协同的重要性。随着京津冀协同发展的不断推进和雄安新区的设立，搬迁企业以及跨区域投资经营成为最常见的经营模式，京津冀一体化的趋势越来越明显。尤其是在雄安新区的建设中，京津冀乃至全国的大型优质企业都会参与其中，仅靠一家或几家分行单打独斗、仅靠现有的营销手段和产品已经远远不能适应市场竞争。“一个人可以跑得很快，但一群人可以走得更远”。京津冀三家分行之间、京津冀分行与全国其他分行之间、京津冀分行与总行之间、京津冀分行与子公司之间、子公司与子公司之间都需要协同起来，各司其职、顺畅沟通，实现政策执行、信息共享、资源整合、流程衔接、工作协同。既要做到综合团队协同、跨行协同、跨条线协同，多渠道协同，又要避免在协同联动中产生“多头营销”“重复研发”问题。

二是发挥京津冀协同发展小组的最大效用。成立协同小组就是为了解决问题，推动协同发展。协同小组要切实发挥好作用，要“统一窗口，统一行动”，比如雄安新区的营销，在2017年4月7日总行党委会上祖继行长就明确提出总行公司部要做好统筹协调，避免多头营销，总行各部门和子公司要积极配合。此外，在业务协同方面，总行客户部门要发挥银企总对总对接优势，重点做好营销组织和推进工作，中后台部门要积极配合，强化经营行信息收集和业务运作能力。三家分行和子公司要发挥集团优势，做好业务协同，总行公司部起草了《京津冀地区客户协同营销及行际分配指导意见》，希望能够调动大家的积极性，确保各项业务长期可持续发展。

三是把协同真正变成价值创造。京津冀地区面临千载难逢的历史性机遇，数以千亿元计的基础设施投资、大量客户的再营销，市场份额的再分配，是一个复杂的、系统的巨大工程，单一产品的创新服务很难满足，而多家分行、多个条线、母子公司全方位的合作，是最有竞争力的。它既能最大限度地满足客户需求，又不容易被仿效、追随、复制。特别是雄安新区，作为一个未来的城，搬迁企业、新设企业会非常之多，我们必须从源头抓好客户账户，前几天，总行公司部组织相关分行召开了协同营销会议，重点对接雄安新区首批注册获批企业具体联动需求，总行战客部和各分行也积极推动，目前，44家企业中已有6家企业在我行开立基本户，2家企业开立一般户，4家企业承诺开户，成效还是比较显著的，各分行要高标准服务好雄安建设，通过协同做好客户无缝衔接，争取雄安新区首批注册企业在我行开户率不低于50%。

（三）密切与政府、企业总部的关系

一是要强化全方位的联动对接。对实体经济的服务，最终要落到对客户的服务上，客户体验是检验服务效果的金标准。京津冀区域政府主导色彩浓厚，总行要加强与国家有关部委的沟通，及时获取重大项目的规划、审批、备案等信息并下发分行。分行要加强与地方政府联系，获取辖内企业和项目信息，及时上报并与分享、联动，要加强对雄安新区跨省际重大项目进行联合专项营销，对京津冀协同发展通关作业一体化工程项目开展联合营销。

二是建立战略合作联盟。要加强与省、市政府的合作，仅签署一个框架性战略合作协议是不够的，要通过签订协议，签约一批客户、储备一批项目、发展一批业务；要邀请重点企业，开展重点项目对接会、产品推介会、营销座谈会等专项营销活动；要选取有代表性的企业和重点项目，适时开展银企签约活动，扩大我行服务“京津冀”建设的市场影响力。

（四）创新方式服务客户

当前银行业竞争，与其说是业务创新的同台竞技，不如说是金融科技的大比拼，谁能让金融科技与传统银行优势融合得好，谁就能创造更强大的核心竞争力。我们要做到思维转变，打破提供传统金融服务，打破融资规模的比拼，打法要与持续调整的京津冀发展战略相适应。

一是注重金融与非金融融合。要切实服务好客户，让客户满意继而达到忠诚，就必须提供金融服务以外的非金融渠道服务。要研究将银行的金融服务融入线上线下的各个领域、生产生活的方方面面。我们要从生活中的衣、食、住、行、家庭、健康、品质、文化多个方面入手，建立一个多角度、多层次的非金融渠道平台，提供全方位的服务。要完善自身服务体系。要在自身服务体系内如电子银行、手机银行、微信银行、电子商城等平台上完善产品、服务种类，优化服务体系，构建有吸引力的内部应用场景，引导客户参与更多消费、投资等活动。

二是注重金融与科技融合。现在是金融科技

时代，大数据、云计算、人工智能、区块链等新兴技术正逐步应用于征信、资产管理、支付、结算、信贷、风险管理等行业。金融科技最重要的是开放与共享。我们要以开放包容的心态，加强合作，实现共赢，通过渠道协同、信息共享，促进整个行业的进步。我们要挖掘大数据应用的红利，业务营销离不开数据，大数据推动大营销。要充分利用我行四大行第一的客户基础，用新型手段盘活，挖掘新商机，把存量丰富的“休眠客户”变活。

三是注重金融与宣传融合。宣传不是可有可无，不能流于形式，是要花时间、费精力的。近期总行公司部和信息技术部在向雄安新区营销基于区块链技术的征拆迁服务以及房屋租赁公有云服务平台，他们配合得非常好，特别是在营销基于区块链技术的征拆迁服务中，用两天作出了非常细致的方案，给新区留下深刻印象，做法值得肯定。同时，也听他们反馈了宣传的重要性，比如新区一些同业常说智慧城市、区块链、大数据、生物识别等，仔细看看，很多技术我们行其实都在使用，甚至用的比他们要好，因此，要广泛发动，积极动员全员参与宣传。宣传不仅仅是总行、分行的工作，更是我们大家的工作，每个人都要发挥“扬声器、连心桥、催化剂”作用，成为宣传的排头兵。

最后，在抢抓机遇的同时，要坚持严控风险、守牢底线，切实提高业务联动的风险管理水平，三地分行应加强客户、项目的甄别力度，做到对各类风险和案件早识别、早预警、早发现、早防控，准确定位我行风险偏好，严格把握政策适用范围，确保业务稳健运行。

同志们！京津冀协同发展带给我们历史性的发展机遇，如何抓住商机，在竞争中赢得主动，是摆在我们面前的一大课题。使命重在担当，实干铸就辉煌。希望大家将党的十九大精神落实到我行转型发展中，把各项工作做实、做好，全面提高我行在京津冀地区的市场竞争能力和价值创造水平！

谢谢大家！

在全行转型推进培训班上的讲话

黄 毅

（2017 年 5 月 26 日）

同志们：

大家好！

总行一直高度重视转型推进工作，近年来采取不同方式，举办多层次的转型培训班。2016 年我们举办了针对一级分行负责转型工作的行领导和推进部门主要负责人的转型发展分行宣讲骨干培训班，2017 年又重点针对一级分行负责推进的部门和 23 家重点城市行负责人开展专题培训。随着全行转型的不断深入，工作能否有效开展，关键在人，在于在座各位对转型理念的认同和理解。我谈几点看法，供大家参考。

一、准确把握方向，切实提高转型发展水平

（一）坚定转型发展目标不动摇

党的十八大以来，全行认真贯彻落实党中央、国务院的决策部署，主动作为，率先谋划和推出转型发展规划，并自上而下体系化推进。目前集团主要发展目标进度和工作任务要求完成良好。我行全面转型发展的实践得到了国内外的认可，转型发展成果作为业内首家入选哈佛商学院教学案例库，转型的扎实推进也得到了同业的认可。

实践证明，当前的转型方向和重点符合我行实际，契合了内外部环境的变化，未来我们应该继续坚持转型发展的方向不动摇，并在深化落实上下功夫。完成转型发展任务目标是我们岗位的职责所在，我们的一切付出都是应尽的责任。

（二）着力突破关键问题

两年多来，全行转型重点是围绕组织集约、管理集成、服务集合，努力探索推进体制的对接、转型和工作的对接、上级和基层的对接，强调规划与年度计划的紧密衔接，实现了规模速度效益以及人才队伍等多方面的丰收。随着各项工作的不断推进，当前转型发展已进入到深水区，作为国内率先谋划并启动全面转型发展的国有大型控股银行，我们正在面临着一些体制机制不适应、政策制度不配套、推进不平衡、不落地等问题。这些前所未遇的新情况和新问题，没有先例可循，这些发展中的难题都需要我们以极大的勇气和智慧去破解。希望大家能够做到既熟悉业务、理解政策，又坚持深入调查研究、充分论证，在面对复杂情况和问题时，敢于突破思想观念上的障碍，勇于突破利益固化的藩篱。只有这样，我们才能在关键问题和重要环节的转型发展方面取得突破。

（三）下沉推动基层行转型发力

基层行既是全行转型发展的前沿阵地，也是我们转型工作的落脚点。我们转型各项政策措施落实了没有、落实得好不好，基层员工最有发言权。大家刚才的发言中既有对转型内涵的理解，也有对发展过程中一些问题、困惑的思考，都很具体，也很有针对性。我到全国很多分支行调研过，了解到当前基层行在转型发展方面确实需要指导和支持。董事长和行长在年初全行工作会议上也曾明确提出，总分行要沉下去，系统研究分析二级分行及以下机构在转型发展中遇到的政策、机制、授权、产品、人力资源等问题，抓紧作出调整。

全面深化转型的任务越重，我们越要重视基层转型的实践和探索。转型发展能否突破一些关键问题和薄弱环节，基层活力的释放至关重要。对我们各级机构管理者和推动者来说，能不能真正沉下去抓落实，做到察实情、出实招、求实效，才是衡量我们推动者价值贡献的标准。接下来的工作中，各一级分行要做好下沉工作，扎扎实实把转型举措落实到各个层级、落实到一线，把相关政策真正一竿子插到底，打通基层行转型发展的“最后一公里”。

二、深化转型认识，正确理解好几个关系

（一）外部监管和业务转型的关系

外部监管是推动银行完善经营管理和内部控制的重要因素。近年来，正是在金融监管趋严、资本约束增强、银行经营难度加大等大背景下，我行将外部压力和约束调整转化为自身求发展的动力，通过加快转型来应对新问题和新挑战。

大家刚才谈到贷款等资产业务发展方面的情况和问题，我认为可以从几个方面来看待。从外部监管来看，2017 年关注的重点之一是流动性，这是共性问题，一旦中央银行缩表，商业银行多少都会有流动性问题，大家一定要重视资产负债结构和期限的相对匹配。从大股东角度来看，银行资产发展到一定程度后，股东们更希望在维持现有资本充足和股权结构基础上，提高 ROA、ROE 水平，而不是继续做大规模。从自身来看，转型伊始我行就提出要推动资产负债结构优化调整，建立更合理的收入、盈利模式，说明我们转型发展思路契合了外部监管趋势和要求。在接下来的工作当中，我们还应当在客户结构调整和优化上下功夫，通过差异化管理，提升盈利水平和转型发展质量。增量客户要精选，要结合各行业、领域的发展趋势，运用金融科技创新的成果，对增量客户做到优中选优；存量客户要重实效，要进一步挖掘存量资源、提升产品覆盖、提高客户满意度。

考虑到国外同业发展历程及当前国内市场情况和监管环境，支付业务应当作为我们今后重点拓展的业务之一。近年来，国内支付市场和第三方支付机构快速发展，中央银行在提高支付行业的安全和效率，促进行业健康有序发展方面也采取了不少积极举措。2016 年中央银行正式开放二维码支付，近日中国银联联合 40 多家商业银行正式推出二维码支付产品。未来支付市场的发展在互联网、高科技的推动下将更为迅猛。总的来看，国内支付行业整体趋势向好，正处于发展的机遇期和红利期，我们必须高度重视，加快支付平台

建设。

（二）授权与责任的关系

授权事关重大，如何实现科学灵活的授权管理，制定与各级机构管理能力相符的差异化授权政策，是我们管理体制转型的核心。近年来我行在授权方面有了两个较大的改进：一是提高了授权、审批的效率；二是建立了应急机制，通过总分行上下协调，达成共识，减少了分行的效率损失。但授权体制的完善是一个循序渐进、不断优化的过程，不可能一蹴而就，在这个过程中我们各级机构要树立正确的权力观和责任担当意识，处理好授权与责任的关系。我始终强调授权必有责、有责应担当，我们要正确掌握和行使被授予的权力，坚持对总行党委、对股东和对大家负责的一致性。

具体到授信而言：第一，要强化全面分析。只有全面、细致、准确地分析行业、客户和项目的风险，才能平衡好风险与收益的关系。第二，重点分析要讲技巧。要将宏观政策与企业自身活动、企业的财务状况和非财务因素、传统业务与战略性新兴业务等结合好，加强对客户实质性风险的判断。第三，坚持不知不贷原则。不知道客户和项目的真实状况、不了解客户所处的行业特征，坚决不给予贷款。第四，慕名授信是大忌。做业务切忌从众心理，不经过深入研究就盲目跟进，不仅会导致授信结构失衡，还会加大风险。第五，严守底线是根本。底线是一条警戒线，不能有丝毫变通。当前各级机构应当把严守风险底线放在更加突出的位置，切实有效地做好风险防范和化解工作，严格控制增量风险。

这里还要强调合规经营问题。合规经营对于国有大行保持稳健、持续发展非常重要，也是我行转型发展的保障之一。我们各级机构一定要严格遵守内部控制法规制度和操作守则，增强风险预警能力与反应机制，及时发现风险隐患和趋势，严格审查把关，不可观望姑息，切忌心存侥幸。尤其是在座一些重点分行，应真正担当起转型发展的主体责任，既要大胆探索新机制、新方法，落实好总行给予的先行先试政策，完成好转型发展任务目标，又要加强精细化管理，不断提升管理水平特别是风控能力，在深化转型的同时确保稳健经营。希望大家能从中摸索总结出一套经验，为未来我们集团长远发展奠定基础。

（三）新形势与体制机制转型的关系

当前，金融科技与创新正在重塑银行格局。由于技术进步、客户改变、监管包容所带来的市场参与者改变，“互联网＋”时代的金融业务出现了很多新的特点。新形势下，银行必须充分认知，积极适应新常态，努力通过体制机制转型寻找新动力、实现新发展。

一是在资源配置上必须着眼于未来、面向未来，具备战略眼光。当前市场环境日新月异，银行必须积极主动，高度关注并下功夫去抓一些符合未来发展趋势的业务。但是在我们转型推进过程中，“大企业病”“部门银行”等痼疾的不利影响仍然存在，一些不利于银行长远发展的问题时有发生，比如过度保护资源、过于强调短期财务指标、着眼于当前效益、不愿承担风险等。这些做法必须摒弃，我们必须从站在集团高度权衡，将资源配置到有利于全行长远发展和核心能力建设的领域，保持足够的前瞻性，只有这样才能有效推动战略目标实现。

二是要加快实施创新发展战略。党的十八大以来，把创新摆在国家发展全局的核心位置。创新型银行建设也是我行五大转型方向之一。目前我行在服务模式和产品等创新方面取得了一些进步，但整体创新水平和高度仍有待提高。加快实施创新发展战略关键是深化改革，破除束缚创新驱动发展的观念和体制机制障碍，健全激励政策，完善政策措施，把机构、人才、资金等都充分整合、调动起来，形成推进创新发展的合力。重点在于提高效率，加快创新成果与业务的对接和转化，让创新真正为转型发展提供动力。难点是对创新的评估。现在我们的创新项目、投入和管理较为分散，创新资源碎片化，最后实施效果到底怎样，一定要做评估分析。这个问题如解决不好，创新的成效和意义就会打折扣。

三是要重视科技运用。我行经营业务这么多年来，已经积累了海量的高价值数据，我们的每个板块，批发、零售或其他相关业务，都可以借助大数据深入了解客户，为其制定更有针对性的金融服务，同时提升风险管理能力。大数据的运用，在帮助我们深入了解客户、发掘业务潜力、打造场景优势的同时，也对我们内部流程管理进行了再造。因此，一定要重视科技运用，对新业态和新技术给予高度关注。

三、真抓实干，扎实推进转型纵深发展

（一）各级机构要勇担转型发展重任

转型是一个长期行为，是一个长期的过程，战略目标的最终实现关键在人，要靠大家共同努力。在座各家分行已在集团转型发展规划框架下，制订了自身的转型发展细化举措和年度推进方案，后续要提高精准落地能力，坚持不懈地将转型发展规划落实到实际行动中，确保各项目标任务完成。尤其是一些整体进度相对迟缓，与“稳步发力、重点突破”的转型要求有差距的分行，一定要设法加快推进，为全行转型发展多作贡献。

转型发展任重道远，道路绝非坦途。总行也在探索容错机制，希望能释放出更多活力。我们各级机构的主要负责同志要坚定转型发展的信心和决心，增强改革创新的底气，从全局高度推进转型工作，要做到把准方向、敢于担当、亲力亲为、抓实工作。对于一些躲不开、绕不过的体制机制问题，更要以对建设银行发展负责的态度，坚定不移地执行转型发展规划的总体要求，敢于创新开拓。在具体落实过程中，大家要及时总结经验，出现了问题抓紧解决。总的来说，只要自身发展过硬，即使在实践过程中出现一些小的失误，总行也会给予包容和理解。

（二）重点分行要切实发挥“头雁效应”

2016年以来，在转型发展规划的总体框架下，按照“统筹兼顾，突出重点；加强指导，有序实施”的转型原则，总行提出了北上广深四家标杆行高水平上补短板的重点突破策略并取得积极成效。2017年5月中旬总行又召开了重点分行转型发展座谈会，在四家分行的基础上将补短板的范围扩大到十家一级分行。这十家分行所在地区经济总量大、金融资源丰富，具备较大增长空间。接下来要抓紧落实座谈会精神，认真找短板、扎实补短板，明确区域内对标行和发展目标，着力提高转型发展的协调性和平衡性。希望这十家分行能够率先垂范，担负起责任，通过实践探索，为全行转型树立标杆、典范和方向，切实发挥好“头雁”的引领效应，不断把全行整体转型引向深入。

（三）23家城市行要做好三年行动方案收官工作

参加这次培训的还有23家重点城市行的负责人。23家重点城市行体量大、地位重要，转型成功与否关系到全行转型大局。总行一直高度重视23家重点城市行转型发展，不仅专门给出了指导意见，与各家行确定了一对一的三年行动方案目标，还在2016年连续两次召开会议，部署转型推进工作。2017年是落实三年行动方案的最后一年，各重点城市行及所在一级分行要仔细查找差距，制定针对性的改进措施，用足、用好相关政策，抓住剩下的几个月时间，全力做好收官工作，确保三年行动方案目标完成，为2018年转型工作打好基础。

（四）总分行要联合加强案例引导和探索

两年多来，我们各级分支行在转型发展规划引领下，作出了一些不同于以往的实践探索。总行通过对这些经验、做法的收集、整理、提炼，形成了一批可规划、可复制、可移植的案例，在全行复制推广并取得了初步成效。下一步，总行和各一级分行还要继续加强探索和实践，把案例引导工作做深做细做实。一方面要及时总结、创造可复制到全行二级分行及以下机构的转型经验；另一方面要结合转型发展规划具体要求，对案例分类形成菜单，使更多基层机构能够用得上、用得好“五大转型”手段。

最后，希望大家回去后，把此次培训收获的知识和经验进一步总结归纳，做好信息传递工作，并结合各自岗位实际，落实到转型工作中去。

谢谢大家！

在全行“职工之家”现场会暨工会主席（副主席）研讨班上的讲话

黄　毅

（2017 年 11 月 1 日）

同志们：

大家下午好！

在党的十九大刚刚胜利闭幕之际，总行工会组织举办全行“职工之家”现场会暨工会主席研讨班，及时落实总行党委关于深入学习宣传贯彻党的十九大精神的重要部署，具有重要意义。从云清同志介绍的情况和大家的反响来看，这几天的会议开得非常好，内容很丰富，形式很生动、很鲜活，针对性和实效性比较强，参与感和互动性比较好。全行各级工会组织的代表在一起聚焦全行工会具有共性特点的难点问题，探寻破解当前工会工作主要问题的有效途径，听听人家的经验，想想自己的做法，有很多的启发，也引发了深入的思考。总的来说，这次会议不仅在形式、内容等方面都作了新的尝试，而且在办会方面也与以往不同，总行工会精心安排会议的开法，哈培提供相关支持，厦门分行给予有力保障，这都显现了群众工作群策群力的工作方法。工会工作就是要善于凝聚方方面面的力量，团结大家一起做工作。希望将来工会会议都能有一个喜闻乐见的形式，让参会人员畅所欲言，深入研究问题，形成更多共识，切实推动工作，这才是我们的目的和追求的效果。

今天借这个机会过来，主要是看望一下奋战在工会战线上的同志们，再给全行工会工作鼓鼓劲、加加油。应该说，党的十八大以来，特别是 2016 年总行工会委员会改选以来，全行各级工会组织和广大工会干部认真学习贯彻习近平总书记系列重要讲话精神和中央党的群团工作会议精神，在总行党委和各级党组织的领导下，以增强“三性”、去除“四化”，打基础、抓服务、重体验、着力创新为主题，积极主动履职，结合各行实际想了很多办法，使工会工作能更加经常化、人性化和规范化，形成了一些各具特色的工作成效，在推动中心工作方面发挥了积极作用。在这里，我代表总行工会对在座的各位同志，以及全行专兼职工会干部和工会积极分子的辛勤工作表示衷心的感谢！

当前，中国特色社会主义进入了新时代，这是我们所处时代的历史新方位。新方位背后，蕴含着方方面面的新情况、新变化、新问题、新挑战、新要求，站在新的起点上，工会组织将如何发力？我国社会主要矛盾已经转化为人民日益增长的美好生活需要和不平衡不充分的发展之间的矛盾，我们必须注意职工需求的变化。我们能不能看到新变化？能不能发现新问题？能不能拿出新方法？能不能有新作为？不仅需要全行各级工会组织和工会干部有思路、有办法，更要敢担当、善担当。借此机会，我就深入学习贯彻党的十九大精神，进一步做好全行工会工作讲几点意见。

一、认真学习贯彻党的十九大精神，以勇于担当的精神带领职工听党话、跟党走

党的十九大是在我国全面建成小康社会决胜阶段召开的一次十分重要的代表大会，是全党、全国各族人民政治生活中的一件大事，认真学习领会党的十九大精神是我们今后一段时期党内生活的重要内容。全行各级工会组织要按照总行党委的部署要求，把学习宣传贯彻党的十九大精神作为重大政治任务，精心组织、周密部署，迅速掀起学习宣传热潮，引导广大职工准确把握党的十九大精神实质，精读细研、学深学透党的十九

大报告，深刻领会党的十九大提出的一系列新的重要思想、重要观点、重大判断、重大举措。

对于全行各级工会组织和工会干部来说，报告中关于“完善政府、工会、企业共同参与的协商协调机制，构建和谐劳动关系”“增强群众工作本领，创新群众工作体制机制和方式方法，推动工会、共青团、妇联等群团组织增强政治性、先进性、群众性，发挥联系群众的桥梁纽带作用，组织动员广大人民群众坚定不移跟党走”“建设知识型、技能型、创新型劳动者大军，弘扬劳模精神和工匠精神，营造劳动光荣的社会风尚和精益求精的敬业风气”“完善公共文化服务体系，深入实施文化惠民工程，丰富群众性文化活动”等出现“工”字的重要论述，更是需要我们紧密联系全行职工队伍、劳动关系、工会工作等实际，深学笃行，研究思考贯彻落实党的十九大精神的切入点和着力点，更好地履行组织职工、引导职工、服务职工、维护职工合法权益等各项职责，在各项工作中始终把保持和增强政治性放在第一位，坚决维护习近平同志的核心地位，坚持自觉接受党的领导，真正把党的十九大精神落实到工会工作各方面和全过程，切实担负起引领职工听党话、跟党走的政治责任。

当前，要紧紧抓住中央深入推进产业工人队伍建设的改革契机，突出“中国梦·劳动美”这一时代工运主题，坚持政治上保证、制度上落实、素质上提高、权益上维护这一总体思路，在不断深化劳动竞赛中提高整体素质、提升劳动技能，大力弘扬劳模精神、劳动精神、工匠精神，在“全面小康、转型升级”主战场上点燃职工创造创新的澎湃激情，在建设银行改革发展的伟大征程中汇聚众志成城的磅礴力量。

二、坚持“以职工为中心”这一工会立场，将“职工之家”建设得更加名副其实

以人民为中心的立场，是我们党的根本政治立场，是中国共产党区别于其他政党的显著标志。习近平总书记系列重要讲话，最为鲜明的是人民至上立场，强调最多的是人民群众。具体到工会组织应该站在什么位置？这一点十分重要，就好比在足球比赛中，每个球员都要站好自己的位置一样，工会也要站好位。工会站在哪里？就是要站在职工的位置上，这是由工会组织的性质和定位决定的。工会是党直接领导的职工自己的组织，为职工服务是工会的天然属性和生命线。工会来自职工、植根职工，和职工是鱼水关系，没有职工就没有工会组织。

“以职工为中心”就必须强化群众观念，把工作沉下去，摒除“失联”（基层工会和职工找不到我们）、“失聪”（听不到基层和职工的声音）、“失信”（基层和职工不信任我们）的问题。就要从上到下，唯民是从，解决为谁做、做给谁看的问题，从根本上转变“眼睛向上看，围着领导转”“不怕群众不满意，就怕上级领导不注意”等只唯上，不唯民的工作作风，树立一切为了职工、一切围绕职工的工作理念，做到职工之所盼、工会之所为，职工之所求、工会之所干。就要瞄准职工的“晴雨表”，把职工当主角，全面了解职工的共性需求和普遍性问题，抓住职工最关心最直接、最现实的利益问题，最困难、最操心、最忧虑的实际问题，为职工开展多层次、全方位服务。就要把握职工的“生物钟”，眼睛向下，重心下移，服务下沉，贴近基础，贴近职工，贴近实际，建立健全组织网络体系，构建完善服务网络平台，做到哪里有职工，哪里就有工会组织；哪里有工会组织，哪里就有工会服务；为职工提供全天候、“一站式”服务。就要打造职工的“温馨窝”，积极整合服务资源，拓展服务项目、丰富服务内容，打造服务品牌，使工会组织真正成为反映职工利益诉求、解决职工实际困难、维护职工合法权益、服务职工职业发展、丰富职工文化生活的可信赖的“职工之家”。

三、聚集主责主业创造性开展工作，着力在维护职工正当权益上体现工会工作新成效

站位找准了，工会工作如何发力？创造性开展工作的重点在哪里、着力点放在什么地方？这是工会深化改革过程中必须要解决的问题，也是当前工会工作的短板。《工会法》开宗明义指出工会的核心职能是维护，而建设、参与和教育职能都是以维护职工的利益为前提而确立和存在的，离开了维护，其他职能就会失去意义和存在价值。

职工要求组织和参加工会的目的简单而明确，就是要工会作为他们利益的代表者和维护者，能为他们说话办事，这是工会最重要的一项职责。工会不敢大胆地维护职工的合法权益，该替职工说的话没说，该为职工办的事没办，在一定程度上成了“官办”组织，脱离了群众，这是当前工会工作中存在的突出问题。

工会组织要坚持从自身的性质、特点、职能出发，找准角色定位。工会不可能包揽一切，不是什么问题都能够解决，不是什么事情都主动往上冲，不要轻易作出自己办不到或很难办到的承诺，也不要迎合某种需要去做有悖于工会职能和特点的工作。工会要客观地评价自己的能量和作用，要本着有所为有所不为的原则，从实际出发，该强化的强化，该收缩的收缩，该舍弃的舍弃，真正以维护为根本和核心，把一线职工、困难职工作为重点对象，把职工的薪酬分配、休息休假、社会保障、安全卫生等基本权益作为重点内容，今天从维护职工薪酬分配权益出发，明天从维护职工休息休假权益出发，一点点解决职工正当权益方面存在的问题，慢慢工会工作就实了。如果工会只讲组织竞赛，开展这样那样的活动，要求职工完成这样那样的任务，一到出事了就没有工会了，一遇到困难就没有工会了，不去反映、代表和维护职工的利益，只是搞一些形式主义的东西，而不去解决职工关心的实际问题，职工就不会满意工会，也不会参加工会，就会有被职工抛弃的危险。

各级工会组织只有聚集主责主业，把工作成效体现在让职工得实惠、有更多获得感上，让职工感受到工会确实是自己的组织，是职工信得过、能替职工说话和办事的组织，是不会对职工说瞎话、拿职工的会费做官当老爷、替少数人谋私利的组织，才能有效地把职工团结起来、凝聚起来、组织起来、动员起来，真正把“职工维权找工会、职工困难找工会”的口号叫得更响、做得更实。当然，另外一个更重要的问题是要研究光讲维护不行，怎么能够保证维护，就是要在怎么样发挥职工民主监督作用方面去做文章。这里有法律上、体制上、机制上、管理上怎么来着手的问题，需要下一步大家来共同研究。

四、坚持深耕基层这一阵地意识，以久久为功的韧劲把工会组织建设得更加充满活力

基层工会是工会组织的细胞，是工会开展各项工作的基础。广大职工则主要工作和生活在基层，这就决定了工会的全部工作归根到底都要通过全行几千个基层工会组织去落实、去承担。实践告诉我们，工会工作的落脚点在基层，薄弱环节也在基层。基层工会战斗力的强弱，对于整个工会工作的影响极大。习近平总书记高度关注这个问题，他特别关心群团组织怎么把各种各样的新兴群体组织进来、不让他们游离在外；特别关心解决群团组织基层基础薄弱问题，指出这造成群团组织头重脚轻、“高位截瘫”、不发挥作用，并对加强基层工会建设作出“三个着力”重要批示。本轮中央关于群团组织改革的一个突出特点，就是夯实基层，向基层倾斜，让工会资源和工作力量向基层流动。

因此，我们必须花相当大的精力，用相当长的时间，扎扎实实地把基层工会组织建立好、建设好。这个问题不解决，任何任务都是难以完成好的。全行各级工会组织要不断强化基础、基层和基本功，加大力度固本强基。一要把工会组织延伸到最基层的一线网点，做到工会组织全覆盖，这是最关键的组织保障。新的机构成立了，工会就要积极跟进，及时建立起工会组织。全行有近14000个机构，但工会组织只有几千个，建会率还有很大潜力可挖，有大量的工作要做。基层机构是业务集中、职工聚集的地方，也应该成为工会工作最活跃的地方，在这些地方建立起工会组织，配齐配强工会干部。我们不仅要靠行政的手段来督促组建工会，还要采取各种方式来启发职工自觉地要求组建工会，让职工感觉组建工会和不组建工会就是不一样，把两个积极性都调动起来。组建工会组织一定要因地制宜，符合独立建会条件的，要单独建立工会组织；那些人数较少的，可以建立区域性、联合性的工会组织，尽可能扩大工会组织覆盖面，切实把职工吸引到工会中来。要提高各级工会代表、委员、常委中先进模范、一线职工的比例，在进一步增强工会组织的代表性、广泛性上下功夫，真正使工会的“神

经末梢”进一步敏感，使工会的“毛细血管”进一步通畅。二要突出开展有实际效果的工会活动，不断扩大工会的影响力。工会自身固有的性质和特点，决定其工作方式应该是民主性的、开放性的、参与性的，而不应是行政强制性的。工会活动只有突出参与的自愿性，立足活动的广泛性，强调参与的零门槛，真正凭活动自身的吸引力，才能具有深厚的群众基础，才能得到最广泛的支持。工会活动要“大气”“精致”。大气，不是奢华，是在立意上要“有高度”，策划上要“接地气”。精致，不是小资，是体现工会工作的水准，体现细节上的关怀。三要努力为基层组织松绑，充分激发和释放基层工会组织的活力。做到工作重点放开，由基层工会自主决定自己的工作重点；活动形式放开，由基层工会自主选择开展工作的有效方式；领导方式放开，上级工会不直接干预基层工会的日常事务，上级工会应服务于基层，帮助其解决日常工作中遇到的问题和困难，这样才能把基层工会工作开展起来、丰富起来，让基层工会组织转起来、活起来。

五、坚持问题导向这一工作理念，以自我革新的勇气将工会改革进行到底

问题意识是思维活动的逻辑起点，是创新精神的动力源泉。坚持问题导向，是党的十八大以来以习近平同志为核心的党中央全面深化改革的鲜明特点和成功经验。习近平总书记强调：要自觉运用改革精神谋划推进工会工作，创新组织体制、运行机制、活动方式、工作方法，推动工会工作再上新台阶。

从实际工作来看，虽然在大家的努力下，全行工会建设有了长足发展，但短板依然存在。例如，上级工会对基层工会指导不够及时有力，资源力量倾斜力度不够大；工会组织还没有覆盖到每一个机构，工会工作还存在“盲区”和“飞地”；一些基层工会职能作用发挥不够，与维护职工合法权益、构建和谐劳动关系的现实需要相比，还有不小的差距；有些基层工会组织活力不足，对职工特别是青年职工的吸引力不够，开展的活动不能满足职工的多样化需求，等等。工会舞台是很大，但目前工作的载体、抓手和品牌还太少，更令人尴尬的是部分工作职工知情少、认同度不高。只有当我们真正贴近基层、贴近职工，才能弄明白工会自身的“四化”倾向有多大、程度有多深，才能明白病根要怎样除、毛病要怎样治。

发展出题目、改革做文章。各级工会组织要以解决突出问题为突破口和主抓手，什么问题突出就着力解决什么问题，哪个环节薄弱就着力加强哪个环节，开动脑筋、多想办法，集中攻克几个难题，以钉钉子精神抓一件成一件，不断消除工作盲点、根除工作痛点、破解工作难点，以此带动工会工作全面发展，让职工真切感知“工会在哪里，工会在干什么，工会能干什么”，努力交出新的更加优异的答卷。

六、不断增强责任意识，努力提升服务职工的能力水平

责任意识就是角色意识，就是要知道自己这个岗位、这道工序、这个环节在政治生活中所处的位置和作用，自觉做好本职工作。有了责任意识，就能集中精力，全身心投入，形成意志和品格；有了责任意识，就能凝聚人心，凝聚力量，创造出第一流的成绩。在新的形势下，工会面临的环境越来越复杂，任务越来越重、要求越来越高，对工会干部的能力水平提出了新的挑战。

在座的同志可能有一个共同的感受，虽然每天工作很辛苦，做了大量工作，但广大职工却感受不到。这里面的原因当然是多方面的，其中一个重要原因就在于我们对新时期工会工作发展规律认识不足，对工作中遇到的现实和理论问题研究不够，思考的东西与员工没有交集或交集很小，没有做到职工的心坎上。另外一个重要原因与我们的精神状态有关系。很多同志转到工会岗位以后，工作节奏放慢了，与业务部门时间概念不一样了，两种节奏、两种步伐了。要改变工会面貌，发挥工会作用，按照现在这套规矩，平推着干，恐怕不可能出现新的局面。工会的地位不是喊来、争来、要来的，而是靠积极作为赢得的。如果我们在思想认识上、作风上、素质上没有一番大的改变，不从身体和思想上走出远离职工的高楼大院，要真正得到职工的信赖，恐怕也没有那么容易。

广大工会干部的素质怎么样，在很大程度上

就决定了工会工作的成果。总行工会要加强顶层推动，拿出切实可行的办法，加快锻炼培养一批有才干、有情怀的专兼职工会干部，这样的干部不仅是靠任命来做工作的，而是能够跟职工“滚”在一起，息息相关，能够了解职工的疾苦、呼声，善于发动和依靠职工来开展工作，这才是真正的工会活动家，真正具备工会干部应有的素质。工会组织要善于将工作对象变为工作力量。一个38万职工的企业，仅靠几百上千个专兼职工会干部，不过是沧海一粟，力量十分有限。工会一方面要做好工会积极分子的培育工作，把那些真正有责任心、有领导能力、善于沟通的工会积极分子推上工会组织各种岗位，同时要做好会员意识的培养，通过制度建设与各种活动，打破职工对工会的成见和臆想，从而吸引职工主动参与工会组织。还要通过做职工的思想教育工作，自下而上地培养工会力量。在培育出有能力、有信任的工会积极分子后，再将其输送回职工中去，在职工中广泛“播种”，自下而上地推动职工群体的变革。要通过推动组建各种协会组织、兴趣俱乐部，改变职工原子化的状态，让他们成为工会组织的重要信息点和联络点。打造职工的“职工之家”、工会的根据地，让原子化的职工以“职工之家”为中心，重新“整编”、重新聚合。

当一个人、一项工作离基层越近，就离真理越近；离基层越近，就离规律越近；离基层越近，就离群众越近。大家都来自基层，你们离职工最近，联系职工最直接，服务职工最具体，承担组织引导职工的政治责任更艰巨、任务更繁重，希望大家坚持以党的十九大精神为引领，认真学习贯彻习近平总书记“三个着力”的重要指示精神，紧紧围绕全行中心工作，以服务大局、服务职工为宗旨，固本强基、深耕细作，补齐补足补好短板，把基层工会组织建设得更加充满活力、更加坚强有力，让职工有更多的获得感。

谢谢大家。

金融科技与中国银行业战略转型

——在匈牙利“亚金协·中东欧金融前沿问题高峰论坛”的讲话

黄　毅

（2017年11月28日）

各位来宾，朋友们，下午好！

很高兴有机会与大家探讨金融科技与银行业转型的问题。正如英国文学家查尔斯·狄更斯在《双城记》中所说，这是一个最好的时代，这也是一个最坏的时代。在金融发展和技术发展的问题上，没有永远的老师，我们正迎来新一轮科技和产业革命，人工智能、量子科学等新技术不断取得突破，银行业从未如此迫切地需要思考如何在金融科技发展下主动谋求转型的问题。今天借此机会，跟大家分享一些我最近对金融科技与银行业转型未来的一些新思考，并以此求教大家。

一、金融科技与金融发展

说到金融科技，大家脑海里第一时间浮现出的大概都是大数据、区块链、人工智能这样一些高大上的词语，金融科技只有这些吗？恐怕还真不是。2016年3月，金融稳定理事会首次发布了关于金融科技的报告并指出，金融科技是指技术带来的金融创新，技术进步是因，金融创新是果，金融科技从金融诞生之日起就一直与之共同发展。

从这个角度讲，19世纪的工业革命，也是金融科技的革命，首先带来的是信息传递效率的提升。最典型的例子就是电报。电报的发明彻底改变了人类信息传递的方式，电报被发明出来之后，首先被广泛运用的便是金融领域，纽约股市开盘价格传递到费城所需的时间从30分钟缩减为几秒钟，为纽约成长为金融中心奠定了坚实的基础。现在广泛运用于国际贸易结算的SWIFT系统也脱胎于电报在金融领域的运用。20世纪90年代，随着计算机在中国的普及，中国人民银行开始着手金融信息化建设，国内银行的账务处理也从手工迈向电子化系统。随后互联网的运用带来了网上银行、第三方支付、电子商务等一系列与金融息息相关的创新。技术的进步始终推动着金融创新，而且我们可以看到，科技进步可以从根本上、从最基础的层面来解决金融业自始至终面临的问题——信息不对称。电报的发明解决了信息最基础的传播问题，人与人之间、不同地域之间的信息传递效率实现了质的飞越；计算机的出现有效地解决了信息高效存储和计算的问题；互联网的出现又朝解决信息不对称问题的方向更进一步，从根本上改变了信息产生、传播和共享的方式，人类从未积累过如此丰富、充分的信息。我们可以看到，科技的发展不断推动信息不对称问题的解决，对于金融发展至关重要。金融科技的内涵是丰富的，伴随着技术的持续进步，金融科技将成为金融发展的一种趋势。

二、金融科技与传统银行业的关系

金融科技来势汹汹，方兴未艾，这种发展趋势会不会带来颠覆性的、零和性的结果呢，数字金融、互联网金融、大数据金融会不会对传统金融形成完全替代呢？实际上也不会替代，中国金融市场的发展给出了答案。我们看到，中国互联网金融的快速发展，其实并没有带来银行业的萎缩，反而通过双向互动，优势互补，形成了竞合发展的局面。

金融科技创新提供的服务更多是分布式、入口式、扁平化的，很多是基于场景发生的，这样的模式在面对相对标准化的需求很有优势，比如我遇到了某个生活场景产生了相应的金融服务需求，通过数字化接入就能得到快速响应。但回过头来看，我们的银行业形成了什么模式？形成了中心化运作，垂直化管理的体系。这样的体系在面对一些对体验要求很高的标准化业务的时候，确实出现了一些不适应，但是这么一整套完备的体系，在比较复杂的投融资领域的服务过程中，被证明是可行的、有效的（当然效率肯定有很大提升空间）。所以我们看到，在目前的技术水平下，金融科技在投融市场更多提供的是面向资本二级市场这样标准化程度较高的领域，提供投资决策分析、风险管理等一些工具。比较复杂的、标准化程度较低的项目融资、股权投资领域，由于法律关系复杂、参与主体多样，市场上通过传统手段解决的还是大多数。所以对于金融科技要有客观的判断，既不能盲目崇拜，更不能视而不见，我们主张根据不同市场的不同特点，运用多种金融形态共同进行服务。

三、借力科技进步推动银行业转型

根据我们的观察，过去一些大型金融机构的转型，往往以体制机制、组织机构的变革为引领，过程比较艰难，结果喜忧参半。金融科技发展到今天，能否从科技进步的角度对银行业的转型发展提供更大的动力和支撑，我们有以下考虑：

技术领域的突破和成熟为科技引领银行业转型奠定了良好的基础。以大数据为例，业界公认2016年是大数据元年，但其实大数据概念提出来已经有一段时间了，为什么直到2016年才叫元年？因为过去虽然已经有大量数据积累，但是数据的传输、处理、运算的效率问题和成本问题没有得到很好的解决，大量数据没有办法利用起来，随着技术进步，目前这些问题都有了技术可行、商业可持续的解决方案。又如人工智能，IBM电脑击败国际象棋世界冠军，一晃都二十年了，之前的一些尝试，总体上效果一般，成本还挺高，但是随着计算机视觉、机器学习、自然语言处理、机器人技术、语音识别等人工智能技术快速发展，人工智能在近期的突破有目共睹。我们从2016年开始已将“刷脸取款”在建行手机银行进行全面推广，2017年9月，建行全面开始“刷脸取款”时代。我们的人工智能客服“小微”累计服务用户超过19亿人次，每天服务用户400万人次，自动应答量是人工客服量的2倍，智能机器人服务占比达98.96%。因此，相关技术的突破和成熟对科技与金融的融合提供了很好的契机，有助于金融机构通过金融科技创新，实现转型升级。

金融科技对转型的推动力更加直接、有力、有效。直观地看，金融科技的发展首先有效突破了物理限制，驱动了银行渠道的融合，迫使银行对实体网点、互联网、自助终端等渠道进行优化调整和重新部署，也使金融服务的送达能力、服务效率、用户体验都得到大幅提升。我们研发了智慧柜员机新型渠道，原来办理业务平均需要五分钟，现在只用两分钟。目前智慧柜员机投放4.3万台，每天开户10万笔，手机银行业务20万笔，相当于逐步释放了3万余名柜员的生产力，这样规模的人力资源释放，纯粹的组织变革是很难做到的。另外，金融科技的运用引领了银行业务模式的变革，立足于场景和平台的服务模式逐步普及，这是传统的产品创新或者制度创新难以企及的。金融科技丰富了风控手段，从根本上提升了风险管理的有效性。可以说，在传统组织架构、体制机制变革之外，金融科技已成为助推银行业改革的重要动力，为银行转型开辟了一条新路径。

中国金融科技优势明显，可着力打造核心技术，树立专利标准。以往，中国银行业往往是国际金融规则的被动接受者，参与规则制定的话语权虽然逐渐扩大，但仍没有很大优势。中国商业银行和一些大型互联网企业在金融科技实践方面已经走在了国际前列，要利用这一优势，整合相关技术，上升为专利，并利用专利优势改变国际金融行业流程，形成新的行业标准，切实提升中国银行业的核心竞争能力。

女士们，先生们！

科技进步日新月异，我们将和大家一道，主动拥抱金融科技，主动实施转型升级。我们坚信，随着技术进步、金融科技的发展，未来我们的银行定将更加高效、更加普惠、更加智能，更加便利，也一定能够更好地为实体经济发展提供金融方案，为全球金融发展贡献中国智慧。

谢谢大家！

引领住房租赁市场，服务住房安居需求

——在第八届财新峰会“金融改革与回归本源”论坛上的发言

黄　毅

（2017年11月16日）

尊敬的各位嘉宾，女士们，先生们：

大家下午好！很高兴出席此次财新峰会，在这个时间点以“改革再出发”为主题，探讨“金融回归本源，服务实体”，意义重大。近期大家可能都注意到，媒体上对建设银行进军住房租赁市场进行了比较集中的报道，短短的一两天之内，新闻报道就有2000篇次，网络直播的点击量也超过了25万，市场反响热烈，方方面面的解读很多，内容很丰富。建行广东分行、深圳分行连续举行系列活动，推出为佛山市政府打造的住房租赁监管及交易服务平台，在佛山揭牌和奠基首批“CCB建融家园”长租社区，在深圳推出首批5000余套“CCB建融家园”长租房源、发布个人住房租赁贷款产品“按居贷”，携手政府和各市场主体集中推出多项服务措施。今天我想借此机会就这个问题跟大家作一个交流，并就此求教大家。

千百年来，安居乐业是我们老百姓对美好生活需要的重要组成部分，“安得广厦千万间，大庇天下寒士俱欢颜”是古往今来无数仁人志士追求的美好愿望。引导住房租赁市场发展，是建设银行落实习近平总书记讲的“房子是用来住的，不是用来炒的”精神的自觉行动，也是建行落实党的十九大报告提出“加快建立多主体供给、多渠道保障、租购并举的住房制度”的一项重大举措，在金融回归本源，服务实体、深化推进供给侧结构性改革的背景之下，建行率先着手培育住房租赁市场，积极倡导“房子是用来住的，租挺好”“长租即长住，长住即安家”的住房新理念，引领中国租赁市场发展。为什么建行要做，也能做这件事呢？我们有以下考量。

32 年前，建设银行发放了全国第一笔个人住房按揭贷款，随后提出了“要住房，到建行”，因此对于住房金融服务，建行有着深厚积淀。我们见证并参与了中国住房制度改革全过程，有着对国家住房制度改革的深刻理解，为百姓提供住房金融服务已经深刻融入了建设银行品牌基因。截至 2017 年 11 月，我们以信贷资金累计为 2400 万家庭解决了住房问题，累计受托发放个人住房公积金贷款 2 万亿元，累计帮助 1400 万公积金缴交客户实现安居梦想。建行这次提出引领租赁市场发展，从“要买房，到建行”到“要租房，到建行”，通过主动引领，推动整个住房市场良性发展是对自身住房服务品牌的传承和延伸，而且针对市场关心的房源怎么来、房子租给谁、租赁房如何运营等问题，我们已经有了相关的方案和模式安排，并且还将不断开拓和优化。

引领住房租赁市场发展，是建设银行持续深化改革发展的主动作为。在新时代背景下，面对外部市场变化的问题、新兴技术应用的问题、国家经济增长方式转变的问题，我们立足住房金融领域传统优势，守正出新，在新时代力求新作为。

大家知道，住房是一种特殊的商品，具有消费品和投资品双重特性，既可以满足人们的居住消费需求，又可以作为人们的投资渠道，因此存在一个“租买选择机制”的问题。住房买卖市场和租赁市场之间存在一定的制衡机制和替代效应，而这种关联性形成了市场的自我调节机制，房屋价值由未来现金流，也就是租金的现值来决定，房屋价格围绕由租金决定的价值上下波动。我们通过对成功实现住房租买均衡发展国家的研究，也确实发现市场中“租买选择机制”的存在，也就是租金与房价存在长期的均衡关系。当然，这个机制存在的一个重要前提条件就是要有发达的租赁市场，而这恰恰是中国住房市场还没有充分发育的蓝海，所以我们观察到“租买选择机制”在中国是缺少充分培育。是租房还是买房，固然有收入水平、社会习俗、文化方面的因素，但归根结底，还是一个效用的问题，当租房者的服务品质不能给承租人带来居住和心理的稳定，尤其是不能享有和买房者同等的教育、医疗等权利的时候，租和买之间就很难建立起良性的制衡和替代效应，这与中国住房租赁市场的以个人出租为主体的供给结构有一定关系，这样的供给无法保证租赁服务的长期可持续性以及配套服务的品质，导致租赁住房与自有住房不可完全替代，进而导致“租买选择机制”的缺失，不能有效替代，房价与租金无法形成长期均衡。从这个角度讲，大力发展住房租赁市场，逐步使“租买选择机制”发挥作用，对于整个住房市场的健康发展具有重要意义。

对此，我们有如下判断：

一是住房租赁金融需求将催生多层次住房租赁金融市场体系。国际经验表明，随着政府、企业和各类金融机构加速布局住房租赁市场，与之相关的直接融资和间接融资市场将加快形成。二是参与住房租赁市场的金融机构将日益多样化。围绕住房租赁将产生面向租户、面向业主、面向运营公司、渗透于各运营环节的信贷、征信、保险、证券化等金融业务，吸引越来越多的金融机构主体参与到市场中来。三是住房租赁金融产品和服务也将越来越齐备。随着住房租赁市场发展，覆盖住房租赁各环节、各领域和各类参与主体的产品链、服务线和服务方案将被加速创新和开发，形成日益完备的金融产品和服务体系。

当然也要看到，由于商业银行传统上主要通过房地产开发贷款、住房按揭贷款参与到住房金融服务当中来，住房租赁市场又是一个相对陌生的领域，如何积极稳妥地做好住房租赁市场的金融服务，目前看来有这么几个问题亟待解决：一是业务模式重构的挑战。在传统住房金融中，银行主要扮演资金提供者的角色。而按照目前国内住房租赁市场的现状，银行可能不仅限于做资金提供者和金融产品创新者，而是要和各方一道，共同参与租赁房供给、租赁平台建设和租赁文化培育等各环节，共促住房租赁市场发展。二是产品服务创新的挑战。目前国内还没有形成从房地产开发、出售、租赁、维修、改造到回收的全链条金融服务，随着住房租赁市场发展，围绕住房租赁的金融产品和服务需求将增加，传统银行产品和服务将不足以满足市场新需求，债券融资、资产证券化、利率衍生品等金融工具作用亟待释放。国外利用住房租赁有稳定现金流收入的特征，创新出许多资产和负债新产品，我们需要不断学习、借鉴，并结合中国实际有针对性地开展创新。三是风险管理的挑战。住房租赁市场信用体系不完善和失信成本低问题还有待解决，而一些租赁新业态也需要银行提升定价、期限错配、风险管理等方面能力。

如何解决这些问题，我们有几点初步的想法，并将付诸实践。第一，以平台建设引领建立多层次、全方位的住房金融市场。我们将按照开放性和共享性原则，打造租赁综合服务平台，将政府、房东、租客、经纪人、租赁企业等各类市场参与主体接入平台，与各方一道，着力培育主体多元、层次多样、服务规范的住房租赁市场体系。第二，以产品创新推动住房租赁市场发展。依托租赁综合服务平台，针对市场参与者不同的定位、不同的需求、不同的偏好，我们将立足“全平台支撑、全链条服务和全产品配套”，为市场提供切实有效的综合解决方案。第三，着重市场培育，引导市场良性发展。在住房租赁市场培育初期，肯定会投入多一些，收益少一些，也可能面临这样那样的风险和问题，但是要注重制度设计和规范建设，引导市场良性健康发展。

女士们，先生们：

房子是用来住的，不是用来炒的。我们相信租赁市场发展存在一个商业逻辑，租赁不是慈善、不是普惠，谁抢得先机，谁就能获得收益。住房租赁市场有一个长期形成发展的过程，我们会义无反顾地扮演好中国房屋租赁市场发展的推动者和建设者、服务商。我们将按照党中央要求，不断审视作为国有大型银行应承担的职责和使命，发挥传统优势，从住房供给侧发力，主动探索多渠道、市场化手段发展住房租赁业务的新模式，为推动住房租赁市场健康发展，为服务百姓安居乐业的美好愿望贡献更多智慧！

谢谢大家！

在2017年对公业务工作会议上的讲话

余静波

（2017年3月22日）

大家上午好！刚才更生副行长做了一个很重要的报告，回顾并肯定了过去一年全行对公业务所取得的成绩，并对2017年的工作做出了总体部署，更生副行长的报告讲得很全面、很到位，我认为有很多新的理念。黄毅副行长也就对公板块发展战略和业务转型问题、合规问题以及他分管的托管业务提出了意见，我认为讲得非常专业、精辟，高屋建瓴。他们两位的讲话我完全赞同！下面，我就分管对公板块中的战略客户业务、养老金公司业务及资管、投行业务谈几点补充想法。

一、关于战略客户业务

在2015年对公工作会上，我向战略客户业务条线明确提出“三个成为”的工作目标，即成为战略客户离不开的合作伙伴、成为境内境外两个市场的主力军、成为战略客户业务的市场引领者。两年来，战略客户业务条线员工发扬“钉钉子”精神，2016年又加倍努力，朝着“三个成为”的工作目标推进转型发展，切实履行央企、全球客户、海外重大项目的牵头营销和综合服务职责，取得了较大进步。

（一）转型发展情况

一是实现海外项目经营新突破，向全球市场主力军地位迈进。总行2016年继续在全行范围内组织开展“百户千亿”专项营销活动，分片区重点推进，效果很好，全行共签约海外项目154个，签约金额340亿美元，超额完成经营目标。国际市场影响力迅速攀升，全年以全球协调行、牵头行等核心角色参与海外项目超过50个，特别是成功承办了国家电投收购太平洋水电、中国化工收购先正达、中投收购英国电网天然气管道、沙特阿拉伯延布炼厂等重大项目，在香港地区银团市场簿记行排名已跃居第一、牵头行排名第二，并逐渐成为高访见签活动的“常客”，国际市场“主力军”地位已得到市场和客户的认可。跨境融资产品日臻完备，跨境并购新增承贷金额143亿美元，位居国内同业之首；项目融资首次实现独家牵头和“无追索”模式，进一步与国际市场接轨；出台飞机租赁融资管理办法，承办项目46个，涉及飞机71架，融资金额28.7亿美元；在四大行中首创国际商业转贷款产品，用足监管政策，办理业务105笔，提款达247亿元。队伍建设效果明显，北京、上海等9家分行成功试点组建专业团队，其他各分行也都明确了牵头部门，海外机构人员专业化程度不断提升，越来越多的分行实现了海外项目零的突破，各机构单打独斗的局面已成功扭转。

二是推进综合金融服务，争做客户离不开的合作伙伴。总行2016年依托新流程和新系统，牵头制订实施了78个央企和全球客户综合金融服务方案，实现了覆盖过半，得到央企和全球客户很好的反响，正在朝着董事长提出的“全覆盖”目标加速前进。构建综合营销体系，与客户在债券承销、企业年金、现金管理、投资托管、网络金融、对私业务等领域开展广泛而深入的合作，带动了各条线业务联动发展。主动把握央企改革机遇，跟随国家政策方向开展创新服务，对国家电投、中远海运、宝武钢铁、中航发动机等央企集团重组和业务整合给予全面金融支持；积极参与市场化债转股试点工作，在武钢集团实现首个央企项目落地；开展央企风险排查，逐户制订风险防控方案，2016年末不良率控制在0.23%。通过采取上述措施，我行综合化、多元化服务已嵌入客户的经营管理和改革发展之中，银企“黏性”不断增强。

三是推广新型服务模式，以创新引领发展。战略客户业务条线与相关条线、各子公司强化协同，发挥集团优势，仅2016年，就借助多个子公司渠道与10家央企发起产业基金，设定规模超过2000亿元；完成联动境外发债6笔，发行金额超100亿美元；参与股权投资5项，特别是作为唯一商业银行系子公司入股蚂蚁金服。此外，融资租赁、信托计划、资管计划、期货业务、保险业务多点开花，全方位满足了客户拓宽融资渠道、改善财务结构的需求，积极推进融资模式转型，向着市场领先的方向努力前进。

（二）当前需重点关注的问题

一是大客户经营管理机制尚需完善，需要重点研究解决。上周祖继行长专门召开会议，牵头研究服务大客户问题。总体感觉，我们大银行必须适应变化，要用创新的方式综合服务好大客户。当前大客户业务综合贡献度不断上升，但面临传统业务盈利贡献度下降、服务难度越来越高、内部管理机制不完善等问题。对此，必须研究推进综合性、多元化服务，制定实施差别化政策、机制和流程，进一步细化“一户一策”服务方案，整合营销力量，加快响应速度，在合规前提下通过“非常规”、个性化服务，必要时用“绿色通道”、会商机制解决核心大客户群体的多元化需求。

二是“走出去”政策的机遇与挑战并存，需要积极有效应对。一方面，“走出去”战略加快推进。2017年政府工作报告指出，要“扎实推进‘一带一路’建设，深化国际产能合作，带动我国装备、技术、标准、服务‘走出去’”，这说明国家鼓励“走出去”的大方针没有动摇。另一方面，监管政策的影响存在不确定性。外汇管理部门加强了外汇收支平衡的调控；发展改革委、商务部针对部分企业非主业、非理性对外投资，加强了跨境并购项目的引导和审核。新政策在一定程度上会影响2017年对外投资体量，但同时也有助于我们优化客户选择、聚焦优质项目、提升资产质量。

三是央企改革深入推进，需要开展针对性的创新服务。政府工作报告提出，要“加快推进国企国资改革”，并明确在电力、石油、天然气、铁路、民航、电信、军工七个领域深化混合所有制改革。国资委也表示将采取强强横向联合、产业链纵向互补、整体吸收并入、新设股权多元化公司等多种改革模式。这些战略考量，既为我们的综合金融服务提供了新的机遇，也对创新服务能力提出了新的要求，更对风险防控提出了新的课题。希望大家针对当地的国企、央企，多研究、多思考、多采取措施，抓住国企改革这个新增长点。

（三）2017 年重点工作

一是切实推进大客户经营管理机制建设。针对客户需求特点，调整优化大客户快速决策机制、议事和协调机制，加快研究制定协同模式、产品定价、系统支持、财务考核、利益分享等领域的差别化政策。研究与部分核心央企客户建立更紧密合作关系，实行名单制，并推动建立特殊机制和审批通道。大家有什么大客户、大项目可随时与战略客户部联系。

二是全面提升服务“走出去”能力。要进一步完善海外项目经营管理体系，由“点”到“面”，逐步建立可持续的、具有国际竞争力的科学发展模式。要继续开展“百户千亿”专项营销活动，凝聚全行合力，形成品牌效应，紧紧抓住“一带一路”建设和国际产能合作两大主题，重点营销符合国家对外经济战略和产业政策的优质项目，力争在2017 年“一带一路”国际合作高峰论坛上交出一份合格的答卷。要充分利用香港“六个中心、两个平台、一个基地”及新加坡基础设施建设服务中心的延伸服务作用和智力资源，加强联动，做好配合。要进一步强化能力建设，抓好人才队伍培养，提升融资顾问能力，为客户提供国别分析、行业研究、税务筹划、资金汇路等增值服务，推进融资向融智转变，努力实现海外工作会议提出的“综合性、国际化、质量并重、效益提升”目标。

三是继续紧跟央企改革做好综合金融服务。要牢牢把握改革红利，深入挖掘业务机会，创新银企合作模式，将业务全面嵌入央企改革的各个领域。2017 年要做到央企客户综合金融服务方案全覆盖，同时对已下发方案的实施情况进行跟踪管理并及时优化，也希望分行多提意见和建议，确保客户多样化需求得到有效满足。积极参与市场化债转股等各项试点工作，帮助企业有效对接市场。

四是持续加强业务协同，促进多元化经营。战略客户业务条线作为综合业务平台，要继续发挥业务协同作用，抢抓非银行金融服务发展机遇，充分发挥集团的品牌和资源优势，让商业银行业务和非银行金融服务真正成为大客户业务转型发展的“双引擎”。

五是始终坚持合规经营，强化风险管控。要进一步落实风险合规管理要求，统筹做好信贷非信贷、境内境外资产的合规经营和风险管控工作。央企服务方面，要密切关注供给侧改革和“三去一降一补”政策，形成央企风险排查工作的标准化和流程化，做好产能过剩企业风险防控预案，合理安排企业股权划转过程中的风险缓释措施，持续提升央企客户风险管理的精细化水平。海外项目方面，要加强尽职调查和风险合规评估，坚持“有所为有所不为”，禁止对海外盲目投资的并购项目给予支持，并严格遵守跨境人民币和外汇管理的有关规定。

二、关于养老金公司业务

国务院和有关部委高度重视养老金公司试点探索和业务发展情况。近期，我行向国务院递交了《关于建信养老金管理公司试点情况的汇报》，马凯副总理也作出了重要批示。我们有信心贯彻落实好党中央、国务院的决策部署，按照国务院的有关要求，以高标准继续抓好抓实试点工作，推动养老金业务健康快速发展，为全行战略转型发展作出应有的贡献。

（一）转型发展情况

养老金公司试点运行一年多来，一手抓业务发展，一手抓制度建设，取得了初步成效。

一是先发优势初步体现，管理养老金资产破千亿元。2016 年是养老金公司开基创业之年，在全行共同努力下，截至2016 年末，管理养老金资产规模突破1300 亿元，投资管理规模达到252 亿元，超额完成全年业务发展目标。

二是依托“全牌照”优势，实现养老金全链条服务。公司在集团层面率先实现了养老金业务“全牌照”运营，成为国内首家为养老金客户提供“一站购齐捆绑式服务”的养老金管理机构。

三是业务实现突破创新，为全国复制推广提供样板。充分整合建行集团总体优势，创新投资与授信服务模式，中标管理辽宁省基本社保风险基金45 亿元，下一步计划在山东、重庆等省市推广。推出四川、山东失地农民养老保障产品，改变原有征地补偿款一次性发放模式，实现资金保值增值，受到政府和广大农民欢迎。

四是打造投资管理核心竞争力，完成市场化投资体系构建。搭建专业化经营架构，做到高平台起步。养老金公司借助建行集团资产管理专业优势，强化投资管理核心能力建设，以“投研一体化”模式，搭建了较为先进的养老金投资管理架构，契合养老金审慎投资、责任投资、长期投资和价值投资的管理导向和市场化发展趋势。

五是保持蓬勃发展势头，第二支柱业务快速跃进。公司将专业化服务与建行广泛的客户基础相结合，为客户提供综合化养老服务解决方案，通过“行司协同联动”强化客户营销，先后中标了中国铁建、中国铁路总公司、中国银联、青海农信社等一批具有影响力的企业。

六是激发创新发展活力，第三支柱业务探索成效显著。截至2016年末，公司发行封闭式养老保障产品累计达59.93亿元。推出浮动收益和预期收益型开放式产品、团体养老保障产品，在第三支柱领域形成了相对完善的产品体系，填补了市场空白，在同业竞争中抢占了先机。

七是发挥行业创新引领作用，推动国家养老保障体系发展。配合中国银监会起草《养老金管理公司管理办法》，配合人社部开展基本养老保险基金和职业年金顶层设计。公司发起成立中国养老金融50人论坛，为中国养老保障体系和养老金融行业发展建言献策。

（二）当前需重点关注的问题

一是加强战略协同。养老金业务要健康可持续发展，打造竞争优势，实现市场领先，必须加强全行横向、纵向协同配合。总行高度重视养老金业务战略协同，专门成立养老金业务发展组织协调小组，牵头协调组织总分行、母子公司开展重大养老金客户或项目的营销，更生副行长担任协调小组组长。2017年，总行将继续加强对一级分行养老金业务考核，将非标资产推荐、养老金和职业年金上下协同等指标全面纳入KPI考核。2017年2600亿元养老金管理资产规模指标是我们首先要解决的大问题和任务，要做到层层分解，包干到户，各分行也要自我加压，不忘初心，继续前进，为全面完成全年目标任务作出新的、更大的贡献。

二是上下一心，加强职业年金营销。机关事业单位养老保险改革，是千载难逢的战略机遇期，对于养老金业务后续发展意义重大，市场机会转瞬即逝，要依托集团优势，抢抓机遇，抢占职业年金市场份额并取得示范效应。

三是问题导向、勇于创新。养老金业务公司化转型具有挑战性和探索性，要坚持问题导向，勇于创新，承担好国务院试点使命，确保持续健康发展。要根据问题和目标任务，大胆创新，积极实践，持续探索机制、制度、联动、产品、原有业务衔接、业务合作、风险内控等各个方面创新，驱动业务跨越式发展。特别是，创新了农民养老保障产品，全行对公条线要加大力度推广，随着我国城市化步伐的不断加快，农民养老保障需求持续增加，全行要紧抓市场机遇，努力实现第三支柱相关业务突破。

（三）2017年重点工作

一是以第一支柱为龙头，千方百计撕开缺口。要继续争取社保基金会、人社部、财政部和中国银监会支持，继续争取基本养老保险基金相关资格和规模。要推进社保基金会定向非标投资组合实施落地，力争实现200亿元投资管理规模。要推进第一支柱业务突破创新，积极推广辽宁模式。各分行要积极与当地社保部门沟通，了解各地基本养老风险基金政策动向，做好行司联动，共同推广辽宁模式，进一步拓展地方养老金管理，促进社保业务发展。

二是以第二支柱为依托，全力打赢职业年金攻坚战。要加强总分行与养老金公司战略协同，采取有效分工，合理设计流程，确保业务流程顺畅、运营平稳，既要保障存量年金业务管理和运营服务顺利进行，又要在新增领域建立竞争优势，加快推进业务转型发展。要积极拓展职业年金市场，各相关部门、养老金公司、各分行都要从全行业务转型发展的全局出发，全力以赴，抢抓先机，齐心协力推动业务发展，打赢这场攻坚战。

三是以第三支柱为新的增长极，提升产品服务竞争力。以养老保障管理产品为抓手和载体，发挥公司专业专注优势，实行积极的主动管理，强化与总行有关部门的协同联动，进一步优化业务流程，全力抢占市场，提升公司市场影响力。

要积极推广淮南矿业团体养老保障产品模式，迅速做大规模、做出影响。

四是建立完善资产项目推荐机制。各分行要加强与公司在资产端业务的合作，建立完善分行优质资产推荐机制。各分行要积极向公司推荐优质和适合的非标项目，建立项目共享库，合力打造公司投资核心竞争力，实现集团利益最大化。

五是探索推进养老产业，打造养老产业生态圈。随着我国人口老龄化快速增长，养老产业带动的“居家养老”“社区养老”“活力养老”（候鸟式养老）必将为拉动内需，扩大消费，惠及民生，推动供给侧结构性改革发挥巨大作用。要学习领会落实好国务院及相关部委对养老产业发展的相关制度，找准契合点、切入点。行司之间、部门之间要统筹规划、科学布局、大胆实践、勇于创新，努力打造中国特色的养老产业生态圈。

六是坚守底线规范管理，培养人才抓好队伍建设。养老金管理对于资金安全要求更高，对风险把控要求更严，要在保证本金安全的基础上做到资产保值增值，落实“忠于所托，服务养老”的经营理念。要把风险控制、规范管理放在首要位置，进一步加强制度、机制、流程建设，构建针对养老金管理特点的风险内控体系，确保业务合规经营和持续健康发展。同时，要加大专业人才培养，强化员工队伍建设，造就一批专业能力强、业务素质精、作风形象好的复合型人才，为业务发展提供基础和保障。

三、关于资产管理业务

2017 年，资管、投行业务还要专门召开工作会，这里我就当前形势下，对公板块如何做好资产管理业务联动营销，重点提示以下几个问题：

一是客户深度挖掘问题。客户是我行最宝贵的资源。目前，资管业务还存在区域间发展不平衡的问题，内蒙古、大连、福建、青岛、海南、宁夏等分行的资管业务在全行中收的占比还低于全行平均水平，还有很大发展空间。在 2017 年全行工作会上，董事长对三个直营中心提出，要“增加客户服务的深度和广度”，我认为就是要综合运用好传统表内业务与表外资管产品与服务，做好“一点接入，综合服务”。在服务深度上，要把客户的当前需求和潜在需求统筹考虑，提高单一客户产品覆盖度；在服务广度上，要拓宽资管业务覆盖面，不仅做好现有客户服务，还要把资管业务作为“敲门砖”，拓展潜在客户。与传统业务不同，对于资管投行的客户，更要用发展的眼光来看待，在客户不同生命周期提供差异化服务。

二是几个重点投资领域。2017 年，国家深化供给侧结构性改革和国企改革，深入推进“三去一降一补”；振兴制造业，完成铁路投资 8000 亿元、公路水运投资 1.8 万亿元；扎实推进新型城镇化建设；加快新材料、人工智能、第五代移动通信等技术研发和转化等，这些都为资管业务带来了重要发展机遇。资管业务应重点关注以下领域：第一类是大型国有企业，2017 年上海、江苏、浙江、江西、湖南、福建、广东、山东、河北、河南、吉林、宁夏、新疆十余省市均部署了地方国企改革工作，要加强与当地政府和企业的沟通，做好改革的金融支持；第二类是新型城镇化建设，主要集中于交通网络一体化建设相关基础设施、特色小城镇、保障性住房建设等领域；第三类是绿色投资，主要包括清洁能源、清洁交通、节能减排、资源节约与循环利用、节能低碳园区建设等领域；第四类是 PPP 建设。

三是合规发展问题。2017 年，经营形势更加复杂，监管要求也更加严格。各分行务必要把好业务准入关，强化基础资产和合作机构等的源头管控。目前，监管部门已计划启动“银行业信用风险排查”，摸清显性和隐性信用风险，业务品种覆盖贷款、债券、投资、同业以及承担实质性信用风险的表外业务，各行要加强资管业务和对公条线联动，统筹考虑表内外信用风险管理，进一步提高客户风险预警有效性。

四、关于投资银行业务

2017 年，对公板块在加强投行业务联动营销工作中应重点关注以下几个问题：

一是发挥投行平台作用，加强业务条线、子公司联动。投行业务是区别于传统商业银行业务之外的一个综合化经营服务平台，客户部门在营销过程中要充分认识到投行业务“一点接入、综合响应”的重要性，面对客户提出的并购、基金、股权投资、资产证券化等投行业务需求，要充分发挥我行境内外投行业务联动优势，遵从市场化原则，探索建立总分行之间、部门之间、母子公司之间的综合营销业务流程，加强业务联动，利益共享、风险共担，实现集团综合效益最大化。

二是继续巩固债券承销业务市场领先优势。债券承销业务是我行的金字招牌，截至2016年已连续六年取得非金融企业债券承销冠军。这不是投行部一个部门的成绩，是集全行之力所取得的共同荣誉，与对公板块的努力是分不开的，大家要万分珍惜并努力保持。2017年我们“两大拓展”活动务必要实现七连冠目标，不仅要发挥好金融市场、同业、资管等资金优势，还要发挥好公司、机构等客户优势，只有各业务条线齐心协力，才能确保债券承销业务市场领先地位。

三是加大财务顾问业务支持力度。近期王行长主持召开了财务顾问业务专题会议，郭友监事长和我参加了会议，大家对财务顾问业务发展都高度重视，认为这项业务发展是体现建行转型发展成果的一项重要指标，并且要将常年和新型财务顾问作为战略转型重点产品纳入2017年KPI考核。投行部作为业务牵头部门，要牵头研究搭建有效的信息共享平台，建立跨条线、跨层级、境内外信息及研究报告共享机制，加快智能支持系统开发，研究设立“企业咨询顾问”专业技术职称系列，多措并举抓好财务顾问业务。要将境内并购财务顾问作为2017年的重点，切实履行境内并购业务的牵头职责，加强对并购交易全流程的把控和引导，会同相关条线为客户的兼并收购、重组整合提供全链条金融服务。对公板块要重视投行业务，积极主动挖掘客户资源，投行部要组织协调专业力量，形成指标共担、利益共享机制。

四是以资产证券化方式积极助力企业盘活资产。在“三去一降一补”政策导向下，资产证券化将发挥积极的作用，未来存在较大的市场空间。今年总行将根据宏观政策导向和客户需求，积极开展企业资产证券化业务的承销和财务顾问工作，通过发行银行间市场和交易所市场资产支持票据（ABN）和资产支持证券（ABS），盘活企业存量资产，提供融资服务。配合我行结构调整和经营管理需要，开展信贷资产证券化业务，适度开展绿色信贷等正常公司类贷款证券化业务，积极开展公积金中心个人住房抵押贷款证券化的承销和财务顾问工作。

最后我再着重提两点要求。第一，对公板块要把合规工作“挺在前面”，通过全员、全面、全流程的管理做实合规工作。从2016年的情况来看，我行的合规管理包括海外合规管理是走在同业前面的，但大家也绝不能掉以轻心。2017年全行将开展“合规建行，知行合一”活动，4月推出员工行为违规积分办法。我们对公板块各条线要先行一步，重视合规就等于重视业务的健康和可持续发展。第二，2017年中央提出要继续深化“两学一做”学习教育，实现“两学一做”学习教育的常态化、制度化。对公板块在拓市场、拼业务的同时，也要高度重视党建工作，真正做到两手抓，将“两学一做”学习教育落到实处。在2016年对公板块各方面取得较好成绩的基础上，2017年上一个更大的台阶，创造新的辉煌。

谢谢大家。

稳中求进　奋发有为
深入推进资管和投行业务转型发展

——在2017年资产管理和投资银行业务工作会上的讲话

余静波

（2017年4月6日）

同志们：

大家上午好！今天，我们相聚在海上丝绸之路的起点——福州，召开中国建设银行2017年资产管理和投资银行业务工作会议。这次会议的主要任务是贯彻落实全行工作会议精神，总结2016年资管投行业务发展情况，分析当前面临的形势，部署2017年主要工作。在这里，我想谈以下三个方面意见。

一、2016年资管和投行业务发展回顾

2016年，对于建设银行的资管和投行业务应该说是不平凡的一年，资产管理业务中心成立，投资银行部分设，两个部门更加专业、专注地开展资管和投行业务。一年来，资管投行条线从“两全”活动走向“两大”活动，在座的各位都是“两大”活动的运动员。我们上下同心，攻坚克难，奋勇拼搏，全年主要任务目标圆满完成，实现了良好开局。

——资管业务规模、收入四大行增速“双第一”。截至2016年末，全行资管理财产品规模为21250亿元，同口径比较四大行第一，较上年同期增幅31.37%；实现资管业务收入为206.12亿元（含拨备19.70亿元），较上年增加59亿元，增速为39.75%，四大行第一；在全行中间业务收入中的占比由2015年末的9.5%提升至14.2%，提升近5个百分点，贡献度大幅提升。资管成为2016年全行增量最大的中间业务。这些都是我们在座各位共同努力的结果。

——非金融企业债券承销业务实现“六连冠”。2016年我行承销银行间市场非金融企业债务融资工具590期，承销金额为5616亿元，承销期数和承销量均位列同业第一，巩固了我行债券承销业务优势，实现了“六连冠”。

——投资和交易能力显著增强。2016年，全行资管业务高收益资产新增超7500亿元，规模达到1.1万亿元，较上年提升9.19个百分点；标准资产委外和自主投资规模达到5800亿元，增幅为32.81%，交易室全年自主投资交易量突破580亿元，标准资产投资业务取得突破。

——品牌影响力进一步提升。“乾元理财”在中国银行业协会发布的商业银行理财产品评价中，包揽最佳综合理财能力、最佳创新、最佳收益、最佳社会贡献等全部七个奖项；在《21世纪经济报道》组织的2016中国资产管理“金贝奖”评选活动中，荣获“最佳风险控制银行”奖；在20家分行举办了FITS专场推介会，涵盖1100余家客户，投行“全面金融解决方案”（飞驰，FITS）品牌影响力进一步提升；担任世界银行在华首笔5亿元特别提款权SDR项目计价债券的主承销商，对于提振我行国际化影响具有重大意义。

——资产证券化业务卓有成效。作为主承销商牵头完成全国单笔发行规模最大的资产证券化项目上海公积金资产支持证券，以财务顾问身份为碧桂园购房尾款资产支持证券项目提供全流程服务。

——客户基础持续扩大。通过扎实推动“两大”拓展活动，2016年全行资管投资客户新增5000余家，存量客户超过453万户，融资客户近300家；建立投行客户3262家，其中签约客户554家。

——资产质量稳中向好。2016 年末，资管风险资产率为 0.25%，较年初下降 0.15 个百分点；计提各类风险准备金余额 77.28 亿元，较年初增加 32.9 亿元，风险抵补能力持续增强。

一年来，能取得以上进步，我们主要做了以下工作：

第一，“两全”活动圆满收官，“两大”拓展全面展开。

2016 年，历时一年的“两全”活动圆满收官，全行上下“大资管”理念深入人心，员工队伍得到了很好的锻炼，市场表现大幅提升。在认真总结“两全”活动基础上，从 10 月初在全行组织开展了“大力拓展客户，大力拓展资产”活动，以夯实资产基础为核心，以拓展客户为导向，再接再厉，推动资管投行业务做强做优做大，全面提升服务能力和价值创造力。目前，活动第一阶段目标已圆满完成。今天，会议的第三项议程中，将对第一阶段表现突出的分行进行表彰。“两全”活动我们提出要全员参与，全力发展。回过头来看，“两全”活动为我们资管投行业务的发展打下了非常好的基础。

第二，推进资管投行专营化建设，理顺发展机制。

2016 年，总行资产管理业务中心与投资银行部分设，搭建完成以总行资管中心和投行部、北上广深 4 家分行直营中心、13 家开办资产组合型产品的分行和其余 20 家分行为主体的“四位一体”资管投行业务发展体系，并完成相应的差别化业务授权和管理考核体系，建立以三个委员会为核心的投资决策机制；制订完成相应的业务管理制度，建立专营化业务发展制度框架；在上海设立并购资本中心，以上海为立足点，为并购业务发展搭建信息整合、资源共享、人才培养和服务支持平台。

第三，落实“三去一降一补”，有力支持实体经济发展。

我们牢牢把握“一带一路”“京津冀”协同发展、“长江经济带”建设等国家重大战略投资机遇，全年通过资管投行业务提供直接融资 13145 亿元，是 2016 年全行人民币信贷新增的 1.39 倍，有力地支持了实体经济发展。其中，通过资管业务为客户提供股权融资 4000 多亿元，助力企业去杠杆；通过债务融资业务为企业平均节约融资成本 100 个基点；落实“区别对待、有控有扶”政策要求，创新引入多种增信手段，为 20 多家煤炭钢铁行业龙头企业承销发行各类债券 1411 亿元；紧抓地方政府基础建设和新型城镇化等重大项目，大力发展 PPP、国企改制等各类基金业务，签约规模超 1 万亿元，存量基金业务规模超过 1000 亿元，在业界打响建行“建基立业”品牌。

第四，狠抓“八项建设”，筑牢财务顾问业务发展基础。

2016 年财务顾问业务围绕建制度、创产品、拓客户、树品牌、搭平台、带队伍、理机制、建系统八个方面，为业务发展打下了扎实基础。及时修订下发了财务顾问业务管理办法和新版财务顾问协议示范文本。开展 FITS 品牌推介和“两培训一推介，建立投行客户群”活动。制定下发了与建银国际联动办法和三方机构指导意见，打造与子公司和外部机构的联动合作平台。从考核机制、系统开发、创新申报等多方面寻求资源，想方设法推动财务顾问业务发展。财务顾问因为当时的检查，各行纷纷把真正的财务顾问收入转移到了其他地方，是我行与他行财务顾问差距大的重要原因。同时，财务顾问业务缺乏统一的标准，有些基层机构把“息”转“费”也作为财务顾问。所以王洪章董事长要求总行从基础工作开始抓，我们从八个方面入手，通过制度办法、签约推广等一系列工作，为财务顾问今后的发展打下了非常好的基础。

第五，顺应市场需求，加大创新力度。

资管方面，产品创新和机制创新亮点纷呈。创新推出“薪享通代工专享”“安心悠享”、CPPI 策略保本专户、纯债基金 FOF、固定收益灵活配置、量化投资和衍生品等资管产品，产品线进一步丰富，创新产品发行超过 100 只，募集资金超过 1000 亿元；创新推出“四位一体”资管业务专营化发展机制、以三个委员会为核心的投资决策机制、“研究 + 交易 + 投后管理”的一体化标准资产投资运作流程，建立具有建行特色的资管体系。

投行方面，跨境债务融资工具、绿色金融债券取得重大突破。承销发行全国首笔绿色金融债券、新开发银行首笔国际多边机构绿色金融债券以及兴业银行、交通银行全国规模最大绿色金融债券等，合计金额830亿元，履行大行责任，推动绿色生态文明建设。

第六，加强集团联动，发挥综合化经营优势。

资管方面，2016年，资管条线与建信信托、建信基金、建信资本等子公司合作规模达到1.15万亿元，增幅为22%。其中，与建信基金合作规模达到2379亿元，占其业务规模的19%；与建信信托合作规模达到6889亿元，占其业务规模的53%；与建信资本合作规模达到2241亿元，占其业务规模的50%；与建银国际合作规模超100亿元。从这个可以看出，我们资管业务与子公司合作紧密，充分发挥了建行的集团优势。

投行方面，与建行亚洲合作主承发行了全国首笔公开发行的民营企业熊猫债——恒安国际熊猫债；制定《境内分行与建银国际投行业务联动指导意见》，与建银国际业务联动规模近200亿元。

第七，强化合规管理，抓实风险管控工作。

2016年，资管投行条线结合“合规管理年”“合规建行，人人践行”等工作要求，从以下五个方面着手，强化合规管理，完善制度建设：一是开展资管合规风控文化大讨论，提升全行资管业务合规经营意识；二是完善制度建设，制订《资产管理业务合规风险实务手册》《投资银行部工作规则》《投行业务舞弊及违规案件汇编》等合规风控制度文件，强化合规基础管理；三是建立监测和报告工作机制，按日对各类风险指标进行监测，按季度形成风险报告；四是加大风险排查力度，定期对存量资产和存续期债券开展“回头看”风险排查和交叉检查；五是积极推动风险资产化解工作，全年处置化解风险资产48.95亿元。资管投行条线员工合规意识大大增强。

第八，扎实开展“两学一做”学习教育，筑牢思想根基。

2016年，资管投行条线将“两大”活动与“两学一做”学习教育紧密结合，党建和业务工作两手抓；加强思想建设，牢固树立“四个意识”，资管中心举办“资管大讲堂”6期，组织开展“三进三察三提”联学实践活动；投行部与总行战略客户部共同开展主题党日活动，用党建引领转型发展；以“忠诚、干净、担当”为标尺，加强队伍建设，在战斗中学习打仗，锻造出一支敢于担当、主动作为的专业队伍。

同志们！回顾过去一年，资管投行条线面对复杂多变的外部经营环境，克服“资产荒”和“资金荒”困难，保持了规模、收入的良好增长，并有效控制和化解风险资产，与此同时，条线员工“四个能力”也有了较大提升。这些成绩的取得，是总行党委正确领导，相关部门大力支持，和全行上下团结拼搏的结果。在这里，我代表总行党委，向一级分行在座的各位分管行长、向资管投行条线的全体员工表示诚挚的敬意！向关心和支持资管投行业务发展的总行各部门、相关条线和子公司表示衷心的感谢！

二、沉着冷静，正确分析当前业务发展面临的新形势

俗话说：“察势者智，驭势者赢”。尤其是我们做新兴业务、做资管投行业务的人，更应该要察势，要驭势。做好2017年资管投行业务，首先要沉着冷静、客观全面地分析当前面临的内外部经营形势。总体情况看，2017年面临的挑战很大，但挑战中也蕴藏着不少机遇，只要我们树立信心、积极作为、扎实工作，大挑战也可以转化为大机遇。

（一）直面挑战

第一，监管政策趋严。2017年表外理财纳入MPA考核，这个体系从狭义信贷转向广义信贷，将债券投资、股权及其他投资、表外理财都纳入其中考核，对银行广义信贷增速进行严格控制，资管业务规模也将受全行广义信贷总体规模目标影响，按季度进行调控。此外，近期人民银行正牵头制定《关于规范金融机构资产管理业务的指导意见》，对资管业务发展提出新的要求，总体思路是“控非标，破刚兑，去杠杆，减通道、控风险”。这些新政如果实施，将对整个资管行业现有的业务经营模式、投资方向和风险管理等都提出新挑战。但从长远看，新规对规范资管行业发展，培育公开、公平、透明的市场环境具有积极意义。对于我们大型商业银行而言，只要积极去拥抱监管，应该是机遇大于挑战，我们要未雨绸缪，迎接新规。

第二，资金量紧价高。2016 年 10 月以来，金融市场流动性明显趋紧，Shibor 隔夜拆借由 2016 年初的 1.995% 上升到 12 月末的 2.29%。2017 年货币政策稳健中性，“两会”政府工作报告提出广义货币（M_2）和社会融资规模余额预期增长率为12%左右，较 2016 年降低 1 个百分点，货币供给边际收紧。商业银行面临负债端成本攀升和 MPA 考核双重压力，特别是在季节性的缴准、缴税、MPA 考核等关键时点，会加剧资金波动，流动性阶段性紧张将频繁出现，这将考验我们理财投资流动性管理的能力。

第三，债券市场容量出现萎缩苗头。银行间债券市场经历持续高速增长后，2016 年新发债券规模首次出现负增长，发行金额较 2015 年减少 3147 亿元，同比下降 6.07%。与此形成对比的是交易所债券市场迎来爆发式增长，对银行间市场债券规模形成挤压，我们 2017 年实现非金融企业债券承销业务“七连冠”的目标将面临更大挑战。

第四，收入压力加大。2017 年全行战略转型深入推进，中间业务越来越成为重要的利润增长点。从 2017 年全行经营发展要求看，资管和财务顾问收入被确定为 20% 以上的增速。在“资产荒”和“资金荒”共存的情况下，一方面是负债端成本上升，另一方面是资产端收入还在下降，银行收益率继续收窄。若“营改增”税收政策落地，将会对收入产生重大影响。

（二）抢抓机遇

尽管面临诸多挑战，然而“稳中求进”经济发展的新常态，也给我们带来不少新机遇。

第一，供给侧结构性改革持续深化为业务带来新的增长点。2017 年是供给侧结构性改革深化之年，各项政策逐渐明朗，持续稳定的经济增长为资管投行业务发展创造了良好的发展环境。例如，混合所有制改革是深化国企改革的突破口，电力、石油等领域将迈出实质性步伐；振兴制造业，完成铁路投资 8000 亿元、公路水运投资 1.8 万亿元；有重点地推进对外开放，推进“一带一路”建设；鼓励通过 PPP 和政府购买服务加大基础设施建设等。这些都将为股权融资、基金业务、标准资产投资、境外资产配置等带来重要发展机会。

第二，跨境资本市场机遇增多。一方面，2015 年以来，离岸外币计价的融资利率持续走高，而境内人民币融资利率持续走低，外资企业在境内发行熊猫债进行融资的优势逐步显现；另一方面，自 2016 年底以来，跨境资本流动监管趋严，派生出大量的中资企业境外发债需求，2017 年度跨境债务资本市场将呈现更为活跃的新态势。

第三，资产证券化正处于快速成长期。资产证券化不仅是企业“盘活存量、调整结构”的金融工具，更是国家实施“去杠杆”的重要举措，2017 年必将快速发展。我行发展资产证券化业务，不仅有助于承销、财务顾问、标准资产投资等资管投行业务发展，同时也将带动存款、结算、托管等其他业务发展，实现综合收益。在贷款规模逐渐趋紧的情况下，可以用资产证券化为企业和个人解决贷款规模的问题。

第四，经济转型升级催生并购潮。据统计，2016 年我国并购交易金额高达 1.8 万亿元，并购业务呈现交易活跃、增速旺盛态势，随着经济转型升级的持续推进，2017 年将涌现更多并购机遇。从并购类型看，伴随着中资企业“走出去”，跨境并购将成为亮点。从并购行业看，信息技术、新能源、互联网等新兴领域整合力度将加大。这些都将为并购业务带来大量机遇。

第五，总行资源配置将向新兴业务倾斜。在财务资源配置上，除现有激励政策外，全行首次额外增加人力费用与中间业务收入增量挂钩激励；在资源紧张的情况下，总行为“两大”拓展活动配置 3000 万元人力费用，2017 年人力资源部还将对资管中心等三个直营中心实施单独的激励政策，配置 500 万元人力费用进行单项激励，还有投行财务顾问业务今年也列入 KPI 考核等。3 月王行长组织召开了财务顾问专题会议，会议指出，财务顾问不是一个收入多少问题，更主要的是综合服务能力问题，必须要加快全力发展。各分行一定要高度重视。一是投行部作为牵头部门，要做好规划、做好建设。二是投行部要切实履行境内并购业务的牵头职责，境外并购牵头是战略客户部，境内并购牵头是投行部。三是资债、财会要研究财务顾问业务考核激励、协同机制和费用支持等问题。四是客户部门要积极主动地开展投行业务。五是授信审批部门要进一步细化审批政策，针对不同类型的产品制定差异化的审批。六是推动平台建设，创造技术条件。七是人力资源整合利用，要建立专门的财务顾问人才库。财务顾问不仅是关系收入增长的问题，更是体现客户服务能力的大问题，一定要从这个高度来重视。在为客户提供全面金融解决方案方面，我们能达到怎样的程度，这是最重要的。从这些政策和资源安排，大家应能看出总行对资管投行业务的重视和期望。

在看到外部形势带来的机遇和挑战的同时，也应清醒地看到自身存在不少问题和不足。要以问题为导向，认真研究解决。

一是行际间发展不平衡。我们"四位一体"发展体系中，第一层面总行资管中心直接经营能力还需进一步提升，总行保本、非保本资产组合型产品、标准资产投资和交易等直接经营力度还需加大。第二层面北上广深四家分行中，北京、上海标准资产投资业务发展没有达到应有位次，上海分行 2016 年资管业务收入增长率是达到 112.53%，但占中收的比重（10.6%）还没有达到全行平均水平（14.2%），上海分行仍需快马加鞭，虽然进步已经很大，但需进一步提高。在第三层面 13 家开办资产组合型产品的分行中，江苏、山东、辽宁、苏州等分行收入和规模均实现了快速发展，应给予表扬，湖南开池较晚、资产量小，还需跟进。在第四层面 20 家分行中，四川、湖北、江西、厦门、贵州等分行收入增长较快，但青岛、大连、甘肃等分行还需加快步伐。有个别分行提出来能否开立资产池，我们就看表现，表现好的就可以开。从转型效果看，全行资管收入在中收占比为 14.2%，而天津、辽宁、苏州、陕西、深圳 5 家分行资管收入在中收占比已超 20%，但西藏、宁夏 2 家分行资管收入占比还不到 5%；在 23 家重点城市行中，杭州、温州、佛山、东莞 4 家分行资管收入在中收占比不到 10%，东莞、昆明 2 家分行资管收入同比负增长，都亟须改变。

从财务顾问业务看，行际间差异很大，广东、山东、河北、上海、厦门、广西、大连、贵州、山西、内蒙古、新疆等分行超额完成了任务，其中内蒙古、广西、山西、上海等分行完成率超过 150%，广东、山东、河北等分行收入绝对额比较高，对这些分行要表扬，希望再接再厉，而黑龙江、甘肃、深圳、青海等分行完成率则在 30% 以下。后进分行一是要从思想上提高认识，二是要采取强有力措施，迎头赶上。

二是"双轮驱动"发展不平衡。全行资管投行在分行层面目前绝大多数都是一个部门，但有的分行在"双轮驱动"上并没有很好地协同发展，重"资"轻"投"，在投行业务上投入不足，无论是人力、物力还是重视程度都不够，投行收入计划完成率不足 30%。资管投行"双轮"都要强、都要大，才能切实推动全行全面的转型。王洪章董事长特别指出，其他部门都是产品创新，而唯独投行是业务创新，所以要高度重视投行业务。融智可以多渠道组织资金，除了信贷、资管的资金，也可以通过子公司募集资金，关键是我们的财务顾问融智方案做得怎么样，全面金融解决方案（FITS）做得怎么样，这是我们建设银行注册的品牌商标，一定要重视这个问题，要两轮驱动，两轮都要大。

三是部分业务还存在短板。资管方面，目前自主交易业务量还比较小，自主交易能力亟待进一步提升；全球资管业务还没有开展，需加快全球布局。投行方面，财务顾问业务是为客户综合服务的具体体现，2016 年实现收入只有 34.7 亿元，全行 24 家一级分行未完成计划，说明全行对财务顾问业务的认识和能力都亟待提高。常年和新型财务顾问都必须高度重视，各分行回去后还要结合实际认真查找短板，尽快补上，一些重点分行如北京分行，至今在并购业务上还没有突破。要在组织推动和资源配置上给予倾斜，实现超越发展。

四是员工队伍与形势任务有差距。一方面，体现在人员数量上，目前全行资管投行条线人员约 600 人，近 3 年几乎没增长，难以保障业务快速发展；另一方面，整体员工队伍素质有待提升，特别是标准化资产投资、交易和财务顾问专业人员不足及队伍与任务不适应。每个分行都要尽快充实专业队伍，加大培训力度，在数量和素质上都要全面提升。

三、稳中求进，深入推进资管投行业务转型发展

作为全行转型发展的重要业务，2017 年，资

管投行工作要认真贯彻落实中央经济工作会议和全行工作会议精神，以“稳中求进”为主基调，持续“双轮驱动”，全力推进“两大”，严格合规管控，充分扬长补短，努力提质增效，做强做优做大，做出特色品牌。

2017 年资管投行业务主要发展目标：

资管方面：资管业务规模达到 2.5 万亿元，较 2016 年增长 25%；资管业务收入 216.3 亿元，增幅为 31%；新增资产配置 1 万亿元，增幅不低于 30%，其中，标准资产 3000 亿元，增幅不低于 25%，高收益资产 7000 亿元；资管客户增长 15%；风险资产率控制在 0.5% 以下。

投行方面：全口径债券承销规模突破 1.5 万亿元。其中，非金融企业债务融资工具突破 6400 亿元，继续保持市场第一，实现“七连冠”；财务顾问收入增速不低于 20%；资产证券化业务规模达到 300 亿元；并购业务规模新增 600 亿元；基金业务规模新增 800 亿元；新拓展投行客户 2000 户。

全年要着力抓好以下六个方面的工作。

（一）推进“两大”，夯实基础

2017 年是“两大”拓展活动的关键之年，各行要以“两大”活动为抓手，大力拓展客户，大力拓展资产，做好市场、客户、业务和产品的综合营销，实现客户覆盖度、产品覆盖度和业务覆盖度“三提升”。

资管方面，围绕国家三大战略、供给侧结构性改革和“四大板块”发展，以及混合所有制改革、新型城镇化、基建投资、战略性新兴产业等热点，提升大类资产配置能力。一是围绕政府类客户，聚焦 PPP、政府购买服务、新型城镇化等基础建设，大力拓展政府类资产。目前，财政部 PPP 中心已储备约 13 万亿元 PPP 项目，2017 年预计将有上万亿元 PPP 项目落地。各行要紧抓政府类 PPP 优质项目的投资落地机会，积极联合当地政府、社会资本组建 PPP 基金合作联盟。二是围绕大型央企和国企客户，聚焦国企改制、混合所有制改革等，大力拓展资本金融资、股票质押回购等股权融资类资产。三是围绕“一带一路”倡议，加强境内外联动，大力拓展海外资产，以香港为立足点，打造“全球资产管理平台”，构建建行亚洲和建银国际两个“海外资产组合”，实现境内、境外市场全覆盖。四是围绕私人银行客户，以组合类定向增发业务等资本市场类业务为抓手，在私人银行专属服务领域取得新突破。五是以委外、MOM、FOF 等投资管理模式为核心，加大与优秀基金、券商、私募等机构合作，大力拓展固收、量化、衍生品等资产，深化“固定收益 +”理念，加大标准资产投资和自主交易。资管从 2017 年第一季度的情况来看，各项业务指标完成较好。第一季度实现资管收入 60.55 亿元，计划完成率为 28%；资产拓展成效显著，截至 3 月末，全行资管资产规模接近两万亿元，增幅为 19.73%；产品规模稳定，全行资管产品规模 1.9 万多亿元，同比增长 17%，计划完成率为 76.92%；资产质量进一步向好，风险资产较 2016 年同期减少 11.79 亿元，同比下降 0.12%。

投行方面，以一平台（全面金融解决方案 FITS）、两中心（债券承销和财务顾问）、三拓展（并购、资产证券化和基金）为抓手，提升综合服务水平。一是要以全面金融解决方案为核心平台，发挥 FITS 抓手作用，通过债券承销、财务顾问、并购、基金、资产证券化、股权投资等综合化手段为客户提供投行服务，全面提升投行业务创新能力、服务能力和创收能力，实现综合提速。二是巩固债券承销优势，大力提高客户覆盖度和产品覆盖度，扩容增收，确保实现“七连冠”。三是加快推进资产证券化业务，做好银行间市场证券化承销和交易所市场证券化财务顾问，加大信贷资产证券化的主动投资力度。四是强化“双轮驱动”，在基金、并购、债券承销、资产证券化等领域加强联动，实现投行和资管业务比翼双飞，共同提高；加强与境外分行和子公司 IPO、海外发债等业务联动，充分利用海外分行、子公司的承销牌照，遵从市场化定价导向，探索建立母子公司相互嵌入的综合营销、利益共享和风险共担流程和服务机制。2017 年第一季度，投行业务基础也有较大提升。第一季度实现投行收入 22.9 亿元，计划完成率为 38.3%，其中债券承销计划完成率为 33%，财务顾问计划完成率为 40.6%；截至 3 月末，承销非金融企业债务融资工具 1001 亿元，位列市场第一，也是市场上唯一一家承销量超千亿元的主承销商。

（二）加大创新，加快转型

唯改革者进，唯创新者强，唯改革创新者胜。资管投行业务尤其需要持续创新，才能不断释放“进”的动能。2017年市场和监管环境会发生很大变化，更要顺势而为，通过创新主动迎接和适应新变化，化挑战为机遇。

资管方面，要积极顺应监管新规导向和业务发展趋势，多措并举，提升标准化资产投资和交易能力，实现资产配置策略和业务运营模式转型。

一是加大产品创新力度。构建集投资、消费、支付功能为一体的产品体系，积极拓展海外与私人银行两个市场；推动委外投资、定向增发池及私人银行专属产品创新推动力度；拓展衍生品、同业互持金融资产投资、分级基金投资、券商收益凭证等大类资产配置；做好FOF类产品的研发与推广。

二是创新投资管理模式。在风险可控的前提下，为进一步提高分行资产组合型产品资金使用效率和投资收益，总行将通过市场化原则，集中分行非保本资产组合型产品部分资金，进行标准资产统一投资运作，弥补分行在标准资产自主投资、委外投资方面的不足，进一步做大标准资产投资规模，提升资产投资收益。

三是构建具有建行资管特色的标准资产自主投资交易管理体系。构建债券自主投资新流程，建立包括研究、投资、交易、风险管理和运营管理在内的自主投资交易体系，打造我行资管标准资产投资核心竞争力；做强做大自主交易业务，全年自主交易量要实现2000亿元。

四是推进“非标转标”。对存量和新增资产探索通过证券化或银登中心挂牌等方式转化为标准资产，优化资产配置结构，适当降低非标资产比例，提高标准资产占比和资产流动性，适应监管新规要求。新规当中对非标资产的定义提出了较为严格的界定，在一定程度上限制了非标资产的拓展，所以我们一定要把标准资产的比例提升上去并逐渐扩大，然后再促进非标业务发展。标准资产不发展，非标资产是发展不了的。

五是优化资管业务运营机制。将资产配置放款审核相关工作移交各分行放款中心。各分行要根据总行制定的流程和要求，加强与当地放款中心的沟通和协作，顺利实现交接，确保放款工作合规、高效、有序。

投行方面，以债券业务多元化、财务顾问业务综合化、并购业务专业化、基金业务市场化、资产证券化业务引领化为创新方向，以创新实现创收增收，促进转型。

一是积极推进创新型债券业务。加大混合债券和债转股债券的创新力度，推动私募债发展；发展永续债、ABN、绿色债券等创新债券品种；积极挖掘银行、保险、券商、金融租赁公司、汽车金融公司等各类金融机构金融债券业务，提高金融债券承销份额。

二是加大财务顾问业务创新。以客户境内外上市、再融资、并购重组、债务融资、资产证券化等需求为重点，开拓资本市场类、债券发行类和并购重组财务顾问业务；加大机构合作类财务顾问业务拓展力度，通过向第三方机构推荐融资项目，提供尽职调查、投后管理等服务，拓宽财务顾问收入来源。

三是推动并购重组业务转型。做好境内并购业务的市场拓展、业务创新和组织管理，加强对并购交易全流程的把控和引导，牵头为客户兼并收购、重组整合提供全链条金融服务。充分发挥并购资本上海中心在长三角区域的示范和带头作用。各分行应主动提早介入并购重组项目，固定并购重组业务专营人员，通过项目库、专家库建设，多方位提高全行并购重组能力和收入。

四是基金业务由被动投资向主动管理转型。总行投行部要指导分行主动抢抓“十三五”期间一系列重大战略布局产生的业务机会，围绕“一带一路”和中资企业“走出去”战略，以及节能环保、高端装备制造、新能源汽车等八大战略性新兴产业领域，结合国家战略重点方向和政策导向，前瞻性尝试和主动布局，拓宽基金业务领域，以我行为主导发起设立一系列特色产业基金，实现我行角色由被动参与投资逐步向主动牵头管理转变，打造业界品牌。

五是加快推进资产证券化业务。资管投行“双轮驱动”，一方面要做好银行间市场证券化承销和交易所市场证券化财务顾问，对符合国家发展战略、产业政策的客户和项目开展资产证券化；另一方面作为标准资产的配置方向，加大信贷资产证券化的主动投资力度。各分行应结合本行实际，锁定重点营销目标，积极抢占市场。总行将通过配置专项人力激励费用，成立面向全行的证券化任务型支持团队，加强业务交流和培训等多种方式，指导全行加速推进资产证券化业务。面对2017年规模控制、资金紧缺的情况，希望各行要高度重视资产证券化，在总行的统一部署下，各行先策划好，有多少资产可以资产证券化。

（三）强化合规，严控风险

2017年，经营形势更加复杂，要更加注重合规经营，强化合规管理。要树立“合规”就是“发展”，“合规”助力“发展”，“合规”要先于“发展”的意识。

合规管理方面，一是要继续强化合规意识。2017年全行将开展“合规建行，知行合一”活动，资管投行条线要以此为契机，强化合规操作，全员、全面、全过程落实合规要求，让不敢违规、不能违规和不想违规的合规文化落地生根。二是要加强制度建设。对基金、委外投资等创新业务要坚持制度先行，穿透管理，规范发展。三是要合规开展业务。坚持“四有”原则开展财务顾问业务，严禁为第三方提供隐性担保或兜底承诺。合规开展证券化业务，优选客户和项目，从源头上防范风险。四是充实合规管理人员。各分行要有专人负责资管投行合规工作，有条件的分行要设置合规专岗。

风险管控方面，近期监管部门将启动“银行业信用风险排查”，摸清表内外业务中显性和隐性信用风险，资管投行条线要加强与相关部门联动，配合做好检查，并以此为契机提升风险管控能力。一是要关注跨市场、跨境、跨业风险传染，与风险管理部门共同研究建立市场风险计量、监测和监控机制。二是要强化债券估值、预警和投后（后督）管理等工作，确保我行债券承销业务和债券投资业务持续健康发展。三是要把好业务准入关，强化基础资产和合作机构的源头管控，这也是全行工作会对三个直营中心提的要求。四是要加强资管业务准备金计提和管理，按要求及时足额计提准备金，提升自身风险补偿能力。五是对潜在风险、关注类资产要及早行动，将风险化解在萌芽状态，减少风险资产新增暴露。

（四）严格管理，专业专注

我行资管投行业务经过十多年的发展，业务规模已经达到一定水平，未来要在竞争中始终保持健康、可持续的发展态势，需要继续在“严”和“专”字上下功夫，也就是严格管理、专业化管理。2016年，我们在经营模式、制度建设等方面做了很多有益探索，2017年要在此基础上继续优化和完善。

1. 扎实推进“四位一体”专营化建设。以总行资管中心和投行部、北上广深4家分行直营中心、13家开办资产组合型产品的分行和其余20家分行为主体的“四位一体”资管投行业务发展体系是建行的经营特色，2017年，四个层级主体要齐头并进，强化各自主体作用，进一步激发条线的内生活力。

一是强化总行“中枢”作用。总行资管中心和投行部要在考核激励、产品创新、直接营销、案例推广、业务指导、统筹协调等方面进一步发挥作用，做好司令员和指导员。要研究制定更为明晰、具体的经营策略，加大与综合管理部门、相关业务条线、子公司、分行之间的协调和联动，为业务发展营造更好的环境，做好“司令员”；要加大创新力度、业务指导力度和直接经营力度，为分行前方打仗提供更多的“弹药”，如创新产品和创新业务，帮助基层行解决经营当中的困难和问题，同时还要加大对分行业务的督促检查和考核，及时分享、推广好的经验做法，做好“指导员”和“服务员”。总行作为中枢做一些政策梳理和制度安排都是必需的，基层行在营销过程中碰到困难，总行两个部门要为基层行服务。总行各位处长不仅要制定政策、落实管理，而且要把管理运用到服务当中，整个条线服务好了，业务就能做好。资管投行同时需要对其他部门提供帮助、进行联动，积极支持包括战略客户部、公司业务部等部门。海外分行之所以能做得好，其中一条非常重要的原因就是内外联动方面做得比其他银行好。所以资管投行部门服务意识好了，整个业务就往前走了。也希望各一级分行要为二级行做好服务，必须做到服务基层行。

二是充分发挥北上广深四家分行“领头羊”作用。2017年，北上广深四家分行要认真查找各自优势和不足，挖潜增效，王行长提出要高水平上补短板，在业务规模和收入上体现竞争力，内部贡献度要进一步提升。北京分行要加大拓展标准资产投资、并购、基金和股权融资等业务，持续优化业务结构，尽快提升资产平均收益率；上海分行要充分发挥并购资本中心平台优势，做大权益类投资、并购重组等业务，在收益能力和收入贡献度上尽快赶超同业；2017 年将在广东设立并购资本中心，广东分行要在资本市场、并购重组、财务顾问等业务上实现新突破；深圳分行要利用当地活跃的金融创新环境，加大业务创新、管理创新和机制创新，真正发挥示范带头作用。四家分行要更好地发挥建行资管投行业务新产品创新“试验基地”作用，并力争资管投行业务当地四大行第一，成为名副其实的“领头羊”。

三是 13 家开办资产组合型产品的分行作为“排头兵”，要进一步提高市场份额。2017 年，13 家分行在高收益资产配置和产品销售方面要持续发力，特别是 2016 年下半年新开办资产组合型产品的分行，要加强学习，尽快提升资产拓展能力和经营管理能力；要发挥开办资产池的优势，加大债券等标准资产的承销发行力度，实现资管投行“双轮驱动”。力争 13 家分行资管投行业务规模和中收当地四大行占比均达到 20% 以上。总行已经明确，13 家分行中做得好的可以择优升格为资管分中心，届时将与北上广深拥有一样的业务授权。

四是提升其他 20 家分行资管投行业务能力。总行将加大对其他 20 家分行的指导和帮扶，全面提升 20 家分行对全行资管投行业务的收入贡献度。总行层面，资管中心和投行部将纵向建立各业务处室与 20 家分行之间的工作联系行机制，加大总行对这些地区客户的直接营销力度，实施资管业务清零和投行业务提升活动，实现资管业务所有分行全部覆盖，投行业务做出区域特色；分行层面，横向建立 17 家已开池分行与 20 家未开池分行之间的互助合作机制，加大经验分享、业务交流和人员培训力度，先进地区带动落后地区，形成更具活力的业务发展新格局。北上广深及 13 家开池分行可以与 20 家没有开池分行建立业务联系。针对分别处于两个区域的同一客户，20 家分行能否主动去找前面的 17 家分行进行业务联动，大家一起干，或者派人来帮我们一起干。总行也可以组织业务前列分行派人去落后分行进行业务交流合作，师傅带徒弟，形成先进地区带动落后地区、更具活力的业务发展新格局。建设银行资管投行业务要“四位一体”整体前进。

总行高度重视 23 家重点城市行资管投行业务发展，23 家重点城市行所属的一级分行也要高度重视，加强指导和帮助，使其成为 2017 年资管投行业务发展的新生力量。23 家重点城市行要成立专门的业务团队，拓展资管投行业务，深挖当地市场潜力，提升业务覆盖度，要力争资管投行收入在本行中收的占比超过全行平均水平（资管 14%，投行 5%）。

2. 加强精细化管理。一是强化考核激励。资管方面，分类建立完善对北上广深、13 家开办资产组合型产品分行、其余 20 家分行、23 家重点城市行的考核体系和通报机制，加大对标考核力度，做实转型落地；结合总行对三个直营中心的激励机制，探索建立对条线的激励约束机制。投行方面，加快推进将财务顾问业务纳入一级分行 KPI 考核；借助党群部转型劳动竞赛，将财务顾问业务纳入全行竞赛范围。

二是加强资产负债动态平衡管理。通过加强市场研究，在债券市场、股票市场、衍生品市场、大宗交易市场资产轮动中寻找配置机会，逐步实现被动管理向主动管理转化，提升大类资产动态调控力度；通过建立不同期限、不同客户群体的系列组合产品，优化现有资产与负债的久期配置，降低负债端成本，提升整体收益。

三是加大总行服务分行力度。发挥总行智库作用，以《资管观点》《投行业务参考》为媒介，加强对分行的政策解读和制度辅导，为分行业务发展及时提供研究和决策支持；搭建全行重大项目合作平台，建立各类资管投行业务重点客户名录和项目库，重大项目由总行主导，整合全行专家力量重点推进，提高重大项目储备转化率；积极总结推广经典案例，实现信息充分共享；加大培训、跟岗学习和业务交流，全面覆盖资管投行从业人员和基层行相关业务人员。这里补充两句。我行现在业务分管是四条线，资管、投行、战略客户、养老金，一定要建立一批人才库。战略客户部要建立海外并购人才库；投行部要建立境内并购人才库；资管中心要建立资管产品创新专家人才库，养老金公司要建立养老金业务人才库。哪个分行拿到大单，就跟这些部门联系，这些部门派出专家团队来帮助你，带着你做一次两次，你就学会了。而且专家人才库既可以在国内分行，也可以在海外分行，还可以在子公司。

3. 做好流动性管理。2017 年资金市场不确定性加大，总体“紧平衡”形势下，全行要高度重视流动性管理，加强市场研究和预判，总分行要“一盘棋”。总行要做好“指挥员”和“调度员”，加大对分行流动性的监测和调度，特别是在月末、季度末、年末等关键时点，要提前做好安排，要研究建立临时紧急调配资金预案和机制，确保流动性管理万无一失。17 家开办资产组合型产品的分行，要“稳”字当先，严格按照流动性管理规章制度，合理安排流动性资产投资规模及期限，确保分行产品流动性安全。

4. 加强专业人才队伍建设。人才是资管投行业务的核心竞争力。各行要把资管投行业务人才队伍建设作为工作的重中之重。考虑到业务未来持续增长的要求，2017 年全行资管投行专职人员数量增长要不低于业务增速（20%），在重点领域，要做到专人专岗。

资管方面，一是北上广深四家分行要在现有人员基础上建立 3 人以上的标准资产投资和交易团队；二是开办组合型产品的 17 家分行要在现有人员基础上建立产品创新专岗，强化创新工作；三是 23 个重点城市行都要建立 2 人以上的资管业务专营团队；四是各行要结合业务发展情况，在业务潜力大的二级行设置 2 人以上的资管业务专岗。总行还将参照市场惯例，研究设立“投资经理”等专业技术序列。各行也可根据实际，加快专业技术岗位配置。

投行方面，一是各分行要设立财务顾问业务专岗，总行将从一级分行、经办行中选拔专家型人才进入全行投行专家库，并研究设立“企业咨询顾问”专业技术系列；二是为适应并购业务快速发展需要，尽快补齐并购业务短板，各分行和重点城市行要固定至少 1 名并购重组业务专营人员；三是建立总分行联动的债券条线化销售机制，北上广深至少要有 2 名销售人员负责日常客户营销维护和产品销售，其他分行至少有 1 名。通过以上措施，力争尽快培养出一支有特色、有市场竞争力的专业化投行队伍。

（五）扬长补短，做出品牌

习近平总书记在建行成立 60 周年时提出，建设银行要增强“三个能力”：增强服务国家建设能力，增强风险防范能力，增强参与国际竞争能力。我们建行的战略规划提出要向“综合性、多功能、集约化、创新型、智慧型”五大方向转型，资管业务和投行业务是重中之重。要把资管投行业务发展落到实处，做大做优做强。没有资管投行业务的强，就没有建设银行的大。做大做优才能做强，品牌建设才是真正的核心。

当前，我们在市场上已经打响资管“乾元理财”和投行“FITS”（飞驰）品牌，对于这两大业务品牌，我们要继续巩固既有优势，进一步扬长提升“金字招牌”；产业基金和债券承销作为我行两大优势业务，目前品牌的响亮度还不够，下一步要积极补短，加快打造；标准资产投资和财务顾问业务目前距离同业领先水平仍然还有不小差距，我们要志在必得，确立品牌目标，尽快打造。

1. 做强现有品牌，扬长提升“金字招牌”。对于“乾元理财”品牌，当前我们已经有“乾元—日鑫月溢”“乾元—鑫溢”“乾元—满溢”等十余个子品牌，但由于各子品牌间缺乏明显的区分标准，界限较为模糊，导致给客户一种理财品牌“多”而“杂”的感受，要按照一定的划分标准和维度对现有品牌进行梳理、整合，力争呈现给客户一个定位清晰、传导有力的品牌形象。在子品牌细分和定位方面，至少要综合考虑以下因素，如不同类型理财产品面向的客户群体、销售渠道、投资标的等。对于“FITS”（飞驰）品牌，要通过整合建行境内外子公司、多工具箱的服务资源，为客户提供涵盖债券承销、财务顾问、并购重组、基金、证券化、股权投资等各类投行产品在内的、融智 + 融资一揽子金融服务，做实“FITS”全面金融解决方案品牌内涵。

2. 深耕优势业务，补短树立“标杆品牌”。已经发展为我行资管投行优势业务，但尚未开展品牌建设的，要加快补短板。资管方面，我行政府类资产业务已经走在同业前列，签约规模上万亿元，存量规模上千亿元，“建基立业”这个品牌也已经具有一定的影响力，资管中心要尽快注册品牌，抓住 2017 年 PPP 加快建设等有利时机，加大宣传力度，提升品牌知名度，进一步扩大我行政府类资产业务领先优势。投行方面，非金融企业债券承销业务已经“六连冠”，2017 年，债券市场受资金去杠杆预期和监管从严影响，一直处于供需两弱境地。截至 2017 年 3 月 21 日，在债券市场承销总量较 2016 年同期下降 55.78% 的情况下，我行承销额仍然名列第一，实属不易。全行要继续保持这个优势，务必要确保实现“七连冠”，真正在市场上树立我行债券承销业务品牌。

3. 明确目标业务，全力打造“新兴品牌”。对资管投行中务必要重点发展，但目前还属于短板业务的，要明确目标，多措并举、全力打造。资管方面，要继续加强与外部优秀专业机构合作，加大委外力度，通过“自营 + 委外”模式不断提升标准资产投资和交易能力，打造以“固定收益 +”为核心的标准资产投资业务品牌；通过与境外机构联动，拓展海外资产配置，打造全球资管业务品牌。投行方面，要全力打造财务顾问业务品牌。2016 年我行财务顾问收入全行口径和部门口径分别落后工行 143 亿元和 75 亿元。2017 年 3 月中旬，祖继行长专门主持召开专题会议研究财务顾问业务发展事宜，要求统筹全行资源，列入 KPI 考核，建立专家库等多措并举，同时还要求各分行必须要专人专岗、分管行长要亲自抓等。在座的分管行长回去后要认真按总行的要求研究财务顾问业务发展措施，克服畏难情绪，积极对标同业，制订具体的常年和新型财务顾问推进方案，在确保完成 2017 年总行下达的任务计划的基础上，朝着“新兴品牌”目标，一年上一个台阶。

（六）持续开展“两学一做”学习教育，培养“忠诚、干净、担当”队伍

资管投行业务是轻骑兵，是轻资产业务，特别是投行业务，是融智业务，人的专业能力非常重要，智力是重要要素，但最重要的还是“忠诚大于能力”。我 2015 年向分管部门推荐了《有效期限》《善待你所在的单位》两篇文章，2016 年推荐了《忠诚大于能力》《好人品的八个标准》，2017 年又推荐了《工作意味着责任》《企业员工须有担当》。

2017 年，中央提出推进“两学一做”学习教育常态化、制度化。2017 年，要继续巩固 2016 年“两学一做”学习教育成果，将“两学一做”学习教育融入日常，抓在经常；坚持学做结合，做到党建工作和业务发展“两手抓”。资管投行条线员工是建设银行转型发展的主力军，既要讲忠诚，更要有责任担当，发挥表率和带头作用。

尤其是条线党员同志，要认真学习习近平总书记系列重要讲话，按照“四讲四有”标准，坚定理想信念，严守党的纪律，牢记党的宗旨。带领条线全体员工，一是要增强责任，“敢于担当”，敢于负责，敢于担责，要有主动承担责任的勇气；二是要提升能力，“善于担当”，要加强学习和分析研究，注重政策制度的掌握和业务的提升，积极推动专家库建设，不断提高履职尽责能力。

各分行要注重对资管投行条线员工的关心和培养，既要严格要求，也要主动关爱。一方面要加强培养，积极培训，严格管理，探索建立符合资管投行特色的职业发展通道，各行可以自行探索，给予一定差别报酬，但更重要的是创造一种环境，让员工热爱建行，做好工作，积极为员工成长和职业发展创造好的平台；另一方面要关爱员工身心健康，关心员工思想政治工作，解决员工实际生活困难，使资管投行条线员工始终保持良好的精神面貌和工作状态。

同志们，2017 年是实施“十三五”规划的重要之年，也是我行深入推进转型发展的关键之年，让我们“撸起袖子加油干”，以优异的成绩迎接党的十九大胜利召开！

总结经验 统一行动 夯实基础 务求实效 深入推进合规官试点与合规转型工作

——在合规官试点工作现场会上的讲话

余静波

（2017 年 5 月 4 日）

今天是五四青年节，我们建设银行的合规工作，也要像青年人一样，充满活力，积极进取。这次召开现场会，主要目的就是交流、总结合规官试点工作经验，查找问题，部署下一步工作，为深入推进试点工作打下更扎实的基础。试点工作启动以来，广东分行在很多方面走在了前列。所以，这次现场会我们选择了在广州召开。

上午，听了各试点分行的汇报，我感觉大家确实做了大量的工作。下面，结合各行对工作进展、存在问题和工作建议等方面的汇报，我谈三点意见。

一、合规官试点工作成效显著

根据各行汇报的情况以及会前内控合规部报告的调研情况，我认为，合规官试点工作的成效主要体现在八个方面。

（一）合规意识不断增强

通过合规官试点工作，员工的守规意识和合规主动性发生了明显变化，合规正在成为一种习惯，由“要我合规”向“我要合规”转变，提升了我行的软实力。内控合规部调研组给我举了两个典型例子，一个例子讲了“转变”，有个二级分行行长介绍转型最大的变化时说，转型之前，行长营销来的业务，下面员工百分之百要做，转型之后，不管是不是行长让做的业务，只要不合规的，员工就不会做。另一个例子是讲了“三心”，基层机构合规经理、合规主管承担了大量的合规操作任务，传导了合规意识和合规理念，为工作尽了心，让领导放了心，让员工安了心。上午，包括广东分行刘军行长、江苏分行张毅行长在内的各行负责人在汇报时，都讲到了本行合规官在尽职尽责方面的具体事例以及在分行范围内取得的良好效果，这说明各行的负责人与合规官都发挥了积极作用，带动了合规意识的不断增强。

（二）合规组织架构全面搭建

试点分行搭建起了以合规官为核心、纵横有序的合规管理组织架构。各级合规官、合规经理、合规主管基本到位。一级分行设立了合规部，二级分支行设立了单独或合署办公的合规部门，支行及网点指定了部门或岗位负责合规工作。同级部门设置了相应的合规团队、岗位或人员。

截至 2017 年 3 月底，一级分行层面，合规部门共配备工作人员 110 人，同级部门共配备合规岗位人员 519 人。二级分支行层面，有 94% 的试点机构，配备专职或兼职合规官，其中专职合规官 57 人，兼职合规官 90 人。支行层面，均配备了专职或兼职合规经理，其中专职合规经理 29 人，兼职合规经理 450 人。营业网点层面，均配备了合规主管，其中专职合规主管 23 人，由营运主管兼任的合规主管 4150 人，个别网点设置了 2 名合规主管。8 个试点分行的专兼职合规人员占比为 9.59%，其中，专职合规人员占比达 0.86%，这与国际先进银行 1% 的比例已较为接近。在营业网点，营运主管工作量的 75% 都是抓运营过程中的合规。试点工作以后，我们实行“双岗合一”，大多数合规主管都由营运主管兼任，就是要把合规工作落到实处。

（三）合规工作机制基本建立

试点分行结合总行要求以及分行实际，各有

侧重、积极推进合规工作机制建设。目前，各试点分行基本落实了合规工作机制建设的任务，其中合规审查、合规问题报告、合规官报告3项合规工作机制已在所有试点分行落地实施，其他工作机制正在陆续推动实施中。

一是在外部监管规则及变更管理方面，河南分行已开展了监管规则解读工作，针对票据、代理销售等合规风险较大的业务，解析其监管要点，就合规影响提出工作建议。广东分行制定了《监管规则及变更管理实施细则》，并按照制度要求开展了外部监管规则收集、分类与解读工作。2017年，中国银监会下发了一系列的治理银行业市场乱象的文件，对此，我们必须解读，然后再把实际的工作要求下发到基层，不能原封不动地下发就了事。监管规则解读工作十分重要。二是在合规风险识别和评估方面，广东分行建立了“三维式合规风险识别与评估机制”，实现从传统的“纠错式”“基础化”合规向“顾问式”“增值化”合规转变。三是在负面清单方面，内蒙古分行安排专兼职合规人员对全部19个业务条线进行负面清单的编制工作，形成了《合规工作负面清单》。四是在合规监测方面，广东分行制定了《合规风险监测预警管理规定》，以四种监测形式，从不同层面预警、揭示、提示合规风险，提出管理建议。五是在合规审查方面，各试点分行根据总行下发的合规性审查办法制定了实施细则，明确了审查职责分工、审查流程、送审路径等事项。六是在合规检查方面，广东分行制定了《统筹检查管理办法》和《检查专家库管理办法》，加强检查工作的统筹管理，减轻基层机构接受检查的压力和负担，提升检查发现问题的能力，增强问题整改实效。对于检查工作，我们要有效果，让真正有能力的人去执行检查。检查工作还要有针对性，合规管控相对到位的，可以少查，不到位的，要多查、细查。七是在问题管理方面，浙江分行制定了《浙江省分行配合内外部审计监管检查及问题整改工作实施细则》，落实合规问题管理工作。甘肃分行制定了《违规问题整改管理实施细则》，分类突出整改主体责任，建立管理层重点督导、业务部门系统整改、基层机构落实整改措施、合规部门监督评测的“四位一体”整改机制。在这里，我强调一下，对于问题管理，我们要建立问题地图，要引入数据分析，进行系统性的管理。浙江分行高强行长对检查情况有专门的记录分析本，哪个区域该检查什么，哪个区域有什么主要问题，高强行长都十分清楚。对此，我们要借鉴。2017年总行针对信贷、柜面、公章和集中采购四个领域组织开展的专项整治工作，就是通过数据分析总结出来的。八是在合规报告方面，各试点分行都在总行下发的《合规官日常报告制度》的基础上，结合工作需要，经补充后形成了各自的合规报告体系。九是在同级管理方面，各试点分行都探索开展同级管理工作，广东、甘肃及青岛分行制定了同级管理相关文件，江苏分行建立了合规计划会商、合规提示、合规官风险提示、合规约谈、合规限制5项合规监督履职工具，浙江分行制定了合规任务清单，黑龙江分行合规官对同级部门合规人员有权提出调换建议。特别是广东分行，建立了“五五四四二”的同级管理框架，同级管理做到5个到位（指导、整改、监控、考核、帮扶），协同抓好5项重点工作（制度梳理、统筹检查、合规性审查、授权管理、屡查屡犯问题整改），建立4项工作机制（合规会商、合规约谈、合规预警、合规考核），从4个维度探索合规介入（客户、产品、区域、渠道），借助2个管理平台（合规与风险管理委员会季度例会、“合规平安年”）。广东分行的合规同级管理还做到了与党建工作结合，适当地扩大了同级管理范围。

此外，深圳市分行充分调研外资银行合规管理情况，并结合分行实际，制定了《深圳市分行合规建设方略》，设计了八个主要合规流程，提出了合规管理的十项原则，积极推动分行合规体系建设。

（四）合规转型的“33321”机制运行已见成效

基层机构“33321”工作机制逐步建立，运行良好。2017年第一季度，“8+1”分行实施“三审”480718次，发现问题4078个，已整改问题4053个。提出“三建议”2282次。实施“三沟通”98952次。开展“两查”8489次。实施合规报告共12553次。

一是“三审”内容覆盖多个业务领域。试点分行“三审”职责已深入产品销售、大额资金对外支付、贷前调查、贷后管理、贷款资金管理、现金及重要物品管理、客户信息安全管理、员工行为排查等多个经营管理领域。

二是在把好“三关”的基础上，把住关键风险点。在把住客户准入、重大与可疑交易、大额资金支付三个“关口”的基础上，各试点分行结合地域特点增加了风险点，完善了“三审”清单。例如，河南分行从监管处罚点、案件高发点、不良诱发点、屡查屡犯点、舞弊滋生点等维度出发，梳理业务流程，筛选风险点，进一步完善“三审”清单。浙江分行结合当地信用风险较大的特点，筛选信贷业务领域的合规风险点。内蒙古分行将案件风险高发的“公章管理”领域补充到“三审”清单中。

三是“33321”在发现问题、识别案件线索等方面初步发挥作用。如河南南阳分行的合规经理在实施“三审”时，发现两笔业务收入入账时缺少关键要素，未落实“质价相符”原则，之后及时化解了风险隐患。浙江淳安支行、义乌分行的合规经理在客户审查过程中，严把身份核实环节，当场阻断客户业务的受理，预防和阻止了假冒他人办理业务的行为。内蒙古分行通过“三审”发现电信诈骗、冒名开户、金融诈骗等多起案件线索。

（五）合规管理的自动化水平有所提升

部分试点分行探索建设了合规管理信息系统，为全行系统建设积累了较好的经验。例如，河南分行已投入使用“一导航”“一平台”。“一导航”为合规管理导航系统，能实现外部监管规则收集及解读、内部制度收集、风险提示等功能，并包含制度执行要点控制手册、业务流程地图等模块，方便各级员工查询、使用。“一平台”是“三审”办公平台，支持合规人员在权限内起草“三审”意见书，生成“三审”台账、合规运行问题日报表与重大问题报告等，为各级机构统计、分析辖内合规管理情况提供支持。广东分行开发了合规检查（三审）系统，包含合规检查（三审）、授权管理、合规“三沟通”、合规“三建议”、合规报告等模块，提高了基层机构的工作效率。甘肃分行开发了表单管理系统，搭建了合规工作任务统筹管理、统一调度、实时跟进的平台，实现了合规管理模块化表单管理和各层级任务的系统控制。此外，深圳市分行开发了合规管理支持平台，江苏分行开发了规章制度库，为外部监管规则收集提供支持。

（六）合规人员的专业素养和履职能力显著增强

各试点分行不断加大合规培训力度。截至2017年3月底，共组织合规官、合规部门人员、业务部门合规人员进行了有关合规文化、合规性审查、合规统筹检查、合规信息报告、问题整改、合规考核、案件防控、反洗钱、内控评价、积分管理等方面的培训。截至2017年第一季度末，各试点分行开展合规培训321次、18386人次，有效提升了合规人员的履职能力。

（七）合规工作的监管沟通更加顺畅

试点分行设立合规官后，由其牵头负责与监管机构进行日常沟通联络，从而搭建了试点分行与监管机构之间的沟通桥梁，拉近了两者之间的距离。例如，江苏分行将合规官岗位作为“监管机构在建行管理的延伸”，建立了“1+1”监管沟通模式，强化各级机构合规官与监管部门的沟通、协调和配合，获得当地监管机构的高度评价。无锡、徐州、扬州、泰州等分行在当地银监部门组织的监管考评中逐步趋好。

上午，除江苏分行以外的其他各行，也在汇报时提到，合规官直接与所辖二级分行的监管机构沟通，效果会好一些，我们应提倡这一做法。

（八）合规体系建设咨询项目形成成果，并已上报行长办公会议审议

为了验证和保障合规官试点工作的科学性和前瞻性，总行聘请了毕马威国际咨询公司提供合规体系建设咨询，项目分为定标、对标、贯标、实施4个阶段。通过将汇丰、花旗等国际先进银行的一般标准，与我行合规官试点工作的成果进行对比分析，咨询公司认为我行合规组织架构、合规工作机制、“33321”基层机构合规工作机制等成果与国际领先实践思路一致、做法接近。在此基础上，咨询公司提出了集团合规体系建设的总体目标，设计了整体合规框架体系，并提出了实施方案，覆盖总行、境内外机构和子公司。根据实施方案，我们将通过三到四年的努力，在2020年建成“国内最佳、国际一流”的合规体系，最终实现全集团合规管理的架构完整、职责清晰、责任落实、政策统一、流程规范、保障有力、文化高效、执行到位。

实施方案待行长办公会审议通过后，各试点分行要对实施方案的不同事项先行试行，总结、提炼经验做法，最后形成全行可落地实施的措施。

回顾取得的成绩，离不开"8+1"试点分行党委的大力支持和组织实施，离不开各位合规官、合规部门负责人及合规人员兢兢业业的辛勤付出，离不开试点分行所有部门对这项工作的全力参与和支持，离不开网点转型为我们在基层机构推动"33321"合规转型"最后一公里"落地奠定的基础。在此，我代表总行党委向大家表示衷心的感谢！

当然，我们也应看到，试点过程中还存在一些问题，需要研究解决。

一是各试点分行的试点动作没有形成一致性，成效不够平衡。各行虽然做了大量的工作，但是在合规官履职方式、"33321"工作清单及操作流程、合规工作机制的流程及标准方面，还各有侧重、各有特点、成效不一。试点缺少动作一致性，合规工作没有统一的标准，合规水平参差不齐，无法准确把握经验复制的对象与复制的程度，不利于经验推广。

二是合规管理的主体责任与监督责任不够清晰。各机构负责人承担合规管理的主体责任，合规官、合规经理、合规主管负责嵌入流程中的审查、监控责任，以及包括评价、考核在内的监督责任，主体责任与监督责任要分清楚。有一些试点分行，只要是合规工作，就盯住合规官不放，不去做责任性质的划分，不利于合规官的履职。

三是合规队伍建设还需加强，合规人员履职能力亟须提升。试点分行各级合规部门和业务部门合规岗位上的专业人员数量不足，需要加强配备。营业网点层面，我们通过内部监督资源的整合，采取了营运主管与合规主管"双岗合一"措施，使得合规主管人员到位情况取得重大进展。但是，很多合规主管的业务能力、工作侧重点还是没有及时调整过来，责任心也没有跟上，专业化与责任心还需要加强。

四是合规工作IT系统支持不够。目前，试点分行大部分合规工作还通过手工操作方式开展，这会影响工作效率及工作质量的提升。虽然广东、河南等多家分行开发了系统，一定程度上缓解了效率低下的问题，但系统功能还缺乏对合规管理全流程的支持，也未与现有系统进行有效整合。

二、合规管理面临的形势日趋严峻

2017年4月，我在"合规建行，知行合一"活动动员会上对监管形势做了分析。不到一个月的时间，外部形势又有了新的变化，再加上内外部对试点工作的普遍关注，进一步凸显了试点工作的重要性和紧迫感。

（一）从外部形势来看，监管不断趋于严厉

金融安全关乎国家安全，金融治理势在必行。2017年4月25日，中共中央政治局就维护国家金融安全进行第四十次集体学习，习近平总书记在主持学习时强调，金融安全是国家安全的重要组成部分，是经济平稳健康发展的重要基础，维护金融安全是关系到我国经济社会发展全局的具有战略性、根本性的大事。习近平总书记就维护金融安全提出6项任务，其中之一就是加强金融监管。近期，针对金融乱象，中国人民银行、中国银监会、中国证监会、中国保监会频频出手，维护金融稳定，惩治金融领域的违法违规行为。仅就中国银监会来看，金融治理措施就极其密集，主要体现在：一是发布多个监管文件，加强银行业市场乱象的集中整治，要求银行回归本源，提高服务实体经济实效；二是案件处罚数量增多、处罚金额上升，2017年第一季度的处罚金额已超过2016年全年处罚金额的70%；三是处理了大量金融从业人员，强化个人问责。另外，现场检查也会很快启动，审计署、外汇局等监管机构都会参与其中。

此外，境外监管机构也加大了监管力度，对违规行为的处罚也越来越重。众所周知，近些年，多个境外金融机构因操纵利率、误导或不当销售、非法避税或协助避税、泄露客户信息、恶意欺诈、不当资金转移等违规行为被处以高额乃至巨额罚款。建设银行的境外机构情况也很不乐观。2017年4月底，卢森堡分行、约翰内斯堡分行分别接到当地监管机构通知，两分行因2015年监管检查发现的问题，面临着较高的处罚风险。

面对这样的形势，我们要持续加强内部审计、业务检查、合规检查等工作，各行不要对这些工作有抵触情绪，这些工作是在帮助各行及早发现问题。上午，有些分行介绍了合规工作中的奖惩措施，我认为全行都应该推行。

（二）从行内形势来看，合规面临巨大挑战

目前，随着利率市场化持续推进、互联网金融快速发展，无论是传统业务，还是新兴业务都面临着压力和挑战。一是传统业务暴露出大量合规问题。由于国际国内经济还处于复苏进程中，我行面临着存贷款增速回落、不良贷款持续反弹等多重压力，原来被业绩掩盖的合规问题，逐渐“水落石出”。审计报告和监管提示也揭示了印章管理、信贷业务、柜面业务等方面的合规问题。二是新兴业务面临着巨大的合规挑战。互联网金融对传统金融业是一种机遇，可以实现优势互补，同时也带来了挑战。如何在新兴业务领域实现合规介入业务流程、加强事前、事中控制，管控合规风险，我们没有现成的经验可以借鉴。另外，随着智慧柜员机的部署，网点的经营模式发生了很大的变化，很多业务由人工操作向机器取代转变，合规要求的落地不可避免地面临巨大挑战。我们必须尽快适应新形势、加快合规转型发展，使合规管理能力与业务发展相匹配，进一步提高经营管理的合规性，有效防范合规风险以及合规风险与市场风险、信用风险、操作风险的叠加，避免发生系统性金融风险。

（三）从试点工作来看，试点分行要勇于担当

一方面，“33321”机制还存在一些问题，各试点分行还需要把工作做得再扎实一点，工作成效要再突出一些。对于即将到来的外部监管检查，各试点分行要力争做到外部检查发现的问题最少，受到的外部处罚最少或额度最小，至少在屡查屡犯的问题上要做到问题少、处罚小。

另一方面，各试点分行要认清自己的责任。设立合规官制度是总行党委、王洪章董事长针对外部监管日趋严峻、我行合规管理能力与业务发展不匹配等内外部形势作出的决策，在四大行中属于首创。总行党委、王洪章董事长非常重视试点工作，在多个重要场合提出要加快合规官试点和合规转型的要求。目前，试点工作已经受到行内外的重点关注和普遍关心。各试点分行正处于“聚光灯”“放大镜”下，试点工作的质量和效果，无论好与坏，都会被聚焦与放大。各试点分行要有一种时不我待的紧迫感，深入推进试点工作，做好合规管理，责无旁贷地在合规体系、标准、流程等方面取得成效，为全行的合规转型提供“管用”和“可复制”的成熟经验。

三、下一阶段的工作安排与要求

不忘初心，方得始终。我们要继续深入推进合规官试点与合规转型工作。下一步的主要任务，就是要做好各试点分行的协同，在全行统一的合规框架下，总行与试点分行进一步统一标准、统一流程、统一行动，步调一致地解决存在的现实问题，完成各项工作任务，最终实现试点分行的齐头并进、走在前列，以及非试点分行的及时跟进。

针对下一个阶段的工作，我提几点要求。

（一）高度重视，确保成效

各试点分行党委，特别是“一把手”，要高度重视试点工作，充分发挥主观能动性，认真做好组织落实。试点经验告诉我们，“一把手”越重视，工作开展就越顺利，效果越显著。

根据上午各行的汇报情况，我认为各行的“一把手”的确很重视试点工作。广东分行提出“不合规的业务发展没有意义”，内蒙古分行提出“合规是核心性的第一要务”，江苏分行提出“合规管理是基石”，浙江分行行长带头进行合规宣誓，深圳分行行长提出“合规全面嵌入流程”。当然，也还存在一些不足。我认为，在支持合规官对工作抓实、抓细这方面，各行还有很大进步空间。脱离业务操作，合规管理是空洞的，要让合规官了解经营管理的方方面面与细节，要给合规官开展工作的具体着力点或者切入点。河南分行组织专业力量，为基层机构合规经理制作详细的“三审”执行手册，就是支持合规官抓实抓细的范例。

各试点分行的试点工作要讲究质量与效率。讲究质量，就是我们的工作措施要能够解决试点工作中出现的实际问题。讲究效率，就是我们要有紧迫感。到2017年底前，合规官试点工作及合规转型工作要取得预期效果，我们的合规体系建设要有一个质的变化，必须跟上全行转型发展的步伐。

（二）统一部署，整体推进

合规官试点工作，不仅仅是试点分行的事，也是全行的大事。接下来，总行要统一部署、分类指导、做好支持，总行与分行要上下联动、协调运转，整体推进合规官试点的各项工作。

一是分类指导，促进步调一致。实施总行对试点分行的分类指导，根据各试点分行工作进展情况，督促各行合规工作制度化建设进度，实现各行齐头并进，共同达标。我在前面谈及试点工作的问题时提到了，各试点分行各有侧重，各有特点，对此，要变“侧重”“特长”为“牵头”，在总行的组织和指导下，让有特长的试点分行牵头，其他分行配合，形成一个通用性的框架体系或者机制、流程等，尽快实现共同达标。二是提供培训，促进能力提升。总行要进一步强化合规官培训，编制合规官培训教材，采用滚动培训方式，保证合规官参加培训的频次，持续不断地提升合规官的职业素养和履职能力。合规培训还要分级分类管理，对全体员工、合规人员、新员工的培训内容、培训方式，要体现针对性。三是加大宣传，促进成果共享。试点分行的成果要及时宣传，让其他试点分行与非试点分行了解。非试点分行，也不能无动于衷，可以率先“复制”试点分行的经验，也可以根据总行的相关要求，自己探索合规转型的做法。从这个角度而言，对于非试点分行的有益做法，我们也必须宣传。

（三）全面深化，加快“33321”机制有效应用

通过固化“33321”机制并在各级机构推广应用，充分发挥“33321”在发现问题、解决问题方面的作用。

一是推动“33321”机制建设向上延伸。在基层机构实行“33321”机制的基础上，建立二级分支行、一级分行直到总行的“33321”机制，形成一体化、整体运转的合规管理体系。

二是实现“33321”机制要求的合规介入流程。试点分行的部分业务已经实现了合规介入流程，比如浙江分行的信贷业务。下个阶段，各试点分行要在现有的工作基础上，结合业务梳理与各项合规要求，逐步落实全面的合规介入，不留死角。

三是形成关键风险点清单。对关键风险点的事前与事中的识别与处置、事后的检查等工作，全行要形成以“规定动作”为主，“自选动作”为辅的做法，用清单的形式把全行通用的风险点及其处理措施明确下来，各行可以再结合自己的实际进行补充。

四是做到“33321”机制的精细化管理。“三审”“三建议”“三沟通”“两查”“一报告”都是合规数据的来源，“33321”机制要实现全面管控与重点突出，引入数据分析手段，通过对合规数据的分析，增强工作的预见性与针对性。

（四）上下合力，狠抓同级管理

只有将监管规则的要求落实在具体的经营管理中，才是不折不扣的合规经营。各试点分行虽然都执行了同级管理，但还需要进行大量的完善工作。

一是做到上下级机构的合力与协调。总行、一级分行、二级分支行、县级支行、网点都要有同级管理。不同层级机构的同级管理，既要相互填补空白，也要对关键风险点进行适当的强调。

二是同级管理覆盖合规管理全流程。同级管理要在政策解读、制度管理、合规介入、检查评价、问题整改、风险监测与报告等各项合规工作中得到落实，强化事前、事中、事后合规管控。

（五）打好基础，加快合规工作平台建设

合规工作平台建设，是很多试点分行的成果之一。建设合规工作平台，可以展示合规工作依据、列明合规工作任务、启动工作流程、保留工作痕迹，是高效开展合规工作的基础。

一是制度机制平台。制度机制平台不但要包括我行所有的制度、合规工作机制与合规工作标准，还要包括我们开展合规工作的好的做法与措施。总行内控合规部要推动制度机制平台的建立，先在试点分行应用，逐步推向其他分行，最后全行推广。

二是合规政策知识库平台。政策知识库平台不仅要包括监管政策和监管规则，还要有我们对政策、规则的解读，以便于员工掌握。政策知识库平台也可以包含我们的合规文化理念、工作方法总结等内容。

三是合规管理系统平台。总行要牵头建立一个系统性的框架，支持具有专项功能的具体合规系统的装载与融入。整个合规管理系统，要对制度管理、合规介入、问题整改、风险监测等合规管理流程提供技术辅助手段。

四是合规人才库平台。合规人员的履职能力与专业素养，必须不断适应合规工作发展的需要。培养合规人才是根本大计。我们应该借助于建立人才库，给合规人才应有的利益与荣誉，推动全行形成合规人才的培养机制，激发员工自我学习的动力。这里的合规人才，不仅是指合规官、合规经理、合规主管以及合规部门的人员，也包括各个业务条线从事合规岗位的人员。

（六）注重分享，培训合规文化，推进合规“知行合一”活动

合规工作事关所有员工，无论哪个岗位，都有合规履职的职责要求，以培养合规意识为宗旨的合规文化活动，对合规转型发挥着基础性的作用。各试点分行要把试点工作与培育合规文化、合规“知行合一”活动结合起来。同时，大家也要看到文化活动对展示试点工作成效的载体和窗口作用。

同志们，我们的任务光荣而艰巨，我们必须打起精神加油干，为试点工作打更扎实的基础，推动试点工作上更大的台阶，力争向总行党委交上一份满意的答卷，不辜负总行党委的期望。

谢谢大家。

在全行安全生产大检查动员部署视频会议上的讲话

余静波

（2017年8月8日）

同志们：

为深入贯彻落实习近平总书记、李克强总理关于做好安全生产工作的重要指示批示、全国安全生产电视电话会议和全行夏季工作会议精神，进一步加强全行安全生产工作，严密防范、坚决杜绝案件事故发生，为党的十九大胜利召开创造安全稳定的运营环境，总行决定自今日起至10月底，在全行集中开展安全生产大检查。今天总行召开全行视频会议，就开展安全生产大检查工作进行动员部署，下面我讲三个方面的意见。

一、从讲政治的高度，充分认识开展安全生产大检查的重要意义

（一）提高政治站位，高度重视开展安全生产大检查工作

党的十九大是我们党在全面建成小康社会决胜阶段、中国特色社会主义发展关键时期召开的一次十分重要的大会，是党和国家政治生活中的大事，意义重大、影响深远。为党的十九大胜利召开营造安全稳定的运营环境，是全行各级机构必须肩负起的重大政治责任和首要任务。我们要站在维护金融安全稳定的高度充分认识抓好安全生产的重大意义。全国金融工作会议将维护金融安全提到国家战略高度，强调维护金融安全是治国理政的一件大事，充分体现了中央对维护金融安全、防范金融风险的高度重视和坚定意志。

党中央、国务院历来重视安全生产工作，习近平总书记指出“人命关天，发展绝不能以牺牲人的生命为代价。这必须作为一条不可逾越的红线。”他强调“抓紧建立健全‘党政同责、一岗双责、齐抓共管’的安全生产责任体系，切实做到管行业必须管安全、管业务必须管安全、管生

产经营必须管安全”。“安全生产是民生大事，一丝一毫不能放松，要以对人民极端负责的精神抓好安全生产工作，站在人民群众的角度想问题，把重大风险隐患当成事故来对待，守土有责，敢于担当，完善体制，严格监管，让人民群众安心放心。”李克强总理指出“安全生产是人命关天的大事，是不能踩的‘红线’。”他强调“生命高于一切，安全重于泰山。必须坚持不懈抓好安全生产和公共安全，完善和落实安全生产责任、管理制度和考核机制，实行党政同责、一岗双责、失职追责，严格监管执法，坚决遏制重特大安全事故发生，切实保障人民生命财产安全”。他在2017年政府工作报告中再次强调“人命关天，安全至上。必须持之以恒抓好安全生产。严格安全生产责任制，全面落实企业主体责任、地方属地管理责任、部门监管责任，坚决遏制重特大事故发生，切实保障人民群众生命财产安全。”习近平总书记、李克强总理关于安全生产工作的重要论述，充分体现了党中央、国务院对安全生产工作的高度重视，体现了以人民为中心的发展思想，为我们做好安全生产工作提供了总遵循。

全行夏季工作会议强调，学习贯彻全国金融工作会议精神是当前和今后一个时期的重要政治任务。党的十九大即将召开，做好安全稳定工作是当前的重中之重。各单位“一把手”要增强敏感性，要对安全稳定工作负总责，亲自部署、亲自协调。要压实责任，谁出问题谁负责，哪个单位出问题“一把手”要负责。全行上下要全力以赴，以过细的工作确保安全稳定。各级机构一定要把思想和行动统一到党中央、国务院的决策部署上来，深入贯彻落实全国金融工作会议、全国安全生产电视电话会议以及全行夏季工作会议精神，时刻把安全工作作为政治生命线来对待，始终把保护员工、客户生命安全放到首位，以对建设银行、对全体员工极端负责的精神，严格按照“全覆盖、零容忍、严治理、重实效”的总要求，进一步强化政治意识、大局意识、责任意识、担当意识，高度重视、精心组织、务实重效，切实维护好全行安全稳定运营的良好局面，向党的十九大胜利召开献礼。

（二）深刻认识当前全国安全生产的严峻形势

2017年以来，全国安全生产形势总体稳定，但重大事故时有发生。一是重大事故频繁发生。据国家安全监督管理总局发布数据显示，2017年上半年，全国共发生各类生产安全事故2.24万起、死亡1.62万人。其中发生各类较大事故312起，死亡1188人；发生重特大事故15起，防范重大事故任务依然繁重。二是高层建筑消防安全形势不容乐观。6月14日，英国伦敦一高层公寓发生大火，造成的损失和危害令人震惊，教训极为深刻。近十年我国共发生高层建筑火灾3.1万起，死亡474人，直接财产损失15.6亿元。三是防汛防灾形势严峻。入汛以来，我国局部地区受灾严重，浙江钱塘江流域发生1955年以来最大洪水，四川大渡河等5条河流发生超历史洪水，湖南、重庆、贵州、湖北、广东、广西、江西7个省份灾害损失严重。6月24日，四川茂县富贵山山体突发高位垮塌，堵塞河道约2公里，有62户、120余人被掩埋。近期“纳沙”“海棠”“奥鹿”等台风组团而来，台闽浙粤等地抗台救灾形势严峻。

（三）清醒认识全行安全运营面临的形势和任务

一是业务安全运营任务重。我行现有物理网点1.5万个、自助银行2.8万个、自助柜员机9.8万台、金库600多座，安全管理任务繁重艰巨。2017年7月7日，全国高层建筑消防综合治理电视电话会议在京召开。据统计，全行自有产权高层建筑有756幢，其中20年以上的有517幢，百米以上的有55幢，有53幢未取得消防认可意见书。消防控制管理薄弱、强弱电混乱、线路老化等问题比较突出。2017年，有的分行家属楼发生了2起火灾，所幸未造成人员伤亡。二是案件风险呈现上升趋势。祖继行长在夏季工作会议上通报了我行案件防控形势，2016年全行共发生24起案件，达到5年来的峰值，涉案金额较大。2017年上半年又发生了10起案件，涉案金额屡破纪录，情节十分恶劣。三是外部侵害事件时有发生。2016年我行成功处置了5起抢劫网点事件，抢劫对员工客户生命安全造成了直接威胁。广东梅州还发生了一起犯罪分子驾驶大型挖掘机盗窃自助设备钞箱的恶性案件，前所未有、闻所未闻。四是新型网络金融犯罪呈现爆发态势。全球范围内网络金融犯罪日益猖獗，犯罪手段更加多样化、技术化、隐蔽化、跨境化，电信诈骗、金融欺诈、盗取客户信息案件频发多发。前不久，我行受邀参加了国际刑警组织在法国里昂召开的“打击网络与金融犯罪高级别对话”，这次会议凸显了打击网络金融犯罪的重要性和紧迫性。五是基层安全管理基础亟待加强。近几年总行组织对有关分行、直属中心、子公司等进行了2轮安全检查，发现了8234条隐患问题。其中Ⅱ级风险1810条、Ⅲ级风险3264条、Ⅳ级风险3160条，物防问题639条、技防问题2923条、消防问题1950条、日常管理问题2722条，有些问题带有普遍性，有的问题比较突出。隐患问题主要集中在基层机构，占到了80%以上，一些基层单位存在的意识差、力量弱、投入少、管理乱、责任空等问题令人担忧。全行上下要充分认清当前面临的安全形势和突出问题，切实增强“四个意识”，以高度负责的态度和自觉行动，把安全生产大检查工作摆上日程，抓实抓好、抓出成效。

二、打好“组合拳”，统筹推进全行安全生产大检查重点工作

（一）要做到“三个全覆盖”

一是要覆盖所有机构，包括各级行、总行各部门、生产基地、直属机构、子公司和海外机构。二是要覆盖安全运营所有领域，包括业务安全、营运安全、信息安全、网络金融安全、项目安全、案件风险防控等领域。三是要覆盖所有办公营业场所和非办公营业场所，包括各营业网点、金库、办公楼、计算机房、自助服务区等重点部位以及员工宿舍楼、家属楼等非办公营业场所。

（二）要突出十个重点领域

一是运营安全方面。要对信贷票据、网点柜面、账户管理、电子银行、银行卡、现金及配送等业务领域，以及员工参与民间融资、违规办理业务等问题开展风险排查，严密防控案件风险。二是生产系统安全方面。要重点加强“两地三中心”的安全检查，对信息系统特别是核心生产系统，以及机房供配电系统、空调系统、UPS及柴油发电机等设施进行检查，确保系统安全运营。三是重点部位安全方面。要对金库出入、作业、守护环节，“五同”、查库、密码钥匙管理制度，以及自助设备清机加钞、加钞间出入管理等开展检查，严防内外部人员作案。四是高层建筑消防安全方面。要对办公营业场所和非办公营业场所的消防安全进行检查，重点检查高层建筑消防安全管理情况。五是网络金融安全方面。要对手机银行、网上银行和国际互联网站安全进行检查。重点检查签约内容一致性、流程合规性、信息完整性；查处虚假签约、代客签约问题；排查风险事件及客户投诉，防范舆情风险。六是易燃易爆危险品安全方面。重点检查易燃易爆品安全管理责任制落实情况；发电机、油气罐、燃油（气）管道安全运行情况；防爆炸、防火灾等突发事件的应急处置预案及演练等情况。七是基建项目安全方面。要对基建项目安全管理、施工管控、设备运营、工程监理等方面进行检查。八是电梯等特种设备安全方面。要对办公营业场所电梯等特种设备的使用管理进行检查。重点检查安全管理责任制、管理措施落实情况。九是交通安全方面。要对公务车辆的使用管理情况进行检查。重点检查公务用车安全管理情况，驾驶人员遵章守规和安全教育情况。十是押品安全方面。要对危险化学品押品的受理、审查、监控等各个环节进行检查。重点检查危险化学品、易燃易爆等押品情况，押品的贷后管理等情况。

（三）要抓好“两个治理”结合

一是中国银监会部署的“金融市场乱象、三违反、三套利、四不当”自查自纠工作，二是总行开展的“信贷、柜面、公章、采购”四个领域专项整治工作。目前，两个方面的治理工作取得了一定成果，但是也要清醒地看到，开展整治期间仍然发生了重大案件，影响十分恶劣。全行各级机构一定要克服麻痹思想、侥幸心理和厌战情绪，进一步增强开展安全大检查和专项整治工作的责任感和紧迫感，严格按照“问题导向、清单管理、结果倒逼”的工作思路，把任务层层分解到位，找准主要问题、抓住关键环节，以重点突破之功，收推动全局之效。

（四）要切实做到“四个到位”

当前全行转型发展和各项业务工作任务繁重，各级机构要统筹兼顾，打好“组合拳”，在抓好经营管理和业务发展的同时，确保大检查工作落实到位。一是组织领导到位。总行综治领导小组成员部门要加强分工合作，各条线之间要加强信

息沟通和联合检查，形成齐抓共管的工作格局。各级机构要成立由主要负责人任组长的领导小组，加强组织领导，认真制订切实可行的实施方案。二是宣传发动到位。各单位要采取多种形式，对安全生产大检查进行广泛宣传发动，营造浓厚的舆论氛围，组织动员广大员工积极投身到安全生产大检查工作中。三是整改工作到位。要坚持对隐患问题零容忍的理念，坚持立查立改、标本兼治。解决好重部署轻落实、重治标轻治本、重业务轻管理等突出问题。四是严肃问责到位。要敢于动真碰硬，对责任不落实、组织不得力、检查不严格、整改不到位导致发生重大责任事故和案件的，要严肃问责不作为干部，追究领导班子和有关领导责任。

三、以开展大检查为契机，全面改进和加强全行安全生产工作

（一）进一步强化责任担当，严格落实安全生产主体责任

抓好安全生产面临最核心、最关键的问题，最棘手、最致命的顽疾是主体责任落实不到位。主体责任缺失必然导致红线意识不强、队伍建设滞后、内生动力不足、管理投入不到位、案件事故频发，各级领导对此必须保持清醒认识。一要落实各级机构主体责任。各级机构既是生产经营主体，也是安全生产责任主体，要强化安全生产第一意识，始终把安全生产顶在头上、记在心里，在推进业务发展和改革转型中既要防“黑天鹅”，也要防“灰犀牛”。二要落实“一把手”第一责任。各单位“一把手”要当好“关键先生”，以上率下，做到“一岗双责”“一肩双挑”，统筹抓好安全生产和经营管理，层层落实责任、层层传导压力，不当“甩手掌柜”。三要落实条线安全管理责任。按照“条块结合、以块为主”和“谁主管、谁负责”的原则，加强条线安全生产管理，条线管理者必须有责任、敢担当，主动找问题、补短板，推进业务集中上收和安全管理下沉，切实抓好条线合规操作、风险控制和安全生产。四要落实安保部门监督管理责任。安全监管工作既要寓管理于服务，也要用得罪人的方式保护人，以默默无闻的工作业绩防止惊天动地的事故发生。各级安全保卫部门要切实履行安全生产监督管理责任，加强安全检查，做到严查严督，当好全行安全生产的压舱石。五要落实全员安全管理责任。安全生产这条千里大堤环环相扣，必须做到全面、全员、全覆盖、全过程、全方位安全管理，每个层面、每个角落、每个岗位都要有人负责，才不至于层层衰减、形成梗阻，才能打通“最后一公里”。要注重培育全员安全意识，加强全员安全培训、落实全员安全责任，筑牢全行转型发展的安全基础。

（二）进一步深化平安建行创建工作，夯实安全管理基础

全行已经连续四年开展了安全生产大检查活动，与此同时建设银行也连续四年在公安部、中国银监会组织的安全评估中名列“四大行第一”。实践证明，开展安全生产大检查对持续推进安全生产管理水平的提高起到了非常重要的作用。我们要将已经取得的成功经验固化为长效机制，将安全生产大检查工作纳入“平安建行”创建工作总体布局，把集中安全大检查与日常平安创建工作紧密结合起来，进一步夯实基层基础建设，围绕“抓基层、强基础、防案件、保平安”目标，积极营造“平安建行，人人有责”的工作局面和文化氛围，做到安全检查侧重基层，技防建设覆盖基层，安全培训倾斜基层，安全管理聚焦基层。要努力破解基层安全管理力量弱化与风险高发的难题，综合运用安保考核、积分管理、内控评级、KPI考核等手段，建立重大案件事故一票否决制，确保基层安全管理认识到位、责任到位、机制到位、措施到位、保障到位。

（三）进一步加强案件防控工作，切实防范金融风险

要下决心遏制案件风险高发势头，主动防范化解金融风险。当前外部风险积聚、内部案件多发，一方面透射出案件执纪问责力度的不断增强，另一方面也反映出内控合规和基础管理亟待加强。全行各级机构要以开展安全生产大检查工作为契机，认真排查和消除案件风险隐患，努力促进和推动案件防控和内控合规工作。一要加强金融欺诈案件防控工作。加强对假理财、假委贷、假合同、假票据等欺诈风险的防控工作，严格人员、场所、印章、合同等方面管理，加强对员工行为排查和案例警示教育，强化执纪问责，切实提高

内控管理水平。二要加强网络金融犯罪案件防控工作。要加强社会工程学、远程控制工具、安全防护工具、第三方支付工具等安全领域反欺诈研究，积极防范和打击网络钓鱼、木马蠕虫病毒、社交陷阱、伪基站、黑客攻击等，确保计算机系统安全。要坚决打击买卖客户信息行为，发现一个开除一个，绝不姑息。三要积极防范和化解案件和声誉风险。要按照“领导亲赴现场、做好危机沟通、快速准确上报、有效应急处置”等要求，妥善处置各类突发事件。要坚持“内外有别，归口管理”原则，确保第一时间向上级报告重大信息，避免贻误处置时机。要高度重视声誉风险管理，防止媒体舆论负面报道和不良炒作，维护我行良好的声誉形象。

同志们，做好全行安全生产工作，任务艰巨、责任重大。我们一定要坚决贯彻党中央、国务院的决策部署，自觉把安全生产工作摆上重要位置，以强烈的政治自觉和责任自觉履职尽责，要以抓铁有痕、踏石留印的作风，以钉钉子精神，抓好安全生产每一项工作，确保全行安全稳定运营，以优异的成绩迎接党的十九大胜利召开。

专业专注　创新创收
全面推进投行业务再上新台阶

——在全面推进投行业务暨财务顾问业务专题会议上的讲话

余静波

（2017 年 9 月 7 日）

同志们：

大家上午好！今天我们在郑州召开全面推进投行业务暨财务顾问业务专题会议。这次会议的主要任务是认真贯彻全国金融工作会议和全行夏季工作会议精神，总结上半年资管投行条线工作会部署的任务和取得的成绩，统一思想认识，明确发展方向，以客户为中心，以创新促发展，以问题为导向，强管理提质量，全面推进投行业务再上新台阶。下面我谈三方面意见。

一、上半年投行业务势头良好，圆满完成目标

全行投行业务在大家共同努力下，克服市场波动影响及诸多挑战，2017 年上半年各业务板块发展势头良好，投行条线实现收入 32.02 亿元，财务顾问、债券承销均超额完成序时进度，计划完成率为 52.3%。收入四大行占比为 17%，四大行排名保持第二。

（一）财务顾问增势明显

2017 年上半年财务顾问收入 22.08 亿元，计划完成率为 50.5%，同比增长 1.4%，四大行中唯一实现正增长，四大行占比 13.2%，较 2016 年提升 1.7 个百分点，四大行排名第三，较 2016 年提高一位，不仅扭转了五年来的下滑态势，而且四大行占比和四大行排名均有提升。与工行相比，差距逐步缩小，由 2016 年同期差距的 97 亿元缩小到 88 亿元。财务顾问非常之重要，但成绩提升也非常之艰难。

（二）债券业务表现优异

我行继续保持承销业务市场领先，协助客户发行首笔跨境贷款担保债券、创新承销银行间市场首笔扶贫债券、中标全国首笔非金融企业自贸区债务融资工具的主承销商、抢得首批“债券通”债券承销业务、创新发布“建行—万得银行间债券发行指数及曲线”，进一步巩固了债券业务优势，提升了我行在境内外债务资本市场的影响力。6 月末非金承销规模 2042 亿元、承销期数

225期，实现非金债券承销规模、期数、收入以及全口径债券承销规模、期数“五个市场第一”。在全行上下的共同努力下，债券承销优势得到进一步发挥，承销期数比工行多113期，非常不易。

（三）品牌影响持续扩大

2017年上半年17家分行举办20余场全面金融解决方案（飞驰，FITS®）专场推介会，新增签约客户619家，签约客户数累计达1173家，品牌知名度明显提升。全行新拓展投行客户2000余家，实现投行客户群近5000家，进一步夯实投行客户基础。

（四）并购重组量价齐升

打造并购重组业务“一体、二翼、三维度”体系，也就是利用“一个产品”（“飞驰·合翼”）、“两个中心”（并购资本上海中心、并购金融广东中心）、“三个维度”（买方维度、卖方维度、投资方维度），为客户提供覆盖交易前、中、后期的“一站式”金融服务。2017年上半年新增规模523亿元，实现收入1.86亿元，较2016年同期增长287%，同时也积累了一批包括国企、民企及上市公司的优质客户资源。

（五）证券化业务衔枚疾进

作为“去杠杆”的重要举措，2017年上半年投行条线将资产证券化业务作为重点创新业务大力推动，通过承销或财务顾问方式牵头主导，为客户开展证券化业务近150亿元，成功开展了母子联动、CMBS（商业房地产抵押贷款支持证券）和私募场外证券化项目等，项目规模和业务创新能力均处于同业领先地位。

（六）基金业务稳中求新

2017年上半年，新增基金业务31笔，融资规模2862亿元，同比增长151%，实现财务顾问收入8570万元。在此基础上，我们响应国家“双创”号召，把握战略性新兴产业和新兴业态的业务发展机遇，实现基金业务创新、创收迈上新台阶。

（七）综合化降杠杆初具规模

截至6月末，我行债转股累计签约5442亿元，项目落地投入资金454亿元，降低企业负债率5～15个百分点，大幅节约企业财务费用。投行条线充分发挥专业优势，率先推出综合化降杠杆一揽子金融服务方案，通过股权融资、债务置换、资产证券化、并购重组、基金等综合手段为企业降杠杆签约金额达540亿元（不含债转股），预计落地后将为企业降低资产负债率6个百分点。

2017年上半年，全行投行条线认真贯彻转型发展战略，抢抓机遇，勇于挑战，攻坚克难，“两大”拓展活动取得阶段性成果，顺利完成了各项任务目标。这些成绩的取得，是总行党委正确领导、相关部门大力支持和投行条线上下拼搏的结果。在这里，我代表总行党委，向各分行及在座的各位分管行长、向投行条线全体员工表示诚挚的问候和衷心的感谢！

二、当前面临的形势及问题

全国金融工作会议强调，金融工作要坚持稳中求进的总基调，坚决围绕服务实体经济、防控金融风险、深化金融改革三大任务。各分行要全面客观地分析当前面临的经营环境和形势，对标服务实体经济要求、对标先进同业，查找短板和不足，制定有针对性的经营策略，努力提高投行服务实体经济的效率和水平。

（一）抢抓机遇

1. 国家重大战略实施为投行业务创造巨大发展空间。伴随金融改革的深化，中国社会融资结构由间接融资向直接融资转型，多层次资本市场在稳步建设之中。国企改革、供给侧结构性改革、“一带一路”“京津冀”协同发展、“长江经济带”、新型城镇化、雄安新区建设等一系列国家重大发展战略正在推进实施，催生出大量新型投融资和财务顾问需求。债券承销、股权投融资、并购、基金、证券化、财务顾问等投行业务面临着巨大的发展空间，加快投行业务发展正当其时。2017年8月，我到雄安新区调研，客户需求正是投贷联动一体化的综合化方案，尤其是并购、股权投融资等投行产品及方案，我们要发挥综合化优势，服务好客户。

2. 跨境债务资本市场呈现爆发式增长。在监管趋严和市场因素作用下，中资机构境外发债需求激增。彭博数据显示，截至2017年8月31日，中资企业累计境外发债203笔，总募集金额1383亿美元，超过2016年全年，同比增长83%。总体来说，近两年跨境资本市场容量爆发式增长，预计未来将呈现更为活跃和多样化的新态势。

3. 资产证券化市场继续放量增长。资产证券化市场延续了2016年快速扩容和创新迭出的发展态势。上半年共发行产品254单，发行金额4987亿元，同比增长72%。随着市场扩容和政策逐步完善，证券化基础资产范围进一步扩大，消费金融、房地产信托基金、PPP资产证券化等将成为市场的热点，预计交易商协会推出的资产支持票据（ABN）将得到快速发展。尤其是房地产信托基金（REITs），近期中央指定12个城市作为长租房试点，其他一些大城市也在推行长租房，这将促使证券化业务爆发式增长。

4. 并购市场需求依然旺盛。根据投中研究院发布的信息，2017年上半年国内并购市场整体虽有下滑，但合计完成交易1503笔，交易金额近1万亿元。从政策层面来看，中国证监会鼓励盘活存量，对国企混改等项目给予支持，简化审批程序。随着国家重大发展战略逐步落地，行业资源整合的内在需求愈加迫切，中国联通就是一个典型案例，标志着央企和各省国企并购需求都将进一步迸发。

5. 综合化降杠杆稳妥推进。2017年8月23日，李克强总理召开国务院常务会议，部署推进央企深化改革降低杠杆工作，促进企业提质增效。2017年前7个月，央企利润总额由2016年同比负增长转为同比增长16.4%，资产负债率比年初也下降了0.2个百分点。我们要抓住央企效益转降回升的时机，用好多种投行手段，为企业实现降杠杆目标提供综合化、一揽子金融服务。

6. 财务顾问业务纳入分行KPI考核。财务顾问业务是全行战略转型发展的重点业务，2017年3月9日，祖继行长亲自主持召开财务顾问业务专题会议，要求全行加大对财务顾问业务的资源投入和政策支持，并将财务顾问收入纳入2017年KPI考核指标。资管投行工作会上对财务顾问业务也专门提出要求和目标。财务顾问业务目前面临最好的发展机遇，各分行一定要抓住机遇，采取有效措施，加快推动财务顾问业务发展，尽快缩小与同业差距。财务顾问业务对中间业务收入非常重要，更重要的是体现银行现阶段创新业务的竞争力，所以大家要高度重视。

（二）应对挑战

1. 违约事件密集发生，风险防控形势严峻。伴随着经济结构调整、企业去杠杆的过程，我国产能过剩、强周期行业和抗风险能力较弱的中小企业经营面临严峻挑战，债券市场信用风险暴露速度加快，违约事件密集发生。截至目前，银行间市场共有75只债券发生违约，涉及金额656.7亿元，涉及发行人23家。同时，违约问题呈现几个特征，一是违约主体从最早的民企拓展到央企、地方国企，范围还在不断扩大；二是违约程度从无法支付当期利息，发展到本息皆不能偿还；三是违约品种从公司债逐渐蔓延到中票、短融；四是违约产品有逐步向信用评级高的方向发展。在大家的共同努力下，虽然我行2017年未有债券违约发生，但风险防控压力仍然巨大。

2017年下半年，我国宏观经济下行压力仍然较大，去产能还将继续推进，部分行业的信用风险将进一步暴露，尤其是违约频发的钢铁、煤炭、有色等产能过剩领域。债券市场风险管控将继续加强，信用等级调整更趋频繁，违约事件的发生趋于常态化，风险防控将迎来全面考验。我行债券承销是市场第一，发生风险的概率也相对较大，做优不仅数量要优，质量更要优。

2. 货币政策中性偏紧，债券发行整体缩量。自2016年至今，中央银行的公开市场操作呈现明显的净回笼态势。不仅中小银行流动性告急，大行资金也不宽裕，资金荒、资产荒并存。从周小川行长在博鳌亚洲论坛上的表态看，中央银行会坚持“量够价高”的原则，在必要时点予以援助，但绝不会纵容流动性泛滥，所以2017年全行流动性的压力都会存在。

2017年上半年债市整体萎缩，其中非金承销量较2016年同期缩量823亿元，同比减少了29%，对我行全年承销规模及承销费收入计划均会造成一定影响。当前形势下，央企、大客户纷纷采取以投定承的策略，2017年我行信用债投资策略调整，对未来我行与央企大客户合作产生一定的冲击。债市总量在缩，但各家银行都盯得紧，2017年初工行就表示要赶超建行，我行债券市场优势及地位面临较大挑战。

3. 监管力度持续趋严，合规风险值得关注。本轮监管检查力度空前，要求严、范围广、时间长。自2017年4月初以来，中国银监会密集发布了系列监管政策。其中银监发5号文，要求集中开展银行业市场乱象的整治工作；银监发6号文，对银行业风险防控工作提出指导意见；中国银监会办公厅还就银行业开展“三违反”“三套利”“四不当”三项专项治理工作下发了监管文件。本次全国金融工作会议也传递出从严监管的思路，对中国银监会提出了监管责任要求，银监会正在研究采取更严厉的措施，不仅查得要严，处罚力度更要严。

从2017年上半年内外部检查情况看，财务顾问合规经营工作已有很大改观，但仍有一些问题值得注意：一是服务内容不够充实，个性化不足；二是对部分小微企业客户收取顾问费（其中存在部分分行为了完成小微企业放贷目标调整客户性质的问题）；三是服务档案不完整，缺少要件。这些问题反映出部分分行财务顾问业务管理粗放、制度执行不到位、专业力量薄弱，不能满足业务合规发展的需要。

（三）补齐短板

1. 财务顾问业务仍是最大短板。2017年上半年全行财务顾问收入同比增长1.4%，与26.5%的增速计划相差甚远，发展速度远未达到战略转型规划要求，服务能力不能完全满足客户需求，和先进同业相比还存在较大差距。全行财务顾问收入四大行排名仍为第三。四大行排名第四的分行有9家（黑龙江、上海、安徽、江西、青岛、湖北、四川、西藏和青海分行），四大行排名第三的分行有13家（北京、天津、河北、江苏、浙江、宁波、福建、湖南、广西、重庆、贵州、甘肃、新疆分行），福建、青海分行排名下降两位。从表象看是收入问题，深层次看是我们为客户提供综合金融服务的能力不够、办法不多、途径单一、重视不足，这种局面在今后必须要得到扭转。这里表扬吉林、大连分行，四大行排名第一，占比分别为70%和49%，作为小行非常值得肯定。

总行已经明确将财务顾问业务作为转型重点业务，各分行必须要有紧迫感和使命感，抓紧调整经营思路，加大能力培养和资源投入，尽快缩小与同业的差距，使我行财务顾问业务的市场地位与全行市场地位相称。

2. 并购业务与同业差距较大。从收入情况看，2017年上半年，工行并购贷款余额已突破2000亿元，并购财务顾问业务收入19.33亿元，四大行占比为82%。我行合计并购重组业务规模523亿元，实现并购财务顾问收入1.86亿元，较2016年同期增长287%，四大行排名第三。

从服务能力看，我们和同业的差距更多体现在融资和报价上，对交易全流程掌握和顾问角色的作用有限；从交易信息获取和客户营销看，在前端的并购项目交易信息挖掘、项目储备、客户营销方面较欠缺主动性。如不能及时扭转，势必与同业差距越来越大。

3. 专业人员数量和能力亟待加强。投行业务以人才为本，近年来全行各层级投行人才流失比较严重，投行队伍的数量和质量都难以保证。在人才队伍补充、建设方面尚未建立常态化机制，特别是在宏观和行业研究、产品设计、销售队伍的人员数量和素质等方面与先进同业差距很大。

三、以创新创收为核心，实现投行业务再上新台阶

投行条线要认真贯彻全国金融工作会议和全行夏季工作会议精神，坚定转型发展不动摇，以创新、创收为核心，以“两大”活动为契机，全面推进经营模式、渠道、产品和服务创新，全面拓展投行客户和市场，发挥FITS®（飞驰）的抓手作用，通过债券承销、财务顾问、并购、基金、资产证券化、股权投资等综合化手段为客户提供一揽子投行服务，提升创新能力和创收能力，提高实体经济的服务效率和水平，真正实现“业界树品牌、市场有影响、为客户创造价值、为转型添重彩”的投行工作目标。

2017年投行业务主要任务目标是全口径债券承销总量全年累计突破15000亿元，非金融企业债务融资工具突破6400亿元，保持市场第一，实现“七连冠”；财务顾问收入增速不低于26.5%；通过财务顾问、承销等模式开展资产证券化业务规模达到200亿元；并购业务规模全年累计新增600亿元；基金业务规模全年累计新增800亿元；新拓展投行客户2000户。

2017年最后4个月要抓好以下几方面工作。

（一）多措并举，在全面完成各项任务同时提升业务能力

1. 债券承销要确保“七连冠”。截至2017年6月末，有22家分行债券承销四大行排名第一（山西、广东、江苏、河北、山东、浙江、安徽、

陕西、辽宁、重庆、天津、湖南、云南、四川、苏州、厦门、河南、内蒙古、吉林、新疆、宁波、青海），这些分行要进一步扩大承销规模，巩固领先优势；有7家分行四大行排名第二、第三（北京、上海、广西、湖北、深圳、福建、江西），这些分行要加快脚步，争取同业排名上升一个位次；其余8家还未发生业务的分行（贵州、大连、青岛、黑龙江、宁夏、甘肃、西藏、海南），必须要在年底前实现零的突破。近期，黑龙江、甘肃刚刚实现零的突破，值得肯定。

这是我们的优势业务。各分行一是要继续将工作重点放在客户营销上，确保优质客户群体全覆盖，主动从临到期债券中寻找新发行机会，利用交叉营销活动加深与客户的合作关系；二是拓展新业务渠道，开源增收，与子公司合作推进境内企业境外发债、与外部机构合作承销企业债、公司债；三是合理利用总行授予的自主定价权和操作权，进一步提升业务承办效率；四是积极顺应国家政策导向，将“京津冀”“一带一路”、绿色、扶贫、“双创”等概念与具体项目相嫁接，为服务实体经济尽到国有大行的责任。

2. 财务顾问要全面发力。财务顾问收入2017年上半年计划完成率不足50%的有20家分行（北京、天津、山西、内蒙古、辽宁、大连、黑龙江、江苏、浙江、福建、厦门、深圳、海南、重庆、四川、贵州、云南、甘肃、青海、西藏），特别是内蒙古、云南、黑龙江、北京、甘肃、辽宁、青海、西藏完成率不足30%，这些分行要不折不扣地完成收入计划，不能拖全行的后腿。

各行还要注重同业的排位，在同业市场竞争中不进则退。第一的要再接再厉，永立潮头。其他位次的要力争上位，争取最好表现，同时各行要努力达到同业占比20%的目标。

这是我们的最大短板业务，各分行要花大力气弥补，按照“大力发展轻资本、高回报型表外业务”的要求，提升融智服务本领，拓宽融智收入渠道。一是抓住国企改制、事业单位改制、过剩产能行业兼并重组等业务机会，为客户提供顾问服务；二是积极拓展股票质押式回购、定向增发、员工持股融资等财务顾问业务；三是挖掘客户公司债、企业债、境内外上市、再融资需求，联合第三方机构共同为客户提供承销及财务顾问服务；四是通过向第三方机构推荐融资项目，提供尽职调查、投后管理等服务，拓宽财务顾问收入来源。

3. 并购重组要做优做大。这也是我们的短板业务，四大行占比8%，落后工行74%，且发展不平衡。截至目前，广东、吉林、上海、浙江、江西、湖北、新疆、福建、重庆等分行贡献了90%以上的并购重组业务收入，而并购资源较为丰富、交易活跃的北京、山东、江苏等分行，流失大把机会，要加紧并购项目落地。北上广深需充分利用总行赋予的差别化授权和创新权限，快速做大做强，尤其上海、广东要发挥好两个并购中心作用，在创新、服务客户上积极带头示范，收入要有更多贡献。其他分行要立足本地区客户特点以及自身业务长处，有的放矢，加快发展。

各分行要加强并购财务顾问的营销推介和前端介入，对优质境内外上市公司客户早沟通、早上门、早下手。开展跨境并购业务时，用好建银国际这一平台，充分发挥建行集团多功能优势，拼抢核心顾问角色。总行投行部要建立合理科学的业务考核机制，目标要量化，考核要到位。

4. 资产证券化要积极拓展。2017年上半年，深圳、江苏分行表现突出，海南分行主动出击，实现了资产证券化业务落地发行。2017年的目标是，北上广深四家重点一级分行，每行新拓展项目数量不低于3个；23家重点城市行所在一级分行（不含广东分行）新拓展项目数量不低于2个；其他一级分行新拓展数量不低于1个。2017年上半年零发生额的分行要加快客户营销拓展工作，尽快实现项目落地。虽然证券化业务规模基本完成序时进度，但普及率、覆盖度远未达到要求，与市场爆发式增长趋势相比，还有很大提升空间。

各分行要通过以下途径多元突破，一是参考近5年来已开展过资产证券化业务的发行人名单，缩小范围、精准营销；二是重点拓展筹资成本高、筹资渠道窄的中小型金融机构和非金企业；三是加强业务联动，挖掘业务机会，积极抢占市场。

总行投行部要做好保障工作，支持全行证券化项目营销推动、方案设计、监管沟通、中介协调、销售推动等全程业务；加强业务交流和培训，及时推广典型案例和经验；收集市场上创新案例，争取在标的资产、交易结构上实现创新突破。

5. 综合化降杠杆要加快推进。投行条线要牵起头来，确定重点目标客户，加强项目储备，面要广，手段要多，一户一策制订方案，把综合化降杠杆方案落到实处。

6. 飞驰签约要实现全覆盖。2017 年上半年，广东、陕西、浙江、山东、吉林分行投行客户拓展数都超过 50 户，对全行投行客户拓展贡献较大。全行新增飞驰签约数浙江、辽宁、江苏、山东、河南分行占比较高。各分行要继续加强 FITS 品牌宣传，积极推动投行客户群建设，实现新增投行客户 2000 家。

（二）勇于担当，争做转型发展先锋队

1. 强化总行投行部“中枢”作用。总行要从制度、创新、联动、团队全方位发挥作用，为分行抢占市场、服务客户保驾护航。一是要做好政策梳理、制度安排和业务支持，当好分行的“指挥棒”“服务员”。总行不仅要制定制度，指导、督促分行落实到日常经营工作中，还要当好分行客户营销的“服务员”，一级分行也要做好各二级分行的“服务员”；二是要加大创新力度，收集市场信息，把握市场动向，为分行提供“弹药库”；三是要加强协调联动，协调行内各条线，联动子公司和外部合作机构，共同推动业务发展，做好业务的“润滑剂”；四是要牵头建立项目任务型团队，及时配合分行开展具体的项目营销、方案设计、监管沟通等全流程工作，争取完成一批具有标杆性、易复制的经典案例，为分行树“典范”。

2. 发挥北上广深“领头羊”效应。四家分行要切实承担起全行“试验田”职责。北京分行要紧抓债券承销业务发展，提高市场份额，保持我行债券承销业务优势；上海分行要依托并购资本中心的成立，在并购业务方面形成新的竞争优势；广东分行要持续推进“一行一基金”策略，做大做强基金业务；深圳分行要继续发挥创新优势，大力发展财务顾问业务。这四家分行要用好并购、基金业务上差别化授权，走在前面，作出示范，复制推广，带动全行。

3. 提升资产池分行“排头兵”贡献。13 家开办资产组合型产品的分行，要将融智型投行业务与融资型理财业务紧密结合，发挥合力，实现资管投行“双轮驱动，相得益彰”。

4. 拓展“生力军”能力。其他分行要充分发挥地域经济优势，找准突破口，作出区域特色，在资产拓展、产品应用及收入创造上成为真正的“生力军”。

（三）创新驱动，构建综合服务平台

2017 年上半年“两大”活动中，投行条线创新数量达到 62 项，完成率达 87%，创新数量在 4 项以上的依次为广东、江苏、上海、厦门、湖南、深圳、广西及重庆分行，希望后来者居上。今后，各行要从以下三方面狠抓创新落实。

1. 渠道创新。加大境内外、母子、内外部多方联动，充分利用各方渠道、牌照优势，探索、研发新型产品，从更广阔的市场、更前沿的领域为企业客户提供更全面的金融服务。

2. 产品创新。债券承销要加大资产支持票据、非标转标的创新力度；财务顾问要重点突围资本市场类顾问业务；并购重组应围绕“合翼·并购通”系列产品创新应用；证券化要力争辖内市场创新首单；实现投行全产品链创新，形成“融智 + 融资”“表内 + 表外”“境内 + 境外”相结合的金融生态圈。

3. 模式创新。为提升服务效率和客户体验，总行 2017 年启动了财务顾问智能支持系统的开发工作。作为全行战略性创新项目，该系统将从三个方面实现财务顾问服务和管理模式创新：搭建全行统一的财务顾问线上服务平台，全面覆盖客户线上线下服务需求，实现服务模式转型；整合行内外研究报告和数据资源，为客户经理提供便捷的报告编辑方式，减轻基层工作量；实现财务顾问全流程系统管理，防范合规操作风险，推进管理模式创新。

（四）强化合规，助力投行业务健康发展

1. 合规管理方面。2017 年，经营形势更加复杂，监管趋严。投行条线要树立“合规”就是“发展”，“合规”助力“发展”、“合规”要先于“发展”的意识，始终把合规挺在前面。

总行要做好全行投行条线和从业人员的全流程合规管理工作，完善制度建设，加强业务监督检查，指导分行做好内外部检查的沟通配合和问题整改。各分行要充实合规管理人员，有条件的分行要设置合规专岗，严格按照法律法规和行内制度开展业务，严禁违规经营。

2. 风险管理方面。全面风险管理是投行业务管理工作的核心，既是工作的出发点，也是落脚点。总行要对投行业务面临的信用风险、操作风险、声誉风险和道德风险做到全面管控。一是对债券包销账户面临的信用风险，要重点做好客户和项目准入，从源头把控风险；二是对操作风险，要从完善工作流程、建立系统机控和加强检查等多个维度做好风险防范工作；三是对声誉风险，在指导分行做好风险预案的基础上，要配合公关部门做好媒体应对和舆论引导；四是对道德风险，要做好从业人员职业道德教育，通过产品结构设计和合作机构名单制管理等手段，控制风险事件发生。

虽然自 2017 年以来，我行违约债券没有新增，但是投行条线债券风险防控工作仍需进一步强化。一是优化业务准入流程和准入标准，提升效率的同时严把准入关，总行近期将下发《关于进一步优化债券承销业务准入标准及流程的通知》，各行要严格执行；二是实现动态风险监测，风险排查常态化；三是建立偿债保障机制，对已经违约的客户更要加强管理，要采取多种手段化解损失。山东分行 2017 年 4 月就曾全行动员卖水泥，成功处理了山水水泥违约事件。我认为这种经验都是值得推广的。

（五）打造队伍，建立人才培养保障机制

1. 加大资源配置力度。投行条线在业务开展过程中要高度重视人才队伍建设。投行条线现有近 500 名员工，但既熟悉产品，又了解行业的综合化、复合型人才的确不多。各行要非常重视投行人才队伍建设，对现有人员既要严格要求，从严带队伍，还要关心支持他们开展工作，舍得资源投入，提升他们的专业能力。人员力量不足的分行，要尽快配备到位，大部分分行要尽可能实现财务顾问、证券化、并购、降杠杆等创新型业务领域配备专人专岗。

2. 组建专家人才库。总行要调动条线人员积极性，统筹利用投行人才资源，构建专家人才库，对重大项目采取总分联动、跨行合作等方式，以点带面，锻炼出一支有特色、精干、有市场竞争力的专业化业务队伍。目前正在开展“两大”活动，对于投行真正的人才，要进行精神和物质奖励。

3. 加强培训交流案例分享。总行要继续加大培训力度，做好业务传帮带。通过内外部培训、跟岗学习和交流，全面覆盖投行从业人员，提高分行的业务操作和项目承办能力。同时，筛选典型案例和先进经验，供各分行复制推广。各分行要建立人才培养计划，三个月完成基础入门，半年实现独立操作，一年做到出师带徒。希望大家重视起来，人才这项短板是基础性的短板，这个短板不补齐，很难有效发力。

同志们，全国金融工作会议给我们指明了发展方向，全行夏季工作会议给我们部署了具体要求。这次座谈会是资管、投行分设后投行条线召开的第一次会议，今天参会的各位分管行长要提高站位，理顺投行业务发展思路，做好贯彻落实，六大投行业务用指标、数据说话，奋勇拼搏，主动作为，以优异成绩迎接党的十九大胜利召开，并以党的十九大精神武装自己，年底收官再上新台阶。

谢谢大家！

在 2017 年总行巡视工作动员部署会议上的讲话

朱克鹏

（2017 年 3 月 20 日）

同志们：

刚刚过去的 2016 年是我行巡视工作推进转型的关键一年，全行巡视工作围绕坚持党的领导，聚焦全面从严治党，坚持问题导向，深化政治巡视，扎实推进巡视全覆盖。2016年，总行和一级分行巡视组共巡视了324个机构，发现问题5970个，重要问题线索106个，巡视已经成为发现问题的重要渠道，利剑作用得到有效发挥，成效显著。巡视工作之所以取得这样的成绩，首先得益于总行党委坚强有力的领导。党委高度重视巡视工作，及时听取每批次巡视情况汇报，并给予充分肯定和高度评价；党委书记王洪章同志多次对巡视报告作出批示，对下一步工作提出具体要求，为我们鼓舞了士气，也指明了方向。当然，成绩的取得与被巡视单位党组织和广大干部员工的理解与信任，与总行巡视工作领导小组成员部门的支持与配合，与忠诚履职、敢于担当的巡视队伍的辛勤付出都是分不开的。在此，我代表总行巡视工作领导小组向大家表示衷心的感谢！

肯定就是鞭策，信任就是考验。新的一年总行党委将派出5个巡视组计划对34个单位和部门党组织开展巡视，下面，根据中央关于巡视工作的部署和要求，就做好2017年的巡视工作讲几点意见。

一、深入学习贯彻中央部署和总书记系列讲话精神，坚决落实全面从严治党新要求

全面从严治党是以习近平同志为核心的党中央治国理政的鲜明特色。党的十八届六中全会专题研究了全面从严治党重大问题，是党中央着眼于“四个全面”战略布局作出的整体设计，开启了管党治党的新征程。会议审议通过的《关于新形势下党内政治生活的若干准则》和《中国共产党党内监督条例》，一脉相承、各司其职，是依规治党、从严治党的重要制度成果，对于解决当前党的建设面临的一系列重大问题具有非常重要的现实意义，也为深化政治巡视提供了重要遵循和行为导向。在全面从严治党取得重要阶段性成果、反腐败斗争压倒性态势已经形成的新形势下，习近平总书记在十八届中央纪委七次全会上发表重要讲话，站在时代发展和战略全局的高度，充分肯定全面从严治党取得的显著成效，明确提出了当前和今后一个时期工作的总体要求和主要任务，对标本兼治、深入推进全面从严治党作出新的重大部署。

巡视组要把学习贯彻两次会议的精神和总书记重要讲话精神作为当前重要的政治任务，与“两学一做”学习教育结合起来，特别是与学习习近平总书记关于巡视工作的重要论述结合起来，紧密联系工作实际，学深悟透、融会贯通，切实把全面从严治党要求不折不扣贯彻到巡视工作各个方面。

二、牢固树立“四个意识”，提高政治站位和政治觉悟

坚持党的领导是当代中国最重大的政治原则，树立“四个意识”是加强党的领导的必然要求。习近平总书记在听取中央第十一轮巡视情况汇报时指出，深化政治巡视，首先站位要高，突出“四个意识”；“四个意识”不是挂在口头上，关键是看实际行动和实际表现。王岐山同志在中央第十二轮巡视工作动员部署会上进一步强调，“四个意识”是相连贯的有机整体，不可偏废，增强“四个意识”是个动态过程，要与时俱进，在坚持中深化，在深化中坚持。政治意识是关键、大局意识是重点、核心意识是根本、看齐意识是标尺。增强“四个意识”本身就是学思践悟、知行合一的过程，不可能一蹴而就，也绝不会一劳永逸。只有在思想和行动上提高政治站位和政治觉悟，不断从政治意识和大局意识上找到差距，才能真正做到向核心看齐。习近平总书记在贯彻党的十八届六中全会精神专题研讨班上指出，我们党作为马克思主义政党，必须旗帜鲜明讲政治，严肃认真开展党内政治生活。总书记的讲话开宗明义，为我们绷紧了讲政治这根弦。讲政治不是空喊政治口号，而是要把党中央的决策部署落实到具体工作中。要求就是号令，看齐就要跟上。巡视的重要任务就是保证全党同以习近平同志为核心的党中央保持高度一致，自觉向党中央看齐，向党的理论和路线方针政策看齐，向党中央决策部署看齐，做到政令畅通、令行禁止，坚决维护党中央的权威，坚持党中央的集中统一领导。

党的十八大以来，巡视工作从聚焦党风廉政建设和反腐败，围绕“四个着力”，到紧扣“六项纪律”，突出纪严于法、纪在法前，再到聚焦全面从严治党，深化政治巡视，定位越来越精准，工作越来越深入，成效越来越显著。巡视定位的“三次深化”，是全面从严治党实践发展特别是巡

视监督实践发展的集中反映，抓住了管党治党的根本性、全局性、方向性问题。习近平总书记在听取中央第十一轮巡视情况汇报时强调，要突出巡视监督政治作用，以“四个意识”为政治标杆，把贯彻“五位一体”总体布局和“四个全面”战略布局作为基本政治要求，把维护党中央集中统一领导作为根本政治任务，发挥巡视政治导向作用。王岐山同志在中央第十二轮巡视工作动员部署会上强调，巡视工作要提高政治站位和政治觉悟。坚持党的领导、加强党的建设，维护以习近平同志为核心的党中央权威是最重要的政治原则。巡视组要准确理解、把握政治巡视的本质内涵和精神实质，在看齐紧跟中不断深化认识，把维护党中央集中统一领导作为根本政治任务，在政治高度上突出党的领导，在政治要求上抓住党的建设，在政治定位上聚焦全面从严治党，推动巡视工作向纵深发展。

三、突出坚持党的领导，坚定不移深化政治巡视

习近平总书记在中央纪委七次全会上强调，要全面强化党内监督，着力发挥巡视利剑作用，推动全面从严治党不断向纵深发展。在听取中央第十一轮巡视情况汇报时，总书记进一步指出，要坚定不移深化政治巡视，以问题为导向，发挥政治“显微镜”、政治“探照灯”作用，为巡视工作深入开展指明了方向。深化政治巡视，必须聚焦坚持党的领导、全面从严治党，对照党章规定和党内政治生活准则要求，强化党内监督，促进被巡视党组织和领导干部自觉加强思想建设、组织建设、作风建设、反腐倡廉建设和制度建设，严肃党内政治生活，构建党内良好政治生态。要把贯彻执行新《准则》和新《条例》的情况作为巡视监督重点，深入了解被巡视党组织特别是“一把手”履行全面从严治党责任、执行党的纪律、落实中央八项规定精神、党风廉政建设和反腐败工作以及选人、用人等方面的情况。重点关注以下三个方面问题。

（一）党的领导弱化问题

政治巡视要突出坚持党的领导这个根本，督促被巡视党组织强化政治担当，切实发挥党的领导核心作用。

一要看“四个意识”强不强。王岐山同志指出，“四个意识”是大政治，看齐不分距离远近，不能有丝毫政治偏差。政治巡视必须把政治标准体现出来，把政治偏差找出来。巡视组要通过被巡视党组织的“言”和“行”，看他们的政治站位和政治觉悟；重点检查是否能够自觉经常同党中央对标，校准自己的思想和行动；是否落实党章规定的“四个服从”；是否存在本位主义、个人主义；是否坚定不移、不折不扣地贯彻党的路线方针政策和总行党委决策部署，是否存在有令不行、有禁不止、选择性执行等问题。中央巡视组巡视建行时曾反映，我们有的领导干部不清楚什么是“两个责任”。我们巡视组下去也可以对领导干部进行测试，如果连“四个意识”“两个责任”等基本概念都搞不清楚，还谈什么看齐、谈什么强化，这本身就是不讲政治的表现。

二要看政治纪律是否严明。加强党内监督，维护党中央权威，必须把纪律挺在前面，政治纪律和政治规矩是党内政治生活最重要的遵循，是党最根本、最重要的纪律。习近平总书记在中纪委七次全会上强调，党的高级干部要做严肃党内政治生活的表率，始终把握正确的政治方向，坚持政治立场和政治原则，遵守政治纪律和政治规矩。巡视组要对照新《准则》关于严明政治纪律的“十二个不准”，看是否存在公开发表违背党中央决定的言论；是否存在搞小山头、小圈子、小团伙的行为；是否存在口是心非、阳奉阴违、弄虚作假、隐瞒实情等问题。以往巡视中发现，有的党组织对辖内发生的重大违规事件隐瞒不报，有的领导干部公开发表与自己身份不符的不当言论，还有的领导干部不如实甚至不报告个人有关事项，这看似是个人的“小疏忽”，实则是政治意识、组织意识不强，对组织、对党不忠诚的表现，这绝不是小问题。以后处理将越来越严，再不如实申报，要适当给予纪律处分。

三要看党组织的领导是否有力。要重点关注领导班子是否坚强有力，是不是有强烈的政治责任感和担当精神，班子的凝聚力、战斗力如何，领导人员抓班子、带队伍能力如何，执行民主集中制情况如何等。巡视要重点检查，党内议事及决策程序是否健全、规范，“一把手”是不是独断专行，搞“家长制”“一言堂”；班子成员有无

当面不说、背后乱说，会上不说、会后乱说，当面一套、背后一套等“两面人”的错误言行。以往巡视曾发现，有的班子缺乏凝聚力、战斗力，“等、靠”思想较重，班子成员各守一摊，互不关心，推动战略转型步伐迟缓，拼抢市场劲头不足，干部队伍极不稳定。还有的班子成员长期不团结，钩心斗角，闹无原则纠纷，单位内部风气不正，纪律松弛、人心涣散，政治生态极不健康。

（二）党的建设缺失问题

坚持党的领导必须加强党的建设。从前几轮巡视看，被巡视单位普遍存在党建和业务“两张皮”、组织生活流于形式、机关党委形同虚设、基层党组织软弱涣散等问题，这说明我们各级党组织未能真正意识到党的自身建设在管党治党方面的重要作用。巡视要结合“两学一做”学习教育情况，督促被巡视党组织加强党的建设，种好“责任田”。

一要看是否将思想政治建设摆在首位。内无妄思则外无妄动，每个人的行为无不受其思想、情绪和价值观所支配。习近平总书记在党的十八届六中全会上强调，党内政治生活出现这样那样的问题，根子还是一些党员、干部理想信念这个“压舱石”发生了动摇，世界观、人生观、价值观这个“总开关”出现了松动。党要管党、从严治党，必须高度重视思想政治建设，把坚定理想信念作为开展党内政治生活的首要任务，固本培元、扶正祛邪。党建工作不抓这些，势必会虚化、弱化，势必会“两张皮”，这也是为什么总书记讲“不忘初心”。巡视要深入了解被巡视单位是否把加强思想政治建设摆在首位，领导班子、领导人员的政绩观、价值观是什么；是不是一心为公，把党的宗旨作为他为官、做事的根本原则；看看党委中心组学习情况，是否将马克思主义理论特别是习近平总书记系列重要讲话精神作为学习重点，学习质量和效果如何？还要认真检查群众路线教育实践活动、“三严三实”专题教育查摆问题的整改情况，查阅“两学一做”学习教育方案，看是不是真学真做真合格，有没有搞形式主义、走过场，要通过巡视督促被巡视党组织推动“两学一做”常态化、制度化。加强理想信念教育、抓实思想政治建设本来是我们党的优良传统和政治优势，但现在却是大多数党组织所缺乏的，也是很多问题产生的根源。

二要看是否严格落实党的组织生活制度。党的组织生活是党内政治生活的重要内容和载体，是党组织对党员进行教育监督管理的重要形式。以往巡视，发现了一些落实组织生活制度不力的问题，有的党组织常年不开展组织生活，一些党员长期游离于组织之外；有的领导干部对过双重组织生活缺乏自觉；有的用业务工作会议代替组织生活会；有的把党的组织生活等同于群团活动或文体活动，追求趣味性、娱乐性等。巡视组要对照新《准则》，检查被巡视党组织“三会一课”、民主生活会和组织生活会、谈心谈话等制度是否得到有效落实；对党员是否坚持民主评议，领导干部是否落实双重组织生活制度；是否按照“照镜子、正衣冠、洗洗澡、治治病”的要求，开展批评和自我批评。不光要看做没做，更要注重质量和效果，看落实党的组织生活是否经常、认真、严肃。

三要看是否坚持正确的选人用人导向。党管干部是坚持党的领导的重要体现，选人用人是党的建设的重要方面，也是巡视监督的重要内容。前段时间，中办印发了《关于防止干部“带病提拔”的意见》，巡视组要对照《党政领导干部选拔任用工作条例》、新出台的《关于防止干部“带病提拔”的意见》及其他中央和我行关于干部选拔任用相关规章制度，检查是否落实到位。重点了解被巡视党组织是否坚持正确的选人用人导向和好干部标准，做到公道正派；是否存在违反用人标准和规定程序，突击提拔、违规破格提拔、“带病提拔”的问题；是否存在违反交流、回避制度的问题；是否存在跑官要官、买官卖官、说情打招呼等用人上的不正之风和腐败现象。以往巡视中也发现了一些选人用人中的典型问题，有的单位在干部选任中简化程序、逆程序操作；有的为了符合破格条件，人为调整考核结果；有的为了通过银监会任职审核，偷梁换柱，找人替考；甚至有的组织干部在干部选任中私自更改票选结果，性质极其恶劣。有的单位“近亲繁殖”现象突出，仅配偶子女在同一个分行的就有1200多人。大家想想，这样裙带关系复杂的单位怎么可能做到公平公正，怎么可能没有照顾性安置，照顾性评先评优，照顾性提拔晋升，“照顾”个人多了，就会损害大多数员工的利益。巡视组下去对员工有反映、班子内有争议、群众认可度不高的干部，要深入了解，坚决防止和纠正选人用人上的不正之风。

（三）全面从严治党、从严治行不力问题

习近平总书记在中纪委七次全会上指出，管党治党从宽松软走向严紧硬，需要经历一个砥砺淬炼的过程，要严字当头、实字托底，步步深入、善作善成。同时指出，强化党内监督，重在日常、贵在有恒。党的各级组织要敢于较真碰硬，见物见人见细节，从点滴抓起，从具体问题管起，及时发现问题、纠正偏差。巡视工作要深入贯彻全面从严治党的新部署、新要求，对照党章规定，结合新修订的党内监督条例等党内法规要求，加强对被巡视党组织落实“两个责任”、遵守廉洁自律准则、执行中央八项规定精神等方面的监督检查，推动全面从严治党、从严治行向纵深发展。

一要看“两个责任”落实情况。党要管党、从严治党，“管”和“治”都包含监督。新修订的党内监督条例突出强调责任担当，明确了各类责任主体，是对全面从严治党主体责任的进一步具体化。2016 年总行巡视发现，被巡视党委、纪委普遍存在“两个责任”落地不实，责任传导逐级衰减等问题。党委书记王洪章同志在听取巡视情况汇报时提出三个“零容忍”，其中明确对分行党委、纪委“两个责任”落地不实，不能容忍。巡视组下去，先问问被巡视党委清不清楚自己的职责范围，我们说情况明、责任清，首先要清楚自己的职责，才能谈落实、谈担当；然后再了解是否能够全面履行党章赋予的职责，真正落实《全面从严治党责任书》；是否严格执行各项监督制度，抓好督促检查；是否将责任细化、实化，将压力层层传导。

检查纪委，是否具有担当精神，是否有效发挥探头作用是关键，要重点看该发现的问题发现没有，该报告的报告没有，该处置的是不是及时处置到位了。以往巡视发现，我们的纪委普遍履职不到位，不敢深挖细查、动真碰硬，工作缺乏主动性，执纪能力偏弱。近年来，通过巡视、审计和各类检查发现了那么多问题，事先听到纪委报告的却不多。这说明我们的纪委政治站位和政治觉悟还不高，“四个意识”上存在明显差距，监督责任远未落实到位，“探头”作用没能充分发挥。最近王岐山同志在听取中央巡视汇报时，讲了一个观点。中央开展巡视好几年了，按理说应该是越往后发现问题越少，但是巡视组还是发现了很多问题，而且有些问题还很严重。为什么出现这种情况，就是因为有些纪委不履职。纪委是在双重领导下开展工作，查办案件以上级纪委为主，强化上级纪委对下级纪委的领导。尽管三令五申，我们有的分行出现重大案件还想瞒报，这是政治意识、政治规矩的问题，是纪律观念淡薄的表现。监督别人的人首先要严管自己，问责要从纪委做起。2017 年是纪委书记的问责年，下一步，对纪委失职、渎职，该发现的没发现，该报告处置不及时处置的，不但要追究直接责任，还要追究领导责任，重点就是拿纪委书记说事，推动各级纪委落实监督责任，真正体现党内监督的严肃性。

二要看廉洁风险情况。反对腐败、建设廉洁政治，保持党的肌体健康，始终是党一贯坚持的鲜明政治立场。廉洁纪律一直是党风廉政建设的重要内容之一，也是党组织和党员领导干部正确用权、廉洁用权的行为底线。实际上党的十八大以后，反腐败、反“四风”过程中仍有杂音。有人说，反腐力度这么大，有损党的形象，其实，正是因为反腐败、反“四风”，才赢得了党心民心，在国际上也赢得了道德制高点。总书记在中纪委七次全会上指出“宁可得罪千百人，不负十三亿”，以身许党许国，掷地有声。说看齐，不是空话，这一点我们要向总书记看齐。维护党的纪律、党的形象，维护建行的利益，本就是我们的职责与使命。巡视中，要紧盯重点人、重点事，特别要关注信贷审批、不良资产处置、基建工程、集中采购、选人用人等权力集中、廉洁隐患较大的领域，着力发现利用决策权、审批权、人事权，搞权钱交易、以权谋私，以及业务违规背后的利益输送等问题，强化对领导干部权力的监督制约，切实防范廉洁风险。从 2016 年巡视发现以及近期接到的一些案件线索看，一些领导干部利用职权或职务上的影响，在集中采购、信贷等领域，与供应商、贷款客户发生频繁的、大额的资金往来，谋取国有资产犹如探囊取物。而且在有的单位、有的业务领域已经不是个别现象，有的基层机构甚至整个班子、整个部门都牵涉其中，涉及的金额更是触目惊心。过去对待这些事我们就一辞了之、一开了之，作为巡视干部对这些吃里扒外，端着建行的饭碗还损害建行利益的行为，绝不能容忍，要有案必查、违规必究、有责必问、触犯禁令必开除、违法必移送。信任不能代替监督，严管就是厚爱。不要觉得腐败离我们很遥远，其实它就在我们身边。巡视组下去也要将领导干部的家风建设情况纳入巡视关注重点，特别要关注领导干部近亲属经商办企业及海外定居等情况，对以身犯纪者绝不姑息纵容、心慈手软。

三要看中央八项规定精神落实情况。王岐山同志在中纪委七次全会上指出，作风建设必须常抓不懈，把纠正“四风”往深里抓、实里做，紧盯老问题，关注新动向，坚决防止反弹回潮。从以往巡视情况看，一些公款吃喝、公车私用、公款旅游等显性“四风”问题得到有效遏制，但“打擦边球”、“披隐身衣”、逃避检查的现象依然存在，形式主义、官僚主义等更深层次的作风问题尚未根本扭转，呈现显性减少、隐性现身，新、老问题并行的情况，充分说明了“四风”问题具有顽固性、隐蔽性、反复性，落实中央八项规定精神必须锲而不舍、久久为功。巡视组要打起精神、擦亮眼睛，既紧盯违规公款消费等老问题，又查找那些花样翻新、改头换面、暗度陈仓的新手法、新问题；既要检查贯彻中央八项规定精神和总行党委十项要求的落实情况，也要检查各单位制定的细化措施执行情况。发现问题，要督促立行立改；发现一起，处理一起，通报一起，体现越往后越严，要形成震慑，保持高压态势，推动建设银行党风行风向上向善，为全行营造风清气正、积极进取的良好生态。这里，要重点强调一下把握时间节点和政策的问题。越往后越严是什么？是党的十八大以后、群众路线教育实践活动后、“三严三实”专题教育以后，现在是“两学一做”学习教育，再顶风违纪就要严处。再就是把握政策，巡视监督必须做到问题实、定性准，让对方心服口服，要准确把握公务接待、公务用车、办公用房、周转住房、出国（境）、会议、差旅等政策标准，这是对巡视组政治能力和政策水平的考验。

四、扎实推进巡视全覆盖，构建巡视监督立体网络格局

党的十八届三中全会对巡视全覆盖作出明确部署，六中全会审议通过的党内监督条例，将巡视全覆盖上升为党内法定任务。因此，全覆盖是对巡视工作的政治要求，是硬指标、硬任务，必须保质保量完成，实现监督无死角、巡视无例外。

一是要统筹部署，推进全行巡视、巡察工作。建设银行党委自2004年开展巡视工作以来，认真贯彻执行中央巡视工作方针，已经对一级分行先后开展了2轮巡视。2016年，总行党委进一步落实中央巡视全覆盖要求，将巡视范围扩大到总行部门和直属中心，并要求到2020年完成全覆盖。2017年是落实新一轮全覆盖要求的第2年，要倒排时间表，统筹谋划、周密部署，进一步提高巡视节奏，加快全覆盖步伐。在这要强调的是，时间进度还是要服从质量，不能因为时间紧、赶进度，而随意减少程序、简化步骤，不能为了全覆盖而全覆盖，既要加快巡视频次，又要确保震慑效果，做到标准不变、尺度不松，力度不减，质量不降。2016年，总行首次借鉴中央的经验做法，采取“一托二”的方式对部门进行巡察，在把握共性、突出个性、提高巡视效率等方面都发挥了很好的效果，可以在全行推广。

目前，37个一级分行对所辖二级分支机构已经全面开展巡视，其中30个分行开始探索对分行本部部门和所辖基层机构的巡察。巡察是对基层党组织领导班子和领导人员的监督，是巡视工作向基层延伸的有效方式，也是实现监督全覆盖的重要途径。下一步，总行在深化自身巡视工作的同时，要切实加强对一级分行巡视工作的领导，指导分行建立巡察制度，补齐基层党内监督的短板，推动全面从严治党、从严治行不断向下延伸；要加强巡视、巡察工作一体化谋划，构建横向全覆盖、纵向全链接、全行“一盘棋”的巡视监督立体网络格局。

二是要适时开展巡视“回头看”，体现“再震慑”。王岐山同志指出，“回头看”就是再巡视，要释放强烈信号，体现监督的韧性和严肃性。这就意味着不是巡视过的单位就“万事大吉”了，要出其不意，让心存侥幸的感到震慑常在。

2017年，总行将适时挑选1～2个单位开展“回头看”。“回头看”看什么？巡视组要与时俱进落实政治巡视要求，用政治的眼光重新扫描；做足准备、吃透情况，有针对性地下去，对没见底的问题“再了解”，对没发现的问题“再发现”，特别要重点关注上次巡视的整改落实情况，严格对照巡视报告、反馈意见、整改情况报告，逐项检查，看整改工作是不是有头无尾或流于形式，是不是做到件件有着落，要“揪住不放”，对整改不力的要问责，真正体现“回头看”的威慑力，放大延伸震慑效果。

五、需要重点强调的几个问题

2017年是推进全行巡视工作向纵深发展，持续提升巡视质量，让利剑更“利”的关键一年，要继续探索深化巡视监督的有效途径，坚持问题导向，发现问题、形成震慑、推动改革，促进标本兼治。总行巡视组是由总行党委派出，代表党委去发现问题，肩负着党委的权威和信任，巡视组要站在全行的高度看问题，敢于动真碰硬，当好党委的“千里眼”“顺风耳”“侦察兵”，助力全面从严治党、从严治行。结合2016年的巡视情况，就如何深化今年的巡视工作，强调以下几点：

一是发现问题要注重“以下看上”，抓住“关键少数”。新《条例》明确规定，党内监督的重点对象是党的领导机关和领导干部特别是主要领导干部，郑重提出了要将“关键少数”作为党内监督的重中之重，这是对党章的具体落实和体现。习近平总书记曾指明，抓住“关键少数”，破解监督难题。巡视作为党内监督的一个重要手段，就是要抓住领导班子和领导人员这个“关键少数”。现在巡视组往往习惯于眼睛“向下看”，带回的多是二级分行、基层机构的问题，一说就是分行班子做得很好，“一把手”很重视，是下面落实出了问题。难道问题都是基层的，上面就没责任吗？问题出在基层，根子一定是在党委，总行党委派出的巡视组不能回来就拿二级分行甚至县级行说事儿。“一把手”重视，不能只是思想上重视，还要看行动、看效果。巡视组要学会从政治的高度归纳提炼，巡视发现的具体问题要归结到党委来剖析根源，查找党委书记的领导责任、班子成员的分管责任，不能眼睛只盯基层，板子只打下面，有成绩都是党委的，有问题就是下面的。

另外，难道我们的班子、领导人员就真的没问题吗？不出问题则已，一出就是大问题，这方面我们有过深刻的教训。领导干部手中掌握的权力，本质上是一种政治责任，他的正确言行会带动一个单位的良好风气和事业的发展，所谓“子帅以正，孰敢不正”，但反之则“贻害无穷”。因此，选好班子，配好“一把手”至关重要；从监督的角度来说，抓好对“一把手”的监督是最根本、最关键的，“一把手”盯好了，整个班子就盯住了。巡视组要提高站位，将监督目标上移，盯住被巡视党组织领导班子和领导人员不放，这也是对组长担当精神的重要考验。

二是报告问题要注重“由表及里”，透过现象看本质。巡视报告是巡视成果的集中体现。王岐山同志强调，巡视报告要加强归纳分析，突出政治巡视站位，要善于透过现象看本质。巡视组要学会从具体事项中分析问题的实质，以小见大、以点及面，把党的领导弱化、党的建设缺失、全面从严治党不力等问题拎出来，从一般事项中发现党的观念淡薄、组织涣散、纪律松弛等方面的问题，不能仅就事论事。比如不按规定交纳党费的问题，看起来是小事情，但反映出党性观念、党的意识淡薄；请示报告制度不落实，反映出组织观念的淡薄。过去巡视还发现，个别干部长期利用职务之便吃拿卡要，党的十八大以后依然不收手。党委对待这样的干部处理起来还犹豫不决，下不去手。这看似只是干部管理上的问题，实则是对党的纪律缺乏敬畏，管党治行宽松软的典型问题。因此，巡视报告要查找内在原因，抓主要矛盾。这是对巡视组分析、提炼问题能力的考验。

三是推动解决问题要注重“由此及彼”，强化巡视成果运用。发现问题是前提，解决问题才是目的，巡视成果要想真正落到实处，关键看整改。第一，强化整改落实。被巡视党组织是落实巡视整改的主体，要把自己摆进去，主动认领责任；“一把手”是落实整改工作的第一责任人，要真抓、实改、严问责，将整改贯穿巡视全过程，做到巡视前即知即改、巡视中立行立改、巡视后全面整改。要举一反三、追根溯源，不能只是“头痛医头、脚痛医脚”，所谓“善治病者，必医其受病之处；善救弊者，必塞其起弊之源”，要做到根源性整改。第二，强化治本作用。巡视的利剑作用既体现在发现问题、形成震慑，也体现在推动改革、促进发展上，要善用巡视成果，促进标本兼治。巡视组要善于从个别中发现一般，从个性中找出共性，对带有全局性、领域性、普遍性问题，以及涉及深层次矛盾和体制机制的问题，形成专题报告，提出对策建议。2016 年，我们向总行党委共提交了 9 份专题报告，党委高度重视，王洪章同志对每份报告都仔细研究、亲自批示，对报告中的一些观点、建议给予了充分肯定，并责成相关部门借鉴参考，研究解决措施。巡视在深化体制机制、堵塞制度漏洞等方面有效发挥了治本作用。第三，强化整改督办。巡视办要强化上级监督，作为整改落实情况的归口管理部门，要牵头做好整改督办，建立整改和移交事项管理台账，及时跟踪进度。总行部门要强化条线监督，抓好条线分管工作的巡视整改落实既是加强条线管理的重要抓手，也是各部门的分内之事、应尽之责。各部门要强化条线管理的主体责任意识，加大对分管工作的督促整改力度。被巡视单位要强化群众监督，将巡视整改情况在一定范围内公开，接受辖内干部员工的监督。多管齐下，着力构建立体双向整改监督机制，做到件件有着落、条条要整改、事事有回音，避免停留在“文字整改”上，要看到实质性变化。

六、加强自身建设，以担当诠释忠诚

巡视工作的政治性、政策性、纪律性、专业性较强，对巡视组自身建设必须高标准、严要求。2016 年，媒体报道了江西省第三巡视组组长李泉新同志的先进事迹。李泉新同志信念坚定、对党忠诚，执纪如铁、敢于担当，爱岗敬业、无私奉献，是巡视战线的优秀代表，也是我们学习的典范。各巡视组要以李泉新同志为榜样，尽职履责，用铁的纪律打造一支忠诚干净担当的巡视队伍。

一是要敢于担当。忠诚要靠担当来体现，坚持原则、敢于担当，是做好巡视监督的前提。巡视工作要敢于动真碰硬，不怕得罪人。我们是内部巡视，更要强调这一点。习近平总书记指出，巡视就是发现问题，我们不是导演巡视工作，搞“假把式”。只有发现问题，才有意义，才能解决问题，才有震慑力。总行党委为我们配备了这么强干的巡视队伍，每年花这么大成本下去，就是为了能发现问题。发现不了问题，下去转一圈就回来了，还要我们巡视干什么。我们的组长曾经都是资深的老行长，能否发现问题不是能力问题，关键是想不想、敢不敢。同时，我们每个干部还有个角色转换的问题，过去我们做经营、做管理，抓好指标就是贡献，现在我们做巡视，发现问题也是对建行的贡献。巡视干部特别是组长必须强化政治担当，落实监督责任，才能使巡视利剑生威。

二是要加强学习。检查别人的政治站位，首先自己的站位要高，政治水平和政策水平如果达不到一定高度，看问题就看不到点子上。古语云“学所以益才也，砺所以致刃也”，要想提高自身政治理论水平，就要加强学习，学总书记系列重要讲话，学全面从严治党论述摘编、巡视工作论述摘编，学中纪委历次全会报告以及王岐山同志的工作报告、学两《准则》、四《条例》等。中央精神学得越透、理解得越准，捕捉问题，分析、提炼问题的能力就越强，自然就提升了站位；只有站位提高了，才能用政治的尺子、标准，对照看齐找出偏差。同时，要加强对政策的精准理解和把握。巡视人员对政策把握不准，就会影响对问题的判断，工作就会大打折扣，甚至影响巡视的权威性，一定要跟进对中央、总行相关政策的学习，要言出有据、掷地有声。

三是要严守纪律。正人先正己，己不正，焉能正人？我们去监督别人，首先要管好自己，必须带头遵守纪律，严格执行中央巡视工作条例、总行巡视工作规定以及巡视组管理办法。首先，要严明保密纪律，防止“跑风漏气”。任何人都不得泄露巡视工作信息，无论是亲戚朋友、同事同学打听都要严肃拒绝。巡视组、巡视办工作人员都要严格遵守保密纪律，在进驻前组织签订《巡视工作保密责任书》，巡视结束后要签订《个人清退巡视资料报告》。借调干部对巡视期间的工作信息，不能向所在单位透露。对组内负责信访的同志也要提出保密要求，加强管理，严禁泄露信访举报内容。其次，要严明廉洁纪律，防止“以巡谋私”。巡视组监督别人的同时，也是被监督者，自身硬才有监督底气，自身净才无所畏惧。巡视人员禁止打着巡视旗号去办私事，借巡视之机谋取私利，借巡视调研之名变相旅游。巡视组的吃、住、行都要严格执行行内财务管理规定。

另外，巡视组在工作中要注意把握职责边界和方式方法，巡视是去发现问题，不是查办案件，要注意把握“了解问题”和“执纪审查”的区别。巡视组发现问题，深入了解，判断构成问题线索的就带回来移交，进一步深挖细查、核实处理是纪委的工作。在巡视谈话，接待来访、了解情况过程中，要讲究方式方法，不要说教、指责对方，更不能搞得像审犯人似的，这一点务必提请注意。最后，也请大家注意身体，现在巡视工作很累很辛苦，需要长期出差，经常加班，工作压力很大，大家注意劳逸结合，组长要多关心组里同志的生活和健康。现在巡视组都成立了党小组，要注重发挥党小组的核心作用，增强凝聚力和战斗力。巡视办要尽力做好支持服务保障，协助巡视组做好各项工作。

同志们，2017 年的巡视工作即将开始，我们的任务艰巨、责任重大、使命光荣。希望大家保持良好的精神状态和优良的工作作风，鼓足干劲、再接再厉，不辜负总行党委的信任和重托，圆满地完成巡视工作任务。

加强创新推动 提升创新质量 服务转型发展

——在总行部门产品创新推动专题会上的讲话

朱克鹏

（2017 年 3 月 22 日）

同志们：

大家下午好！今天我们在这里召开总行部门产品创新推动专题会，主要目的是贯彻全行年初工作会议精神，落实王洪章董事长和总行党委、高管层关于产品创新工作的最新指示要求，研究部署下一阶段工作思路及具体措施，进一步加大产品创新工作推进力度，推动产品创新工作再上新台阶。

近年来，总行党委对产品创新工作高度重视，王洪章董事长多次就产品创新工作作出重要批示和指示，王祖继行长对产品创新工作也提出了很多要求。2013 年全行秋季工作座谈会暨战略与创新专题会对产品创新工作进行了专题研讨和系统部署。同年，总行出台了全行首个产品创新三年规划。与此同时，总行设立产品统筹与创新委员会，更名设立产品创新与管理部，产品创新统筹管理和组织推动力度进一步加大，事关产品创新的人、财、物资源配置机制均得到有力加强和优化。2014 年，“向创新银行转型”作为“五大转型”方向之一写入全行《转型发展规划》。2016 年，总行发布《关于完善体制机制 加快产品创新的若干意见》，对全行产品创新体制机制进行全面的梳理和再规划，目前，以此为指引，正在抓工作落实。应当说，在总行党委的高度重视和全行上下的共同努力下，近年来特别是 2013 年秋季工作座谈会以来，全行产品创新工作取得了很多成就，很多条线和部门推出了一些具有一定竞争性、领先性、特色性，且在同业有影响力的创新产品，全行创新氛围日渐浓厚，创新成效逐步显现，“创新型银行”建设取得了重要的阶段性进展。

刚才创新部通报了全行产品创新情况，四个部门做了重点介绍。听了各位的发言，感觉大家做了很多工作，取得了很好的成绩，有很多很好的建议，但也还存在很多问题和不足，需要进一步推动。借这个机会，想跟大家分享一些想法，有些可能还不太成熟，请大家批评。

一、提高认识，培育理念，增强产品创新的紧迫感和责任感

（一）深刻认识创新驱动的重要性和必要性

当前，世界范围的新一轮科技革命和产业变革加速突进，信息科技、生物科技、新材料技术、新能源技术广泛渗透，世界大国都在积极强化创新部署，如美国实施再工业化战略、德国提出工业4.0战略、日本的创新2025计划等。我曾经到瑞士、韩国学习过，感觉这两个国家虽然国土面积不大、人口不多、资源也没那么丰富，之所以发展得很好，关键在于创新能力很强，比如，瑞士连续6年创新指数全球第一。我们国家对创新也越来越重视，党的十八届五中全会提出把创新摆在国家发展全局的核心位置，并作为五大发展理念之首和引领发展的第一动力。习近平总书记连续五年参加“两会”上海代表团，都提到创新，并对创新的核心作用做了阐述：“适应和引领经济发展新常态，推进供给侧结构性改革，根本要靠创新”“全面创新是中国新一轮改革开放的新动能”；李克强总理在本次政府工作报告中40次提及“创新”，并明确指出“我国发展到现在这个阶段，不靠改革创新没有出路”。可以说，创新已成为国家战略所系、科技发展所趋、同业竞争所迫和转型发展所需，也是银行业破解资源约束、应对激烈竞争、实现转型发展的必然选择。

（二）切实增强产品创新的紧迫感和责任感

从同业竞争看，近年来中小商业银行扩张速度相当惊人，通过本地化、专业化、特色化等手段加强产品创新，创新能力得到充分释放，已经成为我国银行业最具创新力和最具特色的经营主体之一。因此比创新不能仅在大银行之间比，还要与中小股份制银行比。所以说“零售看招行，同业看兴业，小微看民生”的评价还是比较客观的。从跨界竞争看，我们不能只盯着银行同业，还要紧盯非银行，尤其是互联网企业。互联网企业对金融的挤压是很严重的，不断侵蚀银行卡收单、信用卡、理财、存款、消费信贷、代理保险等传统银行业务，过去结算业务银行一家独大，现在互联网企业收单笔数已经占据了大半壁江山，据麦肯锡报告预计，到2025年，互联网金融企业可能降低银行在消费金融领域40%的收入，支付领域降低30%，中小企业贷款领域降低25%，个人贷款也会大幅降低，因为随着互联网平台越来越成熟，个人征信体系和法制环境不断健全，客户资金将更多存放在互联网借贷平台，获得相当于银行贷款4倍利息，比银行存款利息高很多。同时，越来越多的跨界竞争者已直接进军银行领域，自2014年3月中国银监会批准5家民营银行试点以来，2016年中国银监会再次批准筹建民营银行12家。李克强总理一再要求放开民营银行准入，所以民营银行发展还将呈爆发式增长趋势。截至2016年末，已有178家民营银行完成核名，其中中国银监会批准筹建17家，已开业8家，总资产和贷款余额已达1800亿元和800亿元，第一批5家试点银行均已实现盈利。这些已获批民营银行的发起者中，既有恒大、新希望集团、复星集团、三一集团等传统企业，更有腾讯、阿里巴巴、百度、京东、小米、苏宁等互联网巨头，它们充分利用互联网和大数据技术，在差异化和特色化经营创新上不断向传统银行发起挑战。从内部经营压力看，2017年是“十三五”规划实施、国家各项改革纵深推进的关键一年，也是建设银行转型“棋至中盘”的重要时间窗口。且2017年随着供给侧改革推进，“去产能”和“僵尸企业”处置力度将持续加大，我们面临的不良资产处置压力仍然较大；房地产市场整体降温、分化加剧，限购限贷新政频出，个人住房按揭贷款高增长态势难以持续；股市、汇市、债市和大宗商品不确定性较多，波动幅度可能加大；这些都迫切需要我们通过创新来把握新机遇、开拓新市场、寻找新优势，培育新的收入增长点。所以说，总行党委在全行《转型发展规划》中提出将“创新银行”作为五大转型方向之一，应该是高瞻远瞩，是符合国际商业银行发展趋势的。而参照国际同业先进经验，创新银行的重要特征之一就是创新产品对主营业务收入的贡献要达到10%以上，目前看我们差距还很大，因此2017年要尤其突出产品创新的绩效导向，形成价值创造能力，使产品创新真正成为建行转型发展持续推进的新引擎、新动力。

（三）要倡导“鼓励、开放、宽容、审慎”的创新文化理念

抓产品创新首先要解决认识问题，要培育创

新意识、创新理念、创新文化，要营造创新氛围，要从根子里、骨子里使创新成为我们的文化基因、成为建设银行的DNA。产品创新与管理部要努力营造并培育产品创新氛围，让产品创新深入人心，融化在血液里，内化于心外化于行。下一步我们既要坚持以开放的态度培育创新、以宽容的态度对待创新，建立产品创新试错、容错、纠错机制，又要坚持以审慎的态度规范创新，培育开放、融合、规范的创新文化理念，通过流程约束、关键点审查等手段控制产品创新的合规性，完善产品创新风险和内控管理机制。

这次会议就是希望推动各部门认识到产品创新的重要性和紧迫性，增强产品创新的责任感和压力。因此，这次会议既是一个动员会、加油会，也是一个反思会、检讨会。总行各部门应当认真思考本部门、本条线符合领先性、竞争性、特色性的产品有多少，如果很少或没有，更应倍感压力。未来，创新是建行转型发展的着力点、出发点和落脚点，是在激烈市场竞争中取胜的关键。因此，全行上下要不断提高对产品创新重要意义的认识，尤其在座的主要前台业务部门，作为产品创新的主体和主要责任人，要对所在条线产品的丰富性和先进性负责，切实增强责任感和使命感。

二、注重实效，提升质量，强化战略性、基础性、前沿性产品创新

回顾建行的发展历程，我们培育并形成了一系列具有鲜明时代特征和建行自身特色的业务发展优势和拳头产品。从20世纪80年代开办现金和储蓄业务，奠定了网点规模优势和筹资优势；90年代坚持“一心一意办银行”，奠定了在中长期项目融资、住房金融、部分零售业务、工程造价咨询等领域的业务优势，“要买房，到建行”“哪里有建设，哪里就有建设银行”“龙的传人用龙卡”都是耳熟能详的广告语，在市场上深入人心；近年来，建行推出了“龙支付”“快贷”“税易贷”“裕农通”等一批致力于服务实体经济、有较高市场认可度和美誉度的优秀创新产品。

但也应该看到，我们与同业市场竞争、业务发展要求相比仍然存在一定差距。集中体现在以下几个方面。

（一）领先性、特色性、竞争性的重大产品创新不足，在市场具有引领地位、品牌知名度高的拳头产品还不多

一家伟大的企业，往往都拥有自己具有高度市场话语权、市场广泛认可的卓越产品。苹果公司正是因其开创性地推出了iMac、iPod、iPhone、iPad等划时代的先进电子产品，深刻地改变了现代通信、娱乐、生活方式，才成为一家市场公认的伟大的创新型公司。而相反的例子，韩国三星公司也正是因为其投入巨资研发的王牌手机产品“Galaxy Note 7爆炸门”事件，手机电池电芯上的小小缺陷，短短半年间就导致其直接经济损失达170亿美元，三星公司的全球声誉更从2016年的17名猛跌到第70名，在2017年2月发布的《财富》“全球最受推崇的企业”榜单上，三星公司首次跌出前50强，再次生动地诠释了“产品就是企业的生命线”。

建设银行作为一家总资产超20万亿元、服务个人客户数超3亿、服务企业客户数超400万户巨大体量的国有大型商业银行，要实现“国内最佳、国际一流”银行集团的转型目标，必须也要拥有一批足够客户覆盖面（如千万量级以上个人用户或数十万量级以上企业用户）或拥有较强市场话语权甚至明显领先优势，或对全行收入贡献较大的“四梁八柱型”支柱产品。

近期，中国银行业协会与普华永道联合发布《中国银行家调查报告2016》，对各主要银行的小微信贷、贸易融资、同业业务、债券投资、理财业务等14项银行主要业务的竞争力进行了排名，其中工行、中行分别有8项和2项业务排名第一，建行仅个人按揭业务1项排名第一，民生银行在小微信贷业务上继续保持引领，招行则在私人银行和信用卡2项上独占鳌头。这说明，我们在很多产品上都与工行、中行有着不小的差距，甚至在部分产品上还落后于招行、民生等股份制银行，还需要继续努力。招商银行的零售业务非常强，我们要向招行学习，不要羞于学习，只要别人比我们做得好都是我们的老师，向他人学习是最好的学习方式，站在巨人的肩膀上总是比巨人还要高。我们零售业务目标就是向招商银行学习，超过工行，做中国最佳的零售银行。

根据产品创新与管理部开展的2016年银行产

品竞争力比对结果，建行部分产品的服务能力还与工行、中行、招行等同业存在差距。比如以全球现金管理、跨境支付结算为代表的企业跨境金融服务，为高净值客户提供的境、内外定制化综合金融服务，以信用卡为载体的跨条线个人综合信贷服务，多维度整合服务功能的网络金融平台，衍生品、大宗商品交易品种和财务顾问业务等。

（二）对新业务、新模式、新趋势的前瞻性研究不足，对新市场、新机遇的把握能力还需进一步提高

全行《转型发展规划》明确提出：要抓住机遇实现新突破，打造战略层面新优势。当前我国传统产业转型升级步伐加快，战略性新兴产业蓬勃发展，新技术新业态层出不穷；同时教育、旅游、医疗、养老、文化、娱乐等新兴需求迅猛发展，消费结构升级对经济增长贡献持续提升，这些都为我们提供了大量的市场商机。

——比如养老金融。据民政部统计，到2025年，我国老龄人口将突破3亿，占比超过20%，个别城市比如上海将超过30%，进入超老龄化社会，养老产业市场总量将超过10万亿元，将成为同业竞争热点之一，但是我们目前在养老领域还没有拳头产品。早在2012年，兴业银行即推出了国内银行业首个老年客群专属综合金融服务方案，并同期推出“安愉人生”养老金融服务品牌，在养老金金融、养老产业金融和养老零售金融三个方向上同时发力。截至2016年9月末，“安愉人生”VIP客户超过130万户，管理综合金融资产余额超过6300亿元，占全行VIP客户综合金融资产总额的51.14%，成为其财私客户的重要增长点。泰康人寿2009年开始在国内首倡实施养老社区，服务高端养老人群，目前已覆盖北京、广州等8个主要中心城市。房地产行业从黄金时代进入白银时代以来，以万科为代表的房地产开发商也转型进军养老产业蓝海，万科已建立三条养老产品线：城市机构型的“怡园”，偏重于照顾失能失智老人；综合养老社区型的“随园”和社区嵌入型的“嘉园”。

——比如县域金融。据统计，2016年县域居民储蓄存款、各项贷款总量分别达到26万亿元和25万亿元，约占全国总量的1/4，增速超过全国平均水平2个百分点以上。我们在县域金融这块比较薄弱。农行自2008年起设立“三农”金融事业部，2016年末农行县域吸收存款超过6万亿元，大部分是低成本存款，县域贷款余额超过3万亿元，县域主营业务收入约1000亿元、全行占比38%；而2016年末我行储蓄存款总量比农行少约2万亿元，其中主要差距也是来自县域。阿里、京东等互联网企业也于2015年发布县域战略，正式进军农村市场，一年多来蚂蚁金服旗下花呗、借呗等产品已覆盖3000多万农村消费信贷客户群体，线下发展了2万多名“村淘”合伙人，并与全国最大的农村小额信贷公司中和农信建立了业务合作关系；京东已在全国1500个县、30万个行政村开展了各类农村金融业务。从我们分行的例子看，2014年湖北分行与当地供销社合作推出的“裕农通”创新产品，三年来累计发卡157万余张，沉淀存款140亿元，也充分印证了县域金融的发展潜力，要抓紧在全行推广。

——比如校园金融。2016年全国普通高校2595所，在校大学生总数2682万人，当年新录取学生人数700万人。据《央广财经评论》报道，2016年全国大学生当年消费4500亿元，消费需求涵盖学费、培训教育、健身美容、游戏娱乐、社交往来等方面，消费信贷需求约800亿元，大量互联网公司和民间借贷涌入校园贷，甚至出现了“裸条”事件，说明有需求有市场，而商业银行提供的金融服务却严重不足。2013年建行面向高校学生正式推出“学生惠”专属产品服务，三年来高校覆盖率已达92%，已签约“学生惠”会员数量942万户，进展可喜，但使用率不高，其中全年发生3笔及以上转账交易的账户比率不到72%、全年发生3笔及以上缴费支付的账户比率不到10%，还有很大的市场拓展空间。大学生群体是非常优秀的群体，是未来社会的精英，是高净值客户的主要来源，我们要陪伴他们成长，为他们提供服务，把大学生培养成为建设银行最忠诚的客户。

——比如智能投顾领域。招商证券预计，2020年中国资产管理总规模将达到174万亿元，参照美国经验按3%市场渗透率计算，智能投顾市场资产管理规模约为5.22万亿元，智能投顾正在成为新的风口，整个财富管理市场的格局可能因此发生重大改变。中国居民的收入在不断增长，但是面对巨大的市场、强烈的服务需求，银行一方面缺乏好的产品和服务方式而无法有效满足需求，另一方面却要面对诸如券商、保险、互联网公司、私募、信托等的激烈竞争。从国外同业看，2000年高盛纽约总部股票交易柜台雇佣了600个交易员，目前已经减少到只有2人，其余工作均被智能投资程序替代。从国内同业看，2016年12月招商银行在其新版APP中推出了“摩羯智投”，由客户选择投资期限和风险等级后，推荐给客户一个包含债券、股票和商品类基金的组合，成为国内第一家推出智能投顾业务的商业银行。百度、阿里、京东等互联网巨头也在大举布局智能投顾，据不完全统计，我国目前宣称具有智能投顾功能或者正在研发智能投顾的互联网理财平台超过20家。

（三）产品创新的场景化融合推广能力还需进一步加强

为应对跨界冲击、加快转型发展，建行近期推出了不少让市场眼前一亮的互联网创新产品，这些产品在功能和技术上无疑有了长足的进展，但对标互联网先进企业，我们在探索金融与消费场景的合作拓展，丰富产品应用场景上还需要做进一步努力。

——比如“快贷”产品。作为国内金融系统首个全流程线上自助个人贷款产品，是真正的互联网产品，没有客户经理，没有贷款审批人员，没有面对面的贷后管理，也没有面对面的签收，完全在线上完成，“快贷”通过“秒申、秒审、秒签”，3步3“秒”完成所有流程，功能方便快捷，迅速成为建行个人消费贷款的主要增长点。2016年总行房金部与厦门实验室联合开展了消费金融市场调研，通过百度、问卷星等调研平台共发放并回收线上问卷1334份，调研结果显示，目前电商类消费金融产品由于自身拥有消费场景，较银行类消费金融产品具有显著优势，淘宝花呗使用用户最多、占比48%；其次是京东白条、占比30%，而银行类消费金融产品中，目前建行快贷与招行闪电贷、工行逸贷平分秋色，占比均不到20%；同时消费信贷需求较为集中的场景包括旅游（占比65%）、教育（占比38%）、装修（占比28%）、医疗（占比28%）、购车（占比23%）、买房（占比19%）等。这为我们下一步的场景拓展工作指明了方向。另一个可供借鉴的案例是，微众银行“微粒贷”以社交软件为场景入口，2015年9月上线至2016年11月末，累计发放贷款超过1600亿元，总笔数超过2000万笔，最高贷款日规模超过10亿元，最高日贷款笔数超过10万笔；主动授信客户数超过6000万人。

——比如“龙支付”。作为同业首家融合NFC、二维码和人脸识别等多种技术，覆盖线上线下全场景的建行自主支付品牌，“龙支付”推出仅2个月客户拓展就突破了500万。这是个很好的产品，但是我们的商户很弱，很多应用场景不够，近来客户数达到了1000多万，但是商户才50多万户，至少要有百万级的商户才能有很好的应用场景。中国支付清算协会数据显示，第三方支付机构收单业务笔数和金额分别占总收单业务量的70%和55%，已全面超越银行类支付机构，我们与市场领先的第三方支付公司仍有较大差距。以微信支付为例，已绑定银行卡用户数突破3亿人，三年复合增长率高达326.9%，用户每月平均使用次数超过50次，是支付宝的5倍，已成为中国支付频次最高的移动支付工具。而微信支付拓展的秘诀就在于对场景的高度重视与融合。2013年8月微信支付推出之初，即重点拓展了出行、零售和电商三个场景，其中出行场景与摇摇招车、滴滴打车等合作，零售场景与友宝售货机等合作，电商场景与聚美优品、唯品会、易迅网等合作；之后，又根据客户支付习惯将场景分为三类进行拓展，第一类高频场景包括餐馆、超市和商场，第二类包括便利店和自动售货机，第三类包括药店、书店和停车场等。2017年，我们在继续优化“龙支付”产品功能的同时，也要将“龙支付”场景拓展与融合作为工作重点。

（四）对客户需求的分析和挖掘不足，创新的深度、广度有待提升

一是对客户特定条件下的金融需求缺乏市场敏感性。如农民工春节返乡往往采取携带现金的方式。2017年春节期间，按农民工返乡人数约1.3亿人、人均携带现金7000元计算，相应的资金迁移总量就在9100亿元左右。这其中有很大的市场商机，但还没有银行去研究、介入，为农民工群体提供系统性的金融服务方案。

二是很少站在客户的视角，思考我们如何为

客户的客户提供相应的金融产品和服务，拓展我们的服务对象和业务深度。其实在国外，IBM 早就提出将“为客户服务”变更为“成就客户”，即思考客户的客户需要什么，典型的做法如其为医院提供的一款“电子病历”新产品，就是定位于怎样为其客户（医院）的客户（病患者）提供更丰富、便捷的服务。而在国内，微信支付已率先走出了这一步。2016 年 5 月，微信支付发布了支付 + 会员战略，为商户提供从会员招募、开卡、查询、消费、运营全流程的客户关系管理（CRM）支持，核心是借助微信支付的支付数据、数据分析能力和社交属性，帮助线下商户将线下顾客沉淀为自己的会员并进行后续的精准运营，目前已有多个成功案例，如天虹商场通过打通微信支付和其自有会员体系后，近两年会员转化率提升了 10 倍，会员月均复购率比传统会员模式提升了 200%；永辉超市借助微信会员卡的一键开卡和微信支付 + 会员功能，30% 的用户在收到支付推送消息后开卡成为会员，短短 50 天内获取 100 万 + 的会员，其中 35% 的顾客在此期间进行了再次消费，而传统商家的会员营销能覆盖的顾客群体在商家所有成交顾客中占比仅 5%。

三是已有的产品创新没有充分向上下游交易延伸，扩展我们的服务广度和服务链条。如我行的房贷业务，虽然“要买房到建行”已深入人心，但长期以来我们更多局限于房贷产品的创新，对房源信息、房产评估、房产交易等上下游环节缺乏关注。发展客户就像抓一条鱼，不能仅吃肉，头和尾也要吃掉，甚至骨头也可以吃掉，不能逮到一条鱼吃一点就扔了，再抓下一条鱼。要加强客户价值挖掘，比如我们有 5 亿多个人客户，有资产的客户 3.2 亿人，但是 5 万元以上存款的不到五千万人，我们有大量宝贵的客户信息资源，要充分挖掘，扩大客户的价值贡献能力。

（五）对客户需求整合不足，缺乏成体系的定制化、综合性金融解决方案

从国际领先银行实践来看，基于行业专业化或客户专属性提供一揽子、定制化综合金融解决方案已成为趋势。如能源行业，从订单到付款的支付周期较长；如大宗商品行业，市场价格波动剧烈需要使用对冲金融工具；如医疗行业，在医患纠纷、医疗设备投资等方面存在痛点；如科技行业，往往缺乏可简单估值的抵（押）物等；只有基于各自的行业属性准确理解客户需求，才能量身打造定制化的综合解决方案。20 世纪末，美国波士顿银行在中型银行中一枝独秀，原因就是所在地波士顿以教育行业出名，而波士顿银行就针对大学、技术学院、学生乃至整个教育行业提供针对性的综合金融服务，实现了对整个教育行业的垂直整合，市场份额快速增长。

对个人业务也是如此。以私人银行业务为例，根据 2016 年上半年中报数据，工行私人银行管理资产规模为 12300 亿元，而招行虽然只有几万亿元的资产，但其私人银行业务已经超越二十几万亿元资产的工行，占据国内首位，其奥妙就在于独立的投资研判和定制化的产品服务。招行私人银行条线是目前国内唯一具备独立投研团队的私行部门，能够以财富管理为核心，为客户提供一揽子专业化的订制金融综合服务方案。私人银行顾问不能只懂银行业务，也不能简单地卖理财产品，现在需要跨市场、跨境的资产配置，要以财富管理为核心，为客户提供一揽子专业化的订制金融综合服务方案，提高客户的黏性。如汇丰银行对李嘉诚的服务就是典型的案例，李嘉诚从 20 世纪 50 年代刚起家就一直选择汇丰为其管理个人资产，这才是真正做私人银行。王洪章董事长前期在私人银行部调研时也指出：“要改变以卖理财产品为主的业务模式。私人银行业务的重点不主要是卖理财产品，真正核心是财富管理。私人银行业务过去做理财投入的精力多，其他产品和服务弱。”因此，下一步要以综合解决方案为关键点，整合建立以“个性化、专业化、全能式”为突出特征的私人银行业务商业模式。

当然，除上述五方面较为突出的不足外，我们产品创新的客户体验较互联网领先企业还有差距；产品创新工作各地区、各条线发展还很不平衡，有些分行如北上广深做得比较好，总行部门间产品创新也不平衡，有的部门产品创新做得比较好，有的还有差距；产品创新绩效缺乏量化评价工具，现在个别单位产品创新有些形式大于实质，1000 多项创新中实质意义上的产品创新并不多，有的时候甚至为创新而创新，而且对产品创新的定义不清晰，标准过于宽松，一个产品功能完善一下、提升一下、改进一下，不能算产品创新，只能算功能完善、提升、丰富。这些问题我们下一步要想办法着力解决。

2017年产品创新有几个大方向，各部门可以结合实际、对标同业进一步把握：

一是把握“十三五”发展大势，主动对接国家重大项目。发挥集团多牌照优势，为“一带一路”、京津冀协同发展、长江经济带建设、自贸试验区改革创新、东北老工业基地振兴、“中国制造2025”、社保体系完善等国家重大战略实施推进，提供包括现金管理、投资银行、财务顾问、造价咨询等在内的一揽子综合化金融服务支持，开展综合化服务创新。

二是顺应供给侧结构性改革带来的创业创新机遇。关注并积极介入节能环保、“新一代”信息技术、生物医药、高端装备制造、新能源、新材料、电动汽车、循环经济、现代物流、物联网等新兴产业，大力开展绿色信贷、PPP模式、海绵城市建设融资、碳排放权金融、供应链金融等新产品创新。

三是支持大众创业创新需求。从融信、融创、融资、融智、融惠、融通六方面入手，开展双创企业投贷联动试点等金融创新，持续优化完善科技金融产品和服务模式，有效对接金融资本和产业资本，契合众筹众创需求，助推创业创新。

四是持续改善消费金融服务。以新兴技术扩大金融服务的辐射范围，线上整合多方资源，积极创新符合不同消费群体特点的差异化金融产品和服务，全方位满足个人客户金融和非金融服务需求。运用创新思维推动个人消费信贷业务突破式发展，打造高价值、高内涵专属拳头产品。加大对小微企业、“三农”、县域以及金融扶贫领域产品创新的支持力度。

五是加大对国际产能合作和对外投资的支持力度。在风险可控、商业可持续的前提下，支持“内外联动”，积极扶持实力强、有比较优势的企业“走出去”，抓住沿边开发开放和产业对外迁移机会，加强境内外机构联动，支持高铁、核电站、航空航天等优势产业和基建、建筑施工、机械工程、钢铁领域等传统产业进军海外，做好边境贸易区、生产加工区、境内外大通道建设等配套金融服务。

三、明确职责，找准定位，进一步加大产品创新推进力度

（一）各业务部门是产品创新的主体，对部门及条线的产品竞争力负责

产品创新要以业务部门为主，各部门要充分发挥熟悉业务、熟悉并贴近市场和客户的优势，对部门和所在条线的产品竞争力负责任。

一是各部门应尽快落实王洪章董事长在年初工作会上提出的“总行各业务部门陆续组建产品创新团队或处室”要求。不一定新设立产品创新处室，但一定要有专门的人、专门的团队持续研究关键产品和服务的创新，并逐步建立各团队或处室向所在部门及创新部的双线报告机制，如果还没有的，可以会商人力资源部尽快增设产品创新的团队或者处室，明确工作职责。会后请各业务部门抓紧落实此项工作，于4月末前将本部门产品创新团队建设情况和工作计划交送产品创新与管理部汇总，产品创新与管理部要将相关推进情况向产品统筹与创新委员会作专题汇报。

二是加强本条线产品创新管理。总行各部门在做好自身产品创新外，还要指导和推动所在条线的产品创新。要充分发挥分行在产品创新方面的智慧、积极性、主动性和创造性，除北上广深等发达地区分行外，不能37家分行一窝蜂全部搞产品创新，不能把产品创新的压力和担子全部放在分行，总行各部门应当发挥在产品创新能力、视野、资源、科技支撑等多方面的优势，成为创新的主力军、主要产品供应者和提供者，为分行开展客户营销和服务、产品推广与销售工作输送先进的产品，并不断将总行研发的好产品在系统内推广应用。各业务部门要每年制定下发本条线年度产品创新指引，明确本条线产品创新的方向、主脉、重点和体系框架，并支持分行围绕重点领域开展创新；组织好本条线产品创新工作，充分发挥各一级分行连接客户和市场的桥梁作用，组织开展市场研究分析，收集和输送产品创新需求，加强需求分析整合和转化落地，提出新产品研发需求建议；梳理并提出需跨区域、跨条线、跨母子公司推进、有较好效益和推广价值的重点可移植产品，配套制订移植推广方案，指导分行开展移植工作，促进重点产品全行移植；将产品创新

工作纳入日常工作流程，同步筹划、同步部署、同步检查、同步落实，常抓不懈。

三是高度重视战略性创新推进实施，力争每年新增一批在市场具有引领地位、品牌知名度高的拳头产品。战略性创新关乎建行拳头产品打造和核心竞争优势的形成。总行各部门作为战略性项目需求倡议者和实施者，要遵循国家政策法规和行内转型发展要求，持续跟踪市场热点与客户需求，发掘创新线索，并从市场与客户、项目目标、产品解决方案、推进策略等角度提出战略性项目需求方案；要加大战略性项目推进力度，调动资源，集中力量，确保当年项目成果顺利交付，同时对实验室已交付的原型成果加大推广应用力度。

四是将产品创新融入日常经营并持续开展。创新是长期持续的过程，要坚持“持续迭代、小步快走”的创新策略，有些产品要加快迭代，比如手机银行，上线一个版本之后，要持续进行改善。我们现在都在用手机 APP，像天天基金网，不仅做得非常漂亮，还不断提供新服务、推出新版本。我们也要如此，在产品框架、方向、基础明确后，尽快推向市场，努力比市场快“半拍”，再持续迭代改进，而不是慢“半拍”，要有前瞻性。现在不是大鱼吃小鱼，而是快鱼吃慢鱼。会后请产品创新与管理部组织各部门填报符合领先性、竞争性、特色性“三性”标准的产品，并提出符合“三性”标准的理由，由创新部站在第三方角度开展同业比较和评估，并在全行通报发布。各部门如果还缺乏符合“三性”标准的产品，要抓紧打造叫得响、拿得出去的拳头产品，不断提高产品创新的技术含量和质量，打造新的产品和品牌优势，通过产品吸引客户、留住客户，增加客户黏性，做好获客这篇大文章。

（二）产品创新综合管理部门要树立更高工作目标，对全行产品创新整体水平始终处于同业领先地位负责

产品创新要与全行转型发展目标保持一致，要做到“国际一流，国内最佳”，做到同业领先，这是评价产品创新工作的唯一标准。产品创新与管理部在现有基础上，一定要转变观念，调整部门的职责、功能定位，进一步强化职能，不能满足于仅在背后跟随，要积极、主动地推动，做好产品创新的推动和引领，并逐步增强自身创新能力、支持服务能力和协调能力。

一是加强全集团产品创新统筹管理。在重大创新中发挥方向指导、资源调度、任务安排和工作协调作用；加强同业信息日常收集和发布的管理，打造按周发布的能力，范围应当覆盖工农中交及 13 家股份制银行等金融同业，及时发布新产品信息，查找差距，督促、督导业务部门提高自身的产品功能，完善服务能力。每年末，产品创新与管理部牵头对总行各业务部门产品创新处室或团队的创新能力和质量等情况进行综合评价和通报。

二是抓紧研究建立产品创新集中研发模式。对标工商银行，研究能否设立承担集团业务需求集中分析、集中进行企业级整合的专门机构和专业化队伍，集中开展集团业务需求立项，集中进行企业级需求分析整合，并牵头跨部门、跨条线、跨母子公司的战略性产品设计。

三是完善总行战略性项目量化评价体系。产品创新一定要注重实效，重质不要重量，不能单纯追求数量，关键要看真正有效的创新，倡导“以价值为导向”，制定统一的评判尺度。例如，在战略性项目确定前，要进行价值评估，产品上线推出之后也要进行效益评估，看看当初的目标是否实现。

四是构建集团一体化联动创新模式。建立母子公司产品创新联席会议等常态化对接机制，将子公司与海外机构纳入全行产品创新管理，建立跨境、跨牌照的母子联动产品创新链，整合海内外创新合力。我们的基金管理公司、保险公司、租赁公司、信托公司等子公司，都有可能与母行业务进行联动，比如我们最新的手机银行，与建信财险合作推出防盗刷保险，不仅提升了手机银行客户体验，也为建信财险创造了几千万元收入，对双方都是很好的产品创新。

五是牵头分行优秀项目成果的移植推广。分行有很多好的产品，对于优秀的产品要在全行进行推广，“酒香也怕巷子深”，好的产品不宣传不推广，客户不了解，也没办法使用。要完善健全分行间学习、交流、传播、复制创新成果的平台和机制，促进创新成果的共享与交流，实现“一点突破、全面开花”的创新杠杆效应。

六是加强重点领域前瞻性研究与储备。产品创新与管理部在新产品的前瞻性研究中要发挥更大的作用，成立研究小组，及时了解国际、国内先进同业新产品动态，研究国内重大政策出台带来的新机遇，提出需求方案，开展产品研发。加强对新产业、新技术、新业态研究分析，集中全行智慧，提炼出有价值的创新商业模式。研究出来的成果要及时发送并报告行领导，为新产品研发决策提供依据，不能采取被动式、分散式的方法，由各个部门提一个做一个，要有专人盯住同业、研究同业。

七是要加强对全行产品创新的推动。要继续把产品创新纳入分行和总行部门的 KPI 考核，评价分行和总行部门创新能力的强和弱。要加大对产品创新的奖励支持力度，“重赏之下必有勇夫”，目前我们的创新研发投入还是不够，要敢于在产品创新上花钱。要理顺业务需求与 IT 开发的关系，业务需求是基础，如果没有业务需求，科技部门就发挥不了作用，只要能够创新业务需求，科技就能够予以实现。要加强对创新能力和创新成果的评价，对所有分行和涉及的部门推出的创新产品进行评价，评判哪些是好的产品，哪些是符合“三性”标准的产品；加强产品创新能力评价，并按年定期通报，推动各部门提升能力，充实人员，提高认识。

（三）产品创新实验室要进一步发挥全行产品创新的“排头兵”、引领者和实验基地的作用

2017 年元旦前夕，我陪同董事长到北京产品创新实验室慰问视察，董事长充分肯定实验室创新工作，在即兴发言中指出：实验室是创新的“排头兵”、创新的引领者、创新的实验基地和创新的重要源泉，对实验室提出了更高要求。产品创新实验室要落实董事长指示精神，坚持创新引领战略，使建设银行在创新领域始终保持领先地位。

一是优化实验室功能和布局，提升服务支持能力。当前重点推进增设广东实验室，以主要创新零售产品为主，聚焦于消费金融生态圈、普惠金融、科技金融、综合金融服务四大重点领域创新。未来可根据需要，要分区域、分业务领域增设若干实验室。

二是做好总行战略性项目的支持和服务。新增总行战略性项目原则上全部对接产品创新实验室；实验室要为部门的产品创新做好支持保障，充分衔接好。

三是进一步发挥内外部联动创新与创新展示发布平台作用，将实验室打造成为建行向社会展示创新成效、创新能力与创新水平的高端品牌。今后我们开展“创新型银行”宣传时，不能空口无凭、自说自话，可以通过创新方法、创新架构、创新体系和创新实验室提供数据、实例等证据支持。

（四）着力抓好当前产品创新推进中的几个关键问题

1. 抓产品创新质量和实效，实实在在提升对全行转型发展的价值贡献。这是一个关键转变，要坚决纠正那种“为创新而创新”，只追求创新数量、不讲究创新质量的浪费资源、没有意义的做法，不以多少论创新，而是以质量取胜、以实效取胜，考核评价的方法要完善，标准要严格。

一是总行各部门在产品创新项目立项时，同步开展投入产出评估分析，剔除无价值、市场前景不好的产品创新；产品上市一定周期后，定期总结分析。

二是加大新产品的市场推广力度。产品做出来不推广就是浪费，要不断拓展产品的应用场景和市场客户，提升新产品的市场影响力、市场占有率和对业绩的贡献度。

三是加强产品创新绩效评价体系。“新一代”上线之后，每个产品都可以单独评价其效益、客户、创造的价值。要逐步完善产品创新 KPI 考核体系，实现从以数量为主的考核到以质量为主的考核的转变，提升产品创新能力及对全行核心经营指标的贡献度。

2. 抓产品创新协作，提升跨部门、跨条线、母子联动产品创新的协同融合。很多产品仅依靠一个部门是无法完成的，有时需要跨前台、中台、后台和科技部门，涉及五六个甚至更多的部门。

一是建立集团产品创新统筹协同机制。总行各部门与子公司要加强产品联合研发和创新，建立母子公司产品创新常态化协同联动对接机制和联系网络，要联动，不要单打独斗。

二是构建总分行间、业务部门间协作创新的良性机制。总行产品、客户及渠道部门间要加强沟通交流，相互配合，协同开展需求整合提炼，积极参与项目研发；总行部门要深入分行一线，解决分行产品创新工作中遇到的困难，也要把分行好的产品拿到全行去推广。

三是加强重大产品创新的统筹推动。对于跨部门、跨条线、跨层级的重大商业模式创新，产品创新与管理部要联合相关业务部门，发挥好牵头、协调、推动作用，制订总体推进思路，总体规划，发挥各个业务部门合力，共同推动实施落地。

3. 抓产品创新能力，提升产品创新的市场响应速度。

一是总行各部门对客户需求要及时了解，对同业推出的产品也要及时掌握，知己知彼才能百战不殆。要不断提升自身的市场研究能力、需求分析能力、市场预测能力、项目研发能力，要增强市场敏感性和洞察力，多方倾听市场、客户和员工的声音，为产品创新找准目标和方向，精准发力，重点突破。

二是及时发现短板。我们要知道自身的优势，在客户推介的时候要发扬光大。但也要知道我们的短板，及时加以改进，这样在同业竞争中才能不吃亏、不落后。产品创新与管理部和各部门都要加强同业产品的收集和研究，而且盯的范围除了工行、中行、农行，也包括其他股份制商业银行。

三是完善产品创新能力评价体系。对标创新型银行主要特征，初步构建评估体系，探索建立和发布全行产品创新指数，探索开展组织产品创新能力评价。

4. 抓产品创新资源投入，保障产品创新工作顺利推进。中后台部门要进一步加大人、财、IT等各类资源投入。现在面临的困难是前台部门的创新需求比较多，科技部门可能满足不了这些开发需求。要完善产品创新的机制，构建更加有效的创新保障机制。例如，进一步完善产品创新人才发现与使用机制，可组建由总分行业务部门构成的任务型研发团队入驻实验室开展创新，实现人才的互用共享和灵活集聚；完善对总行战略性项目的常态化、差别化财务资源支持机制；对经产品统筹与创新委员会审议通过的总行战略性项目，同步配套IT资源，给予优先支持等。

同志们，产品创新是商业银行以及所有企业发展永恒的主题，是支持推动全行转型发展的重要引擎和动力，是转型发展的五个重要方向之一。希望通过这次推进会，大家能进一步统一思想、把握机遇、主动进取、有所作为，让创新真正服务好全行转型发展，使产品创新成为提升市场竞争力、打造建行比较优势的重要手段，推动全行创新工作再上新台阶！

聚焦客户经营 深化转型优势 举全行之力锻造零售和网络金融业务核心竞争力

——在2017年零售及网络金融业务转型发展暨工作会上的讲话

朱克鹏

（2017年3月30日）

同志们：

根据总行党委安排，我受文升副行长委托参加本次会议。本次会议的主要目的是贯彻落实全行工作会议精神，总结分析2016年工作，深入研判当前内外部形势，全面部署2017年重点工作，持续打造个人客户金融生态系统。下面，我讲四方面意见。

一、2016年工作回顾

2016年，面对空前严峻和日趋复杂的经营形势，全行零售和网络金融业务条线坚决贯彻总行党委战略部署，扎实推进转型落地，攻坚克难拼抢市场，不懈努力狠抓落实，在打造生态系统、提升价值贡献、增强市场地位、引领产品创新、深化渠道协同等方面实现了新突破、迈上了新台阶。开年以来，各项业务保持良好发展势头。全行有力地抓住了春节前后资金充沛商机，个人存款日均余额突破7万亿元的新高点，个人客户金融资产余额突破10万亿元，旺季营销再次实现开门红！

（一）个人客户金融生态系统建设实现更进一步突破

一是生态系统建设的“三个关键”结出丰硕成果。客群化上，客群分类工作基于“两维”细分，研究形成了“战略级、战术级、精细级”三级分类体系，完成近百类客群的聚类划分。客群经营工作基于深圳、厦门分行的研究成果，总结提炼出“四步法”，试点推行老年、房贷、车主和跨境四类客群经营，其中老年客群“安心悠享”服务方案成功推出。场景化上，聚焦客户衣食住行等痛点场景，重点选取教育、医疗、菜市场、ETC、公交、车友、社保、旅游、社区和县域10大热点领域，新建成794个支付结算生态圈，金融生态微循环逐步形成。个性化上，运用互联网技术和大数据工具，营销服务型网银功能同业领先。全面收集了超过2000多个客户指标，统一客户贡献评价标准，逐步实现了对每位客户的综合画像和贡献计量。

二是自觉以生态系统方法论推进日常工作取得突破性进展。主要体现在三个方面：逐步学会运用系统性思维形成“圈、链”打法。陕西分行公私联动破商圈，打造“悦缴费”平台，将金融服务深度嵌入客户衣食住行场景中。上海分行实施“三百计划”，新拓百万移动支付客户、深耕百家专业市场、打造百个智慧应用。逐步学会运用创新性思维推动服务升级。广东分行推出“金蜜蜂”综合服务方案，抢占大学生市场制高点。逐步学会运用联系性思维推动联动融合。福建分行从规划制定、资源统筹、考核评价和队伍建设等13个方面打造条线合力。

（二）零售业务“半壁江山”作用更进一步巩固

从业务规模看，2016年末，个人存款余额、个人和信用卡贷款余额、客户中间业务净收入分别达69341亿元、43400亿元和608亿元，全行占比分别达48%、42%和53%。从价值创造看，个人客户全年共实现经济增加值753亿元，全行占比57%，同比大幅提升11个百分点，全行贡献首次突破五成。从客户基础看，基础不断壮大坚实。有资产客户3.4亿人，新增2733万人，连续四年新增超过2000万人。个人客户金融资产余额达9.6万亿元，新增8630亿元。私人银行客户快速增长。私人银行客户5.9万人、客户金融资产7863亿元，年内增速分别达17%和26%。

（三）核心业务同业领先优势更进一步扩大

个人存款新增四大行第二，付息率四大行次优。全年日均和时点新增双双突破5000亿元，考核口径新增四大行占比28%、四大行第二。付息率为1.58%、下降46个基点，我行降幅四大行最大、升至四大行次优。外币储蓄余额历史性突破百亿美元新关口，达109亿美元，年内增速为79%、跃居四大行第一。

最大零售信贷银行地位更加巩固。个人贷款新增8775亿元、再创历史新高，我行余额较同业第二的领先优势由2015年末的225亿元扩大至2439亿元。个人住房贷款余额、新增、收益和资产质量全面领先同业。快贷新增244亿元，带动个人消费经营贷款在四大行中唯一实现正增长。住房资金规模突破2.5万亿元，四大行占比57%，优势地位进一步巩固。

零售和网络金融中间业务收入保持四大行第一，重点产品表现突出。同业可比口径收入四大行占比30%，同比提升0.3个百分点，保持四大行第一。其中，信用卡中间业务收入278亿元、增长21%，四大行第一。借记卡克服多维度减收因素挑战，实现收入94亿元，四大行占比30%、同比提升3个百分点；发卡量8.3亿张，消费交易金额达10.7万亿元。保险收入89亿元、增长117%，保持四大行第一。个人银行理财余额自2014年以来，接连超过8000亿元、9000亿元，目前已突破10000亿元大关。实物贵金属收入四大行第一。

信用卡业务核心指标全面同业领先。发卡量9407万张，客户7443万户，消费交易额为2.4万亿元，贷款余额为4437亿元。我行客户总量、客户净增、发卡净增、分期贷款新增和活动商户数量均居同业第一，资产质量保持同业最优。

品牌市场影响力持续提升。在零售金融领域最为严格且享誉盛名的《亚洲银行家》评选中，我行已连续3年荣获“中国最佳大型零售银行奖”、其中2016年和2015年均独家获奖。首次荣获权威机构《环球金融》“中国最佳消费者银行”。

（四）运用互联网思维抢占创新制高点成效更进一步凸显

在支付结算领域，创新推出龙支付打造新优势。运用互联网思维融合NFC、云闪付、二维码和人脸识别技术，覆盖线上线下全场景，率先在同业中重拳推出建行龙支付品牌，累计发展个人客户1626万人、商户84万户。在消费金融领域，大力发展快贷抢抓新蓝海。建行快贷颠覆性再造了银行传统业务流程，在产品功能和客户体验上比肩互联网金融产品，已成为下阶段我行抢抓消费金融蓝海的新利器。在移动渠道领域，研发新版手机银行给客户新体验。“彰显个性、智慧懂我”新版手机银行上市推出，移动渠道的个性化、定制化和智慧化服务能力持续提升。在科技开发领域，“新一代”对私项目研发成功，零售业务IT系统实现全面重构。经多年奋战，28个项目成功上线，客户综合积分、综合签约、关系管理、银行理财、证券、贷记卡和精准营销平台等项目全面上线，存款、借记卡系统成功在分行试点上线。

（五）各渠道协同效应更进一步提升

移动渠道交易占比大幅提升，手机银行客户数量同业第一。全行移动金融交易量占比达68%，同比提升18个百分点。手机银行用户2.2亿人、微信银行绑定用户3623万人，分别较年初增长22%和65%，继续保持同业第一。个人和对公网银用户分别达2.4亿人和486万户，分别较年初增长14%和21%。善融商务考核口径交易额为1384亿元，继续保持同业前列。悦生活交易额达1049亿元，较2015年实现翻番增长。

电话银行渠道服务量再创新高，集约管理有序推进。在总行党委正确领导、总行各部门和四川省分行等各方面大力支持下，客户服务集约化管理有序推进，主中心开始正常运转，各项指标表现良好。全年智能服务总量9.5亿人次，再创历史新高。电话综合接通率72%，中心成立后企稳提升。人日均受理业务145通，电话自助服务占比76%，服务能力同业领先。

物理渠道借力智慧柜员机推广，网点营销能力进一步释放。物理渠道部门新布放智慧柜员机4.3万台，已实现网点全覆盖。2016年末，在已上线功能中，61%的交易已分流至智慧柜员机，网点原有高柜柜员不断充实到营销和服务岗位，有力助推了网点零售业务营销服务能力的提升。

在上述亮丽、骄人成绩的背后，有很多值得总结的经验。

一是得益于坚决落实总行党委转型部署。总行党委高屋建瓴提出了“综合性、多功能、集约化、创新型和智慧型”转型战略。零售条线坚决贯彻落实转型要求，以打造个人客户金融生态系统全面落实五大转型要求。总行党委不仅充分认可，而且在龙支付、快贷、“新一代”等难点和重点问题上给予我们全力支持。

二是得益于转型发展核心能力的初步形成。全量客户经营能力初步形成。搭建形成了全量客户经营体系，初步实现了综合评价、全员维护和全员营销等核心功能，扩展丰富了客群综合服务方案，加快以“圈、链、群”思维深化客群化经营和生态圈建设。大数据应用能力初步形成。总行初步搭建形成了个人客户结构化和非结构化大数据应用体系，各分行加快平台推广和功能应用，取得了明显成效。精细化管理能力初步形成。总行加强对分行的差别化和精细化业务指导，加快打通IT系统应用“最后一公里”。精细发展存款创新产品，实现量价平衡发展。

三是得益于转型发展中全集团的协同和支持。各条线部门、子公司和海外机构对零售业务都给予了大力支持。公司、机构和资管等条线和部门在代发工资、生态圈行业应用、理财产品供给等方面给予我们大力支持。各子公司、海外机构加大创新和营销力度，积极满足个人客户差别化服务需求。财会、渠道和科技等中后台部门提供了充分资源保障和后台支撑。零售业务条线内部进一步深化协同，联动协同效应初步显现。

同志们！2016年零售和网络金融业务取得的成绩可喜可贺，收获的经验十分宝贵。总行党委的正确领导为我们指明了方向，董事会、监事会和各级监管部门的科学指导为我们提供了支持，对公、资管、财会、风险、渠道和科技等部门，各子公司和海外机构为我们增添了力量。特别是广大奋战在营销一线员工同志们奋力拼搏、扎实工作，作出了突出贡献。在此，我代表总行党委，向大家表示衷心的感谢！

在肯定成绩的同时，我们也要清醒地认识到，当前零售业务经营管理中也存在一些值得关注的问题：

一是分行间发展还不平衡。近期，总行对2016年一级分行零售业务发展水平进行了综合评价，在本次会议上作为参阅材料印发。从评价结果看，基本能客观反映出各分行实际情况。福建、湖南、陕西、厦门和湖北分行名列前五位，宁波、浙江、海南、青岛和大连分行居于后五位。过去总行对各分行主要是各部门分散开展单项指标评价，缺乏零售业务的整体性评价方法。一家分行零售业务做得好不好，不能只是看某个单项业务。此次总行尝试将零售业务各核心指标放在一个体系中开展综合评价，这里既有综合排名，也有各业务单项排名，评价结果与大家一直以来的判断和印象基本吻合。目前这个方案还不完善，欢迎多提意见。开展这项工作的目的，是要在零售板块内推动融合、形成合力。我行零售业务已具备强大竞争力，特别是2016年全行经济增加值贡献超过50%，这是一个重大变化。总行希望各分行特别是地处资源丰富地区的分行要提高认识和重视程度，加快提升专业经营管理能力。

二是板块内外协同联动有待加强。近年来，总行对推动协同联动工作高度重视，不仅从机制上在分行和部门KPI考核中设置专门指标，而且对于专题事项成立团队予以专门推动，总的来看是有进步的，但与转型要求仍有一定差距。突出表现在：板块内存在推动部门指标力度大、参与客户综合服务少的问题。板块间存在运用代工、信贷等资源拉动批量获客不足的问题。在集团内，各子公司作为金融生态系统关键一环，向母行提供产品的数量和质量还有待进一步提升。

三是对私客户经理队伍需要增量提质。数量方面，对私客户经理2016年仅新增约1800人，同期AUM 5万元以上客户新增175万人，缺口持续扩大。质量方面，目前在岗的客户经理尚有四成不具备专业资格，具备高水平的客户经理特别是私人银行客户经理更是凤毛麟角。目前零售条线内因岗位划分过细，有些岗位客户经理只熟悉本岗位业务，客户综合维护能力和零售基础产品通识能力不足。

四是有特色的拳头产品还不够多。目前我行零售业务的产品链条是齐全的，但像“要买房、到建行”“龙的传人用龙卡”等有特色的拳头产品还不够多，需要加大力度、增量提质。

二、统一思想、提高认识，加快零售业务发展

（一）明确定位，树立加快零售业务发展的使命感

全行上下要统一认识，零售业务作为商业银行基础性和战略性业务已经进入了时不我待的黄金发展时期，这是由发展规律、业务特性和我行现状等因素综合决定的。第一是发展规律使然。近年来，发达国家大型银行零售业务对全行的效益贡献长期在40%左右，是利润的重要基石；在经济形势低迷时，更是利润的重要增长点。这一规律十分明显。目前全球市值排名前列的银行当中，富国银行、美国银行的零售业务都很强。2016年上半年，四大国有银行合计，个人银行业务对全行利润的贡献为34%，较2013年水平提升8个百分点。招商银行贡献水平已达49%。第二是业务特性使然。当前外部形势错综复杂，贸易保护主义抬头，潜在“黑天鹅”事件增多，我国经济增长也已进入“L”形的新常态，零售业务稳定性高、风险分散的优势更为凸显。2016年，我行零售业务经济增加值总量的近七成来自存款和中间业务，这两类业务的风险和资本占用水平都很低。零售业务经济资本回报率达60%、零售贷款减值损失支出与营业收入之比只有7%，两项指标水平均明显优于全行平均水平。第三是我行现状使然。在规模和效益核心指标上，零售业务的全行贡献已全面超过四成，经济增加值贡献更已突破五成，有条件、有能力更好地发挥全行经营“稳定器”和“助推器”作用。

基于对未来判断，总行党委明确要求打造零售业务的基础性和战略性地位，加快零售业务发展。各一级分行党委必须将认识统一到总行党委

判断上来。能否做到这一点，是对一级分行党委对全行转型战略的认识是否到位、对未来发展方向的判断是否准确、银行经营管理能力是否专业、业绩观是否得当的重要检验。因此，各一级分行“一把手”和分管领导都要认真研究零售业务、成为“行家里手”，主动协调解决零售业务发展中的难点问题，树立加快零售业务发展的使命感。

（二）顺势而为，增强加快零售业务发展的紧迫感

加快零售业务发展的“春天”已经到来。我们必须顺势而为、增强紧迫感，牢牢把握发展机遇，积极应对形势变化。

广阔机遇来源于“四新”。一是经济发展转型营造新空间。2016 年消费对国内 GDP 贡献达 65%，消费经济增长主动力的地位进一步巩固。国内社会消费品零售总额 33 万亿元，同比增长 10%。加大消费金融支持、促进消费转型升级和加强居民诚信体系建设等多项利好政策密集出台。零售业务将集中享受经济转型红利。二是城镇化深化带来新客流。2016 年国内城镇人口新增 2182 万、城镇化率达 57%，预计未来 5～10 年城镇人口将新增约 1.5 亿人，这将为零售业务带来充足有效客流。三是居民财富不断增加催生新机遇。改革开放以来，我国人民财富增长最快，享受了空前的改革发展红利。据测算，目前国内个人客户可投资金融资产总额达 113 万亿元。近年来随着我国经济换挡升级，GDP 增速逐步回落企稳，但同期居民收入和百姓财富增速仍保持较高水平，消费能力持续提升，富裕和高净值人群增长速度更快，零售业务市场前景非常广阔。四是新技术涌现产生新动力。当前零售银行业最大的变化之一，就是服务手段快速创新，移动互联网、大数据等新技术日趋成熟，显著改变了零售银行服务依赖物理网点、成本高、时效慢的传统模式。手机银行、网上银行和自助银行等渠道服务能力大幅提升，国内银行账务交易离柜率已超过 90%。

与此同时，三方面形势变化需要我们充分关注和积极应对，以化挑战为机遇、化压力为动力。一是主账户“竞争元年”刻不容缓。2016 年以来，个人银行账户管理监管新政全面实施，特别是要求一个客户在一家银行只能开立一个Ⅰ类账户。主账户已成为衡量银行是否与客户建立紧密联系的主要标准，对主账户的争夺将是新一轮竞争的焦点。二是支付结算竞争“窗口期”时不我待。市场新主体大量涌现，深刻改变和重塑了客户的支付习惯。2016 年，国内第三方支付线上交易笔数已是商业银行的 1.5 倍。与此同时，近期多项监管新政出台，如支持商业银行开展二维码支付业务、强化互联网金融监管和规范第三方网络支付业务等，体现出规范市场秩序、支持银行应对跨界竞争的导向，2017 年银行将迎来宝贵的发展“窗口期”。三是监管新政要求银行挖掘中间业务收入新增长点。中央银行“392 号文”“261 号文”以及中国保监会加强人身保险监管等政策，明确了行内异地交易免费、刷卡费率下调、个人唯一账户费用减免、中短期保险产品限额管理等要求，将给借记卡、保险两大产品带来前所未有的影响，预计 2017 年减幅将超过 30%，这既是严峻的挑战，也在倒逼商业银行加快业务转型，拓展新的收入增长点。

（三）释放“势能”，提振加快零售业务发展的自信心

得益于一代代建行零售条线干部员工的不懈努力和扎实工作，我行零售业务基础良好。特别是近两年来我们全面落实全行转型要求，零售业务已为未来做大和做强积蓄了强大“势能”。从客户基础看，我行拥有超过 5 亿全量客户资源，有基础做大有价值客户规模；线上线下客户服务体系日趋完善，有能力批量获客和活客；客群方法论和 IT 支持系统初步建成，有手段开展好全量客户经营。从产品基础看，我行零售业务的产品链条完整，全面覆盖客户资产负债、支付结算和投资理财等各类金融需求，产品不断推陈出新。从渠道基础看，线下渠道随着智慧柜员机等新工具的全面应用，营销服务能力、集约化管理水平和客户体验均大幅提升。线上渠道方面，移动优先战略全面深化，手机银行业务位居同业领先阵营。从队伍基础看，经股改以来的网点二代转型，锻造了一支专业素质高、客户口碑好、市场拓展强的专业队伍，客户经理已连续八年在市场评价中居五大银行首位，个人存款新增和中间业务收入网均单产均四大行第一。从转型认识看，经过两年多转型的持续推进，零售条线上下对金融生态的内涵、关键和方法都有了清晰的认识，这更为加快发展奠定了重要基础。

（四）系统布局，破解制约加快零售业务发展的难题

以打造个人客户金融生态系统为核心目标的零售业务转型，推进到2017年已是第三年，进入了要全面向纵深推进的关键时期。这要求我们必须用系统思维布局零售业务，全面整合各方资源，构建最佳生产关系，打出建设银行“组合拳”。各分行、各部门都必须站在全行角度、基于客户视角，用“一盘棋”思想去主动协同、真正联动。总行党委对此高度重视，祖继行长在年初全行工作会议上用大篇幅作出重要指示。下一阶段，我们要打造三大机制，破解制约零售业务发展的难题。

一是条线内融合机制。目前，全行零售业务发展较好的一级分行基本都建立了零售条线内部协同融合机制，通过做实零售业务，实现了统一决策、资源统筹和综合考核，凝聚了零售板块合力。总行已下发文件对此作出要求，各分行要积极借鉴和推行。目前，全行约半数一级分行的零售业务各部门由一位行领导统一分管，这有利于提升零售板块内部协同效率。总行对此不做强制要求，由各分行党委结合实际确定，但希望大家不断优化。

二是条线间联动机制。要突破几个关键点。比如代发业务，一家取得很好成效分行的“一把手”同志讲“永远是一把手工程、永远是对公条线职责所在”，我非常赞同！比如要依托对公业务资源，来拓展全国连锁型商户和丰富生态圈行业行业应用。再如各子公司要紧密贴近客户需求加强创新，成为金融生态系统重要产品供应商。零售条线要依托上述资源优势，主动跟进、全力推动，加强产品服务供给，有效衔接条线间联动获得的客户和资金。

三是工作统筹推动机制。要持续完善一级分行零售业务发展水平综合评价方案，定期公布结果，时刻提醒各分行找准短板、借鉴经验、迎头赶上，提升零售业务条线的执行力和战斗力。要建立“智慧共享”机制，总行对一级分行、一级分行对二级分行都要善于发现挖掘好的做法和典型案例，通过深度提炼总结，在更大范围内推广和共享。

（五）夯实基础，挖掘加快零售业务发展的潜力

零售业务经营最为突出的特点，就是对基础的要求特别高。比如富国银行，通过在理念、产品和IT系统等维度多年的深耕细作，培育形成了零售业务强大的交叉销售能力。比如招商银行，当前其零售业务已具备比肩国有大型银行的品牌、产品和服务，特别是在私人银行、信用卡等领域，其发展水平已超过大型银行。我们必须向包括股份制银行在内的先进同业学习，“取人之长、补己之短”。从系统内部看，福建、湖南、厦门和湖北等零售业务综合发展水平位居前列的分行，它们的共同特征都在于抓基础、强投入、做细功，在客户、产品、渠道和队伍等多维度具备较为扎实的发展基础。陕西分行在2014年以来的三年间，个人存款余额和中间业务收入四大行位次均实现了第三到第一的跨越，核心经验就是用系统思维、整合各方资源，踏踏实实地狠抓代发工资、商圈拓展、支付结算生态圈等基础工作，多年深耕收获了丰硕成果。

要重点夯实四个方面基础。一是客户基础，扩大客户总量，提高客户覆盖率，大力提升有效客户的全量客户占比，大力提升产品覆盖度。二是产品基础，要加大创新力度，积极打造领先性、竞争性和特色性产品，提升市场竞争力。三是渠道基础，要深化移动优先，持续提升手机银行客户活跃度；发挥智慧柜员机优势，确保交易分流后释放柜员人力留在网点，提升营销服务能力。四是队伍基础，打造一支数量足和素质高的对私客户经理队伍，加强投资理财专家团队建设。

（六）加强产品创新和品牌打造，为加快零售业务发展提供不竭动力

世界范围的新一轮科技革命和产业变革蓄势待发，可以说，创新已成为国家战略所系、科技发展所趋、市场竞争所迫和转型发展所需，也是银行业破解资源约束、应对激烈竞争和实现转型发展的必然选择。从国家战略看，“十三五”规划提出要把创新摆在国家发展全局的核心位置，并作为五大发展理念之首和引领发展第一动力。从科技发展看，随着信息科技、生物科技、新材料和新能源等技术的广泛渗透，为加快创新提供了强大动力。从市场竞争看，一方面，股份制银行创新速度很快，大型商业银行也在全面发力；另一方面，互联网企业大力创新，正不断侵蚀银行卡、理财、消费信贷等银行传统业务。近年来，四大行在国内银行业市场总量中占比持续下降，互联网金融跨界竞争主体在支付结算等领域业务规模已超过商业银行，创新竞争已不再局限于四大行和银行业内。从转型发展看，我行转型“棋至中盘”，创新作为全行转型发展的五大方向之一，已成为应对外部挑战和破解难点问题的核心动力，也是零售条线服务好最具创新活力个人客户的制胜法宝。

为此，一要提高认识、培育理念，切实增强紧迫感和责任感。二要注重实效、提升质量，要调动总分行“两个积极性”，贴近市场、找准热点，力争每年都能推出领先性、竞争性和特色性的产品。要深刻把握上述“三性”的内涵，总行各部门要加快梳理所辖业务当中有多少产品具备“三性”特征。比如个人房贷产品，我行同业领先、品牌家喻户晓，但这项业务各家银行都在开展，不具备明显特色性。但快贷、龙支付等产品，其领先性、竞争性和特色性特征都很明显，要大力发展、持续创新。三要明确职责、找准定位，各部门是创新工作的主体，同时要发挥好创新实验室“排头兵”、引领者和实验基地的作用。

品牌是零售企业和产品的“晴雨表”，它承载着客户归属感、代表着服务美誉度，特别是在当前国内零售银行产品普遍同质化情况下，打出建行品牌的差别化竞争优势，更起着“四两拨千斤”的战略作用。下阶段，零售业务条线要全面提升品牌制胜意识和品牌打造能力，让建行产品“既叫座也叫好”。一要抓重点。在巩固已有品牌优势基础上，当前要将龙支付、快贷等进行重点培育，实现重拳打响，同时还要打造私人银行客户、中端客户的服务品牌。二要抓包装。以研发创新为根本，以包装组合为工具，借鉴股份制银行经验，通过包装、整合和宣传提升品牌影响力。三要抓投入。拳头品牌打造是一项战略性工作，必须长期坚持下去。要加大推广频度和密度，平衡好短期投入和长期回报之间的关系，确保收获实效。

三、2017 年工作任务

（一）总体思路

2017 年零售和网络金融业务的工作思路是，深入贯彻落实全行工作会议精神，坚持零售业务基础性和战略性地位不动摇，坚持转型向纵深推进不动摇，更加注重运用系统性思维办零售，更加注重深化条线内部融合，持续打造个人客户金融生态系统。对内要配套转型重点在全量客户经营、客户主账户培育、系统性联动协同、互联网思维创新、大数据精准应用和全面精细化管理六个方面发力，真正形成支撑转型的内生动力。对外要着力打造专业理财服务、消费金融满足、便捷支付结算三大核心竞争能力，为全行转型发展作出更大贡献。

（二）经营目标

1. 个人存款：缩小与同业第二余额差距，四大行占比稳中有升。个人人民币存款日均新增 4620 亿元，时点新增 4600 亿元。

2. 个人贷款：个人住房贷款余额和新增确保同业第一，守牢房改金融同业领先优势。快贷新增 1000 亿元，个人消费经营类贷款新增同业第一。保持个贷资产质量四大行最优。

3. 客户：个人有资产客户力争连续第 5 年新增超过 2000 万，个人有效客户新增 1018 万，龙支付个人客户新增 3473 万。私人银行客户数和金融资产分别增长 20% 和 27%，客户金融资产余额突破 10000 亿元。

4. 商户：个人属性活动商户净新增 130 万，对公属性特惠及收单活动商户净新增 13 万，存量商户全部覆盖龙支付受理。

5. 信用卡：信用卡贷款新增 650 亿元，其中分期业务新增 350 亿元，净增信用卡客户 700 万，资产质量同业最优。

6. 网络金融：移动金融交易量占比 75%；手机银行用户新增 4000 万，当年活跃用户 5400 万；个人网银用户新增 2400 万，当年活跃用户 2000 万；善融商务交易额突破 1000 亿元。

7. 客户服务：综合接通率超过 80%，客户满意度力争超过 90%。

（三）重点工作

2017 年，要重点推进 10 项工作：

1. 深耕“圈、链、群”打法，增强获客与综合经营能力。

一是做强客群经营，提升综合服务能力。客群经营是金融生态系统的核心能力，2016 年已经形成方法论和试点经验，2017 年重在实践中落地应用。要抓住综合服务方案这个关键环节。产品部门要积极参与进来，根据客户痛点需求，主动创新供给产品，形成有竞争力的专属服务包。要做好重点客群推广。总行 2017 年将率先推广老年客群“安心悠享”，在市场上打响品牌；同时加快年轻客群、商户客群等战略性领域研究，力争年内推出。要普及客群方法论。年初各分行结合牵头情况已认领客群任务，要尽快组织人员力量，按照“四步法”要求，列出时间表和做实工作任务，确保研究不走样。同时各分行也要加强对教师、军人、公务员和医生等收入稳定、高诚信度、高信用度职业客户群的重点研究，提高服务方案的针对性。

二是做深生态圈链，提升综合获客能力。生态圈是金融生态系统中批量化获客和沉淀低成本资金的重要手段。要发挥合力。公共应用、连锁消费等场景方面，机构和公司客户是源头，对公业务条线要主动发挥作用、建立连接，零售业务条线要及时跟进、建圈获客。要增强黏性。存量生态圈要扩大覆盖和提升贡献度，特别是应用高频和扩展性好的生态圈，比如代缴费、社区、公交、旅游和教育，要延伸服务链条和增加内容，吸引更多客户和资金。要新拓场景。加大生态圈新拓力度，总行要及时总结分行案例、形成模板后全行推广，各分行要结合实际予以复制。

三是深挖存量客户价值，提升客户综合贡献。5 亿多全量客户是我行零售业务的“金矿”。要强化分层服务。做大 AUM 5 万元以上特别是 AUM 5 万～50 万元客户规模，构筑综合贡献基石。要强化网点主阵地作用，落实专人专业服务，用好智慧机具释放人力，加快 AUM 5 万～50 万元客户的分配到人。要抓好长尾客户。扎实推广好零资产客户激活、产品覆盖度提升等已成熟打法，运用大数据和精准营销工具，提升代发、房贷、公积金、社保和专业市场等重点客户贡献，培育更多优质客户。要抓好对私客户经理队伍建设。要实现“三个到位”。其一是配备到位，目前我行对私客户经理人数还比较短缺，要在零售条线内建立一支统一的对私客户经理队伍，确保维护 AUM 5 万元以上客户的专职客户经理足额配备。其二是培训到位，总行将开发专门教材、增加培训数量，各分行要力争在两年内实现客户经理轮训。其三是考核评价到位，实现全行客户经理综合评价大排名。

2. 抢抓账户新政机遇，培育客户建行主账户。牢固树立主账户理念。在客户各家银行不同账户中，主账户就是其资金归集账户和“总金库”，资金沉淀最多、购买产品和支付结算频率最高，是忠诚度与满意度的集中体现。我们要牢固树立主账户理念，将其作为深化客户经营的重要目标。

用好三类账户，理顺账户体系。一类账户重在打造行业领先的客户主账户，为生态圈拓展奠定基础。要重构“一账户、多个行业应用子账户”的账户体系和“一账户、多介质”的账户结构。二类账户重在完善体验、简化流程和丰富功能，配置有竞争力的投资理财产品，增强线上获客能力。三类账户重在嵌入场景获客，依托建行钱包升级完善三类账户体系。

抓住三个关键，提升客户黏性。抓产品覆盖度。要将产品覆盖度提升作为零售条线各部门的自觉职责，贯穿在经营管理与市场营销的始终。抓综合服务。发挥房贷、快贷和信用卡分期等资产业务的拉动作用，加强信用卡客户同步办理我行借记卡和绑定还款。抓综合积分。依托综合积分推动客户自我成长和自我激励，形成“贡献—积分—回馈—再贡献”良性循环。

做实三类客户，实现重点突破。做实代发客户主账户。大力推广代发工资客户综合服务方案，从源头狠抓主账户拓展。做实高价值客户主账户。抓住双标卡换卡契机，向白金卡等客户提供有竞争力的产品，通过专享服务留住账户，推动其升级主账户。着手研究大学生“成长账户”。在校大学生虽然当前对银行效益贡献度有限，但未来潜力巨大。我们必须抓住大学生客群，引导、培育和固化其使用建行产品习惯，提升客户忠诚度。要全力打造建行大学生客户综合服务方案，并以此为基础，在未来逐步打出亮丽服务品牌。

3. 举全行之力破题商圈，再造支付结算新优势。

一是统一认识、抓住机遇。全行都要充分认识到，龙支付是建行支付结算领域的统一品牌，是为再造我行支付结算新优势而打造的拳头产品组合。做强龙支付，不是某个部门或条线的责任，而是要举全行之力共同推动。做大龙支付，用户和商户两端都很重要，关键在商户。做优龙支付，下阶段支付结算领域产品创新都要在龙支付品牌下统一开展，推陈出新、强化优势。

二是整合资源、打响品牌。总行将配置专项营销费用，打造“常态化龙支付日 + 动态化季节主题 + 专属化商圈特色”营销活动体系，重在培育客户消费习惯，形成企业级的营销攻势。常态化和动态化活动由总行牵头组织、各分行可以叠加，专属化活动由各分行结合当地特色自行组织。

三是统筹协同、破题商圈。商户是龙支付拓展工作的短板，也是当前我行对公与个人客户资金承接链条上的弱项。祖继行长指示全行要加大各类商户拓展力度，确保资源足额投入。要举全行之力抓商户，变分散营销为整体营销，变单点服务为综合服务，从抓商户源头和破题商圈的视角加强公私联动，重点拓展优质连锁集团、经营类公司、专业市场和民生缴费类机构。总行将第二季度定为“商户拓展季”，将开展贯穿全年的营销活动。要做大个人属性商户、做优对公特约商户、做多网络龙头商户。对公部门要切实做好客户推荐和协同营销，在商户信贷政策上给予支持，加大信贷资源倾斜。

四是持续创新、保持领先。第一，要与“快贷”紧密结合，将支付场景嵌入消费金融服务，打造建行版“蚂蚁花呗”，研发个人商户专享快贷产品。第二，要尽快研发和推广我行自有聚合支付服务，依托龙支付二维码为商户提供聚合支付服务。第三，要对标互联网企业搭建开放式的商户管理和服务平台，推出融合商户会员管理、营销活动管理等服务的综合支付解决方案。

4. 抓住源头、强化承接，提升个人存款市场份额。2013 年以来，全行上下积极进取、扎实工作，我行个人存款时点余额与同业第二的历史差距由 1.3 万亿元缩至 8900 亿元，下阶段要进一步加快缩小差距。总行将制订目标和计划，各分行要坚决落实总行要求，全力完成目标。对于存款增势与所在地区资源不匹配、市场份额徘徊不前的分行，总行将督导问责。

举全行之力抓四大存款源头。抓代发源头。要作为“一把手工程”将对公基本户和有贷户的代发覆盖率纳入对公条线考核，将代发业务作为基本条件，嵌入营销和授信环节。要将个人客户资金沉淀率纳入零售条线考核，加强优质产品营销来承接资金，加强代销合作公司的代发业务营销。抓县域源头。抢抓棚改拆迁等低成本资金，围绕衣食住行提供综合金融服务。借力政策契机，做好农民工客户代发后返乡资金承接。依托裕农通轻资产模式，加大与供销社、电信运营商等第三方机构的合作，加速布点获客，抢抓资金源头。抓支付结算源头。抓行业应用生态圈，获取更多结算资金；抓借记卡消费，获取更多消费资金；抓个人商户拓展，获取更多商户资金。抓行外资金源头。产品部门要加快提升理财产品竞争力，各分行要进一步用好资产池、服务费率优惠等资源，首先把全量资金抓进行内，为沉淀存款奠定基础。

精细化管理抓资金承接四大环节。抓消费环节。大力提升我行借记卡与我行信用卡还款签约绑定率，做大商户规模促进我行银行卡消费资金体内循环。抓转账环节。开展转账资金分析研究，针对性地提供优质产品挽留资金，加强交易限额管控，降低资金流出的体量和速度。抓差别化定价授权。灵活用好总行存款定价授权政策，提升差别化和精细化定价水平。要对客户强化适宜性销售，将不同定价水平存款产品销售给不同需求、不同层级客户。抓大数据工具应用。加强客户资金流动闭环管理、对公经营资金承接等问题的分析研究和成果推广。

5. 搭平台、强销售、保中收，打造专业理财服务能力。

一是着手搭建投资理财产品线上销售平台。要以基金产品为基础，加快涵盖保险、贵金属和银行理财等产品，尽快在移动端上线投资理财产品销售平台，突出智能化、专业化和综合化特色，嵌入产品交易、专业咨询等服务，做大销售金额。

二是突出重点产品，挖掘销售潜力。2017 年以来同业纷纷加大拓展力度，竞争形势严峻，各分行对此要清醒认识。要扩大存量客户产品覆盖度，2016年总行提出“三个一千万”目标，2017年仍要保持高要求。保险要抓住市场快速发展的黄金机遇期，加大工作力度，全力将其打造成中间业务收入新的增长点；要将保险产品作为客户基础产品进行配置，扩大覆盖面；要做大期缴类产品，提升小额度和场景化产品销量。基金要抓住结构性机会，提升客户资产配置能力；要大力引进第三方新产品，坚持公募、专户和大集合齐抓并重。贵金属要重点打造比较优势，坚持自营和代理业务并举、实物和账户产品并重，提升对客户投资、收藏和消费需求的综合满足能力。银行理财要聚焦重点客群、加强销售统筹，进一步发挥其承接资金、维护客户和增加中收的重要作用，稳步做大产品余额。

三是子公司和行外第三方“双轮驱动”，加快丰富产品线。要将子公司加快打造成为客户综合服务能力的关键支撑和优质产品服务的提供者，增量、提质、多贡献。子公司要进一步丰富产品数量，加大创新力度，着力满足母行客户需求。建信基金、人寿要发挥龙头作用，着力补足当前第三方产品供给短板。建信信托、养老、期货和中德储蓄要加强产品研发，做大销售规模。要加强与优质第三方的合作，采取错位策略，重点引进建行集团短板产品，构成现有产品线的重要补充，满足差别化需求。

6. 找差距、补短板，加快私人银行追赶步伐。私人银行是零售业务“皇冠上的明珠”和“金字塔的塔尖”，体现着零售银行产品和服务的最高端水平。虽然私人银行业务服务成本相对较高、客户数量少、对银行效益贡献总量不大，但国内外各家大型银行都高度重视私人银行业务发展。核心原因在于，私人银行业务对零售银行的品牌和号召力具有重要的象征意义，高端客户选择某家银行的私人银行服务，对大众客户具有很强的品牌感召力。

要以零售业务的“产品创新阵地、客户服务标杆、客户关系管理典范和差异经营驱动者”为核心目标，对标工行、招行等领先同业，大力发展私人银行业务，大力打造传承久远、引领同业的私人银行服务品牌。抓客户拓展，完善获客机制、扩大获客范围，制定推广私人银行客户服务标准和权益目录。抓产品创新，打造价值内涵高的私人银行专属产品体系，做大做强家族信托业务，研究推广家族办公室、财富规划等服务，积极依托全委托、股权投资等创新模式丰富客户投资理财服务种类。抓专业服务，全面推广“1+1+1+N”专业团队服务模式和“私人银行客户经营五步法”，加快打造形成一支由优秀客户经理、财富顾问等组成的核心服务团队，增加数量、提升素质。抓重点地区，财富聚集效应明显的北京、上海、广东、深圳、江苏、浙江、山东和四川8家重点分行要勇于自我加压，加快赶超同业。

7. 巩固房金业务领先优势，实现消费信贷稳步发展。

一是推进精细化管理，全面提升个人住房贷款竞争力。严格贯彻国家政策要求，做到精准调控贷款投放。已领先分行要巩固领先优势、拉大同业距离，尚未领先分行要加大争先进位力度，一定要把“要买房、到建行”这一脍炙人口品牌一代代传承下去。要抓重点城市贷款投放调控，支持市场健康发展。要抓三线四线城市去库存，在有效把控风险的前提下加强投放，支持合理住房需求。加快培育二手房贷款和资产证券化等业务竞争优势。

二是打好快贷营销推广战，实现消费信贷快速增长。快贷是近年来我行创新推出的一项非常成功的好产品，客户需求旺盛、市场空间很大、业务风险可控。要在控制风险的前提下，尽可能扩大快贷客户数量，将AUM、客户综合积分等应用到授信和定价模型中，通过差别化和小额化策略，吸引更多客户使用更多建行产品，拓展和维护优质客群，借助快贷这一利器增强客户黏性、培育主账户。要深化零售条线协同联动，线上线下全渠道部署，大力提升快贷业务获客能力。要将快贷纳入网点的经营产品体系和激励考核指标，深度嵌入龙支付流程中，打通消费场景，提升客户渗透率。要完善快贷的快捷支付功能，提升客户体验、保持创新优势。要在大力推广的同时密切关注风险防控，一方面确保业务总体风险可控，另一方面运用大数据工具捕捉特定地区、特定客群潜在风险点，及时处置风险。

三是加快系统布局，强化房改金融领先优势。房改金融业务是市场空间大、低成本资金密集沉淀的优质业务。要建立总分行、开发中心和客户实时沟通机制，全力做好住建部住房公积金结算应用系统和异地转移接续平台的推广上线，探索公积金双向同步核算模式。以住房维修资金业务系统为抓手，形成集系统、渠道、服务的一体化营销模式，大力拓展住房维修资金市场。

四是加强风险防控，依托技术创新来稳住资产质量。要把2017年作为个人信贷业务风险管控年，以2016年新发放贷款、合作机构、合作楼盘和贷款真实性为检查重点，狠抓制度执行、合规操作、预警模型和违约催收等重点环节。要推进关键风险点系统机控，加快推进个贷业务贷后流程再造。

8. 打造领先品牌，加快把信用卡产品培育成为我行消费信贷业务的主要抓手。

我国商业银行信用卡业务经多年持续投入，已经进入了将为银行带来可观盈利的“开花结果期”。

一是加大基层行推进实施力度。对二级分行实施损益监控和管理，力争全行每个二级分行信用卡业务均实现盈利。完善二级分行专业团队和网点专员配备，提升业务开办率。

二是做实年轻客群服务体系。实施信用卡业务年轻客群经营规划，完善与年轻客群配套的涵盖产品、支付、商户、消费信贷、渠道和增值服务等各要素的服务体系，努力完成客户新增尤其是年轻客户新增目标。

三是全面激发循环信贷和分期信贷“两个引擎”的强大动力。开展“龙卡星期六”等拳头营销活动，加强现金转出业务推广，提升循环信贷转化率，做大循环信贷业务规模。持续扩大购车、家装等大额分期业务的领先优势，力争“一日一点一分期”目标网点达标率达到100%。

四是加强与其他产品的交叉销售。确保新办卡客户手机银行开通率超过80%。确保新办卡客户100%同步新办理我行借记卡或实现已有我行借记卡的还款签约绑定。

五是确保信用卡发卡质量稳步提升。要聚焦有效客户，更加注重现有客户的经营维护，大力提升产品激活率和活动率，大力提升客户活跃度、忠诚度和效益贡献。要持续提升信用卡业务的全流程、全要素风险防控能力，重点抓客户消费交易行为真实性，确保客户真实、交易真实和手续真实，守牢风险防控底线。

9. 深化移动优先战略，做强网络金融“获客活客”能力。

一是深化移动优先战略，保持手机银行各项指标同业第一。将新版手机银行推广作为全年工作的重中之重，重点抓存量个人客户营销，提升市场份额和用户覆盖面。研发推出手机银行新客专属理财产品。移动端已经成为零售业务竞争的“主阵地”之一，要打一场“歼灭战”，将手机银行客户覆盖率由现有的60%提升至80%。要在安全运营的前提下，向各重点分行、子公司和优质第三方开放手机银行平台，丰富应用场景。

二是突出特色优势，推动善融商务再上新台阶。个人商城要突出“精专特优”，加强轻奢品和装修等金融属性强的产品销售，建设“地方汇”、丰富“跨境购”，进一步提升善融商城的规模和集聚效应。要着力加快龙支付、善融e贷、快贷和信用卡分期等服务善融商务上的营销推广。企业商城要强化我行与“银政企军”战略合作，以善付通和外联服务等为抓手，承接更多总行部门、子公司和分行的特色营销活动。

三是做大悦生活平台服务商户数和缴费交易量。加快悦生活云服务推广，重点推广党费、幼儿园、银医和银校等拳头应用，实现全行员工党、工、团费悦生活平台缴费，扩大水、电、燃气、话费、宽带和有线等项目覆盖度。

10. 深化集约化转型，优化客户服务体验。客户服务中心要围绕深化集约化转型的核心目标，加快打造“服务 + 价值创造”双重功能，聚焦“提能、增效、保体验”，全面提升人工接通率、客服质量和价值创造能力。

一是凝心聚力深化集约化转型。要落实总行党委战略部署，扎实做好组织机构设置、工作职能交接、服务资源整合等工作，相关部门要积极配合支持，确保平稳过渡。

二是多策并举提升接通率。要大力开展“建行好声音”劳动竞赛，加大新一代统一客服平台和智能客服渠道建设推广力度，建立人力资源动态补给机制，打造全行统一的专家支持队伍。

三是加快全渠道智能客服体系建设。加快e进线、e应答、e管理和e服务平台推广，推出“建行客服”微信公众号，拓展“智能小微”服务功能，提高智能机器人的问题解决率和业务量。要抓紧研究远程银行等创新服务模式，加强线上线下协同。

四是加强客户问题源头管理，减少客服资源低效占用。相关部门要密切协作，做到产品设计和客户需求的精准匹配、产品发布和客户问答的同步落地、服务支持和客户问题的无缝应对，减少宝贵客服资源的低效占用。

五是加强工单管理，提升客户满意度。抓服务首先要抓工单，抓工单首先要抓考评。客户服务中心要尽快制定和下发考核评价办法，明确工单管理的工作流程和各机构责任。要加强工单处理时效和质量的考评，定期通报考评结果，对处理效率低、质量差、反复引发客户咨询甚至投诉的机构要通报批评。

“新一代”推广工作也是2017年零售业务条线的一件大事，总行已专门召开视频会议进行部署。各分行要成立“一把手”担任组长的推广实施小组，要做好各级员工特别是核心岗位人员的培训和演练，要做好原有业务系统清理工作，制订好应急预案。各分行要高度重视，落实总行要求，确保顺利上线。

四、牢固树立“四个意识”，履行“一岗双责”

党的十八届六中全会是我们党历史上一次具有里程碑意义的重要会议，全会一项重大成果就是明确了习近平总书记的核心地位，正式提出了“以习近平同志为核心的党中央”，这是民心所向、众望所归。年初召开的中央纪委七次全会是深入贯彻党的十八届六中全会精神，推动全面从严治党向纵深发展的一次重要会议。贯彻落实党的十八届六中全会和中纪委七次全会精神是全行党员领导干部的重要政治任务，必须要旗帜鲜明地讲政治，牢固树立“政治意识、大局意识、核心意识、看齐意识”，自觉在思想上政治上行动上与以习近平同志为核心的党中央保持高度一致，做政治上的明白人。要坚决维护党中央权威，自觉服从党中央集中统一领导，做到党中央提倡的坚决响应、党中央决定的坚决执行、党中央禁止的坚决不做。

在座各位作为所在分行的党委成员、所在部门的支部书记，既要抓好零售业务发展，更要履行好“一岗双责”，在分管范围内要承担主要领导责任，将全面从严治党、党风廉政建设融入业务发展和经营管理之中，与业务发展同部署、同落实、同检查、同考核，讲业务发展时，也要讲党风廉政建设。同时，还要高度重视合规和风险防控，在分管领域内抓好案件防控和预防腐败，落实好“两防”的九项责任，在分管领域建立起合规管理闭环，把案件风险降到最低限度。

此外，大家作为党员领导干部要做合规、遵纪、守法的表率，坚决把好“廉洁关”。前期，总行组织全行员工集中收看了《不可逾越的底线》警示教育片。这部警示教育片以“身边事警示身边人”的形式，集中选取近年来我行发生的违纪违法典型案例，讲述了个别干部员工的犯罪轨迹，其中有的收受巨额贿赂被判刑，有的进行利益输送被“双开”，令人痛心、发人警醒。在座的各位或是分行行领导，或是总行部门负责人，可以说职务高、权力大，容易成为别有用心之人“围猎”的对象，必须加强自律自省、慎独慎微慎初，保持清正廉洁，管好自己、管好亲属。要做到“三个珍惜”：一要珍惜自己的幸福家庭。各位都是家里的“顶梁柱”，而且都有一份很不错的收入。一旦自己出了问题，幸福生活就可能毁于一旦，甚至还会牵连自己的妻子、孩子，这样的案例在行内和行外非常多，令人痛心、惋惜。二要珍惜自己的职业生涯。大家今天能走上所在的领导岗位是非常不容易的，都是经过多年求学苦读和不懈拼搏才获得的，需要倍加珍惜和爱护。三要珍惜建设银行的声誉。我们在建行获得的成长和进步，既得益于个人的努力，更离不开组织的培养。因此，绝对不能干“端建行饭碗、砸建行牌子”的事。对于那些为一己之蝇头小利出卖建行利益的行为，我们一定会坚决打击、绝不姑息，该开除的开除、该移送司法的移送司法。

同志们！建设银行战略转型发展正全面向纵深推进，零售和网络金融业务也已进入了加快打造全行基础性和战略性地位的关键时期。形势催人奋进，使命光荣、责任重大。让我们在总行党委的正确领导下，深化转型、积极进取、扎实工作，撸起袖子加油干，为建设银行转型发展作出更大贡献！

在2017年全行重点领域案件风险专项整治工作动员（视频）会议上的讲话

朱克鹏

（2017年4月20日）

同志们：

今天，我们召开全行视频会议，主要目的是深入分析当前案件防控和预防腐败，即“两防”形势，动员部署信贷业务、柜面业务、集中采购和公章管理四个领域的专项整治工作，提出“两防”工作安排与要求。刚才纪委、监察部的同志通报了近期发生的案件，四个部门负责人对各自的专项整治方案做了说明。大家知道，最近中国银监会连续发了一系列监管文件，对银行业市场乱象及违法、违规、违章等问题开展专项治理，上周余静波副行长专门召开会议作了部署和安排。本次组织开展四个领域案件风险专项整治工作，也是贯彻银监会系列专项治理的具体行动和措施。为深入细致地做好四个领域专项整治工作，我讲几点意见。

一、“两防”工作形势严峻，任务艰巨

从案件通报的情况看，应该说，案件形势十分紧迫，虽然与同业国有大行相比，我行案件不是最多的，但由第一季度看全年，形势不容乐观，任务也很艰巨。

第一，从全国形势看，目前整个金融系统都处于案件高发期，部分企业资金链断裂、P2P等互联网金融风险集中暴露，以及各种形式的金融诈骗频频发生，使银行成为风险转嫁目标，银行从业人员成为被围猎的对象。一些银行从业人员在各种利益和诱惑面前，缺乏定力，无视职业操守，突破法纪底线，成为资金掮客和不法分子的帮凶。据中国银监会通报，2014—2016年，银行业金融机构的案件数量连年翻番，有的行成倍增长，涉案金额巨大、性质恶劣的案件时有发生。其中，多数是内外勾结，利用特殊岗位和资源作案，涉及业务领域之多，人员范围之广，岗位层级之高，触目惊心，前所未有。

第二，从我行情况看，也不乐观。大家知道前年某国有大行发生了几十亿元的票据案件，最近媒体又披露了某股份制商业银行北京一个支行的30亿元假理财案件，类似的情况建行也有，只是金额没那么大而已，绝不能掉以轻心。2016年我们发生了24起案件，2017年第一季度就发生了6起，发案很集中，形势严峻。可以说，每一件都值得我们深刻反思和反省。究其原因，主要是员工管理不到位，内控措施不严密，加之部分员工的责任意识、合规意识和风险意识不强，成为不法分子的突破口，进而成为发案的诱因。

第三，从案发部位看，柜面业务领域依然是员工操作案件的多发区，采购和信贷是员工受贿案件的多发区，理财、资管、同业、公司业务等是非法担保和印章等案件的多发区。一是柜面业务领域，除近几年屡有发生的违规代客理财、代客挂失、代客保管重要介质等外，还涉及过去未曾发案的ATM清机加钞等业务领域。我行的ATM清机加钞制度和内控措施应当说是比较严密的，但是2016年的案件显示，无论是岗位制约、密码制约、对账环节都处于失控状态，导致作案人员数次累计从ATM里面盗取现金几百万元，我们都没发现，甚至在员工报告有异常的情况下，我们的管理人员都未引起重视，可以说是麻木不仁、玩忽职守，多么不负责任！直到员工向更高层级主管报告，才进行查处。我们所设的道道关卡，个个失灵，实属不该。回头来看，任何一个环节我们当值的同志尽到责任了，这个案子就不会发

生，我们就不会有损失，这个员工也不会成为罪犯。二是信贷业务领域，以前偶有受贿案件，但是2016年以来有的行此领域案件增多，个别领导人员利用职务之便为相关利益人骗取银行资金，或通过非法提供隐性担保达到融资的目的。有的支行行长为民间借贷盗用公章，提供担保，背后都是利益在起作用。尤其是小企业信贷领域，以权谋私、以贷谋私、利益输送，十分严重。小企业的贷款损失固然有市场因素，但是我们管理不到位、员工教育不到位，从而引发道德风险，也是非常重要的原因。有的员工甚至基层机构负责人，无正当理由与信贷客户大量频繁地资金往来，存在着严重的腐败隐患，可以说是胆大妄为，毫不掩饰，完全没有把法律、建行的规矩当回事。如果我们不斩断信贷领域的这些客户经理、支行行长、审批人员与信贷客户的利益链，小企业业务风险就不能得到有效控制，也很难健康发展。小企业不良率高的分行，应该认真总结查找背后的原因，不能简单地归咎于市场和客户。三是采购业务领域，我行采购产品范围广、金额大、回款及时，是市场上很有吸引力的需求方，因此如果管理不到位，采购领域也容易成为供应商和采购人员勾结谋私的领域。从已有的案件情况看，有的采购人员甚至是领导人员禁不住供应商的各种诱惑，罔顾制度和程序，收受贿赂，私自对外提供采购信息，或干预采购流程，甘当供应商的中间人。总行党委巡视组曾经对分行的采购业务进行过核查，发现有的分行不少采购部门、需求部门的人员和采购供应商频繁发生大额资金交易，还有的分行办公用品、装修等，被领导干部的亲属所垄断，有陪标、围标行为。四是在公章使用方面，有的领导人员，利用自身岗位优势和印章保管人员模糊的风险意识，采用欺骗手段，违法出具保函和协议，造成案件风险损失。

第四，从涉案金额情况看，单个案件涉案金额屡破历史纪录，2016年有一个支行行长私自对外签订理财产品协议，私盖公章，形成隐性担保，涉及金额高达19亿元，风险敞口近7亿元，他自己交代的受贿金额超过了1000万元。还有个支行行长对外签订虚假理财协议，涉及金额、受贿金额也很巨大。这两起案件还在侦查过程中，造成了很大的风险隐患。

第五，从案发后果看，一些大额和恶性案件，波及面宽，风险损失大。有的信贷人员直接按发放贷款额度的10%收取好处费，替客户隐瞒财务数据和真实经营状况，报表和材料造假，吃里扒外，协助客户套取银行资金。还有的贷款当年发放、当年不良、当年打包处置，损失速度之快，超乎想象，令人震惊。还有的领导人员为一己之私，干预或直接操作业务，形成案件风险，一人作案，牵连多人。这些案件如果被媒体炒作，就会给我行造成严重的声誉损失，给我行形象抹黑。

第六，从监管要求看，中国银监会对商业银行案防责任要求越来越明晰，也越来越严格，已明确要求商业银行董事长、行长和监事长分别承担案件风险防范、案防制度执行和监督的第一责任，要求层层分解，逐级落实。2017年的年度监管要点中，又特别指出要检查银行业金融机构三年来发生案件的问责情况，对问责不力的要进行监管处罚和追责。在案件问责方式上，再次强调“上追两级”和“双线追责”。对案件当事行既要实施下调监管评级、限制业务办理等处罚措施，又要对相关人员追究责任。对涉嫌犯罪的，要求必须移送司法机关。突出强调要敢于亮剑，敢于揭盖子。

二、以四个重点领域专项治理为切入点，坚决遏制案件高发势头

面对严峻的“两防”形势，总行研究决定在信贷业务、柜面业务、集中采购和公章管理四大案件风险高发领域开展员工严重违规和案件风险专项整治工作，这既是有效落实监管要求的具体措施，也是我们内部防范案件风险的迫切需要。信贷业务、柜面业务、集中采购和公章管理四个专项整治分别由内控合规部、渠道与运营管理部、财务会计部和办公室牵头。这次的整治目标任务是按照“有案必查、违规必究、失责必问、触犯禁令必开除、涉嫌犯罪必移送”的原则，重拳整治四个领域涉嫌以贷谋私、盗取资金、利益输送等严重违规行为，要主动“排雷”，形成震慑，化解案件风险隐患，在全行员工中进行一次“两防”教育和演练，坚决遏制案件高发势头。

刚才四位部门负责人分别介绍了专项整治方案，视频会后，整治方案随即下发全行，我再强

调以下几点。

（一）关于整治重点和排查方式

一是信贷领域的整治重点要突出以贷谋私问题的排查，加强相关人员的行为排查。主要聚焦在近两年已核销或打包处置不良资产所涉及的信贷项目责任人；近三年纯新发放贷款形成不良，以及贸易融资、供应链融资、银行承兑汇票及贴现业务所涉及不良资产的项目责任人；与城商行、股份制银行、农商行、农信社、证券公司、信托公司、担保公司、小额贷款公司等开展的同业、资管和投行业务，以资金流、客户流、收入流为切入点，重点排查隐性担保相关责任人。在排查方式上，实行一级分行集中排查，由相关部门组成专门小组梳理重点项目，确定排查重点，应通过提取、分析有关数据，锁定重点项目和人员。这次排查不仅要查表面的违规，还要查违规背后的问题，即重点查违规到底是什么原因造成的，是合规意识不强，还是疏忽大意、不懂规矩，是否有内部的利益勾连，是否有道德风险和廉洁风险等。

二是柜面业务的专项整治聚焦案件风险和行为排查。柜面业务专项整治范围，包括账户管理、柜面交易操作、产品销售、信用卡业务、自助设备管理、金库与现金调拨机构、柜员尾箱管理、营运本级案件风险等环节和部位，要抓住关键风险点和案件易发部位，深入开展员工行为排查。要保证检查工作的全覆盖，不留死角，对于检查中发现的情况和问题，要及时进行核查、报告。

三是集中采购专项整治。要聚焦供应商准入、采购方式选择、采购评审等环节的潜在道德风险问题，重点审视具有关联关系的供应商和单一来源采购情况，对采购流程、招投标情况、审批方式、合同签订与执行以及标的物等进行全面检查。我们第一季度开展的“三清查”工作已经告一段落，在过去总行党委巡视、审计以及信访件核查过程中，发现员工与信贷客户、供应商有大额资金往来的情况还是屡禁不绝，这是违反从业禁令的。但是从自查情况看，不甚理想，有些员工有侥幸心理，觉得不会被发现，有交易、没有申报。这次排查再发现这样的问题，该开除的就要开除。否则，就会形成破窗效应，规章制度也形同虚设，禁令也从“高压线”变成“橡皮筋”了，影响总行党委、纪委的威信，造成屡查屡犯、屡禁不止的局面。

四是公章管理专项整治。要覆盖各级机构，聚焦基层机构行章保管和使用情况，要综合应用察看监控录像、调阅用印记录和人员访谈等方式，重点排查是否存在空白件用印情况，包括介绍信、保函、合同、汇票、公文用纸等。此次排查鼓励主动揭发和举报违规事项，若因行章违规使用导致案件风险而又未主动反映问题的，将严肃追责印章保管人。印章管理要抓关键人，抓关键核心，关键人就是印章的保管人员，关键核心就是确保印章只能保管人员使用，不能交给领导或其他人员。另外，印章管理重在日常检查，各级行主要负责人在调研时，应主动过问、检查印章管理情况，特别是办公室的负责人，以后印章出了问题，首要追究保管人员的责任，那是直接责任，其次就是办公室主任要负管理责任，副行长、行长要负领导责任。

（二）关于整治工作组织领导和实施要求

本次专项治理从现在开始，到 11 月底结束。主要要求：

一是加强组织领导，密切协作。此次专项整治工作虽然只有四个领域，但涉及多个条线部门，基本涵盖了我行主要业务，包括梳理疑点业务、关联责任人员、违规行为排查、现场调查处置、问题整改、责任认定与追究等多个环节，工作量大、专业性强。总行四个牵头部门要精心组织，认真落实整治方案的各项要求，加强对本条线整治工作的督导，有安排、有措施、有记录，确保整治效果。各一级分行要统筹安排，抽调业务骨干，细化落实总行整治方案的要求。

二是深挖问题线索，组织现场督查。各领域专项整治要将非现场筛查和现场核查有机结合，非现场筛查要事前做足功课，锁定重点，现场核查要认真细致，提高案件风险敏感度，对疑点信息不放过，一查到底。核查过程中要注意员工个人信息的保密，注意保护员工个人隐私。对确认案件线索的，应及时按规定报告，内控合规部、纪委、监察部要会同有关部门，及时核查，按规定处置。总行将成立现场督查组，对各一级分行专项整治工作的开展情况进行抽查。内容包括本次专项整治工作的组织情况、方案的制订情况、执行情况、抽查中发现的问题、整改措施和效果等。对于专项整治不认真、组织不力、走过场的，将严肃处理，并视情况扩大抽查范围。各一级分行也应组织对所辖分行的督查和抽查工作。

三是举一反三，从源头上整改。2016年以来发生的多起案件，比如套取空白存单问题、以贷谋私问题、私自出具隐性担保问题、公章管理问题等，都不是新问题，也不是新的案件类型，而是发案后没有引起全行足够的重视，特别是没有采取真正有效的措施堵住漏洞。因此，必须举一反三，从源头上消除案件隐患。第一，从顶层设计入手，完善制度流程。各机构、各条线要高度重视本次专项治理中所揭示的问题，特别是制度漏洞、管理缺失，以及屡查屡犯等问题，应及时补充、重检和修订制度，强化内控措施，彻底解决制度间不衔接，相互交叉，以及缺乏系统性、科学性和可操作性等问题。现在有些制度，包括印章管理办法，从办法本身来讲还是很严格的，但在执行过程中有的确实难以做到。有的分行反映办法要求过高、过严，在一些基层机构没法操作，有的规定在一级分行、总行层面还可以得到执行，但到基层受条件所限就难以操作。因此必须加强制度的科学性和可操作性。第二，以制度为标尺，狠抓合规操作。要加强培训和教育，确保制度执行不打折扣，不偏离、不走样。通过制度和典型案例的学习，特别是对188条和员工行为积分管理办法的学习，让全行员工知道违规、违纪、违法的严重后果，形成自觉执行制度、维护制度的良好局面。总行为了加强员工的教育，制作了两部教育片，第一部是《不可触碰的红线》，已下发分行，第二部《不可逾越的底线》已基本完成，即将下发。当你看到我们的警示片，看到长长的一串因为贪腐、违规操作案件锒铛入狱的名单，相信大家也会震惊，其实腐败离我们并不遥远，就在身边，当看到熟悉的面孔，有的是曾经的领导，有的是过去的同事、下属，因为违法犯罪，锒铛入狱，失去了幸福生活，令人心情沉重，发人深省。第三，综合运用新技术，提高机控能力。要充分发挥机控在“两防”工作中的作用，及时借鉴、开发和应用新的防控技术在业务领域的应用，让犯罪分子无隙可乘。

三、严肃案件查处、严厉责任追究，着力打造“两防”工作长效机制

面对案件多发和监管趋严的新形势，各条线部门和各分支机构要充分认识“两防”工作的重要性、紧迫性和反复性。坚持标本兼治、预防与整治相结合，不断完善“两防”长效机制。总的原则是严字当头，把严的要求贯穿于“两防”工作的事前、事中、事后全过程，落实到机构、人员、制度、流程、系统和机制建设等各方面，要做到王洪章董事长提出的“三个不放过”，即原因未分析透的不放过、责任人未严肃追究的不放过、堵塞漏洞措施不到位的不放过。

（一）严肃查处、形成震慑，让违法犯罪无处遁形

及时、高效、准确地查处案件，严厉查处案件当事人，严肃追究用人失察、管理缺位、制度失灵等责任，有利于最大限度地控制损失、化解风险，有利于形成震慑和全行齐抓共管、共同堵塞漏洞的局面，有利于形成良好的合规文化。

一是及时报告案件信息，绝不允许隐瞒不报、自我消化。案发后及时报告，既是监管要求，也是我行一贯的要求。关于案件信息报送问题，2016年总行先后印发过两个文件《关于加强执纪问责工作的意见》和《关于严肃执纪问责纪律的通知》，重申了各机构、各部门关于案件报告和违规线索移送的要求，全行总体执行情况是好的，但也有个别分行未严格执行案件报告制度和违规线索移送工作要求。如有的分行在发现员工违法出售客户信息涉嫌违法犯罪问题后，没有及时向纪检监察部门移送，试图以责令员工辞职了事；有的分行在发现员工涉嫌参与大额民间借贷失踪问题后，未及时向总行报告，直到群众信访举报才让问题浮出水面；有的分行对支行负责人盗用公章违规对外提供担保的涉嫌犯罪案件“讳莫如深”，既不按规定向总行报告，也没有及时将涉案人员移送司法机关处理。

建设银行拥有15000多个经营机构，员工人数约37万人。有这么多机构和人员，客观地说，发生一些案件风险难以避免，关键是发生这些案件风险后应持什么态度。有些机构或部门负责人对报告和移送工作仍存在模糊甚至是错误的认识。

有的沿袭旧有思维模式，认为发生了案件，就会被“一票否决”，怕考核扣分；有的担心“家丑外扬”，有失面子；有的辖内案件和严重违规多发，担心上级行或纪检监察部门核查，会牵连自己，引火烧身；有的担心案件核查错综复杂、费时费力，处理起来更有可能得罪同事甚至领导。凡此种种，必然出现能不报就不报、能迟报就迟报、能自我“消化”就自我“消化”，搞瞒天过海、玩拖延战术。当然，还有的是因为对制度和政策学习不够，对报告和移送的范围、时限掌握不准，造成漏报、迟报，尽管主观上没有“恶意”，但也不能成为正当的理由。全行各级机构、相关部门尤其是主要负责人要充分认识案件报告和线索移送的重要性，坚决落实总行各项制度要求。今后，纪委书记对案件信息报告负总责，今后凡发现迟报、瞒报的，一律追究纪委书记的责任。

二是深挖细究，绝不放过任何疑点。一案发生，涉及多方面因素，必须深挖细究，把相关的因素挖出来，把相关的责任查清，把相关的制度漏洞补上，要综合运用数据分析、案件形成链条、访谈关系人等各种手段和措施，对案件进行深入核查。不得就事论事，浮在表面，或因怕得罪人，轻易放过案件的处理，会使得案件相关责任人不能得到应有的处罚。比如有的干部、员工和信贷客户发生大额资金往来时，我们往往直接引用审计的结论，而没有进一步核查为什么发生大额资金往来及资金的性质。各级党委、纪委的负责同志都要认真思考一下，作为建行利益的守护者，总行党委把我们放到每一级分行，管理很多资产，要负起责任，保卫建行利益不受损害，对于损公肥私、以权谋私、吃里扒外的行为，坚决“零容忍”。对那些端着建行的饭碗、干着损害建行利益事情的人，该开除的就要开除，该移送司法机关的就要移送，绝不能手软，否则就是对建行的“犯罪”。

三是对涉嫌犯罪的，坚决移送司法机关，绝不姑息包庇。移送犯罪嫌疑人是法定义务，无论我们作为党员、作为领导干部，作为纪委书记，就是作为普通公民，发现犯罪都有义务举报。如果我们明知他犯罪了，还让他走人，不报告、不移送，这就是连公民起码的义务都没有尽到，更何况党员领导干部的义务呢？要让犯罪分子得到应有惩处，形成震慑，给员工以警醒，既加大了犯罪分子的违法违规成本，又能够形成倒逼机制，也为化解、降低案件风险损失和资金追讨创造条件。有的案件处理、移送不及时，贻误战机，扩大了损失，本来还有望追回的钱款，最终无法追回。同时，在当前执法环境越来越规范的情况下，涉嫌犯罪不移送还可能存在着机构和个人的合规风险和法律责任。坚持涉嫌犯罪必移送的原则，依法惩处、清除我们建行内的不法分子，是维护法纪和制度的需要，更是维护建行整体利益的需要，因此，绝不能只对相关当事人“一辞了之”“一开了之”。

（二）严厉责任追究，完善“两防”考核

一是坚持“一案双查”，严格管理责任和领导责任的追究。动员千遍，不如问责一次。我们说，有权必有责、有责要担当、失责必追究。案发后，一要迅速成立联合查处小组，进行全面风险排查，严格评估和控制风险边界，查清案件本身的问题；二要对照检查“两防”责任制和“两防”工作措施落实情况。根据“一案双查”结果，对负有管理和领导责任的进行责任追究。现在监管要求是“上追两级”和“双线问责”，我们提倡发生案件后要“一案双查”，除追究直接责任外，对承担管理责任和领导责任的，也要问责。另外，对案发后处置不当，失职、渎职和瞒案不报的要严肃问责。

二是坚持“一案双通报”，点问题、析教训，形成震慑。案件的发生都会造成风险和资金损失，有的教训很深刻，我们付出了惨重的代价，这个学费我们不能白交。我们必须坚持每案必通报、双通报，各级机构不得因任何理由进行选择性通报。首先由内控合规部先进行案件通报，重点是分析评估制度、流程和系统等方面存在的漏洞与制约，提出整改建议和要求，连同案情一并通报全行，以便全行对照检查，举一反三，引以为戒。其次是纪检监察部门对案件责任追究的结果通报。以上通报要点分行、点条线、点人名、点问题、点责任和处理结果，通过一个个现实的案例，警示全行。这个也不能选择性通报，以后案件通报都一视同仁，谁也别怪谁，通报任何一个行都没有个人恩怨，都是为了工作，为了防案件。这点要请分行的主要负责同志理解。

三是坚持奖罚分明，着力提升“两防”考核针对性与科学性。在强化案件处置责任的同时，还要不断建立和完善科学的“两防”考核制度，既要与各级机构挂钩，又要与各业务条线部门挂钩，要贯穿案件预防、案件发生和处置全过程。“两防”考核办法正在拟定，拟定好后将会印发。“两防”工作考核导向要做重大调整，今后在“两防”考核上不再以是否发生案件以及案件金额大小作为主要考核依据。既要看结果，更要看过程，要体现这个导向。有的行发生了案件，但“两防”工作做得比较到位，处置比较得当，比如及时向总行、监管机构报送了案件信息，控制了有关涉案人员和资金，有效控制了舆情，挽回了损失，控制了风险敞口不再扩大，降低或消除了一些社会影响，对有关责任人员及时问责处理，该开除的开除了，该移送司法机关的移送了，领导责任、管理责任都处理得很好，可以不扣分，或者少扣分。但是对于“两防”工作不到位的，该扣分的要扣分；对案件处置不得当的，也要扣分，尤其是要对瞒案不报的，该开除不开除的，该移送司法机关的不移送的，要加重扣分。今后我们要打消大家的顾虑，看平常的工作是否做到位，看在案件发生后是否处置到位。如果两个都到位了，就可以不扣分，甚至扣很少的分。如果瞒报不报，那就全部扣完，还要追究纪委书记的责任，希望这些措施能引导大家正确对待报案制度。另外我们要形成鼓励揭示和发现案件线索的管理机制，对于主动揭发的，应当给予奖励、减责或者免责。例如ATM案件的举报人，要给予重奖。对于一些干部员工明知违规、违法不举报的，也要问责，尤其对负有管理责任的，更要问责。

（三）健全“两防”工作机制，严格落实“两防”主体责任

一是建立“两防”联席会议制度，充分发挥其作用。总行已经建立了“两防”联席会议机制，目前已经召开两次会议，总行各部门充分利用联席会议平台，通报情况、分析案情、落实监管要求，提出管理措施，取得了较好的效果。各一级分行要比照总行尽快建立“两防”联席会议制度，尽早发挥作用，要有规则、有内容、有纪要、有执行、有督办。

二是充分落实“两防”工作主体责任。2017年的工作会上，总行各部门和各一级分行主要负责人都签订了“两防”责任书，各分行、总行各部门要切实担起“两防”工作主体责任，全面落实“两防”九项主体责任的具体要求，真正履行到位，不空岗、不漏项。各级业务部门主要负责人要承担本条线“两防”工作第一责任，各级行“一把手”是本机构“两防”工作的第一责任人，班子其他成员要承担起所分管业务领域“两防”管理责任，纪委书记要对案件信息报送、案件查处负总责，也是最终责任。

三是内控合规部门应切实履行案防的牵头管理责任。要健全案防工作制度，明晰报告路线和责任要求。要把案防作为内控合规管理的主要工作来抓，融入内控合规日常管理，常抓不懈。要克服和解决制度执行偏轻偏软问题，让法律、监管规则和内部规章成为“带电的高压线”，使制度强起来，让管理硬起来，对违规行为，该提示的提示，该阻断的阻断，该调整的调整，要真抓真管，严抓严管，确保全员树立合规意识，依法合规经营。

四是纪委监察部门应认真落实预防腐败牵头责任。纪委监察部门移交案防牵头职责后，要更加聚焦预防腐败工作，切实发挥预防腐败牵头部门的作用，健全和完善预防腐败案件制度体系，加大案件的调查处置力度，紧盯关键岗位和人员，特别是要加强基层机构负责人和资源权力部门的监督，将反腐工作的要求真正落实到具体业务领域和岗位。通过典型案例的查处和通报，警示全行。

总之，2017年的案件形势比较严峻，“两防”任务也十分艰巨，各级行“一把手”要把“两防”工作当作一项重要的工作，把“两防”工作的要求和措施真正列入日常工作日程，要看好自己的门，管好自己的人。同时，“两防”工作是一个系统工程，需要群策群力，共同参与，既要发挥制度和管理的作用，又要注重合规文化建设。任何制度都可能有不严密、不周全的地方，这就要发挥合规文化的作用，提高员工的合规意识。对员工既要体现管理，又要体现关爱，应切实帮助员工解决日常工作生活中的实际问题，使员工能够热爱建行，坚守职业操守，抵御来自各方面的诱惑，筑起全行“两防”的立体防护网。不久前，总行启动了“合规建行，知行合一”的合规文化活动，各级行要将本次“两防”工作要求，融入合规文化建设当中，打牢“两防”工作的基础。

今天启动的四个领域专项整治活动，是对我们日常“两防”工作的再检验，是实现2017年“两防”工作目标的具体行动，总行各部门、各分行要认真抓好落实。各机构主要负责人应切实履行第一责任，抓好部署和安排，完善管理措施，有效防范案件风险，各级纪委也要集中查处一批违规、违纪、涉及贪腐的案件，包括“四风”的违纪问题，正风肃纪，为实现全行的转型发展和改革作出贡献！

谢谢大家。

在试点分行合规官座谈会上的讲话摘要

朱克鹏

（2017年7月20日）

同志们：

今天，我们召开试点分行合规官座谈会，主要目的是分析总结试点分行合规转型推进工作的经验，研究下一阶段全行做好合规管理工作的总体思路和主要措施。刚才九位分行同志和总行内控合规部负责同志的发言很好，大家的交流很充分，达到了预期的会议效果。

总行党委始终高度重视内控与合规管理工作，这是我们推进合规管理工作的最有力保障，洪章董事长、祖继行长、郭友监事长多次作出重要批示和指导，静波副行长做了大量推动落实工作。经过近几年的努力，全行内控与合规管理工作成效明显：组织架构初具规模，合规干部队伍不断充实，合规官试点取得预期成效，员工合规意识持续增强，与外部监管机构的沟通及时有效，违规事件的负面舆情管控也比较到位，同时境外机构保持了“零监管处罚”的良好成绩，为构建起科学先进、务实管用、符合建行实际的合规管理体系奠定了坚实基础，创造了有利条件。

前段时间，我到北京、河南、湖北、宁波、青岛等几个分行进行了调研，并与总行内控合规部干部员工进行了座谈交流，对全行合规管理工作有了一个初步的了解，对如何做好我行合规管理工作有了一些想法。今天借此机会和大家沟通交流一下，不妥的地方，请大家批评指正。

一、充分认识当前合规管理工作面临的严峻形势

当前，商业银行不仅面临着经济增速放缓、同业竞争加剧、新金融业态冲击等经营环境变化的影响，同时近年来银行违规案件频发，尤其是在严管重罚的监管态势下，合规风险日益凸显。刚刚结束的全国金融工作会议将防控金融风险列为主要任务，要求金融机构强化风险内控机制建设，守牢风险底线。

（一）国际监管形势空前严峻，监管处罚层出不穷，罚款金额屡创新高

国际大行遭受巨额罚款甚至倒闭。近年来，国际监管环境日趋严格，各国监管新规不断出台，因违规问题遭受到巨额监管罚金的银行不胜枚举，其中不乏汇丰银行、法国巴黎银行、德意志银行等国际知名银行。

中资同业在海外相继受罚。2016年以来，几家中资同业在海外也相继爆发合规风险事件。从公开报道的情况来看，工行马德里分行、农行纽约分行、中行米兰分行等都因涉嫌洗钱等合规问题受到境外监管机构的处罚。这些事件不仅会带来财产损失、声誉损失，也会影响中资银行集团国际化战略的推进实施。

（二）国内监管持续趋紧，处罚力度不断加大

为加强银行业风险防控、提升银行业服务实体质效，2017年上半年中国银监会开展了针对“三违反”“三套利”“四不当”“市场乱象”等专项整治，开启了我国金融业“强监管”“强问责”周期的大幕。从监管处罚金额来看，2017年以来，各级银监部门对违规金融机构的处罚力度明显增强。截至6月末，各级银监部门共开出1334张罚单，合计罚款额3.38亿元，比2016年全年罚款额多出24%。这与近年来银行业金融机构违法违规案件多发的势头紧密相关。

（三）我行境内外机构面临的合规风险压力倍增

2017年上半年境内分行发生的7起案件（其中贿赂案件2起）暴露出相关机构内控措施不够严密，作案人员无视职业操守，突破法纪底线，也反映出部分管理人员、经办人员责任意识、合规意识和风险意识不强，违规操作、有章不循，为犯罪分子作案大开方便之门，我行案件防控和预防腐败的任务仍然十分艰巨。同时，境外机构合规风险开始显现，部分境外机构的监管检查反馈结果不理想。目前境外机构“零监管处罚”的情况也主要与我行境外机构成立时间较短、业务量不大且未涉及零售业务有关，绝不能麻痹大意、掉以轻心。

二、正视合规管理工作中的差距，纠正认识和管理上的误区

（一）正视合规管理工作中存在的差距

目前，从境内外监管环境的新变化、新要求和我行合规管理实践情况来看，全行内控与合规工作距离总行党委要求、国际先进银行实践还有一定差距，主要表现在以下几个方面：一是合规管理职责定位不够清晰，合规管理核心功能缺失，聚焦主业不够。目前，总行内控合规部有四大块的职能，即内部控制、合规管理、操作风险管理以及反洗钱。反洗钱和操作风险管理工作效果都不错；内部控制体系整体上来说是健全的，但是内控评价指标设置和考核评价方法的科学性、客观性不够，亟待完善；合规管理则相对薄弱，合规检查、违规处置、违规整改等核心功能发挥不够，尚未形成统一规范的合规管理流程，合规管理工具也比较欠缺。二是合规管理的组织架构还不够完善。合规官试点工作还在探索阶段，部分基层机构合规管理力量薄弱，合规部门的条线管理和工作推动力度还不够。三是合规管理制度体系还不健全。最近总行内控合规部正在加紧起草、修订二十多项合规管理制度，要尽快形成相对完整的合规管理制度框架体系。四是合规管理的运行机制不健全。合规条线管理和工作推动力度有待加强，下级合规部门向上级合规部门的报告制度不到位，容易造成总行内控合规部对合规管理信息掌握不全面、不及时，影响工作指导和推进效率。五是合规管理基础工作比较薄弱。尚未建立合规管理信息系统，合规管理统计报表格式也不统一。六是合规队伍的能力素质还有待提升。合规管理干部既要熟悉法律、监管规定，也要熟悉本行内部管理规定，时刻关注银行业动态，应当是经营管理的“行家里手”，但目前合规队伍的专业能力和担当意识还不够强。七是全行合规发展的意识有待加强。从全行查处的违规案件情况来看，部分分支机构经营管理者的合规理念还没有真正树立起来，一些机构长期重经营发展、轻合规管理，导致同一部位连续多年发案。这说明合规文化建设依然任重道远，使底线、红线、高压线的“三线意识”内化于心、外化于行绝非一日之功。

（二）厘清若干认识和管理上的误区

目前，全行内控与合规管理工作中还存在一些认识和管理上的误区，需要加以纠正。从认识方面来看，有的认为“合规管理只是合规部门的事”。其实从董事会、监事会、高管层一直到基层网点都贯穿着合规管理工作，每个条线、每个部门、每个机构都要承担合规的主体责任，抓合规绝不仅仅是合规部门自己的事。有的认为“风险管理有经营、管理、审计三道防线，失守一道没关系”。违规如水、合规如堤，如果不能守住合规管理的主体责任和管理责任，就阻止不了违规行为的发生，相应的财产和声誉损失在所难免。与其在事后揭示问题，不如在事前事中及早干预，避免问题的形成。有的认为“银行同业都在违规，我们违规也没有什么”。商业银行作为经营风险的企业首先要保证安全性，建设银行作为国有大行更要保证稳健合规运营，绝不是说别人违规，我们也要违规，别人违规更不是我们违规的借口和理由。

有的认为“违规是丑闻，越少人知道越好”。要通过对违规问题的查处和通报，深入剖析案发原因，使案发行和其他行都能举一反三、吸取教训，对干部员工也能发挥警示教育作用。有的认为“发生案件要保密，要自我消化，否则会影响年度考核”。总行正在完善案件管理考核办法，不简单以是否发案作为扣分项，关键要看案发后是否及时报告、妥善处置，对瞒案不报的要加重扣分。还有的认为“合规做好了，没有违规事件、违规处罚，合规工作就会边缘化”。这是一种过分的“担忧”，目前全行合规管理工作距离有效防范案件发生、减少监管处罚、减少因违规导致的财产损失和声誉损失这一目标还有不小的差距，合规无事可做而被“边缘化”的顾虑为时过早。

从管理方面来看，有的认为“违规处理容易得罪人，少干为好”。合规部门如果不敢担当，对违规机构不处置、对违规人员不问责，那就成了“摆设”。有的认为“合规要从基层抓起”。遵规守规的风气必须从上层抓起、从领导抓起，以上率下、以身作则。有的认为“抓合规重在抓教育”。教育千遍不如问责一次，当前抓合规既要抓教育，更要重惩处，没有重拳就没有威慑，没有威慑就遏制不住违规。有的认为“只有违规造成损失了才需要问责”。合规管理要盯住违规行为，不能以违规行为是否造成损失来决定是否问责，结果导向的违规问责倾向会助长侥幸心理，贻害无穷。因此，只要发现违规行为，就要进行处置。有的认为“合规管理越严越好，对违规行为要零容忍”。凡事皆有度，合规也要有度，对于发现的违规问题要按严重程度进行分级，包括轻微、一般、严重、特别严重几类。对一般或轻微违规行为应以批评教育或者积分处理为主，对于触犯从业禁令的严重违规行为要“零容忍”。

三、搞懂“三个问题”、分清“三个责任”，聚焦和回归合规管理的主责主业

（一）搞懂合规管理的“三个问题”

合规是什么？根据巴塞尔协议、银监会《商业银行合规风险管理指引》和我行规章制度中的相关表述，合规管理就是利用各种合规管理工具、制度与流程，确保本行、本机构所有的发展战略、管理措施、经营活动、产品、业务服务、员工行为都符合国家的法律法规、监管规定和本行规章制度。

合规管什么？合规管理的工作范围至少包括：合规制度建设、合规咨询、合规审查、合规检查、违规问题发现、违规行为判定、违规处置问责、违规整改确认督导、合规监测、监管动态的追踪、监管检查协调与配合、合规考核与评价、合规报告、关联交易管理、合规信息系统建设、合规文化教育培训、合规组织架构和干部队伍建设等内容。

合规如何管？合规管理应当是全流程管理，即覆盖到事前、事中、事后的每个步骤，一次有效的合规管理活动就要发现一批问题、解决一批问题，使合规管理水平再上一个新台阶。在合规管理的闭合循环中有八大关键步骤，只有抓实这八个步骤，才能管好合规工作。

一是制度管理。制度建设及管理是合规管理的根基，没有规范化、体系化的制度，合规管理如无源之水、无本之木。要及时和准确地掌握国家法律法规、行业政策和各类监管规定，并将这些外部规定内化为银行及员工行为依据，即“外规内化”。这是商业银行合规经营的源头和起点。

二是合规审查。制度、产品及业务设计的严密性和科学性，是各项管理要求有效执行的前提。要通过对业务、产品、制度的合规性审查，将合规管理嵌入业务流程，确保从源头控制合规风险的产生，防范制度、流程、产品设计中的漏洞及缺陷。

三是合规检查。独立行使合规检查权是合规部门最基本的工作职责和功能，也是做好合规管理工作的前提和基础。合规部门要履行好合规检查的权力，承担起合规检查的责任，有计划、有针对性地开展合规检查，完善违规问题发现机制，提升发现违规问题的能力，否则合规部门就难以及时了解“谁违规”“哪里有违规”。在检查方式上，可根据具体情况采用突击检查、飞行检查、专项检查等多种方式；在检查方向上，要突出重点、突出问题导向，针对监管法规、行内重大基础规章制度的遵循情况进行检查，针对违规问题易发多发的业务领域和管理领域进行检查，针对内控与合规管理基础薄弱、违规问题或案件高发频发的机构进行检查。

四是合规报告。合规信息的及时有效传递是

合规管好重点、守牢底线的前提之一，是整个合规体系高效运转的必要条件。要建立起垂直独立、及时畅通、完整准确的合规报告机制，既要有按月、按季度和按年进行的定期报告，也要有针对案件和重大违规事件的即时报告。报告应简明扼要，尽量采用表单式，列明重点环节和重点问题。合规官或合规部门负责人向上级合规管理部门报告违规事件是基本工作职责，是合规官的天职。要落实垂直报告责任，合规官要独立签署合规报告报上级合规部门，同时抄报所在机构主要负责人，并且对报告内容的真实性、准确性、及时性负责，尤其要确保上级合规部门第一时间掌握违规问题，及时妥善处置。

五是违规处置。对违规事件的处置是合规部门的核心功能和主要工作，是做好合规工作必不可少、不可或缺的重要工作内容，做不好违规处置就不可能做好合规工作。合规部门对于检查发现或其他渠道移交的违规问题，要进行分类分级认定，包括轻微违规、一般违规、严重违规和特别严重违规四类。根据违规问题的严重程度，可以采用责成业务部门处理、合规部门处理和移交纪检监察部门处理等方式进行处置。合规部门对于违规责任人可以采用积分罚款、建议扣减绩效或建议调整工作岗位等处置方式；对于违规机构可以采用公开约谈、通报批评、停办业务、降低授权等多种处置措施。

六是违规整改。“见兔而顾犬，未为晚也；亡羊而补牢，未为迟也”。扎紧制度篱笆、提升管理水平是违规整改的根本目标，能否实现这个目标是衡量违规整改实效的重要依据。必须要压实各条线、各部门、各机构对本条线、本部门、本机构的违规整改责任，列出整改时间表，明确落实责任人。对于制度、流程、系统等设计及运行方面的根源性问题，要集中力量优先整改，从根源上解决“屡查屡改屡犯”的问题。要加强对整改真实性的监督考核，加大对应改未改、虚假整改等问题的处罚力度。

七是违规通报警示。违规通报警示既是对合规风险的有效揭示，也是合规教育的重要手段。对于案件或重大违规事件要坚持“发生一起、处理一起、通报一起”。通报要讲明事件经过、深入剖析问题、成因和教训，既是对案发行的批评教育，更是为了督促其他机构举一反三、引以为戒，及时查找自己存在的制度缺陷和管理漏洞，实现自查自纠。对严重违规员工处理情况的通报要发挥警示震慑作用，使广大员工心有所畏、行有所止，这也是对干部员工的教育和保护。

八是完善内控制度。内控制度是合规工作的基础，是实现合规目标的重要保障，是一次合规管理流程的出发点和落脚点。要针对合规管理流程中发现和暴露的问题、反映出的制度和流程缺陷，及时优化完善制度流程，增强内控有效性，推进合规管理迈上新台阶，使合规管理流程成为一个完整闭环。

（二）厘清合规管理的“三个责任”

做好合规工作必须厘清主体、管理和监督这三个责任，只有各个主体知责明责，才能确保履职尽责，把合规管理的责任落细落实，将合规管理工作做到位。一是各条线、各部门、各机构承担合规的主体责任。合规不仅仅是合规部门的事，每个业务部门、每个管理部门都肩负着本条线、本部门合规管理的主体责任、第一责任，既要负责本条线、本部门的制度办法，更要通过检查督促规章制度得以有效贯彻和执行，对发现的制度漏洞要及时弥补，对发现的严重违规事件要向合规部门移交。二是合规部门承担合规的管理责任。这种管理责任是全面的、最终的。合规部门对内要向董事会、监事会、高管层负责，通过各种监督检查、考核评价等方式，确保各条线、各部门承担起合规主体责任；对外要加强与监管机构常态化沟通，做好协调配合，争取监管机构的理解、信任和支持。三是审计部门承担合规的监督责任。审计部门是事后监督，着力于事后揭示问题，而非事前干预、阻止违规问题的发生。只有这三类主体各明其责、各司其职、各尽其力、协调配合，才能使全行各项合规管理工作落实到位，不留空白。

在厘清这三个责任的基础上，要注意处理好与相关部门的关系。一是合规部门与法律部门的关系。合规性审查与合法性审查存在部分重叠和交叉，合规性审查如包含合法性审查的内容，则可以简化业务流程，提高工作效率。二是合规部门与纪检监察部门的关系。纪检监察部门执纪执规工作是合规全流程管理中的重要组成部分，负责对严重违规行为责任人进行问责。三是合规部门与审计部门的关系。审计部门要监督发现合规部门工作存在的问题，合规部门也要督促审计条线合规地开展审计工作。审计是事后监督，而非合规防线。四是内控、合规与风险部门的关系。内控是基础，合规是手段，管控风险是目标。

（三）明晰合规管理目标，聚焦核心任务

总的来讲，合规管理主要有四个目标：一是防范案件发生，二是减少监管处罚，三是减少因违规导致的财产损失，四是减少因违规导致的声誉损失。发生案件是最严重的违规表现形式，并会由此引发监管处罚、财产损失和声誉风险，因此是合规管理的首要目标。

围绕以上四个目标，合规管理要聚焦十项核心任务：一是确保合规管理机构全覆盖、业务全流程、人员全员化；二是确保法律法规、监管规定和行内规章制度在全行得到有效贯彻执行；三是建立科学、完整、简便、可操作、可执行的合规制度体系；四是建设一支专业敬业、敢于担当、执行力强的高素质合规队伍；五是确保合规组织体系健全、职责明确、边界清晰；六是建立高效顺畅的合规管理运行机制；七是建立有力的合规管理工作条线推进机制；八是保证各项合规管理措施、制度、办法、流程切实有效；九是构建良好的合规文化氛围；十是在同业中塑造合规形象，获得良好的外部合规评级。

四、推进合规管理体系建设，健全组织架构，完善运行机制

所谓的管理体系是指在管理范围内按照一定的秩序和内部联系组合而成的系统，这个系统既包括政策制度、组织架构、管理工具等“硬件”，也包括运行机制、理念文化等“软件”。确保我行的合规管理取得实效、保持长效，就必须着力建设起科学先进、务实管用、符合建行实际、覆盖全集团、境内外的合规管理体系。

（一）完善的合规管理体系所具备的“五性”特征

衡量一个合规管理体系是否完善，可以从五个方面加以判断：一是专业性。合规管理工作的专业性很强，合规人员既熟悉国家法律、监管规定、本行制度，也要熟悉银行业务实践。二是独立性。合规管理工作要保证独立性，既要避免利益冲突，也要避免外部干扰。三是权威性。合规部门作出的决定要具有强制性，要做到令行禁止，而不是选择性执行。四是全面性。合规管理要做到全员化、全流程、全覆盖，即所有的员工都必须置身于合规管理体系之中，所有的产品业务从产生到终止都在合规管理范围之内，所有机构都在合规组织体系的管辖之中。五是有效性。通过开展合规管理工作，案件和严重违规事件的数量要大幅度减少、监管处罚的频率和金额要降低，因违规导致的财产损失和声誉损失要减少。

建设完善的合规管理体系应当抓住“十大要素”：一是合规理念、意识、文化；二是合规政策；三是合规管理制度；四是合规管理工具；五是合规管理流程；六是合规管理信息系统；七是合规管理组织架构；八是合规管理运行机制；九是合规考核评价机制；十是合规队伍建设。

需要强调的是，真正建成“专业、独立、权威、全面、有效”的合规管理体系不是一蹴而就、绝非一日之功，不能急于求成、急躁冒进，更不能搞“运动式”“大跃进”，要求真务实、脚踏实地、蹄疾步稳、循序渐进。

（二）健全合规管理的组织架构

合规管理体系的首要“硬件”就是组织架构。要实现各部门、各机构的合规全覆盖。对总行部门来说，要根据需要配置合规管理的处室；对境内机构来说，一级分行要设置独立的合规部门，二级分行可以单设，也可与其他部门合署办公；对子公司来说，要设立风险官或合规官，履行合规管理职能；对直属机构来说，要单独设立合规部门；对海外机构来说，应设立合规官，并配有合规官助理。

（三）完善合规管理运行机制

总行要加强顶层设计，统一制定一级分行合规官和合规岗位的工作指引，明确每个机构合规工作职责、方式与流程，提出具体工作要求，设定工作方法。同时，在合规工作开展过程中根据实际情况不断的修改完善，确保指引与时俱进、常用常新。

（四）建立独立垂直的合规报告制度

确立境内分行、直营中心、境外机构和子公司的月报、季度报、年报和特殊事件的紧急报告机制，明确报送内容与路径，确保管辖范围内发

生的重大合规事件信息及时向上传递。

五、丰富合规管理工具，充实合规管理手段

（一）完善考核评价工具

应尽快制订合规 KPI 考核方案，明确考核导向和评价标准，体现“结果为主、兼顾过程”的考核导向，增强考核指标的可量化性、可检验性，确保考核或评价结果的针对性和有效性，把合规管理的压力传导到各个被考核机构。要完善内控评价制度，对部门落实合规主体责任的情况进行评价，督促各条线、各部门履行合规责任。要完善对合规官工作的评价办法，确保其履职尽责。

（二）建立违规处置工具

统一全行违规行为认定标准，明确轻微、一般、严重和特别严重的违规行为的界限，为积分管理等违规问题处置、违规事件报告提供重要管理基础。

（三）健全合规管理信息系统

规章制度导航系统和合规管理信息管理系统是合规管理的基础工具。总行内控合规部和分行合规部门要把合规管理的这项基础工作做好。规章制度导航系统要内容全面、及时更新、易于查询、便于使用。合规管理信息系统要覆盖合规管理全流程，包括违规发现、违规报告、违规处置、违规整改、违规警示等各个环节。

六、建立覆盖管理流程、运行机制和基础工作的、全面完备的合规管理制度体系

制度建设要抓住关键问题、关键点和关键环节，突出制度的可操作性、可执行性。当前，要加快搭建合规管理制度体系基本框架，规范合规管理的各项工作，主要分为三大类 25 项制度。第一类明确管理流程、聚焦核心工作，第二类规范运行机制，第三类理顺基础管理。

（一）规范管理流程的制度

主要包括《规章制度管理办法》《合规审查办法》《合规报告管理办法》《合规检查管理办法》《违规行为、违规事件分类分级认定办法》《违规处罚管理办法》《违规整改办法》《案件管理办法》《内控评价办法》《反洗钱管理办法》等。

（二）规范运行机制的制度

主要包括《总行直属中心合规管理办法》《海外机构合规管理办法》《子公司合规管理办法》《合规官工作指引》《合规官考核评价办法》《合规条线年度评价办法》《合规年度 KPI 考核办法》《总行同级部门合规主体责任考评办法》等。

（三）规范基础管理的制度

主要包括《合规季度（年度）通报制度》《合规文化建设方案》《合规人员学习、考试、资质等管理办法》《合规年度教育方案》《重大典型违规案例选编》《员工合规必读》《改进部门工作作风的意见》等。

七、加强合规管理工作推动力度，提升条线执行力

做好全行的合规管理工作，需要我们各条线、各部门、各机构每一位合规管理干部员工的共同努力，必须加强合规条线的工作推动力度，使境内分行、子公司、海外机构、直属机构的合规部门都能按照总行的统一要求行动，做好合规工作。合规管理的条线推动主要包括指导、管理、监督、评价、通报、培训六个方面。

（一）指导

一是强化纵向管理。要制定合规官工作指引，使各级合规官的职责和任务逐条明确出来，保证职责和任务可操作、可量化、可考核、可追责。二是加强横向指导。抓实“合规管同级”的要求，制定各业务部门合规职能处室负责人的工作指引，指导其有效开展合规工作，督促同级部门落实合规的主体责任。

（二）管理

畅通上下级合规部门的沟通渠道，增强合规条线的执行力，建立起垂直、及时、真实、准确的合规报告机制，突出清单化的管理方式，做到科学有效、务实简洁。

（三）监督

上级合规部门要加强对下级合规部门的监督，通过督导检查等方式，及时发现和纠正下级合规部门工作中存在的问题，根据问题性质、严重程度，进行分类分级管理，做好处置整改工作。

（四）评价

要加强对合规条线的评价，用量化指标来评价

合规条线的工作情况。在指标设计上应化繁为简、抓住重点和关键，力求做到考核评价指标可量化、可衡量、科学、合理，结果客观、公正、透明。同时要根据实际，不断修正和完善评价办法。

（五）通报

要加大警示通报力度，提高各机构、部门对合规工作的重视程度，增强违规处置的威慑力。一是通过违规事件通报，剖析问题和薄弱环节，促进各级机构和员工查找制度缺陷和管理漏洞，实现合规管理的自我纠正、自我整改。二是通过严重违规员工处理警示通报，对广大员工进行警示教育，警钟长鸣，使员工不敢违规，遏制屡查屡犯的势头。

（六）培训

对合规条线要抓好、抓实培训工作，合规官、合规部总经理要作为重点培训对象。每年都要制订年度合规教育方案，纳入条线考核和评价。合规人员要实行上岗资格认证制度，提升队伍的专业能力。新入行员工要有合规必读教材，让员工熟悉制度底线和行为边界。

八、推进合规文化建设，强化合规警示教育作用

合规文化建设是一项涉及多个方面的长期任务，最终要让合规成为建行企业文化的组成部分，实现全行干部员工将合规理念意识内化于心，外化于行。当前，合规文化建设的重点是抓好合规警示教育，通过对违规问题的惩治，发挥警示震慑作用，先做到“不敢违规”，再实现“不能违规”和“不想违规”。

合规警示教育要见到实效，绝不能“轰轰烈烈搞活动、认认真真走过场”。一是活动形式要具备针对性和可操作性，如抓实案件和严重违规事件的通报、拍摄案件微电影、开展合规知识竞赛等。二是活动落实情况应易于量化、便于检查考核。如合规培训开展的次数、参与的人次、合规培训的主要内容及对象；警示教育视频拍摄数量、组织观看学习人数；活动中对合规管理提出优化建议数量、采纳数量等。

九、打造一支专业敬业、敢于担当、务实高效、模范守规的合规干部队伍

“落实要到位，干部是关键”。打造一支高素质的合规管理干部队伍是确保各项合规工作任务有效推进的根本保障。

（一）提升专业能力

合规工作人员要加强学习，熟悉法律法规和监管规则，要对行业规则、行内规章制度准确把握。要深入学习银行业务知识，做行家里手，专注合规工作。具体体现为三方面的要求：一是要自我加压，夯实和提高自身能力。二是要合理分工，不能“胡子眉毛一把抓”，要按照不同的管理领域和重点部位，定向培养合规专家。三是要加强学习与考核，采用培训和考试的方式提高学习效果、提升工作质量。

（二）敢于担当责任

一是要敢于发现和处置违规问题，并及时进行报告、通报，这是合规管理干部的“天职”。二是要有责任争着担，有工作抢着干，不扯皮、不推诿。

（三）工作务实高效

一是要避免形式主义，务实而不务虚。减少发文，不发没必要的文；写短文章，开门见山，不说套话、空话。要发扬“钉钉子精神”，把工作做实、做深、做细；要有“一张蓝图干到底”的决心和耐性，善始善终、善作善成。二是要提高工作效率，“当日事、当日毕”，养成每天完成当日工作、清空 OA 系统和邮箱、坚持学习的良好习惯。三是要改善合规队伍的精神面貌、精神状态。经过全行的努力，合规工作已经具备了良好的基础，只要合规干部员工坚定信心、振奋精神，以时不我待的紧迫感“撸起袖子加油干”，全行的合规转型目标一定会如期实现。

（四）争做守规模范

合规干部员工从事的是合规管理工作，必须要做遵纪合规守法的模范。一是遵纪守法，做爱国守法的好公民，绝对不做违法的事情。二是戒奢尚简，做从业廉洁的干净人，不能做违反党纪的事。三是勤勉敬业，做爱行爱岗的好员工，严守建行的规矩，不做任何损害建行利益和声誉的事。

十、推进合规管理工作的方法、步骤和策略

（一）统一思想、明确思路

要根据合规管理工作的总体思路，明确合规

工作的方向、目标、任务、路径和措施。在工作推进过程中，困惑、质疑，甚至消极抵制可能难以避免，因此全行内控合规条线每一位员工都要提高认识、认真思考，确保思想统一、步调一致，这样才能有效推动合规管理工作向目标迈进。

（二）正视差距、统筹规划

我们要主动对标先进银行同业的合规管理实践，找差距、找短板，不要讳疾忌医，回避矛盾。总行要统筹规划，做好顶层设计。

（三）立足实际、务求实效

我们既要虚心学习借鉴同业在合规管理方面的先进经验，但也不能照搬照抄、囫囵吞枣。要立足本行实际，考虑不同监管的环境，有选择地学习国外先进合规经验。总行聘请的中介机构通过对标国外商业银行的先进实践，对全行的合规工作提出了详细的建议方案，这是我们改进合规管理工作的重要参考，总行内控合规部要抓紧总结与提炼，明确总行、分行可以借鉴的内容，整理成培训教材，切实把咨询项目的成果运用好。合规工作要始终体现和贯穿一个“实”字，不搞“花架子”，不搞“花拳绣腿”，不搞形式主义，每项工作都要注意实效，抓住重点、抓住关键、抓住要害。

（四）问题导向、急用先行

我们要以问题为导向，找准存在的问题、差距，找准合规工作中的一些难点问题、薄弱环节和关键点，形成合规工作的重点，守牢合规底线。在当前的合规工作中，海外合规是重点，对违规的发现、报告、处置、整改既是重点，也是难点。我们应当避免平均用力，要分清轻重缓解，做到急用先行。

（五）先上后下、化繁为简

要实现合规体系建设目标，必须先上后下、先总后分，从总行内控合规部抓起，一级做给一级看，一级带着一级干，层层延伸，直到每一个基层网点。一些工作可以先通过试点总结经验，再分步骤向全行推广。要坚持先粗后细、善于化繁为简，在解决问题中要抓住要领，如现阶段合规管理的重点就是要防控案件的发生，以这个目标为带动，实现纲举目张的效果。

对于如何做好当前的合规管理工作，总行将专门出台意见，希望各行能够按照总行的统一要求，进一步回归和聚焦主业，充分发挥合规管理的核心职能和作用，务实高效地工作，全面提升合规管理能力和水平。

同志们，今天召开这次座谈会，对全行合规管理工作提出了新的要求，也明确了下一步的工作方向。全行合规条线要进一步统一思想、树立信心、聚焦主业、抓好落实，推动全行合规工作再上新台阶！谢谢大家！

在“深入学习贯彻党的十九大精神全面推进境内子公司党建工作”座谈会上的讲话摘要

朱克鹏

（2017年11月14日）

同志们：

今天我们召开境内子公司党建工作座谈会，主要任务是学习贯彻党的十九大精神，进一步落实全国国有企业党的建设工作会议、全行党的建设工作会议和子公司工作会议要求，交流工作经验，共同研究加强境内子公司党建工作。刚才10家子公司党组织主要负责人交流了本单位党建工作开展情况；总行党建工作领导小组成员单位负责人也结合部门职责，对子公司党建工作提出了具体明确的工作要求，大家讲得都很好，很具有针对性。总行还起草了《关于加强子公司党的建设 推进全面从严治党的意见》，作为会议参阅材料征求意见，并将在大家的意见和建议基础上进行修改完善，尽快印发实施。

党的十九大是在全面建成小康社会决胜阶段、中国特色社会主义进入新时代的关键时期召开的一次十分重要的大会。习近平总书记所作的党的十九大报告深刻回答了新时代坚持和发展中国特色社会主义的一系列重大理论和实践问题，提出了新时代党的建设总要求和八个方面重点任务，对推进党的建设新的伟大工程作出了顶层设计、战略部署，对全面从严治党提出了新标准、新要求。学习贯彻好党的十九大精神，要在全行、全集团毫不动摇地加强党的建设，深入推进全面从严治党。近期，国立党委书记在广东调研时，专门强调要把全面从严治党摆在核心位置。结合学习贯彻党的十九大精神和总行党委要求，经党委审定，我代表党委就加强境内子公司党建工作讲几点意见。

一、充分认识境内子公司加强党建工作的极端重要性

近年来，总行党委深入推进综合化经营，子公司从无到有、从少到多、从弱到强快速发展起来，目前，建设银行已经设立或收购了10家境内子公司，拥有的非银行金融牌照种类日臻齐全。总行党委高度重视子公司党建工作，将子公司党建纳入集团党建进行通盘谋划。总行各党口部门认真指导管理。各子公司党组织切实履行责任，在党的建设各个方面都采取了一些扎实有效的措施，使公司党建工作在较短时间内有了明显起色：一是落实党建责任，管党治党意识更加自觉；二是夯实党建基础，党组织设置更加健全；三是做实思想教育，党员干部党性认识更加深化；四是抓实作风建设，“四风”问题整治更加深入；五是钉实纪律底线，干部监督更加严格。党建工作的全面加强，充分发挥了“红色引擎”作用，为子公司发展提供了强大动力。截至2016年底，子公司金融资产比2012年增长了4倍，净利润增长了3倍。2017年上半年，子公司净利润达到33.57亿元、同比增长20.9%，继续保持快速发展。“物有其本、事有其源”，这些成绩的取得，根本上得益于总行党委的科学决策和坚强有力领导，得益于子公司党组织的带头执行和凝心聚力，得益于子公司广大党员干部的辛勤奉献和先锋带动。事实证明，无论是过去、现在还是将来，我们大力发展子公司业务，首先要坚持党的领导、加强党的建设。

在看到成绩的同时，子公司也要正视党建工作中的不足，尤其是和中央和总行党委的要求相比，还有不小差距：一是抓党建工作的责任意识还不够强。有的认为子公司是独立的市场主体，不需要像总行一样去肩负政治责任和社会责任，在抓党建上自然就有了松懈思想。有的子公司负责人只记得自己是董事长、总裁，忘记了党组织书记、副书记的身份，只抓业务、不抓党建。有的对党建工作单纯以会议落实会议、以文件落实文件，缺乏扎实有效的工作措施。二是党建工作基础还不够牢固。基层党组织设置还不够规范，党员数量整体占比仍相对较低，基层机构中还存在党员空白点。党的职能部门设置还不够完善，党务人员基本上全部是兼职人员，在党建工作资源力量配备上远远滞后于公司业务规模和人员增长。“三会一课”、组织生活会、民主评议党员等基本制度落实不够好，党内政治生活质量不高，党组织的凝聚力不够强。三是贯彻落实中央八项规定精神还不够到位。有的分支机构虚列开支套取费用、购买购物卡、违规收送礼金礼品等违规违纪问题严重；有的干部员工在中央巡视之后、总行专门下发警示通报的情况下，依然我行我素，培训期间私自外出旅游。四是全面从严的管理导向还没有真正树立起来。子公司执纪执规工作还存在偏轻、偏软的问题，如前段时间某子公司发生了“乌龙指”交易事件，暴露出制度不严密、内控不健全、对员工违规失职行为没有抓早抓小等问题。一些子公司对干部管理监督不严，教训深刻，如近期某子公司两名关键部门主要负责人涉嫌非法集资被刑拘，涉案人相关问题早已暴露，却没有引起公司足够重视，既没有深入核查，也没有采取调整岗位等处理措施，两人继续在关键岗位上履职，风险巨大。

这些问题的发生，究其根源，是管党治党责

任没有落实、全面从严治党浮于表面。存在这些问题，各子公司党组织有着直接责任，总行也存在管理监督不力的责任。我们一定要认识到，这些问题不解决，必然会导致纪律松弛、组织涣散乃至党的领导虚化弱化淡化，各类案件频发，所有的改革发展都会成为空谈。对这些问题，总行和子公司都要勇于面对、敢于担当、切实整改。

同时需要强调的是，子公司党建工作也是集团党建工作的重要组成部分，只有子公司党建工作到位了，集团党建工作才能真正到位；只有子公司党建责任落实了，集团党建责任才算真正落实。无论是子公司还是总行部门，都要有整体意识、大局意识，都要从建设银行集团出发，谋划和推动子公司党建工作。

二、以党的十九大精神为指导，从严从实抓好子公司党建工作

党的十九大报告提出了新时代党的建设总要求，指明了新时代党的建设方向，阐述了新时代党的建设根本原则、指导方针、工作主线、建设目标，进一步明确了党的建设总体布局和相互之间的关系。我们要紧紧围绕党的十九大确定的新时代党的建设目标任务，把中央的各项要求不折不扣地贯彻落实到子公司党建工作中，总的要求：以习近平新时代中国特色社会主义思想为指导，坚持党要管党、全面从严治党，全面推进党的政治建设、思想建设、组织建设、作风建设、纪律建设，把制度建设贯穿其中，深入推进反腐败工作，不断提高子公司党的建设质量，为子公司做优做强做大提供坚强有力保障。

（一）认真贯彻落实党的十九大精神，把加强政治建设摆在首要位置

在党的建设总体布局中，政治建设是最重要的是统领、是核心，是党的根本性建设，决定党的建设方向和效果。子公司党组织要始终把政治建设摆在党建工作的首要位置，把坚持和维护以习近平同志为核心的党中央权威和集中统一领导作为政治建设的首要任务，以政治建设带动党的建设全面推进。

深入学习宣传贯彻党的十九大精神。中央已经作出了深入学习宣传贯彻党的十九大精神的决定，总行党委召开了全行党员干部大会（视频），提出了具体的学习宣传贯彻要求，下一步还将印发具体的实施方案。子公司党组织要按照中央和总行党委的部署，把学习宣传贯彻党的十九大精神作为当前和今后一段时期的首要政治任务，制订详细的学习计划，有步骤、分层次、全覆盖地组织好学习活动。要通过读原著、学原文、悟原理，准确把握党的十九大精神的思想精髓、核心要义，真正学懂、弄通、做实；要通过深入学习党的十九大精神，进一步强化“四个意识”、牢固树立“四个自信”，坚决维护习近平总书记的核心地位，坚决维护党中央权威和集中统一领导，在政治立场、政治方向、政治原则、政治道路上同党中央保持高度一致。

旗帜鲜明讲政治。子公司党组织和党员干部要严守政治纪律和政治规矩，自觉从政治上看问题，增强政治敏感性和政治鉴别力，做政治上的明白人。要牢记国有金融企业的政治责任、经济责任和社会责任，把三者有机统一起来。要按照国立书记所强调的，牢记服务国家建设这个初心、始终扎根到服务实体经济这个使命上。子公司处于国内金融改革的第一线，理应具有更强的市场意识、竞争意识，经营机制也可以更灵活，但要坚决澄清只讲经济属性、忽视政治和社会属性的模糊认识，坚决摒弃认为只要赚钱就行、少讲党的领导的错误观点，坚决反对借口同市场接轨、弱化虚化党建工作的错误做法。

强化党的全面领导。党政军民学、东西南北中，党是领导一切的。总行已经按照中央精神修订了公司章程，把党组织内嵌到了公司治理结构中。各子公司要比照总行修订本单位公司章程，把党的领导体现出来。已经成立党委的子公司，要坚持把党委研究讨论作为董事会等治理主体决策重大问题的前置程序。要进一步完善“三重一大”决策制度，制订和细化事项清单，明确党委会、董事会、总裁办公会等各类决策主体的决策权限。前两年总行巡视组对一些子公司党委进行巡视时，发现过该党委会决策的事项由总裁办公会决策、对“三重一大”事项没有集体决策等问题，希望各子公司能够引以为戒，把加强党的领导和完善公司治理统一起来，既始终坚持党的领导，也要尊重其他治理主体，把握好尺度和边界，做到不缺位、不越位。

（二）紧抓思想建设不放松，补足党员干部的精神之“钙”

思想建设是党的基础性建设，坚持以科学理论引领、用科学理论武装，是我们党永葆先进性、纯洁性的根本保证。子公司党组织要继续抓好思想建设，引导党员干部从思想上固本培元。

用习近平新时代中国特色社会主义思想武装头脑。习近平新时代中国特色社会主义思想，是马克思主义中国化的最新成果，是中国特色社会主义理论体系的重要组成部分，已经作为全党的指导思想写入党章，全行和子公司的各级党组织和党员干部都要深入学习、全面掌握、认真遵循。既要学习习近平新时代中国特色社会主义思想的具体内容，还要深刻领悟其中蕴含的坚定理想信念、鲜明人民立场、强烈历史担当、求真务实作风和勇于创新精神，用科学的世界观和方法论武装头脑、锤炼党性，深化思想认识、提高思想境界。

坚定理想信念，把好“总开关”。思想建设的首要任务是引导党员干部坚定理想信念、牢记党的宗旨、挺起共产党人的精神脊梁。习近平总书记多次强调，理想信念动摇是最危险的动摇，理想信念滑坡是最危险的滑坡。党的十八大以来查处的很多高级领导干部在反思为什么走向贪腐之路时，都提到根本原因是理想和信念动摇。从全行的情况看，一些干部员工违法犯罪，首先是理想信念出了问题，面对形形色色的诱惑，个人私欲膨胀，走上了邪路。子公司党组织开展的所有思想教育工作，都要紧扣坚定理想信念这个主题，都要督促党员干部把好世界观、人生观、价值观这个“总开关”。近期，要按照中央和总行党委的部署，集中精力抓好“不忘初心、牢记使命”主题教育活动，筑牢党员干部的思想防线。

强化文化价值观的精神指引。子公司要将企业价值观建设与社会主义核心价值观教育结合起来，加大对公司文化培育力度，增强公司员工对建设银行集团文化的认知和认同，提高员工对公司的忠诚度。

（三）强化组织建设，培养造就高素质的干部人才队伍

习近平总书记在全国国有企业党建工作会议上强调：“搞好国有企业，关键在党、关键在人”。加强子公司党建工作，必须夯实组织基础，坚决落实党管干部原则，建设高素质、专业化的干部员工队伍。

打造坚强的领导班子。加强领导班子建设是一项带有全局性和根本性的重点工作。领导班子是否坚强有力关键看“一把手”。在选任机构“一把手”时，要十分慎重、多方考察、综合评判，把善于总览全局、协调各方，善于抓班子带队伍、聚人才强党建，善于经营管理、科学决策的干部选任到“一把手”的岗位上。要合理搭配领导班子成员，在年龄结构、知识结构、专业特长、性格秉性上要能够实现互补。要注重维护班子团结，严格执行民主集中制，真正做到发扬民主与集中决策相结合、集体领导与个人分工相结合，使班子形成合力、具有战斗力。

建设政治过硬、敢于担当、廉洁干净的干部队伍。对国有企业领导干部，中央提出了“对党忠诚、勇于创新、治企有方、兴企有为、清正廉洁”的20字标准，其中对党忠诚是摆在第一位的。在培养选拔子公司干部时必须突出政治标准，考察其政治忠诚、政治担当、政治能力和政治自律情况，对政治上有瑕疵的干部，要坚决“一票否决”。要注重干部的担当精神，尤其是在激烈的市场竞争中，要把勇担当、善作为、真抓实干、迎难而上的干部重用起来。要严把干部选任党风廉洁审核关，认真听取纪委和纪检部门的意见，把廉洁作为底线要求，有问题的坚决不用。要坚持党管干部原则，尤其是已设立党委的子公司，干部选拔任用工作必须由党委会讨论决定。严格规范干部动议提名、组织考察、讨论决定等程序，坚决纠正程序变通、空转，坚决遏制用人上的不正之风。

突出专业化人才队伍建设。“政以才治，事以才兴”，子公司业务具有很强的专业性，必须加大对专业人才的规划、选拔、培养和使用。要坚持自我培养和市场选聘相结合的“两条腿”走路，一方面大部分子公司成立时间短、专业化人才缺口大，应对标所在行业的专业标准，完善市场化人才选聘机制，广开门户、广揽人才；另一方面要加强自我培养、自我造血，要依托和参照总行“213人才工程”，制定订善人才培养计划和储备计划，加快本单位优秀青年人才的成长。要严把招聘入口，总行有关职能部门要研究制定建设银行领导人员子女、亲属进入子公司的回避政策；严格审核应聘人员的资格条件，坚决防止“带病进人”“带病上岗”。

健全激励约束机制。一是要完善薪酬分配办法，建立既符合市场一般规律又体现国有企业特点的分配机制，根据人才的业绩贡献、岗位价值和市场价值确定合理的薪酬标准，真正做到能者多劳、能者多得。二是要完善考核机制，根据岗位职责和工作内容确定考核方法和内容，对经营管理岗位，要突出 KPI 绩效结果导向；对专职的党务工作岗位，主要根据党建工作开展成效进行考核，与“两个责任”评价结果挂钩。三是要严格开展契约化管理，实行任期管理和目标考核，对任期内达不到经营目标原则上要进行职务调整或予以解聘，形成人员能进能出、职务能上能下、收入能增能减的市场化运作机制，激发子公司干部队伍活力。

（四）持之以恒加强作风建设，巩固深化“四风”问题整治成果

党的十九大报告明确提出，要“坚持以上率下，巩固拓展落实中央八项规定精神成果，继续整治‘四风’问题，坚决反对特权思想和特权现象”。子公司要坚决贯彻落实中央部署，坚持把作风问题摆在党的建设的突出位置，锲而不舍狠抓、持之以恒深化，坚决打赢整治“四风”问题攻坚战。

不断强化落实中央八项规定精神的政治自觉。党的十八大以来，以习近平同志为核心的党中央就是从八项规定破题，开启了全面从严治党伟大实践，赢得了党风政风社风的明显好转。十九届中央政治局第一次会议就审议通过了《中共中央政治局贯彻落实中央八项规定的实施细则》，全面从严治党依然从落实八项规定开局，向全党全社会释放了作风建设只能加强、不能削弱的强烈信号。全行和子公司各级党组织要向习近平总书记看齐、向党中央看齐，把贯彻落实中央八项规定精神作为严肃的政治任务、严格的纪律要求，不断深化政治自觉，绝不能有“‘四风’问题”是小事小节的错误观念，绝不能有“国有企业特殊论”的错误认识，绝不能有松劲歇气、鸣金收兵的错误想法。

在客户营销中必须严格执行中央八项规定精神。近年来全行和子公司不少“四风”问题都发生在客户营销过程中，个别基层机构和基层党组织对客户营销中的“四风”问题睁一只眼闭一只眼，采取了纵容默许的态度，从根子上讲，还是“国有企业特殊论”的错误思维。落实中央八项规定精神不仅和客户营销不矛盾，反而有利于改变过去的一些陈规陋习和粗放式经营手段，促使金融机构把主要精力放在改进产品和服务上，营造良好的市场竞争环境。反“四风”绝不是不让大家营销客户，营销也不能成为“四风”问题的借口和幌子。除了要树立廉洁营销观，营销标准制定也很重要，子公司要制定详细的商务接待和营销标准，规矩要定明白、底线要划清楚，让干部员工有规可依。要严格费用管控，加强真实性审核，卡住“四风”问题发生的“通道”。

深化“四风”问题专项整治。近年来，全行和子公司连续开展了“四风”问题专项整治，取得了一定成效，但从近期发生的一些案例看，“四风”问题禁而未绝、树倒根在的现象依然存在，反弹回潮的压力还很大。因此，“四风”专项整治必须要长期开展下去。对新发生的“四风”问题，都属于顶风违纪，要坚持发现一起、严肃查处一起、公开通报一起，寸土不让、半步不退。对作风建设不力、“四风”问题突出的子公司，既追究主体责任、监督责任，又追究领导责任、党组织的责任，以严肃问责督促中央八项规定精神的落实。

（五）深入推进纪律建设，坚持对腐败“零容忍”

习近平总书记讲过“加强纪律建设是全面从严治党的治本之策”，党的十九大作出了持之以恒正风肃纪、夺取反腐败斗争压倒性胜利的工作部署。子公司党组织要加强对党员干部的纪律教育、强化纪律执行，让党员干部知敬畏、存戒惧、守底线。

认真开展执纪执规工作。坚持“有案必查、违规必究、失责必问、触犯禁令必开除、涉嫌犯罪必移送”，加大执纪执规力度，确保执纪执规质量，真正树立从严管理监督的导向。执纪工作要充分运用“四种形态”，突出抓早抓小、防微杜渐；执规工作要坚持“严肃、严格、严谨、适度”，把握好政策尺度、做到不枉不纵；对照中央和总行规定，完善执纪执规工作程序。子公司执纪执规数量相对较少，一些子公司刚刚开展这项工作，更是要精耕细作，坚持高起点、高标准，开好头、打好基础。

坚持对腐败“零容忍”。子公司不少是在新兴金融领域和快速发展的市场领域开展业务，有的领域中市场规则不够健全、竞争不够规范的问题还一定程度存在；在资管业务、通道业务、投资业务、同业业务等领域，子公司依托母行具有强大的资金实力和渠道资源，干部员工更容易受到诱惑、被“围猎”。近年来，子公司员工腐败案件也时有发生，如2012年建银国际在境内的子公司董事长因犯内幕交易罪被判刑；前两天，建信基金一名已离职的基金经理因利用未公开信息交易被追究刑事责任，并被媒体广泛报道。子公司党组织要从这些案件中受到警示，要以零容忍、无禁区、全覆盖的态度坚决惩治腐败，对损公肥私、以权谋私、吃里扒外等行为要一查到底，不放过任何疑点。子公司可以参照总行组织开展“三清查”的方式，结合业务中的廉政风险点和比较突出的违规违纪行为，开展清查活动，进行“大扫除”，对腐败分子该开除的要开除，该移送司法机关的要移送，绝不能姑息纵容。

全面夯实纪检监察工作基础。要从队伍、制度、工作流程抓起，在打牢基础、补长短板上狠下功夫。关于纪检监察组织队伍建设，要按照“子公司风险合规管理专题会议”上提出的“专兼集合、全面覆盖，选精配强、严把质量，强化履职、突出实效”原则，进一步推动落实，根据子公司资产规模、人员数量、管理需要配备适当数量的专职纪检监察干部，使监督执纪问责工作有人抓、有人管。要根据中央纪委和总行纪委的有关规定，制定完善子公司各项纪检监察工作制度，注重制度的合理性、实用性、可操作性，不能简单地照搬照抄、滥竽充数，充分发挥制度对工作的引导、规范作用。要牢牢把握住监督执纪问责的职责定位，聚焦主业、充实职能，在唱好执纪执规“三部曲”、加强干部廉洁监督、深化党风廉洁教育等重点工作上集中发力。强化纪检监察条线管理，在问题线索分类处置、组织核查、审理问责权限方面，总行纪委要比照对一级分行的管理模式，加强对子公司的管理；要将子公司纪检监察工作纳入季度报告、季度通报和半年报告的范围。各子公司可以参照一级分行纪检监察基础工作达标工程和工作标准，自行组织开展达标工作，夯实纪检监察工作基础。

三、认真落实全面从严治党责任，加强对子公司党建工作的管理指导

加强子公司党建工作，是子公司党组织的责任，也是总行各党口部门的责任。我们都要以强烈的使命感和高度的自觉性，在深入推进全面从严治党中找准职责定位，上下联动、形成合力，把子公司党建工作不断向纵深推进。

（一）子公司党组织要切实担负起全面从严治党责任

强化党组织的主体责任。子公司党组织要切实履行主体责任，深入了解本单位党建工作情况，认真分析存在的问题，坚持不懈推动党建工作落地生根；党组织书记要切实履行第一责任人的责任，把抓党建、强党建作为分内之事、应尽之责，做到“四个亲自”；班子成员要落实“一岗双责”，把业务工作和党建工作同研究、同部署、同检查、同考核。健全党建工作领导机制，子公司要成立党建工作领导小组，研究推动本单位党建工作；建立党建工作领导小组成员单位联席会议制度，坚持每季度召开一次联席会，从部门层面研究党建工作。要把全面从严治党的要求贯彻落实到党的各项建设中，坚持真管真严、敢管敢严、长管长严，把严管和厚爱结合起来、信任和监督统一起来，切实解决管党治党宽松软问题。各子公司规模有大有小，但从严治党的标准不能有高有低；业务发展有快有慢，但管党治党的力度不能有紧有松，都要始终坚持高标准、严要求。

强化纪检监察机构的监督责任。党的十九大修订后的党章明确，党的纪律检查委员会协助党的委员会推进全面从严治党，这是对纪委职能职责的重大拓展和深化，是党章赋予纪委的重大政治责任。全行和子公司各级纪检监察机构要牢记使命、履职尽责，充分发挥党内监督专责机关的作用。子公司纪检监察干部尤其是纪委书记要敢于担当、敢于执纪、敢于碰硬，要有“眼里不容沙子”的严肃性、认真劲，要克服畏难情绪、消极态度，过好“面子关”“人情关”，处理任何事

情都要从党性原则出发、从维护建行和子公司的利益出发，把敢于担当作为对党忠诚的具体表现。

（二）总行要加强对子公司党建工作的领导和管理

总行部门要切实履行管理督促之责。总行党建工作领导小组成员单位要加强对子公司党建工作的指导、管理、监督、检查，对各子公司的党建工作做到心中有数，对存在的问题及时研究、有效督促解决。要逐步把子公司党建工作开展情况纳入总行对子公司的考核范围，每年对子公司党组织落实“两个责任”情况开展考核，对子公司党组织书记抓基层党建工作情况进行评议，把考核评议结果与子公司领导班子和领导成员考核结果挂钩。要加强对子公司党组织的巡视、巡察工作，根据总行党委安排，目前总行巡视组正在对建信基金公司党委开展巡视，巡视组要坚持政治巡视、深化问题导向，对子公司党建工作进行一次全面“体检”；子公司党组织要高度重视巡视工作，认真对待、积极配合、加强整改，通过巡视整改加强党的领导和党的建设。

进一步理顺子公司党组织领导关系。目前子公司党组织领导关系比较复杂，成立党委的 5 家子公司直接由总行党委领导；其余 5 家子公司中，有 4 家是接受总行机关党委领导，1 家是接受当地分行党委领导。习近平总书记在国有企业党建工作会议上指出中央企业党建工作领导体制存在“多个管理主体交叉、多种管理模式并存，九龙治水，都管都不管”的问题，我们可能也有类似问题。因此，总行有关部门要认真研究，进一步完善子公司党组织领导体制。子公司作为拥有独立人权、财权、事权的法人，与审计分部、直属中心不同，其党组织原则上都应由总行管理。

转变创新理念　完善创新机制
引领推动产品创新迈向更高层次

——在部分分行产品创新座谈会上的讲话

张立林

（2017 年 7 月 12 日）

同志们：

今天我们在这里召开部分分行产品创新座谈会，目的是贯彻全行年初工作会议精神，落实总行党委、董事会、高管层关于产品创新工作的新要求，进一步统一思想认识，研究部署下一阶段分行层面产品创新工作思路和具体措施，推动产品创新工作迈向更高层次，为全行转型发展增添新动力。会议选择在广州召开，是因为广东省分行近年来产品创新工作始终走在全行前列，为各分行树立了榜样，对总行而言，省级分行能够出现这样的典型对全行的标杆意义更大。刘军行长用“加减乘除”四个字精练概括了广东分行抓产品创新的体会和做法，应该说是经验之谈，希望各分行尤其是与会分行认真学习借鉴。前面，总行创新部通报了全行产品创新情况，各参会分行分享了很多好的经验，提出了很多建设性的意见建议。借这个机会，我谈几方面意见，供大家参考。

一、肯定成绩，正视不足

在总行党委高度重视和全行上下的共同努力下，近年来，全行产品创新氛围日渐浓厚，体制机制逐步完善，创新能力有效提升，创新成效逐步显现，“创新型银行”建设取得了阶段性进展，有效驱动了转型发展。

（一）产品创新战略地位进一步凸显

一是总行党委高度重视。2013 年全行秋季工作座谈会专题研讨、部署了产品创新工作，会上王洪章董事长发出了“建设创新型银行”的号召。近年来，董事长、行长、监事长多次就产品创新工作作出重要批示和指示。二是向创新型银行转型成为五大转型方向之一。2013 年，总行出台首个产品创新三年规划。全行转型发展规划将“创新型银行”列入“五大转型”方向，将产品创新提升到战略高度，进一步凝聚了创新共识。三是总行发布《关于完善体制机制　加快产品创新的若干意见》，为全面深化产品创新提供了方向指引和政策依据。

（二）产品创新组织体系进一步完善

总行设立产品统筹与创新委员会，更名设立产品创新与管理部，大多数业务部门明确了产品创新的职能处室。绝大多数分行成立了负责创新管理的委员会，10 多家分行设立了一级、二级部建制的创新综合管理部门。海外分行和子公司逐步纳入集团一体化创新管理。全行产品创新的人、财、物资源配置得到明显加强。

（三）产品创新成效进一步显现

近年来，产品创新数量稳中有升、创新质量和绩效显著提升。总行战略性产品创新项目覆盖“一带一路”“走出去”、小微金融、大数据、云计算、个人金融生态系统和自贸区等热点领域，龙支付、小微快贷、新版手机银行等一批拳头产品陆续投放市场。据不完全统计，仅 2015 年完成的 19 个总行战略性创新项目上市首年就累计实现综合效益 60 亿元，2016 年 40 个“产品创新奖”获奖项目共为全行贡献经营收入 379.04 亿元。

（四）产品创新实验室作用进一步发挥

总行推动八家实验室向战略性产品研发平台、客户参与创新平台等四个平台转型。实验室聚焦原型设计和客户体验，发挥出独特价值。2016 年岁末，王洪章董事长亲临北京产品创新实验室慰问视察，充分肯定实验室创新工作，指出实验室是创新的“排头兵”、创新的引领者、创新的实验室基地和创新的重要源泉，并要求坚持引领战略，在创新领域始终保持领先地位，为最终实现“国内最佳、国际一流”的奋斗目标作出更大的贡献。

（五）“新一代”形成了集团层面的统一产品视图

建立了统一的产品研发平台，为产品创新提供了接入口，支持快速灵活创新。发布了全集团产品目录。初步建立了产品与产品管理评价体系，支持多维度评估产品创新成效和能力。

（六）各分行产品创新管理亮点纷呈

上海分行引入经营单位 360 度评价和第三方评价；湖南分行成立了若干创新专家团队，主抓新领域的创新转型；北京分行“刘艳快线”创新工作室研发了“快诊通”等项目；广东分行首家推出集多个功能为一体的“金蜜蜂”创客空间。还有很多分行在创新管理和成效上也都取得了突出成绩，就不再一一列举了。

在肯定成绩的同时，也必须清醒地认识到，目前五大转型中创新型银行转型还存在一些问题，还不够圆满。虽然说创新包括很多种类，金融创新和其他技术性创新也有一定差异，但从产品创新的角度看这些问题同样存在甚至更为突出。具体地说，当前亟待解决以下问题：一是部分行对产品创新的重视程度有待提升，少数行基本上处于应付状态；二是部分行产品创新没有形成常态化管理；三是创新质量有待提升，创新对转型发展的支撑作用还不够显著，引领型创新有待加强；四是产品创新实验室核心能力有待提升；五是创新宣传不足，引导市场评价和良好的声誉积累不够。

二、转变观念，优化方式，明确目标

（一）转变观念，提高认识

对创新而言，理念和思想如果不持续领先，就不会有持久生命力。随着形势变化尤其是互联网思维的冲击以及全行产品创新工作向纵深推进，我们急需厘清和重检过去的一些创新理念，并以新理念为引领，统一思想，形成共识，推动全行产品创新工作朝着更高层次迈进。这里谈一下个人对创新的一些思考，供大家参考。

一是创新是确保建行实现“国内最佳、国际一流”战略愿景的重要手段。近几年，建设银行通过转型发展已经跃上了新台阶，为实现“国内最佳、国际一流”目标奠定了良好基础，在市场上也赢得了实实在在的声誉。面对同业竞争白热化、跨界竞争快速蔓延、金融科技迅猛发展、监管要求持续收紧等新形势，在我们的规模、质量、效益已上新台阶的关键时期，要想获得新的可持续发展，对通过创新来推动转型的要求显得更加迫切。当然这里所说的创新不仅是指产品创新，还应包括流程、商业模式、技术和管理等的全面创新。从这个意义来说，创新既是解决面临的风险和发展问题的重要瓶颈，也是引领转型发展的动力之源，是在市场竞争中取胜的关键抓手。

二是创新是企业持续领先的力量源泉。有本书叫《千年金融史》，讲的是不同发展阶段的金融发展历史，作者认为金融创新是对社会发展和文明的塑造和推动。现在评价银行业的“LEADING BANK”，要说前十我们自然也在其列。很显然，没有创新，是不可能做到同业领先的，只可能成为同业中的主要竞争者。建设银行要想持续领先，我们的“KEY”在哪儿？所以，我们的创新应该从“跟随”模式走向“跟随”与“引领”同步并进模式。什么时候我们的一个商业模式创新、一个产品在推广中能领先市场一年到两年，而且能够变成标准，这才叫引领，变不成标准充其量就是市场的主要竞争者。是要成为主要竞争者，还是成为引领者和行业标准制定者，这个定位一定要清晰。

三是创新需要我们对趋势的认知保持高度的敏感。创新既要解决现实的客户需求，也要能够在服务模式和产品功能上起到前瞻性的推动、引领作用，目前我们对前者做得比较好，但离后者还有一定距离。只有对趋势有清醒的认知，才能对前瞻性的创意或决策作出有效的把握，才能对新技术运用是否走在同业前列有正确的决断，才能抢占业务制高点。新技术从出现到实际运用，其决策过程是很痛苦的，比如说我们花六年时间推进“新一代”建设就很不容易，这需要对趋势有准确的把握。同时，它也是我们在创意决策中增强科学成分的重要依据。

四是创意是创新的重要信息来源。这个来源也可以叫作头脑风暴来源，它应该是全方位的，需要靠日常的基础管理去收集、整理和筛选，但筛选过程中注意不要随意卡住信息来源，我们经常搞一些创意征集等活动，目的也就是为了推动全行、全员积极参与，让创新意识更加深入人心。创意既来源于员工，也来源于客户需求，还来源于新技术、新商业模式的冲击等。有时候，我们会简单地认为某个创意离我们太遥远，暂时落不了地，其实我们应该思考这个创意与发展趋势是否吻合。例如，我们往往会后悔某件事情几年前就想过，但没有行动，结果同业已快速推出，这就是因为我们没有把它转化为趋势性思维、没有分步骤去实施，从而导致我们的创新更多是跟随性创新，而原创性和前瞻性不多，或者说停留在自我保护阶段，而不是自我拓展。创新是持续性的思维，要想步入自我拓展、自我持续阶段，就要推动创新思维方式的转变，而不能仅仅停留在对原有基础的优化上。这方面，要感谢互联网思维的冲击，以前我们最擅长做的是产品的模仿和改造，而不是商业模式和管理方式的创新，但互联网思维和做法促使我们开始深思。例如，银行业现在都在做“生态圈”，其实阿里做支付圈最早，把客户牢牢绑定，我们当时还只是它的帮手。从这个角度看，传统银行业走到今天，某些问题其实是我们思想认识层面存在一些局限所导致的。因此，创意来源千万不要限于某个局部，一定要变成全员的、自觉的意识。目前我们比较薄弱的是对创意和客户需求缺乏延伸思考，我们对员工提出的创意收集是没问题的，对单个客户反映的需求尽快解决可能也没问题，但思维更多仅仅停留在解决具体问题阶段，没有进行深入的发散性思考，这就容易导致资源的重复浪费。

五是创新一定要依靠全员意识特别是“一把手”的认知和重视。创新光靠目前的任务驱动是很难走出困境的，一定要树立全行、全员创新意识，尤其是要靠“一把手”的认知和重视。“一把手”重视了，就能将创新渗透到业务经营的方方面面，就能更好地协调资源，就能出成果。否则，相关部门推进工作尤其是协调资源的难度就会比较大，也难以出大的成果。从行内情况看，这几年全行创新工作能取得跨越式发展，与王洪章董事长和总行党委、高管层的积极倡导、全面推动和大力支持密不可分。因此，各级分支机构“一把手”对创新的认知和重视是最为重要的、对创新的发展和引领是起决定性作用的。各行的创新要再上一个台阶或产生重大成果，这方面没有突破是不可能的。按照这个逻辑，总、分行目前有限的资源应该往“一把手”重视的地方投。

六是创新要与客户需求和体验相吻合。创新不能凭空想象，而要回归到客户的需求和体验上去，这是检验创新是否具有价值和生命力的核心思考逻辑，如果不从这个逻辑起点出发，就会变成空中楼阁、就不能落地。这就需要对客户的消费需求、金融行为的变化以及新技术趋势一定有很清晰的判断和把握。同时，向市场和行内推广产品时，还需要有非常好的推广方案。为什么同样的产品在分行推广或移植时会产生不同的效果，这就有一个对推广的认识和培训不足的问题。我们习惯性地认为下发一个文件、分解一下指标就解决问题了，对某一个单纯的产品可能是可以的，但如果是一个服务模式推广就解决不了问题。例如，放多少快贷，这个指标分下去可以完成，但如果对“安享悠然”“金蜜蜂”校园生态圈之类服务模式的推广，光靠下达指标就不能解决问题。这就好比有的人拿到新产品就能变成工具和利器，有的拿着它却无从下手，甚至倒过来还说这东西不好用。所以说，如果只抓住了创新的切入点、抓住了工具和方式，但推广做得不好，其产生的作用也有限，而市场竞争又是等不起的。

七是创新必须建立在风险合规的底线思维上去开展。做金融业务离不开对风险的考量，这也是我们让创新成功的基础。创新要成功、要持续，既要获得市场认同，也应该得到监管部门的认可。对风险底线的把握是不可逾越的，绕路也好、规避也罢，一定要清醒地认识到是否突破了风险底线。

八是创新既要依靠全员力量也要加强统筹协调。创新应该是全员的、全行的意识和行动，光靠一个或几个部门、靠少数人是无法实现的。同时，各分支机构领导班子要积极帮助理顺创新体制机制，实实在在地关心支持创新部门工作，为创新部门配备适当的核心骨干人才、配置适当的资源。创新综合管理部门要勇于承担起统筹重任，大胆协调，进一步发挥牵头引导作用。

（二）优化创新方式，形成产品创新工作新格局

基于对产品创新理念的以上思考，我们要尽快化理念为行动，优化创新方式，形成产品创新的新打法、新格局。

一是既要鼓励全员参与，更要注重高层推动。员工是感知市场变化和客户需求的“传感器”，对产品、流程也最具发言权。鼓励开展全员创新是创新工作的重要基础，任何时候都不能忽视。但也应当看到，创新在很大程度上是对未来的主动管理，是一项战略性的自我变革，成功的创新从来都离不开高层支持、参与和推动。从分行情况看，凡行领导尤其是“一把手”重视并给予政策支持的，其创新工作成效也一定比较突出。

二是既要持续营造氛围，更要注重创造价值。良好的创新氛围和环境，是创新赖以存在的“阳光和空气”。营造创新氛围，既包括打造内部创新文化，也包括塑造外部市场形象。近年来，全行创新氛围有了很大的转变，创新总体上也走在了同业的前列，但要实现“国内最佳、国际一流”目标，就要既具备价值创造力，又具有良好的品牌形象和市场声誉，这二者齐头并进才能称为负责任的公众上市银行。因此，既要加快培育企业创新文化，持续营造氛围，又要注重引导市场评价，加强品牌宣传，赢得市场声誉。

当然归根到底，创新最终要创造价值，产品创新的出发点和根本目标应该回归到价值创造上来。因此，一定要统筹好氛围营造和价值创造的递进关系，更加突出价值导向，将创新工作与转型发展相结合，与全行核心经营指标相融合，注重资本节约和利润贡献度的提升。当前，首先需要处理好数量与质量、绩效的关系问题。这些年全行创新数量呈现跨越式增长、质量正在逐步提升，这是创新的必经过程，而且还存在年报、企业责任报告对外披露产品创新的实际需要。但在越过数量高速增长阶段之后，产品创新必须要重视去粗取精甚至去伪存真，必须要尽快建立以质量和绩效为导向、与全行核心经营指标相衔接的创新基础管理体系。当然，我们反对的是那些无效和过度创新甚至不当创新，而不能以此为借口放弃有质量的创新数量，导致难以支撑转型发展。

三是既要坚持迭代优化，更要注重引领创新。现实中，激进式创新大约只占5%，95%的创新都是那些渐进式创新。对银行而言，产品创新坚持小步快走、持续迭代是必要的，为满足客户需求适当地跟随、模仿，做到“人有我有”也是可以理解的。但要想形成差异化竞争优势，从而引领市场，在同业竞争中“拔得头筹”，必须实现从跟随向跟随与引领并重转变。具体地说，就是要在功能、体验等方面全面领先竞争对手，市场表现居于同业前列，真正做到“人无我有、人有我优、人优我精”，同时，价值产出多、受益面广、对转型发展和核心经营指标的支撑作用强。

四是既要开展功能创新，更要注重客户体验。过去，客户忠诚度主要取决于产品定价，我们创新产品更多地只强调功能的丰富性，对客户参与和体验重视不够。随着移动互联网的兴起和客户需求的变化，客户体验已经成为影响银行声誉和口碑的最重要因素，成为影响客户流失率、提升客户忠诚度的最重要原因。在客户随时随地能够对银行产品与服务进行评价的时候，客户体验工作不能只停留在宣传上，必须提升到更重要的位置，放在心上、落到实处，嵌入产品创新全流程，实施全渠道、全方位、全流程的客户体验管理。

五是既要坚持鼓励宽容，更要注重审慎适当。要统筹好鼓励宽容和审慎适当之间的关系。首先要从战略上认识到不创新才是最大的风险，因此要从制度层面给予产品创新试错、容错、纠错的广阔空间，保护员工参与创新的积极性。但对创新的鼓励宽容，并不意味对审慎适当的放松和忽视。尤其在当前不同类型的金融业务融合加深、交叉性金融工具不断涌现、风险防控压力依然严峻的形势下，全行必须坚决贯彻中央一系列文件精神，严格落实监管要求，坚持审慎创新、适当创新，不刻意规避监管，更不能冲撞法律法规“红线”。

六是既要推动自主研发，更要注重开放合作。强调以我为主、推动自主研发，是商业银行获取核心竞争力的秘籍，是在市场竞争中永立潮头的关键。但在经济全球化及网络经济、共享经济快速发展的时代背景下，单一企业或组织已很难拥有创新所需的全部资源，合作共赢、开放创新、协同共生成为大势所趋，封闭式创新已被众多创新型企业所摒弃。因此，不能把自主研发和开放合作简单地对立起来，而应该以更开放的心态、更开源的工具来迎接新的挑战，积极整合内外部创新资源，构建共赢、共生的创新生态体系。

（三）分类施策，明确工作目标

分行是产品创新的前沿地带，是创意的主源头，是移植创新的受益者，是推广应用的主战场。可以说，分行缺位的创新一定是残缺的创新，没有若干个创新型分行的支撑，全行的创新型银行建设也一定是空中楼阁。因此，各分行要结合自身实际，准确定位、明晰目标，在新起点上实现新突破。

首先，北上广深四家转型发展重点分行以及近年来创新考核前十名左右的十多家领先分行，必须发挥示范带头作用，力争率先建成“创新型分行”，为全行创新贡献更多高质量的成果，成为系统内和当地同业中最具创新力的机构。要对标创新型银行的“五个特征”，巩固和增强创新能力，在人、财、IT 等方面的投入明显高于当地同业且行内领先，推出一批（每家至少 5 ~ 10 个）引领型创新产品，新产品对分行的利润贡献度要接近或达到 10%。

其次，近年来创新考核名次相对居中、创新成效相对显著的十多家中游分行，要尽快实现产品创新常态化管理，提升创新能力，在人、财等资源配置方面应有较大幅度的改进，推出一定数量（每家至少 5 个左右）引领型创新产品，大力开展移植创新，新产品利润贡献度要接近或达到 5% ~8%。

最后，近年来创新考核名次相对靠后、创新成效尚有较大改进空间的十多家潜力分行，要结合当地特点及自身特长，因地制宜，发挥主观能动性，寻求新突破，每家至少推出 1 ~2 个引领型产品。同时，广泛开展移植创新，促进创新成果共享。其中，那些连续几年创新考核名次倒数甚至“零创新”的几家分行，要认真分析现状，找出差距，至少实现产品研发或移植创新“零突破”。

三、加强推动，完善机制，推进产品创新迈向更高层次

（一）高度重视，加强推进，形成常态化管理

各分行要把产品创新工作摆在核心位置抓紧、抓好。分行党委要把产品创新工作纳入经营战略，按照“风险管理进党委”的新要求，每半年至少听取一次汇报并专题研究产品创新工作，重大创新项目要由行领导作为“倡导者”亲自挂帅，并进一步加强组织推动。

一是全面落实《若干意见》。产品创新《若干意见》是集中全行智慧提出的指导性意见，是

未来几年产品创新工作的顶层设计。全行要以全面落实产品创新《若干意见》精神为主要抓手，认真组织学习，积极制定相关配套制度和具体措施，推进政策进一步落地，以释放新的创新政策红利。

二是完善组织架构。在认识还没有完全到位、机制还不能自发有效解决问题的时候，完善组织架构显然是创新管理的抓手。各分行创新委要切实履行产品创新与管理的统筹、协调和推动职责。要根据实际，以能够真正发挥协调推动作用为原则，及时调整、完善产品创新组织体系，确保产品创新有部门抓。条件允许的，要适时、适度向二级分行延伸。

三是加强人员配备。各分行要从实际出发，以匹配创新工作需求为原则，适当增加从事产品创新与管理工作的专职人员，确保产品创新有人管，并逐步锻炼创新人才队伍。

四是形成常态化管理机制。要将产品创新与管理工作纳入各相关部门的日常工作流程，真正成为日常经营管理的基本元素，做到有目标、有任务，有思路、有督促，有考核、有评价。要开展多种形式的创新活动，活跃创新氛围，积极开展内外部宣传，广泛报道创新成果和创新人物。

（二）明确职责定位，树立更高目标

一是产品创新综合管理部门应站位更高、能力更强。各分行产品创新综合管理部门一定要转变观念，强化职能，树立更高的工作目标，增强支持服务能力和协调能力，切实发挥好产品创新的牵头、推动和引领作用，并对所在分行产品创新整体水平处于同业领先地位负责。同时，要逐步增强自身创新研发能力，敢创新、能创新、善创新，在做好“裁判员”的同时，也要逐步成为优秀的“运动员”。

首先，要做到“五个牵头”。在履行好产品统筹与创新委员会办公室职责的基础上，要牵头提出产品创新体制机制的设计建议；牵头做好产品创新的规划、计划；牵头从创意到评价的全生命周期管理；牵头产品创新与管理工作的考核、评价和评奖；牵头产品创新优秀成果的分享。

其次，要做到“五个推动”。推动构建集团一体化联动创新模式在分行的落地实施；推动落实跨部门、跨层级、跨条线产品创新机制；推动持续增强自主创新能力，并积极探索构建第三方合作创新模式；推动前瞻性研究、重大商业模式创新与项目储备；推动相关部门对产品创新的支持保障。

最后，要做到“五个引领”。加强对国家重大战略和经济、社会发展重点领域的关注，引领创新方向；加强创新新理论、新模式、新业态的研究，引领创新理念；加强对创新工具、技术的学习和传播，引领创新方法；投身创新实践，引领创新成效；营造创新氛围，引领创新文化。

二是各业务部门作为产品创新的主体，要对本部门、本条线的产品竞争力负责。

首先，要调整充实创新力量。总行各部门正在落实王洪章董事长在年初工作会议上提出的“陆续组建产品创新团队或处室”的要求。分行各业务部门也应组建产品创新团队或科室，确保有专人、专岗负责产品创新，并逐步建立该团队或科室向所在部门及产品创新综合管理部门的双线报告机制。

其次，要围绕客户及市场需求主动开展创新。要针对实体经济和客户需求，积极开展场景式创新。要在“小、快、灵、便”上做文章，大量开展敏捷创新和微创新，做到比市场快“半拍”，以快打慢。要不断提高技术含量，在增加获客手段方面做文章，探索客户体验新方法，增加客户黏性。

最后，要加强本部门、本条线产品创新管理。分行各业务部门要大力开展自主创新，并不断将总行产品在辖内组织推广应用，积极开展移植工作。要做好总分行、分行之间、母子公司和境内外的联动创新。要将产品创新纳入本部门、本条线的日常工作范畴，同筹划、同部署、同检查、同落实。

（三）全面提升创新产品质量和绩效

一是提升产品创新对全行转型发展的价值贡献。各分行在创新项目立项时，要确保开展投入产出评估分析，剔除低价值甚至无价值的产品创新；产品上市一段时期后，要定期总结分析。要加大新产品的市场推广力度和应用场景，提升新产品的市场影响力和市场占有率。要充分运用新一代成果，积极主动地尝试开展创新评价。要逐步完善辖内产品创新 KPI 考核办法，从以数量为主到以质量和绩效为主进行考核。

二是牢固树立创新引领意识。产品在“精”不在“多”，一流产品既要对内提升价值创造，也要对外提升竞争能力。以“快贷”为例，2016年我行个人消费贷款业绩实现四大行中唯一的正增长，可以说“快贷”功不可没。各分行要清点“武器库”，对家底心中有数，对“武器”的使用效果、存在的问题提供数据和依据，并以此为基础，持续打造在市场叫得响的拳头产品，打造品牌优势。

（四）进一步发挥好产品创新实验室的引领作用

产品创新实验室及所在分行要进一步落实董事长慰问视察北京实验室时的指示精神，真正发挥好创新引领的平台优势，使实验室成为建行创新的“先遣队”和“尖刀连”。

一是打造“人才引领优势”。实验室要在创新研发人才的培养选拔和互用共享上探索新路子，建立跨层级、跨条线、跨机构的人才灵活流动和使用机制，核心是要“找得到、请得来、可持续”。这方面有些分行已经有了一些很好的做法。总行鼓励其他各分行尤其是实验室所在分行解放思想，大胆尝试，为重大、前沿性创新提供必要的人力保障。

二是突出“专业引领优势”。实验室要强调专业专注，由分行根据当地特点和自身业务特长来确定特色优势领域。总行将鼓励实验室和总行业务部门在聚焦领域上进行双向选择，从而形成优胜劣汰的竞争机制。

三是形成“前沿引领优势”。2017年总行以8家实验室为主体组织开展前瞻性项目研发，并安排了一定的专项支持费用。实验室所在分行要为前瞻性重大创新多收集、思考、提出好的创意，并以实验室为平台孵化形成可视化、可体验、可验证的原型方案，作为上市项目的储备性研发，并解决分行IT系统开发和业务权限不足问题。

（五）加强集团一体化联动创新

一是加强总分联动。各分行要在总行指导下开展战略性产品创新的选题、研发和先期试点。总行业务部门要深入分行一线，为分行产品创新出谋划策、协调资源，解决困难。

二是加强分分联动。分行之间要互通有无，协同做好跨地域创新。要做好产品移植工作，原创分行要提供必要的支持，移植分行要尊重原创分行的成果，提高移植成功率。

三是加强母子公司联动。总行选择潜在客户量大、可办理业务种类多的分行，确定为重点对接分行。各分行也要积极主动与子公司开展合作创新。

四是加强海内外联动，把握国际化创新机遇。总行已逐步整合海内外创新合力，建立跨境、跨牌照的海内外联动产品创新链。各分行也要把握机遇，结合自身境内外联动的特长和优势，积极开展相关产品创新。

（六）坚持审慎创新，加强风险控制

当前，产品创新的风险防控已不容忽视。各分行要树立正确的产品创新“风险观”，培育审慎创新文化，将金融创新风险管理贯穿到产品研发与经营管理的全过程。要落实银监会近期下发的一系列文件要求，严禁涉及“四不当”等产品创新，切实做好相关自查和整改等工作。各级机构的风险、信管、资债、授信审批、内控合规等部门要同步介入产品创新研发过程，开展新产品风险评估、资本评估和合规性审查，并把新产品洗钱风险评估、风控部门审核、消费者权益保护等要求嵌入产品创新流程中，控制产品创新的合规性。对于内外部检查、审计发现的问题要及时改进。要审慎选择产品创新的外部合作方，避免产生不必要的风险。

（七）加强产品创新的资源配置和支持保障

一是加强产品创新的财务投入。近年来，总行不断加大产品创新投入，每年专项投入900万元的评比表彰人力费用、近2000万元的战略性项目专项研发费用和600万元的移植创新费用。各分行也纷纷加大费用投入，但也有少数分行至今没有配备专项费用。希望各分行比照总行模式或先进分行的做法，安排适量的专项资金并逐年增加，用于支持产品创新的需求研究、战略性项目研发及评奖激励等。

二是加强产品创新IT资源配置。“新一代”搭建了产品装配工厂和全生命周期管理平台，各分行要加强应用，充分发挥平台作用。总行将认真研究部分分行仍在提出的系统接口问题，持续完善总分行协同、内外部合作的开放式创新平台。条件成熟时，将在实验室搭建具备一定灵活性、能够长期使用的模拟（测试）环境。分行层面要实现产品创新项目的业务与IT同步立项，总行战略性创新项目委托分行研发的、分行重点创新项目的IT研发，要优先支持。

三是加强创新人才队伍建设。首先，要强化产品经理队伍建设。进一步明晰产品经理职责，使产品经理回归本职，并进一步明确产品经理和客户经理分工，各负其责、各司其职。要注意在产品经理队伍中选拔出人才，形成专家人才库，成为全行产品创新的基干和骨干。其次，要完善新产品的内部培训传导机制。尽快改变部分一线员工对新产品不熟悉的现象。要加强对创新人才队伍的培训，提高人员素质。最后，要对产品创新综合管理部门给予更多的关心、关注，对工作业绩良好的，在年终考评等方面给予客观公正的评价，对创新专职人员给予更多的培养锻炼机会。

同志们，“创新型银行”建设任重道远，产品创新永远在路上。希望通过这次会议，能够进一步统一思想，深化认识，明确方向。各参会分行更要发扬建行“敢为天下先”的光荣传统，以更大的格局和雄心取得新突破，并引领带动各分行齐头并进、百舸争流，共同推动全行产品创新工作迈向更高层次。

谢谢大家！

在零售业务专题研修班上的总结讲话

张立林

（2017年8月18日）

同志们：

为贯彻落实全行夏季工作会议精神，分析当前内外部形势，研究探讨新形势下夯实零售业务基础地位和加快零售业务发展的思路和措施，总行举办此次研修班。我们邀请了监管部门领导和知名专家学者就国内宏观经济展望、支付结算监管政策、金融科技与人工智能、财富传承与家族信托等内容进行了系统授课。总行零售业务条线各部门主要负责同志就有关工作进行了部署。参加今天的座谈会，主要是向大家学习。从刚才座谈讨论的情况来看，这次研修班开得很好，达到了预期的目的。下面，我主要结合全行夏季工作会议精神，重点对下阶段工作谈点想法，供大家参考。

一、上半年经营情况

2017年上半年，在总行党委的正确领导下，零售业务条线深入贯彻落实全行“综合性、多功能、集约化、创新银行和智慧银行”的转型战略要求，在市场竞争力、行内贡献、客户、账户、商户和重点产品等多维度取得了来之不易的良好成绩，值得充分肯定。2015年以来，总行提出打造个人客户金融生态系统，全面推进零售业务转型；强调围绕“真正以客户为中心”和“运用互联网思维加快创新”两条主线，要重点突破客群化、场景化和个性化三个关键环节；实施各一级分行零售业务综合竞争力评价，推动各一级分行做实零售业务和加强条线内、条线间战略协同，为转型提供机制保障。应该说，上半年的良好成绩得益于近年来总行坚定不移、一脉相承地推动转型，得益于各分行奋勇拼搏、扎扎实实地执行实施。近期，王行长作出重要批示，指出“零售条线工作是非常努力并取得了很好的成效，特别是在当前竞争激烈的情况下实属不易！”这是对我们的充分肯定和巨大鼓舞。应该说建设银行零售业务目前已进入基于高位进一步向前发展的阶段，市场、客户和监管等各方面都给予我们很高评价。上半年的经营亮点主要体现在四个方面。

（一）市场竞争力实现新提升

个人存款业务在四大行最优付息水平上市场占比进一步提升。6月末，个人人民币存款日均余额为70788亿元、新增4117亿元，新增四大行占比为25.8%、四大行第二，余额占比较2016年末提升0.1个百分点。付息率为1.43%、处于四大行最优水平，较2016年下降15个基点、降幅四大行最大。最大零售信贷银行地位进一步巩固。个贷余额为43130亿元、新增4166亿元，均继续保持同业第一，较第二名领先优势扩大至2945亿元。个人住房贷款的余额、定价水平和资产质量保持四大行第一。住房资金业务四大行占比保持在56%以上。快贷业务增势强劲，余额1167亿元、新增870亿元，带动个人消费经营类贷款余额升至四大行第三。信用卡多项指标同业领先。信用卡客户、消费交易额、分期交易额、贷款余额、活动商户数和资产质量等多项核心指标均居同业第一，利息收入和中间业务收入四大行第一。信用卡发卡量突破1亿张，客户7933万人，上半年消费交易额为12359亿元，贷款余额为4935亿元。零售中间业务收入保持四大行第一。我行零售中间业务收入四大行占比33%，同比提升3个百分点，保持四大行第一。其中，个人结算借记卡、信用卡和实物贵金属收入位居四大行第一。

（二）行内经营作出新贡献

个人客户对全行经营的规模贡献“半壁江山”地位更加巩固。6月末，个人人民币存款余额在全行一般性存款余额中占比为48%；个人贷款余额（含信用卡）在全行各类贷款余额中占比为44%，新增占比更达85%；个人客户中间业务收入全行占比为48%。个人客户对全行经营的效益贡献实现新突破。在规模贡献“半壁江山”的基础上，更为值得肯定的是，个人客户的全行效益贡献大幅提升。上半年，个人客户实现经营收入1154亿元、其中利息净收入847亿元，净利润550亿元，全行贡献分别达41%、41%和42%，分别同比提升5个、5个和11个百分点，均历史性地突破四成大关。个人客户实现经济增加值459亿元，全行贡献达55%、同比大幅提升16个百分点。个贷不良率为0.41%，较2016年末下降0.03个百分点，为全行资产质量稳定作出贡献。

（三）个人客户、账户和商户经营收获新成绩

客户经营量质双提升。个人有资产客户数量和个人客户金融资产余额分别突破3.5亿人和10万亿元大关，上半年分别新增1359万人和6277亿元，均创近年来最好水平。“安心悠享”和“金蜜蜂”的“一老一小”客群经营在全行推广落地。私人银行客户64005人，客户金融资产8874亿元，分别新增5284人和1011亿元，年内增速分别达9%和13%。手机银行客户2.4亿人，上半年交易金额为26万亿元、同比增长96%，新版“智慧”手机银行成功推出。微信银行关注客户突破6000万人，客户数量、业务规模和品牌影响力均居同业第一。

重点账户拓展和经营成效良好。以“薪享通综合服务方案”“农民工代发客户营销指引”为抓手，积极拼抢代发工资账户。上半年个人代发工资有效账户新增1114万户，年内增速达14%；代发金额1.67万亿元，同比增长22%。落实中央银行个人账户管理新政策要求，提出“巩固Ⅰ类、做大Ⅱ类、用好Ⅲ类”经营思路，初步建立起我行个人账户分类管理体系。

商户规模高速增长。借助“龙支付”和“裕农通”两大平台成功上线，实现了开户申请全流程线上办理，助推商户快速拓展。个人商户达222万户，新增92万户，增速为72%。个人商户存款余额为1440亿元，新增446亿元。传统POS商户为143万户，净增28万户；收单交易额为1.6万亿元，同比增长28%。悦生活完成电子渠道统一部署，线上商户新增突破1万户。

电话银行集约化转型加快推进，客户服务能力进一步提升。构建了KPI考核、排班管理、总控调度、数据分析、信息发布和问题反馈的“六统一”运维管理。核心指标表现向好，6月当月电话银行客服接通率为84%、智能客服接通率为90%，均创中心成立以来的最好水平。上半年客户问题在线解决率为97%，全渠道客户满意度超过90%。

（四）重点产品发展呈现新亮点

以打造龙支付品牌为龙头，以拓展支付结算生态圈为支撑，加快再造支付结算业务新优势。龙支付业务经8个月推广，客户和商户两端同时发力，龙支付客户2708万户，龙支付商户突破70万户，初步打造形成了“常态化龙支付日+动态化季节主题+专属化商圈特色”全方位营销体系。新建支付结算生态圈780个。借记卡余额为8.6亿元，消费交易额为6.8万亿元、同比增长42%。顺应储蓄理财化等趋势变化，投资理财业务高速增长。个人客户投资理财金融资产余额突破3万亿元大关、达31728亿元，上半年新增3678亿元、占客户金融资产新增总量的59%。其中，个人银行理财余额突破1万亿元，新增2210亿元、四大行第一，有力地支持了全行银行理财业务稳健发展。对私保险业务克服多重减收因素影响，收入48亿元、四大行第二。实物贵金属业务加大热点产品布放，收入四大行第一。基金业务挖掘专户和券商新增长点，销售金额为3310亿元、同比增长73%，收入四大行第二。

深化全集团战略协同，支持子公司业务发展。2017年上半年，建信人寿产品销售金额为257亿元，其中较长存续期产品销售132亿元、同比增长94%。6月末，代销建信基金存量规模突破1000亿元大关，母子公司合作研发“定投盈”“理财盈”等新产品。建信养老金产品销售金额为129亿元，是2016年同期销量的12倍多。已有25家分行实现建信财险产品销售出单。

二、清晰深刻认识形势变化和竞争压力，真正践行零售优先、强力推进零售转型战略落地

前不久召开的全行夏季工作会议，对于零售业务转型发展的意义十分重大。在总行党委主要领导的讲话中，有关零售业务的篇幅之重、寄予零售业务的希望之大、赋予零售业务的要求之高，都是近年以来前所未有的。要从以下四方面准确把握、深刻领会。第一是深刻洞察外部形势作出的准确判断。夏季工作会议强调，“从当前经济格局和发展态势看，零售业务的重要性越发凸显。零售业务发展空间巨大，并随着消费升级有了新的内涵和机会。”上半年，消费对我国经济增长贡献率达63.4%，经济增长主动力地位巩固。同时，新技术的涌现和快速迭代也推动零售业务持续转型和升级。第二是大型银行稳健成熟转型的必由之路。从商业银行发展历史规律来看，零售业务EVA贡献如能达到60%，基础和支柱地位就牢固了。目前全球市值排名前列的银行当中，富国银行、美国银行的零售业务都非常强。第三是对我行大零售战略转型的再动员和再部署。全行夏季工作会议要求我们要加力推动大零售战略，加快向综合性、大零售管理与服务转型，全面实施大数据驱动、大客群定位、大平台支撑和大生态扩围。第四是对零售业务发展提出了新目标和新要求。王行长要求我们要从战略高度落实零售优先，坚定不移地打造个人客户金融生态系统。落实上述四方面要求，当前要抓好五个关键点。

（一）牢固树立起大零售协同战略，把大零售战略牢牢建立在客户关系基础上，重点解决好三个综合机制问题

在新的形势下，全行零售业务板块首先必须走出产品和部门分割，牢固树立起大零售协同战略，把大零售牢牢建立在与客户关系基础上。要依托产品抓住客户，通过分类分群方法深耕客户，只有维持住与客户长久关系，才能夯实零售业务长远发展基础。当前要重点解决好三个综合机制问题。

要开展综合评价。综合评价必须要有，必须跳出产品和部门单一维度考虑问题，相对合理地衡量一家分行零售业务的可持续发展能力。一家分行“大零售”做得好不好，不能只看某个产品或者某几项指标是否同业领先，更重要的是要看客户基础是否牢固、综合服务能力是否领先、零售效益贡献是否达标等关键环节。总行要继续坚持落实和完善一级分行零售业务综合竞争力评价机制，各分行要做实个人委、加快制订大零售发展目标。“北上广深”等大行要发挥带头作用，充分挖掘资源优势和客户潜力，更多更快地提升贡献；核心指标新增四大行第三、第四的分行必须高度重视、拿出有力措施，确保年内提比进位。

要提供综合服务。未来零售业务的核心竞争力一定将体现在客户综合经营和综合服务上。一是要深化全集团协同。各子公司要大力提升产品市场竞争力，围绕主业把附属业务做好；母行要大力引进子公司产品，积极满足客户综合金融需求。二是要深化条线间协同。一方面要深化渠道协同，当前要重点将我行与美国银行零售业务战略合作项目中积累的经验和能力，在“三综合”

网点中强化落地；另一方面要深化公私联动。建设银行不是一家以零售业务起家的银行。虽然大家在理念和骨子里都已经认识到零售业务很重要，但我们不是以零售业务起家，要承认这一点。对公业务是强势业务，更是优势业务，如果零售业务发展能依托对公业务优势和深化公私业务协同，就能够将对公业务优势转化为零售业务优势。这个辩证关系大家必须转变思想、深入思考。三是要深化条线内协同。要坚持客户统一视图，“以客户为中心”，实施全行统一分类、综合评价、综合定价，推广客群经营落地。要坚持产品统筹经营，建立由个金部门牵头、各产品部门配合的产品销售统筹机制，积极引进子公司和第三方优质产品。

要强化综合支持。要加强系统性思维运用，重在联动支持和资源支持上发力。联动支持方面，条线间要进一步强化代发业务的“一把手工程”定位，依托对公业务资源拓展全国连锁型商户、丰富生态圈行业应用。条线内要进一步发挥资产负债业务间拉动作用，加强交叉销售，大力提升产品覆盖度。要在零售条线内部建立一支统一的对私客户经理队伍，增加人员、强化培训，实现整体链条清晰和归位到一个体系，不同业务可以有不同评价体系和专业化要求，但不是各培养各的。母子公司之间一方面母行要用好子公司产品，另一方面各子公司要通过加快创新，逐步打造成为我行客户的重要产品供应商。资源支持方面，存款定价政策要授权赋能，简化授权流程、提升响应速度，坚持量价平衡发展；零售信贷资源要加大倾斜，进一步巩固最大零售信贷银行地位；专业队伍要量质齐升，巩固网点主阵地作用，要用好智慧柜员机释放出人力，加快 AUM 5 万～50 万元客户维护的“分配到人”；科技开发要及时响应，提升零售 IT 系统开发和优化需求的响应速度。

（二）统筹存款和理财发展，积极应对好资金面趋紧问题

2017 年以来，社会资金面偏紧，资金价格持续处于较高水平。下阶段，在稳健中性货币政策、强化审慎监管和整治金融乱象等因素的综合作用下，预计资金面将持续“紧平衡”。这一方面给全行流动性管理带来较大压力；另一方面在负债端，表内和表外的竞争压力都很大，储蓄理财化趋势加剧并同时带动利率市场化向纵深推进。抓资金、稳存款、统筹存款和理财发展，是下阶段全行的核心任务之一。

全行要坚持零售优先，加大资源投入和考核力度，量价平衡拓展个人存款，做大个人客户资金总量。一是要用好已经推出的客群服务方案，构建优质结算网络，吸收更多低成本碎片化资金。要全力开展“狠抓三大源头、力拓资金规模”营销活动，拓源头、建生态、造闭环，狠抓代发、商户、消费和结算类资金。二是要提升差别化和精细化经营管理水平，将利率上浮政策、大额存单、创新产品、银行理财等精准投放到适宜客户，做大客户资金总量。三是要优化银行理财业务发展策略。各一级分行个金部门要主动牵头个人银行理财销售，以存款稳定增长和竞争力提升为目标，以银行理财业务精细管理和精准营销为依托，加快销售统筹化、经营客群化、产品定制化、渠道差异化和布放规律化，重点稳住行内优质客户和拓展行外资金。

（三）加快培养个人客户经营的新模式和新能力

客户发展基础和客户经营能力，是衡量零售业务综合竞争力的核心要素之一。过往客户拓展入行后，通过销售产品建立客户黏性，实现活客是没有问题的。而在新形势下，客户忠诚度下降，对获客、活客和留客提出很高要求。要巩固我行网点一代和二代转型既有优势，加快打造批量获客和客群经营新能力，夯实客户基础、扩大客户总量。一是要坚持“三个并重”的客户经营策略。新客拓展与存量客户保有并重，做大规模与做优结构并重，城区与县域协同发展并重，向挖掘存量客户潜力要效益，向县域客户拓展要规模。二是要打造获客新型能力。更加突出提升批量化和生态圈获客能力，积极挖掘机构和公司客户源头作用，大力构建缴费、社区、公交、旅游和教育等应用高频和扩展性好的生态圈。三是要深化客群经营。推广“安心悠享”老年客群和“金蜜蜂”大学生客群综合服务方案，进一步丰富服务方案数量，把已成熟的方法论和已形成的细分聚类能力加快释放和落地。四是要打响中高端客户的服务品牌，尽快出台 AUM 5 万元以上客户服务品牌和方案。

（四）牢牢把支付结算业务账户、数据和综合金融服务优势掌握在手

当前商业银行支付结算业务受到了冲击，原因在于我们过早而轻易地向第三方支付开放了账户，它们现在已成为强大对手。但是我们也要牢记，一是要坚决掌握并巩固账户优势。二是便捷支付创新要做，但在创新过程中一定要牢牢掌握数据。三是一定要跟上市场变化去做场景。这是我们最大的教训，过去银行从不做场景而只管支付本身，要在场景搭建中充分发挥综合金融服务优势。支付是银行的本行，要把我们在支付结算业务上的账户、数据和综合金融服务优势掌握在手，千万不能丢。

与此同时，支付结算作为国家经济金融运行的基础已上升为国家战略。央行已经从重构个人账户体系、加强第三方支付监管和鼓励支持商业银行开展创新等维度布局，力图重塑银行在支付结算业务上的主体地位，决心和力度很大。全行必须提高对支付结算业务战略性和综合性的认识，必须提高对把握难得窗口期、再造新优势紧迫性的认识。从战略性看，支付结算已是客户资金流、信息流和物流进入银行的核心入口、流入流出的核心管道、低成本资金沉淀的核心载体。从综合性看，支付结算已日趋生态化、场景化。要做大做强支付结算，必须打造“支付结算+金融服务+营销服务”一体化的综合服务模式。从紧迫性看，中央银行的顶层设计已基本完成，留给我们发力的窗口期宝贵而短暂。

全行必须正视现实、坚定信心、凝聚合力、抢抓机遇，再造支付结算业务新优势。一是要深化协同、整合全行资源。总分行、各条线要协同推进，打破部门格局、统筹共享资源，全行一盘棋不断深化公私联动和条线内协同，大力拓展关键场景，批量营销获客、精细经营留客、综合服务活客。二是要进一步打响龙支付品牌。在确保完成全年任务的基础上，大力提升交易活跃、资金聚集的客户和商户占比，更加注重提升质量，更加注重做优体验，让更多客户用起来。目前个别大行龙支付业务发展缓慢，要强化“一把手工程”，加大工作力度。三是要狠抓创新。年内要实现龙支付的迭代升级，释放一批有竞争力的新功能。

（五）加快大数据、“互联网+”和云平台等新技术的运用，跳出传统思维谋划业务发展

全行夏季工作会议要求零售业务全面实施大数据驱动、大客群定位、大平台支撑和大生态扩围，我们必须跳出传统思维和模式，加快产品、服务和风险防控等范畴的创新，要在创新创意的发现驱动工作中，全面运用新技术来考虑可拓展性和可复制性，将其与转型并轨推进。零售业务触及各方面变革比其他业务要快，这要求我们遇到问题就要拓展性地考虑其全局意义，充分碰撞、全局推广并实现引领。

为此，一是要进一步加强大数据应用，巩固和扩大先发优势。继续全面推广个人客户数据分析与精准营销平台功能，将大数据分析工具和大数据分析结果全面贯穿于经营和管理全过程。目前还有约20家分行没有设置个人客户数据分析团队或专门岗位，要加大力度、补充人员。二是深化互联网思维和工具应用，聚焦提升客户体验这一核心目标，优化流程、完善功能、提升服务，争取加快创新培育出更多像龙支付、快贷一样具有互联网基因的拳头产品。三是学好用好“新一代”。要大力开展宣讲、培训和劳动竞赛活动，真正将零售业务已经成功上线的20多个新系统功能全面释放出强大生产力。

三、抓好八项重点工作，确保完成全年任务

（一）确保完成个人存款和中间业务收入全年计划

这是总行明确布置的财务目标，体现全年经营成果，大家要清晰认识和提升执行力，确保完成任务。要全面对标市场竞争力和上半年计划完成情况，继续加大工作力度，确保完成个人存款和中间业务收入的全年计划，确保市场份额稳中有升。个人存款时点新增四大行第四和中间业务收入四大行第三位的分行，必须立刻行动起来，迅速扭转当前局面，力争年末位次提升。四大行第一的分行不能松懈，要努力巩固优势，给予全行更大支持。处于四大行中游的分行要确保“提比”、争取“进位”。个人存款业务工作要求刚才我已强调过，就个人中间业务而言，在多重减收

压力下，必须扩大客户覆盖、强销售、拓新点，保持领先优势和稳定收入增长。保险业务要抓营销，开展好专项营销活动，做大客户总量、稳住四大行位次；要抓队伍，大力提升专业服务和销售能力。基金业务要巩固公募基础地位，拓展专户和券商产品“两翼”，要向首发要效益、向定投要客户、向协同要规模。贵金属业务要围绕投资、收藏和消费三大需求，坚持实物与账户、自主与代销、大件与小件、线上与线下“四个并重”，巩固领先优势，发挥更大增收作用。要加快推进龙财富平台的研发上线，推动投资理财类业务由简单推销产品向提供资产配置服务转型。

（二）塑造零售业务“塔尖”，做优做强做大私人银行业务

私人银行业务必须要发展，必须要体现出建设银行私人银行业务管理水平。要回归全行客户体系，成为分层管理的重要组成部分。要明确各层级机构职责，不要打乱仗。私人银行业务收入要向各条线“归源”，既要从考核角度体现私人银行业务的发展成果，更要回归到各条线审视其对私人银行业务贡献。私人银行专业队伍要在全行客户经理的总体框架下提出差异化和专业化要求。下阶段的重点工作要求有以下几方面：

一是明晰体制机制。明确各级机构私人银行专营机构（团队）定位，充分动员各层级力量，在大零售的模式下深化战略协同。二是精耕金融生态。以客户需求来驱动业务联动，建立母子公司联席会议等撮合机制，大力引进优质第三方产品，增强私人银行客户跨境金融服务能力。三是做强专业队伍。打通私人银行岗位人员的职业晋升通道，打造数量和质量领先的财富顾问专业人才队伍。四是打造客户资产配置核心能力。打造“投资策略 + 大类资产配置 + 综合解决方案 + 组合产品销售”一体化差异经营模式，充实市场研究、投资策略和资产配置等专业人才。五是锻造温暖信任的私人银行服务品牌。加大拳头产品、优势服务、优秀客户经理、财富顾问的宣传推广力度，巩固“金管家”“家族信托”领先品牌优势，提升市场影响力和品牌价值。

（三）巩固房金业务领先优势，实现快贷业务稳健发展

房金业务必须全面实现规模、质量、收益和客户拓展维护的持续领先，不能只关注规模，也要支持好客户拓展维护。公积金业务要牢不可破地成为建行的战略性优势。要实现个人消费信贷业务与住房金融业务齐头并进。这块业务是我行重要的个人资产业务，市场空间广阔、收益水平理想。要与其他产品错位经营，走数据化和线上化发展道路。下阶段的重点工作要求主要有以下方面：

一是保持个人房贷业务领先优势。积极协调和持续加大信贷规模支持，按照市场规律来把握投放节奏和结构，加强营销储备，确保全年新增四大行第一。要加强量价动态平衡，采取全局统筹、灵活配置和动态调剂等方式，加强关键时点把控，促进量价齐升。要坚持有保有压、有所为有所不为的原则，持续加强风险防控，确保业务健康发展。二是把握快贷投放节奏，提升业务收益水平。在保持快贷领先优势和良好市场效应的基础上，要调整客户准入门槛，实施差别化定价等精细化管理策略和手段，主动调控投放节奏，进一步提升业务收益水平。三是推进房改金融生态圈建设，守牢领先优势。以推进住建部系统建设、落实“双贯标”工作等为契机，搭建跨行资金清算平台，挖掘全国公积金中心近 3 万个结算账户、超过 4 万亿元资金市场潜力。

（四）坚持信用卡业务的效益、质量、规模和效率统筹协调发展，巩固领先优势

信用卡业务要确保核心指标全面同业第一，确保市场声誉和监管认可，特别是监管部门的认可，非常重要。要以客户为中心、以盈利为重点，加快打造成为我行消费信贷业务优势形成的主要抓手，要持续推进“一个体系”“两个引擎”和“五大工程”，围绕年轻化经营服务体系，持续优化和匹配各类要素，打造服务最佳、最具价值创造力的信用卡品牌，为全行效益增长作出更大贡献。一是加强纵横联动，抓好基层行。要加大总分行和条线间联动，“一行一策”，充分发挥重点区域和中心城市行引领作用，进一步提升基层行信用卡业务开办率，积极营造全员重视、全员参与和全员推动的良好氛围。二是深化适配一体化和综合化经营服务体系。加快实施年轻客群经营的三年规划，优化客户结构，完善服务体系，深化存量客户经营，全面提升活跃度、忠诚度和贡献度。三是进一步激发循环信贷和分期信贷“两个引擎”强大动力。要做大消费交易规模，推动循环信贷业务快速发展，打造汽车金融平台和商户金融平台，不断加强产品创新。

（五）全面实施网络金融战略规划，加快将移动端打造成为线上银行

当前，手机银行和移动端就是个银行、就是个“服务网点”。网络金融业务要牢记你们就是银行，不是渠道，如果还留在渠道思维，网络金融业务是发展不好的。建设银行在同业中最早创办电子银行业务，当前核心指标同业领先，下阶段还要确保领先。未来这项业务已不是产品向线上迁移的简单性问题，而是谁走得越快，未来转型越有前景、为客户提供非金融服务的可能性越强。一是落地网络金融战略规划要求。加快个人和对公客户网络金融生态建设，提升全量客户的服务能力。大力推广“小微快贷”“鑫 e 保”。二是下大力气“活客”，加大营销力度。以提升活跃度、做大交易量为目标，扎实开展好“手机银行交易送好礼”等重点营销活动。三是深化移动优先。全面推广新版手机银行服务，保持核心指标同业领先。四是加强重点领域创新。丰富手机银行、网上银行痛点应用场景，研发推出聚合支付，小微企业在线 ERP“生意助理”等新服务。五是做强、做优和做大“善融商务”“悦生活”业务。抓个人商城移动端、精准扶贫和 O2O 扫码付等关键点，联合地方政府和龙头企业等开展线下推介会，扩展场景应用，增加商户数量。

（六）“提能、增效、保体验”，持续深化电话银行客户服务集约化转型

总行党委决定整合电话银行客服业务之后，客户服务中心的同志们做了大量工作，目前看成效比较显著。要进一步坚定不移推进整合，体现集约、节约和效率提升，不断提升客户满意度，降低风险管控成本，同时要加快向营销中心进行部分职能转变。一是全力以赴确保接通率稳中有升。要合理规划路由资源，加强各分行联动协作，重置技能组和优先级，深入挖掘接通新产能。二是纵深推进中心集约化转型。要健全与集约化要求高度契合的客服管理体系新架构，加快机构整合和园区建设。三是加快创新项目研发推广。要以“智能优先、移动优先、自助优先”为目标，加快推进重点项目研发，加快“建行客服”“建行主播”上线。四是加快智慧客服体系研究建设。加强专业研究队伍培养，加大先进经验引进学习力度，提升智能机器人、IVR 自助语音和 CSR 人工客服智慧化服务水平。

（七）加强消费者权益保护，提升零售业务服务质量

消费者权益保护是评价一家银行对客户体验重视程度的重要标志之一。当前零售业务的产品可比性和客户流失率都在提升，必须重视消费者权益保护，这项工作不仅包括妥善处理投诉，还要在业务营销流程中考虑客户合理诉求。即使防控业务风险，也要注意方法和策略，大家千万要注意这个问题，负面舆情一旦发生，影响极大、应对起来很被动。特别是党的十九大即将召开，这方面绝不能有任何松动和疏忽。一是要加强领导。各级机构零售业务分管领导要亲自部署，零售业务各部门“一把手”要亲自处理重大客户问题特别是客户投诉，争取在第一环节实现化解。二是要抓关键环节。从上半年我行消费者投诉数据看，网点设施环境、信用卡和电子银行等维度投诉数量较多。要加强宣传教育，不断提升消费者金融知识水平；要强化日常管理，做优电子银行服务；要严格落实各项监管要求，确保投资理财销售合规。三是要强化工单管理。电话银行工单是客户服务感受的“第一手资料”和客户满意度的“晴雨表”，目前个别分行还存在人员配置不足问题。总行将严格落实考评、加强通报督导，促进工单流转，提升处理效率和质量。

（八）进一步抓好党建、队伍建设和风险防控工作

增强“四个意识”，严格要求、带好队伍。要严格遵照全行夏季工作会议要求，零售业务条线全体干部职工要深入学习领会习近平总书记系列重要讲话精神，深入贯彻落实全国金融工作会议要求，牢固树立“四个意识”，全面加强党建工作，严格按照党的要求做事。要深入学习领会习近平总书记对金融业党员领导干部提出的“政治过硬、作风优良、业务精通”的要求，一方面要锻造自身能力，提升专业素质、提升职业操守、提升风险意识、提升服务意识；另一方面要带好队伍，带领和教育零售业务条线广大干部职工争做党和国家值得信赖的银行从业人员。

加强风险防控，守牢风控底线。零售业务信贷风险总体可控，个人房贷不良率目前只有0.2%、消费信贷不良率保持同业最优，当前更值得关注和更容易发生的是员工行为异常而导致的操作风险和案件，希望大家高度关注。

同志们，以打造个人客户金融生态系统为核心目标的零售业务转型经过三年多来纵深推进，已经为下阶段树立零售优先战略地位奠定了坚实基础。建设银行的零售业务当前要站在高位继续爬坡，要继续保持质量和效益的领先地位，要继续提升规模市场份额。全行夏季工作会议上，总行党委对零售业务寄予了深切希望、提出了更高要求。我们要一鼓作气、再战再捷，精细管理、扎实工作，坚持零售优先定位，加力推动大零售战略，为全行转型发展作出更大的贡献！

在普惠金融业务发展推进（视频）会议上的总结讲话

张立林

（2017年10月24日）

同志们：

刚才，章更生副行长传达了中央、监管机构对普惠金融发展的重要部署，全面、系统地阐述了发展普惠金融业务的重要意义，这既是我行政治任务、社会责任，也是发展契机，对于调整我行业务结构将发挥重要作用。同时，传导了总行近期将在普惠金融信贷资源配置、考核激励、信贷审批授权、特色机构建设、差异化信贷政策等方面的配套支持政策，提出了全面推动普惠金融业务发展的“十条措施”和“五个要求”。全行要深入学习、深刻领会，认真贯彻落实，积极推进普惠金融业务发展。我就本次会议精神的贯彻落实提几点要求。

一是认识到位，全行全员协同推进。要提高站位，讲政治、讲大局，将推进普惠金融业务发展作为“一把手工程”来抓。普惠金融业务涵盖范围广、综合性强，各行普惠金融事业部要做好协调，前台、中台、后台各相关部门要各负其责，加强协作，将中央、监管机构的各项要求和总行党委的工作部署落实到位，举全行全员之力推动业务发展。

二是立即行动，确保配套政策落地。10月底前，总行将陆续出台各项支持普惠金融发展的配套政策，各行要快速部署，立即行动，要加强对政策的消化理解，推动政策有效执行，确保不打折扣地落实各项政策，年底前，普惠金融业务发展要取得实质性进展。

三是因地制宜，深入研究市场客户。各行要组织学习国家、监管机构以及总行关于普惠金融发展的相关文件，结合本地区、本行业务实际，认真研究普惠金融业务领域客户分类及特征，分析客户金融需求，对现有的产品进行梳理，为客户提供适销对路的产品，迅速提高市场覆盖，逐步摸索建立具有建行特色的普惠金融产品和服务体系。

四是全力以赴，确保完成任务目标。各一级分行要做好政策宣导和任务部署，加强市场规划，梳理目标客户群体，加大营销挖潜力度，促进贷款的有效投放。二级分行和网点要加大力度做好业务推动，各出奇招，多点发力，加强客户营销和业务拓展，确保完成目标。

会后，各分行党委要组织专题会议，就本次会议精神落实，研究具体措施。各行要在10月底前向总行小企业业务部（普惠金融事业部）报送部署落实情况。

希望通过本次视频会，全行能够统一认识、坚定信心、找准定位、明确目标、落实责任，确保完成第四季度普惠金融贷款新增700亿元的工作任务，为我行普惠金融业务发展，为全行客户拓展、效益提升打下良好基础。

谢谢大家！

在网络金融业务高校培训班上的讲话

张立林

（2017年11月3日）

同志们：

为分析当前内外部形势，抓住历史机遇，充分利用大数据、云服务、人工智能等金融科技手段，强化我行网络金融业务领先优势，研究探讨新形势下加快网络金融业务发展的思路和措施，进一步推动我行网络金融业务转型发展，总行举办此次培训班。大家这次到学校来学习，非常有意义，所学课程虽然是一种理念上研究的成果，但也代表了在事实的发展过程当中我们和趋势之间的差距，尽管我行网络金融业务从技术支持和创新实践方面已取得同业领先，但我们更应思考未来网络金融业务发展趋势。面对互联网金融的发展，要跳出“电子银行是渠道”的惯性思维，在“互联网+大数据”“互联网+云计算”的框架下，创建新型化的银行。对银行来说，我们迎来了深化发展的一个关键时期。下面，我就相关工作谈点想法，供大家参考。

一、前三季度经营情况

2017年前三季度，在总行党委的正确领导下，网络金融条线全面推进实施网络金融战略发展规划，在渠道、平台、产品、服务等方面取得了良好成绩，网络金融在“获客、活客、增收、增存”中发挥的积极作用值得充分肯定。2016年以来，网络金融条线以打造网络金融生态系统为核心，深化移动优先战略，真正以客户为中心，运用“互联网+”的思维加快创新，打造了一系列全新的互联网生态场景，创新了一批网络金融特色产品，推进传统电子渠道从“交易渠道”向网上银行的战略转型，对全行各项业务转型发展起到了助推作用。这些成绩得益于近年来总行坚定不移地持续推动网络金融业务发展，得益于各分行拼搏奋斗，努力进取。前三季度的经营亮点主要体现在以下七个方面。

（一）市场竞争力持续提升，价值创造作用越发明显

用户规模和用户满意度同业领先。2017年9月末，个人网上银行用户2.63亿户，本年新增2586万户，手机银行用户2.56亿户，本年新增3320万户，企业网银用户575万户，本年新增89万户，均位列四大行第一。微信银行用户6740万户，新增1416万户，短信银行用户37223万户，新增3469万户，持续领先同业。网络特约商户3.33万户，增势强劲。2017年上半年手机银行、个人网上银行客户满意度均为六大行第一。网络金融渠道已成为全行主渠道。9月末，电子银行账务性交易量在全渠道中的占比高达93.06%，76%的基金、90%的理财产品、90%的账户贵金属通过网络金融渠道销售。对全行经营的价值创造作用越发明显。8月末，手机银行、个人网银活跃用户客均存款余额为3.8万元，是非活跃用户的2.1倍；活跃用户客均中间业务收入达42.8元，是非活跃用户的10.6倍；存款定活比例为28:72，远远优于非电子用户的64:36，付息率更低。9月末，网络特约商户在我行日均存款达1.04万亿元。网络支付业务带来中间业务收入和大量资金沉淀，2016年中收达50亿元，同比增长约153%；预计2017年中收将达60亿元（大部分收入将在

2018 年入账）。

（二）深化移动优先战略，移动金融全面领跑同业

移动金融交易量占比持续提升。2017 年 9 月底，移动金融交易量占比达 82.50%，较 2016 年平均水平提升 14.78 个百分点。活跃用户和交易规模快速提升。9 月末，手机银行当年活跃用户数达 5153 万户，同比增长 1446 万户，增速为 38.99%，实现交易量 368.95 亿笔，同比增长 145.32%，实现交易额 42.2 万亿元，同比增长 97.70%，以上业务指标均领先同业。微信银行关注并绑定账户的用户数达 4643 万户，较年初新增 1020 万户，增速为 28.16%，客户数量、业务规模和品牌影响力居同业第一。手机银行为全行重点产品推广作出重大贡献。从投资理财业务看，超过 50% 的基金、60% 的账户贵金属、75% 的账户商品通过手机银行销售。从信用卡业务看，44% 的信用卡申请、56% 的现金分期、80% 的信用卡调额通过手机银行完成。从消费信贷业务看，超过 80% 的快贷申请通过手机银行办理。

（三）支付业务快速发展，创综合效益新亮点

交易规模快速增长。2017 年 9 月末，全行网络支付交易笔数达 190 亿笔，同比增长 88%。交易金额为 7.6 万亿元，同比增长 49%。商户拓展成效良好。借助新版手机银行成功推出，积极推进网络特约商户受理“龙支付”；整合市场主流支付工具形成“聚合支付”产品，有效扩展我行“龙支付”产品覆盖范围。9 月末，网络特约商户达 3.33 万户，较年初增长 278%。网络特约商户实现的交易额占“龙支付”交易总额的 90%。努力吸收存款，提升全行综合效益。9 月末，支付宝（中国）网络技术有限公司（支付宝）在我行沉淀存款 668.95 亿元，较年初新增 10.23 亿元，日均存款 667.09 亿元，较年初新增 63.81 亿元。深圳市财付通科技有限公司（财付通）在我行存款余额达 142 亿元，日均存款余额为 157 亿元，日均存款余额比年初新增 100 亿元。

（四）善融商务经营服务能力提升，扶贫作出新成绩

善融商务有效推动传统业务发展。2017 年 9 月末，“善融商务”交易额达 1046.4 亿元。善融商务综合贡献度不断提升。2017 年上半年，他行转我行商户实现累计开户 1.77 万户，日均存款 92.72 亿元，日均贷款 221.13 亿元，中间业务收入 6013.72 万元。企业买家方面，在我行开立首个账户，并在 2 个月内用该账户首笔支付了善融订单的企业买家日均存款为 6783.80 万元，日均贷款为 14.21 亿元，中间业务收入为 23.49 万元。响应国家脱贫攻坚号召，电商精准扶贫多项活动开办有声有色。搭建陕西、甘肃、河南、湖北、四川 5 个“善融扶贫馆”，宣传推广贫困地区特色产品，助力建档立卡贫困户增收脱贫。精心组织开展善融商务“扶贫爱心购　礼赠爱心人”大型系列扶贫活动，以 29 家有扶贫任务的分行为主体，37 家分行全部参与，活动开展 10 天，实现扶贫交易额 2500 余万元。截至 2017 年 11 月，善融商务已引入 1100 多户扶贫企业，覆盖 24 家一级分行、420 余个贫困县，善融扶贫正逐步成为全行继金融扶贫和定点扶贫之后的一股重要新生力量，体现了我行对普惠金融的重视和作为大行的担当，将有力地推动全行金融精准扶贫再上新台阶。

（五）悦生活平台快速发展，促进客户黏性提升

商户规模持续增长。2017 年 9 月末，悦生活平台商户总量达 3.14 万户，当年新增 1.98 万户。其中，悦生活云服务模式成为商户拓展的重要手段，商户数量达到 2 万户，占悦生活商户总量的 63.9%。场景活跃度与交易规模不断提升。9 月末，悦生活平台累计部署服务场景 3.2 万个，其中活跃场景数①达 7188 个，场景活跃度达到 22.68%。实现交易量 2.16 亿笔，同比增长 6.93%，实现交易额 722 亿元。特别是党费云在全行推广过程中对悦生活发展起到了非常好的作用。贡献度进一步提升。9 月末，悦生活云服务商户在我行开设对公账户 1.8 万户；服务个人客

① 全年交易量 300 笔以上的缴费项目或非账户性访问量 3000 次点击量以上的服务项目。

户801万人次，归集资金40.9亿元，其中归集他行资金6.6亿元。

（六）网上银行全线布局，创新获客活客新模式

2017年9月末，个人网银产品覆盖度提升达到58.08%。新版个人网银的投资理财交易品类丰富度与资产管理服务体验领先同业，9月末，个人网银实现理财产品销售1.78万亿元，占全行销售总额的56.2%。企业网银用户与交易规模快速提升。9月末，企业网银用户数575万户，同比增长45.28%。活跃用户数216万户，同比增长33.99%，活跃用户占比37.59%。实现交易额193万亿元，同比增长19.55%，实现交易量16.44亿笔。推出针对小微企业的在线ERP综合服务平台，以低门槛的服务支持对公客户的在线“获客、活客”。海外企业网银在全行32家海外机构中已上线26家，充分彰显了我行作为全球大行的国际地位，对服务“一带一路”倡议，服务“走出去”企业有着重要作用。

（七）智慧服务范围进一步延伸，客户体验有效提升

以大数据营销为抓手，持续加强对全行网络金融业务的数据支持。在多渠道部署精准营销，支持对客户千人千面个性化广告展现，助力信用卡、理财产品、快贷、龙支付、子公司产品等各类业务精准营销。积极运用“新一代”对私营销平台开展营销建模，上线“新签约手机银行用户生命周期管理”“手机银行潜在活跃客户”等模型，自动通过多种渠道定期营销客户。顺利上线对私客户关系管理组件电子银行嵌入式弹屏营销功能，实现精准营销水平再上新台阶。上线三个半月，个人网银提示成功签约客户11.8万户，手机银行提示成功签约客户21.8万户，短信金融提示成功签约客户9.2万户。智能安全保障能力持续提升。依托风险控制平台，积极创新防控手段，不断提升风控智能化水平。前9个月，通过风险监控、冻结止付及商户追赔等方式累计帮助客户避免资金损失1.21亿元，发现并关闭钓鱼网页8722个。

2017年，市场、客户、媒体等各方面给予建行网络金融业务很高评价。新版手机银行荣获凤凰网、凤凰财经“年度移动金融创新奖”；“蓝e卫士”和“你购物　我埋单——建行0元购”活动荣获中国金融认证中心“第三届中国金融品牌‘金栗子’奖”之“极具安全传播责任奖”和“社会化营销先锋TOP10奖”；网络金融“千人千面”大数据应用项目荣获银行家“2017中国金融创新论坛暨2017中国金融创新奖”之“十佳互联网金融创新奖”。

二、深刻认识形势变化和竞争压力，强力推动网络金融业务发展

随着信息技术的发展，互联网已经融入社会生产生活的各个领域。在网络信息时代，商业银行的经营渠道、服务方式及业务范围都发生了深刻变化，网络金融创新和发展的空间巨大，已经成为商业银行转型发展的推动力。从当前的业务格局和发展态势来看，银行同业、第三方支付机构、互联网公司在技术、用户、监管等的驱动下，不断向智慧化、场景化、生态化方向发展，网络金融业务呈现以下一些新特点和新趋势。

第一，金融科技（FinTech）发展方兴未艾，政策环境日趋积极。对金融科技的跨界竞争我们要牢记一点，金融科技是基于技术推动的，它最终的表现方式是技术形成的产品加交易需求，这既是它的优势，也是它和银行竞争的弱势。它的客户管理基于数据本身，没有回到客户的本身，我们银行在做基于数据的客户分析过程当中要小心，我们会彻底回到交易本身，会弱化客户对我们的信任，这件事情以后要非常注意。数据分析告诉我们要找准，但银行做金融交易关系到最后做的是银行和客户之间的关系和信任，这非常重要。从某种意义上来讲，理想方式是金融科技是为金融提供解决方式，金融利用金融科技去发展我们的业务关系，是一种良性的方式，但是都想走上金融的道路就是一个极不正常的事情。

第二，第三方支付机构半金融化发展，未来跨界混业竞争将越发激烈。第三方支付公司已经走向寡头垄断。随着民营银行牌照的陆续发放，由阿里巴巴、腾讯、百度等互联网巨头参与成立的网商银行、微众银行、百信银行等民营银行，依仗其强大的互联网平台、海量的场景和数据、巨大的流量，从电子支付开始，不断向投资理财、消费信贷等更多金融领域渗透，围绕其核心领域，

以资本和各自独有的优势构建起“电商＋金融”“社交＋金融”“搜索＋金融”等生态系统。目前，第三方支付机构与银行的合作模式是银行产品直接在第三方平台买卖，银行做业务就是给第三方做客户，而银行目前并未能够从第三方平台拿到完善的数据交易链。第三方实际用市场强势和舆论主导来换银行利益，不是用利益交换利益。对银行业而言，第三方支付机构的半金融化发展给银行带来极大的挑战和竞争压力，同时也带来历史性的发展新机遇，激发银行业积极寻求自身优势，加快由传统银行服务向全面网络金融服务模式转型，为客户提供全方位的金融和非金融服务。

第三，大数据、云计算、人工智能已成为重要创新手段，推动银行服务向智慧化发展。大数据、云计算、人工智能，都是技术引进以及变化或演化的表现。它的概念就是数字化逻辑和数字化生存思维，即所有的事都可以换成一个可换算的方法和计算任务，也就是说所有的东西都可以线上化。银行服务正呈现智能化的发展趋势，银行的经营方式向以数据为中心转变，由数据来驱动内外部流程，充分运用大数据、云计算、人工智能等技术，对客户数据和经营数据准确量度、互连互通，消除信息资产的不透明和不确定性，实现银行资源的动态管理，客户洞察、营销、服务的高度智能化。网络金融生态的推进，提供了丰富的数据源，为银行运用“大数据”技术在更广领域和更深层次挖掘用户的需求提供可能。但银行对大数据、云计算、人工智能的运用仍然较弱。从技术进步对我们的产品迭代影响和数据管理意识影响上来讲，我们的当务之急是必须要在云的运用上和数据的运用上跟上时代。

在新形势下，总行党委对网络金融业务寄予厚望。网络金融条线要深刻领会和积极贯彻落实2017年全行工作会议、夏季工作会议和零售及网络金融业务转型发展暨工作会议精神，加力推动网络金融战略转型规划，坚定不移地按照“智慧、生态、协同”的发展方向，加快打造网络金融生态系统。当前要把握好以下七个关键点。

（一）真正以客户为中心，紧紧围绕客户协同经营，全力提升客户综合经营能力

银行经营以客户为中心。强大的客户基础是建行的优势，反映出建行和客户间长期形成的紧密关系。但是，我们面对的客户和市场正在加速变化，银行传统渠道与客户之间的联系渐弱，客户忠诚度下降，对获客、活客提出了很高的要求。新形势下，我们要牢牢记住一个核心，网上银行就是做客户的，产品和渠道只是服务客户的实现方式。银行必须顺应市场和客户的要求，将客户作为网络金融生态系统的核心，高度重视客户体验。客户体验既包括金融体验，也包括非金融体验，主要体现在可获得性和便捷性两个方面。提升客户体验不仅是留住客户的重要手段，而且是打造品牌、赢得口碑的必要条件，也是获得新客户的重要基础。要将打造极致的客户体验作为网络金融业务发展的首要目标，进一步加深建行与客户的关系。要做好全量客户经营，加快提升客户服务能力。这不仅是衡量网络金融业务市场综合竞争力的核心要素，也是网络金融条线在全行转型发展中的核心价值。

从机制上讲，要强调整合。网络金融业务要走出渠道思维，走出从单独某个渠道发展业务的方式，整合网络金融用户体系和用户数据，以客户为中心整合业务资源、打通业务流程、统一用户体验，根据客户需求引导其使用合适的方式办理合适的业务。必须走出产品和部门分割，有整体推动和全局布局意识，有部门协同的意识，在用户体验和线上客户关系经营上树立权威，建立线上销售优势，引领各部门产品从客户维度出发在线上进行深度融合，为用户提供一揽子多种金融产品综合服务，协同创造用户价值。要继续完善网络金融客户综合经营能力评价体系，有效指导和反映新形势下客户经营策略的转变，强调建立牢固的客户基础，强调提升综合经营能力和价值创造能力。

从策略上讲，要强调客户的全流程管理，获客、活客、留客并重。存量客户保有和新客户拓展同样重要，提升客户质量、做优客户结构与做活客户数量、做多交易规模一样关键。要扩大存量活跃用户规模，挖掘客户潜力，交叉销售提升效益，对处于不同成长周期的用户要有不同的服务方式和资源投入力度。要持续提升获客能力，积极发挥善融商务、悦生活、惠生活的获客源头作用，不断拓展高频应用场景，提升平台开放性和吸引力。强调对客户分层、分群、分类的管理经营。要花一定的精力和成本去培养代表成长和未来的重点客群。“进校园”这项工作是非常好的，学生是以后新型客户中一个很好的点，要利用手机银行等年轻客户首选的金融服务方式对大学生等未来客户提前布局。同时还要特别关注不同客户群体的需求转变和渠道迁移，提前制订相应的产品和服务解决方案。

（二）充分结合线下业务优势，持续建设平台能力，坚定不移打造网络金融生态系统，向全新的线上银行转变

平台化是“开放共享、合作共赢”的互联网文化在商业形态上的具体体现。具体到银行业，就是搭建一个舞台连接平台用户、银行和合作伙伴，由平台的主导者提供网络清算和基础平台服务，银行各类业务在这个平台上寻求延伸和发展，形成有机的网络金融生态系统。建行用十多年的时间基本完成了交易从线下向线上的迁移，下一阶段需要在“网上”把线下的优势结合起来，在线上形成一个高度集中、无限触点的银行，实现物理渠道与网络入口、平台协同进一步深化。

全行要坚持统筹入口、统一平台。统筹实施线上线下协同、移动优先的入口布局，实现客户在任一场景都能随时随地接入；统一平台管理，打造适合线上自助、互动特点的产品和服务展示、交易的各类平台。做到体验极致。运用满意度监测、可用性测试等方法工具，在满足客户需求的基础上，持续提升平台和入口的客户体验，打造体验极致的网络金融生态系统。打造银行优势。依托“新一代”核心系统，将银行传统的金融产品销售及综合服务能力、信贷业务平衡收益与风险的专业能力、资产管理和财务顾问等业务能力在线上平台释放并延伸，真正发挥出强大的生产力。提升信息资源整合能力。利用平台数据订制客户、商户服务方案和各部门业务拓展方案。提升开放能力。借助“龙支付”拓展和人行三类账户体系推广契机，进一步完善平台跨行账户体系，降低平台门槛，触达更多用户。

（三）狠抓金融产品创新，释放一批同业领先、有市场竞争力的网络金融产品，重点解决好研发机制问题

网络金融业务变化非常快。互联网思维和技术在改造金融行业的过程中一定会产生新的商业价值、新的金融方式，满足新的社会需求。在这样的形势下，赢得市场必须依靠创新，加快实现网络金融生态系统金融及非金融产品服务进一步丰富。这种创新有无限可能、充满了想象力，需要我们用一个变化、活跃的心态去跟上。金融产品中相对复杂的是融资类产品，再复杂一点的是资产配置类产品。除信贷产品外，其他任何产品的创新在产品设计阶段就要考虑到线上线下一体化的实现方式，而不是先线下后线上的概念。同时一定要基于数据思维解决产品的实现问题，比如可以思考支付和融资产品的线上、自动、一体化的解决方案。

能做的事情很多，我们一定要进一步加大产品创新力度，优化流程、完善功能、提升服务。策略上，产品创新需要以解决问题为导向，以夯实用户基础、提升价值创造为目标；要具有先进性，代表市场、技术和金融应用的发展方向；要充分分析市场需求，明确监管政策，厘清和现有产品的关系，清晰内部职责分工。想明白了以后就要积极推进，战略性创新领域不可犹豫，切忌贻误战机。机制上，创新要与优化、整合同步，进一步提升移动端网络金融迭代能力，现有产品要快速优化，解决用户痛点，持续提升用户体验，保持市场竞争力。众多客户是现有产品的使用者，只有快速迭代、不断优化、完善现有产品，才能留住客户。首先要重视留住客户，也只有能留住现有客户，才能获得更多新客户。要基于未来开展前瞻性的思考、建立三至五年中长期研发机制，保证产品创新有切实的成果转化，保持研发活力；要加强需求管理，快速推进目前的研发任务。

这里我强调一下支付结算业务。支付结算是银行业安身立命之本，第三方支付虽已占据个人线上支付的绝对主导地位，但尘埃还未落定。第一，支付公司本质上扮演着连接大量银行的清算角色，其绝大部分业务离不开银行的客户账户和资金通道。第二，从交易额看，银行卡支付仍占据消费主导地位。2016 年非银行支付机构处理的消费业务交易金额约为 13.2 万亿元，相当于银行卡消费的 23%。第三，企业客户的交易总额三倍于个人客户交易，而在此领域，互联网公司尚未找到冲击银行的有效办法。

支付结算作为国家经济金融运行的基础已上升为国家战略。中央银行已经从重构个人账户体系、加强第三方支付监管和鼓励支持商业银行开展创新等维度布局，力图重塑银行在支付结算业务上的主体地位，决心和力度很大。全行必须把握难得的窗口期、坚定信心、凝聚合力，抢抓机遇再造支付结算业务新优势。从网络金融条线来讲，要通过网络支付结算产品创新和应用，牢牢把支付结算账户、数据和综合金融服务优势掌握在手。一是在“龙支付”品牌下统一开展支付结算产品创新，狠抓“龙支付”的迭代升级，释放一批有竞争力的新功能；二是持续拓展境内外各类支付场景，在场景搭建中充分发挥综合金融服务优势；三是跟进金融科技新技术的应用，推进生物识别、大数据、区块链等新兴技术在支付领域的应用，力争在支付新技术应用方面保持同业领先。

（四）提升业务运营能力，跳出传统思维谋划业务发展，支持网络金融业务全面领先同业

网络金融的业务运营不是简单的客户服务，而是一种通过互联网的方式，在不断与客户的互动中挖掘需求、解决业务增长问题的系统性思维和能力，是支持网络金融业务全面领先同业的重要支撑。随着网络金融业务的体量越来越大、占比越来越高，对业务运营的要求也更高。我们必须跳出传统思维和模式，加快利用新思维和新技术引领和驱动增长，进一步拓展规模和效益，巩固和扩大先发优势。

一是完善“集中、创新、智慧”的网络金融业务运营体系。集中指的是后台集中和业务集中，这与线下是很不一样的。不论是平台支持、系统支撑、资源投入和机制保障，都需要集中和统筹地去考虑，充分发挥协同效应。但集中并非意味着一定要上收，集约集中既要考虑个性化，又要考虑公共化，云就是一种很好的集中方式。创新指利用“互联网+线下”的O2O服务方式，快速识别动态变化的用户需求，随时随地提供产品服务和安全保障，持续开展多元化和有互联网特色的营销活动，紧紧黏住用户。智慧指对不同客户实施精细化的运营，合理地、差异化地安排营销和服务策略，每个用户看到的页面、获得的服务、拿到的产品价格和营销优惠力度都应该有所区别。要根据用户的成长周期和交易行为及时学习、调整用户运营策略，有效利用资源，最大限度地获得价值转化。二是进一步加强大数据应用，将大数据充分贯穿到客户运营和业务管理过程中。未来将是智能金融的时代，大数据成了重要的生产资料，云计算、人工智能等最前沿的技术是最重要的生产力，营销、服务、运维、管理等一切问题都将通过大数据和新技术来解决。网络金融条线要用大数据和智能的手段去经营客户，全面提升个人客户数据处理和分析能力，优化和推广精准营销平台功能；同时协同技术部门加快研究云计算、人工智能等新技术在网络金融业务运营方面的应用，加快实现基于用户数据的机器决策和智能推荐，充分依靠数据和技术的力量达成增长目标。

（五）建设多层级的网络金融业务品牌体系，坚定不移地推广和宣传建行品牌形象，不断拓展市场影响力

在我行品牌架构体系中建设和推广网络金融业务品牌体系，对支持全行转型发展、应对互联网金融激烈的市场竞争形势有重要意义。品牌建设首先要分好层级，网络金融品牌和产品品牌分层制定；一旦定好后就要坚定不移地宣传推广，策略上要创造差异化的品牌形象，用不断更新迭代的产品服务内容丰富品牌的内涵及外延，借助新媒体和社群经济等新载体，利用多种方式让建行网络金融的优质服务深入人心。

（六）加强专业化团队建设，抓紧培养和储备一批充满活力的业务专家队伍

人是生产力中最重要、最活跃的要素，只有一流的人才，才能干出一流的事业。互联网的顶尖人才多聚集在优秀的互联网企业中，建行员工，既懂互联网，又熟悉传统金融产品和业务流程，并善于集合、管理和协调、推广工作的综合型人才少之又少。机构层级越向下，熟悉网络金融业务、能向客户把业务说清楚的人就越少，对业务的支持力度就越弱。面对大变革、大发展，我们必须把培养、引进网络金融专业人才作为一项基础性、战略性工作来抓。总分行要加强对全行网络金融业务的培训工作，全面提升人员业务能力；要充分利用行内外资源，加大培养与引进力度，重点储备一批年轻的、懂互联网的、有活跃思维和进取精神的年轻员工成为优秀的产品经理、体验权威和运营专家；要进一步完善组织结构体系，建立由专业化人才组成的职能型团队，灵活、高效地解决业务发展中遇到的问题。

（七）网络金融业务专家和部门负责人肩负起对下知识传播的任务

做一个网上的银行，我们每个员工都要自觉自动地利用网络金融去解决服务客户的问题，这是一种生根的服务方式。目前，很多二级分支行行长不会使用龙支付等网络金融产品，这说明网络金融知识传播不普及，我们还习惯用传统的业务思路去发展业务，网络金融业务目前还是靠指标推动、靠传统银行业务方式发展，网络金融思维没有在我行员工头脑中落地生根。作为最早触及网络金融知识和经验的同志，网络金融条线务必做好知识传播的工作，否则全行业务转型发展会面临很大的困难。

三、抓好九项重点工作，确保完成全年任务

关于2018年的工作，希望大家做好调研。2018年，我们需要在业务整体推动和提升上有一个很明显的变化，至少体现出网络金融条线是在办银行的势头。沉下心来耕耘两年，我们一定会有所收获，会继续走在同业的前面。关于下一步工作有九个重点工作。

（一）落地网络金融战略规划要求，加快网络金融生态建设

全行网络金融生态系统建设推进工作要加大组织协调力度。加大对公客户网络金融生态系统建设力度，提升对公网络金融服务竞争力；强化个人客户网络金融生态系统建设，提升个人客户服务水平；全力打造非金融服务生态系统。要真正形成面向全量客户综合提供网络支付、网络理财、网络借贷和非金融服务等网络金融产品的系统性能力。

（二）加大组织推动力度，确保全年工作完美收官

全年工作计划是总行明确布置的发展目标，体现全年经营成果，大家要清晰认识和提升执行力，对标2017年第三季度计划完成情况，围绕网络金融战略发展规划继续加强组织推动和工作力度。计划完成较好的分行不能松懈，要全面冲刺发力不松懈，进一步提升系统贡献度；计划完成尚有差距的分行，必须立刻行动起来，迅速扭转当前局面，确保完成全年工作任务。

（三）积极谋划明年工作布局，为全年业务发展打下坚实基础

2018年即将到来，各分行在保证2017年完美收官的同时，要将更多的精力放在谋划2018年发展上，巩固同业领先优势，创造更好的业绩。总行近期将对2018年旺季营销工作进行部署，各分行要高度重视，加大组织推动力度。一是重点关注手机银行、个人网银用户活跃度和覆盖度指标，向营销成功性高的客户推荐网络渠道专享理财产品以及“迎新春，摇红包”“拼的就是礼”等有奖营销活动。二是注意做好线下推广，立足网点做实业务，确保营销到位。三是充分发挥E动终端优势，变坐商为行商，在旺季期间走进代发单位、社区学校、田间地头，开展业务宣传，做好服务工作。

（四）纵深推进移动优先战略，大力推广移动银行，巩固提升市场份额和用户覆盖度

移动金融，尤其是移动银行，必须要作为网络金融业务的核心和重中之重去发展。要把手机作为受限的银行服务窗口去发展，作为建设银行的移动销售终端去定位，同时必须要强调人机交互。各分行必须坚定不移地在移动端布局发力，确保并扩大移动金融各项重要业务指标同业第一的竞争地位，要集中力量促进移动端客户活跃度和覆盖度提升，获客和活客两手都要抓，两手都要硬。

需要注意的是，同业都在努力推动零售业务向以客户为中心的管理转型，对建设银行是巨大的挑战。我们要继续将存量用户做活，知己知彼，直面挑战。下一阶段的重点工作要求：一是继续加大力度推广新版移动银行，在客户签约同时辅助客户下载移动银行APP，同时下大力气“活客”，以提升活跃度、做大交易量为目标，扎实开展好“移动银行交易送好礼”等重点营销活动；加大力度提升新版移动银行传播曝光度和品牌效应，加大微信宣传和广告投放力度，以全渠道覆盖的方式开展宣传推广。二是开展“惠生活”平台推广工作，实现总行、分行、商户等各

类优惠活动信息精准发布和展示，推广商户优惠券购买及使用、支付满减或折扣等服务，打造建行的“大众点评”。同时对现有功能持续进行优化完善，进一步丰富活动类型。三是全面推广企业移动银行全流程服务，进一步丰富完善投资理财、B2B 支付、电子对账等功能，增加移动善付通、移动商户管理等服务，建立对公移动金融“一站式”服务平台。

（五）以推广聚合支付产品为抓手，大力拓展网络特约商户，扩大网络支付业务市场份额

支付结算业务工作要求刚才我已经强调过。支付和商户以及场景的发展是同步的，全行必须加快扩大商户规模，进一步提高我行网络支付市场份额、提升交易占比。要加强产品创新，不断提升手机银行 APP 支付、聚合支付、快贷支付等产品的市场竞争力。要规范商户管理，进一步提升建行收益。一是针对细分行业商户配套相关产品和服务，做到不同商户差别对待、合理定价、精细化管理。条线协同共同挖掘线下商户向线上迁移，同时开展商户营销活动，线上交易规模增长。二是要利用好“聚合支付”产品推广的契机，在旺季营销活动中进一步提升商户服务能力，扩展“龙支付”产品覆盖范围，掌控商户市场拓展优势。优化快贷支付功能，拓展快贷产品应用领域和场景，扩大快贷客户群体。三是开展贴近用户的电子支付营销活动，总分行跨部门联动按照统一规划，开展系列“龙支付”专题营销活动，引导用户使用我行电子支付产品，增加用户黏性。四是 O2O 服务拓展线下商户，以二维码支付为切入点，拓展我行线下收单未覆盖而第三方支付机构已拓展的 O2O 商户，扩大电子支付商户规模，提高市场份额。

（六）做优做大善融商务，推动业务快速发展

善融商务对提升客户黏性、带动银行业务发展具有重要意义。电子商务的机会长时间存在，关键是能否抓住。善融商务的优势在集合优势，要发挥银行母体的客户推荐和金融协同优势，找好切入点，充分把善融商务与客户的需求结合起来。一是企业商城积极推广平台撮合服务、善付通和外联服务应用。二是个人商城大力拓展移动用户群体，加快推广善融商务 APP 和触屏版；抓好精准扶贫，加强组织，扩大善融商务精准扶贫社会影响。三是积极部署营销资源，做强做大善融商务网上营销平台。四是积极探索善融商务 O2O 模式，联合地方政府和龙头企业等开展线下推介会，同时加强与超市、高校、展会等机构的 O2O 合作，扩展场景应用，增加商户数量。

（七）全面拓展悦生活云服务，不断丰富网络金融生态场景服务

悦生活是很好的获客活客业务，必须加强开放合作，不断丰富服务场景、提升用户体验，同时加强营销宣传，向触角一样去获得客户、黏住客户。一是要做大平台商户数和用户数，提高用户活跃度，不断扩大市场份额。二是继续推进悦生活平台创新优化。进一步扩展行业应用适用场景范围，完善云服务平台个性化服务能力，提升悦生活全渠道客户缴费体验。加大党费云等悦生活云服务的亮点功能产品创新优化，有效提升服务能力，改善客户体验。三是加大悦生活业务组织推动，做好吸引商户入驻的精准营销活动，努力提升悦生活云服务活跃场景数。

另外，要抓紧思考如何依托悦生活拓展线上社区金融服务。社区金融与人们的生活需求是一致的，人们最终还是要回到住的地方，要解决衣食住行的问题。城市化过程中的社区管理功能只会强化，发展社区金融具有重要意义，具备广阔空间。要思考迅速布局社区金融场景服务，重点拓展移动端的社区金融平台交易、服务及应用。

（八）推广新型开放平台获客，结合场景扩大应用

网络金融业务要加强重点领域的产品创新和推广工作。持续丰富客户痛点场景服务应用。一是推广小微企业在线 ERP 综合服务平台，以进销存及企业内部财务管理等非金融服务为切入点，配套我行相关金融服务，以低门槛的服务支持对公客户的在线“获客、活客”。二是深入推动企业网银和银企直联业务发展，跳出产品维度，重视利用上述平台为对公客户提供解决方案、优化服务方式，强化对重点行业客群的服务支持，提供个性化版本服务，扩大业界影响力。三是借人行三类账户体系建设契机，依托金融科技实现准实时开户，加强开放互联，在各个互联网场景中布放入口，输出金融服务的同时实现在线获客。四是抓紧研究在线智能投顾产品的实施策略，利用数据和技术对客户进行感知，重点推进线上投资理财的智慧体验和服务建设。五是做好海外企业网银推广工作，定制实现个人网银海外版。海外版个人网银应以建银亚洲作为模板，在总行统筹开发的前提下，针对不同地区需求进行本地化改造。

（九）进一步抓好大数据应用和风险防控工作

要加大力度拓展大数据的应用。一是进一步提升网络金融条线人员的数据运用意识和数据应用能力，包括数据建模和数据化金融产品设计能力，“千人千面”精准营销和效果评估能力，网络金融客户体验和流程优化的数据化运营管理能力，以及数据采集、分析和数据资产快速迭代升级的能力。二是对总行已经研发的数据模型，要进一步推广并在实践中应用起来。

要持续强化合规理念，加强安全和风险防范。要继续加强客户端安全产品创新。研发基于大数据和新科技的智能风险监控新手段，在在线实时智能风控和信用风险监控等领域取得突破。要持续加强业务内控合规和规章制度体系建设。内控合规不是事后补救的事，事前就要考虑好。尤其金融稳定委员会对中国反洗钱的评价要求越来越高，反洗钱、操作风险评估和条线内控评价工作要更细致、确保落地。

要强化消费者权益保护，加强数据信息安全工作。消费者权益保护即强调银行与客户的对等认知。要充分认识到金融消费者权益保护是防范和化解金融风险的重要内容。如果不能充分保障消费者权益，不仅会影响产品品牌，导致客户流失，更会影响建设银行的声誉，损害建行社会形象。要持续传导消保理念，将保护消费者权益意识融入产品研发、商户拓展、市场营销和风险处置等各方面、各环节，维护网络金融业务健康发展。要切实加强数据信息安全工作，认真落实数据信息安全管理和保密工作要求，严格加强对客户和我行数据信息的权限管理，确保网络金融业务数据信息工作安全合规。

通过这次学习，大家为今后网络金融业务发展打下了良好基础。希望你们在已取得成绩的基础上再创佳绩，推动全行网络金融业务发展迈上一个新台阶！

谢谢大家！

在商户营销拓展暨移动支付示范工程部署（视频）会议上的总结讲话

张立林

（2017 年 11 月 10 日）

刚才，更生副行长总结了 2017 年商户营销拓展专项活动开展以来取得的显著成效，结合当前外部的新形势和新变化，分析了我们面对的重大机遇和主要挑战，并对下一步抓好商户拓展、做强移动支付的整体思路和具体工作提出明确要求。更生副行长提到“要支付，找建行”，大家一定要明白，商户的拓展和发展离不开支付业务，支付曾经是银行的传统优势，现在已经沦为微信、支付宝的配角，这值得我们认真反思。会后各分行“一把手”、对公对私条线主要负责人要将更生副行长讲话精神和要求传达到位、务必高度重视、坚定信心，看准方向，加快推进，力争尽快在商户拓展和支付结算业务上扭转局面，实现突破！

下面，我再结合人民银行移动支付示范工程要求，讲几点意见。

一、切实承担起支付结算业务承载的三大责任是国有商业银行提供金融服务应有的社会责任和情怀

国有大行支付结算业务在服务实体经济、国家支付体系建设以及自身经营发展中承载的三大责任，要借助人民银行此次推动的移动支付示范工程全面落地。

（一）贯彻党的十九大精神，践行普惠金融，承担起国有大行的使命性责任

党的十九大报告指出，中国特色社会主义进入新时代，我国社会主要矛盾已经转化为人民日益增长的美好生活需要和不平衡不充分的发展之间的矛盾。金融是现代经济的核心，金融服务实体经济的能力是解决我国经济发展“不平衡不充分”问题的关键因素，也是国有商业银行作为金融体系“国家队”义不容辞的责任，必须承担起的使命性任务！这其中，解决主要矛盾的关键是要实现从传统消费向服务消费转变的消费转型升级，作为商业银行的基础性支柱业务——支付结算能否承担起责任至关重要！此次中央银行示范工程就是推动这一责任落地的关键举措。此次示范工程，从服务对象来看，覆盖我行服务的个人客户超过5亿人、对公客户超过300万个，覆盖了各行各业、各色各样的民生大众和企业机构，尤其是大量涉及消费服务的个体工商户、对私从业者、服务型企业等，普惠性质非常显著；从服务领域来看，既涉及公共交通、生活缴费，也有政府民生相关的社保、医院、学校，还有文化教育、社区服务、县域地区等涉及民生的方方面面；从服务手段来看，着力于使用移动互联网、大数据等新技术手段方式来解决普惠金融服务存在的城乡、“贫富”的不平衡不充分问题。

（二）坚定落实央行政策导向，重塑支付生态，承担起国家支付体系的主体性责任

中央银行站在国家金融安全高度，统一规划支付市场格局，赋予商业银行支付体系主体地位的重要职责。但是近年来，受第三方支付机构冲击，商业银行主体地位已经动摇。具体表现在三个方面：一是市场份额丧失。支付机构已牢牢占据了零售支付中最活跃的客户和交易。微信、支付宝月活跃用户数分别达到9.63亿户、4亿户，远超我行手机银行月活跃客户数，占据中国移动支付市场交易总量的93%。二是优势场景匮乏。商户收单市场上，排名前十位收单机构中有6家是第三方支付机构，尤其在零售支付领域和小额高频场景，银行优势已明显不在。三是创新引领不足。在移动互联时代，支付机构利用技术创新，敏锐捕捉市场需求，快速迭代优化功能，引领了支付工具从卡基发展到移动端，并走向万物互联，商业银行沦为创新跟随者。当前，需要我们在这几方面着重发力，补足短板，发挥银行风控能力的传统优势，和支付体系安全基石的重要作用，借力移动支付示范工程，加快重塑商业银行在国家支付体系的主体地位。

（三）抓牢支付入口，全力提升支付的实现能力，承担起自身经营的根基性责任

支付是拉近客户距离、延伸综合服务的关键场景入口。消费升级大趋势下，支付是客户关系起点，是重要的客户触点，是直达客户的有效途径。支付连接客户与场景，场景中的一切产品和服务最终都要通过支付到达用户。做强支付，就是要搭建基础平台，支撑我行理财、消费信贷等延伸服务链条嵌入式发展。支付是搭建金融闭环、串接生态网络的重要枢纽。客户交易资金通过支付行为在对公对私、商户客户、线上线下等环节实现流通。支付是消费链条中串接资金节点的关键产品。做强支付，就是要连接多维度资金脉络，承接低成本流动资金，最大限度地实现资金体内循环。支付是驱动金融科技、打造智慧金融的核心数据来源。数据已经成为金融服务的基础。客户交易数据通过支付行为沉淀在我行，只有掌握海量、优质的用户数据，才能实现立体精准的客户行为画像，这块我们已经尝到甜头，比如“快贷”“小微快贷”“云税贷”，都是数据支撑的结果。搭建准确可靠的客户信用模型，才能洞悉客户需求变化，提升业务前瞻性。做强支付，就是要集成数据资源，驱动我行迈向金融科技时代，打造智慧型新金融。

二、明确思路，确保支付结算业务加快发展

示范工程是全行近期一直持续到2018年年底的大事，要高水平高质量完成示范工程的各项要

求，更要借力推进我行移动支付再上新台阶，全行要明确目标和方向，打造领先品牌，形成客户和商户两端的更大合力。

（一）确定方向，实现移动支付突破发展目标

总行将2018年定为全行“移动支付突破发展年”，主要体现在C端和B端，四个主要的突破方向。具体而言，一是更好更快，实现移动支付客户、商户数量和质量的双提升；二是更加平衡，取得与资源禀赋相协调的市场地位和业绩贡献；三是把握关键，力推场景建设形成规模效应，在重点行业领域取得突破；四是更重协同，在综合营销、资源统筹、激励考核等方面建立长效融合机制。

（二）品牌制胜，真正打响确立建行的龙支付品牌

2016年我行在业内率先推出全场景支付品牌“龙支付”，经过一周年的努力，2017年龙支付市场影响力初步打响，2018年要再接再厉真正擦亮建行的龙支付品牌，树立差别化竞争优势。一方面，客户端宣传和商户端推广统一使用“龙支付”品牌，巩固强化“龙支付”的市场认知，所有的产品都必须归集到龙支付品牌旗下；另一方面，在“龙支付”统一品牌下推出更好的个人支付结算产品和服务，在前期可扫、可挥、可刷的多样化功能基础上，跟进生物识别等新技术和新需求不断创新和研发新产品，同时持续对已有产品进行流程优化和整合。

（三）C端要提质上量，有效培育客户支付习惯

C端的上量，既是要快速实现存量覆盖，更要实现增量的场景获客。C端的提质，要坚持“常态化龙支付日+动态化主题活动+专属化特色活动”的营销理念不动摇。在商户营销资源投入和营销活动组织上，一定要以有利于培育我行C端客户支付习惯为前提和出发点。坚持不懈以功能为基础、场景为核心、综合服务为依托，营销做黏合剂，持续增加活跃高黏性客户数量。

（四）B端扩面增效，全面提升商户业务服务能力

B端扩面增效要做好三方面工作，一是要做大场景，同时分类匹配收单工具。在大型百货、连锁型商户、批发类商户、小微商户有不同的场景性需求，工具匹配要做好。二是着力提升综合服务能力。依托云服务平台，不仅要具备提供金融产品的服务能力，而且要同步具备为商户提供会员管理、库存管理、营销优惠等增值服务的能力，增强商户黏性。三是强力攻关支付场景。商户收单和行业场景并重，营造良好的支付受理环境。更加聚焦民生领域拓展，更加聚焦重点行业渗透，更加聚焦支付生态建设。

三、精心组织，将移动支付示范工程要求落到实处

（一）加强组织，明确责任，确保示范工程体现建行的服务能力和责任情怀

刚才更生行长就示范工程进行了整体部署，这里我再强调几点：一是切实做好组织动员。会后，各分行要研究具体推进措施，总行也即将下发通知进行详细部署，11月底前各行要向总行报送示范工程落实工作部署方案。二是发挥总分行积极性。示范工程中关于Ⅱ类、Ⅲ类账户服务能力和体验优化、银行统一APP建设两项内容，总行将统一制订实施方案并部署开发上线；各分行要按总行要求执行，并完成受理环境升级改造等工作，不等不靠，不折不扣地落实到位。三是充分凝聚整体合力。场景建设是此次示范工程的重中之重，整体协同中，各部门要按照分工切实承担起营销拓展职责，充分利用我行对公合作优势，打一场综合服务的攻坚战。四是灵活用好统一APP和自有APP。这两个APP是不冲突的，本次示范工程提出要建立银行业统一APP，整合银行系资源，优化用户体验，打造客户支付“首选”APP。统一APP与自有APP将通过错位功能部署、联动客户体系等共同向客户提供服务。无论何时，我行自有APP和龙支付品牌都要全力以赴。五是做好标杆示范与复制推广。19个示范城市要当好“排头兵”，高标准、高要求，充分发挥示范效应；非示范城市要借鉴经验，复制推广，自我加压。

（二）重点营销与过程管控并重，确保在移动支付示范工程中取得我行的领先优势和综合效益

一是要突出“龙支付”营销重点。各行要整

合营销资源，形成合力，突出“龙支付”品牌营销重点，不断创新营销方式，有效吸引客户和商户，再掀宣传风暴。二是要抢抓关键时点。各行要集中力量、狠抓落实，确保2017年底前完成龙支付客户和商户的目标计划，做好年末收官。2018年旺季营销即将启动，各行要配齐力量、稳扎稳打，确保旺季指标达到全年计划的40%以上，力争早出成效。三是要强化过程督导。各示范工程试点行要强化督导，从严从实贯彻总行有关工作要求，定期上报动态，总结优秀案例，督导落后分行，完善过程管理。

（三）保障有力，科学考核，确保配套资源支持到位

支付结算业务是必须长期坚持的战略业务，不是招商引资、示范工程两个活动结束了就算了，需要立足当前，着眼长远，给予持续稳定的资源支持、政策保障和考核跟进。一是加大财务资源投入。2018年总行将配置专项财务资源支持移动支付示范工程的推进落地，重点用于开展客户端用户习惯培养的营销活动、商户端移动支付硬件终端的智能化升级和借助第三方的市场推广及维护。各分行要结合当地实际叠加资源，示范分行要增加专项费用，确保活动顺利开展。二是保障技术资源支持。做好IT前置，借鉴支付机构“小步快跑、迭代优化”经验做法，迅速响应客户需求和市场变化，加快产品迭代速度，争取做到一个月上线一个版本；同时，要着眼未来，加强技术储备，从移动支付创新跟随者转变为引领者。三是明确考核激励政策。总行将把明年综合经营计划、分行KPI考核与此次移动支付示范工程的目标相衔接，各行要以总行政策为导向，做好辖内机构指标分解，纳入各二级分行和支行网点KPI考核体系，加大工作力度。

希望通过本次视频会，全行能够统一认识、坚定信心、找准定位、明确目标、落实责任，确保完成各项任务。不仅仅要体现在我行商户和支付结算两大战略业务发展，也要体现在为全行综合经营的贡献上。在新时代的新起点、新征程上，要能够体现建行对整个社会的贡献，要取得社会的高度认可，这也是建设银行经营的主要责任。

谢谢大家！

CHINA 中国建设银行年鉴 2018
CONSTRUCTION BANK ALMANAC

第三部分　改革发展与内部管理

一、改革创新与业务发展

资产负债管理

2017年全行资产负债实现稳健协调发展，结构优化；存款、中间业务等市场占比提升；ROA、ROE、资本充足率等关键业绩指标保持同业前列；利率风险、汇率风险适度可控，流动性持续保持平稳，充分发挥大行市场稳定器作用；MPA指标执行情况良好，在同业中率先实现A档优秀；普惠金融领域贷款新增高于中央银行定向降准二档要求；集团资产负债集中统一管理进一步深化，基础进一步夯实，信贷、资金、资本资源配置效率稳步提升。

一、统筹平衡MPA、资金、资本约束与业务发展的关系，全行资产负债实现稳健协调发展

（一）完善集团业务计划管理体系，强化政策引导，各项经营指标更为协调

一是继续推进大资产大负债管理。综合经营计划制订充分体现转型要求，涵盖表内外、本外币、境内外和母子公司。二是丰富子公司和海外机构计划内涵，制订资金来源运用计划和加权风险资产计划。三是做好计划执行和业务策略应对。更加注重集团业务发展与资金、资本、风险、效益等多方面指标协调平衡，提高管理弹性。四是加强预判和业务调度，防止业务大幅波动，确保主要指标监管达标。2017年全行资产负债稳健协调发展，集团资产总额22.1万亿元，比年初新增1.1万亿元，增速为5.4%，同比下降8.9个百分点；负债总额20.3万亿元，新增0.9万亿元，增速为4.8%；资产结构进一步优化，压缩低回报贵金属租赁、同业资产，调整债券投资结构，信贷资产占比为56.3%，同比提升1.6个百分点，确保支持实体经济和维护客户关系的需要；ROA、ROE、资本充足率等核心指标保持同业前列，存款偏离度在四大行中唯一始终达标，宏观审慎评估（MPA）同业中率先实现A档优秀。

（二）积极落实党中央、国务院和监管要求，服务实体经济质效提升

研究制定加强稳健合规经营、提升服务实体经济质效的五十条措施和实施细则；在政策、资源、考核等方面加大支持力度；组织服务实体经济评估；开展精准扶贫对口分行对接帮扶和督导。截至2017年12月末，基础设施领域贷款余额为33364亿元，比年初新增4299亿元、增速为14.8%，高于公司类贷款平均增速12.3个百分点；支持国企改革、“一带一路”等建设项目，并购贷款余额为535亿元，比年初新增227亿元，增速为73.9%；涉农贷款比年初新增979亿元，增速为5.9%。相关工作得到监管部门肯定。

（三）推动网络化系统化抓存款，存款发展基础进一步夯实

一是对储蓄存款增长趋缓、资金承接、资管理财等问题进行专题研究，会同业务部门积极采取配套措施，拓展客户全量资金，促进一般性存款稳步增长。二是聚焦发展基础，从战略高度持续推进解决“存款八个问题”，举办“存款转型发展暨母子公司协同高级研修班”，组织第三届“建网通天下，转型创未来”竞赛活动，建立涵盖客户、存款、效益和资产质量四位一体的后评价体系，配套KPI考核和激励措施，推动低成本结算性资金稳定增长。2017年人民币一般性存款日均新增12088亿元，计划完成率达121%，保持四大行第二位，市场占比为26.34%，提升0.21个百分点，连续5年持续提升；活期存款新增占比达到86%，同比提升1个百分点，带动付息率持续处于四大行最低水平。

（四）优化信贷资源配置机制，结构调整成效明显

坚持零售优先战略，积极推动落实央行“普惠金融定向降准”政策；统筹协调分行和条线做好贷款进度安排，通过压缩贴现、非存、资产证券化等多种方式腾挪贷款规模，满足更多客户需求；优化配置模型，引入定价等参数作为调节因子，引导分行提升信贷资源使用效率和定价水平。强化贷款和经济资本计划管理机制，通过上浮内部资金转移价格、明确KPI扣分规则等，增强计划执行约束力。2017年，人民币各项贷款新增9297亿元，年度和各月新增均满足中央银行要求。个人类贷款新增8383亿元，四大行第一位，占各项贷款新增的90%；快贷、信用卡等消费金融信贷年度新增2467亿元，四大行第一位。普惠金融领域贷款比年初新增1110亿元，新增占比11.9%，高于中央银行定向降准二档要求。截至12月末，本外币非贴公司类贷款经济资本平均占用系数7.47%，低于年初0.85个百分点；个人类贷款经济资本平均占用系数3.10%，较年初下降0.14个百分点。

（五）加强外债集中管理，完善汇率风险管理体系

一是对集团中长期外债规模实行集中管理，完善外债数据的监测报告体系，得到国家发展改革委的肯定。在年初50亿美元外债规模使用完毕后，获国家发展改革委追加规模78亿美元。为中国香港、建行欧洲等9家机构完成11次外债发行备案工作。二是完成《关于海外机构资本金及营运资金汇率风险问题的报告》，并向行领导专题汇报。制定2017年海外机构营运资金保值方案并完成操作，将年度保值范围扩大到集团层面。完成《中国建设银行汇率风险敞口计量规定》修订。

（六）加强经营形势分析和研究，为全行决策提供参考

按季组织全行经营形势分析会，改进分析内容及形式，对重点领域开展专题分析，向管理层提出政策建议。牵头完成国务院、人民银行、银监会、财政部、审计署等部门召开的经济金融形势座谈会、存贷款业务情况调研等各类会议材料56篇。研究撰写《转型发展若干问题报告》，得到行领导的肯定。

二、推动服务能力持续提升，实现中间业务稳健发展

（一）合理确定年度发展重点，持续完善中间业务计划考核体系

一是对信用卡、新型结算、理财等收入总量高、市场潜力大的产品制定更积极的增长目标，发挥重点产品的“引擎”和示范作用，增强全行产品和服务能力。二是手续费支出计划编制“有保有压”，重点保证对收入带动作用强、监管要求的支付结算类支出增长，“其他手续费及佣金支出”制定清理和压控目标。全年剔除核算调整因素后，手续费支出/收入比值较2016年下降。三是优化考核引导方式，对分行和重点产品采取市场占比及占比变化的考核评价模式，推动全行提升中间业务的市场参与度和竞争力。

（二）聚焦行际发展差异，因行施策弥补薄弱环节

一是推动重点大行高水平上补短板，进一步发挥其在系统内的带动和示范效应，年内多数分行与当地先进对标同业缩小差距，收入四大行占比提升。二是充分挖潜四大行排名靠后、系统内增速偏低的分行，浙江分行等同业指标明显提升，实现“进位”目标。三是针对海外机构制定差异化中间业务发展目标及考核要求，

实施“一行一策”。全年海外机构中间业务收入增速高于境内分行20个百分点以上，在集团收入占比提升。

（三）优化中间业务监测分析，加强典型案例交流推广

一是持续优化对标分析和同业监测，深化业务分析维度，为中间业务发展决策提供参考。二是积极推动经验交流和案例分享，不断挖掘新的收入增长点，与总行业务部门和分行积极联动，推动案例及经验落地。三是坚持问题导向，推动解决并购、咨询业务发展中的体制、机制问题。

（四）夯实服务价格管理基础，助力全行合规经营

一是精心组织服务价格调整及公示，提前做好答疑及应对预案。2017年8月1日，正式执行发展改革委和银监会下发的第1250号文要求，在所有网点及建行官网公示新版服务价目表，实现平稳过渡。二是积极配合监管机构和价格主管部门的收费检查，对全行开展服务收费自查，并抽取分行进行现场检查，拟写全行服务收费自查报告及整改措施，报送高管层和监管机构。三是妥善解决客户投诉。协调解决监管部门转发的多起客户投诉的服务收费问题，避免监管处罚和重大舆情风险。四是借助“新一代”系统，建立产品与收费项目、核算科目的关联，将收费项目的增设流程化、标准化，全力满足业务部门开办新产品、新业务的服务价格需求。

（五）较好地完成既定目标，市场地位稳中有升

2017年全行克服监管新政频出、服务收费检查、市场环境变化等多项不利因素叠加影响，实现境内中间业务净收入1243亿元，同比增长18亿元，增速为1.5%，总量、增量、增速均保持四大行第二，四大行占比提升幅度居四大行第一。总量与工行的差距由2017年的166亿元大幅缩小至117亿元。

三、健全资本管理体系，强化激励约束传导，提升集团资本集约化管理水平

（一）完善覆盖全集团的资本计划管理体系

一是将资本约束要求前移，在制订业务计划的同时，统筹平衡制定表内外、境内外和母子公司风险加权资产计划。二是扩大资本计划管理体系覆盖范围，继续对总行金融市场部和三大直营中心实行风险加权资产限额管理，首次将海外机构和子公司纳入风险加权资产计划管理范围。三是加强资本充足率计划监控，做好关键时点预测和管控，保证资本充足率计量、报送和披露的准确及时。从执行情况看，总行部门、海外和子公司风险加权资产总量均控制在计划范围内，且海外和子公司风险加权资产增速均低于资产增速。四是根据董事会、监管要求，完成年度内部资本充足评估报告和2016年度资本充足率管理报告。

（二）持续完善监管资本约束和传导机制

一是对监管资本与经济资本占用差异较大的表外产品，适度调增其资本计量要求，提高分行监管资本占用及回报意识。二是控制过高资本占用的表内工商企业股权投资，在风险加权资产计划安排、资本占用计算方面体现监管资本约束，指导建信信托和建信租赁压缩近30亿元工商企业股权投资，节约风险加权资产约375亿元。三是制订海外机构和子公司资本计划执行考核方案，并纳入KPI考核体系，强化资本约束与引导。四是加大资本培训力度，对多家分行、子公司开展针对性资本管理培训和政策指导。

（三）积极开展资本融资

一是通过加强与监管部门沟通，推动加快监管审批，成功完成境内600亿元优先股发行工作，股息率为4.75%，较5年期国债溢价89个基点，创优先股信用溢价的历史新低，确保我行资本充足率领先优势。二是拟定发行960亿元二级资本债的议案，获董事会、股东大会审议通过。三是启动境内二级资本债发行准备工作。

（四）加强资本管理制度建设，夯实资本管理基础

一是制定海外机构和子公司资本管理办法，规范增资条件和流程，指导其建立有效的资本管理架构和全面规范的报告体系。二是制定境内二级资本债券发行操作规程。三是重检、修订资本应急计划，重新界定资本突发事件分级标准、触发条件和应急策略，明确职责分工和应急流程。

四、加强定价能力建设，积极应对市场竞争，有效支持业务发展

（一）坚持量价平衡和差别化定价策略，增强定价的竞争性、针对性和有效性

一是加强定价激励约束机制建设，通过 KPI 考核传导量价平衡策略和监管要求。二是结合市场变化和同业情况，及时调整"裕农通"、E 动终端、电话 POS、自助柜员机（STM）、龙易行等渠道存款业务价格策略，调整两年期特色储蓄价格政策，增强市场竞争力。三是支持个人客户金融生态圈建设，针对不同类型客户群体，试点开办薪享通 1 号、聚财 3－7 号产品和二年期、三年期特色储蓄产品。四是在自律范围内保持价格的相对弹性，有效支持业务发展。为对公重点客户配置利率上浮超 30% 存款 1740 笔、金额为 9123 亿元；针对县域客户、棚户区改造客户、部分地区大额资金个人客户制定差异化的价格政策，挖掘潜在新增客户。全年共为 15 家分行配置利率上浮 1.4 倍个人存款，约 17 万笔，金额达 308 亿元。

（二）培育和提升贷款定价能力，提升贷款定价水平

一是紧盯市场利率走势，多次与相关部门沟通并下发贷款定价管理要求、调整快贷等产品定价底线，对定价水平较低的分行逐月分析督导。新发生贷款呈现结构优化、定价上升的良好局面。2017 年全部新发生非贴贷款加权平均利率四大行排名第一，比上年提升一个位次。其中，非贴对公贷款利率四大行排名第一、浮动幅度四大行第二，均比上年提升一个位次；个人住房贷款利率排名四大行第二；个人其他类贷款利率四大行排名第二，比上年提升一个位次。二是持续推进贷款基础利率（LPR）应用的深度和广度，2017 年我行以 LPR 为基准的贷款发生额位居 10 家报价行首位。三是推进综合定价系统应用。增加个人贷款定价模型和供应链特色定价模型，为新产品、新业务模式定价管理提供保障；搭建模型实验室功能架构，为后续参数调整与变更提供技术支持。四是加强培训及分行间经验分享，提升分行定价管理水平。7 家分行存款付息率同业排名提升，14 家分行对公非贴贷款收益率同业排名提升。

（三）适时开展主动负债，丰富资金来源

一是统筹安排大额存单额度、期限。实时监测存款形势变化和同业存单发行情况，全年 7 次调整存单总量和期限结构安排，全年大额存单余额新增 2732 亿元。二是灵活吸收同业稳定的新增资金。针对资金总量大、新增潜力足的重要证券公司客户和金融市场要素客户活期资金，内外部价格根据客户新增资金稳定情况分档确定、一户一策。根据市场利率走势，有策略有选择地吸收同业定期。三是优化理财回存机制，以市场化原则吸收理财资金，设定理财回存限额，增加价格弹性，根据存款是否提前支取分档计价，价格随市场情况动态调整。

（四）优化内部资金转移计价机制，引导资源优化配置

一是及时有效传导市场价格变化和管理意图，全年调整存贷款内部资金转移价格 4 次，引导贷款投放节奏和期限结构，支持存款发展。二是根据资金市场价格走势及流动性管理要求，全年共调整同业资金内转价格 26 次。三是阶段性提高新增同业活期存款内转价格至 2.55%，高于主要竞争对手，在鼓励拓展行外新增资金的同时避免无效提高存量业务成本。四是结合利率走势情况，调整长期限固定利率单位存款及同业存款内部转移计价方式，取消长期存款按年调整内部转移价格机制。

（五）全面加强外币价格管理，外币净利息收入增幅 93%

一是及时调整外币内部资金转移价格，并两次下调个人存款利率浮动上限。二是针对负利率币种存款增长过快情况进行分析，下调欧元、日元等负利率存款内外部定价水平，对负利率币种实行内转单独计价，到年底负利率存款基本压缩至年初水平。三是将海外代付和境外筹资转贷款纳入贷款价格底线管理，有效遏制了跨境套利业务。四是加强境内分行外币定价管理，对外币存贷款定价情况进行抽查，对六家超授权分行进行定向通报，并下发通知要求分行全面自查，确保总行外币存贷款定价标准得到及时、准确地执行。五是召集部分分行召开富士康集团业务合作研讨会，分析企业效益贡献，明确经营策略和定价要求。2017 年外币净利息收入为 4.72 亿美元，增幅

为93%。外币存贷款利差为0.88%，比上年增加8个基点。

（六）加强海外机构及子公司利率风险管理，参与新巴塞尔协议规则国内标准制定

一是定期计量及分析银行账户利率风险指标，监测风险限额执行情况。加强净利息收益率的分析与预测，按月分析、按季预测。分析同业中心委外投资业务、贵金属租赁等重点产品对NIM的影响，为管理层决策提供政策支持。二是强化海外分行和子公司利率风险管理。完成对海外分行和子公司利率风险的调研工作。在充分考虑各机构业务差异及发展阶段的基础上，明确海外分行及子公司利率风险管理要求，差别化设定利率风险限额指标。三是积极参与银监会关于利率风险管理新标准国内实施办法的制定，提供合理建议，并进行相关影响测算。四是完成中央银行FSAP压力测试以及银监会银行业压力测试。

五、坚持稳健审慎的流动性风险管理策略，充分发挥大行市场“稳定器”和政策“传导器”作用

（一）强化集团流动性管控，实现表内外、母子公司、本外币、境内外协同

一是推动子公司、海外机构、资管中心落实流动性管理主体责任，制定理财现金回流限额和流动性应急操作流程，建立信息沟通机制，加强监测分析。二是实现资金集团内统筹协调配置，对子公司提供资金支持380亿元；指导子公司进一步完善流动性风险管理制度，理顺流动性风险管理机制，厘清总行对子公司的流动性应急支持路径，并进行应急演练。三是打通本外币资金融通渠道，运用市场化、常规化掉期操作，灵活调剂本外币资金余缺。四是完成ACS上线，实现人民币清算账户零余额管理，彻底实现全行法人一点清算。

（二）精细、精准预测现金流，审慎把控资金来源运用

一是优化现金流预测模式，引入情景分析方法，提高预测频率；开发“一键式”预测的系统功能，提升头寸管理效率。二是动态调整资金来源运用计划，根据市场收益率情况和发行节奏，适当调增债券投资计划，优化券种结构；结合监管政策和同业负债大幅负增长的背景环境，压缩同业资产运用；完善市场化快速融资机制，抓住市场价格低位和关键时点，吸收同业定期存款，发行同业存单。三是加强与中央银行的沟通，灵活使用中央银行逆回购、中期借贷便利等政策工具，积极争取扩大低成本资金来源。四是合理摆布存放同业、买入返售票据等流动性组合工具，熨平存款变化引发头寸波动。五是调整现金回流限额，完善指标计量口径，回溯检验并更新历史数据，优化置信度，调整后的现金回流限额体系更加贴近目前管理实际。预计2017年末流动性覆盖率达115%，流动性比例为42%，高于监管标准。

（三）强化境内外币和海外机构流动性管理，确保支付结算安全

一是改进外币清算账户管理，分类清理总行清算账户，重检头寸匡算规则，增加资金调拨频率，规范境内分行外币头寸申报工作，实现纽约分行代管总行英镑账户，控制账户透支风险。二是严守境外运用外汇头寸上限，增加外币资金境内运用，年末境外运用外汇头寸171亿美元，符合监管要求。三是全面分析海外机构流动性和资产负债情况，调整海外机构拆借方案，将海外机构的拆借资金全部纳入额度管理，设立基本借款额度和专项借款额度，年末海外机构拆借余额比年初下降84.8亿美元。四是按季开展境内外币和海外分行流动性压力测试，修订海外机构流动性风险压力测试规定，增加并优化压力情景设置。五是通过海外资金平台发挥集团集中筹资优势。海外资金平台运行稳定，全年实际成交178笔、181.7亿美元，较上年分别增长100%和20.4%。海外资金平台于5月、11月公募发行3~5年期美元债券，合计29亿美元，募集资金全部用于海外机构配置中长期资产，改善期限错配状况。2017年，境内外币日均备付率为9.04%，控制在目标区间之内；海外机构的短期流动性指标（流动性覆盖率）均满足当地监管要求；一年（含）以内到期累计错配比率为-9%，同比缩小一半。

（四）加强子公司流动性风险管理，初步建立全覆盖的子公司流动性应急支持机制

一是全面梳理子公司流动性风险管理现状，

加强对子公司流动性风险的定期监测和指导。针对“短借长用”等流动性风险较为突出的子公司，引导其进一步增加中长期负债，确保流动性风险可控。二是推动建立母行对子公司授信的全覆盖，创新建立流动性应急授信额度。首批应急授信已覆盖建信租赁、建信信托及27家村镇银行，母行对子公司基本实现授信全覆盖。三是首次建立全覆盖的母行对子公司流动性应急支持机制，明确应急支持触发标准、申请程序、支持流程等，并组织各公司应急演练，确保路径全通畅，在此基础上完成了《子公司流动性应急支持预案》。

（五）充分发挥大行市场“稳定器”和政策“传导器”作用，并抓住市场机会获得较好收益

一是无论是在平日还是春节、季末、半年末、集中缴税期等关键时点，我行向整个货币市场始终保持净融出资金，日均净融出近千亿元，在四大行中的融出量最大，在稳定市场资金利率方面发挥了积极作用。工行等同业在春节前和半年末等时点“请求”我行资金融出支持，2017年底我行分别向工行、中行提供510亿元、230亿元跨年资金支持，帮助其满足监管底线要求；中央银行指导我行协助其调节“银行间质押回购利率”等政策性利率，引导市场预期。二是平稳度过春节前、5月和6月同业定期存款集中到期2800亿元的资金趋紧局面。同时，抓住市场价格有利时机，在阶段性资金富余时，通过产品和期限的合理摆布，提高流动性组合收益。

六、夯实表外业务管理基础，产品结构持续优化，资本集约化水平提升

（一）持续强化计划管理，实现加权风险资产控制目标，产品结构优化

预计2017年加权风险资产比年初新增1420亿元，实现控制目标。资本占用较低、回报率较高的信用证业务量增速为29%，高于表外平均增速20个百分点；传统优势产品境内非融保函增速为19%、高于表外平均增速10个百分点，贷款承诺中一年以内占比提升0.4个百分点；高资本占用的承兑汇票、境内融资性保函增速分别为-16%和-54%。

（二）实行按日监测，及时发现问题，提出解决方案

针对存单押品细化的情况，督导分行签订他行存单保管协议623亿元，节约加权风险资产470亿元。针对存单押品虚化的问题，对8家分行逐笔债项进行监控，确保到期不叙做。针对跨境风参快速增长且系统无法自动统计的问题，要求分行上报逐笔债项，对增长情况、保证金比例、收益率等进行测算和分析，督促分行控制业务增长，第四季度跨境风参下降100亿元以上。

（三）推动承诺类业务精细化管理，提升资本集约化水平

一是推出可随时无条件撤销贷款承诺产品，5家试点分行共开展可撤销贷款760亿元，节约加权风险资产230亿元。二是推动解决跨境风参、债权类同业投资等产品承诺重复计量问题，降低加权风险资产130亿元。三是推动贷款承诺管理模式由“敞口式”向“清单式”转变，节约加权风险资产65亿元。四是实施信用卡承诺大数据分析项目，清理不动户授信80亿元。

（四）夯实管理基础，提升管理水平，助力业务发展

一是完善表外业务管理框架和管理体系，从产品管理、计划管理、授权管理等方面规范业务发展，初步形成《表外业务管理暂行办法》。二是改善数据质量，提升管理效能。初步建立起同业数据交换机制。实现业务量按日查询。提升加权风险资产数据时效性。开发完成“新一代”计划管理组件表外业务管理报表，实现一级、二级分行的自由查询。三是组织表外业务培训和调研、充实案例库，加强政策传导、解决业务发展中的问题。

七、以计划与考核为抓手，推动母子公司协同联动，实现子公司提质增效

注重结构调整，扩展协同计划维度，将子公司转型业务纳入与母行的协同。从业务、风险、资本方面优化子公司KPI考核，加强联动业务考核力度。推广优秀协同案例，推动母子公司战略协同。强化对子公司业务类重大事项管控。截至2017年末，子公司资产为4410亿元，增幅

为19%；受托管理资产规模为32007亿元，增幅为18%；计划口径业务协同联动1.15万亿元，增速为57%。效益贡献、资本回报水平继续提升。

八、加大“新一代”核心系统的推广应用力度，开展大数据应用

一是牵头完成对私存款价格审批模块功能开发和上线推广。二是完成“新一代”综合定价系统全行对私业务推广。三是完成定价系统功能在海外20家分行的上线应用推广，完成定价系统配套改造和优化13项。“新一代”产品定价管理模块获评建设银行2017流程优化奖和科技进步二等奖。四是完成利率风险管理系统改造工作，满足新标准对系统的要求。五是提出了同业资产负债业务价格发布、定价管理及授权的系统开发功能需求，并进行上线测试。六是开展利率敏感性、信用卡承诺、中间业务收费减免等大数据挖掘分析。

九、高质量完成定期报告编制和评级相关工作

一是顺利完成2016年度报告及2017年第一季度、半年、第三季度报告编写工作。2016年年度报告在美国媒体专业联盟（LACP）举办的全球年报评选比赛中获得金奖，并在国内同业中独得最佳股东信函奖；在Mer Comm Inc. 举办的国际年报大奖（ARC Awards）评选比赛中获得内容撰写银奖。二是加强与同业数据对比分析，及时完成定期报告关键数据对比，完成中国银行业与国外大型银行比较分析报告。三是及时分析穆迪、标普对我国及我行评级调整的影响，指导分行采取应对措施。

十、积极开展对巴西子行帮扶

一是实地调研，撰写巴西准则下递延税资产对子行资本充足率的影响分析报告。二是会同相关部门研究制订子行业务计划、资本规划，并形成整体增资方案。三是协助增资的监管报批工作，持续跟进行内增资进程，确保资本金按时到位。关注评级机构对巴西子行的评级情况。四是按月向高管层提交巴西子行资产负债及流动性情况报告，按计划安排巴西子行集团拆借资金，并为其资产簿记、转让资产和资产证券化提供支持。

执笔：黄云涛

财务会计管理

2017年，财务会计部坚决贯彻党的十九大精神和总行党委各项要求，紧密围绕全行经营管理目标，持续深入推进财会机制化、标准化和规范化管理，进一步优化综合经营计划管理工具，不断完善资源配置和绩效考核体系，积极推进大数据应用，全力支持“新一代”系统建设，顺利完成新准则在境内外实施，加强全行财会基础管理，较好地完成了年度各项工作任务，实现了年初制定的各项工作目标。

一、持续优化资源配置和绩效考核机制，引导经营目标的实现

（一）精心谋划统筹调配，圆满完成经营计划

2017年，全行经营稳中向好，主要业绩指标好于预期目标，提升了市场对我行的信心。集团净利润增长4.8%，好于上年，好于预期；拨备前利润由上年负增长转变为接近两位数

（9.97%）的正增长。核心指标均衡协调，ROA 1.13%、ROE 14.8%，继续保持同业领先；成本收入比为27.15%，较上年下降36个基点；资本充足率为15.5%，比年初提升0.56个百分点，拨备覆盖率为171%，较年初提升20个百分点。

（二）坚持激励价值创造导向，机制化、精细化和标准化配置财务资源

一是深入推进机制化建设，构建公开、阳光、透明的资源配置方式。按照对等原则建立员工费用预借与归还机制，根据中收和母子联动收入增量挂钩人力费用，优化招待费、宣传费等专项管理类费用管控模式，持续推进固定资产投资计划的机制化安排；“一行一式”编制海外机构经营计划，对子公司持续完善差异化工效挂钩机制。二是不断加强精细化管理，提升精准保障水平，加大战略性业务保障力度，继续增加关爱基层员工财务政策。三是持续加强标准化建设，扩大费用标准化管控范围。以各级分行行际间管理效率差异为切入点，加强重点费用管理，开启了分行主动算账、有意识加强管理的新局面。

（三）贯彻落实中央金融扶贫精神，加大扶贫工作支持力度

安排专项财务支出，开展“善融商务”村级电商营销、在无机构县域设立助农支付服务点，助力实现普惠金融延伸。安排“善融商务”专项扶贫费用，开展专项大型扶贫活动，有效带动了扶贫交易额的快速提升，同时树立了我行助力打赢脱贫攻坚的良好社会形象。

（四）发挥考核“指挥棒”作用，引导全行深化经营转型

一是立足转型发展要求，加大转型指标权重。在保持“可选+必选”格局和精简成果的基础上，进一步加大转型推进指标考核权重。二是强化服务实体经济的考核导向，在全面落实银监会社会责任考核的基础上，进一步传导央行宏观审慎（MPA）考核和财政部考核的监管要求。三是注重引导以质促效，强化经营风险防范。贯彻“风险为本”导向，加强风险合规考核，进一步提升可持续盈利能力。四是贯彻全面考核、压力均等管理要求，完善业务部门绩效评价。进一步强化业务部门合规管理、母子公司联动和国际化转型联动指标考核力度，推动集团综合化转型发展。

二、持续加强成本管理，提高成本产出效率

（一）以管理效率差异为切入点，加强钞币运送费用管理

针对钞币运送费近年来持续增加的问题，首次对钞币运送费实行定额预算，细分各项驱动因素，有针对性地提出可供借鉴的典型做法和管理要求。2017年，我行钞币运送费首次实现了增速负增长以及费用占比的下降，扭转了逐年大幅刚性增长态势。

（二）开展房屋租赁专题研究，明确租赁费用管控要求

针对房屋租赁管理存在的不足，明确管控要求，建立租赁公示制度和集体决策机制，对超面积租赁项目明确调整时限等，加强房屋租赁规范性管理，避免合规风险。

（三）强化总行本级增收节支，完善定额标准，压缩低效成本支出

扩大费用定额标准覆盖率，完善总行部门控制费用管理实施方案，提高年度预算事项的执行效率。充分研究税收优惠政策，积极向主管税务机关申报办理代扣代缴税款手续费返还。

（四）积极优化采购方案，不断拓展价值创造新空间

在持续推进产品标准化的基础上，主动协调需求部门最大限度地进行采购需求整合，研究制定有针对性的采购策略，通过实施规模化采购，使我行议价优势得到落实。2017年整合“两地三中心”建设、“总行基础设施资源池”“蓝海项目”建设等项目采购需求，最终采购价格为6.8亿元，节约采购成本2.4亿元；敏锐预判业务趋势，主动协调需求部门整合未来2年CDN网络服务采购需求，通过策略化安排形成有效竞争格局，最终采购价格得到大幅降低，每年节约采购成本3500万元以上。此外，在采购项目推进中，采购部从采购全流程梳理历史信息，重检历史采购执行情况，研究制定采购策略，有效降低采购成本，切实维护了建行权益。

三、创新财会管理手段，提升业务支持能力

（一）积极参与“蓝海”项目，圆满完成项目采购、机构设立及租赁业务盈利测算相关工作

在符合现有监管规定的前提下，研究制订“建信住房”机构设立方案，支持机构设立相关工作。全面分析国家多项法律法规，结合集团当前母子公司组织架构、经营资质，形成了“建信住房”机构设立方案。共同推进总公司和各试点分行子公司设立的相关工作，完成深圳、广东等13个子公司的设立审批和合资公司、运营资本金等机构相关事项的审批。对住房租赁项目的盈利情况进行分析，对可能产生的效益进行模拟测算，梳理住房租赁业务相关收入和支出，测算项目投资回报率，识别关键控制因素，最终得出需要控制的关键成本项、盈亏平衡点以及关键盈利点，为项目盈利提供有力保障。采购条线积极应对挑战，提升业务响应和支持保障能力，短时间内完成了“蓝海项目”软件产品、开发服务及硬件设备采购，为“蓝海项目”的成功上线提供了强有力的支持。

（二）为总行新设直营机构提供综合配套财会支持

结合同业业务中心、金融市场交易中心和资产管理业务中心的业务范围和核算特点，定制报表口径，完成单独出表。配合探索建立完善总行直营机构配套管理机制，落实业绩评价，推动直营机构直营和成为真正的利润中心。

（三）精心开展网点业绩计量工作，打通考核“最后一公里”

支持对网点的评价与考核，提出“一套指标，两套模型”精细化计量网点业绩的实施方案。通过建立全行网点以及不同类别网点的标杆，为全行网点布局、网点效能、网点投入产出等提供重要参考；同时，以广东行为先行试点，自动化计量网点账面利润、考核利润，清晰地展示共同营销的业绩，有效地支持了分行对网点的评价与考核。

（四）为战略业务提供财会综合配套支持

持续推进利益分享工作实际落地，加强延伸类项目管理，不断丰富利益分成场景与分成模板，促进全行业务协同发展；开展业务延伸类项目的后评估调查，全面梳理近年延伸类项目的实际开展和产出效益情况。为全行新业务开展提供核算支持，为同业资产转让、公司类信贷资产证券化、支付宝黄金、金生金业务和账户贵金属掉期交易等新产品、新业务拓展配套制定会计核算规则，为业务顺利开办保驾护航。

（五）加大会计前沿领域研究，提升成果应用

加强估值结果在损益分析中的应用，掌握损益的构成、影响要素及变化规律，有效提升我行对汇兑损益的分析、预测和管控能力。在同业首次制发套期会计管理指引，填补制度空白，探索套期会计在海外分行的应用实践，有效减少海外分行经营活动带来的损益波动，更真实地反映海外分行的经营业绩。有针对性地对巴西子行开展相关帮扶工作。

四、充分发挥“新一代”功能，强化金融科技应用，推进技术能力转化

（一）加强大数据信息分析应用，推进全行财会管理工作变革

一是通过对大数据的深度挖掘，提升绩效考核和资源配置的精准性。二是利用大数据平台，对监控科目和财务指标设置差异化和动态化的预警阈值，及时报告异常，提高财务监督的时效性。三是发挥大数据集成优势，开展延伸类业务投入产出分析平台项目，高效客观地对延伸类业务项目进行评价和总结。组织建设全行员工差旅自助服务系统，实现基于线上的差旅费事前、事中、事后全流程财务管控。四是积极试点机器人流程自动化技术应用，利用人工智能进行定期财务报告的编制，大幅提高了财务报告编制效率。

（二）全力支持“新一代”系统建设，着力推广成果应用

一是全力支持“新一代”系统推广。组织参与境内外重大版本上线7次，各版本总账数据迁移演练累计23次，账务数据平稳过渡，圆满完成“新一代”系统推广任务。二是优化内部账系统、资本性支出增值税系统、管理会计等系统功能，数据质量、报表时效和用户体验方面等系统自动化水平得到大幅提升。三是支持同业业务组件、国际结

算组件等“新一代”业务组件上线，完成会计核算衔接和配套核算参数配置，推动全行会计核算系统化程度进一步提升。四是制定“新一代”推广应用评价办法，引导全行做好“新一代”上线后的推广应用，助推“新一代”科技胜果转换为业务优势。

（三）以“学好新一代、用好大数据”为契机，启动集采云平台建设工作

按照“国际领先、智能化、社会化”的项目目标要求，集中骨干力量，多次与国内外先进公司进行交流，结合实际工作和现有采购系统功能，梳理出当前工作的难点和痛点，确定了平台建设方案，讨论研究需求要点，协调科技资源全力推进，顺利完成项目立项和采购工作，进入正式实施阶段。

五、立足长远注重规范，夯实可持续发展基础

（一）精心部署，周密安排，圆满完成新金融工具准则实施

一是完善相关制度，明确账务结转方案。根据新准则调整会计科目和报表口径，修订会计核算制度，制订完备的新旧准则账务结转方案，充分做好结转准备工作。二是明确金融工具分类与计量工作的管理要求和流程，推动分类标准落实在系统层面。三是完成系统参数维护。配合相关业务组件完成会计核算规则的调整，及会计引擎核算参数的维护。四是成功完成新旧准则转换下估值相关工作。在同业内首家实现了全球范围内新准则相关账务的统一落地。

（二）细化落实八项规定相关要求，推进具体制度在行内落地

研究制订全行公务用车制度改革方案，进一步明确会议费、差旅费、负责人履职待遇和业务支出等管理要求，规范党组织工作经费核算和财务管理要求，各项政策平稳落地。加强采购条线内控建设，切实提升采购风险管理能力。加大供应商管理力度，扎实推进供应市场和供应商调研、考察工作，建立系统供应商动态信息报告、处理机制，建立健全供应商履约考核机制，扩大供应商的监测范围等，从源头防范供应风险。通过全面自查与现场检查现结合的工作方式，切实增强全行廉洁采购意识，提高了全行防范潜在道德风险的能力。

（三）对境内外系统内往来、实物贵金属等管理重点开展全面对账，有效防范风险

加强境内外、部门间联动，逐笔核实境内外往来账务明细，实现错账调整后完全平账。建立行际对账机制，同时探索实施系统自动对账，提高对账效率。组织开展全行贵金属实物对账工作，扣除调整事项后，“新一代”上线后全行新发生贵金属交易实现账实一致，有效控制贵金属短损风险。

（四）加强经费管理，清理长期挂账

制发经费其他应收款管理规定，明确规范性的管理事项和操作风险点，继续做好经费应收款的监控和清理工作。组织全行清理应付资本性支出管理，2017 年末应付资本性支出余额较年初大幅下降。

（五）不断完善我行增值税内部管理

密切跟踪国家税收政策，加大增值税进项税的管理力度，敦促进项抵扣率偏低的一级分行改进相应的管理措施，确保进项税抵扣比例逐步提高，保障我行权益。

（六）以制度建设为抓手，夯实采购工作管理基础

一是全面修订集中采购制度。对巡察和审计发现的薄弱环节进行了完善，增强了指导性、实用性和操作性，提高了风险防范能力，为进一步提升全行集中采购工作的规范化和标准化夯实了管理基础。二是进一步加大总行集中上收力度。坚持“符合一项、集中一项”的原则，及时将全行新业务和新产品所需的机具设备和服务，以及全行普遍使用、具有一定采购规模、需求同质化较高、配置标准较统一的办公家具等商品，纳入总行集中采购目录。三是多策并举提高 IT 采购效率。采取并行作业的方式，将 IT 采购工作整体向前延伸，有效缩减 IT 采购周期；组织人力资源池采购，大幅提高了外部公司资源供给效率，保证了项目实施进度。

六、优化财报编制机制，提升财务报告质量

一是按时保质完成各期财务报告的编制，高质量完成 2016 年度决算报表编报，决算报表再次获得财政部通报表扬，在三十多家中央金融企业中位

列第三。二是制定年度检查要点，及时跟进内外审计、监督检查和巡视所发现问题整改，有效防范内控风险。三是规范海外机构倒记账处理流程，实施清单制管理，倒记账时间严格控制在 T+5 日，提高集团会计信息质量及合并报表编制效率。四是强化集团账务管理，率先实现建行欧洲自动抵销并出具合并报表，试点 2017 年第三季度集团报表自动合并抵销，协调子公司通过系统完成账务数据报送，进一步扩大并表机构的账务覆盖范围，为集团管理提供更全面的报表数据支持。

执笔：赵贵兴

股权与投资管理

一、2017 年顺利完成三项重点工作任务

（一）牵头开展与美国银行战略合作十周年总结活动

以“合作共赢，再创辉煌”为主题，组织开展全方位、多角度、深层次总结活动，充分肯定引进境外战略投资者价值，总结与国际大型金融机构合作经验。活动涉及面广、参与者众多，共有 32 个总行部门、14 家一级分行参与。活动形式多样，深入总结分析合作经验启示，形成专题报告；制作纪念册，生动展示合作历程。

（二）抓紧帮扶印尼子行，助力子行尽快融入集团

为更好地实现并购目的，帮助印尼子行融入建行体系，总行成立帮扶工作领导小组，总行相关部门会同子行分析现状、找准差距和主要问题，明确改进目标，细化帮扶需求，制订工作规划。一是梳理迫切需求，以“建立健全体制机制，补齐关键领域短板”为目标，围绕八大业务领域，初步形成 25 项帮扶需求，覆盖业务转型发展和能力建设，管理制度、流程优化，IT 规划及系统改造，人力资源管理和业务培训等内容。二是组成工作组现场帮扶，介绍我行业务、管理、运营流程和方法，促进本地员工了解我行，尽快形成三年帮扶规划和近期工作计划。

（三）积极推进落实与美国信安集团战略合作协议，制订并执行年度战略合作计划

为支持资管业务转型发展，与信安加强在养老金和资管业务领域的合作，全年共实施 15 个项目。在丰富战略合作方式，强化合作成效评估的基础上将合作资源向子公司倾斜，重点支持有资管业务的子公司的需求，提升业务管理能力，促进业务转型，助力集团综合化经营。

二、积极发挥牵头统筹作用，促进子公司全面提质增效

（一）组织召开子公司工作会议，督促落实指导意见

根据总行党委要求，组织召开了我行首次子公司工作会议，围绕贯彻中央经济工作会议、国有企业党的建设工作会议等精神，落实全行转型发展规划要求，部署子公司提质增效、加快发展工作，提出《关于促进子公司提质增效加快发展的指导意见》，建立定期跟踪督办机制，督促子公司、相关部门将各项要求纳入年度工作计划和发展规划，抓好各项工作部署的落实落地。

（二）开展对标管理

围绕促进子公司全面提质增效，着眼于评估子公司综合竞争能力及贯彻落实集团政策水平，首次组织子公司开展对标管理。选择各行业领先公司为标杆，在核心经营指标、产品竞争力、内部能力建设等方面全面对标、开展评估，分析差距并制订提升方案，引导子公司提升各项核心指标向行业领先水平靠拢。

（三）定期分析研判子公司经营形势

为及时掌握子公司经营情况，首次建立常态

化的子公司经营形势分析会议机制。按季度组织子公司和总行相关部门研究分析集团非银行业务经营情况、行业趋势，分析研判子公司财务、流动性管理及资金支持、业务联动、风险内控及审计、数据分享、运营集约化等情况。

三、推动集团战略协同，支持实体经济发展

（一）深化战略协同制度性安排，促进子公司功能支持银行主业发展

持续完善顶层设计，首次提出并推动落实集团业务统筹协同机制，子公司零售、对公业务分别纳入母行个人、公司业务条线，统一规划客户挖掘、营销组织、产品销售和渠道运用，促进子公司功能与我行主业深度融合，增强银行主业的综合服务能力。强化联动业务双向激励、双向约束、双向考核机制。

（二）集中推介集团综合服务功能，强化服务实体经济力度

继续组织子公司与分行开展全面、系统性业务联动，延续举办“综合金融服务上门”活动，组织子公司赴广西、甘肃、浙江、湖北等分行推介产品服务，与36家客户签署协议，已落地项目金额近70亿元。借助子公司投资功能，为我行住房租赁服务创新搭建运营载体。

执笔：石　静

公司业务

一、业务数据亮点纷呈，多项业务创历史新高

（一）账户增量、增速四大行第一，客户基础日益夯实

1. 账户增量、增速同业第一，全年新增近百万。截至9月末，单位人民币结算账户767.10万户，四大行占比28.64%，四大行第二，与工行差距从年初的73万户缩小到25万户。其中，基本结算账户559.87万户，在账户总量中占比72.98%，占比较年初增长2.31个百分点。账户新增95.1万户，四大行占比46.25%，增量、增速四大行首位。

2. 客户基础持续夯实，结构不断优化。公司机构客户总量达到477.86万户，新增71.72万户，增幅为17.66%。有效客户超额完成计划目标。加权前有效客户208.88万户，新增30.72万户，增幅为17.24%，计划完成率350.67%；加权后有效客户943万户，新增27.89万户，增幅为8.82%，计划完成率为309%。信贷客户大幅增长。对公信贷客户26.19万户，新增13.05万户，增幅为99.31%。网络银行电子商务签约平台已达198家，新增77家。公司类总行级主办银行客户788户。累计搭建对公网络金融生态圈96个。

（二）对公存款贡献突出，商户拓展卓有成效

1. 核心存款时点新增贡献近八成。人民币对公存款时点余额83296亿元，新增7004亿元，占一般性存款新增的77.5%；时点余额、新增均为四大行第二。

2. 核心存款日均余额突破8万亿元、新增四大行第二。人民币对公存款日均余额80394亿元，新增8544亿元，四大行占比32.08%，四大行第二。外币对公核心存款日均余额为3947亿元，新增405亿元。

3. 资金体内循环率、承接率提升。对公客户资金体内循环率和承接率分别为47.44%和47.08%，分别比2016年末提升了2.5个和2.14个百分点。

4. 对公商户拓展卓有成效。对公商户客户总量达52.88万户，新增14.1万户，增幅为36%；其中高贡献度①对公商户客户新增1.64万户，计划完成率为102.5%。对公商户结算账户存款日均余额7508亿元，新增1931亿元，增幅为35%，计划完成率为128.7%。假日对公对私存款承接比例为68.5%，比2016年提高12.5个百分点。对公商户结算账户存款付息率仅为0.38%。

（三）实体经济支持有力，贷款结构不断优化

人民币对公贷款余额为61537.76亿元，新增1818.02亿元，其中非贴贷款新增5576.13亿元。票据贴现余额为1243.61亿元，下降3758.11亿元，降幅为75.14%。

1. 全力支持实体经济发展。基础设施领域贷款余额为33363.9亿元，新增4298.88亿元，增幅为14.79%，新增占比（非贴）为71.77%。支持国家重大工程项目6146个，贷款余额为1691亿元，新增805亿元（9月末）。战略性新兴产业贷款余额为3844亿元，新增175亿元，增幅为4.78%。高技术产业贷款余额为2724亿元，新增280亿元，增幅超过11%。绿色信贷余额突破1万亿元（10025亿元），新增1133亿元。涉农贷款余额为1.77万亿元，新增979亿元，增速为5.9%，高于公司类贷款平均增速3.3个百分点。金融精准扶贫贷款余额为1492.65亿元，新增544.41亿元，增速为57.41%，高于同期各项贷款平均增速。网络银行业务全部累计发放3542亿元，累计发放客户数20905户，11家分行实现网络银行业务零突破。坚持房子是用来住的，不是用来炒的定位，落实中央加快建立多主体供给、多渠道保障、租购并举的住房制度要求，牵头蓝海项目产品组，整合集团70余个产品和服务，形成“1+4”综合服务方案，对分行营销形成有力支撑；同业首推“公司住房租赁贷款”专项产品，全面支持住房租赁市场发展，贷款余额为9.75亿元，有力地支持了国有及品牌房企，项目共涉及租赁房屋3200余套；牵头大型品牌房企营销，发挥信贷资源对租赁房源的撬动作用。

2. 严格执行监管要求。建设银行全口径平台贷款余额为5235.82亿元，新增145亿元；监管类平台贷款余额为1708.25亿元，下降342.89亿元。产能严重过剩行业信贷余额1574.77亿元，下降15.94亿元；贷款余额为1258.45亿元，新增5.72亿元（若剔除重点优质客户新增，信贷余额下降123.99亿元、贷款余额下降79.16亿元）。全行共退出信贷余额325.12亿元，计划完成率为201.36%。

3. 审慎稳妥地发展房地产开发贷款业务。房地产开发类贷款余额3190亿元，新增198.02亿元；不良贷款余额为66.29亿元，不良率为2.08%，下降0.1个百分点。一二线城市房地产开发贷款余额占比为85.14%，提高5.93个百分点。房地产优先支持类客户房地产开发贷款同比增长107.62%，余额占比达到52.9%，提高23.66个百分点，新增占比213.24%。棚户区改造贷款余额为453.31亿元，新增289.19亿元，增幅为176.21%。

4. 加大拓展，有效储备充足。公司机构客户贷款储备总额为94575亿元，新增16594亿元，增幅为21.3%。其中，已审批通过阶段储备额为42550亿元，新增1632亿元。信用评级较好（1~8级）以上客户占比为66.81%，其中，优秀和卓越客户占比5.13%。

5. 加大结构调整力度，移位再贷取得初步成效。全年对公贷款累计投放超4万亿元，其中新客户累计投放贷款9764亿元，占全量对公贷款投放金额的23.4%，较上年提升1.6个百分点。

（四）对公中收四大行第一，重点产品表现突出

1. 对公中收连续七年四大行第一。截至11月末，按照四大行可比口径，全行实现公司中间业务收入349.17亿元，四大行占比29.50%、居第一位，超过工行9.21亿元。

2. 公司牵头中收贡献突出。实现公司部牵头中间业务收入203.52亿元，占公司中收的比例超过60%，贡献突出。

3. 重点产品表现优异。单位人民币结算业务、代理保险、托管三项产品收入超过30亿元，分别

① 指对公商户结算账户日均存款净新增≥50万元、全年收单金额≥40万元、收单笔数≥5笔的客户。

实现93.09亿元、61.91亿元和37.77亿元；国际结算、保证、银团贷款三项产品收入超过20亿元，分别实现收入26.32亿元、25.87亿元和22.1亿元。成功入选雄安新区、解放军总后勤部造价咨询合作机构库。银团贷款荣获中国银行业协会“最佳业绩奖”和“最佳管理奖”；“伊通河流域棚户区改造及土地综合整治项目”“迪拜哈翔清洁燃煤电站项目”两个项目荣获“最佳项目奖”。

4. 表外业务结构优化。承兑、境内保证及贷款承诺三项产品余额17467亿元，新增增加1282亿元，增幅为87.9%。电子承兑汇票余额2683.97亿元，占比为90.15%，比年初提升32.46个百分点；境内非融资性保证余额占比为96.1%，比年初提升5.6个百分点；随时可撤销贷款承诺实现破零，余额为758.7亿元，占比为11.9%，进一步节省了资本占用。

（五）定价水平四大行首位，资产质量保持稳定

1. 存贷款定价四大行领先。人民币对公贷款加权执行利率为4.68%，较年初提升0.05个百分点，四大行第一；浮动幅度为4.03%，较年初提升1.28个百分点，四大行第二，与工行差距从年初1.22%缩小至0.54%。企业存款付息率为1.25%，四大行第一。公司类非贴贷款利差3.12%，高于全行平均水平0.18个百分点（9月末）。

2. 资产质量保持稳定。逾期实现“双降”。对公逾期贷款余额为1155亿元，下降152.1亿元；逾期率为1.77%，下降0.29个百分点。对公客户新暴露不良879.6亿元，其中公司业务条线新暴露不良692.1亿元（数据来源于CMISII，未经审计调整）。

二、协同联动取得新成效，对公带动作用显著增强

（一）密切联动，搭建综合营销平台，加强条线联动

ETC电子标签1966.36万个，较年初新增389.73万个，增幅为24.7%，市场占比为35.11%。代发工资额新增6499亿元，计划完成率为388.70%，代发工资个人账户新增1606万户，计划完成率为200.75%；信用卡客户净增69.53万户，营销目标完成率为139.06%。联合对公10个部门组织开展对公业务旺季营销活动和“强协同　促转型　拓市场　稳增长”系列营销竞赛活动，抢抓发展先机。全力带动子公司发展。协调推进建信租赁、建信信托、建信期货、建信资本、建信养老、建银咨询六家子公司的母子联动，联动业务总量3210亿元。强化区域联动。京津冀、珠三角联动项目470余个，联动业务量近4000亿元；快速响应雄安新区建设，同业中率先在媒体发声支持雄安新区建设，并量身定制综合金融服务方案；研发支持雄安新区建设的贷款产品；为雄安建投集团审批通过2000亿元综合授信额度；成功获得雄安新区建设项目造价咨询业务第一标暨雄安新区市民中心项目造价咨询业务。

（二）全力打造养老综合金融服务平台

一是企业年金托管业务市场领先。继2016年中标中国大唐及中国人保企业年金托管资格，2017年又成功中标中国电建、中国航发企业年金托管资格，央企中标率达100%。其中，中国电建是2017年企业年金市场上托管资产规模最大（超过60亿元）的一单。二是创新养老金金融服务新模式。母子联动进一步拓展养老金业务外延，为客户提供受托、账管、托管及投资四位一体的养老金全链条“一站式”服务，服务客户遍布铁路、金融、烟草、能源、化工、钢铁等各个行业。

（三）积极推进本外币一体化经营

下发《关于加强本外币业务一体化营销工作的通知》，全力推进外币业务发展。外币账户总量41.58万户，新增2.42万户；为788户总行级主办银行客户量身定制综合金融服务方案，根据客户实际需求提供国际业务相关产品；与国际部共担国际收支客户及国际信贷客户增长考核指标，国际收支客户新增11424户，计划完成率为122%，国际信贷客户新增674户，计划完成率为462%。

（四）大力开展高层营销和直接营销

与内蒙古自治区、浙江省、青海省等8个省、市高层会谈暨战略合作签约仪式。直接营销福特集团、民生投资、塔塔集团等客户。网络银行“五直服务”效果显著。直接营销长安汽车、重庆港务、郎酒集团等102家核心企业，不断加大直接服务。

三、产品供给能力不断增强

（一）创新产品层出不穷

总分行全年创新80余个产品，圆满完成战略性产品创新，创新推出特色小镇建设贷款、碳金融、绿色产业发展贷款、雄安新区建设贷款、公司住房租赁贷款、“e信通”“e薪通”“e汽通”等“e贷款”系列、“投标通”、政采保、上市购、政府购买服务产品、PPP项目资本通、国企改革服务联动营销方案等多项产品创新；分析推动汽车产业链、棉花产业链等物联网金融方案试点应用，取得良好成效。

（二）强化管理与流程创新

推出对公雷达，辅助基层挖掘商机、维护重点客户，提高资金循环率和承接率，提升对公存款管理能力和发展水平；修订完善PPP贷款、政府购买服务贷款、专业担保机构等业务制度，规范产品管理及操作流程，满足客户需求，提升客户体验，强化风险控制；建立和完善产品创新信息共享平台，定期发布适合在全行推广的新产品和创意，提高创新效率。

（三）产品创新获得内外部一致认可

连续五年荣获全行“最具创新力奖”，并获得“创新人物奖”；海绵城市建设和综合管廊建设贷款、政府购买服务贷款分别荣获产品创新二等奖和三等奖。建设银行《创新扶贫模式　助力脱贫攻坚》方案，在新浪财经联合新浪公益共同举办的2017金融企业扶贫创新评选中荣获“金融企业扶贫创新奖”。

四、积极响应国家政策，指导分行业务发展

（一）密切关注政策变化，提出信贷政策调整建议

全年共起草近30余份营销指引/指导意见/工作方案/研究报告，包括《支持深度贫困地区脱贫攻坚工作方案》《涉农业务综合营销指导意见》《先进制造业业务发展指导意见》《2017年对公存款业务营销指引》《2017年公司类房地产信贷业务营销指引》《2017年建筑业综合营销指引》《提升县域金融服务能力工作方案》《PPP模式建工意外伤害保险产品业务联动营销指引》《特色小镇建设贷款综合营销指引》《关于进一步优化信贷结构　加大重点领域营销力度的通知》《关于加强制造业重点行业管理的通知》《2017年总行级主办银行客户精细化管理实施方案》等，指导分行抢抓机遇、应对挑战，并为全行管理决策提供参考。

（二）推进金融精准扶贫

一是制订2017年金融精准扶贫工作计划和《支持深度贫困地区脱贫攻坚工作方案》，明确全年目标，创新了工作机制与服务模式，加大了深度地区金融扶贫工作力度。二是创新结对扶贫，在业内率先搭建总分行协同桥梁，金融扶贫领导小组成员部门与贫困地区分行结对子，并先后赴吉林、陕西、贵州、云南、四川、河北、广西等地开展扶贫督导工作。三是推进综合化资金扶贫。积极与中保投资有限责任公司开展合作，引入低成本资金，控制扶贫企业融资成本。四是加强宣传，在建行报上开辟“金融精准扶贫优秀案例”专栏，连续刊载分行优秀扶贫案例，定期编制《金融精准扶贫工作动态》，及时传导监管部门最新政策动向及有关工作动态，总结分行好的经验做法，搭建总分行、分行之间信息交流平台。

（三）多层次推进涉农业务发展

一是制定《涉农业务综合营销指导意见》及涉农贷款全年计划，指导分行加强营销储备。二是广泛拓展银政、银担合作。深入了解地方政府涉农融资担保支持政策，优先选择具有政府背景的涉农信贷担保机构进行合作。三是加强产品和服务创新。稳妥有序推进农村集体经营性建设用地使用权抵押贷款、农村承包土地经营权抵押贷款，鼓励分行结合当地涉农政策及产业特点，灵活采取各类业务模式，因地制宜开展产品和服务创新，探索新型抵押担保方式，丰富初级农产品质押品种。

（四）积极布局先进制造业领域

一是研究制定《先进制造业业务发展指导意见》，以重点客户名单为载体，围绕制造业企业生命周期匹配融资产品，配置差异化的政策措施。二是支持既有客户获得国家补贴，配合国家发展改革委先后提供四批共43个战略性新兴产业项目贷款合同信息。

（五）加强政府类相关业务管理

一是拓展PPP业务，优先支持纳入国家发展改革委和财政部PPP项目库的优质项目，积极开展PPP贷款和全流程金融服务。二是规范政府购买服务业务。开展对全行政府购买服务贷款业务的评估和压力测试，修订《政府购买服务贷款管理办法》，积极应对监管要求变化；制定并下发《政府采购工程模式下供应商经营周转类融资指导意见》，加强政府采购工程模式研究和指导。三是加强政府债务相关业务管理。下发《关于进一步规范政府类相关业务的通知》，积极配合地方政府实施整改，开展政府违规担保业务风险排查。

五、落实监管要求，强化信贷管控

（一）稳定对公信贷资产质量

一是下发《2017年公司业务内控合规管理工作指导意见》，做好条线风险布控及合规指导。二是积极推动总行"三十大"风险项目化解处置及分片包干压控不良工作，我部负责的10个总行"三十大"风险项目已有不同程度的进展，较年初下降29.45亿元，其中7个项目共回收现金14.18亿元，2个项目由优质企业承接15.28亿元。同时，通过引进战投、增强风险缓释措施、调整结息频率、利率下浮、转贷等措施，100.13亿元信贷资产风险程度有所减轻。

（二）有效防范信贷风险

一是优化对公信贷内控名单管控功能，实现了内控名单自动更新，全年共审核退出131户。二是综合运用调整结息方式、贷款重新定价等措施，化解问题客户潜在风险，压缩存量贷款风险敞口。三是下发《关于进一步提升客户选择能力防范信用风险的通知》等系列文件。

（三）加强风险预警预控

一是参与全面风险监控预警平台（RAD）建设，构建了大中型公司类信贷客户风险预警模型指标体系。二是优化大中型公司客户"体检"工作，提升体检指标适用性。三是强化风险信息共享，提高舆情监测信息质量。

（四）配合审计检查，落实监管要求

一是下发《关于公司业务条线配合做好审计署2017年政策落实和风险防控等情况审计工作的通知》，全力配合外部审计。二是积极落实银监会专项治理工作要求，下发《关于公司业务条线落实银监会系列专项治理工作的通知》，督导分行做好自查；赴北京市分行、内蒙古区分行开展"上查下"抽查，报送《关于"违法、违规、违章"行为专项治理"上查下"抽查情况的报告》；组织本部开展自查工作，报送"三套利""三违反""四不当"三份自查报告；认真研究监管通报和审计报告中发现的问题，及时落实整改。

（五）强化担保机构管理力度

一是规范担保机构管理。下发《关于进一步强化担保机构管理的通知》，按月监控非政府背景担保机构合作情况，防范业务风险，形成《2017年担保机构管理情况分析报告》。二是下发《专业担保机构管理办法（2017年版）》，将担保机构纳入综合授信审批流程，细化担保机构合作条件，强化额度管控规则。三是推动农担合作。与国家农业信贷担保联盟有限责任公司签署"总对总"战略合作协议，下发《关于推进与农业担保公司合作的通知》和《关于加强与农业担保公司合作的通知》，加强与农业担保公司合作，提高"三农"金融服务水平，切实履行社会责任。担保机构结构优化，压控成效显著。全行对公合作担保机构919户，其中，政府背景担保机构650户，占比为70.7%，比年初提升11个百分点，担保机构不良担保余额77.6亿元，比年初下降6.7亿元，降幅为7.9%。

（六）强化制度规范，促进业务发展

完善现有产品管理制度，重检修订境内保证、PPP贷款、"政采保"、行业营销指引研究、专业担保机构等6项业务管理办法及操作规程，信贷保证担保、房地产开发贷款资产质量、城镇化建设贷款、制造业重点行业管理等15项加强管理通知。

六、强化精细化管理，夯实业务发展基础

（一）不遗余力地抓账户客户

丰富账户拓展手段，依托新一代商机管理模块，将企业工商注册数据直接推送至对应的基层网点或支行，助力账户源头精准营销。建立总行

级主办银行客户全流程的可量化和标准化的管理机制，试点分行127家总主客户全部完成“一户一策”和“综合金融服务方案”编制实施。强化母子公司共有客户服务管理，下发《关于加强母子协同做好共有客户管理工作的通知》，强调协同联动，资源共享，完善投后管理长效机制，落实各项并表管理要求，并对海航集团、宝业集团、富士康集团等重点关注客户开展客户分析并制定经营策略，从前台经营部门的角度，制定全行统一的客户管理策略。实现集团客户盈利性指标全景视图，以总行级主办银行客户、非央企总战客户为重点，以集团客户盈利性指标全景展示为切入点，促进客户精细化管理和精准营销。强化重点领域客户管理。做好总战、总重客户日常管理和动态名单调整，不断优化客户结构，确保资产安全。

（二）牵头组织商户拓展

开展“招商引资”专题营销活动，印发《对公商户营销指引》，明确对公商户营销策略；下发对公潜力商户名单、目标商户名单，助力分行应用大数据精准营销；推进对公商户数据系统上线，为分行任务的分解下达和考核提供工具；搭建了共享平台，推广优秀分行的先进做法和成功案例，推进全行商户拓展工作的全面快速开展。

七、科技与大数据应用再上台阶

（一）牵头“新一代”推广，实现全球一体化运营

一是搭建对公智能平台。立足于对行内存量近500万客户信息的整合，致力于解决客户需求不对称的问题，通过对建行资源以及社会资源的调动，全方位满足客户的金融与非金融需求，2017年12月16日，PPP撮合项目平台已在浙江、辽宁、湖北、江苏分行试点上线，平台囊括PPP投标社会资本方2915个，累计收集政府PPP项目数397个，储备项目总投资6386.69亿元；筹备国企混改、融资租赁撮合功能上线事宜，预计在2017年1月末上线完成。二是完善“新一代”海外部署，“新一代”对公业务系统已在全球25家海外机构上线运营，为建设银行海外机构全方位、多语言、24小时不间断提供强有力的系统支持。三是在条线开展“学好、用好‘新一代’”活动，全面推广“新一代”系统运用，挖掘推广优秀应用案例，涌现了大批优秀大数据应用成果。

（二）加强大数据对业务的驱动与引领

一是完成对公业务大数据图谱，为对公业务大数据研发奠定基础。二是开发推广对公雷达系统。完成雷达系统研发、功能测试和上线，起草《关于加快对公雷达系统推广应用的通知》以及《中国建设银行对公客户资金体内循环及对公雷达系统管理办法》，开展“对公雷达知识问答”活动，同时采取系统测试和培训并行的方式，提升系统使用水平，加快系统应用推广。三是研发“票据电子眼”，精准定位潜在贴现客户，开展贴现业务精准营销，提高票据体内循环率和回行率。四是引进爬虫技术，拓宽了信息获取范围，提高了信息抓取效率；打通了从大数据平台到微信平台信息传输路径，成为首个实现爬虫技术与微信推送信息无缝衔接的部门。五是顺利完成票交所系统一期客户端上线，推动票交所项目二期直连系统开发，保障承兑、贴现、转贴现及质押式回购等各项业务顺利开展。

八、加强队伍建设，提高队伍素质

（一）开展专项课题研究，积极研究整体规划

完成客户经理队伍建设和分级分类培训课题研究，并形成《关于做好对公客户经理队伍建设的工作方案》和《关于加强对公客户经理培训的工作方案》，全面梳理全行对公客户经理队伍建设的成绩、问题，加强同业对标，提出未来全行队伍建设的主要举措；与人力资源部协商确定对公条线客户经理队伍聘任和发展规划，并就客户经理队伍资质管理进行研究探讨。

（二）建立首份全行客户经理岗位花名册

花名册实现了业务系统与人力资源系统的数据互联以及对公客户经理在全行范围内的统一视图，并依托花名册建立了“对公客户经理统一评价模型”与“对公客户经理队伍竞争力监测模型”。

（三）有序组织培训，提升人员素质

全年共组织38期培训班（含20期“对公客户经理培训班”），2500余人参训，培训涵盖风险内控、产品制度、系统操作、能力提升等方面，切实提高了人员队伍素质。推广对公资产业务团队制度经验，开展相关业务培训，并在分行进行“云南模式”试点，落地效果良好。

执笔：郭芳辰　彭　湛

战略客户业务

一、主要工作业绩

（一）各项业务指标保持良好增长

截至2017年末，战略客户存款时点余额为6029.79亿元，比年初增长6.11%；日均余额为6194.82亿元，较年初增长5.15%。贷款余额为16866.14亿元，占全行对公贷款的25.86%，较年初增长24.83%。全年创造经济增加值50.42亿元，计划完成率为111%，实现中间业务收入29.92亿元，较上年度增长13.38%。资产质量继续保持优良，2017年末本外币不良贷款余额为30.75亿元，较年初下降16.91亿元；不良率为0.08%，较年初下降0.15个百分点。

（二）海外重大项目经营量升质提

1. 经营规模稳健增长。2017年，新签约海外项目249个、签约金额为414亿美元，同比分别增长62%和22%，其中“一带一路”沿线项目46个，签约金额为94亿美元，经营规模连续三年实现较快增长。截至2017年末，储备海外项目493个，融资需求达3169亿美元。据汤森路透统计，建设银行2017年在亚太区（不含日本）并购融资账簿管理人和牵头行排行榜中均位列第二，亚洲区（不含日本、澳大利亚）银团贷款市场账簿管理人排名第三、牵头行排名第四，在中外资同业中处于第一梯队。

2. “一带一路”成果丰硕。以“一带一路”国家战略导向为行动指导，积极把握国际经济合作新方向，加强总分行统筹协调，加大资源支持力度，取得丰硕成果。截至2017年末，已为俄罗斯、巴基斯坦、新加坡、阿联酋、越南、沙特、马来西亚等25个“一带一路”沿线国家的88个项目提供了金融支持，签约金额超过175亿美元。在老挝南瓯江水电站、马来西亚马中关丹产业园钢铁基地、印尼东固LNG、印尼南苏1号电站、沙特延布炼油厂等具有市场影响力的重大项目中，多次担任牵头行、安排行、融资顾问等核心角色。

3. 各类产品亮点纷呈。依托较为完备的国际融资产品线，有效为客户提供多种跨境融资需求。跨境并购方面，牵头推进中投收购欧洲物流仓储资产包、万科收购普洛斯、美的收购库卡等多笔重大项目落地，签约金额累计达191.7亿美元。项目融资方面，揽获神华印尼南苏1号、中交巴基斯坦瓜达尔港、ACWA土耳其天然气电厂再融资等项目独家牵头行、融资顾问核心角色。飞机融资方面，全年新签约项目40笔，涉及总投资52.8亿美元、飞机133架，其中我行提供融资30.7亿美元，同比增长7%。创新开展FPG飞机资产包日税融资，成功办理首笔飞机资产包双边贷款业务。转贷款方面，全年新增转贷款和代理业务131笔，转贷款余额76亿美元，实现中收2.63亿元，市场份额继续稳居四大行第一。

4. 财务顾问取得突破。在海外项目经营中坚持融资+融智导向，以“积累实战经验、提高业务能力、践行服务前移”的思路，积极拓展“轻资本，高收益”的财务顾问业务，在高附加值业务领域取得实质性突破。中标隆新高铁项目财务顾问角色，为中方联合体提供集项目统筹管理、投资结构搭建、财务建模与估值、融资设计与组织、财税分析与筹划、风险分析和缓释等于一体的综合融智服务。此外，还成功获任河北建投土耳其气电项目联合财务顾问、智利安塔马公司出售电力资产独家卖方财务顾问。

二、主要工作措施

（一）突出“全方位”，提升大客户综合服务

1. 紧跟央企改革，提供一揽子综合服务。牢牢把握央企兼并重组、布局优化和结构调整的改革红利，深入挖掘业务机会，创新银企合作模式，将业务全面嵌入央企改革的各个领域。市场化债转股与鞍钢集团、中船工业、国电投签署协议，签约金额合计达660亿元。完成中船工业项目首期75亿元资金投放，为鞍钢集团成功落地央企首笔永续类资产收益权理财业务。助力央企混合所有制改革，成为宝武钢铁集团下属欧冶云商混改唯一金融合作机构，持股金额为1.3亿元。抢抓首批试点商机，争办中国联通混改募集资金募集账户的主要开户银行，首期134亿元资金全部存入我行。为中粮集团下属中国茶叶的员工持股计划提供9500万元资金支持。降杠杆方面，与中国电子签署150亿元《综合化降杠杆框架协议》，其下属彩虹公司50亿元、熊猫电子100亿元产业基金已正式落地，为公司整体去杠杆发挥了积极作用。积极支持铁路深化改革，稳步推进资产证券化、京沪高铁上市IPO、供应链金融等领域的合作，在年末资金极度紧张的情况下，以内部银团形式为铁路总公司发放流贷98亿元。

2. 依托金融科技，提升客服系统功能。有效挖掘“新一代”系统对客户营销服务的支持作用，着力提升客户体验。完成中石化银企直连代发工资、电子回单、实时现金池等多项系统优化。实现中石油司库2.0系统试点上线并成功运营。以“新一代”全球现金管理功能模块为基础，为大众、拜耳等跨国企业建立基于SWIFT系统的银企信息交互和本外币支付结算机制。围绕一汽集团现有供应链、资金链模式，创新推出“互联网+票据”的票据池产品，并依托“新一代”创建“多银行现金管理平台”。为神华E购网提供企业级电子商务支付服务，成为该平台的唯一合作银行。

3. 深化机制建设，推动客户管理优化。持续提高综合金融服务方案覆盖度。截至2017年末，对101家央企及全球客户制订实施了综合金融服务方案，实现了核心类、重点类客户全覆盖的工作目标。开展专项营销活动，加大综合金融服务方案在全行范围内的推广和应用，推进系统不断优化。进一步完善综合利益调整机制。全年完成综合利益调整4次，涉及金额15亿元，发放现金管理网络利益补偿专项费用2.5亿元，修订并下发新的集团客户现金管理利益调整和费用补偿工作方案，从制度上保障分支机构客户日常服务的积极性。细化全球客户服务对接。将全球500强客户按行业分解至客户处室，同时明确客户处室和海外处室的职责分工，为做好全球客户营销服务打好基础。

（二）突出“大格局”，服务国家重大战略

全力支持雄安新区建设。会同河北分行、雄安分行以及北京、湖北等多家分行，对建筑、电信、能源、制造业等重点行业的三十多家央企客户开展总部营销80余次，积极了解企业在雄安新区的发展规划及进展，沟通合作意向。战略合作方面，与中国建筑、中国中铁就雄安新区建设签署战略合作协议，通过成立雄安新区产业基金等模式，共同支持新区建设。账户营销方面，营销成功中国移动、中国电信、五矿集团下属公司4个基本户以及万科雄安一般户、铁路总公司专用账户。重点项目方面，对雄安管委会及参与竞标的联合体中建三局、中海地产开展针对性营销，独家提交项目运营阶段产业基金合作方案，项目日常结算账户及代发工资业务已在建设银行落地。

联动公司业务部、住房金融与个人信贷部及相关分行为所辖客户提出一揽子综合解决方案，在住房租赁金融服务市场占得先机。万科作为首批企业加入“CCB融建家园”，联合11家房地产企业在深圳市场首批推出5000套长租房源。与保利、招商局、中广核、鲁能集团等企业签署《住房租赁战略合作协议》或达成合作意向，推动住房资源供给侧与需求侧的有效对接。

（三）突出“高站位”，支持实体经济发展

在对公信贷投放增速普遍下降的情况下，依然保持了对央企的支持力度。截至2017年末，央企客户信贷余额合计25428亿元，较年初增长24.24%，能源、交通、建筑等行业新增占比超过70%。全年新营销建筑业央企公路、地铁、城建项目18个，成功争取8个基本户，拟提供融资235亿元；参与石化行业央企项目银团4个，拟提供融资75亿元，获得中海油福建LNG扩建项目61亿元银团联合牵头行角色。

（四）突出“硬本领”，增强服务“走出去”能力

1. 持续开展专项营销活动连续第三年开展“百户千亿　再接再厉”海外项目专项营销活动，在上海举办海外项目经营管理专场交流座谈会，统一全行理念，形成一致行动，巩固经营合力。2017年，北、上、广、深四家分行的海外项目签约实现了快速增长，其中北京分行签约金额率先突破100亿美元；江苏、陕西、青岛等分行也在海外项目拓展方面实现了较大提升。

2. 完善国际融资产品体系。加强产品体系制度化建设，研究制定跨境并购贷款、跨境项目融资、备用银团、国际银团贷款、国际金融组织和外国政府贷款代理业务等多个国际融资产品的制度性文件，对各分行拓展相关业务提供有力支持和指导。

3. 拓展银团分销转让渠道。加强对国际银团筹组的精细化管理，一方面积极设计风险可控的融资结构，另一方面对金额巨大、期限较长的银团采取“先包销、后分销”或“先承贷、后出售”的经营策略，在信用风险不变的情况下，提升资本回报。同时，对风险较高、收益较低的资产，加大向系统外转让力度，腾挪信贷规模，投向有利于形成竞争优势或带动综合收益提升的新项目，提高资本利用效率。

4. 培养专业化人才队伍。在香港举办两期全行海外项目业务能力提升培训班，持续扩大海外业务培训的覆盖面。聚焦财务分析和估值建模能力，通过专题进阶强化培训，定向重点培养融资顾问等高精尖业务领域专业人才。全年在部门内开展落实转型要求系列25期，内容涉及法律、财务、税务、EPC、PPP等多个业务领域。

5. 发挥经营管理机制优势。坚持牵头营销。全年总行牵头完成海外重大项目40个，金额125亿美元；推进中的海外项目153个，总融资金额超过1700亿美元，为全行海外项目拓展提供可靠保障。统筹利益分成。2017年对巴西石油、伟创力、东源等7个项目实施行际利益调整，通过妥善安排，有效平衡各参与主体的价值贡献和收益。强化考核激励。在境内分行KPI考核、海外机构“一行一式”特色指标考核体系中继续设置“海外重大项目签约金额”指标。

6. 支持海外专业中心建设。积极协助建设基础设施建设服务中心和海外融资中心，为新加坡分行和建设银行亚洲提供中心建设方案设计、机制运营、部间协调、条线管理等方面的支持，有效延伸了总部服务功能，发挥了重点机构辐射带动作用。

（五）突出“多功能”，加强母子协同联动

充分发挥建设银行集团子公司牌照齐全和综合化业务平台优势，积极探索融资与融智相结合、银行与非银行业务优势互补的新型服务模式。全年牵头协同联动子公司175次，较上年增加25%。联动建银国际为中国电建、中国黄金、三峡集团等客户境外发债5笔，合计发行金额超过50亿美元；联动建信租赁，独家中标国航90亿元飞机融资业务，中标东航、南航共计11架，涉及金额57亿元；联动建信信托与中电建、中石油、中船工业等成立产业基金8只，基金规模超过500亿元。在融资协同以外，还联合子公司共同研究央企改革金融需求，形成《“央企改革·联动赢”系列产品营销服务手册》《国企改革分析》等研究成果，成为央企改革全流程营销服务的重要参考。

（六）突出“严管理”，做实内控和风险管理

一是以强化新制度、新产品、新业务管理，促进部门合规经营管理，从严落实规定动作。全流程督导合规性审查、规章制度审查工作，跟踪项目进展，在流程介入中摸索审查评估方法，指导后续项目的执行，确保项目审查环节全部落实。二是以规章制度全面重检提升制度管理水平，初步规范制度管理体系。全年共计梳理36份规章制度，其中规章类17个，规范类19个，需修订3份，废止7份。三是根据全行整体部署，组织反洗钱、反恐怖融资、金融制裁、声誉风险等各类专项风险排查工作，形成排查报告，反馈排查结果。对于内控部反馈的涉朝制裁企业客户事项，组织相关客户处室进行核查、跟踪、积极反馈。四是“进现场、进企业、进政府、进总部、进分行”深入实地调研，指导分行逐个项目按风险特征制订“优选、次选、保底”三重化解方案，积极推动2017年牵头的三个总行“30大”项目风险化解。此外，成功回收东航集团长达15年的1.59亿元不良贷款本金，化解青岛武船和武船重装13.5亿元债务危机。

执笔：姚　颖

机构业务

一、机构存款突破3.5万亿元大关

截至2017年底，机构存款时点余额为35721亿元，在对公存款余额中的占比为43%；日均余额为34704亿元，在对公存款余额中的占比为43%。全行机构存款压舱石效应显著，波动性明显降低，有力地支撑了对公及全行负债。

二、机构类资产及中间业务稳中求进

信贷投放超额完成全年计划。机构条线信贷有效投放额为897.57亿元，其中，教育领域新投放208.89亿元，卫生领域新投放312.44亿元。扭转连续三年机构类客户贷款余额持续下滑的局面。

资产质量不断优化。贷款不良率为0.06%，远低于全行不良平均水平。

中间业务超额完成全年任务。截至2017年底，全行机构类中间业务收入8.68亿元，计划完成率达109%，超额完成全年任务。

三、机构业务“双提升”成果丰硕

（一）八一工程再上新台阶

军队武警存款首次突破3000亿元大关，首次与工行军警存款新增缩小900亿元。军改以来的两年里，军警存款累计新增超过1000亿元，占军改前十年军警存款新增的60%。在新成立、新组建、新移防的军队业务新增市场中，取得了超过30%的市场份额。军队武警账户新增275个，其中，师级以上账户新增112个，为历年账户新增之最。当年发放军人住房公积金贷款50.04亿元，居同业第一。

（二）社保业务量质齐升

多策并举，抢抓机关事业单位养老保险及职业年金业务市场机遇，继续保持该业务领域同业第一的优异成绩。社保存款余额突破1.2万亿元，新增2112亿元，剔除地方社保基金上划因素，新增同业排名第一，存款余额和新增均创历史新高。全行金融社保卡突破1亿张大关，发卡量与覆盖范围均处于同业领先地位，并在同业中率先实现第三代金融社保卡的发行。

（三）财政业务拼抢争先

积极组织分行参与各地方财政部门政策制定，拼抢市场份额，累计中标2979亿元，市场占比11.44%，四大行占比24.57%；配合国税系统内部财务资金管理改革，与各地国税局对接开发建设资金监控系统，在需求响应、系统建设和客户体验等方面表现突出，合作再上新台阶。

（四）政府业务客户账户新增提速

政法系统客户存款时点余额为826.84亿元，较年初新增308.47亿元；政法系统客户数为9021户，较年初新增954户，增速分别达到60%和12%；全行党费账户数18713户，新增7548户，其中机构类客户账户新增4329户。

（五）打造大消费金融生态圈

大教育、大健康、大文化，大体育领域存款为6131亿元，新增561亿元。其中，教育、卫生行业存款分别新增175亿元和210亿元，增速分别高达13.21%和18.93%。与武汉大学、东北财经大学等行业排头兵客户签订了战略合作协议。

（六）创推大资产经营模式撬动全量资金

克服地方政府债券发行，教育、卫生行业严控高校、公立医院举债建设等不利宏观因素，广纳全量资金，基金业务首单落地，政府投资基金已发起设立数量35项，政府投资基金签约金额2001亿元。

（七）单位委贷新模式助转型促发展

单位委托贷款余额为3076.94亿元，新增418.1亿元，委贷余额和新增均四大行排名第一。

手续费业务收入 10696.78 万元，计划完成率达 108.01%，增速达 50%，位列四大行第二。

（八）社团业务抢滩突破

社团活期账户新增 6844 户。创新推广“民政 E 线通”新增 12 家分行。25 家分行成功推广“电子功德箱”等宗教客户电子渠道产品，覆盖全国 221 家宗教活动场所。

（九）“首席客户经理高层营销”及“网点机构业务破零”试点活动取得显著效果

“首席客户经理高层营销”实现全面覆盖，广东、云南和深圳等多家分行实现综合网点机构业务全覆盖。

四、全面完成 KPI 转型指标

（一）机关事业单位养老保险账户覆盖度 51.58%

较年初提高 23.45 个百分点。累计开立机关事业单位养老保险账户共 3263 个，存款余额为 1319.92 亿元；累计开立职业年金账户 1351 个，存款余额为 605.63 亿元。30 家分行机关事业单位养老保险业务取得突破，进一步巩固省级机关事业单位养老保险市场占比第一的地位。

（二）银校通、银医通合作客户新增 720 家

计划完成率达 360%。已累计与 67 家“双一流”高校、651 家三甲医院客户开展银校、银医合作。“双一流”高校“银校通”覆盖率为 49%，三甲医院覆盖率为 55%。

（三）年度各类指标考核均取得或接近满分

2017 年，我部 15 项大类 KPI 指标考核均取得或接近满分，含有效客户、县域、资产质量、MPA 监管、学好用好“新一代”KPI 指标等年度考评均跻身优异。

五、搭平台建生态创新能力持续增强

（一）构建公共服务生态圈

提出“依托科技实力、助力政府转型、促进普惠民生、建设美好生活”的主导思想，运用“跳出金融抓金融”的新思维，以新格局、新境界、新思维组织开展了公共服务生态体系的顶层设计，牵头推动机构业务九大平台项目搭建并取得阶段性成果。智慧政务服务项目等三个首批项目顺利通过立项，为 2018 年“机构业务科技年”奠定了扎实基础。

（二）品牌建设渐成体系

持续发挥产品、渠道优势，不间断地优化升级机构业务服务品牌。“鑫 e 保”“军建安鑫”“建融慧学”“建融智医”“善通政务”“善通 E 鑫”“鑫委贷”“善建益鑫”等机构业务品牌的服务能力和服务内涵不断扩充壮大。

（三）创新能力进一步增强

共计完成 126 项机构业务产品创新，其中总行牵头完成 6 项，指导分行自主创新 120 项；推进分行完成移植创新 240 项，其中总行推荐项目 118 项，总行重点创新产品移植 75 项，分行移植创新成效显著。“军建安鑫”金融服务及“鑫 e 保”全流程社保服务 2 项总行牵头战略性项目取得突破，同时完成了“善建益鑫”、银彩总对总直联、“医保贷”、财关库银等总行牵头重点创新项目。

（四）出色完成“新一代”优秀案例发布与推广

接收评审案例 1384 个，通过审核并发布案例 1269 个，在总行 39 个部门中位居第七；推优环节全行自荐案例共 365 个，涉及 30 个部门，其中我部 29 个，位居全行第三。

（五）“鑫 e 保”战略产品效益显著，远超设计目标

完成产品研发，对外推出具备领先性、唯一性、全流程、专业化四大优势的“鑫 e 保”社保品牌，并在北京、辽宁、广东、四川、新疆等试点分行推广应用，价值目标达 24.84 亿元，远超年初项目设计指标。

（六）“军建安鑫”业务独占鳌头

合作客户新增 82 个，覆盖 34 个一级分行，区域覆盖度达 92%。成为军委后勤保障部在军队建设方面的唯一指定合作试点银行，初步建立起建设银行在军队业务领域的核心竞争力。北京小瓦窑试点项目已圆满完成，得到了军委后勤保障部首长的高度评价，并向我行发来感谢信。

（七）国库集中收付电子化建设领先同业

独家配合财政部开展预算单位差旅电子凭证网上报销试点工作，搭建公务差旅网上预订报销管理平台“公务之家”，并在河北省财政厅上线试点成功。首批配合财政部开展中央财政集中支付电子化及地方非税电子化试点，在全部省级、

121 个市级及 228 个县级财政部门完成实施工作。

（八）社团源头客户三大部委的合作取得零突破

与民政部社会组织管理局、国家宗教事务局办公室、中华全国总工会网络工作部等零合作客户建立联系。领先同业率先推出社会组织专属服务品牌“善建益鑫”，正式印发《“善建益鑫”社会团体客户综合营销服务方案》，打造独具特色的社会组织专属服务品牌。

（九）独家中标公安部户政管理研究中心基本账户资格

共计 28 家一级分行具备代理跨省异地交罚业务资格，共收取跨省异地现场交通罚款 159 万笔，金额总计 2.1 亿元，同业排名第二。

六、工作措施

一是贯彻落实总行党委指示要求，切实推进“客户部门、市场部门、产品部门、研究部门”四个部门定位精神，深入践行“两有两善”，抓机遇、守优势、拓市场、树品牌，巧借势，努力发挥好机构业务政策源头和总行部门牵头职能的落实，围绕稳存增存，科学判断，前瞻规划布局，在核心指标、核心业务、核心环节、核心竞争力上不断取得突破。

二是以“双提升”活动为主线，立足高质量发展要求，锁定着力点，抢抓机遇，真抓实干，以“首席客户经理制”和“网点破零”为抓手，召开推进会、座谈会、典型经验交流会，实时牵头全行经营实践；密集走访各部委、各总部、各地方军政客户，加大与行业主管部门、中字头客户及 3A 及以上重点社团客户的拜访联系，抢抓政策源头，牵头条线营销，在客户、账户、上下游、平台搭建、综合贡献度等方面再上新台阶。

三是加强政策研究、开拓发展空间，深化“全员创新”管理理念，促进创新项目“质效双提升”，尤其是在用好“新一代”核武器，探索平台营销新理念方面不遗余力，出色完成“新一代”优秀案例发布与推广，审核并发布案例 1269 个，在总行 39 个部门中位居第七；推优环节全行自荐案例共 365 个，涉及 30 个部门，位居全行第三；带队赴河南安阳、济源分行就新型银政合作“智慧安阳”“智慧济源”等项目实地调研，推进“智慧政务”项目建设；善用互联网思维，抓好重点平台建设，为机构业务获客、稳客、留客提供全新支撑。

四是“鑫 e 保”“军建安鑫”“建融慧学”“建融智医”“善通政务”“善通 E 鑫”“鑫委贷”“善建益鑫”等机构业务新品牌渐成体系，服务能力和服务内涵不断扩充壮大。全行依法合规经营、严守风险底线。

五是积极打造“中国建设银行教育慧思图书室”扶贫品牌，在机构条线发起“行万里路，捐万卷书”捐建倡议，部门团支部获“中央国家机关五四红旗团支部”荣誉称号。

执笔：刘　琦

同业业务

一、克服市场不利影响，存款总量保持四大行第一

截至 2017 年底，建设银行同业存款余额为 11113 亿元，四大行位次排名第一；同业存款日均余额为 11768 亿元，四大行份额 29%，较好地完成了“稳存款、提份额”的预设目标。同业条线存款（含保险公司、第三方支付机构、代理政策性银行贷款资金专用存款）余额为 14298 亿元，比年初下降 1595 亿元。

主动负债力度加大，非结算性存款保持高位平稳。全年非结算性存款发生额突破 1.1 万亿元，

日均3400亿元。着力做好货币基金、财务公司等资金大户的营销合作，发挥了同业存款“稳定器”的作用。

二、资产规模显著调整，投放量创新高，期限趋短

配合流动性管理要求，同业资产规模主动收缩，赎回委外资产超过2000亿元，新投放资产以流动性组合产品（存放、票据买返）为主，年末余额为4585亿元，较年初下降55.58%，为全行缓解流动性紧张局面、弥补不同阶段的资金缺口作出贡献。

短期资金供给增多，累计投放资产创新高。全年资产业务累计发生额2.39万亿元，创历史新高，较去年同比增长25%。其中存放同业和票据买返业务发生额为1.94万亿元，占比为81%；短期限1个月以内资产投放占比83%。在2017年行内较难安排长期限资金的情况下，反复开展高频、短期限的流动性组合产品，通过加快资产周转速度提高盈利能力。

三、盈利能力不断增强

资产负债利差逆势扩大，定价水平显著增强。全年同业资产负债利差较2016年拉大47个基点，为全行NIM触底企稳作出积极贡献。经营净收入增长较好。受益于竞价机制全面落实和委外估值良好回升，全年同业经营口径净收入较2016年有较好增长，中间业务收入保持平稳发展。

四、交易型、代理型业务有实质突破，轻资本经营显成效

交易型业务破冰推进。创新推出同业借款资产转让及再投放业务，开创了我国同业资产在公开流转市场进行平层结构转让的先河。全年累计完成四期总计246.5亿元的资产转让，盘活存量资产、维护重要客户、新增交易收益。同业资产转让业务赢得总行战略性创新项目荣誉，开辟了一条新的同业业务轻资本灵活经营的路径。

代理型业务继续做优。推进重点金融要素市场客户代理业务，成为跨境外汇清算业务独家结算银行；率先推出外汇、大宗商品中央对手清算代理业务、代理CIPS间参等业务；代理信托打开对公信托产品销售渠道，范围扩宽至供应链、应收款和保险金等事务管理类信托；与建信资管合作推出建信保业务，结合我行项目资源和险资投资优势，服务客户，获取中收。

五、客户拓展成效显著

客户基础更牢，合作持续深化。全年同业条线与56家重要客户签订合作协议，安排领导层面高层会晤27次。金融机构法人客户总数超过1100户，传统领域客户授信覆盖度持续增加，三方存管客户数继续保持四大行第一。保险资金托管规模三年翻三番，保险资金托管规模全市场占比达到21%，首次超过农行跃居市场第二。

重点业务取得突破。中标中国证券登记结算有限责任公司总公司和北京、上海、深圳三个分公司的基本户，首家与中央国债登记结算有限责任公司签订全面战略合作协议。

六、母子联动成效显著

加强与子公司业务合作。利用建银国际海外运作优势，合作开展跨境投资业务；下发《建设银行支持中德住房储蓄银行综合金融服务方案》，加强与中德银行合作；与建信人寿、建信财险开展联动营销，保费规模不断做大。

支持子公司健康发展。运用投向和期限灵活的同业投资业务，认购建信期货次级债务、巴西子行永续债，用于补充子公司和子行的一级资本；摘牌银登中心转让的中德银行个人住房贷款资产组合产品，帮助中德银行落实监管要求。

七、风险合规管理有实效

遵从全行统一风险偏好，切实把风险管理摆在重要位置，始终保持“零不良、零案件、低风险”的“两零一低”良好风险态势。严把合规准入为第一道关，分阶段、有层次开展自查和检查工作，培育合规经营意识，落实合规主体责任。配合风险部嵌入式管理，开展资产分类，加强监测，持续关注潜在风险资产，防范市场风险。强化制度建设，夯实基础管理。制定或修订11项管理制度，下发16项制度管理补充性文件，在业务发展的同时，保障辖内业务有章可循、有据可依。

八、系统建设

实现“新一代”同业业务系统顺利上线。8月19日，同业系统一期成功上线，实现存放同业这一业务量最大、分行参与最广的业务，在申报、审批、放款、核算等各环节全流程线上操作；12月16日，二期计划上线，实现15个产品线上全流程管控。

牵头票交所系统直连。完成了全行票据业务12个业务需求、系统用例说明书的编写和业务需求分析，通过了总行项目评审会的审批，进入技术开发阶段。

代理银行2017年项目三期顺利上线。为中德银行全国展业提供系统支持；在促进母子公司联动发展的同时，积累了系统代理他行的经验。

执笔：李骄龙

普惠金融业务

一、2017年普惠金融业务发展总体情况

（一）在大银行中率先启航普惠金融，达到人民银行定向降准“二档”标准

截至2017年末，人民银行口径普惠金融贷款余额为3758.30① 亿元，较年初新增1110.48亿元，占人民币贷款新增的11.94%，四大行中唯一达到定向降准“二档”标准②（工行、农行、中行贷款余额占比超过1.5%达降准“一档”标准），2018年初释放约2358亿元低成本资金。

依托“新一代”和大数据分析，四大行首创全流程线上服务模式，“小微快贷”新增占普惠贷款新增的70%，不良率为0.16%，将金融科技的应用能力切实转化为服务实体经济的生产力。其中，引入税务数据创新的“云税贷”贷款新增195.69亿元，占普惠金融贷款新增的17.62%；基于优质房产抵押的“抵押快贷”业务贷款新增309.48亿元，占普惠金融贷款新增的27.87%。

（二）连续七年完成“三个不低于”，贷款客户总量及新增均居四大行首位

截至2017年末，银监会等四部委口径小微企业贷款余额为16105.82亿元，较年初新增1686.91亿元，增速高于各项贷款增速2.36个百分点；贷款客户数60.5万户（中行51.8万户、农行38.8万户、工行24.3万户），较年初新增29.6万户；小微企业申贷获得率为93.00%。

（三）“小微快贷”高质量发展，综合效益贡献突出

一是上量。截至2017年末，“小微快贷”贷款余额为974.47亿元，累计投放1718.23亿元，较年初新增776.49亿元；贷款客户15.2万户，较年初新增14.2万户，超过2016年末对公企业类授信客户总量（11.8万户）。二是提质。不良贷款额为1.56亿元，不良贷款率为0.16%。三是增效。平均定价水平6.91%，较对公贷款定价高

① CMIS系统数据。

② 根据《中国人民银行关于对普惠金融实施定向降准的通知》（银发［2017］222号），定向降准实施比例分为两档。第一档在法定存款准备金率基准档基础上下调0.5个百分点，标准为：上年普惠金融领域贷款增量占全部新增人民币贷款比例达到1.5%，或上年末普惠金融领域贷款余额占比达到1.5%。第二档在法定存款准备金率基准档基础上下调1.5个百分点，标准为：上年普惠金融领域贷款增量占全部新增人民币贷款比例达到10%，或上年末普惠金融领域贷款余额占比达到10%。

2017年9月28日，建设银行与华中科技大学举行普惠金融研究院合作共建签约仪式

223个基点；实现净利润12.17亿元①，较上年增长373.5%；对公产品覆盖度7.54个，对私产品覆盖度6个②，超过98%的客户办理企业网银，超过75%的客户办理结算卡，超过25%的客户办理代发工资业务，同时带动POS收单、理财、信用卡等业务发展，联动效益显著。

（四）“新一代”运用助力业务发展，网点服务能力提升近50%

依托“新一代”和大数据运用，推广全流程在线“小微快贷”业务模式，运用数据精准营销、自动审批、预警监测。依托“新一代”商机推送，小企业业务网点开办率81.16%，较上年提高46.22个百分点。

（五）开创银税合作新局面，开启数据运用新阶段

同业首家与国家税务总局开展“线上银税互动”，推动15家分行实现区域数据直连。行内首次引用税务数据进行客户评价，创新“云税贷”，不到5个月的时间已为3.07万户提供195.7亿元贷款支持。

（六）小企业不良贷款实现“双降”

截至2017年末，四部委口径小微企业不良贷款为534.61亿元，较年初下降16.67亿元，不良率为3.32%，较年初下降0.5%。责任部门口径小微企业贷款自2012年以来首次实现不良“双降”。

二、工作亮点

（一）大银行中率先启航普惠金融

搭建“三级”组织架构，明确“四有”经营理念，强化“五专”机制保障，为普惠金融业务快速发展夯实基础。

（二）开创银税合作新局面

同业首家与国家税务总局开展“线上银税互动”，推动15家分行实现区域数据直连。行内首次引用税务数据进行客户评价，创新“云税贷”，开创网络信贷新模式。

（三）“新一代”运用助力业务发展

依托“新一代”和大数据运用，推出全流程在线“小微快贷”业务模式，开展精准营销、客户评价、自动审批、贷后管理，将金融科技应用能力切实转化为服务实体经济的生产力。全行小企业条线共创新“新一代”典型案例1122个。

（四）支持小微企业获国务院及监管机构认可

11月7日，国务院召开全国小微企业金融服务电视电话会议，建设银行董事长作为国有大行和股份制银行唯一代表做主题发言。国务院有关领导对建设银行“小微快贷”解决社会发展痛点的做法与成效给予肯定。银监会2017年第三季度经营形势分析例会指出，建设银行近年来大力发展微型客户，客户数量在五行中占比高达66%。“小微快贷”是对传统服务模式的一种突破和创新，也是应该大力推广的模式。

（五）获行内外各类嘉奖

一是服务品牌方面，荣获工信部中小企业发展促进中心“2017中国中小企业首选服务商”（连续六年）；中国中小商业企业协会“2017年度全国支持中小企业发展十佳商业银行”；《金融理财》杂志社“年度金牌中小企业银行”；《21世纪经济报道》“2017最佳小微贷款服务银行”；中小企业投融资交易会“2017年度金融服务实体经济

① 数据来源于上海数据中心初步统计结果。

② “小微快贷”客户产品覆盖度来源于上海数据中心初步统计结果。

优秀案例”。二是金融科技方面，小企业业务部荣获建设银行“年度大数据应用劳动竞赛先进单位一等奖”，“年度大数据应用劳动竞赛项目优胜奖一等奖”。三是产品创新方面，小企业业务部荣获建设银行“2017 年度最具创新力奖”；“小微快贷”荣获“产品创新奖”一等奖。“税易贷”荣获《银行家》杂志“十佳金融产品创新奖”，2016 中国国际金融展“优秀中小企业金融服务奖”。

三、工作措施

（一）建立垂直组织架构

董事会层面，由社会关联与交易委员会负责监督指导管理层推进普惠金融相关工作。总行层面，在大银行中率先成立普惠金融发展委员会，组建普惠金融事业部，推动普惠金融政策落实和业务发展。分行层面，37 家一级分行、超过 120 家二级分行设立普惠金融事业部。支行层面，设立 110 家普惠金融特色支行，新增 153 家县域普惠金融网点。

（二）初步探索经营机制

全年召开 4 次普惠金融发展委员会，研究落实银监会“五专”经营机制，19 个成员部门共提出 62 项政策措施，通过配置专项贷款规模、增加专门费用、实施差异化信贷政策、调整小企业客户授信审批授权、建立风险联防联控机制、加大考核力度等，提供有效保障。建设银行推进“五专”机制建设的做法，得到银监会专项督导组的肯定。

（三）全面发力普惠金融

“三定”统一思想提高认识。4 次普惠金融发展委员会会议，3 次全行性普惠金融业务推进会，为普惠金融业务定位、定标、定策。“五项”重点领域精准施策。紧抓关键数据监测，推进目标落实。“六率”核心指标穿透管理。提炼“六率”①，组织分行落实“云税贷”商机分发，确保到点、到人。“七大”专项活动协同推进。开展“一点一周一户”专项活动，组织 24 家分行产品发布与宣传、400 余场客户沙龙活动等。

（四）初步建立覆盖普惠金融客户群体的产品和服务模式

一是“小微快贷”全流程线上运营模式，引入税务数据创新“云税贷”，推广移植“房押快贷”。二是创新“FITO · 飞拓”科技金融综合服务方案，构建“五融五 +”综合服务体系。三是建立基于优质核心企业（平台）增信的网络银行业务模式。四是打造“裕农通”县域金融服务品牌，深化“薪享通”县域地区代发工资综合服务。五是将“快贷”业务打造成普惠金融个人贷款主要增长点。

执笔：李　雪

资产托管业务

一、主要经营业绩及亮点

（一）托管规模突破 11 万亿元

面对复杂多变的外部环境，托管业务条线迎难而上，努力拼搏，资产托管规模保持较快增长。截至 2017 年末，托管规模突破 11 万亿元，达到 11.54 万亿元，较年初增长 2.29 万亿元，增速为 24.72%。托管规模增量、增速、占比提升均列四大国有商业银行第一。

① 即“小微快贷”支用转化率，“云税贷”商机发放到点率、到人率，“云税贷”授信金额转化率、授信客户转化率，网点开办率。

（二）重点业务保持市场领先

公募基金托管收入、QFII托管规模四大国有商业银行第一；保险资产托管规模位列四大国有商业银行第二，增量、增速、占比提升均位居四大国有商业银行第一；券商托管发力追赶，增量、增速、占比提升均为四大国有商业银行第一；业内首家开展外商独资私募基金（WFOE）托管业务，成为全球最大资产管理公司服务商中唯一一家中资银行；独家取得北京地区职业年金基金归集账户托管资格。

（三）业务创新持续推进

业内首批开展创新型FOF基金托管，托管首批募集资金的37.9%，托管只数和首发规模均列市场第一；首次开展分行托管业务创新评审活动，12个优秀项目获奖。

（四）集约化建设取得成效

托管运营中心建设加快推进，“新一代”托管系统全功能上线，集约化、自动化水平、风险防控能力、增值服务能力和业务处理效率大幅提升。

（五）托管专业能力得到市场认可

“新一代”托管系统荣获《亚洲银行家》杂志“最佳托管系统实施奖”；连续11年获得《全球托管人》《财资》《环球金融》（*Global Finance*）各项托管专业荣誉；连续五年荣获中央国债登记结算有限责任公司“优秀资产托管机构”奖；建设银行当选为基金业协会托管与运营专业委员会主席单位。

二、主要工作

（一）加快推进托管运营集约化建设

一是研讨运营中心试运营方案及运营保障工作，保障运营中心平稳顺利试运营。二是组织完成合肥运营中心首批员工跟岗培训工作。三是推进落实办公场所、IT技术设备等硬件准备。四是认真办理中心员工薪酬、财务相关工作。五是积极走访客户，做好解释沟通工作，确保平稳过渡。

（二）积极开展资产托管市场营销

1. 抢抓市场，巩固优势。

（1）公募基金托管。巩固与业内大型基金公司合作，新增托管基金中，与规模排名前20的公司合作66只，占全部新增基金的52.4%；与有发展潜力的中小公司开展合作，完成15家基金公司调研、评分工作，扩大合作基金公司范围。积极配合相关部门开展基金代销激励活动，托管基金销售量显著增长。

（2）跨境客户托管。一是积极开展WFOE（外商独资机构）客户营销。与上海分行联手营销，取得业内首家WFOE客户——“富达利泰”私募基金公司托管业务；二是与相关部门和成都开发中心密切配合，全力争取全球最大资产管理公司托管与外包业务合作，最终成功签署服务外包总协议；三是QDLP新业务起步，成功获得德银资产管理和安联国际（AGI）合格境内有限合伙人（QDLP）资产的正式托管委任；四是持续推进海外营销，先后赴新加坡、马来西亚、泰国、中国香港、中国台湾、南非、迪拜等国家/地区开展跨境托管业务营销，拜访客户100余家，达成合作意向8家。

（3）积极开展职业年金托管营销，打好职业年金争夺战。配合相关部门完成职业年金托管业务营销前期准备工作；指导天津、广东、福建、云南、新疆、宁夏等分行社保营销推介；做好托管系统运营对接准备，联合国寿养老实现托管与受托系统接口开发与测试，成为业内首家将《职业年金基金数据交换规范》落地实施的托管机构。与平安、长江、泰康、太平、建信养老、工商银行等受托机构完成职业年金系统直连对接，为后续业务平稳运营打下坚实基础。积极参与行业政策研讨，开展4期全行职业年金托管培训。

2. 弥补短板，缩小差距。

（1）保险托管。营销大型重点保险集团，新增国寿股份600亿元委外托管资产，完成平安未托管资产移交业务，移交后在平安托管行中份额第一。坚持抓大不放小策略，拓展中小保险客户、保险资管公司、保险中介公司托管等业务。

（2）券商托管。走访重点合作证券公司，开展主动营销；利用行内代销政策调整契机，努力改变券商托管落后局面，推动相关部门重新启动券商集合计划、券商公募基金产品代理销售业务；积极协调优质券商与总分行同业、资管部门对接投资方案，推动业务合作。

3. 多方联动，促进集团协同发展。深入开展部门联动和母子公司联动。与相关部门联动推进基金公司及券商公募基金、券商大集合等产品代销，基金专户、基金子公司专户托管等业务营销；与金融市场部门联动打造银行间市场债券代理与托管“一站式”服务方案；与同业中心、资管中心合作开展同业资金、理财资金委外投资资产托管业务；与资管中心联动开展私募证券 MOM 托管业务；与建信养老开展养老保障管理产品合作，共同开发养颐添福、养颐添禄、信弘 1 号个人型，以及建信养老 1 号集合团体型等产品。积极推进行内与行外资源互换。与房金部联动个人住房贷款资产证券化互换事宜，与工商银行、招商银行、华夏银行、平安银行达成互换协议。

4. 加强业务指导，组织推动分行托管业务发展。一是支持和指导分行参与大型项目投标和业务营销。北京、河北、重庆、陕西、湖南、贵州等分行相继成功中标大型产业基金项目，项目金额近 3000 亿元；指导分行基金公司专户理财、ABS 专项计划托管、他行理财产品托管、私募基金委外等业务营销，分行托管业务拓展能力明显提升；围绕信托公司、中小商业银行、保险公司、证券及证券资产管理公司、基金管理公司及其子公司 5 大类客户，选取 16 家分行开展资产托管业务营销评比活动。二是强化分行业务管理。召集重点分行召开信托、理财、私募托管业务运营操作规范管理研讨会，修订分行自营托管业务操作规程；完善海外机构跨境托管营销考核机制，在 13 家海外机构“一行一式”特色指标中纳入跨境托管客户营销指标。三是开展全行托管业务评优表彰。评选出 8 个先进单位、72 名先进个人，通过表彰先进，树立榜样，激发分行发展托管业务积极性。

（三）全面优化运营管理

一是建章建制，规范业务操作。制定下发各类业务指引、操作规范、业务手册 20 余项，梳理、归类、编写运营业务案例下发全行，规范分行业务操作，为分行运营提供业务指导。

二是梳理运营风险点，提高风险控制能力。针对线下指令支付、银行间三费缴费功能、实物凭证管理、白名单管理等多个环节梳理主要风险控制点，减少人工干预，提升处理效率。

三是推进指令电子化，提高运营效率。电子指令占比达到指令量的 60% 左右，有效提升支付效率，降低支付风险，减轻人工压力。

四是增强服务意识，提升客户体验。制定《托管客户启始运作注意事项》，方便客户（特别是新合作的客户）及时、准确地了解建设银行托管运营工作的流程、分工、业务办理要求及联系人信息，提升客户体验。

（四）“新一代”托管业务系统全面上线，实现多方面能力提升

一是自动化水平大幅提升，核算业务自动化率超过 96%，凭证自动化处理率超过 98%；二是业务管理、产品创新灵活性大幅提升；三是风险防控能力大幅提升；四是个性化、增值服务水平大幅提升；五是工作效率大幅提升。系统功能持续完善：业内首家开展非法人产品参与上清所债券净额代理清算业务，成功上线深港通业务托管功能，全面推广托管网银功能，实现 Cost 直联支付功能，新股网下认购资金中签数据自动解析功能。

（五）强化内控与基础管理

一是强化合规风险控制管理。组织托管业务条线配合国家审计署开展 2017 年政策落实和风险防控审计工作；配合开展“三违反、三套利”“四不当”银监会系列专项检查，与分行建立实时沟通机制，追踪分行被检查情况；组织完成“一加强、两遏制”新发现问题持续整改工作；组织全行托管条线开展“安全生产大检查”工作；完成反洗钱清单监测设置、反洗钱业务梳理、责任客户反洗钱调查评估等重点工作，依托建设银行反洗钱工作基础，创新研究反洗钱外包服务。

二是踏实做好基础工作。建立托管业务信息共享平台，提高信息透明度和使用效率；编制各项托管业务基本流程图，将工作流程图示化，形成基本业务素材，推进业务经验积累。及时跟进并分析监管政策变化，积极应对市场考验。

三是加大业务宣传力度。多策并举推进宣传，通过建行报、部门主页、托管业务动态、手机客户端等多种渠道，全面展示托管条线经营成果和部门风貌；建立信息宣传统计通报制度，定期发布条线投稿情况，鼓励分行加强业务交流与经验分享。

（六）加强业务培训

一是组织部门内系列业务培训 33 期，内容涉及政策解读、营销案例、托管运营、“新一代”

系统建设、公募基金、私募基金、保险、养老金、跨境投资、合规管理、业务连续性管理、公文处理、信息共享、商务英语等。有效促进业务条线的横向交流，深化业务理解，提升托管业务协同能力和综合服务能力。

二是全方位开展条线培训。举办托管业务经营管理人员培训班、职业年金托管业务培训班、“新一代”托管网银签约及使用培训；赴苏州、福建、山西、江西、广东等分行进行托管业务培训；与渠道部门联合举办本外币资金支付系统培训，与国际业务部门配合，在海外业务培训班中加入跨境托管业务培训；举办职业年金、私募基金、托管业务操作规程等研讨会，与多家分行召开业务专题调研，并现场指导。

（七）积极参与行业协会相关工作

成功承办中国证券投资基金业协会第二届托管与运营专业委员会成立大会暨第一届托管机构联席会议，建设银行当选为基金业协会兼职理事单位、托管与运营专业委员会主席单位。

执笔：杨增亮　王云鹏

结算与现金管理

一、狠抓对公账户增长，不断夯实对公业务发展基础

一是加强组织推动，强化对标管理。账户增量、增速连续第六年保持四大行第一，账户总量与工行差距缩小至10.2万户，较农行的领先优势扩大至100.86万户。20家分行居四大行第一，比年初增加6家，10家分行四大行位次晋升。二是全面推进工商注册登记合作，抢抓账户拓展源头。提出开展工商合作的五种典型模式，11家分行与省级工商局签订全面合作协议，4家分行发放单位结算卡电子证照联名卡，6家分行全面切入全流程电子化登记流程，9家分行代办工商登记服务。通过工商合作，掀起抓源头促增长的热潮，涌现出广东分行“银商通”、深圳分行“智能开户”、浙江分行“工商注册通”、安徽分行“工商全自助一体机”等创新产品和服务。三是深化工商数据合作，着手打造“账户管理工具库”。10家分行获取工商登记的实时数据，将工商数据应用到账户管理领域，研发推出“开户易”，节约开户时间三分之二以上，柜员操作体验大幅提升，进一步巩固建设银行开户优势。

截至2017年底，建设银行结算账户总量为794.36万户，稳固四大行第二位次，较年初增长122.36万户，增速为18.21%。分别比工行、农行和中行多增62.65万户、65.93万户和102.29万户。账户总量四大行占比为29.08%，较年初提升1.91个百分点，账户净增四大行占比47.32%，同比提升3.77个百分点。其中，基本账户总量585.11万户，超越工行跃居四大行第一。基本户占比为73.66%，较年初提升2.98个百分点，账户结构不断优化。

二、持续推进现金管理产品创新，打造对公客户营销拓展利器

一是全球现金管理补短板成效明显。构建涵盖全球账户管理、全球收付款、全球现金池、全球信息报告等综合化的全球现金管理产品体系，在国内银行同业中率先应用SWIFT－AMH（Alliance Messaging Hub）模块开展创新，为大众汽车德国总部开展基于SWIFT银企直联模式下的全球资金集中运营。二是现金管理跨行资金归集再推战略级产品。正式推出“禹道通达”多银行现金管理，实现由建设银行系统统管他行账户资金、开展跨行资金归集和多银行账户管控，功能领先同业，6个试点客户共管理工行、农行、招行、

浦发、民生等银行账户共计143个，当年归集他行资金额103亿元。三是“票据池+”应用创新拓展现金管理服务外延。不断丰富完善票据池功能，推出票据池+综合融资服务，业务范围涵盖黄金租借、收益权同业投资、内保外贷等多个领域。至此，建设银行已具备境内外、本他行、本外币的完整现金管理服务能力，并在现金管理+综合融资服务领域迈出坚实的一步。

全年完成战略性产品创新3项，重点产品创新14项，荣获建设银行2017年度产品创新二等奖和流程优化奖，以及2016年度建设银行金融科技进步奖一等奖、三等奖各2项；学好用好新一代案例评选活动中，全条线发布案例2151个，其中16项入选全行155强，河南、四川、辽宁、福建分行案例获评优秀案例奖；建设银行“禹道”品牌荣获《贸易金融》评选的“最佳交易银行第三方服务”奖项。

三、狠抓商户拓展及消费资金承接，推进对公支付结算生态圈建设

一是抢抓代收代付类商户拓展，提升消费领域资金承接。推出“易缴费”服务，开通北京燃气、南方电网等上百个生活类缴费项目；成功营销大庆公积金跨行代收项目，实现跨行代收及跨行代理缴费业务零的突破；完成农民工工资代发系统功能整合；以物业费收缴场景为依托，研发推出“禹道·物业通”行业综合服务方案。二是创新现金管理产品场景应用，打造对公资金承接闭环。总分行联动推出“法院案款现金管理方案”“农民工工资监管服务方案”，创新对公资金监管服务场景应用；加大农副产品批发市场、大型购物商场、家居建材市场等“专业市场资金结算平台”推广，服务专业市场“商圈链”客户，促进商圈资金闭环运行；与上海证券交易所合作研发金融衍生品交易费用收付平台，实现上交所金融衍生品交易会员单位会费资金闭环管理。

截至2017年底，建设银行代收及缴费业务新增客户1.15万户，代收及缴费交易7394笔、金额为1801亿元。代付业务新增客户7.19万户，同比多增4.8万户；代付业务量7.39亿笔、金额为3.48万亿元；其中，为2572个客户代发农民工工资80余万笔，累计代发22亿元。拓展汽车租赁、物业、学校等智能跨行收款客户782户，签约他行银行账户17.93万个，当年从他行归集至建设银行资金量10.5亿元。单位结算卡重点面向小微企业，当年发卡新增226万张，“湘商”“陕商”等七省市工商联优质企业联名卡发卡突破10万张，存款余额为405亿元。

四、多措并举做好客户营销维护，发挥现金管理吸存固客专业优势

一是强化与客户部门横向联动，在综合营销中发挥专业价值。协同客户部门开展重要客户营销维护，为中国铁建、中国交建、中国电建等提供人民币和外汇现金管理综合服务方案，做好国家电网公司资金结算系统重构、中国移动全集团资金管理平台建设、铁路总公司资金结算中心财务系统升级、中国石油天然气集团大司库系统配套上线等项目的维护支持和个性化开发工作。二是加快现金管理服务网络组建，提升银企合作黏度。为中国化工财务、保利地产、中铁十二局集团等重点客户搭建本外币现金管理服务网络，全年累计组建跨一级分行现金管理服务网络160个。三是做好境内外分行协同，积极推动重要客户产品营销。中标三星集团全球现金池项目，与悉尼分行、法兰克福分行联动做好奥瑞凯（Orica）、莱尼（Leoni）等客户的全球现金管理服务，为大众汽车德国总部开展基于SWIFT银企直联模式下的全球资金集中运营，为沃尔玛、拜耳、GE等跨国企业提供跨境信息报告服务。

截至2017年底，建设银行现金管理活跃客户163万户，覆盖全行对公客户的33%，新增55万户；总行级战略客户应用现金管理产品的集团个数达到113个，覆盖率为78%。对公网络活跃客户204万户，新增41万户，增幅达25%；五项结算类产品覆盖度达3.63%，同比提升0.22%；五项现金管理产品吸收存款沉淀2.45万亿元，固化集团客户存款余额4.09万亿元，分别同比提升4528亿元、3925亿元；稳存增存效果持续显现。规模以下无贷客户280万户，新增30.9万户，有效客户233万户，新增41.6万户，占公司机构有效客户新增的54%；规模以下无贷户日均存款新增突破1000亿元，占对公存款新增的12%。

五、加强业务合规管理，不断提升风险管控能力

一是严格执行监管要求，持续推进合规经营。贯彻落实反洗钱客户身份识别、防电信诈骗、同业账户身份核实等监管要求，配合做好各项监管工作，切实履行反洗钱义务，防范虚假开户，进一步强化合规管理。实施代收代付内部账户的统一风控管理，实现15万个内部账户向“新一代”的结转及33万项合约的配置更新，清理无效内部账户6万个。二是提升风险预防能力，加强内控制度建设。加大新产品、新业务的管理办法、操作规程、内控制度的制定和完善，全年下发管理制度40个；依托“新一代”，加快各项业务流程的电子化步伐，实现线上机控，减少手工操作风险。三是保障业务连续稳定运行。做好归口业务系统的持续性管理，保障业务平稳运行，为业务平稳发展保驾护航。

执笔：张　航

个人存款与投资业务

一、深化客户分层分群经营，个人客户量质双升

截至2017年底，个人全量客户6.1亿人，个人有资产客户3.7亿人、新增3336万人，增速为9.8%，连续三年新增超过2500万人。其中，个人有效客户1.3亿人，新增1400万人，增速为11.8%。全行累计激活零资产客户2342万人，县域有资产客户新增1127万人。个人客户金融资产余额为10.4万亿元，新增0.8万亿元。AUM 0.2万元以上客户产品覆盖度5.02个，较年初提升0.39个百分点，其中福建、新疆、厦门、湖南、宁夏、深圳、河北、陕西、山东、甘肃、苏州、云南、湖北、上海、内蒙古、宁波分行等16家分行客户人均持有产品超过5个。个人有资产客户存款、借记卡、短信金融、网银等产品渗透率超过50%。个人商户总量285万户，新增158.5万户，增速为125%。

主要措施：一是坚持“三个并重”策略推动客户拓展。狠抓新开户、零资产客户激活、存量有资产客户保有。重点挖掘低覆盖率区域客户拓展潜力，运用零资产赢回模型等大数据工具加强交叉销售。二是初步建立个人客户星级服务体系。初步实现客户视图、客户评价、客户细分、客户体验和客户定价的“五统一”经营体系，推广星级客户贵金属、保管箱等差别化服务。三是深化“一老一小”等百类核心客群经营。初步探索出场景圈链获客、客群经营活客、差异化服务留客的有效打法，完成38个优先推广的百类核心客群标识。全行推广“安心悠享”老年客群和“金蜜蜂”大学生客群综合服务方案，取得良好成效。四是专业化优质服务持续提升客户体验。加强对私客户经理队伍建设，举办86期对私客户经理轮训班、近5000人参加，逐步为大众富裕以上客户配备产品销售经理和对私客户经理，客户体验不断提升。

二、低成本和市场化资金并举，资金实力稳步提升

个人人民币存款日均余额为7.0万亿元，四大行占比24.6%、四大行第三；日均新增3544亿元，四大行占比23.5%、四大行第二。时点余额为7.1万亿元，四大行占比24.5%、四大行第三；时点新增2034亿元。个人存款付息率为1.42%，四大行次优，较2016年下降16个基点。其中，湖南、福建、辽宁、厦门4家分行个人人民币存款日均余额四大行第一。湖南、福建、吉林、甘肃、厦门5家分行日均新增四大行第一。

主要措施：一是全面拓展资金源头。全行开展“狠抓三大源头，力拓资金规模”活动。沉淀

代发资金。开展代发工资专项营销竞赛拼抢市场，推出代发工资客户专属存款促进资金承接，加强建设银行代发工资“薪享通”品牌宣传。拓展县域资金。以“裕农通”平台为抓手，推广“裕农通+供销社、通信商、卫生系统”等轻资产智能化县域服务新模式，多种合作方式构建百姓“村口银行”。承接对公经营性资金。狠抓对公单位承接覆盖率提升，加强对公客户营销进度管理，强化承接个人客户精细化管理。二是加快加大个人存款创新力度。推出聚财3号、聚财4号、特色储蓄三年期等个人存款创新产品，针对农民工代发工资客户推出聚财5号、聚财6号、聚财7号，针对普通代发工资客户推出薪享通1号，推进30项存款产品创新及功能优化，灵活满足客户差别化的存款需求。三是推进个人存款过程化管理。以“汇薪聚财　百日攻坚”为主题，开展存款过程化竞赛活动，通过抓资金闭环，跳出存款抓存款，重点聚焦每天每点达标网点占比、到期定期存款承接、未到期定期存款维护等关键环节。

三、个人中间业务收入四大行第一，重点产品“数一数二”

全行实现个人中间业务收入317亿元。同业可比十项个人中间业务收入合计四大行第一，四大行占比为29.9%，同比提升1.2个百分点。个人结算借记卡及电子银行、代销基金、人身保险三项重点产品收入197亿元，三项合计四大行占比32.4%、四大行第一。其中，个人中间业务收入四大行排名第一的分行14家，分别为深圳、湖南、厦门、福建、湖北、内蒙古、陕西、贵州、河南、辽宁、重庆、吉林、山西和浙江分行。

（一）个人结算借记卡及电子银行收入四大行第一

截至2017年末，借记卡总量达9.0亿张，同比增长8.4%。年内新增7415万张。其中，金融IC卡发卡总量达4.9亿张、占比54.8%，年内新增6982万张。借记卡消费交易额15.7万亿元，个人结算借记卡及电子银行收入111亿元，四大行占比35.8%、四大行第一。四大行第一的分行18家。

（二）个人银行理财新增四大行第一

个人银行理财余额1.37万亿元，四大行占比22.5%，四大行第二，在全行余额占比66%，较年初提升19个百分点；个人银行理财新增3789亿元，四大行占比32.1%、四大行第一。个人理财产品销量5.1万亿元、同比增长27%。

（三）人身保险收入四大行第二

代理保险业务抓期缴、保障和场景化产品销售，实现中间收入63.8亿元。其中，人身保险收入58.3亿元，四大行占比30.5%、四大行第二，四大行第一的分行14家。对私财产保险业务因政策调整较大，收入5.6亿元。位居四大行第一的分行6家。

（四）代销基金收入四大行第二

代销基金业务加快构建以公募为核心、专户和券商资管为补充的“一体两翼”综合性营销体系，全年实现销售金额1.29万亿元，实现收入27亿元，四大行占比26.1%、四大行第二。四大行第一的分行18家。代销基金累计交易量（含公募、券商资管及专户）9845亿元，其中，公募基金认购、申购合计7103亿元；券商资管及专户产品认购、申购合计2742亿元。

（五）实物贵金属收入四大行第一

贵金属业务加快完善消费、投资、收藏三大产品链条，重点营销建行金、微黄金和易存金三大重点产品，呈现稳步协调发展的良好态势。贵金属收入为28.6亿元，其中，实物贵金属收入为8.2亿元，四大行占比32.7%、四大行第一，同比提升1.0个百分点。四大行第一的分行21家。账户贵金属收入为20.4亿元，四大行占比28.2%、四大行第二，同比提升10个百分点。

四、坚持移动优先，支付结算商户端和消费端统筹经营能力进一步增强

一是打响龙支付品牌，消费端提质上量。在业内率先打响“龙支付”移动支付品牌，开展“乐享龙支付　指尖慧生活”营销活动，推出“龙支付”聚合支付，功能同业领先，形成“支付场景+金融服务+营销服务”综合化服务模式。截至2017年末，龙支付个人客户新增4685万户，计划完成率为135%，客户规模、每日跨行交易量四大行第一。二是拓展个人商户和支付结算生态圈，商户端扩面增效。组织开展“招商引资”商户拓展营销活动，下发“龙商通”个人商户综合服务方案，推广个人商户现金管理套餐。截至2017

年末，个人商户285万户，新增158.5万户，增长率为125%，规模翻番，量质齐升。以支付结算为切入点，从关注、改善、便捷民生角度出发，重点突破公共交通、生活缴费、政府民生等关键场景，打造生态闭环，新建达标①生态圈598个。

五、"新一代"对私核心系统推广和大数据分析应用进一步释放生产力

一是"新一代"对私核心系统树立建设银行科技进步新的里程碑。历经六年磨砺的"新一代"对私核心系统完成全行推广，实现了从部门级向企业级革命性提升，构建了以客户为中心的全量客户经营架构，塑造了组件化的产品灵活创新能力，提升了客户体验和精细化管理水平。个人业务条线牵头实施客户信息管理、对私客户关系管理、个人客户综合积分、对私存款等15个项目，在存款、支付结算、投资理财等领域完成20项产品创新，组织"新一代、新引擎、新零售"个人业务条线学好用好"新一代"案例分享活动。个人条线"新一代"应用案例4027个，在各条线中数量领先。精选县域、城市交通等领域的优秀案例向全行推广，有力地支持建设银行零售业务综合化和集约化经营，为全量客户经营、产品快速创新、精细集约管理、智慧渠道协同、良好客户体验奠定坚实基础。二是大数据分析与应用能力迈上新台阶，核心能力同业领先。开展精准营销，组织2017年"数据赢天下"个人业务大数据成果应用劳动竞赛，创建精准营销模型4058个，上线360分析建模功能，支持"随需而定、实时投产"，有效捕捉目标客户商机，快速响应市场需求。支持经营决策，开展个人客户资金流向分析、网点存款分析、年轻客群分析、个人住房公积金客户等数据挖掘分析。支持基层经营，首次运用地理投影技术，打造个人业务财富地图，优化个人客户信息管理应用功能，建立"境内外一体化"客户信息全景视图，为母子公司战略协同和集团信息共享提供基础。

六、坚持精细化管理，板块融合机制、合规管理等基础保障进一步巩固

一是零售板块融合机制初步建立。牵头建立零售业务综合评价机制，搭建零售业务全景视图，找准各分行优劣势，实施差别化指导，推动一级分行做实零售业务委员会，提升零售板块协同效率，更好地推动以客户为中心的统筹经营，形成"比学赶帮超"氛围。二是提高个人业务合规管理能力。推进个人客户反洗钱身份识别等系统改造，加快借记卡反欺诈系统建设。三是认真落实监管要求。逐项做好内外部检查的问题分析和整改落实，落实投资理财类产品销售"双录"、外汇业务合规管理等监管要求。四是加强消费者权益保护和公众教育，持续开展"基金服务万里行"等活动，认真落实普惠金融政策和监管要求。

执笔：赵　鸿

财富管理与私人银行业务

一、私人银行业务快速发展，全面完成业务指标

截至2017年底，金融资产1000万元以上私人银行客户金融资产（AUM）达到9402亿元，比年初增长1538.63亿元，增长19.57%。金融资产1000万元以上私人银行客户数量达到67670人，比年初增长8949人，增速为15.24%。

① 覆盖个人客户1万人以上。

二、完善业务体制机制，增强发展动力

遵循“为客户创造价值”的导向和理念，全面提升私人银行业务的专业能力和市场竞争力，研究制定了《关于加快私人银行业务发展的意见》。一是把37家一级分行分为重点发展、推动发展和带动发展3类，分类进行管理；二是厘清了二级分支行及网点主要作用是“获客”，私人银行专营机构（团队）主要作用是“活客”和“留客”的关系定位；三是针对存量300多家私人银行专营机构启动了“152”工程，带动全行私人银行业务发展。年内推出了北京、上海两家管理私人银行客户金融资产超过200亿元的私人银行中心，随着“领航私人银行中心”的建设，私人银行业务专业化、综合化服务得到了高净值客户和市场的广泛认可，专业化服务能力持续提升，进一步增强行内影响力。

三、提升专业客户服务能力，努力争抢顶尖市场

私人银行条线逐步健全了“获客、活客、留客”流程，健全以“五步法”为核心构建客户服务标准，向客户提供顶尖服务体验。一是采取客群综合解决方案，实施“圈、链、群”以及公私联动等多种方法拓展客户；二是推广实施私人银行客户经营五步法，做细做实“名单制管理”和“一户一策”，为顶尖客户服务体验提供流程、方法和技术支撑；三是运用精细服务和专业能力深耕客户关系，面向私人银行目标客户做足、做细投资者教育，修订印发了《中国建设银行私人银行客户投资者教育工作规程（2017年版）》，切实维护客户和银行权益；四是深化私人银行客户专享的品质服务，打造客户吸引力强的定制体检、定制旅游、商旅出行、子女教育、养老、法律税务咨询等高水准服务。

四、培育专业优势，打造市场领先的私人银行人才队伍

坚决贯彻落实“要花大力气建成具有领先专业资产配置和顶尖服务能力的私人银行财富顾问、私人银行客户经理等专业化队伍”的要求，持续培养和增强全行条线的专业经营能力。一是健全了私人银行人才“上岗—基础—提升—进阶”的四阶梯培养模式；二是集合全条线力量，加速培养顶尖财富顾问，提升其专业美誉度和市场影响力；三是充实和加强各层级私人银行专业人才队伍建设，开展重点地域、重点支行的后备财富团队梯次培育；四是开展财富规划、财富议题辩论、资产配置模拟实战等私人银行专业技能竞赛，比拼能力，提升专业素养。

五、差异化错位经营，提升客户全面资产配置核心能力

系统谋划和大力推动“投资策略+大类资产配置+综合解决方案+组合产品销售”为一体的差异经营模式，打造为客户全面配置资产核心能力。一是推进财富顾问服务，把“家族信托”业务打造成具有市场影响力的“拳头产品”，实现资产配置总额206亿元，吸引行外资金129亿元，占比约63%；二是构建开放式产品平台，协同资产管理业务中心推出“乾元—私享”系列私人银行资产组合型人民币理财产品，累计发行820亿元；联合建信信托推出消费信托产品，与建信信托、建信资本推出全委托投资服务，与建信信托合作推出“中国国企改革创新私募投资基金”，募集总规模7.6亿元；与行外第三方合作发行私募产品；三是制订了《投资研究及资产配置实施方案》，优化资产配置策略BL模型，形成《私人银行资产配置策略优化情况报告》，为客户资产配置提供参考；四是持续优化“金管家”“私享品”、专属保险等满足客户个人、家庭、企业多元化服务需求综合金融产品。

六、加强联动开放融合，精耕金融生态

通过健全行内联动、集团协同、市场融合的机制，促进私人银行业务快速发展，以客户金融生态构建市场比较优势。一是抓住“蓝海工程”战略契机，主动与建信养老金公司联动，设计并嵌入私人银行养老服务方案，创新启动私人银行“房管通，老无忧”房产存管养老服务研发，力求将私人银行养老服务打造成行业标杆；二是依托集团多牌照优势，为私人银行客户提供“跨界”综合解决方案和产品服务。

七、强化智慧引领，加大业务的智能和数据应用

把私人银行业务作为释放“新一代”建设成果和创新应用的重要领域。一是编制2017—2020年私人银行网络化应用实施计划，在手机银行、网上银行、员工渠道中积极部署私人银行业务，完成私人银行客户经理员工渠道APP上线、私人银行部代销产品在手机银行、网上银行销售等功能部署；二是创新实施“私享魔方”“私享商机”“私享慧视”“私享聚焦”“私享远望”数据应用项目，在手机、电脑、微信等多渠道打造总分行协同联动、高效灵活的数据分析与应用体系。

八、强化风险与内控合规管理

协同审计条线完成针对15家分行的2017年度私人银行业务专项审计工作，强化私人银行反洗钱、反欺诈、客户资金一体化运作和关联交易管理能力，组织全行开展内控合规自评估和抽查，确保私人银行业务稳健发展。

执笔：王　娟

住房金融与个人信贷业务

一、工作成果

（一）个人贷款余额同业领先，继续保持国内零售第一大行地位

截至2017年末，全行个人贷款余额为46146亿元，比年初新增7183亿元；还原证券化数据（838.40亿元）后，个人贷款比年初新增8021亿元，余额、新增同业占比分别为29.84%和30.64%，余额领先工商银行的优势从2016年末的2439亿元扩大至3017亿元。个人贷款余额在全行各项贷款中占比首次超过40%，比年初提升3个百分点。余额、新增均为同业第一，守牢国内最大零售信贷银行地位。

（二）个人住房贷款余额保持同业第一，二手房贷款新增继续保持同业首位

全行个人住房贷款余额为43807亿元，比年初新增6116亿元；还原证券化数据后，比年初新增6954亿元。二手房贷款新增2469亿元，占全部房贷新增的40.37%，住房贷款结构进一步优化。

领先优势继续保持。我行个人住房贷款余额在四大行中占比为30.12%，余额超过工商银行3382亿元；二手房贷款新增继续保持同业第一；个人住房贷款不良率为0.29%，质量同业最优。

（三）快贷持续快速发展，个人消费经营类贷款在四大行中唯一正增长

全行个人消费经营类贷款余额为2339亿元，比年初新增1067亿元，同比多增1048亿元，保持新增四大行第一；快贷余额为1563亿元，比年初新增1275亿元，新增比2016年同期多1031亿元。快贷累计发放3905亿元，当年发放3303亿元，累计客户数达607万户，当年新增418万户，成为个人消费经营贷款主要增长点。

（四）住房资金存款新增超过去年同期，房改金融市场份额稳固

全行住房资金归集余额为27880亿元，比年初新增2877亿元。其中，住房资金存款余额为7276亿元，比年初新增943亿元，同比多增1100亿元；住房公积金个人贷款余额为20490亿元，比年初新增1955亿元。

（五）个人贷款实现不良双降，资产质量保持四大行最优

全行个人贷款不良余额为167.62亿元，比年初下降4.40亿元；不良率为0.36%，比年初下降

0.08 个百分点。全行个人逾期贷款余额为 300.59 亿元，比年初下降 15.20 亿元，逾期率为 0.65%，比年初下降 0.16 个百分点。个人贷款不良率低于四大行平均不良率 0.20 个百分点。个人贷款、个人住房贷款、个人消费经营贷款资产质量均保持四大行最优。

（六）个贷利息收入增长良好，中间业务收入保持稳定

实现个人贷款利息收入 1925 亿元，其中住房贷款利息收入 1828 亿元；还原“营改增”影响后，个人贷款利息收入 1961 亿元，其中住房贷款利息收入 1863 亿元，同比分别多增 367 亿元和 335 亿元。全年实现中间业务收入 34.04 亿元，其中房改金融业务收入 32.50 亿元。

（七）资产证券化业务稳步推进，市场规模排名第一

全年完成 9 单“建元”系列个人住房抵押贷款资产支持证券，规模合计 838.66 亿元；发行 2 单“建鑫”系列不良资产支持证券，基础资产分别为个人住房不良贷款与信用卡不良债权，规模合计 19.00 亿元。市场规模同业第一，获得各界广泛认可。

（八）住房租赁新业务拓展成效显著，政府签约、平台上线、房源发布全部完成既定目标

截至 2017 年末，与 310 个地级及以上行政区政府签订合作协议，其中签约平台合作协议的有 304 个。在 18 个省区实现（河北、山西、辽宁、吉林、浙江、安徽、福建、山东、河南、湖北、湖南、广西、四川、贵州、云南、甘肃、青海、宁夏）地级及以上行政区签约全覆盖。

五大系统全部上线。住房租赁监管服务系统在 64 个地级及以上行政区上线，企业租赁服务管理系统在 36 个地级及以上行政区上线，政府公共住房服务系统在 16 个地级及以上行政区上线，住房租赁服务共享系统在 2 个地级及以上行政区上线，住房租赁监测分析系统在 2 个地级及以上行政区上线。

房源储备不断增加。有 28 个分行已储备或上线房源。储备房源超过 4.4 万套，累计上线房源超过 1.5 万套，其中发布房源 1.3 万套，已出租房源 1700 多套，多家分行实现配套租赁贷款的试点投放。

二、主要工作举措

（一）科学把握贷款投放，增强个人住房贷款经营能力

坚持差别化信贷政策。按照分类指导、因城施策的政策导向，优选人口潜力大、经济运行良好、房地产市场健康平稳、自住型需求旺盛的重点区域发放贷款。支持三、四线城市去库存，在风险可控的前提下，支持自有资金真实、信用记录良好、还款来源稳定、购买首套普通自住房的优质客户。

大力发展二手房贷款。适应市场向存量化发展的趋势，主动调整贷款投放结构，积极创新二手房贷款业务模式，提升市场竞争力。

坚持量价平衡发展。跟进市场及政策形势变化，积极应用量价动态平衡机制及时调整定价要求，持续深化差别化定价策略，丰富定价要素，提升定价管理的精细化水平，提升新增信贷资源使用效益。

（二）以快贷为拳头产品，带动个人消费贷款创新发展

开展快贷专项营销。全员参与、全渠道部署、全方位宣传快贷，先后开展“推快贷　比获客　促增长　提位次”快贷营销竞赛活动、善融快贷专场活动等，调动全行网点、条线积极性。

持续优化快贷功能，进一步扩大客户覆盖范围。增加公积金缴存客户数据接入方式，实现对超过 20 万家公积金缴存单位的客户覆盖。完成网贷客户、互联网交易客户、结算类客户、龙支付客户（个人及商户）和信用卡客户五大类客群专项模型，覆盖潜在客户 4000 万户。以分行获取数据、总分行联合建模、白名单导入的方式支持分行特色客群试点。

创新拓展消费场景。在广东、湖北等分行应用快贷白名单功能试点开办校园贷基础上，针对大学生客群特征设计专项线上校园贷产品。积极开展与“京东金融”“银企通”“去哪儿网”“红星美凯龙”等外部机构合作，拓展行外客群。

（三）抓住系统营销和综合金融服务两条主线，守牢房改金融业务优势

以科技系统为核心，不断完善房改金融生态圈。紧跟各地住房资金管理部门信息化建设步伐，完成全部612家住房资金管理部门和公积金中心接入住建部住房公积金异地转移接续平台，协助住建部加快推进住房公积金结算应用系统，积极推广住房公积金业务管理系统，大力营销住房维修资金业务管理系统，不断完善住房公积金综合服务平台。

做好客户综合金融服务，稳固战略合作关系。积极做好住房资金管理部门综合金融服务，落实“双名单制”管理，开展住房公积金“精诚合作伙伴”授牌营销活动，按客订制综合金融服务方案，服务能力不断提升。

（四）主动防控化解风险，促进个贷资产质量稳中向好

前移风险防控关口，积极开展业务检查和风险核查。深入落实银监会“三三四”系列专项治理工作要求，组织开展2017年“个人信贷业务风险管控年”活动，充分运用个贷风险预警模型手段，及时发现并核查疑点问题，防控风险隐患。

（五）持续开展资产证券化，支持业务发展

根据业务发展需要，适时发行资产证券化。全年发行资产支持证券11单，涵盖正常和不良两类资产，发行规模为858亿元，盘活存量资产，优化信贷结构。尝试推进做市商机制，指导券商在建元系列产品中尝试双边报价，客观上促进了二级市场流动性提升，活跃了市场交易。

（六）创新应用大数据技术，提升智能化管理水平

完善个贷业务流程再造，增强了基础管理能力。推进贷后流程功能点上线实施，拓宽催收信息展示渠道，增加拖欠贷款扣划还款的手段，提高了系统自动处理水平，提升了催收效果。针对借款人主体真实性、收入真实性、首付款真实性等方面存在的主要贷前风险，研究系统机控技术手段。

稳步推进楼盘大数据平台上线，试点应用房屋价值自动评估功能。分两批在全国50个城市上线楼盘大数据平台。在贷款调查、信息录入、审核等环节部署自动估值功能，组织部分城市试点应用，对模型进行误差分析，形成优化方案。

依托楼盘大数据平台，创新开展建行住房指数建设，初步形成住房价格和租赁两套指数体系。建立建行住房价格指数体系，形成多层级（全国、区域、省份、城市、行政区）、多维度（房屋类型、户型、面积）的指数体系，开发完成全国级、3个区域级、3个城市圈、20个城市级（含城区级、特色级）住房价格指数。初步建立建行住房租赁指数体系，并将指数研究纵向延伸至片区、小区级编制，已成功发布北京、上海、深圳等18个城市住房租赁指数。

（七）以住房租赁市场为切入口，形成难以复制和赶超的商业模式

与相关部门、分行、子公司，对项目实施统一管理，敏锐捕捉市场机会，找准市场切入点和突破口，运用新思维、新技术和大数据工具，创新金融科技新理念，以新商业模式直面跨界竞争，研发推出一大平台、五大系统、两大类新产品的住房租赁综合解决方案，以市场化手段推动住房租赁市场发展，着力打造住房租赁市场新生态。

做好顶层设计，着力把控项目实施方向，确保项目推进不出偏差。协助住建部制定住房租赁信息服务系统和监管平台技术规范及数据标准，印发《中国建设银行个人住房租赁贷款管理办法（试行）》（2017年版）；出台平台运营、政银、银企合作协议指引、房源真实性规范、子公司申请流程等办法或方案，从营销政府入手，组织指导全行加快项目实施，直接参与重点城市营销和全国前十大房企营销，房源营销、平台上线各环节操作方案落地迅速，层层压实，步步为营。

历经研发、试点、推广，与互联网巨头全面碰撞，与银行同业短兵相接，项目推进速度、取得成效全部超过预期，率先唱响“要租房，到建行”，设计打造CCB建融家园品牌，向社会传递了住房消费的新理念，市场引领作用明显，进一步深化了我行与政府及客户的合作。

广东、深圳分行先行先试，发挥试点“排头兵”作用，湖北分行率先在试点分行中实现对省内全部地级以上城市签约全覆盖，福建分行在非试点分行中率先实现对省内全部地级以上城市签约全覆盖，在雄安地区和北京市，超越互联网巨头实现逆转。从各省住建厅到各地房管部门，营销全面覆盖，签约合作住房租赁业务的省住建厅有21个。

推动住房租赁市场发展的举措，社会反响良好，主要媒体给予高度评价，各级政府领导也充分肯定了建设银行所做的工作。媒体评价住房租赁是大国行动落地，是贯彻落实党的十九大精神的重要举措，建设银行则是其中的先锋，实质性动作最多、表现最为积极。

执笔：王　毅　童学锋　蔡军花　潘　霓

信用卡业务

一、业务发展情况

（一）业务效益快速增长

截至2017年末，全行信用卡条线实现业务收入478亿元[①]，同比增长29%，较上年同口径增长突破100亿元，达到106亿元；实现信用卡中间业务收入376亿元，同比增长36%，作为全行总量、增量双第一的产品，占全行中收比重达到25.9%，同比提升5.7个百分点。成本收入比为35%，较年初又下降1.8个百分点。

（二）对消费经济的贡献持续增强

先后实现信用卡发卡量1亿张、贷款余额为5500亿元、客户量8000万户的三大历史性突破。截至2017年底，全行信用卡累计发卡10692万张，客户总量达到8163万户；当年净增发卡1286万张，净增客户719万户。当年实现消费交易额2.6万亿元，在全国社会消费品零售总额中占比7.2%；实现分期交易额3632亿元，同比增长36%；贷款余额达到5635亿元，占全国个人短期消费信贷比重达到8.3%，当年新增1197亿元，较2016年同期多增657亿元；累计为165万实体商户提供收单服务，当年净增商户53万户，承接消费资金3.35万亿元，同比增长15%。

（三）多项核心指标同业第一

信用卡客户总量、贷款余额、贷款新增、中间业务收入和资产质量等多项核心指标同业第一，业务收入、利息收入、消费交易额和交易笔数、分期交易额、分期收入等指标保持四大行第一，客户满意度六大行第一。

（四）资产质量同业最优

信用卡逾期90天以上不良率为0.89%，同比下降0.08个百分点，低于六大行平均水平0.85个百分点，资产质量始终保持同业最优。

二、主要工作进展

（一）全面深化转型成效明显

一是全行对信用卡业务的认知和行动一致性空前提高。建立“一行一策”工作机制，在加大对重点地区和一级城市分行指导力度的同时，进一步将“一行一策”工作机制延伸到二级中心城市行，强化中心城市行损益经营理念，加大对标管理和差异化管理，建立329家城市分行信用卡业务损益管理指标体系，切实解决基层行对信用卡业务的认知和开办问题，提升各级分行信用卡收益贡献。37家分行信用卡业务全部实现盈利，13家分行信用卡中收在分行总中收贡献占比超过30%。

二是信用卡业务转型发展相适应的体制机制日益完善。在财务管理、风险管理、合规管理等方面实施全条线横向到边、纵向到底的矩阵式管理架构，建立集中管理、集中系统运作、集中营运作业、总分联动营销服务、差异化授信、差异化风险管控等分工协同、集约高效的经营管理体系，探索“去中间化”的经营运作模式。

三是全面对标招行的收益能力稳步提升。中间业务收入由去年的差距9亿元至反超2.5亿元；活动卡均收入和活动卡均贷款与招行之间差距分

① 注：收入口径含有增值税。

别缩小124元和1885元；贷款收益率与招行之间差距缩小0.12个百分点，循环透支贷款占比与招行之间差距缩小1.7个百分点；生息资产占比达到65.47%，比招行高出9.3个百分点。

（二）基于“一个体系”的信用卡客户拓展和经营进一步深化

一是基于个人客户统一视图深化存量优质客户经营成效显现。整合全行特别是零售条线客户资源，联合个人部、房金部、网金部等部门共同部署全年信用卡联动营销工作，充分挖掘互联网、理财、代发工资、公积金等优质客户资源，提供一揽子信用卡综合金融服务方案，提升各条线信用卡客户渗透率。全年通过手机银行、微信银行等网络渠道主动申请的信用卡进件量1290万件，新客户进件占全渠道进件量的43.3%，带来新增客户超过225万户；与公司、机构、房金、个金条线联动营销完成率超过120%。持续加强新客户激活和存量客户关怀。

二是年轻客户经营要素结构匹配进一步优化。围绕客群年轻化，创新推出与之配套的产品、支付、商户、消费信贷、渠道、促销活动、授信政策、增值服务等经营要素，提升年轻客户拓展成效。下发《中国建设银行信用卡年轻客群经营发展体系三年规划》，基于年轻客群进件网络化、移动化特征，持续优化年轻客群授信策略，引入FICO评分、学历、互联网行为等外部征信数据，扩充预审批库中年轻客户营销商机量。全年新增35岁以下年轻客户810万户，占比64.6%，同比提升3.5个百分点；围绕客户不同生命周期阶段信用卡产品创新的迭代与迁徙规律，有针对性地创新、丰富、完善适配年轻客群的信用卡产品体系，先后创新并优化推出腾讯游戏卡、龙卡JOY信用卡、LINEFREINDS粉丝信用卡、喜马拉雅FM信用卡等年轻化产品，其中龙卡JOY信用卡发卡量已突破130万张。

（三）循环信贷和分期信贷“两个引擎”增长强劲

建立全客群、全市场、全覆盖的循环信贷和分期信贷产品体系，产品创新延伸到汽车、装修、旅游、教育、留学、商户等各消费热点领域。全行实现信用卡纯消费交易额2.4万亿元，创造消费回佣收入87亿元，同比增长43%；实现取现交易额1593亿元，同比增长30%，消费取现贷款利息收入首次突破100亿元、达到102亿元①；实现分期交易额3632亿元，同比增长36%，实现分期手续费收入195亿元，同比增长32%。重点加快推进“三个平台”建设：

一是做大做强汽车金融平台。组建汽车金融团队，深耕客户“车生活”消费金融需求，围绕学车、购车、用车、换车等全生命周期整合信用卡产品、权益、金融服务和非金融增值服务，当年投放购车分期交易额703亿元，同比增长15%；全流程业务办理效率全面提升，办理时间由年初的5.7天缩短为2.7天；重点加大与汽车厂商和经销商集团的总总合作力度，在全国100强汽车厂商和经销商名单中，已拓展53家汽车厂商和62家汽车经销商集团，全国家庭乘用车销量中每100辆就有3辆由建设银行提供消费信贷支持。

二是全力打造商户分期平台。组建商户分期团队，重点推出“龙卡随付贷”产品品牌，上线随付贷商城，加快线下线上一体化布局。全年实现信用卡商户分期交易额22亿元，累计拓展分期商户6.8万户，同比增长117%，实现手机通信、家电数码、教育培训、汽车生活四大行业全覆盖。

三是加快推进安居金融平台化运营。以装修分期为主，结合车位分期、教育分期、留学分期等不断丰富完善安居金融产品体系；把握住房租赁市场机遇，以政府公共租赁房、中高端人才公寓、企业福利租房项目为切入点，对接建行租房金融公有云平台，加紧研发租房分期产品，并在上海率先试点租房分期。全年安居金融实现交易额532亿元，同比增长11%。

（四）支付及商户场景化创新进一步加快

明确商户作为供给侧和消费侧联结点的发展定位，契合持卡人的消费需求及偏好打造特惠和收单商户群，构建“消费目的+场景+支付+信贷”的商户四位一体化发展格局，形成与第三方支付竞争特有的比较优势。全量收单商户达到165万户，当年净增53万户，实现收单交易额

① 收入含增值税。

3.35 万亿元，收单手续费收入 28 亿元。

一是以“慧兜圈”为抓手加快商户场景化建设成效显著。“慧兜圈”项目上市以来累计布局商圈 7081 个，签约商户 36.8 万户，实现收单交易总量 1.37 亿笔、收单交易额 2412 亿元，日均沉淀存款余额 461 亿元。“建行慧兜圈　百城万店五折惠”活动已覆盖全国 268 个城市、1.65 万家商户，529 万人次参加了活动，平均每天分享优惠券人数超过 10 万人。

二是商户结构持续优化。契合我行持卡人消费需求，大力拓展高消费交易、高收益、高价值、高流量商户，提高衣、食、住、行、娱等类型商户的市场占比，形成消费购买支付和信贷的引流效应。累计发展餐饮类、亲子类、健身美容类、酒店类、休闲娱乐类商户 26.9 万户，较年初提升 70%。发展特惠商户 4.2 万户，同比增长 142%，每万户活动客户对应特惠商户 9.9 户，较年初增长 5.8 户。

三是支付平台创新发展不断加快。建设线上线下全覆盖的支付创新体系，启动“贷吧”项目研发，打造信用卡与第三方支付及支付端场景融合的新型支付平台。信用卡电子支付交易额为 3411 亿元，同比增长 35%。

（五）信用卡“六化”核心能力建设成效显现

一是互联网渠道功能部署进一步加快。依托“新一代”项目迭代优化，围绕移动优先、网点赋能、开放合作等方面持续深化渠道建设和功能部署，初步实现线上线下渠道融合、行内外渠道融合、员工客户渠道融合。加快推进互联网渠道功能创新，重点实现新版手机银行信用卡频道、消费信贷平台、风险预警平台、龙易行 PAD 平台、客户回馈平台、权益平台、第三方电商平台 7 个渠道平台、82 项重点功能的上线投产，有力支撑信用卡在各渠道引流、获客、产品、服务等方面的交付。信用卡客户手机银行渗透率达到 71.9%，较年初增长 7.5 个百分点；微信银行绑定率达到 28.2%，较年初增长 3.8 个百分点。

2017 年 9 月 1 日，信用卡中心开展“金融知识走进校园”活动

2017 年 6 月 9 日，信用卡中心赴海南五指山市毛阳镇开展龙卡信用卡“爱心 100 分”公益活动

二是“新一代”系统功能学习应用不断深化。持续优化开发利率市场化、分期资产证券化、贷后管理、收单与商户管理、“新一代”海外收单等 10 余个系统项目；深入开展“学好用好‘新一代’”培训，将“新一代”指标纳入处室绩效考核方案，进一步调动各处室、分行条线的积极性。信用卡条线报送各类应用案例 2114 个，在总行排名前列。

三是数据分析应用对科学管理决策的驱动力持续提升。在全条线开展信用卡大数据劳动竞赛与大数据人才“育苗工程”，切实提升分行信用卡数据分析与应用能力，在全条线营造“用数据说话”的氛围，努力打造信用卡业务成为全行大数据分析应用的“高地”。与上海数据分析中心合作开展年轻客户精准营销、专项分期精准营销等 12 个数据分析应用项目，其中年轻客群项目全行营销成功率超过 6.5%、新拓展客户 94 万户，实现 167 亿元分期交易额。持续开展信用卡客户标签库、非结构化数据应用探索、信用卡智慧化客户经营等全行大数据重大项目，完成2600余个客户标签的开发与定期更新，累计精准营销、精准服务近7000万人次，月均减少人工电话量18万通，减少工单1.2万张。

四是“智慧客服”建设成效显著。秉持“一心一意拥有，成其幸福永久”的信用卡品牌理念，建立贯穿客户全生命周期、全流程高效统一的集约化、标准化经营模式，坚持以“客户之声”机制驱动业务创新和流程优化，与客服中心协同联动持续创新服务模式，研究制定并持续推进降低电话量的20项措施，推动投诉升级预测、营销机会挖掘和来电原因分类等模型应用，自主开发“安心用”批量设置功能和“慧眼识真”短信识别功能，依托人工智能技术持续优化信用卡智能机器人。“龙卡信用卡”微信粉丝突破1200万，在银行信用卡微信订阅号中排名第一；电子账单替代率达到90.5%，同比提升6个百分点，节约纸质账单成本6亿元。在客户服务中心协助下，信用卡客服电话综合接通率同比提升6.46个百分点；每百万卡电话量同比下降33.54个百分点，自助渠道受理量超过90%。高度重视客户投诉和声誉风险管理，建立及时响应、及时处置的应急机制，总分行联动加强消费者权益保护，每百万张卡投诉量始终保持同业最低。

（六）全流程、全要素信贷风险经营管理能力持续提升

一是贷前坚持“普授信、广授信、少集中、控大额”授信原则，强调“识假、防假、打假”，从源头上确保客户真实、资料真实、交易真实和用途真实；分客群、分区域、分产品实施差异化授信政策，持续开展“有升有降”的额度动态管理，全面提升精细化、精益化、精准化的风险经营管理能力水平。全年累计为2235万信用卡客户调升额度，同比增长38%；全行信用卡自动征信率为46%，同比提升8个百分点，节约7%的征信人力；自动审批率为72%，同比提升7个百分点，节约7%的审批人力；信用卡审批作业时间3.5个工作日，同比缩短1.3个工作日，44%的信用卡申请当天完成审批。

二是贷中加大风险计量工具以及“新一代”反欺诈、风险预警等系统的开发应用，适应商户业务转型发展与整体布局，专门设置商户风险管理单元，完善商户风险管理体系和两级预警管理机制，全面提升风险预警防控水平。全年实时堵截欺诈交易金额1.3亿元，同比提升29%，累计防范发卡欺诈损失52亿元；累计侦测排查疑似风险商户3.2万户，防范商户欺诈损失近2000万元，内卡、外卡商户欺诈率均低于同业平均水平；“新一代”信用风险预警系统正式上线推广后，预警业务实现信息“秒级传递”，风险客户及时识别率增加50%，流转周期从T+5缩短到T+0，日均处理效能提高90%，分行排查反馈及时性提升80%，主动预警占比提高57%，累计处置账户38.7万户，管控风险敞口33.2亿元。

三是贷后持续优化催收工具，上线催收评分卡，试点早期律师函催收、早期外包催收，拓展网点柜台、智慧柜员机等催收渠道，持续完善实时存款扣划工具，实施资产证券化等不良资产处置方式，推进资产质量管控重点联系人机制，开展“控新增　促回收　提收益”竞赛活动提高分行催收回收成效。全年回收处置不良贷款48.82亿元，已核销资产当年回收额为8.25亿元，占全行各条线已核销回收额的16%。

四是全面内控合规管理工作进一步深化。下发《关于印发〈信用卡业务全面内控合规管理方案〉的通知》（建卡［2017］199号），在全行各业务条线中率先创新矩阵式合规管理架构，打造信用卡业务内控合规管理闭环，形成总分行自上而下、横向延展的协同机制；持续改进全行首创的合规审查工作机制和流程，在总行各部门中首次开展处室巡察，年内完成11个业务处室，全面、有效提升合规经营管理能力和水平。上海银监局检查组给出了“各项业务发展总体态势良好”的评价。

执笔：王瑛琦

网络金融业务

一、全面深化转型发展，积极推进网络金融生态系统建设

一是深化网络金融战略发展规划，拟订《2017年网络金融战略发展规划推进工作方案》，制定2017—2020年的工作目标、内容、措施，分步推进。二是牵头落实总行互联网金融战略规划专题，统筹协调、组织推动三大网络金融生态系统建设，累计搭建对公网络金融生态圈95个，搭建个人生态圈项目超685个，推动非金融服务生态系统建设持续保持领先优势。三是理念引导青年员工开展互联网思维及方法研究，完成金融科技、大数据等14项专题研究，并结合业务实际积极推动成果应用。

二、坚持“移动优先”战略，移动金融业务发展继续领跑同业

一是依托“新一代”系统强化应用创新，推出更加智慧、开放、协同的新版手机银行，客户体验更优。截至2017年底，个人手机银行客户数2.66亿户，年交易量为508亿笔，同比增长144.68%，年交易额为57.3万亿元，同比增长

2017年3月30日，建设银行2017年零售及网络金融业务转型发展暨工作会议在湖北召开

87.59%。移动金融交易量占比达85.01%，较年初提升17.29个百分点，超出计划值10个百分点；手机银行当年活跃用户总数6279万户，计划完成率为112.42%；在主要应用市场下载量排名第一，用户满意度六大行第一。二是企业手机银行全新改版，创新码上收付、企业预开户、工商名片等同业领先功能，打造“一站式”、全流程移动企业银行。企业手机银行年交易量超过605万笔，交易额超过8586亿元，同比分别增长124%和180%。三是新版微信银行业务规模和品牌影响力稳居同业第一。微信银行用户数7212万户，关注并绑定账户的微信银行用户数4956万户，较年初新增1334万户，日菜单点击量突破400万次，宣传效果与一线纸媒相当，蝉联“中国企业500强新媒体传播指数”榜首。四是打造同业领先的企业级优惠活动平台“惠生活”，支持全行更好地服务商户，提高商户综合贡献度。

三、围绕“精准、差异、创新”策略加强特色创新，网上银行服务能力业界领先

一是面向高净值客户推出私人银行版、面向境内外籍人士推出英文版两大个人网银定制版本，新增和优化手机扫码登录、智能转账、智慧营销工具等211项服务。截至2017年末，个人网银用户数2.7亿户，客户满意度居六大行第一。个人网银当年活跃用户总数1320万户。二是“新一代”企业网银全面改版，打造定制化服务版本，全新构建国际结算产品体系，客户体验及服务能力大幅提升。企业网银用户数603万户，比上年增加117万户，同业排名第一；活跃用户数247万户，同比增速为33.05%。稳步推进全球化企业网银推广工作，助力我行海外业务拓展和转型，我行已开业30家海外机构中，上线企业网银机构达26家。三是创新推出企业ERP云平台，助力普惠金融，服务实体

经济。截至2017年末，全行试运行注册会员3280户，运行情况良好。四是推进“e账户”人脸识别线上实时开户，创新直销银行场景化服务模式，将建设银行支付结算、投资理财、信贷融资等服务输出到第三方，增加客户触点，实现在线获客。开立e账户401万户，其中他行客户在建设银行开立e账户3.5万户，资金流入22.8亿元。

四、“悦生活”商户、交易量、服务场景爆发式增长，国际互联网网站体验和品牌双提升

“悦生活”云服务平台实现三大升级，一是渠道端落实移动优先，推出手机银行“悦享生活”服务；二是后台端实现企业级平台，上线内嵌商户统一管理后台；三是用户端操作体验全面提升，实现客户缴费记录渠道端共享、快速定位缴费项目。全年，“悦生活”拓展商户3.71万户，交易量为3.24亿笔，交易额为964.55亿元，服务场景覆盖8大项167小类4万个。其中，云服务平台入驻商户2.54万家，服务个人客户367.58万人。党费云服务已服务各级党组织8.62万个，开设党费收款账户1.39万户，服务党员114.95万人，党费缴交量1250万笔，党费缴交额为9.2亿元。国际互联网网站日均页面浏览量6926万个，单日最高页面浏览量达1.25亿个。理财、基金、保险等投资理财类产品在网站渠道销售交易量4.3万笔，同比提高67.2%，交易额为68.21亿元，同比提高39.1%。建设银行互联网网站位列《互联网周刊》“2017年中国商业银行网站综合服务水平排行榜”首位。落实“移动优先”战略，创新营销型移动门户网站，无须登录、下载，快速有效转化客户需求，建设移动端低门槛获客平台。

五、商户拓展卓有成效，网络支付业务市场份额同业领先

一是商户及交易规模跨越式增长。截至2017年末，全行网络特约商户总计11万户，较年初增长919%，其中，网络特约活动商户46642户，计划完成率为241%；全年网络支付总交易笔数273亿笔，总交易金额为11.4万亿元，在支付宝、京东等多家大型支付机构及电商平台交易份额同业第一。二是收入和存款贡献再创新高。全行网络特约商户手续费收入超过75亿元，同比增长50%。支付宝、财付通在建设银行时点存款超过1700亿元，日均存款1114亿元。三是创新支付手段同业领先。推出总行企业级聚合支付产品，同业率先实现四码合一，上线仅两个月日均受理业务超过20万笔。总对总快捷提现产品上线，促进商户资金回流。支付宝和财付通在我行的提现回流资金达8万亿元，其中财付通的资金回流比例超过80%。

六、善融商务交易规模持续增长，电商扶贫实现跨越式大发展

善融商务加强产品和功能创新，推出移动版善付通、PC端和移动端扶贫频道、触屏版企业商城等，多渠道、多平台、多场景推动构建非金融生态服务，善融商务考核口径交易额为1526.7亿元，计划完成率为148.23%，银行系电商社会影响力不断加强。探索电商精准扶贫新路径，全年善融商务累计认定扶贫企业1940户，覆盖27个省市545个贫困县，实现扶贫交易94万笔，交易额51亿元，加入商务部“电商扶贫”频道，正式进入行业“引领者”队列。

七、积极扩大宣传影响，打造网络金融品牌

网络金融品牌先后获得《金融理财杂志社》“金貔貅奖”——“年度金牌电子银行”；中国金融认证中心（CFCA）中国电子银行金榜奖——“2017年最佳电子银行奖”等奖项，悦生活云服务、新版个人网银、手机银行、千人千面大数据应用、“新一代”企业网银、善融商务扶贫、中国建设银行微博、微信公众号等先后获得各类奖励20余项。

八、加强内控合规管理，提升风险管控水平

一是严格落实监管要求，强化审计和合规问题整改，切实做好各项自查工作，全面构架网络金融风险防范体系。二是推进以生物技术为主导的安全服务创新，创新和应用音频盾、手机SE等新型安全工具，试点推出指纹、声纹、人脸识别等安全认证手段，反欺诈风控专业性和智能化水平双提升。三是开展大数据在快捷支付等领域的分析应用，新

增、优化风险监控规则296条，不断提高风险交易识别的准确率和时效性。四是与蚂蚁金服、财付通、京东交互共享有效欺诈黑产信息，扩大反欺诈防控覆盖范围。共拦截风险事件4.89万起，避免客户资金损失1.98亿元，网络金融业务反欺诈同业第一，反钓鱼同业领先，舆情风险最少。

九、强化大数据和“新一代”应用，提高精细化管理水平

一是加强大数据应用，提高获客、活客效率。总、分行共发布千人千面营销广告386项，精准投放7.3亿人次，节约短信成本3000万元。二是推进数据创新，夯实大数据运用基础。全面采集手机银行、个人网银、网站客户动态行为数据，新增优化报表114张、数据统计指标2063项，推出“鹰眼”移动端数据应用，月均访问量87万次。三是开展数据分析，为业务发展提供决策基础。构建手机银行客户流失预警模型等11个模型，手机银行用户流失比率较上年降低9.9个百分点。四是切实提升客户体验。累计发现各渠道网络金融焦点问题1213项，问题解决率达93%；组织开展123组可用性测试项目，开展客户满意度监测研究项目，2017年度个人网上银行、手机银行客户满意度四大行排名第一。五是加强业务培训。通过现场、视频、网络课程、对外输出培训资源等方式，助力条线和各分行业务转型发展。全面修订《网络金融业务》岗位培训教材，夯实培训工作基础。

十、加大创新力度，提出领先同业的2018年网络金融创新业务需求

贯彻移动优先战略，坚持企业级理念，积极运用金融科技和“新一代”成果，会同广州电子银行研发中心、广州开发中心、合肥电子银行业务中心，广泛征求分行意见，研究提出2018年网络金融创新业务需求，全面涵盖移动金融、网络支付与商户、善融商务、大数据、个人网银、企业网银、“悦生活”、互联网网站和智能风控等重点业务领域，以领先同业为目标，加强同业对比分析，充分体现科技创新引领作用。

十一、积极服务“蓝海项目”，促进住房租赁业务发展

一是组织注册10个一级域名并完成主域名（www.ccbhome.cn 和 www.ccbhome.net）在三大电信运营商的互联网备案工作，新增部署了二级、三级子域名400个，有力地支持了“蓝海项目”各个系统平台顺利测试和投产运营。二是申请、注册、认证并交付使用“CCB建融家园”微信公众号，大力支持“蓝海项目”在微信渠道的服务部署。三是会同住房金融与个人信贷部及信用卡中心，简化“蓝海项目”网络特约商户开通流程，促进住房租赁商户入驻“CCB建融家园”，保障“蓝海项目”合规、有序、高效运营。四是在门户网站、手机银行等部署访问、下载“CCB建融家园”服务入口，充分利用门户网站、手机银行等庞大客户群体和巨大客户流量推广“长租即长住　长住即安家”的住房消费新理念，协同支持“蓝海项目”，扩大客户覆盖面，提升业务交易量，创造更大社会价值。

执笔：王　婕

金融市场业务

一、业务经营情况

截至2017年底，金融市场条线资产规模达4.75万亿元，占全行总资产的22%；全口径收入1682亿元，剔除人民币投资账户价差收入不可比因素后同比增长7.8%。经营业绩呈现三大亮点：一

是集团债券投资名义收益率跃居四大行第一、实际收益率连续5年四大行第一，投资组合保持零违约纪录。二是中间业务收入总量达146亿元，同比增长13%，全行占比11.6%，续创历史新高。三是金融市场代客交易业务（指代客资金和贵金属业务）总收入达到工行1.2倍，整体优势进一步巩固。贵金属业务收入和代客资金交易收入“双超”工行的分行由2016年的21家增至24家。

（一）本币债券投资组合实际收益率达到4.69%，连续5年四大行第一

规模约4万亿元的总行本币债券投资组合考虑免税后实际利息收益率为4.69%，同比提升13个基点，对增加全行利润起到重要作用。

（二）货币市场组合在保证流动性安全的前提下，净收益率显著提升

人民币货币市场组合在保证全行流动性安全的前提下，主动提升资金运用效率，日均备付率下降至0.92%，四大行第二。人民币组合净收益率为3.01%，提升41个基点。外币货币市场组合发挥本外币头寸统筹管理优势，捕捉市场获利机会，2017年开展本外币互换交易共计141.78亿美元，平均利差逾40个基点。全年平均备付率为8.93%。外币组合净收益率为1.47%，同比提升67个基点。

（三）中间业务实现较快发展，金融市场代客交易业务收入对工行优势巩固

全口径中收146亿元，同比增长12.5%，超出全行中收增速约9个百分点；中间业务净收入占全行比例约11.6%，较上年提升1个百分点。其中，代客资金交易收入64.9亿元，同比增长6.5%，占工行比95.6%，下降3.6个百分点；贵金属和大宗商品收入72.6亿元，增长24.6%，占工行比159%，提升41个百分点。代客交易业务收入合计占工行比121%，提升14个百分点。贵金属业务收入和代客资金交易收入“双超”工行的分行由2016年的21家增至24家。

（四）风险管控卓有成效，持续发展的基础进一步夯实

加强信用债券投后管理，出售重点关注企业债券80.7亿元，投资组合中未出现债券违约。代客交易业务坚持合规经营，落实风险缓释要求，未发生垫款。与金融市场交易中心共完成产品创新与流程优化项目19项，提升了市场竞争力。整合境内外条线市场研究力量、产品研发力量，分别成立了“CCB金融市场智库”和“CCB金融市场产品专家库”。大力推进海外金融市场业务集约化建设，分别依托建行亚洲、建银国际成立了“中国建设银行离岸人民币交易中心”和“中国建设银行全球大宗商品交易中心”。

（五）获得多项荣誉

市场表现方面。获评2016年度银行间本币市场“优秀交易商”“优秀债券交易商”，获评本币市场优秀交易主管1人、优秀交易员3人。获中央国债登记结算公司颁发的2017年度中国债券市场“优秀承销机构”“优秀自营机构”和“中债绿色债券指数成分券优秀投资机构”奖。债券投资团队获评建设银行机关“身边的榜样”先进集体。产品创新与流程优化方面。荣获2017年度全行“创新进步奖”“特殊经济区域金融市场产品解决方案”和“贵金属与大宗商品交易平台”分获全行产品创新三等奖。“境内外一体化金融市场对公交易与流程处理”项目荣获2016年度全行金融科技进步一等奖。党群工作方面。“四个基础”支部工作法获评总行本部“优秀支部工作法”，“支部党建知识小测验”获评总行本部微党建“优秀金方案”。团支部获评“2016年总行机关五四红旗团支部”。

二、主要工作措施

（一）认真执行债券投资策略和风险政策，平衡好流动性、安全性、收益性的关系

人民币债券组合。服从全行流动性安全大局，通过存量结构调整及分销腾挪资金，努力提升收益率。一是合理安排债券认购品种结构。压缩地方政府债券认购比例控制认购期限，严控信用债券准入。二是积极开展波段操作、结构调整及分销。三是坚持投研一体化，提升组合管理专业化水平。完成《我行信用债准入与分析手段检验》《债券发行人破产重整及相关债权估值定价研究》等专题研究，为投资决策提供了有力支持。

外币债券组合。一是把握美元加息节奏，继续优化组合结构，提升流动性。新增投资主要为流动性高、资本占用少的美国国债、政策性金融债和中资商业银行金融债，初步建立起以美国国债为主的外币流动性储备组合。二是抓住利率阶段高点开展波段操作，提高组合收益率。

（二）主动经营货币市场组合，在保障全行流动性安全的同时增加资金运用收益、提升市场影响力

人民币货币市场组合。一是与资债部密切沟通全行资金形势，拓宽融资渠道。二是加强市场预判，把握资金周期性波动规律，平滑现金回流结构，提升资金使用效率。三是把握货币政策意图，全力争取中央银行低成本资金支持。在关键时点引导市场预期，发挥市场“稳定器”和政策“传导器”作用。

同业存单发行。密切关注市场变化，灵活调整发行策略；积极拜访重点同业客户，充分调动境内分行参与营销工作，针对境外机构投资需求制订专门方案。

外币货币市场组合。一是密切关注市场流动性情况，针对美联储加息和中央银行汇率政策变动，与资债部、渠道部和交易中心保持密切沟通，合理摆布资金回流。二是加强对海外机构的业务指导，了解其大额资金需求和外币拆借情况，更好地发挥海外资金平台作用，减少对总行资金依赖。三是丰富货币市场交易品种、拓宽融资渠道。与中资大行密切联系，逐步建立资金余缺调剂机制，提升在境内美元拆借市场的交易规模和影响力。四是发挥本外币头寸统筹管理优势，捕捉市场获利机会。

（三）多措并举推动金融市场代客交易业务发展，加快追赶领先同业，为全行中间业务收入增长贡献力量

一是充分利用考核与激励手段调动条线积极性。继续将代客资金和贵金属业务纳入分行 KPI 转型重点产品必选业务，新增内控评价等考核指标；申请埋单费用 1.5 亿元，为分行业务拓展提供支持；条线中收分配突出“双超”导向，全年分配收入 49 亿元。二是加大对分行督导力度。赴分行进行业务指导和调研，有针对性地帮助分行解决问题。下发经营情况通报 12 期，成为分行了解全行金融市场业务经营情况和自身所处位置的主要信息来源。三是加强专业人才队伍建设。在境内外举办条线专业培训班 4 期，安排分行人员赴总行跟岗培训 21 人次。举办全行金融市场业务岗位考试，促进员工学好金融市场业务岗位培训网络课程，共 5192 人参考。

（四）持续开展产品创新和流程优化，建立健全产品研发与推广机制

一是建立“CCB 金融市场产品专家库”。从境内外条线遴选产品专家 60 名（境内分行 41 人、海外机构 19 人），进一步整合金融市场条线产品研发力量。二是搭建经验交流和产品推广平台。结合分行业务需求，开展 3 期“专家库微课堂”活动，召开 2 场“金融市场业务重点产品推广及经验分享”主题座谈会，联合产品创新与管理部举办首场金融市场条线可移植重点产品（视频）培训会议；发布 8 期《金融市场产品简报》，及时向分行传递同业产品、监管规则等信息。三是修订《金融市场业务产品创新工作流程》，提升产品创新效率。

（五）持续丰富系统功能，做好“新一代”推广应用

上线人民币货币利率掉期、小币种直通交易等多项新的产品和功能；在全球 24 家海外机构成功上线推广“新一代”对公金融市场应用，支持利率掉期、货币利率掉期、外汇即远掉和资金拆借等产品的全流程机控与直通式处理，配套完成境内 37 家分行及 6 家海外机构的对私金融市场产品上线；组织开展条线“学好用好‘新一代’之应用案例评优活动”，人均完成案例数名列前茅，举办了全行“新一代”金融市场应用优秀案例报告会（视频）。

（六）加强海外机构金融市场业务支持与管理

一是制定集团统一的《海外机构 2017 年金融市场业务经营策略》。二是积极支持业务发展。向澳门、东京等 7 家机构调拨债券，支持其满足流动性监管指标要求；协助巴西子行加入中国银行间外币拆借平台（CFETS），拓宽融资渠道；完成对马来西亚子行金融市场业务、伊斯兰债券业务以及伦敦、悉尼、苏黎世等机构开办贵金属业务的验收工作。三是推进集约化建设。探索海外机构衍生产品业务集约化管理方案，利用海外机构地域优势打造衍生产品集中报价及交易平台。

（七）加强风险和内控管理，确保全行金融市场业务稳健合规经营

本级和境内条线。一是落实人民银行和银监会对同业业务和资管业务检查整改要求。二是主动规范经营过程。对黄金租借业务提出提高评级准入、严格押品范围等管理要求，加强代客资金业务合规管理。三是加强制度建设。四是加强信用债券投后管理。

海外和离岸机构。持续开展非现场交易排查。协助海外机构分析审计发现问题产生原因，安排专人督导整改。派出6个顶岗团组分赴纽约、迪拜等6家海外机构开展短期顶岗检查工作。

（八）提升金融市场研究工作的条线支持能力和品牌效应

一是密切关注市场波动、政策变化和同业动向，为行领导决策和前台交易提供研究参考。二是改版微信公众号“建行金融市场业务”，全年阅读量超过67万次。三是建立“CCB金融市场智库”平台，整合条线研究力量，加强研究成果共享。四是积极参与外部预测和投稿，代表建设银行参加“远见杯”“路透债市展望”等市场预测。五是派研究骨干赴分行参加营销和培训，为客户和一线人员解读金融市场走势。

执笔：孟　希　王金石　刘怡兰

金融市场交易中心

一、主要经营成果

2017年金融市场交易中心以“将金融市场业务打造成全行核心竞争力”的发展要求为引领，不断提高交易活跃度和市场影响力，全年实现经营收入156亿元，同比增长21%。

（一）收入保持快速增长，业务全面开花

1. 代客交易业务发展较快，有力推动全行中间业务收入增长。全年实现中间业务收入139亿元，同比增长16%，其中：贵金属和大宗商品业务收入72.6亿元，同比增长25%；代客资金业务收入66.3亿元，同比增长8%。

2. 债券交易活跃度稳步提升，收入大幅提高。全年人民币债券交易量同比增长29%。债券交易组合经营收入17.4亿元，同比增长80%。

（二）主要做市排名位居前列，积极参与国际做市报价，市场影响力不断提升

努力拓展交易对手、提升报价质量、增加成交量，各项交易业务做市表现均处于同业领先，积极参与国际市场做市报价提升国际竞争力。一是在银行间外汇市场做市综合排名第一，并荣获2017年度银行间外汇市场“综合最佳做市机构”等24个奖项，创历史最佳成绩。二是债券做市商综合排名位居市场前列，全年日均债券做市只数同比增长16%。成为“债券通”境内首批做市机构，并成功与多家境外机构达成债券交易。三是代理境外机构债券托管量居市场第一，获得中央结算公司评选的2017年度优秀结算代理机构奖，获得全国银行间同业拆借中心评选的2017年度对外开放突出贡献奖。四是贵金属及商品市场定价权及影响力不断提升。积极参与芝加哥商品交易所（CME）白银定价、LBMA黄金定价以及上海黄金交易所“上海金”定价等境内外交易，对外发布的大宗商品指数为客户交易提供指引。

二、主要工作措施

交易中心发挥“专业专注”优势，以“带队伍、抓业务、促转型”作为中心的工作重点，努力推动业务发展。

（一）带队伍：努力打造一支竞争力强的金融市场交易队伍

1. 加强党建，实现党建与业务转型有机结合。一是学习宣传贯彻落实党的十九大精神，扎实推进“两学一做”学习教育常态化、制度化。制订《金融市场交易中心2017年“两学一做”

学习教育常态化制度化实施方案》，先后组织四场普通员工座谈会，两次内部自查。二是建立“一统二联三平台”工作机制推进党建工作创新。以党总支部为统领，联合团总支和工会，在总支—支部—党小组三级党建平台上开展活动，形成一重组织二重宣传的“双重”工作法，党总支部获“2017年总行机关‘支部微党建金方案’活动组织奖”。

2. 加强业务能力培训，提升全员业务实力。一是提高做市报价和敞口管理能力。优化报价模型，增强报价竞争力。选派优秀交易员前往国际先进银行跟岗学习，提升交易员现代意识和全球视野。二是提高市场研究和产品创新能力。加强研究力量，精选分行人员共同参与策略研究、行业研究和客户研究；加强外部交流，广泛获取市场信息，提高市场判断准确性。遇突发重大事件，随时总结经验、修正观点，市场中锻炼、市场中验证。三是提高市场营销能力。巩固现有营销队伍建设取得的战果，采取线上线下多样化的培训模式，发挥分行业务专家骨干的引领作用，把业务培训扎根到基层一线，夯实队伍基础，拓展全行金融市场业务营销网络。

（二）抓业务：增强业务持续发展的内在动力

1. 积极开展营销活动，加强专业销售队伍建设。坚持以客户为中心、专业队伍建设为核心、分行需求为导向，组织系列营销活动，加强客户综合营销，提升客户交易活跃度。全年组织14场全国性大型营销活动、18场全行现场及视频培训、10个客户精准营销大数据项目。为支持分行加强客户营销，直接参加重点客户营销活动110余次，累计培训3万余人次，安排分行人员到总行跟岗培训39人次。2017年，对私金融市场交易业务交易客户数同比增长136%；对公贵金属及大宗商品客户数同比翻番。

2. 排查潜在风险，加强内控合规管理。一是加强对发行主体信用风险的排查。始终严格把控信用风险，提高交易活跃度并确保不出现信用风险事件。全年交易信用债涉及的发行主体无评级下调企业。年末，持仓债券的发行主体经营和财务状况均健康可持续，无产能过剩行业债券，信用状况安全。二是加强对黄金租借业务信用风险管控。严格执行行内授信审批、支用审批、贷后管理等控制环节要求。配合相关部门修订黄金租借管理办法，明确了客户准入及行业要求；明确不同业务性质的管理要求；细化租后管理规定，纳入风险管理实践等。三是持续关注代客资金和贵金属客户端信用风险，联合分行对出现风险隐患的客户及时采取措施，及时化解风险，全年代客交易业务经营过程均较为规范。四是加强内控制度建设，开展内控检查，有效降低操作风险。完成试行暂行规定的修订7项，会同相关部门开展交易员合规检查工作，各项交易员管理制度总体执行情况较好。

（三）推转型：推动自主创新能力建设，助力转型发展

1. 加大产品创新力度，提升产品竞争力。一是产品线日臻完善。全年共完成1项全行战略性创新项目、15项全行重点产品创新。通过产品持续创新，与主要同业相比，已形成产品大类旗鼓相当、明细品种互有优势的产品体系，为业务转型发展奠定了坚实基础。二是创新产品支持实体经济发展。创新开展跨境融资下人民币对外汇掉期交易，服务客户涵盖电力、铁路、航空、汽车、造船、新材料等各类实体行业，为境内外汇市场拓展了美元资金来源，解决了企业人民币融资需求，并为客户节约部分财务成本。

2. 加强“新一代”系统推广与应用。全年协同相关部门积极推进“新一代”系统优化和推广上线管理，顺利完成4个境内上线批次、2个境外上线批次的“新一代”金融市场境内外全面推广任务。全年共促成32项技术开发及协同项目的立项，重点完成贵金属大宗商品、利率汇率创新与优化项目两项年度重要项目立项。参与金融市场条线总行本级与各分行学好用好“新一代”活动，编写31个“新一代”本级应用案例，审核指导条线编制发布553个案例。

3. 探索提升研究能力，增强决策参考作用。一是全年发布常规研究报告约300篇，33篇稿件在《理财周刊》《中国黄金报》《建行财富》等主流专业媒体发表，并编辑2016年研究成果精选17篇深度报告成册。二是在全行范围内启动建设贵金属及大宗商品研究基地，初步创建贵金属、有色金属、能源等4个研究基地，通过深入调研产业链，打造研究带动交易的新模式。三是全年研究、交易、营销三位一体的互动平台建设取得积极进展，运营微信公众号“建行贵金属业务”，联动分行微信公众号，向客户提供综合服务，覆盖受众人群超过1600万，打造过硬的建行研究品牌。

执笔：张晨羽

资产管理业务中心

一、资管业务高位稳定，收入四大行占比进一步提升

截至2017年末，资管业务时点规模为20853亿元，全年日均规模为20595亿元，日均规模较上年增长2459亿元，增幅为13.56%；全年新发行产品1188只，发行规模为7509亿元。从四大行情况看，建行资管业务规模四大行第二，同口径四大行占比27.61%，全口径四大行占比25.01%。

全行资管业务实现拨备前收入199.41亿元，账面收入182.38亿元。在全行中间业务收入中的占比为14.67%，保持全行第二大中收产品。从四大行情况看，全口径收入四大行占比为26.63%，提升0.02个百分点，领先第三名61亿元。

二、标准化资产投资交易能力提升，资产结构持续优化

标准化资产余额达到6739亿元，较年初增长618亿元，占比31.82%，较上年提升3.4个百分点，资产结构进一步优化。其中，债券自主投资余额2771亿元，较上年提升208亿元，增幅为8.09%；标准资产自主投资交易量4446亿元，较上年增加670%。

债券自主投资及委外投资业绩优良，自主债券投资及委外投资平均收益率为5.21%，较上年提升0.48个百分点，大幅领先市场平均收益。全行委外投资年化收益率较上年提升134个基点。其中，总行本级委外投资年化收益率较上年提升148个基点；分行委外投资年化收益率较上年提升123个基点。

三、主动调整产品结构，客群基础逐步夯实

主动落实监管要求，积极调整产品结构，对私理财产品占比达到65.4%，上升19.1个百分点，主导理财总量；创新推出“乾元—私享”私人银行资管产品，规模突破300亿元，开启私人银行专属服务新篇章。

从客户构成看，客户结构持续优化，私行客户占比进一步提升。截至2017年末，资管业务规模20853亿元，共为超过341万客户提供理财服务，客户数较上年增加96万户，增幅为39.15%。其中：普通客户328.06万户，占比为96.25%，较上年增加39.74%；高资产净值客户7.95万户，占比为2.33%，较上年增加29.08%；私人银行客户2.61万户，占比为0.76%，较上年增加19.63%；机构客户2.22万户，占比为0.65%，较上年增加21.54%。

四、“大力拓展资产、大力拓展客户”活动成效显著，品牌影响力不断提升

“大力拓展客户、大力拓展资产”活动圆满收官，资产和客户拓展方面取得显著成效，完成拓展资产10000亿元、拓展高收益资产客户500户、实现资管业务收入200亿元的目标。

荣获由中国证券报社、新华网等主办的“年度金牛银行理财产品奖”、荣获由《证券时报》主办的“2017年中国财富管理品牌君鼎奖”“2017年中国权益类银行理财产品君鼎奖”，在中

国银行业协会发布的商业银行理财产品评价中，获得最佳综合理财能力奖在内的五个奖项；荣获由《上海证券报》主办的“2017‘金理财’年度资产管理TOP大奖”和“‘金理财’年度机构专属类理财产品卓越奖”。“乾元理财”和“乾途资管”品牌影响力进一步提升。

五、聚焦国家战略，积极支持实体经济发展

紧密围绕“一带一路”、京津冀协同发展、长江经济带等国家战略，提供资管直接融资服务。全年通过理财资金累计为实体经济发展提供直接融资6438亿元，高收益资产余额为11417亿元，当年新增1381亿元，较上年增幅为13.8%。与对公贷款比值为17.5%。其中，投向“一带一路”、京津冀协同发展、长江经济带等区域的重点项目资金合计超过5000亿元，占比为81.75%。一是积极助力供给侧结构性改革。通过权益类业务支持国企改革、去杠杆等融资规模5069亿元，较上年增幅为25%；二是大力支持债转股落地。有效降低企业杠杆率，理财资金投资债转股业务余额为659亿元，投资金额和数量稳居市场第一。三是深入落实精准扶贫。发行“乾元”系列扶贫理财产品，募集资金超过5亿元，发挥金融产品在脱贫攻坚战中的重要作用。

六、围绕租售并举，有序推进租赁住房资管业务

贯彻落实党的十九大报告中“坚持房子是用来住的、不是用来炒的”相关精神，以及习近平总书记关于“加快建立多主体供给、多渠道保障、租购并举的住房制度，让全体人民住有所居”的重要指示，创新多种租赁住房类资管服务模式，全方位、多渠道提供配套资金支持。

用资管的思维和手段支持租赁住房建设，撬动社会资源向住房租赁市场聚集，通过设立租赁住房投资基金，支持集体土地、租赁用地开发建设租赁住房，收购稀缺租赁住房，支持趸租、装修、运营优质租赁住房相关融资等；为长租的房东和租客发行“长租普惠”理财产品；针对远期购房的租客，提供长租远购专项理财，给予其在每月缴纳租金的基础上，购买一定金额“长租远购”理财产品的权利；为拟租赁住房产业链核心成员构建“租赁住房供应链网络”，提供租赁房供应链理财等服务。

七、多项创新取得突破，新动能快速形成

一是产品创新亮点纷呈。创新推出“投资通”理财产品并实现投放，开辟了股权投资的直接融资模式，截至2017年末产品余额248.58亿元；创新推出“乾元—丝路”爱心扶贫系列理财产品，募集资金2亿元，发挥金融产品在脱贫攻坚战中的重要作用；创新推出智能投顾服务，证券市场投资开启新领域；开启智能投顾服务，客户价值创造能力进一步提升。

二是“全球资管中心”获批成立。聚焦人民币国际化和“一带一路”等国家战略，“全球资产管理业务中心”获批成立，整合全行境内外资本市场的客户、渠道、信息、人才、资金资源，加快资产管理业务全球化布局，提升跨境资产管理业务市场竞争力。

三是资管新系统（NAMeS）上线启用。完成自主开发的资管业务新系统全行上线推广工作，形成业务全流程一体化直通式机控架构。有效实现与行内授信审批、市场信息等实时数据的充分共享及业务风险的自动化防控，形成前中后一体化直通式架构；业务管理流程进一步整合，重点环节流程规范化程度有效提高，满足资管业务发展和管理新要求。

八、内外联动成果丰硕，独特价值链作用凸显

一是助力子公司业务发展。截至2017年末，资管条线与子公司在资产投资、产品发行等领域的业务合作存续规模达到10231亿元，同比增幅为7.89%，为其带来业务收入5.10亿元，增幅为38.31%。其中，与建信信托业务合作规模5100亿元，为其带来收入1.26亿元，同比增幅为9.57%；与建信资本业务合作规模2976亿元，同比增幅为32.81%，为其带来收入1.57亿元，同比增幅为53.92%；与建信基金业务合作规模为2092亿元，为其带来收入2.27亿元，同比增幅为49.61%；与建银国际业务合作规模63亿元。

二是积极配合支持全行性工作。为维护客户发行高收益率产品4830亿元；配合行内补充资本，投资他行次级债、优先股，余额279亿元；支持化解不良资产66.67亿元；支持托管业务，实现日均托管规模20595亿元；投资住房贷款、信用卡分期、个人消费贷、对公信贷类等各类ABS余额为165.1亿元。

九、合规风控持续提升，管理基础得到夯实

坚持“正道经营，不走捷径”的合规理念，业务健康发展、风险有效管控，与监管部门建立了良好的沟通渠道和工作机制。2017年，资管条线接受银监会、审计署等外部监管机构40余次现场检查。从已反馈情况看，没有发现重大违规事项，表明资管业务整体健康，主流合规。

截至2017年末，风险资产余额为57.44亿元，较2016年年末减少1.06亿元，降幅为1.88%。风险资产率为0.27%；计提各类风险准备金余额100.88亿元，较年初增加16.61亿元，运营质量持续提高，风险抵补能力持续增强。

十、主动适应资管新规，加快业务模式转型

主动适应资管新规，加快推进资管模式转型。一是调整理财产品结构，加大产品创新。加大长期限产品和净值型理财产品的创新和推广力度，推进理财产品净值化转型。二是调整资产结构，加大标准资产比重。加快推进“非标转标”工作；加大自主投资和委外投资，提升债券、股票等标准资产配置。三是多措并举，努力承接保本理财客户资金。拉长保本理财产品久期，减缓资金流出速度，研发保本替代类产品，做好保本理财投资需求承接。四是积极与监管机构沟通，积极建言献策。五是加强流动性管理。做好资产负债统筹管理，强化总分行资产组合产品流动性管理，确保关键时点理财资金流动性安全；合理安排流动性资产结构，提高流动性资产的投资收益。

执笔：张　静

投资银行业务

一、改革创新亮点纷呈

（一）债券业务不断推陈出新，持续推动投行产品和系统创新

独家主承销了中国银行间市场首笔扶贫债券，陆续推出了境外贷款转债、“一带一路”债券、双创债券、绿色金融债等一系列创新债券品种。联合万得资讯向社会推出了“建行—万得银行间债券发行指数及曲线”，是银行间市场首个分行业的债券发行曲线、首个债券发行指数，在银行间债券市场属于重大创新，巩固了建设银行在债券市场发行定价的核心地位。

（二）证券化创新市场引领

在银行间市场承销发行了首单“飞驰—建融招商长租公寓系列”40亿元资产支持票据、全国首单债转股资产支持票据、理财资产证券化、CMBS资产证券化、飞驰降杠杆资产支持票据、飞驰结构优化资产支持票据、“飞驰·合翼”并购重组全面金融服务产品等。

（三）财务顾问升级智能服务

完成“财务顾问智能服务”战略性创新项目，填补了系统空白。相关分行也在财务顾问系统创新上不断探索，湖北分行自主研发了“飞驰融智通”财务顾问信息服务平台，签约户数突破

400户，财务顾问收入近4000万元，是分行2017年投行业务收入的主要增长点。

二、转型发展效果显著

坚持服务实体经济，不断夯实业务基础，以“两大”活动为依托，通过投行综合金融产品帮助实体经济融资超过1万亿元，以实际行动支持了国家重大战略和“三去一降一补”供给侧结构性改革。

（一）飞驰品牌效应明显提升

23家分行举办30余场飞驰专场推介会，总计向超过1000家客户做了专场推介，飞驰签约客户达1568家，巩固了飞驰品牌优势，做实了全面金融解决方案品牌内涵。荣获《证券时报》评选的“2017年中国区银行投行君鼎奖”以及《国际金融报》评选的“2017年国际先锋投资银行奖”等奖项。

（二）精准营销，拓展投行客户群

全行投行客户群涵盖6328家客户，投行客户群由表内信贷客户向表外投行客户逐步转变，实现客户维度全覆盖。

（三）非金融企业债券承销蝉联市场第一

实现承销量、承销期数和收入三个“第一”，承销量达4001亿元，在四大行中占比34.46%，进一步扩大了市场份额。非金债券已经成为有限信贷资源之外，对实体经济融资“输血”是最为有力的补充保障手段之一。

（四）全面推进证券化业务

证券化业务规模达375亿元，其中作为承销商承销70亿元，作为财务顾问完成263亿元，作为资产服务机构和发起机构发行对公资产信贷化产品42亿元，已完成注册项目约620亿元。拓宽了企业融资渠道，有效盘活了企业存量资产。

（五）并购重组业务实现突破

17家分行实现并购重组财务顾问收入3.29亿元，同比增长212.38%，四大行收入占比9.49%，同比提高5.75个百分点，并购业务规模新增1845亿元，为战略转型发展提供了有力支持。

（六）综合化降杠杆稳步推进

全年签约金额2000亿元，落地961亿元，有效地降低企业资产负债率6%，改善了企业杠杆质量、优化了杠杆结构、降低了杠杆风险。

三、经营管理井然有序

（一）建章立制，统筹业务职能

多次召开专题会议研究财务顾问、并购重组、债券业务发展问题，职责边界、体制机制、人员配备等制约投行业务发展的瓶颈问题都不同程度得到解决和改善。大力建章立制，印发了《中国建设银行并购重组业务管理办法》《资产支持票据承销业务指引》《关于开展非标债权资产证券化的通知》《非金融企业债务融资工具承销团组建内部操作规程》《全球投行业务中心建设方案》《关于利用债券市场积极支持住房租赁市场有关事项的通知》等一系列规章制度，有效地保障了业务健康运行。

（二）发扬民主，确保科学决策

全年共召开16次总经理办公会和21次部务会，所有重要会议传达、领导指示、策略安排、业务决策、制度审查、工作部署、考核评价、职务晋升、岗位调整等重大事项均通过会议方式研究决定，重大决策过程充分发扬民主集中制原则，确保领导班子决策机制高效顺畅、工作部署科学合理。

（三）开发系统，提高操作效率和合规性

推进“新一代”信息技术在业务经营管理中的运用，立项开发了“债券承销分销系统”“投资银行财务顾问智能应用系统”和“并购撮合系统”三个项目。

（四）搭建平台，整合集团资源

加快上海、广东两个并购中心建设，作为建设银行国内并购业务信息整合、资源共享、人才培养和服务支持的平台。设立了全球投行业务中心，抓紧推进全球创投中心，依托香港的机构、区域和专业优势，不断提升全球资本市场的参与能力。

（五）加强研究，提升投研能力

全年刊发《投行业务参考》12期，既包含投行业务前沿理论探讨，又涵盖了全行的优秀创新案例，切实起到了业务参考作用。开办“飞驰学院”系列专题培训6期，成为投行员工增强知识储备、提升业务能力和开阔投行视野的有效载体。

（六）强化联动，提升协同能力

搭建母子公司联动工作平台，下发《关于境内分行与建银国际投行业务联动指导意见》《关于与建信保险资产管理有限公司开展联动合作服务投行客户群的通知》等文件，从制度上强化了协同。成立专项服务小组，由总、分行安排专人与子公司进行日常业务和产品对接；设置联动考核指标，真正将母子公司联动落到实处。通过多策并举，初步形成了投行条线的母子公司业务联动机制。

（七）推动业务协同成果落地

与建银国际合作，联动业务规模 252 亿元，超额完成全年联动计划，同比增长 26.36%。与建信资本合作，联动业务规模 31 亿元，实现财务顾问费 628 万元，为建信资本实现管理费 1552 万元。与建信养老金合作，实现“债券—养老金”业务联动，为淮南矿业集团发行员工储蓄私募债券计划 18 亿元。与建信信托合作推出“飞驰合翼—并购通”产品，与建信保险资管合作推出“飞驰—建信资管”系列产品。

四、从严治党全面有效

把学习贯彻党的十九大精神作为首要政治任务狠抓落实，认真执行“三会一课”制度，全年召开 6 次党员大会和 7 次支委会。创新推出“三带三创”组织工作法，支部战斗堡垒作用和党员先锋模范作用得到较大提升，获总行机关本部“严格组织生活”优秀支部工作法称号；充分发挥党群工团组织联动协同作用，“享悦读生活，创书香投行”工会活动获“2017 年总行机关优秀金方案”和“2017 年机关工会优秀组织奖”称号。

执笔：陈祎聪

国际业务

一、国际业务主要经营指标持续向好

截至 2017 年底，全行实现国际结算中间业务收入 45.01 亿元，同比增长 8.28%，四大行占比为 28.67%，连续两年居四大行首位。

国际结算和贸易融资业务稳健发展。全行完成国际结算量 11694.96 亿美元，完成贸易融资投放量 12352.32 亿元；贸易融资利息收入 69.43 亿元，同比新增 35.61 亿元，增幅为 105.28%；国际业务信贷产品不良余额（含垫款）17.43 亿元，较年初下降 22.13 亿元；不良率为 0.16%，较年初下降 0.18 个百分点，不良额和不良率实现三年连降。

重点产品发展成效显著。截至 2017 年底，国际保理投放量 2041.61 亿元，同比增长 6.06%，其中国际双保理发生额 106.63 亿元，同比增长 24.05%。福费廷实现累计投放 2013.11 亿元，同比增长 183.94%。

境内外联动持续深化。截至 2017 年底，境内外机构联动办理的业务余额共计 901.8 亿美元，较上年底增长 11.7%，联动资产在海外机构总资产中的占比超过 30%，联动贷款在全部贷款中占比接近 50%。

服务“一带一路”和“走出去”业务规模大幅增长。利用境外保函，为中国船舶、中国有色、中国地质等大型“走出去”企业提供融资服务，支持“走出去”项目近 300 亿美元，同比增长 34%。截至 2017 年底，建设银行已在“一带一路”沿线国家开立小币种账户 14 个；总行级代理行达到 1372 家，覆盖 131 个国家和地区。

国际业务客户基础不断夯实。截至 2017 年底，全行国际收支客户数达 9.19 万户，同比增长 14%，其中“跨境 e +”平台客户数达到 1.26 万户，成为批量拓展客户的重要渠道。

产品创新硕果累累。2017年推出十余项创新产品，国际结算和贸易融资产品数量已达60多项，在市场中处于领先地位。同业首家推出专门服务于国际贸易客户的在线金融服务平台——“跨境e+”，独家实现与各单一窗口的对接，为国际贸易企业提供“全流程、全线上、一站式”跨境金融服务；创新推出福费廷资产证券化、大宗商品买断式融资、“三建客”“跨境融资性风险参与”等多个同业领先产品。上海自贸区、霍尔果斯特殊经济区业务同业领先。

区块链技术应用率先落地。主动探索“区块链+贸易金融”技术，在同业中率先实现了国内信用证、福费廷和国际保理领域的区块链跨行、跨境实际应用，2017年通过区块链累计交易业务量达到16亿元，覆盖20家境内外机构，推动区块链在银行业贸易金融领域应用的落地。

二、海外机构保持稳健发展态势

全球机构布局进一步完善。四家机构（建行印尼、华沙分行、建行马来西亚和珀斯分行）先后举行了揭牌仪式和开业庆祝活动；银监会正式批准建设银行在哈萨克斯坦和新西兰设立机构的申请，其中新西兰已获得当地主管部门颁发的分行牌照。截至2017年底，建设银行已在全球29个国家和地区设有一级机构31家。

海外机构盈利能力提升。截至2017年底，海外机构资产总额为3088.7亿美元，较上年底增长11.9%，继续保持稳健发展的态势。商业银行类海外机构实现管理口径净利润74.3亿元人民币，同比增长29.5亿元人民币，增幅为65.7%。剔除上年换币业务重估影响后，净利润增幅为9.4%（以2016年剔除换币业务影响后的利润为基数）。海外机构不良贷款余额为3.9亿美元，较上年底下降3619万美元，降幅为8.48%；不良贷款率为0.27%，较上年底下降0.08个百分点。

境外人民币清算行实现新突破。英国人民币清算行清算量累计突破20万亿元，继续保持亚洲以外规模最大的人民币清算行地位；瑞士和智利清算行在参加行营销方面均取得积极进展，其中瑞士清算行参加行开户数达到11户。

三、风险防控与合规管理成效显著

监管考核成绩优异。2017年，建设银行是外汇局考核五大行中唯一的A类行，取得近三年来最好成绩；各分行外汇违规扣分事项同比降低30%，申报数据错误率同比降低47%。

外汇合规管理手段进一步强化。在2017年一级分行KPI考核体系中单独设置“外汇合规考核指标”，权重占合规类指标的20%；制作外汇管理政策文件汇编，收录270份现行监管制度，同时牵头制定并印发了24万字的对公业务《涉外业务政策审核指引》，便于各级外汇业务人员准确执行外汇管理规定；在总行、分行和支行三个层次设置外汇政策合规岗位，全行2300个对公外汇经营网点已指定3300名对公外汇政策管理员，提高了分支机构贯彻外汇管理政策的能力。

国际业务风险控制能力进一步提升。在国际结算和贸易融资系统中增加反洗钱清单监测功能，并在浙江义乌分行成功试点上线。对代理第三方支付机构跨境收付款合规情况进行重检，坚决退出不符要求的客户。全面实施“贸易融资大数据风险监测模型”，对存量贸易融资客户进行非现场数据监测，贸易融资贷后管理由机控取代人控，有效提升了客户风险排查的有效性。

海外机构合规管理体系逐步完善。协助合规部门搭建全行统一的合规管理架构与体系；在KPI考核方案中加入规范化管理指标，对未按总行规定执行重大事项报告义务机构进行扣分；印发《关于加强海外机构规范化管理以及完善总行管理措施的通知》，强化重大事项报送制度，加大违规处罚力度；加强境外子银行公司治理，要求海外机构开展自查并进行整改；要求海外机构加强监管沟通，落实监管提出的各项工作要求。

境外金融机构合规管理取得新进展。首次制定了代理行反洗钱合规风险评估及客户分类相关管理规定，首次全面重检境外代理行客户尽职调查并进行境外代理行客户风险分类，为全行国际业务的合规管理打下坚实基础。此外，根据监管形势变化，组织境内外机构及时退出代理外汇清算业务，合理分流美元汇出汇款，减轻纽约分行合规压力，梳理规范边贸账户的使用。

四、基础工作能力明显增强

系统建设取得重大突破。“新一代”国际结算及企业网银国际结算项目已成功上线，并完成在境内机构的推广工作，重构了国际结算单证处理系统，满足境内外机构国际结算业务发展需要，彻底摆脱对外购系统的依赖。

监管数据报送自动化程度和直通率大幅提高。向外汇局报送的 FIMS 系统自动采集率超过 90%，直通率超过 60%，自动核查能力全面提升；向人民银行报送的 RCPMIS 系统两项主要业务已经实现系统直连。

集约化水平进一步提高。单证业务方面，截至 2017 年底，集中到单证中心集约化处理的境内机构有 33 家，结算量接近 1400 亿美元，单证业务营运效率大幅提高，风险得到有效控制。建立对公外汇柜面业务 COST 系统集中处理模式，将外汇政策审核环节集中到专门的审核团队，将业务操作环节集中到业务处理中心，简化了柜面人员外汇业务操作程序，提高了柜面办理外汇业务的积极性。

五、建设银行国际形象全面提升

牵头中英双方业界交流平台。充分利用伦敦人民币清算行地位，牵头中英金融服务峰会和中英企业家委员会两大中方委员会工作，并于 12 月 16 日在钓鱼台国宾馆成功组织并承办了第二届中英金融服务峰会，利用峰会平台积极促进各方机构及监管部门间的沟通交流，通过调查问卷及访谈，形成 10 余万字的调查研究报告，提出涉及六大领域的 39 条政策建议提交两国政府，部分建议被纳入第九次中英经济财金对话成果。

加深与国际重要金融机构的合作。首次亮相 2017 年 SIBOS 年会，在扩大国际影响力的同时促进各项业务合作；不断推进与重点金融机构客户的合作，扩宽与境外金融机构的合作范围，授信客户达到 227 家，授信总额超过 2000 亿美元。

境内外影响力显著提升。首次当选国际保理商联合会（FCI）执委会副主席；成功当选为中国银行业协会贸易金融专业委员会第三届主任单位；获得《贸易金融》杂志、中国贸易金融网颁发的“最佳贸易融资银行”奖项；蝉联美国《机构投资者》杂志中文网“2016 年人民币国际化全方位服务最高奖项——钻石奖”；发布《在探索中前进——中国建设银行 2016 全球人民币国际化报告》。

六、外事管理工作再上新台阶

加强外事归口管理，服务全行发展战略。进一步调整与控制全行因公出访团组总量和规模，全年因公出访团组 369 个（含港澳台地区），总计 4323 人次，有保有压、科学限量的原则继续得到有效贯彻。

保障外事全流程服务，推动全行国际化转型。积极安排行领导拜会外国政府、监管机构、境外金融同业、企业客户等机构高层，支持海外机构申设与业务发展；全年行领导出席 10 场境外国际会议，较上年增加 1 倍；出席 4 场海外机构开业活动，较上年翻了一番；拜会 95 名境外政商界高层，较上年增长 25%。全年安排境内外事会谈共计 107 场，其中行领导、高管外事会谈 71 场、来访 317 人次，分别同比增长 61.36% 和 36.05%；总行部门外事会谈 36 场、来访 112 人次。此外，促成行领导、高管出席了 7 场行外重要外事活动。

建立健全外事规章制度，促进全行外事管理工作合规有序开展。修订并下发《中国建设银行因公临时出国（境）管理实施细则（2017 年版）》；规范外事岗位工作流程，完善外事工作标准和依据；加大对境内外分支机构外事工作合规性和风险防范的监督检查力度。

七、党建工作取得丰硕成果

深入部署，积极学习宣传贯彻党的十九大精神，坚持“两学一做”学习教育常态化。全年召开支部大会 6 次，支部委员会 17 次，党小组会议 130 次，支部书记讲党课 1 次，不断提升全体党员的党性修养。

执笔：甘小芳　李晓畅

渠道与运营管理

一、持续加快物理渠道转型创新步伐，物理渠道资源利用效率、经营效能得到进一步提升

网点布局、结构持续优化。紧跟国家战略，进一步加大在“一带一路”、京津冀一体化、长江经济带、“中国制造2025”试点示范城市等经济热点地区网点布局，全年新设网点272家，填补空白县域50家。全行网点迁址、装修建设合计1886家，完成530家网点升格。截至2017年底，全行营业网点共计14818家，物理渠道客户服务覆盖面不断扩大。

积极落实国家普惠金融战略。完成153家普惠金融特色支行的申设及选址筹建工作，分别对扶贫攻坚、“三农”经济、创业创新、小微企业等重点领域提供服务支持。加快构建县域金融服务模式，县域布放自助柜员机28189台，自助银行8696家，县域网点4180家，接近全部网点、自助设备数量的1/3，全面支持普惠金融业务发展。

旗舰网点、轻型网点建设稳步推进。完成旗舰网点全年打造任务，全行累计打造103家旗舰网点，其中88家旗舰网点建成开业，展示建设银行高端服务品牌新形象，为客户提供全方位金融服务。规范轻型网点运营，轻型网点转型1031家，共释放1500余人充实到其他网点，带动网点人均单产和周边网点销售业绩提升。

2017年4月15日，总行渠道与运营管理部党支部赴焦庄户地道战遗址纪念馆开展“不忘国耻，振兴中华”主题党日活动

自助银行渠道延伸和业务拓展作用显著。全行在运行自助柜员机97007台，自助银行29047家，其中离行自助银行14776家，离行自助银行与网点之比约1:1，较2014年增长1倍，与营业网点互为补充，扩大了渠道服务覆盖范围。自助银行渠道服务和产品销售功能不断拓展，账务性业务量达38.46亿笔，占自助渠道全部交易量的1/3，达柜面的7.66倍，并成为建信人寿“龙行无忧”销售、信用卡分期交易等业务的主要渠道。

智慧柜员机新型渠道建设保持同业领先。全行累计投放智慧柜员机4.7万台，覆盖全部网点；新增黄金积存、信用卡分期、大额存单、二类账户开立等功能，为客户提供的产品和服务达19大类295种，已上线产品服务迁移率达89%，比年初增长28个百分点，成为网点理财、开户签约等业务的主力渠道。建设银行智慧柜员机在渠道规模、部署产品功能、应用效果等方面均保持同业领先，且后台流程支撑强大，同业无法复制。

“龙易行”移动营销服务渠道试点成效显著。全行试点网点达2687家，投放“龙易行”智能终端3233台，实现账户类、个人存款类、个贷类、信用卡、投资理财、外汇、电子银行、转账汇款等162项业务功能，累计实现银行卡等签约激活业务13.98万笔、产品销售1.3万笔、金额为12.67亿元。以网点为中心、以周边客户金融生态圈为半径，根据客户需求灵活延伸网点服务触角。

渠道创新研发助推客户智慧化服务。一是人

脸（语音）识别在渠道多领域应用，智慧柜员机人脸辅助识别功能已在21家分行2617个网点试点上线，自助柜员机“刷脸”取款功能在13家分行试点应用151台。二是智能机器人在11家分行的12个网点试点，基本实现厅堂迎宾、业务咨询、引导分流和营销展示等场景应用。三是对12家智慧银行进行迭代开发，开展首批5家分行深化智慧银行网点建设试点。四是创新研发网点智能管控平台，已接入全行6415个网点、14000台电子海报屏、液晶电视等8类宣传展示设备，推动网点设备、信息互联互通，为客户提供全方位智能服务体验。

网点文明规范服务水平明显提高。在同业率先开展银行营业网点服务基本要求、评价准则两项国标认证，10家试点分行及所属网点已首批通过认证。12家网点获评2017年度“中国银行业文明规范服务百佳示范单位”，是上期获评数量的3倍。在银行业2017年度“明星大堂经理”现场评比中，建设银行两名员工跻身前10名，22名员工分别获评微笑之星、魅力之星、财富之星、亲善之星和消保之星，4人荣获“优秀明星大堂经理”称号。建设银行物理渠道的改革创新受到行内外普遍认可和好评，2017年多次荣获各类奖项，在《首席财务官》杂志主办的“中国CFO最信赖的智慧企业金融机构”年度评选中，蝉联“最佳物理渠道转型创新奖”；在《亚洲银行家》杂志国际奖项评选中，荣获“最佳网点数字化奖”，在国内奖项评选中荣获“中国最佳数字银行奖”；在《零售银行》杂志“2017中国零售银行创新实践大奖”评选中，荣获“最佳物理渠道普惠金融奖”“最佳物理渠道运营奖”；在中国银行业协会自律工作委员会第四届副主任单位任期中，获“中国银行业协会最佳专业委员会副主任单位”称号。

二、着力提升智慧化运营水平，加大对海外和集团业务领域的拓展，为客户产品部门经营发展提供有力支持保障

集约化运营取得跨越式发展。以外汇、海外业务为重点，业务种类及领域不断延伸，截至2017年底，实现网点柜面、线上、中台机构、子公司及海外四个领域136类业务总行集中处理，较去年新增61类业务，日均业务量70余万笔，业务峰值130万笔再创新高，为全行15269家网点及机构、2家子公司及3家海外分行提供集约化运营服务与支持。个人外汇汇款业务开办网点数量增至6628个，完成核对类稽核业务总行集中，实施19家分行智慧柜员机审核授权总行远程支持，实施11家分行反洗钱数据补录总行集中，实现首家海外机构（建行亚洲）和中德子公司共享总行集约化生产资源，有力地支持全集团业务发展。

集约化“云生产”平台顺利上线。运用共享经济理念，打造“云生产”平台，促进运营资源配置集约。开展行内及行外应用试点，行内应用实现分行协同总行作业模式，行外应用将全行信息采集任务包装成手机银行营销奖励活动游戏任务，已有12000名白名单用户参与，增强了线上获客、活客能力。

推进金库和现钞业务智能化、精细化管理。开展智能化金库探索并在10家分行试点，实现金库业务全流程数字化，降低金库人员作业强度、提升金库风控水平；研发“金库管理可视化平台”，实现金库业务及管理数据可视化，为经营决策和精准管理提供支持；推动自助设备规范化安全运营，变革并统一全行自助柜员机运营模式，运用新技术加强关键风险环节机控；开展全渠道现金业务数据分析，规范统一全行营业网点现钞业务管理，同业首家实现在手机银行为客户提供零钞预约券别定制服务；境内全行日均人民币现金备付率0.453%，同比下降0.02个百分点，创近十年新低。截至2017年底，全行金库数量544座，平均每座金库服务网点27.5个、自助柜员机181台，金库集约化程度居四大行之首。

提高集中核算及运营支持业务效率。实现龙网汇差自动清算功能上线，每年可减少1.8万笔人工核算量；实现系统内及与人行往来账项自动核对；协同同业中心实现25个产品全流程自动处理；建立适应“新一代”的机构撤并、变更隶属关系等处理流程，全面提升机构调整业务处理效率；银联跨行差错新调账系统成功上线，彻底摆脱了传统处理模式；完成境内全行ACS零余额账户推广工作，实现分支行资金调拨自动化。

支持海外机构和金融市场业务发展。完成澳

门分行清算业务、上海自贸区交易结算业务总行集中处理；完成10余项新产品的后台清算、结算支持和多项系统开发需求，完成7次OPICS系统及其周边系统优化上线；成功实施非中央对手方清算的衍生产品变动保证金要求；为金融市场业务新产品及系统优化提供优秀结算核算解决方案和法律文本支持；完成跨境人民币二期开发投产和支付路径整合，实现全行跨境人民币的集中统一清算；推进上海清算所跨境外汇交易结算银行业务的开办，支持伦敦分行获任跨境外汇交易境外结算银行资格；在海外全面引入ISO 20022支付标准；针对印尼子行业务诉求提出有针对性的帮扶方案和措施。

三、渠道运营业务精细化管理深入推进，渠道运营内控合规管理手段不断完善，安全运营基础进一步夯实

推进“新一代”柜面业务流程整合优化。大力推进网点授权审核事项远程集中上收，营业网点现场授权工作量减少约90%；全行推广上线电子印章功能，实现全行23.7万枚柜面业务专用章全生命周期线上管理；推广上线指纹管理系统；持续推进网点设备整合和外观统一，加强网点可移动物品管理；充分利用智慧柜员机和手机移动端丰富客户对账渠道，推进单位客户对账优化；全行推广上线统一凭证模板库，分行级重空减少79%；推出“柜面扫码支付”，解决现金缴费二次排队及持介质办理业务困扰，改善客户体验。

加强基层员工培训和关心关爱。持续推进柜面人员向营销服务岗位转化培养，累计转岗3.9万人，网点营销服务人员占比达66%；培训资源重点向基层一线倾斜，搭建共享培训平台，考虑网点人员培训在时间、地点上的需求特殊性，直接面对网点人员，创新总行至网点eSpace直通式视频培训，累计培训网点人员25万人次，培训效果良好。根据金库改进三年规划，全面评估金库存在的问题及落实整改，改善金库软硬件环境，消除金库设施设备隐患，为金库人员创造良好的作业环境。

完善渠道运营内控合规管理手段。建立督导检查与稽核监测协同机制，实现信息共享、手段互补、结果互用，提升联防联控能力；开展“强基础管理、抓整改效果、防案件风险”柜面领域专项整治工作，排查发现问题58612个；充分用好“新一代”稽核监测防范风险，新增研发稽核模型324个，组织分行开展专题稽核145项，堵截潜在资金损失事件5779笔；柜面业务差错率明显下降，平均问题整改率达96%。

执笔：刘培东　范知文

数据管理

一、建立完善的数据管理体系，为建设大数据银行奠定基础

依托“新一代”建设，以制定数据规范为核心，以数据管控为保障，以数据需求统筹为抓手，推动建立完善的数据管理体系，为大数据银行的建设奠定了基础。截至2017年末，共累计制定数据规范8万余项，从源头上保证数据一致性，实施全流程数据管控，建立全行数据质量认责体系，将数据质量责任嵌入业务管理过程；提高内外部数据整合能力，数据仓库已整合行内125个系统的数据，统一了全行基础数据。数据管理体系的建立，为支持全行消除信息孤岛，实现企业级数据互联互通共享，形成可信、统一的基础数据源，让数据从沉没成本变成可运营的数据资产奠定了坚实基础。

二、构建企业级数据应用体系，整体提升经营管理数据化水平

按照数据应用价值链和应用复杂度两个维度，建立业务、数据、技术间全流程、多层级协同工作机制，推动全行由原来分散化的简单用数阶段向集中式的自主、专业化用数阶段迈进，快速提升全行经营管理的数据化水平。一是实行统筹数据需求管理，建立了包含“简单、复杂、专业”三个层级数据需求的分类快速实施响应机制。二是在全行推广投产5个企业级重大数据应用项目，支持员工自主用数，改善全行用数环境，全方位支持各级机构的日常用数需求。三是在鼓励全行员工应用“新一代”系统自行满足简单数据应用需求的同时，对于不能通过系统功能直接获取数据的复杂数据应用，建立数据服务专业团队提供支持的工作模式。近三年来，数据管理部接收并处理的复杂类数据需求达1300多项。

三、利用可视化数据工具，促进全行用数据改进管理的工作习惯逐步形成

一是搭建面向全行20多万一线员工的业绩计量系统，通过标准化的服务和理念，填补了企业级统一客观计量一线员工业绩的空白，解决了一线员工长期以来业绩计量不清、手工统计负担较大的问题，做到了数据公开、考核公平、管理精细。目前，已经有北京、江苏、深圳等多家分行直接使用此系统进行考核管理工作。二是建成慧视系列数据产品体系，通过移动互联渠道为各层级管理者提供准确一致、高效便捷、体验良好的全天候数据服务，打造移动化、可视化、高效化的辅助管理利器，开启全行智慧管理新模式。广东、云南、河北、厦门、苏州、广西等分行已基本实现了慧视产品在各级管理者的全覆盖。三是实现企业级数据应用模板的快速共享，实现“单点创新、全行受益”。如山东分行“三缺一”对公有效客户数据模板得到27家兄弟分行借鉴和移植；北京分行存款业务数据模板得到26家兄弟分行借鉴和移植。

四、组织实施和推广大数据应用项目，初步形成国内同业领先的大数据应用能力

2017年，全行共实施近200个大数据项目，其中总行牵头实施8个重点项目和73个一般项目，部分项目已经取得较好效果。例如，网络金融获客活客大数据分析项目对手机银行挽留客户作用明显，营销组活跃率提升近3倍；完成住房价格指数、住房租赁指数的模型设计、编制和发布等工作，协助解决信息不对称问题，为交易提供参考依据，助力社会诚信建设；小企业客户价值分析与提升大数据项目挖掘出“税易贷”“善融贷”“薪金贷”“结算透”潜在目标客户57.2万户，在风险防控方面，预警率由21%降至5%，准确率提升至42%。湖北分行年轻客群淘金筛大数据项目应用仅一个月，营销商机近16万条，成功进件2.1万件，营销成功率为13.6%，出卡1.4万张，转化率为8.7%，项目应用效果显著。实践表明，大数据应用已经与业务发展不断融合，驱动着全行经营管理不断趋于智能化、精细化、集约化。

五、建立大数据成果快速复制推广机制，促进项目成果尽快转化为业务价值

依托大数据工作平台，形成“1产品、N复制”的工作模式，建立大数据成果快速复制推广机制，达到实施大数据应用项目的“低成本、集约化、高效益”价值目标，促进项目成果尽快转化为业务价值。截至2017年底，已有27家分行项目提炼为企业级数据产品，在全行范围内进行复制推广，累计申请复制项目162个。其中，深圳分行Aster反洗钱项目在全行推广，帮助全行在反洗钱效率提升方面实现了突破；福建分行微服私访大数据项目为全行客户精准营销提供了数据支持。

六、加强外部数据资源引入与管理

建立外部数据资源由总行统一采购、统一部署和共享应用的集中管理模式：以工商数据接入和应用为先导，建设外部数据统一引入和共享机制，完成外部数据从接入、存储、整合到共享使用的技术基础搭建，形成外部数据接入和使用标准实施架构和工作流程。在已经引入工商、法律、海关等外部数据的基础上，部门针对业务需求迫切的18项数据，开展市场调研和业务验证。截至2017年底，已经成功引入地图和风险评价两项数

据应用于住房租赁平台“龙信商”评价和信用卡审批等业务管理流程中；运营商、学历、学籍等7项数据已经处于接入开发阶段；其余9项数据已经处于采购流程或调研阶段。上海、苏州、湖南、山西等分行积极引入外部数据，创造出新的业务模式，特别是深圳分行引入外部数据对业务起到了很好的支持作用。

七、确保监管合规报送数据的连续性、稳定性

在近几年监管要求持续升级，特别是建设银行成为系统重要性银行的情况下，全行数据条线在牵头参与“新一代”系统建设的同时，也保证高质量满足境内外监管数据报送要求。在“新一代”建设期间确保监管合规报送数据的连续性、稳定性。其中，有效风险数据加总和报告原则达标工作得到银监会充分肯定。

八、数据专业队伍建设取得初步成效

通过实施“绿树工程”，为全行培养了200多名大数据分析人才，迅速引领了所在机构的大数据工作，较好地带动了全行大数据氛围。

执笔：任岳辉

信息技术管理

一、信息系统安全稳定运行

2017年，“新一代”核心业务系统交易量为821.7亿笔，客户渠道服务交易量为2159亿笔，日最高交易量为8.8亿笔。顺利完成了十九大、“两会”“一带一路”峰会、“新一代”投产、“双十一”大促销等重要时点系统保障工作。其中，“双十一”全天快捷支付交易量为2.03亿笔，比去年增长39.04%，线上消费总金额为506亿元，同比增长26.5%，借记卡支付交易量增长达到31.61%。

在交易量不断增长的同时，各系统均保持了较高的可用率。2017年，“新一代”核心业务系统、贷记卡发卡、“新一代”客户渠道对私网银、“新一代”客户渠道对公网银等所有重要系统的可用率均达到100%，其他各系统可用率保持在99.99%以上，未发生四级及以上事件。

二、“‘新一代’核心系统”全面竣工

2017年6月24日，“新一代”核心系统建设全面竣工，建成了海内外、母子公司一体的多功能系统。7～12月，完成21家境外机构“新一代”对公业务的部署，进一步完善海外IT系统。

自2017年9月初起，面向全行开展“学好用好‘新一代’”系列活动，组织“新一代”应用案例研讨会、“新一代”案例全行汇报会、“新一代”优秀案例评优活动，以加深各行对“新一代”的理解，提升利用“新一代”解决业务发展过程中存在问题的能力。“新一代”核心系统的竣工，进一步提高全行客户营销、客户服务、风险治理、经营分析和业务管理水平。

三、加强重点项目建设

“两地三中心”工作稳步推进。稻香湖和南湖建设有序开展，截至2017年底，南湖6号楼机房建设全面开工，完成了客户渠道、员工渠道和南湖多活投产、P8平台灾备试点基础设施设计方案和相关设备资源的调配；完成了异地灾备“零数据丢失”的技术方案。

蓝海项目实施取得显著成果。企业租赁服务管理系统、住房租赁监管服务系统、住房租赁监测分析系统、住房租赁服务共享系统全部顺利投产。

基于“龙支付”持续进行支付产品创新。率

先研发并推出银联标准二维码，交易量稳居银行业首位。支持同业互联互通、在场景拓展优化方面支持摩拜单车扫码骑车。

持续推进移动支付领域产品创新。与中移动合作的基于 NFC－SIM 卡的移动支付产品和华为手表移动支付产品投产上线；基于建设银行手机银行客户端加载 ApplePay 功能已开发完毕并即将投产；创新研发了龙米手环功能并在市场上取得不俗业绩；推动了贷记卡 ODA 功能的优化投产，支持通过云闪付卡乘坐广州地铁。

小微快贷和快贷产品持续优化。运用互联网技术和大数据，提升客户体验，挖掘客户群体，创新业务产品，提供快贷全流程线上服务，为建设银行应对互联网金融竞争、践行普惠金融业务提供了强有力的 IT 支撑。

支持创新存款和支付结算产品。推进银团贷款项目的立项及实施工作，国内银团贷款系统主体功能正式投产，支撑了银团贷款的签约、支用放款、自动计结息、本息偿还、利率重定价及资金的自动归集与划拨等业务场景，为银团贷款业务的统一管理提供了有力支撑。

推进“新一代”现金管理和代收付项目。推进“新一代”现金管理系统建设，组织对公客户综合签约、智能跨行收款、第三方支付备付金存管等产品和项目实施工作；制定中石油、中石化、大众汽车、安利中国、通用电气、三星电子等总行级重要客户新需求的分析和业务解决方案。

积极支持与政府机构合作。完成中央财政国库集中支付电子化试点工作，及时升级与中央金库清算财政资金的方式；应用“新一代”代理财政组件，按照各地财政部门的计划，完成广西、江苏等五家分行地方财政非税收缴业务的推广工作。

四、强化科技风险防控能力

完善优化主机加密下移。落实监管机构“安全自主可控”要求，深入开展主机加密下移开放平台的工作。2017 年，完成支持信用卡主机加密下移项目的架构方案设计，完成开放平台加密机的接口开发，保持与主机平台加密接口的无缝迁移开放平台，为实现主机向 X86 服务器下移、增强自主可控能力奠定了坚实基础。

加强终端安全管控。5 月 12 日，全球大规模爆发“永恒之蓝”勒索蠕虫感染事件，近 100 多个国家受到感染。建设银行迅速成立业务技术联动、总分行协同防病毒应急处置小组，全行统一指挥，建立日报制度，多渠道发布安全提示，按照应急预案层层部署防范工作，积极应对勒索病毒。整个事件中，全行未发生一例病毒感染情况。

加强安全监控措施。2017 年，累计发现和处置钓鱼网站 8000 余个；持续开展密码暴力猜解安全监控工作，发现密码被猜解账户约 28 万个，已全部加入建设银行风控系统灰名单和监控名单中进行重点监控；持续开展监控规则优化工作，识别拦截欺诈事件 2.3 万起，避免资金损失 1.38 亿元。

加强安全产品创新。与电信运营商开展位置服务合作，提高风险防控的主动性；将网银盾功能集成到手机安全芯片，推出市场上第一款支持银行业务功能的“手机盾”，解决了传统网银盾携带难、保管难、操作难等体验难题，实现线上、线下支付介质的一体化；完成声纹标准，申请《手机银行中基于声纹识别的增强安全应用技术规范》金融行业标准，目前已完成报批稿，报送金标委审批。

持续开展 2017 年银行业 IT 风险管理课题研究。组织申报并高质量完成银监会 2017 年度银行业 IT 风险管理课题，我行《商业银行用户体验研究：模型、方法、实践》等四项课题荣获 2 项一类成果奖、1 项二类成果奖和 1 项三类成果奖，整体情况居行业前列。

五、IT 水平持续提升

持续优化 IT 风险管理制度体系。修订发布《中国建设银行信息安全管理办法实施细则（2017 年版）》，重点强化信息安全体系、数据安全、运维安全、终端安全等管理要求；印发《移动应用风险手册》，加强移动应用安全开发和测试，增强全行安全利用移动互联技术促进业务发展能力；编写《IT 治理最佳实践》，提交 ISACA 中国专家委员会评审发布，宣传 IT 治理经验；启动实施 ISO 20000 信息技术服务管理体系认证工作，建立与国际接轨的 IT 运维服务体系。

强化监管合规管理。落实监管部门“网络安全风险信息通报机制”，全年传导落实 30 余个外部威胁情报，有效抵御勒索蠕虫病毒、Apache Struts2 漏洞等攻击；落实“银行信息科技重要事项报告和科技监管例会机制”，向银监会汇报“新一代”信息系统建成情况、定期报告建设银行信息科技重要事项成果情况；落实国家网络安全等级保护制度，完成“新一代”系统国家安全等级保护定级评审及监管报告等工作。

强化预算和成本精细化管理。制定总分行信息科技政策及发展指引，组织编制全行全口径科技预算；优化完善预算流程，提前介入、工作前移、深度辅导，提升精细化水平。加强预算执行跟踪管理，建立月度“合同维度执行跟踪”和“预算执行报告”机制，加强年度重点事项跟踪督办，增强执行透明度。

加强知识产权及科技成果管理。2017 年，各开发中心和数据中心共申报专利 252 项；申报 2017 年度人行科技成果鉴定项目，6 个项目均通过人行专家测试；完成 2016 年度建行金融科技进步奖评选。

加强专业技术能力培训。编制《中国建设银行信息技术培训方案》，全面推进企业级 IT 培训工作，健全与全行信息技术发展相适应的培训体系，充分实现一体化的培训管理架构和集约化的培训资源配置。

六、以党建促发展

信息技术管理部坚持将党建与科技管理相融合，组建智慧银行、平安数据中心、分布式架构、安全团队、区块链及金融科技等研究小组，发挥党员技术攻关先锋模范作用。将党风廉政建设贯穿到日常工作中，完善采购需求管理、项目费用管理、产品选型管理等制度流程。坚持将党建与文化建设相融合，组织员工观看《永远在路上》《永远的忏悔》和《改革进行时》等廉政及教育宣传片。

执笔：施光宇

战略规划工作

一、紧跟国家战略要求，推动集团转型发展

（一）结合国家发展方向，重检完善全行战略

2017 年，围绕国家“十三五”规划，根据党委和董事会要求，全面梳理总结转型发展举措，及时对转型发展规划进行修改完善，形成《关于衔接国家“十三五”对〈中国建设银行转型发展规划〉重检修订情况的说明》《关于调整〈中国建设银行转型发展规划〉指标及有关内容的议案》。

（二）深化重点分行“高水平上补短板”工作，挖掘分行转型动能

完成北上广深重点分行转型发展评价工作，对 10 家一级分行实施目标管理，推动分行提质增效。结合北上广深四家分行差异化管理经验，拓展目标管理内涵，对接现有考核办法，修订和完善相关制度和管理机制，印发《中国建设银行重点分行转型发展补短板评价办法》。

（三）提升 23 家重点城市行管理效能，推动城市行三年目标收官

印发《重点城市行考核办法》，既兼顾公平又突出目标导向、加大激励约束，在突出三年行动目标完成同时，加强对转型发展的考核。完成重点城市行转型考核并印发《关于 23 家重点城市行 2016 年转型发展情况的通报》。加强动态监测分析，每季对重点城市行目标完成情况进行通报总结，完成《重点城市行转型推进评价报告》《关于重点城市行转型情况的通报》等报告。

（四）加强重点城市行基础管理

一是加强与综合经营计划的衔接。制定2017年重点城市行在全行综合经营计划中的业务发展指引，编制重点城市行2017年财务计划表，与分行沟通确认重点城市行预算平衡和考核清算数据，作为财务奖励依据反馈财会部。二是加强分行之间信息交流。对上报数据进行梳理整合，按季度进行数据通报，组织优秀分行进行经验介绍。积极推动重点城市行管理的信息化基础建设，以分行的数据需求为突破口，整理重点城市行有关数据问题和建议，积极推动系统中设置非营业部体制的省会城市行一级半数据层级。三是深入推进基层行转型发展。在全面推进重点城市行转型发展要求基础上，推动二级分行及以下机构的转型落地工作，推广转型经验，解决转型的“最后一公里”问题。

二、持续跟进，扎实开展各项战略管理工作

（一）及时跟踪战略落地实施情况

定期监测战略推进及体制机制改革进程，梳理基层的问题及建议，组织总行相关部门对战略总体目标和14个重点专题推进情况进行监测分析，总结对标转型推进、转型发展目标及评价指标完成情况，向董事会战略发展委员会提交《2016年建设银行转型发展规划执行情况报告》。

（二）深入基层调研收集优秀转型案例

前往陕西、河南、宁夏等地对基层行转型发展典型案例进行调研，听取基层行对转型发展的意见建议。加强案例引导和探索，通过总行信息网站电子书专区、转型推进动态等多种渠道刊发全行转型信息和典型案例，扩大案例覆盖面，使转型发展案例在全行得到广泛应用。

（三）组织开展转型推进培训及宣传工作

举办全行转型推进培训班，通过推进办成员部门专题授课、分行转型经验交流、学员专题讨论等多种形式，对37家一级分行负责转型推进的相关部门和23家重点城市行负责人开展培训。同时，联合机关党委开展全行转型劳动竞赛活动。

（四）构建战略风险模型体系

根据全行全面风险管理要求，积极组织研究战略风险定义、识别、计量等基础性工作，夯实资本第二支柱管理建设。对战略风险进行定期评估，组织30余个总行部门开展战略风险的年度评估，完成《2016年度全行战略风险评估报告》。对战略风险情况进行定期监测，向董事会风控委提供各季度战略风险监测报告和《关于我行战略风险管理情况的汇报》等材料。作为战略风险牵头管理部门，配合风险部、审计部、内控等相关部门开展监管机构部署的自查及整改落实工作。

三、聚焦前沿和重点，全面提升战略研究水平

（一）开展多项战略性专题研究

一是开展了10余项具有战略性、前瞻性的专题研究，完成《授权管理优化政策方案》《改进授信审批体制政策方案》《定价机制优化的政策方案》等报告。二是结合国家重大战略进行实时跟踪和研究分析。快速跟进雄安新区战略，编写《雄安新区战略分析与展望》《雄安新区对投资和经济增长的贡献分析》等报告；对国际湾区经济和粤港澳大湾区进行专题研究，撰写《粤港澳大湾区发展潜力与业务机会分析》等报告；结合国家住房新政和蓝海项目要求，完成《改善民生住有所居打造支持住房租赁市场新平台》《我国房地产市场主要问题分析》《关于我国住房租赁市场的分析》等10余篇研究报告。

（二）聚焦国内国际热点问题

有针对性地对国内外热点问题开展专题分析研究并提出政策建议。先后完成《2017“两会”经济金融热点分析》《发展普惠金融，提升银行业服务实体经济能力》《全国金融工作会议向银行业传递六大信号》《我行与国内外大型银行表外业务比较》《特朗普贸易政策的走向分析》《美国税改的影响分析》等20篇专题研究报告。

（三）充分发挥智库作用

在重大外事活动中、重要国内外会议上、重要金融论坛上、重要决策上，为总行党委、高管层、部门和分行提供智力支持，撰写参阅材料、讲话稿件，提供背景资料等。如撰写哈佛大学演讲稿《中国银行业的改革与建设银行的转型发展》；在《人民日报》撰文《银行要做实体经济的忠实服务者》；参加中央经济工作会议的材料——《我国融资结构变化对银行业的影响》

《中国出现以消费为导向的转型》等系列材料；提供领导会见英国、德国、南非、巴西、智利等国官员的相关背景材料等。

四、积极开展对外交流，扩大我行影响力

一是参与监管机构活动并发出“好声音”：为银监会提供《建设银行关于公司治理的专题座谈会材料》《关于商请提供金融科技创新相关材料的函》等材料；牵头填报《银监会全球系统重要性银行专题监管会谈要求落实工作方案》进展情况报表；参加银监会 MPA 考核体系对商业银行的影响与挑战研讨会等。

二是参与银行业协会相关工作，得到了协会领导和同业的认可。参加银行业协会金融科技研讨会，并承担《金融科技背景下商业银行转型之路》课题；参与银行业协会第三届行业发展研究委员会换届相关工作；为银行业协会《中国银行家调查报告》提供行领导访谈材料；受银行业协会委托面向全行各部门征集并报送监管高层会议议题；参加银行业协会 2017 年优秀研究成果评审会。2017 年，我行首次入选银行业协会副主任会员单位，并获得突出贡献奖。

三是业内各类研究交流。参与人民银行牵头组织的开发性金融课题组有关工作；参加 2017 金融街论坛、第 22 届两岸金融合作研讨会，并撰写会议报告；参加首都规划委员会关于北京城市总体规划汇报会；代表银行业协会向中央银行货币政策司汇报沟通 MPA 相关情况，反映银行业诉求。

五、围绕中心工作，严格把关，确保刊发稿件质量

“两刊”围绕中心工作，积极配合建设银行的转型推进，有目的组织文章。《现代商业银行导刊》开辟了反映基层行工作栏目，结合期刊特点，发挥刊物实际价值，通过调栏目、增栏目、扩充内容，达到了贴近读者、重视读者、吸引读者的效果。努力做好杂志的编辑及编务工作，确保稿件质量。《现代商业银行导刊》共处理 270 多篇来稿，刊登了 183 篇文章。每月审稿 12 万字、校对 12 万字。《投资研究》全年处理 900 多篇来稿，每月审稿 40 万字、校对 40 万字。完成“两刊”版面设计、编排、核红、印刷、发行等工作。按时完成了“两刊”的年度核验工作。

六、博士后工作结合工作实际和转型发展取得新进展

2017 年，3 位博士后完成的博士后研究报告，紧贴建设银行业务实践，对业务发展和管理有一定参考价值。部门配合人力部启动了新一届博士后招收工作，招收 2 名博士后，已分别完成《大数据在商业银行的应用研究》和《双支柱调控下商业银行资产负债管理研究》项目开题。明确 2018 年博士后研究项目、协助人力部发布招收公告。对《博士后管理暂行办法》进行了修改和完善，并征求了人力部、财会部、内控部、法律部的意见和建议。

博士后积极参与转型发展和部门有关工作：参与区块链与金融科技、市场化债转股等战略性课题专题研究团队；参与对诺贝尔经济学奖得主的契约理论的研究，撰写《契约理论体系概况及借鉴意义》专题报告；参与撰写我国住房租赁市场研究系列专题报告等。

博士后在国内公开出版的刊物发表《消费金融公司的设立与居民消费支出关系研究》《押品规范管理对商业银行的启示》等论文，其中《互联网新理念助力建行转型发展》获中国银行业发展研究优秀成果评选优秀奖。

执笔：孙永红

客户服务中心

一、关键业务指标快速增长

电话客服综合接通率达到 80.75%，较 2016 年 9 月大幅提升 14.35 个百分点。

智能客服综合接通率达到 80.69%，较 2016 年 9 月大幅提升 41.1 个百分点。

信用卡逾期 90 天内累计回收金额达 1275.15 亿元，月均回收金额较 2016 年 1～9 月月均值增长 6.87%。

电话营销累计收益达 30.72 亿元，月均电话营销收益较 2016 年 1～9 月月均值增长 47.13%。

客户问题在线解决率达到 96.85%，较 2016 年 9 月提升 0.87 个百分点。

客户服务综合满意度达到 92.28%，较 2016 年 9 月提升 1.91 个百分点。

二、运营管理“八大”方面成效显著

（一）全面构建党建工作新格局

成立客服中心党委，落实客服条线党建垂直管理职能，开创“横向到边，纵向到底”的规范高效党建工作新局面；全面推进学习宣传贯彻党的十九大精神各项工作，制订细化方案，成立领导小组，组织开展“三带头”“三个一”“五结合”活动；深入推进“两学一做”学习教育常态化、制度化，充分发挥党建工作对业务转型发展的强有力引导作用。

（二）大力推进集约化管理

顺利承接分散在多部门的客服管理运营职能，在电话服务综合化、智能服务专业化、业务支持集中化上运营成效初显。业务范围实现全客群、全业务、全渠道“三覆盖”，海内外、子公司“四托管”；开启了客户体验引领、问题处理多维协同、业务知识共建共享的企业级“一盘棋”服务新局面。

（三）质效并重打造最佳客户体验

充分利用集约化运营优势，加强业务资源统筹管理，加强业务源头分流，开展 58 项语音菜单优化工作，通过人工服务线上自助引导和总分行各级机构线下业务引流降源头，智能渠道业务总量占全渠道总量的三分之二以上。深入挖潜提效，加强业务创新，优化业务流程，维护线上短信模板 3000 余条；鼓励员工建言献策，收集系统优化建议 5000 余条；开展竞赛岗位练兵，号召员工学好用好“新一代”，提升系统工具运用效率。全年电话渠道和智能在线渠道人工接通率全面突破 80%，95533 和 400 热线满意度双获六大行第一。

（四）全力保障“新一代”、新产品上线推广应用

圆满完成 4 次“新一代”3.2 版本上线、新版手机银行上线及龙支付产品推广工作，确保服务接通水平稳定，向相关部门反馈典型手机银行问题工单 800 余笔，历次上线期间客户服务工作无投诉、无舆情、无大的业务波动。

2017 年 10 月 23 日至 10 月 27 日，总行客户服务中心参加中银协第三届“寻找好声音”客户服务业务技能竞赛获得团队综合奖一等奖

（五）攻坚克难提升催收成效

克服业务增长、人员配比降低的压力，通过调整催收策略、人员安排和业务技巧优化等方式，实现信用卡逾期90天内催收回收金额、账户数分别较2016年增长6.3%和0.9%。扩容个贷自助语音催收线路30条，实现个贷自助语音催收分行从9家扩展到29家，实现人工外呼个贷催收120.3万户，较2016年同期提高26.1%。

（六）外呼业务快速发展

统筹全行外呼资源，制定外呼业务操作规程，指导全行外呼业务发展。创新营销手段，适时开展外呼精准营销和呼入商机嵌入式营销。外呼业务种类不断拓展，面向全行个人、信用卡、房贷、小企业及对公客户开展近30种外呼营销项目。

（七）风险防控业务成效显著

为客户资金安全保驾，全年协助司法及协防业务冻结、保全金额15.1亿元，处理撤销自助设备跨行转账2993笔涉及金额4274万元，挽回通过自助设备诈骗转账119.8万元。为全行声誉护航，承接总行对外投诉邮箱管理及投诉监督电话受理职责，对接外部监管和内部消保工作，协同有关部门妥善处理近千笔客户投诉。为舆情监测出力，加强疑似风险事件监控，有效防止中介违规代办分期、疑似伪冒办卡、山寨APP等风险事件48起。

（八）客户问题协同处理质效提升

建立总行级客户问题联席会议机制，共同推动难点问题解决；搭建全行客户问题快速响应平台，实现问题解决机构全接入；制定并发布问题工单管理办法，加强客户问题的生成、处理及效率管理。全年人工在线服务客户11987万通，客户问题综合解决率达97.85%；全行95533工单办结率达99.75%，较年初提升16.78个百分点；客户对工单处理满意度达96.57%。

三、基础管理“十大”体系全面搭建

（一）稳步推动组织管理体系建设

逐步建立客服中心组织体系，明确客服中心主要职责及内设机构，任命中心班子成员，成立兰州分中心，完成部分中心更名工作，成立中心党委、纪委。

（二）加快建设智能服务体系

以“智能优先、移动优先、自助优先”为目标，全年共开展19项智能项目研发，成功推出“建行客服”微信公众号和“建行主播”专区；建立“机器人+人工”的智能客服体系，2017年全年机器人处理量12.56亿人次，较2016年增加3.22亿人次，增幅达34.48%。

（三）打造集约化运营管理体系

以运营管理集约化为切入点，统筹客服业务运营工作，实现指标考核、资源管理、监控调度、信息发布、运营分析、问题反馈“六统一”。全年实施17次跨区域资源配置和现场调控600余次，地区间接通水平差异缩小14个百分点。

（四）科学构建人事管理体系

创新建立动态招聘机制，实现人力动态补充；实现高质量的员工培养，新入职员工实现“入职快上岗”；落实员工“五重关爱”，员工队伍凝聚力显著增强，全年员工累计离职率较去年同业平均水平低3.4个百分点。

（五）统筹规划中心财务管理体系

财务管理更加规范有效，实现预算编制与申报、采购计划编制与申报、报销审核“三统一”，有序推进经费共享中心建设工作。

（六）健全规范化安全合规体系

搭建起涵盖业务风险、安全保卫、信息安全的全面风险防控体系，制定12项业务规范；层层落实安全责任制，夯实“四位一体”安全管理架构；强化内控合规和思想教育，落实“合规建行、知行合一”。

（七）健全客户问题工单处理体系

完善工单管理体系建设，实行“工单生成—快速流转—高效处理—评价考核—问题分析—分析结果反馈”全流程管理，建立起客户之声、员工响应、企业号员工之声栏目等发声通道，积极将客户问题转化为管理资源。

（八）建立统一服务质量管理体系

以标准统一和智能化管理为质量管理两大抓手，全面统一服务质量管理标准，快速推进智能化质量管理进程，普通业务语音转文本转译率达80%以上，其中挂失等固定流程业务转译率已达90%以上。

（九）构建专业化员工响应体系

员工响应与客户服务工作全面融合，提升响应专家对客户服务疑难问题解决、业务培训的支持力度，构建起面向全行员工的多渠道、跨部门、全业务的覆盖790家机构6200人的员工支持体系。

（十）逐步建立企业级知识管理体系

建立知识“采集、维护、应用、更新、退出”的全生命周期管理机制，实施集中统一维护，打造全面、立体、智能的“企业级知识百科全书”。截至2017年底，知识库有正常知识10.37万余篇，知识库日均浏览量达9.08万次。全年通过知识管理平台维护知识10.96万篇次。

四、95533品牌影响力不断扩大

2017年，客户服务中心在金融行业的各项评选中屡获殊荣。在65家金融机构参加的中银协“第三届寻找好声音”竞赛中，荣获最高荣誉——团队综合奖一等奖；在中国金融业客服中心发展联盟“2017年度客服中心优秀奖”评选活动中，共获得团队及个人奖项52个，并荣获运营管理经营团队奖。

执笔：谭　笑

综合化经营子公司改革发展

一、建信基金管理有限责任公司

（一）主要经营管理业绩

资产管理总规模保持行业领先，三大业务板块均晋级行业前五位。截至2017年底，公司资产管理总规模达1.31万亿元，较上年增长约700亿元，继续保持行业第二。其中，公募基金规模达到4880亿元，首次挺进行业前四，较上年提升两个位次；专户业务规模达到3609亿元，位居行业前二，银行系统第一；新增规模达1109亿元，增幅为29%，增量排名行业第三、银行系统第一；全年日均管理规模4037亿元，较上年增加1198亿元，增幅达42%。

财务效益稳步提升，净利润突破10亿元大关。2017年公司净利润首次突破10亿元大关，达到10.17亿元，较上年增长11%，营业收入25.23亿元，较上年增长12%。其中，公募管理费净收入11.77亿元，比上年增长16%；专户管理费净收入4.31亿元，比上年增长3%；建信资本管理费净收入2.30亿元，比上年增长24%。ROE为34.53%，ROA为28.64%，实现年初计划目标；成本收入比（总行口径）为36.17%，优

2017年1月9日至10日，中国建设银行子公司工作会议在北京召开

于全年预算控制目标。

整体投资业绩提升，多只产品业绩优良。2017年公司公募整体投资业绩排名前45%分位，较上年提升5个百分点，其中偏股型基金排名前49%分位，偏债型基金业绩排名前40%分位，较上年提升16个百分点。专户主动类产品表现良好，所有主动管理类产品均获得正收益。

客户数量跨越式增长。2017年，公司客户数量突破1500万户，全年新增客户602万户，是近

六年新增的总和；持有资产客户643万户，占比为43%，客户留存率创近八年新高。其中，个人客户持有份额占比由2016年的28%提升至58%，扭转了机构客户占比过大而潜藏流动性风险的局面。

（二）转型创新成果丰硕

一是公募产品方面，2017年公司成功发行第一批公募FOF，认购客户数行业第一；首批登录蚂蚁“财富号”，现金增利实现百亿级增长，成为蚂蚁平台上规模仅次于余额宝的货币基金；率先取得MSCI指数授权并上报了产品，树立先发优势。

二是专户产品方面，专户业务搭建起业内最丰富的产品线，为建行系统开发流动性管理产品，并入选总行2017年子公司可推广新产品库；发行港股通产品，扩大了投资区域和范围。

三是协同联动方面，2017年公司深入贯彻总行子公司工作会精神，在战略协同方面进一步加大联动，实现了母子公司优势互补、合作共赢。在产品代销方面，截至2017年底，建行代销公司公募存量规模2386亿元，增幅为80%，其中“速盈”规模达到2013亿元，增幅达222%，成为行业内第二大单只基金产品。在资金委托管理方面，公司承接母行委托资金超过3800亿元，其中公募793亿元，专户3016亿元。在产品开发方面，公司与总行联合开发“速盈”高端版、“定投盈”“理财盈”系列产品。客户服务方面，总行95533项目正式落地，公司成为集团第一家在客服领域与总行联动的子公司。

四是渠道建设方面，公司多渠道共促规模增长的良好局面。一方面，渠道代销规模贡献占比60%，成为业务发展的重要驱动力和“稳定器”。截至2017年底，银行代销规模2451亿元，较上年增长132%；券商代销规模181亿元，是2016年的2.4倍；第三方代销规模307亿元，较上年增长了近10倍。另一方面，截至2017年底，公司直销规模1941亿元。公司深化与浦发银行、上海银行、江苏银行、成都银行等银行类机构在资金委托、产品定制、现金管理等方面的合作，同时大力开拓上市公司和大型企业集团等新型机构客户。

五是建信资本方面，稳规模与谋发展并行，经营转型服务实体经济。2017年建信资本顺利完成13亿元增资，满足监管要求，并积极开拓资产证券化业务，作为财务顾问参与信贷资产证券化业务11单，规模近860亿元，全市场排名第一。参与对中国政企合作投资基金和国家国有资本风险投资基金出资，规模超过150亿元，支持实体经济发展。积极尝试以投行化手段处置银行不良资产的全新业务模式，与总行资产保全经营中心合作，助力全行化解不良及潜在不良资产。

六是风险管理和合规经营方面，2017年是金融行业的“强监管”年，也是公司接受全面体检的“大年”，先后经历了北京证监局检查、总行内部审计和巡视。公司上下高度重视，积极配合监管机构和总行审计组、巡视组顺利完成了各项检查。根据目前的反馈，未发现公司存在重大违法、违规、违纪的情况。

执笔：建信基金　赵鹏宇

二、建信金融租赁有限公司

（一）主要经营成果

2017年公司经营效益稳中有升。截至年底，建信租赁管理和持有租赁资产余额达到1617.01亿元，比年初增长181.15亿元，按照持有的境内租赁资产规模排名行业第六位；实现净利润14.11亿元，ROE为11.18%，ROA为0.98%，全年租赁资产投放596.95亿元（含管理资产），融资租赁资产不良率为0.94%，在经济下行压力下保持稳定。

（二）主要经营管理措施

一是稳步推进公司转型发展。发挥融资融物优势，服务国家重大战略，支持实体经济发展，围绕飞机、大交通、民生服务、城市综合基础设施、高端装备制造业、战略性新兴行业六大优势领域和飞机租赁、绿色租赁、民生服务三大特色品牌，优化传统租赁业务结构，加大特色租赁业务拓展力度，积极探索新兴租赁业务领域。

飞机租赁业务向纵深发展，截至年末公司拥有和管理的飞机逾140架，机队规模国内同业排名第四，客户覆盖国内三大航空集团及其附属航空公司，并与欧洲、亚洲、拉美多家优质航空客户建立了合作关系。绿色租赁业务领域，积极推广“厂商租赁+绿色新能源汽车”业务模式，城市轨道交通覆盖近20个副省级以上城市，新能源汽车突破万辆，居金融租赁行业第一。民生服务业务板块，在公立医院、公立学校及旅游等行业累计投放上百亿元，支持了上百家公立医院和学校的建设；积极探索住房租赁市场，9月完成政策性住房租赁和商业性住房“双首笔”投放，向建行云平台提供了3861套可租赁的房源，为保障和改善民生作出了积极贡献。

二是不断创新业务模式及合作模式。充分发挥直租税收抵扣优势，与分行合作推进“租赁+”协同产品，提高集团整体客户营销竞争优势。通过稳步提升经营租赁业务占比、创新业务品种及交易结构等打造核心竞争优势。2017年先后完成了公司首笔T+0直租保理业务和首笔带有租前期的直接融资租赁保理业务。截至2017年底，公司累计和19家分行开展49笔无追保理业务，累计发生金额为192.15亿元。此外，公司还对资产转让业务渠道进行了有益探索，完成了公司首单同业合作的资产转让项目，为公司未来的资产交易和转型发展积累了宝贵经验。

三是重点区域拓展力度持续加大。积极服务京津冀区域经济发展，成立了拓展京津冀区域的业务部门及跨部门的服务北京业务拓展小组，集中在基础设施及高端制造业等领域加大优势资源倾斜力度。重点支持长江经济带重大项目落地。积极参与国家发改委“金融租赁服务长江经济带战略联盟”，跟进发展改革委的项目计划，支持了当地轨道交通、城镇化建设、民生消费领域的重大项目。助力中西部地区精准扶贫事业。以贵州协同联动模式为样板进行推广，提高在中西部地区的业务规模，推进普惠金融，支持服务实体经济。

四是国际化发展稳步推进。积极稳妥地拓展海外业务，提高飞机、船舶、大型设备资产全球化配置和运营能力，紧抓国家“一带一路”战略机遇，持续提升海外业务占比，目前业务涉及十余个国家和地区，客户覆盖国内外多家优质航空公司和国内国际知名企业。

五是进一步拓宽融资渠道。通过资产证券化等方式，优化负债结构。年内圆满完成了首笔境外美元私募债券；5月成功发行建鑫租赁2017年第一期租赁ABS项目，产品规模为12.14亿元；120亿元的人民币金融债发行申请已经通过北京银监局的审批，人行营管部和人总行的审批正在受理之中。年末公司共获得103家金融机构给予授信，授信额度共计3878亿元，通过多种融资产品融入资金361笔，融资发生金额合计2970.15亿元。同时，积极推进二级资本债券的发行工作，进一步拓宽公司资本补充渠道。

六是构建具有租赁特色的风险控制机制，严守风险底线。公司保持与母行一致的风险政策与风险偏好，把握租赁业务风险特殊性，注重精细化管理，在严控信用风险的基础上，强化租中、租后管理以及飞机、船舶等租赁物的余值风险动态管理，加强与集团的风险管理协同联动，做好风险防范和处置；高度重视流动性风险防控，提升资产负债期限配置管理能力；主动适应利率市场化趋势，增强汇率风险应对的前瞻性，有效防范市场风险；同时，加强操作风险与声誉风险管理。此外，公司将2017年作为公司风险防控年，积极推动风险合规文化建设，强化内控合规管控，有效杜绝内部违规案件的发生。公司近三年连续在案防监管评价中获得最高等级“绿牌”。

执笔：建信租赁　王　欣

三、建信信托有限责任公司

（一）2017年主要工作

2017年，公司认真落实全国金融工作会议和总行工作会议精神，各项工作运行平稳，主要经营指标取得良好成绩。

——全年实现净利润18.33亿元，全行业排名第八，超额完成年度预算目标，同比增长30%。

——信托资产规模达到14097亿元，超额完成年度预算目标。

——固有资产不良率保持为零，总体风险可控。

（二）主要经营成果

1. 市场地位逐步提升。2017年末，公司净利润18.33亿元，是2014年的3倍。在集团所有子公司中保持第一。资本回报率（ROE）达到18.09%，比2014年提高近7个百分点，高于全行业平均近5个百分点，居行业前列。信托规模继续稳居行业前列。

2. 业务转型成效明显。2017年，公司继续坚持立足国家经济建设主战场，牢牢把握实业投行、资产管理、财富管理三大转型业务方向，在业务转型方面，取得了显著成效。

产业基金集群初显。截至2017年末，已形成了国改、科创、PPP三大股权投资产业基金群，管理资产总规模超2000亿元。

国改业务形成品牌。公司在2014年率先以市场化方式参与国企改革。在2017年末，合作省市达10余个，已辐射全国，实现了对混改试点央企的全覆盖。建信在国企改革领域金融服务的“金字招牌”逐渐树立，有力践行了总行领导对“建信信托国企改革业务要建设成为建行响当当品牌”的具体要求。

财富管理业务领航同业。坚持深耕财富管理。公司于业内率先发布《中国家族信托白皮书（2015年版）》和《中国家族办公室研究报告（2016年）》。目前，已形成家族信托（财富信托）、消费信托、慈善信托三大产品系列。截至2017年末，公司存量家族信托618单，规模达255亿元，业务品种和规模连续多年居行业首位。

资产证券化业务量大质优。共公募发行资产支持证券1539亿元，其中，2017年发行886亿元，仅我们一家就占全国5977亿元发行量的14.8%。发行其他资产证券化产品超过500亿元，连续两年获得中国资产证券化论坛“年度杰出交易奖”；长租公寓ABN、北金所CMBS、租赁资产证券化、公积金个人住房贷款资产证券化等系列创新产品陆续推出，市场占有率不断提高。

投行业务形成战略性“朋友圈”。截至2017年底，已与30多家央企、20多家省属龙头企业、10余家战略性新兴产业客户深入合作，在国防军工、智能制造、生物医药等多个新兴行业展开投资并购。

金融科技实现突破。实现了与多家央企合作，探路供应链金融科技。与中科院、清华大学等科研机构合作，研发智能投顾产品。

3. 市场化改革激发活力。按照总行下发的《建信信托市场化改革方案》，强化资本规划，提升了使用效率；完善公司治理结构，提高决策效率；建立市场化用人机制，优化人才配置；强化激励约束机制，体现价值创造导向。市场化改革使建信信托焕发出更强大的发展活力，奠定了公司内涵式发展的制度基础和人才保障。

4. 风控、合规能力持续提高。严格执行监管政策，认真落实集团统一风险偏好，扎实推行全面风险管理，形成了建信特色的风控理念、体系和方法。建立“四统一、一垂直”管理框架，对辖内92个主体的业务集中审批，事项垂直管理。建立了信托项目、股权投资、海外业务和债券入池审批四个业务决策机制。打造了专职审批人和行业研究员两支专业团队。搭建了实时、线上风险监测系统。

合规管理架构、合规作业覆盖全方面，有力地遏制了“宽松软”的苗头，坚守住了合规经营底线。2017年，共对177个规章制度、业务办法、工作流程进行了优化，并进行汇编。

自成立以来，公司固有业务不良资产保持为零，信托业务运营保持稳健，规避了信托行业集中爆发的几大风险事件。两度被证券时报评选为“优秀风控信托公司”。

5. 党建工作优势日益凸显。公司的党建工作，始终与中心工作紧密结合，为业务发展提供了强大动力。2017年9月，公司正式成立了党委，同步设置了党委机构，选举成立了党支部，配备了党务人员，制定了党委相关规章制度，进一步健全了公司党建工作体系，为公司可持续发展增添了更为强大的政治保障和组织基础。

执笔：建信信托　王鑫蔚

四、建信人寿保险有限公司

（一）主要经营成果

2017年，公司紧扣集团战略，坚定不移推进转型，取得了多方面的转型成绩。

公司治理更加健全。在保监会2017年保险法人机构“公司治理评估”中，公司被评为“优质类”，获得银行系寿险公司最高分。

业务结构不断优化。全年新单期缴保费收入48亿元，同比增长79.2%。新单期缴占比12.4%，较上年提升7.5个百分点。非中短存业务新单占比55.7%，较上年提升28.4个百分点。

续期保费收入34.9亿元，同比增长49.2%，续期业务在总保费中占比7.9%。

内涵式发展能力不断增强。全年税后净利润6.04亿元（含资管公司），同比增长41.8%，连续12年实现盈利。总资产达到1281.5亿元，较年初增长16.5%。ROE连续三年提升，从2015年的5.03%提高到7.71%。财务投资收益率达到5.26%，综合投资收益率为4.85%，排名银行系第一。截至2017年末，综合偿付能力和核心偿付能力充足率分别为167%、127%，高于监管标准。

市场竞争能力不断提升。2017年，公司规模保费在85家人身险公司中排名第十四位，比上年提升1个位次。分别获穆迪A2级和标普A－级财务实力评级，与平安人寿、泰康等大公司的评级持平。

机构建设行业当先。年内成功开业湖南、天津、江西三家分公司，是唯一新设2家以上分公司的寿险公司。其中，天津分公司采用跨区域经营模式开展业务，是该项行政许可批复的第一家。

风险合规工作受到肯定。在原保监会2017年度"偿二代"SARMRA评估中，公司得分80.59分，在参加评估的所有公司中排名前茅，位居银行系统第一。

建信品牌广获认同。转型成绩获得外界肯定，获得《金融时报》与社科院金融所联合颁发的"年度最佳转型寿险公司"、上海报业集团《澎湃新闻》颁发的"年度寿险品牌"、《国际金融报》颁发的"年度公益大奖"等多个奖项。

（二）主要经营管理措施

一是不断探索和推进体制机制改革。从完善经营模式、管理模式、组织模式、激励约束机制四个维度厘清了体制机制改革方向，确定了下一步体制机制改革的重点项目。子公司发展取得新的进展，建信金服全面试运营，业务联动效果初步显现。

二是持续深化母子协同。与总行个人部共同推动"千万行动"项目，开展大数据精准营销；联合总行同业中心、公司条线、小企业条线及房金条线，推出"快贷＋贷无忧（优选）计划"、PPP模式建工险、小企业客户定制套餐；与总行信用卡中心合作范围不断扩大；联合总行与上海保交所共同开展保单质押贷款项目；与建行武汉数据中心共享基础设施资源；加速接入建行骨干网；首次对100名建行个金条线协同精英进行表彰等。

三是推进渠道价值提升。银保渠道大力推动非中短期业务，全年银行对私条线规模保费收入371.3亿元，非中短期业务199.9亿元，同比增长46.8%；非"龙行无忧"产品13个月、25个月保费继续率分别达到91.5%和86.5%。高端渠道打造"建信传承"品牌，开拓保险金信托业务。网销渠道深度转型，全年通过官网官微销售的保费总量居银行系公司首位，建行信用卡合作业务实现代理业务收入8500万元，为建行创造中收7.5亿元。团险渠道"贷无忧"业务承保24.5万件，累计保费2.7亿元，为建行约724亿元信贷资产提供风险保障。健康险渠道大力发展保障型业务，税优健康险保费全行业排名第四，银行系统排名首位。个险渠道经营区域迅速扩大，共有14家分公司、104个网点开展个险业务，1＋N综合金融模式在全国43个网点开展试点。

四是推进资管公司专业化建设。资管子公司努力提升投研能力，取得不动产投资、受托管理第三方保险资金资格，完成基础设施投资计划产品创新能力备案，业务范围由传统资金运用领域延展至产品发行业务领域。

五是强化IT运营保障。提高新契约系统支持能力，中台系统处理能力大幅提升25倍，达到每小时百万单水平。优化改造个险核心系统等重点系统，退保处理能力和批处理效率分别提升3倍和8倍。升级平板端功能，实现保险销售无纸化、投保理赔自动化、承保出单实时化。提升新产品系统开发速度，单一产品系统开发周期由43天缩短至25天。持续推进运营流程改革，优化建信E保电子化功能，运营主要作业功能整体自核率提升40%以上。以总行"新一代"运营配送系统上线为契机，实现公司重要单证在建行的入库和网点使用数据对接。

六是紧抓队伍建设。启动"百人工程"，20名骨干赴中支挂职锻炼、总公司本部岗位交流。实施应届毕业生专项培养"雏鹰计划"。推出分公司"点餐"培训创新模式。加强讲师队伍建设，举办首届讲师综合技能大赛。

七是紧抓风险管控。积极落实反洗钱要求，

建立分公司关键风险指标监测体系。全面贯彻落实总行“风险管理职责进党委”的要求，实行风险责任网格化管理。进一步推进风险偏好体系建设和风险管理信息系统建设，建立公司授信管理体系。制定《子公司风险管理办法》，规范对子公司的风险管理机制。实行审计集中化管理，四川、河南建立审计分部，与建行上海审计分部建立日常工作联系机制。

执笔：建信人寿　李现伟

五、中德住房储蓄银行有限责任公司

（一）主要经营成果

2017 年，中德银行全行资产负债结构调整取得良好效果，住房储蓄核心业务发展创造历史新高，信贷资产质量继续保持同业领先水平。全行资产余额达到 287.97 亿元，较年初增幅为 1.09%。负债总额为 258.94 亿元，较年初增幅为 1.04%。缔结住房储蓄合同 183.37 亿元、同比增幅为 14.23%；当年新增个人类住房储蓄合同正常率为 48.19%，同比提升 21.8%；考核存款新增 44.06 亿元、同比增幅为 31.2%；住房储蓄新增客户数 3.2 万户，同比增幅为 5.38%。住房储蓄贷款投放 18.84 亿元，同比增幅为 72.84%，住房储蓄贷款余额新增 7.97 亿元，新增同比增幅为 759.09%，余额占比为 19.19%，同比增幅为 4.88%。不良贷款额为 8671 万元，不良贷款率为 0.41%，仍处于同业领先水平。

（二）主要经营管理措施

2017 年，中德银行修订公司章程强化公司治理、推动应用系统全面并入建总行“新一代”、实现了济南、大连两家分行的正式开业，取得了一系列的重要成果。其中，主要成果有以下五个方面。

第一个方面，党建工作取得突破。

一是健全了党组织议事决策规则。研究制订了《中德银行党委成立初期有关党建工作实施方案》，印发了《党委工作规则》，明确了党委职能部门职责，健全党组织议事决策规则，厘清党委和其他治理主体的权责边界，尤其在“三重一大”决策方面进行了强化。二是积极落实“四同步、四对接”。对党委班子和行领导分工及时进行了调整，推行人事管理和基层党建一个部门抓、一个领导管。任命了各分行党总支委员职务，使基层机构党的领导和行政领导实现人员同步配备、责任同步落实。三是规范干部任用程序。研究制定了《中德住房储蓄银行总行党委管理的领导人员选拔任用工作规定》，在干部选拔任用上严格执行民主集中制，保证党对干部人事工作的领导权和对重要干部的管理权。

第二个方面，战略布局有序展开。

一方面，银监会分别于 2016 年 11 月 6 日和 11 月 2 日批复同意中德银行筹建大连、济南分行。12 月底，两家分行正式开业。这是自“一体两翼”战略方针提出以来，中德银行取得的重要阶段性成果，对中德银行全国布局具有里程碑意义。另一方面，中德银行还积极探索将住房储蓄纳入多层次住房政策体系途径。在“租售并举”政策下，中德银行积极介入建设银行“蓝海项目”，联合建行深圳市分行，在与政府相关部门和住房租赁企业深入探讨的基础上，结合中德银行独有的“住房储蓄”品牌优势，联合推出长租住房储蓄计划，用金融智慧助力打造“先租后买”的住房新模式。

第三个方面，协同业务不断产出。

线下渠道，在 2017 年 5 月，建总行召集首批十家一级分行，专题组织召开了建行代理销售中德银行产品业务推动会，建立并明确了销售任务和激励机制。中德银行也配合成立了委托代理业务部，专门负责此项业务推动。截至年底，中德银行在未设机构的地区已与河北、安徽、江西、江苏、贵州、四川和湖北等 7 家一级分行完成合作协议签订、与甘肃、苏州、广西、云南 4 家一级分行进行了业务对接和洽谈。自 2017 年 8 月开始实现业务突破，截至年底，异地无机构地区合同额新增 2.58 亿元，存款新增 1.57 亿元。这是新法颁布以来，中德银行在建行独立代理中德银行业务上迈出的历史性一步。线上渠道，在建总行的支持下，中德银行成功实现了产品在建行网上渠道的布放和销售，开通了建行手机银行和个人网上银行渠道住房储蓄产品的缔结、查询、存款等功能；同时通过建行电子渠道开展广告宣传，先后投放五期“千人千面”广告，广告点击量达 221.8 万次；截至 2017 年底，中德银行有 9 款产品上了建行的电子渠道货架。合同余额为 6772 万元、存款余额为581万元，双方系统融合开始产出，协同工作出现了一个良好的开端。

第四个方面，基础建设越发成熟。

一年来，COS_ T二期及智慧柜员机项目正式投产上线，提高了中德银行集中作业平台效率、优化了客户体验，也为中德银行异地无机构地区业务拓展奠定了基础。集中作业平台的全面推广，实现了住房储蓄业务从客户身份核查、合同缔结到委扣签约、售后服务全流程线上实时业务处理。突破了业务受理空间和时间的限制，弥补了中德银行物理网点不足的问题。销售服务支持平台集“客户营销、服务支持、考核管理”于一体，规范了产品诠释和展示标准，进一步增强了客户体验，提高了营销效率。

第五个方面，风险管控扎实有效。

信用风险方面，制定并落实了年度信贷政策，出台了企业集团财务公司授信审批指引，对逾期及不良贷款的变动趋势进行监测、预警、分析，优化了呆账核销工作流程；操作风险方面，制定了操作风险关键指标管理制度，推进业务条线领域级关键风险指标监测体系的建立，统一了检查流程和标准，提升了各类应急预案的规范性和实用性；流动性风险方面，重检了流动性风险管理政策及计量检测模型，择机发行金融债券，通过建总行流动性危机救助通道确保了中德银行流动性应急资金来源，创新性地梳理了住房储蓄业务流动性“分池分级”管理方法，用于住房储蓄资金池流动性分析。

执笔：中德银行 周 暄

六、建信期货有限责任公司

（一）主要经营成果

收入和利润快速增长，资本回报逐年提高。公司全年实现营业收入1.78亿元（不含子公司销货成本），较2016年同比增长34.74%；实现净利润0.21亿元，同比增长76.15%。利润增幅高于行业整体水平（2017年期货全行业净利润79.45亿元，较上年同比增长20.65%）。ROE达到3.32%，比上年提高1.18个百分点。

业务规模保持稳定，市场排名小幅提升。截至2017年末，客户权益时点余额为55.57亿元，同比增长0.50%。全年累计日均权益为45.54亿元，同比增长44.84%。公司2017年末市场规模排名第20位，较上年上升一位。

（二）主要经营管理措施

一是增强服务实体能力，切实贯彻普惠金融战略。公司完成风险管理子公司仓单服务、基差交易、合作套保和定价服务四项试点业务备案，并与建行合作推出大宗商品买断式融资业务，进一步发挥场外衍生品服务平台功能。同时，公司不断增强交割结算能力，2017年完成交割业务总额45.61亿元，同比增长36.76%，交割品种增至22个，较上年增加6个。另外，公司积极响应“中央一号文件”和集团普惠金融战略，结合银行业务首创“保险+期货+银行”模式，顺利完成棉花期货价格保险和大豆期货价格保险两个项目，开创涉农普惠金融新路径。

二是全面提升营销管理要求，初步确立服务型营销导向。公司围绕“深化母子联动、加强会议营销、提升产业客户服务能力”三个方面强化营销管理机制。充分利用建行产业客户资源优势，开展专项营销和会议营销，向市场积极推介建行大宗商品综合服务产品。2017年末，公司联动客户权益20.28亿元，日均权益15.44亿元，同比分别增长40.28%和30.82%。会议营销是公司2017年营销工作重点，公司全年共举办推介会、研讨会、营销会议44场，较上年增加23场。为提升客户服务能力，公司还针对营销人员制定了关于如何提升服务产业客户能力的指导文件，从多个方面做出要求和部署。

三是完善运营保障体系，夯实客户服务基础。公司为配合期货新品种上市继续加大信息技术投入，完成CTP同城灾备系统和多套系统上线，较好地满足了市场拓展和内部管理的需要。另外，公司进一步充实研发力量，建立调研和服务相结合的研发模式，完善卖方研究服务体系，将行业调研、参与协助会议营销和沙龙营销作为工作常态，初步建立较为完整的研发数据库，以研发成果吸引更多产业客户。

四是改进内控合规管理体系，提高风控水平。公司根据集团和监管要求，以“完善流程监控，实现精细化管理”为目标继续健全制度体系；根据集团内部审计意见做好自查和整改工作；围绕

"风险为本"的工作思路全面完善反洗钱管理机制；以"知行合一"为根本着力推进合规文化建设。

五是改善人员结构，优化考核与培训机制。公司按照"控制总量、调整结构、提升素质、保障一线"原则，加大专业人才引进力度，并通过完善专业技术岗位序列体系、改进业务人员薪酬管理办法、优化中后台人员绩效考核办法、建立后备人才储备库、实施管培计划等方式来加强专业人才的激励和培养。

执笔：建信期货　芮　玥

七、建银国际（控股）有限公司

（一）主要经营成果

2017 年，建银国际作为我行全球投行业务平台，在总行的战略指导下，深入贯彻落实集团发展要求，发挥自身全球化、多功能、创新性、专业化、协同及品牌的优势，不断提升市场竞争力，服务集团整体发展。截至年末总资产达 918.53 亿港元，全年实现净利润 18.32 亿港元，在 2016 年净利润居中资银行系投行之首的基础上，净利润蝉联中资银行系投行第一，同比增幅近 40%，近三年年均增幅近 50%，大幅优于市场表现。

一是投行业务市场竞争力持续增强。建银国际持续推进投行业务发展，积极把握香港资本市场发展机遇，提升大型项目参与力度，持续增强核心投行业务竞争力。以账簿管理人角色参与完成 IPO 项目 15 单，完成项目数量位列全球在港投行第一，以重要角色协助山东国际信托、广州农商行、中国新高教集团等在港上市；完成并购项目 10 单，连续第六年完成中港地区并购项目数量位列中资银行系投行第一，并以财务顾问角色参与完成中国化工收购瑞士先正达等重要项目，提升了建银国际在跨国并购领域影响力。

二是热心慈善公益，树立市场品牌。2017 年建银国际累计获得国内外各类奖项 46 个，包括 The Asset "香港本地最佳投资银行"、福布斯中文"2017 中国最佳 PE 机构"、清科及投中"中国最佳私募股权投资机构十强"、财新与 Dealogic 合作颁发的"最佳香港上市中资 IPO 承销商"、Asiamoney 中外券商综合排名 TOP 5 等多个专业奖项。

建银国际积极履行企业社会责任，再度支持联合国儿童基金会慈善跑活动，该活动是全港最大的慈善跑活动，本次参赛人数超过 12500 人，建银国际共有 40 余位员工及家属参加了多个组别的赛事，宣扬了健康生活理念和公益慈善精神；另外建银国际还支持了香港政府"沪港金融大学生交流计划"，助力两地培养新一代金融人才；支持帮助贫困白内障患者重见光明的健康快车活动等，为建银国际进一步树立了市场品牌。

三是战略协同不断深化，服务集团发展战略。2017 年以来，建银国际与境内外分行、子公司发挥集团合力，业务联动规模超过 300 亿元人民币，完成了广州农商行、山东国际信托、中原银行、国泰君安证券、宇华教育、中国新高教等一批具有市场影响力的 IPO 项目，以及信达资产管理公司、长城资产管理公司、国家电建、光大银行、民生银行等重大发债项目，增强了全行战略性客户黏性，服务了集团整体发展战略。

四是积极建设"四个中心"，四大中心获批设立。围绕总行《落实建设银行转型发展规划加快海外业务发展的指导意见》及《支持香港机构加快发展工作方案》相关要求，建银国际提出打造全球投行业务中心、全球资产管理中心、全球创新投资中心、全球大宗商品交易中心（简称"四个中心"）的战略目标，在总行的大力支持与公司管理层牵头组织下，相关部门及子公司的积极推动"四个中心"建设工作，最终经总行批准在建银国际设立了中国建设银行全球投行业务中心、全球资产管理中心、全球创新投资中心及全球大宗商品交易中心。

（二）主要经营管理措施

持续关注新经济机遇，积极布局成长型业务。建银国际积极支持新动能、新业态发展。在总行支持下，发挥自身创新性优势，在同业中率先打造全球创新投资中心，近年来投资了一批具有高成长性、创新性的平台型客户。在新经济方面，投资了具有 3 亿注册用户的全球最大在线出行平台"滴滴打车"和具有 2.2 亿活跃用户的全球最大本地生活服务平台"新美团大众点评"；在新金融方面，投资了具有 4.5 亿活跃用户的金融平台代表蚂蚁金服；在新消费方面投资了占据全球无人机市场70%市场份额的“大疆无人机”；在新媒体方面，投资了激活用户达6亿的“今日头条”；以及深耕了连尚网络、积分联盟等数十家具有发展潜力和颠覆性的创新型企业，此外还投资了阅文、雷蛇、易鑫、众安、百度、亚马逊、谷歌、微软、Facebook、Snap－chat、Twitter等一批优质成长型企业，在跨市场实战中把握全球范围内新经济的强力脉动。

支持国家战略发展，创新服务实体经济。为支持国家战略发展，建银国际发挥自身所长，创新服务实体经济，高效参与首批央企混改试点唯一A股上市公司联通公司混合所有制改革，为金融机构参与国企混改树立了标杆，为建银国际在国企混改领域树立了品牌，为集团联动服务实体经济发展探索出新的模式；深度支持优化国有资产结构，结合建银国际资管业务经验和优势，创新设立总规模约360亿元的降杠杆基金，有效服务实体经济；推动国家租售同权政策落地，成功参与注册规模200亿元的银行间市场首单长租公寓ABN项目，树立了投资银行服务租售同权领域的标杆；全方位金融支持优质成长型企业，在国有商业银行系中创新搭建投贷联动基金，此基金是建银国际积极落实总行投贷联动业务的重大举措，作为内地首只科创投贷联动基金，为成长型企业打造了孵化平台。

发挥平台与投资功能，服务集团综合化发展。建银国际充分发挥境外平台和投资功能，配合总行综合化发展战略，在以往积极参与建信资本、建信人寿、建信租赁和建银咨询公司等平台建设，累计为建信基金资管、建信保险资管、建信租赁爱尔兰、建信咨询、俄罗斯VTB银行，巴西子行等注资、融资金额近30亿元人民币的基础上，2017年进一步响应总行号召，认真研究跨境银行间支付清算（上海）有限责任公司定向募资、维萨（VISA）银行卡清算合资公司投资等工作，并根据总行指示积极参与相关工作。

紧抓区域、市场发展契机，拓展完善公司网络布局。积极布局全球主要金融中心，2017年建银国际新加坡子公司正式开业，立足新加坡，推动“一带一路”建设，积极拓展亚太地区资管业务；积极布局国内重点区域，设立苏州、浙江分部，把握区域发展机遇的同时，加强与当地分行、子公司等机构的业务联动，进一步发挥集团协同优势；持续优化公司功能布局，为进一步抓好当前全球并购业务发展机遇，设立全球并购中心和并购及成长业务中心，在合规前提下，依托集团网络，及建银国际专业化优势，完善并购业务平台和机制，加快提升集团在并购业务方面的信息优势、资金优势和沟通优势。

执笔：建银国际　王　剑

八、建信养老金管理有限责任公司

2017年，公司深入学习党的十九大精神，认真贯彻落实总行党委的决策部署和监管要求，以做大做强养老金业务规模为中心，以产品创新为抓手，以风险防范为重点，攻坚克难、砥砺前行，各项业务实现快速发展，公司经营取得显著成效，切实践行了国务院试点职责。

（一）资产规模持续壮大，财务状况持续向好

公司实现了养老金管理资产规模的跨越式增长。截至2017年底，公司资产管理规模3918亿元，投管规模达到982亿元，超额完成全年业务发展目标。管理资产结构进一步优化，投管规模占比达到25%，较2016年实现大幅提升。随着管理资产规模持续壮大和投资管理能力不断提升，公司盈利能力逐渐显现，2017年实现净利润237万元，顺利实现总行提出的“两年平”目标。

（二）市场拓展成效显著，职业年金首战告捷

一是母子联动积极开展职业年金营销，首战告捷成功中标新疆职业年金受托管理人资格，为全国各统筹区营销打开良好局面。二是企业年金营销扎实推进，全年新增签约企业年金受托、账管项目19个；新增中标投管项目30个。三是深化与辽宁省社保基金理事会的合作，签约管理辽宁省养老保险风险基金二、三期，实现管理资金规模100亿元。

（三）创新活力不断增强，产品体系日趋完备

积极研发各类养老金和养老保障产品，市场反响良好，产品体系不断完善。一是总结四川仁寿失地农民养老保障产品和服务模式，在江苏南

通、山东临沂等地进行推广。以此为切入点深度参与雄安新区建设，得到新区领导充分肯定。二是积极探索创新互联网个人养老保障产品，在推出市场首款互联网养老保障产品“飞月宝”的基础上，相继研发推出飞来富、飞月鑫、飞利达等系列产品。三是针对不同时间节点和特定人群，发行雄安新区、建军节、教师节、重阳节等多款“养颐”系列产品，丰富了市场上的养老保障产品种类。研发生命周期个人养老保障管理产品，为参与第三支柱试点做好准备。

（四）投资核心竞争力持续提升，投资管理业绩优良

一是公司投资业绩始终名列市场前茅，并持续保持稳健增长。根据人社部2017年数据统计，公司单一计划固定收益类组合收益率5.92%，市场第二；含权益类组合收益率6%，市场第四。稳健增值混合型养老金产品投资收益率在可比的42只产品中排名第十位，处于前25%分位。二是受托管理的128个计划272个组合全年整体资产加权平均收益率为5.15%，高出市场平均业绩10个基点。

（五）创新住房养老模式，深度融入总行蓝海工程

公司紧跟总行战略，成立蓝海项目工作组，不断延伸总行蓝海项目服务链条，将公司养老金管理业务深度嵌入到总行蓝海项目战略当中。将房屋租赁与养老有机结合起来，设计“存房养老”和“租房养老”两类产品，为客户提供集住房租赁、养老资产管理、养老服务于一体的“一站式”综合服务。与多家养老机构和地产商开展合作，储备一批养老项目和养老房源，并将服务链条拓展到健康、旅游、文化等行业。

（六）风险防控扎实有效，基础工作不断夯实

加强全面风险管理，资产质量整体情况良好，未发生不良，也未出现风险事故和任何案件。编制公司风险偏好陈述书，为风险管理工作提供了重要依据。实施全面风险管理，着力完善风险管理流程，加强内控合规管理，确保了公司依法合规稳健经营。

（七）发挥行业创新引领作用，推动国家养老保障体系发展

公司参与监管部门组织的第三支柱建设研究课题等，为全面建成多层次养老保障体系建言献策，积极在中国养老金融50人论坛、金融街88号论坛等平台发声，加强与外部机构合作，参与组织中国首次养老金融调查、编撰养老金融蓝皮书，荣获“养老金业务最佳业绩奖”“养老金业务最佳发展奖”“创新中国金融行业十大领军企业”等荣誉，切实践行了国务院试点责任。

执笔：建信养老　陶星

九、建信财产保险有限公司

2017年，建信财险积极实践探索差异化发展道路，着力夯实基础，大力推动业务，快速搭建风控合规体系，努力提升客户服务水平，各项工作取得明显成绩，荣获每日经济新闻主办的“2017中国金融发展论坛暨第八届金融金鼎奖”之“年度卓越价值成长保险公司奖”。

（一）主要经营成果

全年实现保费收入2.45亿元，其中非车险保费收入2.18亿元，占公司总保费收入的89.17%，超过行业平均水平60多个百分点。保费收入行业市场排名第六十九位，较2016年上升十二位。

全年实现投资收益3319万元，计划完成率130%；综合投资收益率为4.87%，大幅超越银行系统保险公司平均水平0.66个百分点。

偿付能力充足率为854.15%，总行连续将公司评定为“较小风险”，保监会风险综合评级优异，在年度风险管理能力评估中，开业首年得分75.05分，超过财险公司行业平均水平，在近两年新成立的公司中位列第一。

（二）主要管理措施

1. 服务集团战略的特色功能初步显现。助力总行蓝海项目，发挥财险功能优势，研究制订了针对政府、租赁企业、个人和住房租赁平台四套保险服务方案，最终有13个产品获得总行采纳，位居子公司贡献产品数量首位。支持总行“移动优先”战略，配合开展“使用建行手机银行 尊享资金安全保障”营销活动，累计为2169万手机银行用户提供了账户资金安全险，保障总额达1.3万亿元。贯彻总行零售优先战略，累计为建行320多万客户提供了资金安全保障。落实总行普惠金融战略。充分发挥财险产品小额分散、价格低、保障程度高的功能作用，专门针对欠发达地区客群开发了账户保、安守人生意外险和家财险等普惠型保险产品，有效覆盖建行20多万客户，而单均价格仅为10元，累计提供风险保障达100亿元。针对中小企业推出“抵押保”业务，累计提供保障金额28.75亿元。

2. 母子联动机制初步建立，战略协同效应凸显。2017年，公司与建行集团联动业务实现保费1.98亿元，占比高达80.82%，为集团提供风险保障总额超过4.5万亿元，服务个人客户2476万人次、对公客户1263户。

3. 着力培育在服务建行集团中的核心竞争优势。一是围绕母行主业积极开展产品创新，已初步建成“账户保”“安守人生”“微小保”和保险卡四个拳头产品线。其中，“账户保”产品全年实现超过4000万元的保费收入，被总行产品创新部推选为子公司可推广创新产品，并获得中国保险报“2017年度创新保险产品”奖。二是四大业务板块核心能力建设初见成效。非车险业务稳中有为，建立健全了管理制度体系，提高对优质业务的支持效率。构建再保体系，再保合约分保累计提供1300亿元的承保能力支持。车险业务稳中起步，在业内开创了银行网点代销车险的新模式，全年建行渠道对车险保费贡献度为17%。互联网保险业务稳中见优，初步搭建了互联网销售渠道，为公司互联网保险业务发展奠定了扎实基础。2017年，互联网渠道保单总量超过150万份，占公司保单总量的98.93%。投资业务稳中见强，投资收益全年稳步上升，大幅超越银行系保险公司平均水平。其中，流动性资产、固收类资产收益率分别超越市场均值109个基点和70个基点，权益类资产波幅优于市场表现。三是客户服务体系初步建立，将“体验至上”融入公司客服理赔工作，着力提高服务质量，提升服务效率。全年共发生理赔报案1.41万件，结案1.36万件，结案金额2609万元，平均结案周期2.2天，大幅优于行业平均水平，账户安全险结案周期更是在2天以内，不仅提升了建行客户体验，还丰富了建行综合金融服务能力。

4. 严守合规底线，风控体系建设取得突出成效。全年未发生重大违规事件和风险案件，在保监会各季度风险综合评级中，公司得分均超过90分。以“偿二代”为核心的风险管理体系全面建立，集团“五到位”管理要求细化落实，各类风险总体可控。着力健全内控合规机制，合规服务主动前置，着力打造稳健审慎的合规风险文化。积极建立第三道防线，发挥纪检监察在防范金融风险中的重要作用。

5. 加强信息系统建设，保障业务顺利开展。扎实推进“双优混合架构”核心系统建设，目前已建成35个信息系统，实现54次版本迭代上线。信息系统运行安全平稳，经受住高并发考验，承保峰值达到每秒21笔，承保全流程平均响应时间为0.6秒左右，自动理赔平均响应时间为10秒左右，平稳应对手机银行赠险、人保金服航意险高峰交易量，相比传统财险公司的核心业务系统，业务处理能力和支持能力大大提高。

执笔：建信财险　张　磊

十、建信金融资产投资有限公司

2017年8月19日建信投资正式挂牌成立，顺利完成了子公司筹建和开业运营，成为建设银行集团旗下的专业股权投资平台。

（一）高效完成公司筹建和开业

建信投资是建设银行集团于2017年新设立的全资子公司。2017年4月11日，银监会批准筹建全国首家债转股实施机构——建信金融资产投资有限公司；6月1日，公司召开创立大会、第一次董事会和监事会；7月20日，银监会批准公司开业，25日颁发金融许可证，26日完成工商注册；2017年8月2日，公司成为首家挂牌开业的金融资产投资公司。

截至2017年末，公司共有员工70人，其中正式员工67人，正式员工平均年龄为35.07岁，全部为本科以上学历。其中，本科学历17人，占比为25.37%；硕士学历41人，占比为61.20%；博士学历9人，占比为13.43%。

（二）主要经营成果

1. 市场化债转股业务规模领先同业。2017年，建信投资市场化债转股累计签约规模为5897.03亿元，落地金额为1008.12亿元，在同业均排名第一，签约企业涵盖央企、地方国企和民企，涉及有色金属、钢铁、煤炭、机械、交通运输、石油、化工等多个行业。公司总资产达到122.20亿元，净资产达到120.20亿元。

2. 推动金融服务实体经济成效显著。建信投资积极贯彻供给侧结构性改革，为企业提供债转股综合化服务，助推国企改革，切实服务实体经济，提升企业价值。目前公司已落地的市场化债转股项目实施效果良好，集团企业层面平均降低资产负债率3~5个百分点。

3. 树立债转股"建行模式"引领市场。建信投资创新推出发股还债、综合化设计和分步式实施等策略，突破业务初期困难瓶颈，率先推动业务落地。公司的探索实践得到发展改革委、人民银行、银监会等主管部门认可，逐步在市场中树立起市场化债转股的"建行模式"。

（三）主要管理措施

1. 聚焦龙头，成功推进一批重点项目。建信投资以关系国计民生的基础类产业为主，兼顾装备制造、电子信息等战略性新兴产业。借助建行的集团优势，在煤炭、钢铁、有色、化工等领域签约了一批行业地位非常突出的重要客户，公司市场化债转股的示范和带动效应不断增强。

2. 专业专注，推动业务做实做强。建信投资开辟多元化的募资渠道，通过理财资金、非银行金融机构、其他社会投资者为债转股业务募资超过1000亿元，公司设计并成功发行市场首单债转股专项理财产品，并推进发行债转股资管产品、金融债券等发行工作。公司发挥专业优势，积极开展投后管理，已向4个项目的5家企业派驻8名董监高人员。参与公司治理，行使股东权利，努力提升被投企业价值。

3. 严控风控，确保业务稳健推进。建信投资严格落实政策和监管的各项要求，全面加强风控合规管理，实现业务和风控合规的良好平衡。结合债转股业务特点，建立健全公司制度，坚持全流程把控，实现风险管理的前置和全面介入。

4. 加强党建，建立健全公司治理机制。坚持以党建引领业务，贯彻落实"三重一大"决策制度，把党的领导全面融入公司治理和经营管理之中。公司成立后组织召开董事会和监事会，明确了董事、监事人选，聘任了高管人员，确定了董事会专门委员会分工和公司内部机构设置，并完成股东授权与董事会对总裁的授权。公司积极承担社会责任，对陕西安康市汉滨区进行定点扶贫，以实际行动支持中央和建行总行党委精准扶贫的战略部署。

执笔：建信投资　丁　宁

海外机构改革与发展

一、香港机构（建行亚洲、香港分行）

（一）业务发展情况

截至2017年底，香港机构资产总额为1205.6亿美元，实现净利润6.2亿美元，主要财务指标同比提升。

（二）主要经营管理举措

1. 中国建设银行海外跨境融资中心和离岸人民币交易中心在建行亚洲陆续挂牌成立，提升建设银行参与支持海外重大项目能力以及在离岸人民币市场中的地位。

2. 作为指定的首批香港结算行、结算托管行全面参与"债券通"上线工作。

3. 设立产品创新与审批委员会，完善产品创新机制，信托、资产管理、金融市场等创新业务实现落地。

4. 夯实业务发展基础，深化业务结构调整，成功发行一级资本工具，满足净稳定资金比率、资本充足率等多重监管要求。

5. 建行亚洲以"首家华资银行，服务香港百年”为题举办105周年系列庆祝活动，提升了建设银行在港品牌形象和社会影响力。

二、新加坡分行

（一）业务发展情况

截至2017年底，实现净利润8269.8万美元，资产总额为169.9亿美元。

（二）主要经营管理举措

1. 对公金融服务方面，客户结构和业务结构优化，可持续盈利能力上升。

2. 私人银行业务方面，成立总行级的新加坡私人银行中心；获得金融管理局私人银行金融服务顾问的许可，为未来研发私人银行投资理财产品和开发系统奠定了基础。

3. 资金和投行业务方面，参与7家客户的债券承销和1家客户的信托上市服务；成功发行新加坡元债券，优化了资产负债结构；与汇丰银行新加坡分行、华侨银行总行等机构签订双边贷款协议，开展一到两年期金融机构借款，主动负债能力增强。

三、法兰克福分行

（一）业务发展情况

截至2017年底，分行总资产为45.0亿美元，全年实现净利润673.5万美元。

（二）主要经营管理举措

1. 作为联合牵头行及簿记行签约宝马集团全球备用银团；会同卢森堡分行为大众汽车集团提供备用银团业务。

2. 深化“跟随”和“联动”，配合总行为北京分行争取到德国大众金融（中国）公司发行人民币债券的联席承销商角色。

3. 中间业务取得突破，开辟了新的业务增长点。成功推出贵金属租借及掉期业务；外汇交易等高附加值产品快速发展；与拜耳和大众等签订外汇交易协议，并与宝马就大宗商品业务达成合作意向。

4. 清算业务稳步发展，服务能力不断提高，全年完成清算25.6万笔，累计6802亿欧元。

5. 在国内人民币银行间债券市场单独开立了债券投资及托管账户，拓宽了投资渠道。

四、约翰内斯堡分行

（一）业务发展情况

截至2017年底，分行总资产为29.4亿美元，实现净利润2869.2万美元，顺利完成全年利润计划。

（二）主要经营管理举措

1. 进一步深化本地化优势。成功营销第一兰德集团First Rand（南非市值第一大金融集团）、IDC（南非国有投资公司）、SASOL（非洲最大石油化工集团）、Transnet（南非国有运输公司）、MTN（非洲最大通信集团）、Vodacom（南非最大通信运营商）、Naspers（非洲最大传媒企业，腾讯最大股东）等当地大公司和著名跨国公司客户。

2. 积极履行社会责任。2017年，被推选为拥有125家会员单位的南中经贸协会会长单位，并率先示范并动员会员单位支持大使馆构建“平安南非”倡议活动；参与南非“生命之路”助学计划，资助十名贫困大学生；连续多年慰问当地老人院、孤儿院和残疾人学校等。

五、东京分行

（一）业务发展情况

截至2017年底，分行总资产为196.9亿美元，全年实现净利润3358.3万美元。

（二）主要经营管理举措

1. 飞机融资租赁业务创新发展，全年累计办理飞机融资业务10笔。

2. 跨境人民币结算量大幅上升。

3. 机构业务发展提速，营销东京大学、日本政策投资银行等机构。

4. 入选区块链国际保理业务首批试点行，并会同浙江分行运用区块链技术实现了系统内首笔跨境交易。

5. 牵头完成住友重机械工业株式会社全球授信。

六、首尔分行

（一）业务发展情况

截至2017年底，分行总资产为184.1亿美元，全年实现净利润7188.1万美元。

（二）主要经营管理举措

1. “一行一式”特色业务取得突破。促成总行与韩国贸易保险公司签署《“一带一路”合作谅解备忘录》；协助境内机构投标三星电子人民币现金管理和人民币净额清算项目并中标；保持人民币韩元做市商资质，日均交易量稳居市场前五位；连续两年获韩国产业通商资源部“对外招商引资突出贡献奖”。

2. 提高主动负债能力，产品创新成效显著，利用建设银行海外资金平台发行存款证，余额同比翻番。获中央结算公司“优秀境外机构投资者奖”。

3. 合规、风控能力提升。“优先发展类”客户信贷余额占比逾80%；被当地两家评级公司授予AAA级信用评级。

七、伦敦机构（建行伦敦、伦敦分行）

（一）业务发展情况

截至2017年底，伦敦机构总资产余额为113.6亿美元，全年实现净利润9741.1万美元。

（二）主要经营管理举措

1. 人民币清算行业务继续保持稳定增长态势。英国人民币清算行累计人民币清算量突破20万亿元，保持亚洲地区以外规模最大清算行地位，助力伦敦成为全球第二大人民币清算中心。

2. 资金业务稳步增长，人民币交易量位列驻英中资银行首位。人民币外汇交易量和收入水平位居驻英中资银行前列，已成为中国银行间市场即期、远期、掉期、货币拆借和债券回购的交易会员。货币市场交易量超过3000亿美元。

八、纽约分行

（一）业务发展情况

截至2017年底，分行总资产为162.0亿美元，全年实现净利润1.1亿美元。

（二）主要经营管理举措

1. 分行积极推动业务发展，优化业务结构，持续拓展与美国当地大型公司和机构客户的业务合作，满足优质“走出去”客户的金融服务需求，业务发展和经营效益再创历史新高，继续保持在海外机构前列。

2. 落实“一把手”责任制，大力构建“合规优先”的经营文化，将合规操作嵌入各业务流程，注重细节，不断建立健全有关合规规章制度，优化系统和流程，选拔本地优秀人才不断扩充合规队伍。

九、胡志明市分行

（一）业务发展情况

截至2017年底，分行总资产为2.3亿美元，全年实现净利润148.8万美元。

（二）主要经营管理举措

1. 围绕“一行一式”定位，执行分行“两轴两翼”拓展计划，加大客户拓展力度和信贷投放力度，信贷资产和净利润同比均增长显著。

2. 加大合规资源配置，突出合规考核导向。2017年增加合规与风险人员，进一步充实合规风险队伍；把合规指标纳入全行绩效考核体系，将合规履职情况作为员工个人年度考核和评优奖励的重要依据，体现业务指标与合规指标综合评价的导向。

3. 资产质量保持良好水平，各项业务发展合规稳健。

十、悉尼分行

（一）业务发展情况

截至2017年底，分行总资产为268.1亿美元，全年实现净利润1.1亿美元。

（二）主要经营管理举措

1. 分行全年牵头完成10笔银团贷款，在澳洲本地银团牵头市场排名第九，是唯一一家成立不到10年即进入澳洲本地银团牵头行排名前10名的银行，继续保持当地中资银行的领先地位。

2. 跨境贸易融资业务保持领先优势。

3. 进一步夯实风险内控管理，将内控合规团队升级为独立部门，并扩充了合规人员团队。

4. 成为系统内首个利用贵金属租借与掉期相结合的方式进行融资的海外机构。

5. 在2017年底启用彭博系统进行会计套期操作。

6. 二级机构珀斯分行于6月30日正式开业，有效地增加了悉尼分行营销半径，业务覆盖地域和时区更广，进一步夯实了落地化经营基础。

十一、建行俄罗斯

（一）业务发展情况

截至2017年底，分行资产总额为5.8亿美元，全年实现净利润946.9万美元。

（二）主要经营管理举措

1. 经营方面，客户基础进一步扩大，全年对公客户数同比增长85%；重点行业和项目营销取得进展；落实全面风险管理，信贷资产无逾期，无重大操作风险事项，无声誉风险事件。

2. 合规方面，“一把手”主抓内控合规，建立内控合规委员会工作机制，加强基础管理，持续审计整改，2017年名列总行境外机构内部控制评价一类机构；重视与当地监管沟通，监管评级维持在俄外资银行的最高水平；惠誉评级等同于俄主权评级。

十二、迪拜国际金融中心分行

（一）业务发展情况

截至2017年底，分行总资产为44.5亿美元，全年实现净利润1535.9万美元。

（二）主要经营管理举措

1. 克服牌照限制成功营销当地客户存款，拓宽负债来源。

2. 主动压缩退出高风险客户，以合规和风险控制为业务拓展的首要前提，稳步推进政府、航空和石油等行业优质客户营销。

3. 积极拓展联动业务，稳步推进产品创新，实现跨境融资项下人民币外汇掉期交易组合产品、国内信用证福费廷买入业务突破。

4. 积极探索“轻资产”业务，通过债券承销和备用银团业务扩大中收。

十三、台北分行

（一）业务发展情况

截至2017年底，分行总资产为219.9亿美元，全年实现净利润4649.4万美元。

（二）主要经营管理举措

推进人民币国际化。分行连续三年获得台湾期货交易所颁发的“人民币汇率期货造市绩效卓越奖”。

十四、卢森堡机构（卢森堡分行、建行欧洲）

（一）卢森堡分行及建行欧洲整体情况

1. 业务发展情况。截至2017年底，卢森堡机构总资产为112.6亿美元，全年实现净利润4718.9万美元。

2. 主要经营管理举措。

（1）不断提升合规管理和风险控制能力。高度重视合规管理工作，明确合规是业务发展的前提。与监管持续沟通，合规工作得到了监管机构充分肯定。

（2）持续加强公司治理。通过加强沟通和学习，明确总部与分行协同联动机制，实现了总部与分行之间团结一心、通力合作；进一步完善董事会议事规则。

（3）与所辖分行协同联动，实现重大项目突破。牵头组建欧洲不动产交易史上第二大、中国企业第四大的中投Logicor项目海外并购；并购融资和项目融资发展迅速，先后完成了ISTA并购、WINDTRE并购、倍耐力工业胎银团、倍耐力再融资、万科收购普洛斯及与卢货航的首单飞机融资业务等重大项目；试水债务资本市场，在卢森堡中资银行同业中率先打开中资企业欧元债市场。

（二）建行欧洲巴黎分行

1. 业务发展情况。截至2017年底，分行总资产3.5亿美元，全年实现净利润-400.2万美元。

2. 主要经营管理举措。

（1）业务发展方面，大力支持中资企业“走出去”，先后牵头了南网集团、北京三元集团等客户的大型收购项目，参与建行欧洲牵头的中投Logicor并购项目；重视当地500强跨国企业营销和拓展，成功牵头筹组道达尔公司Ichthys LNG项目银团贷款；完成标致集团全球授信；完成法航、中飞租等多笔飞机融资等。

（2）内控合规方面，牵头梳理了建行欧洲整体合规政策及流程，扩大了合规政策覆盖范围，完善了反洗钱系统筛选监控功能，加强了内部合规反洗钱培训。

（3）综合服务能力方面，完成“新一代”海外对公业务系统的上线工作。

（三）建行欧洲阿姆斯特丹分行

1. 业务发展情况。截至2017年底，分行总资产为1.8亿美元，全年实现净利润-313.8万美元。

2. 主要经营管理举措。

（1）业务发展方面，成功参加多个全球业界顶尖企业的银团贷款业务；发挥飞机融资专长，成功参与卢森堡航空、爱尔开普和新世界发展集团Goshawk飞机融资项目；发挥集团协同优势，积极参与建欧中投Logicor融资项目。

（2）内控合规方面，与荷兰中央银行举行两次会面，向监管汇报分行工作情况，得到监管充分认可和肯定；完成分行政策共享平台建设，全员参与内部控制自评估和合规培训。

（3）综合服务能力方面，新一代核心系统上线并完成单一欧元支付区域（SEPA）系统开发。

（4）企业形象方面，在荷兰多家知名平台投放形象广告，积极参与荷兰中资企业协会活动。

（四）建行欧洲巴塞罗那分行

1. 业务发展情况。截至2017年底，分行总资产为1.9亿美元，全年实现净利润-201.0万美元。

2. 主要经营管理举措。

（1）业务发展方面，参与国际产能合作，积极营销客户、拓展业务。全年参与项目达10余个，完成包括隆平高科、中投Logicor在内的境外并购项目3个，完成了“一行一式”各项任务指标。

（2）加强合规管理，严守合规底线。全年未发生合规风险事件，在2017年度境外机构内部控制评价中被评定为一类机构；同时，分行加强全面风险管理工作，建立风险管理工作周报机制，提升风险预警能力。分行信贷资产分类均为正常。

（五）建行欧洲米兰分行

1. 业务发展情况。截至2017年底，分行总资产为1.7亿美元，全年实现净利润-469.5万美元。

2. 主要经营管理举措。

（1）拓展本地业务。全年整理跟进20余项本地业务机会，实现意大利大型水泥公司Buzzi Unicem和意大利电信TELECOM ITALIA等本地公司信贷业务落地，与两家本地保理商建立了合作关系，成为意大利最大资产管理公司之一——Eurizon的跨境托管行。与多家跨境电商代理机构建立联系，梳理了18大类百余种本地产品清单。

（2）合规经营。定期召开风险与合规委员会，完成四次合规培训，积极做好Mifid II项目牵头工作，在2017年度内部控制评价中被评为一类机构。

（3）严控风险。对意大利客户进行多维度分析，根据建欧整体风险偏好，列出明确的目标客户名单。明确不相容岗位和重要岗位备份要求，建立跨部门合作团队，确保每个重要环节能做到“四眼原则”。

（六）建行欧洲华沙分行

1. 业务发展情况。2017年5月22日，分行举办开业仪式，正式对外营业。截至2017年底，分行总资产为0.2亿美元，全年实现净利润-215.6万美元。

2. 主要经营管理举措。

（1）业务方面，确立“一行一式”发展定位，致力于为中波投资及经贸往来客户提供优质产品与服务；加强当地金融机构客户营销；大力拓展本地及联动业务，夯实客户基础；积极参与本地基础设施、高新技术、绿色经济等领域优质项目。

（2）合规方面，确立了“合规为先，稳慎有为”的经营理念，确保依法合规经营。

十五、澳门分行

（一）业务发展情况

截至2017年底，分行总资产为62.3亿美元，全年实现净利润3712.5万美元。

（二）主要经营管理举措

1. 加快联动业务发展，持续拓展落地业务。牵头“走出去”重大项目进展良好，成功办理多笔海外大项目；个人资产质押贷款等产品成为新的利润增长点；持续加大对本地重点客户的营销力度，参与本地多笔银团贷款。

2. 多元化资产负债来源，降低资金成本。在债券通业务开通当日完成债券交易，成为首批达成“债券通”交易的机构之一；推进对澳门本地金融机构的授信工作。

3. 完善内控风险体系建设，提升内控合规水平。在原有风险部合规团队的基础上组建内控合规部，合规工作得到当地监管部门肯定。

十六、新西兰机构（建行新西兰，新西兰分行）

（一）业务发展情况

截至2017年底，新西兰机构资产总额为13.7亿美元，全年实现净利润758.4万美元。

（二）主要经营管理举措

1. 成功获颁分行牌照。2017年12月，新西兰储备银行向建设银行颁发了新西兰分行牌照，这是储备银行2009年以来首次向外资银行颁发分行牌照，是储备银行2016年修订“双牌照”监管政策以来，当地首家实现双牌照运营的中资银行。

2. 加强境内外联动和集团战略协同。继续支持“走出去”中资企业，同时与新西兰本地的交通基础设施、电力、林业、房地产业和建筑业等重点行业客户以及地方政府建立了良好的合作关系，独家支持的“基督城探险公园”融资项目获2017年新西兰金融业“年度最佳债务融资”大奖。在本地市场上树立了建行良好的品牌和形象。

十七、多伦多分行

（一）业务发展情况

截至2017年底，分行总资产为15.7亿美元，全年实现净利润1324.3万美元。

（二）主要经营管理举措

1. 内外联动，支持企业“走出去”。完成中天能源并购加拿大长征勘探有限公司项目放款；与河南省分行合作办理多伦多分行第一笔国际商业贷款转贷款。

2. 夯实基础，大力拓展本地客户。参与加拿大最大的石油天然气管道建设项目之一的金德摩根科钦公司银团贷款；成功发放当地首笔商业地产贷款；为嘉吉集团、Barrick Gold集团等当地大企业完成授信。

3. 资金业务实现新突破，融资能力不断增强。成功在加拿大当地市场发行加拿大元存款证（Bank Deposit Notes，BDN），为首家在加拿大当地市场发行存款证或债券等债务融资类工具的中资银行。

十八、建行巴西

（一）业务发展情况

截至2017年底，建行巴西总资产为59.3亿美元。

（二）主要经营管理举措

1. 创新信贷管理，资产质量大幅提升。从规模、结构、质量、利润贡献四个维度强化信贷管理。率先建立了信贷资产质量“目标责任制”，调动了风险管控内在动力。

2. 拓宽筹资渠道，本地筹资能力显著提升。加大本地资金业务发展力度，不断拓展公司存款及同业资金来源渠道，本地筹资能力显著提升。

十九、苏黎世分行

（一）业务发展情况

截至2017年底，分行总资产为26.2亿美元，全年实现净利润121.8万美元。

（二）主要经营管理举措

1. 公司业务基础全面夯实，已有落地授信客户33家，并为瑞士7家世界500强客户在国内分行开展业务奠定基础。

2. 贵金属寄售业务取得突破，成为全行唯一海外试点分行。

3. RQFII发展加速人民币国际化，已为9家金融机构开立了清算账户。

4. 落实内控合规要求，为业务保驾护航。2017年，监管和审计对分行的合规经营给予了积极正面的评价。8次审计（4次内审、4次外审）无严重和中级发现，无重大风险事件和合规事件。实现信用评级、授信风险评估评审、放款条件落实审核三个100%全覆盖。建立并逐步完善内部控制流程系统，执行风险合规每月例会制度，完成监管报表系统、反洗钱系统、灾备场所及双路备份电源建设。

二十、智利分行

（一）业务发展情况

截至2017年底，分行总资产为4.6亿美元，全年实现净利润11万美元。

（二）主要经营管理举措

1. 全力支持“走出去”项目和企业。一是坚定落实高访成果，与智利太平洋水电、国电投签署三方协议，分行获任全球协调人，会同迪拜分行获得银团贷款最大份额。二是与“走出去”企业建立良好合作，促成中国在智最大投资——张裕集团收购项目，成功营销中铝秘鲁项目等。

2. 深度挖掘本土客户，根植于智利，贷款覆盖了能源、矿业、百货等特色产业。

3. 人民币业务发展迅速，清算结算平台运转顺畅。着力营销发展人民币清算客户，智利唯一的国有银行——智利国家银行成为建设银行清算参加行。

二十一、建行印尼

（一）业务发展情况

截至2017年底，子行总资产为11.6亿美元，全年实现净利润374.0万美元。

2017年2月24日（印度尼西亚当地时间），中国建设银行印度尼西亚股份有限公司擂鼓揭牌

（二）主要经营管理举措

1. 移植集团市场拓展先进经验，开展子行首届旺季营销活动，在主要业务取得开门红的同时，客户和项目储备明显增加，利润同比大幅增长。

2. 推进协助项目对接落地，为子行有效融入建设银行体系及管理水平提升奠定了良好基础。

3. 优化公司治理架构和机制，完成了子行董事会和管理层人员调整，完善业务部门设置，强化子行风险部、财务部的管理职能，增设公司业务部、贸易融资部等部门。

4. 加强沟通交流，逐步引入集团经营理念和文化，通过走访网点，举办年度工作会议等形式，有效推进集团与子行的文化融合。

二十二、建行马来西亚

（一）业务发展情况

2017年6月2日，建行马来西亚顺利完成开业验收并正式营业。截至2017年底，子行总资产为6.6亿美元，全年实现净利润109.5万美元。

（二）主要经营管理举措

1. 为中交集团东海岸铁路项目提供结算与资金交易服务，与北部湾及IJM有限公司深入合作，为关丹产业园建设提供综合金融服务。

2. 全年无重大风险或违规事项，实现内控合规三个“零”：零监管处罚、零监管违规、零洗钱违规。

3. 成功将金融市场业务扩展到伊斯兰金融市场。

二十三、建银国际

（一）业务发展情况

截至2017年底，总资产达到120亿美元，全年实现净利润2.6亿美元。

（二）主要经营管理举措

1. 投行业务继续保持同业前列，以账簿管理人身份参与完成IPO项目数量列全球在港投行第一，连续六年完成并购项目数量均位居中资银行系投行第一。

2. 持续关注新经济发展机遇，成功参与滴滴出行、美团大众、大疆无人机、今日头条等位居排行榜前十的独角兽企业后，又在人工智能、物联网等领域深耕了积分联盟、连尚网络、京东金融、汇通天下、绿叶医疗和第四范式等数十家具有发展潜力和颠覆性的创新型企业。

3. 支持国家战略发展，创新服务实体经济：推动租售同权，成功参与注册规模200亿元的银行间市场首单长租公寓ABN项目；全方位金融支持优质成长型企业，在国有商业银行系中创新搭建投贷联动基金；高效参与联通公司混合所有制改革；深度支持优化国有资产结构，设立总规模达360亿元的降杠杆基金。

4. 品牌价值得到进一步提升，获得《The Asset》“香港本地最佳投资银行”，清科及投中榜单“中国最佳私募股权投资机构十强”，财新与Dealogic合作颁发的“最佳香港上市中资IPO承销商”等多项荣誉。

校对：马　佳　马京京

二、内部管理与风险控制

办公室（党委办公室）工作

一、抓学习，重落实，全面加强集团党建

（一）学习党的十九大精神，确保贯彻落实

一是传达学习党的十九大精神。制发《关于认真组织收听收看习近平总书记在中国共产党第十九次全国代表大会上的报告的通知》，转发《中共中央关于认真学习宣传贯彻党的十九大精神的决定》。二是细化实施方案，牵头制发《关于深入推进全行学习宣传贯彻党的十九大精神实施方案的通知》，分层落实责任。三是制订督查计划，制发《关于开展学习宣传贯彻党的十九大精神专项督查的通知》，督促落实。

（二）针对性完善制度体系，健全党建机制

一是细化作风建设制度。按照中央纪委七次全会精神，起草《总行党委成员关于严格执行中央八项规定精神的若干规定》，并经党委会通过印发。二是健全党委工作规则。结合对分行巡视发现的执行党委工作规则中存在的问题，制发《关于严格执行党委议事决策制度有关事项的通知》。三是完善子公司党建制度。制发《关于进一步加强境内子公司党的建设推进全面从严治党的指导意见》，重点解决子公司党建薄弱问题。四是建立党建考核机制。将制定党委年度工作要点、建立联席会议制度等纳入2017年度一级分行党委主体责任考核范围，引导全行加强党建工作。

（三）切实履行好党办职责，加强党建交流

协调召开党建工作领导小组成员单位联席会议，把党委对党建工作要求落到实处；编制党建工作领导小组成员单位工作摘报，加强党委职能部门党建工作信息交流；组织召开子公司党建工作座谈会，对5家子公司和总行客服中心党委秘书就落实党委工作规则进行培训辅导。

（四）借助有效的发声渠道，加强宣传报道

在党的十九大召开期间，推出综合新闻报道，开辟《完成新使命　再上新台阶》《我们有话说》专栏，引导全行上下紧扣新时代我国社会的主要矛盾变化，着眼于党和国家事业全局谋划改革发展各项工作。

二、抓细节，促发展，全力推进转型创新

（一）增强创新理念，实现服务支持精细化

推进行长办公会议准备、值班动态编制等涉及面广、流程复杂、相对较“重”的传统业务向OA平台迁移。应用可粘贴在手机背面、带有二维码标识的新型参会证，会同信息技术管理部搭建了以iPad为核心的新型无纸化会议环境。研发新型智能文件交换柜，实现行领导签批文件高效流

转。明确重点常规工作，为不同岗位员工配发行领导秘书版、值班秘书版的活页工作手册。总结完善文稿写作、校对等做法，形成条理化经验，并采用集体讨论方式修改文稿，实现调研组稿的系统化管理。

（二）强化科技应用，推进办公应用自动化

起草应用国产化信息平台建设办公自动化系统（OA2）总体方案，制订建设总体需求；完成办公自动化系统功能拓展项目、公文、印章、档案及秘书工作功能技术开发与测试工作；开发OA系统与文件交换系统的互联互通接口；更新分行OA系统应用版本。

（三）采用多种措施，提升网络保密科学化

进一步严格互联网门户网站等保密管理，通过履行信息发布保密审查审批程序，明确政务微博、微信公众号等平台的功能定位，实施权限管控，加强敏感信息防泄露保护，组织全辖进行拉网式清查等方式加强保密信息管理。

（四）搭建信息平台，提高档案管理智能化

完成“新一代”综合档案管理信息系统一期系统开发设计与全行应用推广上线，实现文书档案全流程管理，初步搭建起全行各类档案全流程管理和集约化管理平台。试点引入智能库房管理设备，全面应用条码技术，实现档案电子借阅审批功能及档案鉴定销毁电子化，解决实物业务资料信息化管理的瓶颈，拓展档案编研成果展示平台。

（五）加大合作力度，打造内宣报纸特色化

推进《建设银行报》纵深转型，推出《两学一做学习教育》《服务小微　普惠发展》等专栏；提出理论版“三个平台建设”概念，并以论苑、调查观察、工作研究、经营管理视窗、谈经论道和专版交替运行模式积极实践完善。突出副刊特色，推出《“新一代”的那些事儿》等专版，结合热门话题反映全行重点工作。密切与子公司合作，推出专版。

（六）运用有效方式，推动队伍建设专业化

邀请内外部专家进行专题研讨，请已转岗员工交流转岗心得，通过案例研学、带岗培训、老员工“传帮带”等多种方式迅速提升岗位适应能力。

三、抓管理，夯基础，确保行务有效运转

（一）加强统筹策划，发挥秘书助手作用

做好会议及重要活动的协调服务，应对突发事件，迅速了解信息、整理汇总各方情况并报告行领导。制发《值班动态》，开展一级分行值班情况抽查，做好值班工作。会同公关部做好总行珍宝馆日常管理。严格管理机要文件，接待中办中央文件管理检查调研，受到调研组肯定。

（二）加强管理督导，强化督查督办力度

对重要会议部署及重要批示立项督办，制发“督查清单”，并印发《督查情况通报》，建立报送约谈情况的工作机制。组织办公室条线各级领导层层签订《案件防控和预防腐败责任书》，有效加强合规管理。健全文件会办制度，完善内部协同和交叉推动工作机制。加强《每日动态》日常组稿和编审工作，精心组织信息专报，做好网站信息管理。加强签报审核把关。

（三）提高研究能力，完成重要文字材料

积极开展调研，牵头组织起草总分行领导的各类讲话和重要文稿，较好地完成了任务。完成了《中国建设银行年鉴2017》编撰、《中国金融年鉴》和年报、中报有关材料的起草报送工作。整理总行老领导在建设银行期间讲话资料汇编，逐步开展珍贵文献资料的电子化保存。《建设银行报》刊登总行领导调研活动信息。对全行各条线工作会议、子公司会议、海外机构会议进行及时报道和重点解读，助力决策落地。

（四）加强印章管理，有力推动科技管章

在全行范围内组织开展行务公章专项检查，及时发现并整改印章管理的相关问题。进一步推进印章机控设备的选型测试以及OA系统印章管理模块的优化，组织开展印章机控设备的集中采购工作，有力地推进科技管章步伐。

（五）规范公文处理，完善办公管理系统

修订印发《中国建设银行总行文（信）件交换管理规定（2017年版）》，使总行公文管理和文件交换工作更为标准化、规范化。做好总行文件交换系统日常管理与维护。开展OA系统管理工作在线与现场检查。优化OA系统用户体验。

（六）健全档案制度，妥善处理各类档案

指导、审批分行及培训中心完成全行管理类文件和档案保管期限表的编制工作。指导规划安徽合肥基地电子档案备份中心建设，确保全行电子文件与电子档案全流程规范、安全、高效管理。制定电子档案和档案借阅的相关管理规定，撰写《商业银行营运会计档案全流程管理策略分析》。开展安全专项检查，全面摸底全行档案库房管理现状。

（七）贯彻中央要求，提升保密管理水平

举办保密专题学习，邀请中央保密办副主任、国家保密局副局长来我行作专题辅导报告。召开总行保密委员会（扩大）会议，组织部门主要负责人对相关文件精神进行学习，组织分支机构传达学习并部署重点工作。组织各级领导干部层层签订保密工作责任书，落实保密工作责任。拟定涉密人员管理及定密工作的相关实施细则。对新派遣的内派海外员工进行任前保密谈话。拟定定密工作实施细则，持续完善我行定密工作管理。

（八）采取多种形式，强化条线管理职能

组织召开全行办公室工作（视频）会议，传达全国政府秘书长和办公厅主任会议、全国政府督查工作会议精神，部署重要工作。组织部分分行办公室主任座谈会，就办公室工作要点落实情况进行交流；在全行范围内开展公文、OA 系统管理、保密及档案管理等相关培训及交流。

四、抓服务，提质效，加强后勤保障服务

（一）优化办公场所设施，确保正常运维

出台《物业监管暂行办法》，监管物业公司完成对设备设施的维护、装修与改造及各种特种设备检测等工作。健全岗位责任制，组织应急演练，及时进行问题分析，实施整改，消除安全隐患。优化办公环境，实施总行新风系统改造和饮水工程改造等多项重大工程。协调配合基建办公室、党校及北京分行开展总行办公楼建设、明苑会议中心改造及总行昌平党校的前期基建和改造工程。

（二）全力做好服务保障，提供贴心服务

一是切实做好出行保障。调整优化停车资源，有效解决停车难问题。签署了优惠住房协议，协助系统内人员完成在京酒店预订工作。二是提升餐饮服务品质。完善餐饮管理制度，实施餐厨设备更新改造，加强食品材料监管，进行食堂安全巡检，保证餐饮和用餐环境安全。通过食堂微信预订平台服务员工，售卖总行定点扶贫地区特色产品。三是加强住房保障服务。总行办理新增住房津贴、住房补贴、公积金、房改房上市交易、报销供暖费和房租、接受各类业务咨询等为员工提供相关业务服务。妥善处置公租房、物业费采暖费拖欠及房屋回购等遗留问题。四是优化医疗保健服务。组织日常门诊医疗服务及员工体检；办理各类医疗保险审核、结算，完善“健康加油站”；聘请医院专家级大夫为重大会议及活动提供医疗服务；为相关人员办理内部照顾医疗证件。

五、抓稳定，真扶贫，切实履行社会责任

（一）加强定点脱贫攻坚，切实履行扶贫社会责任

制定印发《中国建设银行定点扶贫项目资金使用管理办法》《中国建设银行定点扶贫工作考核方案》和《关于加强全行定点扶贫派驻工作人员管理的通知》等文件，完善定点帮扶制度。积极打造“青春洋芋”“三柳原生态大米”等精品电商扶贫项目，协调推进汉阴美食进北京首站文化周活动，助推电商扶贫。组成督促检查小组对定点扶贫县的脱贫攻坚工作进行督促检查，切实落实帮扶职责。组织开展全行定点扶贫培训及联学实践，吸引更多部门更多员工自发参与扶贫。

（二）做好信访维稳工作，力争逐渐削减信访事项

严格执行信息报告制度，有针对性地采取有效措施，化解矛盾，防范风险，最大限度地避免极端事件的发生。多次受到总行党委、行领导的表扬和鼓励。在重要节点和敏感时期，提前从源头上做好稳控工作。协调分行对协解人员的情况实行清单化动态管理，一人一策、逐人逐事项地做好疏导、化解和稳控工作。持续做好协解人员的帮扶救助工作。特别是 2016 年召开了全行信访工作会议，田国立董事长到会并作了重要讲话，将信访工作正式纳入 KPI 年度考核。

（三）树立企业良好形象，做好社会责任牵头履职

完成多项节能减排工作，组织总行本部“实行计划生育的贫困母亲捐款”活动，另外，办公室还承担着人民防空、红十字会、爱国卫生、计划生育、绿化、交通安全等社会性事务的组织协调职责，都能按要求完成好相关工作。建设银行连续10年荣获“西城区交通安全先进单位”荣誉称号；总行大楼荣获2017年度“北京市先进节水型单位”称号。

执笔：张宏霞

风险管理

2017年，全行主动应对经济新常态下的压力和挑战，着力健全全面风险管理运行机制，积极创新风险管理技术工具，有效应对金融市场变化，较好地完成了各项任务目标，得到监管机构和外界的良好评价。我行在中国银行业协会2017年“陀螺”评价中，风险管控能力位居全国性商业银行首位；蝉联了《21世纪经济报道》颁发的“卓越风险管理银行”大奖。

一、夯基提效，推动集团全面风险管理能力提升

围绕党委管、全面管、主动管的工作要求，发挥牵头部门作用，做实集团风险“三抓总”，从体制、工具、流程等方面创新全面风险管理模式，提升精细化水平，持续推进覆盖四大板块（境内分行、子公司、海外机构、总行直营机构）和九类风险的全面风险管理体系建设。

2017年4月6日，中国建设银行2017年风险管理工作会议在西安召开

（一）以“五个到位”为抓手，构建集团全面风险管理长效机制

坚持问题导向，系统梳理风险高发部位和管理中的不足，出台《关于落实全面风险管理“五个到位”要求的通知》，作为集团全面风险管理的纲领性文件，从关键环节入手，按照责任到位、管理到位、监督到位、人员到位、考核到位五个方面，对集团四大板块提出落实全面风险管理的要求，指导各级机构建立适应自身业务特点和风险特征的全面风险管理机制。

（二）进一步发挥风险偏好在集团业务发展和风险管控中的战略引领作用

牵头重检2018年风险偏好，以提升价值创造、强化资本约束、平衡风险收益、履行大行职责为目标，围绕业务结构布局和发展导向，在“做什么”“不做什么”“承担多大风险”方面进行了主动探索，增强集团风险偏好对业务发展和风险管控的引领作用，并进一步明确了子公司的功能定位。

（三）探索建立覆盖集团四大板块及九类风险的全面风险管理评价体系

落实“考核到位”要求，首次制定《中国建设银行2017年度全面风险管理评价方案》，按照统一性与差异性相结合的原则，对四大板块分别设定评价指标，评价内容涵盖九类风险、突出各一级机构主要风险特征，通过全方位、多角度评价，查找风险管理薄弱环节。

（四）强化集团全面风险报告，提升信息共享能力

一是为畅通风险信息共享渠道，便于高管层及时掌握集团风险全貌，提升风险协同应对和决策支持能力，制定了《集团风险信息共享管理办法》，进一步明确风险信息共享范围、总行和各一级机构共享管理要求，并要求编制集团风险信息共享报表，从2018年开始按季报送行领导，在相关部门间共享。二是履行风控委办公室职责，做好会议的组织、议题商定，协调有关部门报告各类风险状况，指导和督促各机构落实风控委风险管理的相关要求、健全风控委工作机制。全年共召开四次风控委会议，审议18项议题。三是拓展集团风险报告范围，全面覆盖四大板块和九类风险，定期向董事会、监事会提供全面风险报告和相关议题材料。

（五）在集团统一风险框架下，强化子公司、海外机构风险管控

一是制订《提升子公司全面风险管理质效工作方案》，完善子公司风险管理体系，加强集团风险偏好传导，做实风险管理主体责任，推动风险管理队伍建设。二是按季开展子公司全面风险评估，按照风险程度划分为“低风险、较小风险、中等风险、较大风险、高风险”五档，将评估结果通报子公司，对子公司开展针对性的风险提示，督促其持续整改。三是优化子公司KPI考核方案，加大全面风险管理考核力度，将风险管理与经营绩效挂钩。四是通过公司治理落实集团对子公司风险管理责任，审核子公司及海外子行46份股东大会、董事会风险议案。五是研发实用有效的技术工具，完成19个海外客户评级模型、2个海外客户风险限额模型及违约认定功能推广上线，优化海外机构交易业务风险机控功能，推进海外机构金融市场业务管理系统上线。

（六）扎实推进全球系统重要性银行监管达标工作

一是牵头制订全球系统重要性银行管理办法，明确治理构架、工作流程和议事报告机制。二是完成2017年集团恢复与处置计划，根据监管要求和内外部形势变化，重检关键定义，完善预警指标和触发值，经跨境危机管理工作组审议通过。三是牵头组织总行18个部门配合人民银行、银监会开展可处置性现场评估工作。四是将海外机构纳入集团恢复与处置计划框架，牵头审阅建行伦敦、建行亚洲恢复处置计划，指导中国台北、东京、首尔分行回复了当地监管机构相关问询。五是开展我行全球系统重要性升档情况分析，并提出应对措施建议。

（七）拓展全球视野，强化风险分析研究

一是提升管理层次，建立常态化的全球风险信息分析机制。适应国际化发展战略，定期编制《全球风险信息》，动态跟踪全球金融市场风险变化，逐步培养宏观视角下的风险识别和判断能力。二是做好重大市场变化和突发事件应对。主动应对美联储加息、穆迪下调英国主权评级、巴西政坛丑闻、卡塔尔断交等风险事件，第一时间报告行领导，提出管理措施建议，查找与堵塞管理漏洞；针对安邦集团、大连万达、海航集团、复星集团、融创中国等突发事件，加强母子公司联动，排查集团风险敞口，持续跟踪事件进展。三是强化极端情况下系统性风险研究，完成人民银行偿债能力、银监会大型商业银行、资本充足率评估、系统重要性银行、美国EPS、宏观信用风险等6项大型综合性压力测试任务，提升风险预判和应对能力。针对房地产市场、地方政府债务变化，实施房地产贷款和自发自还地方政府债券专项压力测试，防范“灰犀牛”风险。四是做好热点课题分析。组织全体处级人员，围绕全面风险管理、风险计量、市场风险管理和直营业务风险管控中的重点难点问题开展专题研究，形成14篇研究报告。

（八）高标准落实监管要求，夯实全面风险管理基础

一是根据监管要求和内外部形势变化，修订《中国建设银行全面风险管理办法》，细化完善全面风险管理框架、明确各项管理要求，为进一步完善集团全面风险管理提供制度保障。二是牵头组织年度监管通报和季度监管会谈。将监管提示问题逐条分解至各责任部门，建立整改台账，针对涉及问题的机构逐一下发通报，跟踪督导落实情况。三是牵头组织“两会一层”风控责任落实情况自查，对照检查要点，制订并落实工作方案，形成自查情况报告上报银监会。四是修订《风险防控工作责任书》，明确风险防控重点，层层分解、细化落实，确保全面风险管理责任到位。五是按季监测大型银行监管强化标准HRS指标执行情况，定期向高管层及董事会报告。

二、加强风险管理技术工具建设，提升风险价值创造

依托大数据技术实施主动风险管理，根据市场变化和前台部门需求，细化完善风险计量模型，创新风险预警技术，前移风险关口，强化新一代核心系统应用，提升风险机控能力，支撑“国内领先、国际一流”战略目标的实现。

（一）全面整合现有预警系统，搭建全集团预警管理和信息共享的统一平台

持续优化基于大数据的组合风险预警机制，依托“新一代”系统，开发集团全面风险监控预警平台（简称“RAD”），整合8个部门级预警系统，充实资金流水类、市场风险类、贸易融资类、直营业务类预警功能，实现了预警信息的“统一覆盖、统一标准、统一管理、统一发送”，运用大数据分析和数据可视化技术，改善用户体验，有效解决了原有部门级预警系统监测范围不全、多头管理、分行排查工作量大、精准度不够高等问题。

（二）全面升级非零售风险计量工具，提升风险排序能力和客户选择能力

一是把握经济新常态下的产业发展趋势和客户风险特征，增强风险计量模型精细化水平，完成2009年以来最大规模的一次公司类客户评级模型优化升级，研发15个大中型公司类客户评级模型，覆盖制造业、批发零售业、房地产开发、建筑业、采矿业等重点行业客户，优化后模型AR值为0.69，风险排序能力在业内位居前列。二是完成大中型客户风险限额模型优化和投产应用，强化风险立体评估，提高限额计算的准确性。三是加强重点风险领域技术支持，针对担保公司违约风险急剧上升的情况，制订担保公司模型校准方案，全面优化担保公司评级模型，担保公司违约概率偏离度从433%降至76%。四是定期通报全行评级管理情况，强化关键指标考核，引导分行提高评级准确性。2017年末，全行考核口径违约概率偏离度由年初的90.89%下降至55.39%，高信用等级客户违约占比由19.04%下降至10.35%。

（三）建立“以客户为中心”的零售信用风险评价体系，助力个人消费信贷蓝海

一是完成个人客户评分卡模型的系统上线，在风险维度、管理理念、技术方法、模型指标、优质客户挖掘和模型表现6个方面实现了创新突破，客户区分力是外部互联网征信评分模型的2倍，模型性能达到国际领先水平，评分结果全面应用于个人快贷、“蓝海”项目客户准入、额度管理、贷款决策等关键环节。据测算，如不向低于一定分数（约占10%）的高风险客户发放贷款，可降低快贷不良约40%。二是研发优化了个人住房贷款、信用卡、信用卡专项分期的评分卡及风险分池等18个模型，完成了IT系统上线及业务流程嵌入。三是借助风险计量模型，为“小微快贷”等系列产品提供全流程风险管控支持，提升零售业务风险管理能力，助推普惠金融业务。

（四）深化金融科技应用，提升风险管理数字化、自动水平

一是与厦门开发中心合作，探索“智能风控中心”运作模式，共同完成了全面风险监控预警平台引擎建设、信用风险模型投产后验证项目、零售小微企业评分卡模型等项目，促进了风险计量和金融科技的相互融合，节约了外部咨询费用，培养了专业人才队伍。二是全面升级客户评级“机控”功能，基于大数据分析，优化系统参数，强化系统刚性控制。2017年共执行评级“机控”19011次，涉及客户17705户，信贷余额为3036.21亿元。三是优化对公评级监测报表系统功能，新增境内外反复试评级、突破评级系统“机控”监测报表功能，按月形成境内外各级机构6个方面33张监测报表，多维度反映风险全貌。

（五）组织资本计量高级方法实施推进工作

一是组织总行17个部门开展银监会高级方法实施扩大范围事项现场评估工作。组建总行专家支持组配合银监会评估组对上海、广东分行以及中国香港和伦敦地区开展现场检查，实施情况获得银监会的肯定。二是根据银监会现场评估指出的48个问题，组织制定68条整改措施，明确整改进度要求和责任人。三是印发海外机构实施资本计量高级方法指导方案，指导建行亚洲开展实

施方案制订工作。四是持续完善信用风险暴露 IT 系统功能。

（六）运用经济资本计量和行业限额等工具，提升组合风险管理能力

充分发挥经济资本管理导向作用，细化同业、资管业务经济资本计量参数，探索同业贵金属租出和证券化资产经济资本计量方法，优化违约业务计算规则，加强通报考核，引导全行提升资本集约化管理水平，有效平衡风险回报。严格行业限额管理，主动调整优化资产结构，突出优先支持类行业和优质客户的支持力度，严格控制逐步压缩行业新增，通过“新一代”系统，实现限额预警提示、核准、执行情况监测的全流程管控，提升限额管理精细化水平。

（七）全面开展模型验证，保障风险计量工具稳健合规运行

一是开展信用风险资本计量投产后全面验证项目，完成 134 个模型及支持体系投产后全面重检。二是强化事前防范，完成 31 个模型投产前验证工作，推动模型持续优化和改进。三是拓展验证范围，完成市场风险内部模型法支持体系验证。四是做好模型实验室和模型风险监测平台运维，打牢管理基础。

三、加强全集团市场风险管理和交易业务全面风险管理，促进业务稳健发展

提高市场风险机控水平，成功上线人民币信用债十二级风险分类系统。信用债十二级分类方法及系统应用在国内同业中尚属首创，引入市场风险调整因子，全面覆盖信用债风险暴露；总行端和分行端共同参与，提升分类前瞻性、准确性和有效性；实现从发起分类到风险分类和分类审核的全流程系统直通、数据不落地，提高分类及时性和自动化水平。

推进集团非信贷业务统一管理，完成 IFRS9 集团层面非信贷减值准备实施项目。一是扩充了计提范围、优化了方法论模型，使减值准备计提更具前瞻性，风险抵补能力更强；二是分阶段、逐笔计提减值准备，提高了减值准备计提的针对性和精细化程度；三是推动了非信贷减值准备由本行层面向集团层面扩展，进一步完善了全面风险管理体系。

构建覆盖全集团的信用债风险防控体系。一是定期开展集团人民币信用债风险排查，覆盖 12 个总行部门和子公司、1600 余家发行体、1.2 万亿元信用债规模，按月发布《债券风险月报》。二是完善集团人民币信用债风险监控预警机制，强化母子公司联动，快速响应齐星集团、西王集团、安邦保险、大连万达、复星集团、融创中国等发行体负面市场风险事件，及时排查我行风险敞口并跟踪处置。三是持续监测信用债市场违约风险，应对丹东港集团、亿利集团、保千里信用债违约重大市场风险事件。

为应对金融科技的快速发展，风险管理部在金融科技和风险管理结合方面积极探索，持续提升风险管理智能化水平。通过和厦门开发中心合作探索“智能风控中心”运作模式，共同完成信用风险模型投产后验证项目，启动了零售小微企业评分卡模型等多个项目，实现“风险管理部 + 开发中心”的模式创新，促进了风险计量和金融科技的相互融合，培养扩充了专业计量人才队伍。

市场风险计量取得突破性进展。顺利完成自主开发市场风险计量引擎，成为继工行之后第二个具有自主研发市场风险计量引擎的银行。顺利完成两轮新标准法、内部模型法定量测算，基本掌握新计量方法的主要要求，提出新标准法开发需求，为未来几年市场风险计量的发展奠定了基础。

市场风险计量精细化程度不断提升，计量基础进一步夯实。围绕计量的范围、方法、系统功能、数据基础、计量结果的监测、计量的报告与运用全方位进行计量的精细化提升。范围上实现海外分行外汇敞口的自动处理、法人口径的准确计量，纳入同业、保本理财、黄金掉期；方法和功能上完善 RM 导入文件中存在的疏漏、实现外汇期货灵活模板的开发，完成压力测试情景的更新，对标准法进行了验证，对敞口计量方法对 VaR 的影响、新会计准则下的二分类关系进行了研究；计量的数据基础完成第七次全量交易头寸数据检核，完善市场风险数据集市，完成商业银行普通债曲线的系统替换和历史数据补充，完成外币债券曲线修数及验证；监测上完成 30 余次异常的分析，定期和不定期地开展压力区间重检。完成第一季度压力 VaR 倍数下降的原因分析，向

银监会进行专题报告。计量的报告和运用上按时完成市场风险标准法资本、内部模型法资本等报表和材料的提供，更新限额中计量指标阈值，确定金融市场交易中心市场风险经济资本计量方法，按季计算提交相关结果。

动态、高效的衍生品业务风险管理机制更加完善。持续优化、推广“新一代”交易对手信用风险管理组件，实现“新一代”平盘端金融市场业务交易对手信用风险敞口计量功能顺利上线，有力地支持前台、中台、后台流程直通式处理，金融市场业务风险管理机控能力显著提升。开发汇率交易偏离度检查功能，实现外汇即期、远期、掉期交易价格的半自动化监控，有效防范操作风险。

加强直营业务交易对手管理，深化业务准入和合规管理。一是加强直营业务交易对手管理。制定《中国建设银行金融机构交易对手管理办法(2017 年版)》，将资管、同业业务纳入我行交易对手管理的范畴内，明确直营业务交易对手管理的准入标准、名单制和集中度管理要求。二是完善新产品管控机制，建立集团层面直营业务统一的产品清单，对现有产品进行梳理和评估，完成直营业务产品清单的初始化。

建立主动制衡风险管理机制，持续推进风险管理融入流程。一是下发《境内分行直营业务风险管理融入流程指导意见》，资管、同业业务风险管理融入流程的整体框架基本形成，各分行陆续制定实施细则，部分分行还建立了由分管行领导牵头的跨部门协调联动机制；二是 3 个层面的 8 个规定动作正有序推进。借助风险准入、风险分类、减值准备和重大应急等抓手，总分行建立了信息共享和协调合作机制；三是引导有能力的分行开展融入流程试点。部分有能力的分行可在投前尽职调查、投中放款管理、投后风险监测，以及二级分支机构层面，探索开展融入流程创新试点。

推进直营业务基础资产风险分类，夯实风险分类工作的质量。一是下发《关于进一步做好资管业务风险分类工作的通知》《关于进一步加强同业业务基础资产风险分类工作的通知》，明确分类标准、分类重点、分类流程和时间要求。二是加强了风险资产的管控和监督。全年，对资管、同业业务分别下发了 11 期风险提示书和 15 期风险分类重检意见书，对发现的风险隐患及时进行风险提示。全年，资管业务不良资产余额由 53.24 亿元下降到 49.99 亿元，不良资产率为 0.24%，降幅为 0.01%；关注资产由 35.24 亿元上升到 92.23 亿元，增幅为 161.80%。三是建立了风险分类双向信息共享机制。总行实现对全行分类信息的总归集，总分行风险管理部门与业务部门建立了定期信息共享机制。四是持续细化风险分类管控要求。针对分类工作中发现的管理薄弱点，我部正在起草资管、同业业务风险分类管理办法，对现有制度进行修订完善，进一步规范风险分类的标准、方法、流程和要求，提升风险分类的准确性。

明确直营业务基础资产风险补偿要求，提升直营业务的风险抵补能力。一是制定《关于进一步加强资管业务基础资产风险补偿有关事项的通知》《同业业务基础资产减值准备计提规则》，在同业率先提出理财产品风险一般准备金专户管理要求。二是持续推进分行资管业务减值准备的专户管理。辽宁、河南等分行通过设立存款账户，实现了减值准备的专户管理。三是足额计提减值准备，增强业务抵补能力。2017 年，全行资管业务减值准备计提金额为 87.12 亿元，较年初(77.28 亿元)增加 9.8 亿元，其中资管产品一般风险准备金为 44.18 亿元，操作风险准备金为 42.93 亿元；同业业务减值准备计提金额为 7.05 亿元，较年初增加 4.45 亿元。四是持续探索减值准备的使用与冲销。借助管控项目的力量，探索行内减值准备的使用与冲销流程。

执笔：程秀霞

资产保全经营中心

2017 年，资产保全条线树立一体化经营处置理念，增强大局意识、主动工作意识、持续经营意识和价值创造意识，围绕“强化经营职能，提高经营效益，提升价值创造”开展工作，“量、质、效”同步提升，全面超额完成经营任务目标，为全行经营、资产质量管控和信贷结构调整作出了贡献。

一、超额完成经营处置任务

经营处置不良资产 1845.02 亿元，较上年增加 251.95 亿元。处置不良贷款 1420.93 亿元，其中，境内分行处置不良贷款 1400.29 亿元，完成计划 1200 亿元的 116.69%，境外机构处置不良贷款 20.64 亿元。处置不良非信贷资产 12.20 亿元。处置受托资产 359.53 亿元，现金回收 164.17 亿元，完成计划 54.66 亿元的 300.35%。已核销资产现金回收 52.36 亿元，完成计划 40 亿元的 130.90%。回拨拨备 156.42 亿元，其中，批量转让回拨 111.53 亿元，已核销资产现金回收回拨 44.89 亿元。

二、经营处置特点

一是强化经营职能，经营能力再上新台阶。精准完成境内分行不良贷款 1400 亿元的经营处置目标，腾挪贷款规模 1219.19 亿元。

二是优化经营结构，经营效益进一步提升。境内分行现金回收 346.44 亿元，较上年增加 40.13 亿元，现金回收占比达 24.74%，较上年提升 4.20 个百分点。

三是加大经营力度，价值创造显著提升。已核销资产现金回收较上年多回收 9.47 亿元，增长 22.08%，创历史新高。长融金诺受托资产提前兑付完毕，实现中间业务收入 11.20 亿元。

四是完善经营流程，精细化管理持续推进。批量转让继续采取总行牵头组织推进、总分行协同联动的工作模式，平均回收率达到 48.60%，较上年提升 9.74 个百分点，实现拨备回拨 111.53 亿元。

三、主要工作举措

（一）调整经营架构，确保强化全局管控

一是持续摸清经营家底，深入分析资产状况。树立一体化工作理念，有效衔接经营与处置，实现对公与零售、信贷与非信贷、表内与表外、自有与受托、境内与境外全覆盖。二是优化总行管理模式，完善对口联系机制。业务处室“横向抓业务、纵向管分行”，加强跟踪督导，落实主动介入，实现专业管理与深化经营、统一调度与对口督导相结合。三是统筹零售等各类经营资产，着力拓展经营范围。衔接零售信贷发展需要，开展不良个贷经营调研，推动经营管理机制优化。落实一体化经营处置理念，探索海外分行计划编制、项目跟踪等管理思路。四是加强保全队伍建设，提升专业经营能力。多层次、多渠道加大培训力度，组织全行条线举办 8 期、740 人次业务培训，着力提升操作技能。总行资产保全经营中心举办 8 期“保全讲堂”，打造学习型、创新型团队。

（二）强化考核机制，确保实现“五个到位”

一是压实激励约束机制，调整分行 KPI 考核设置，着力优化处置结构，强化任务刚性约束。设置差别化员工费用挂钩比率，引导分行强化经营意识、提升价值贡献。二是开展经营机制调研，细化业绩评价指标。开展直营机构现场调研，了解经营管理机制，研究部门业绩考核，做好横向沟通协调。结合部门业务实际，拟定 5 项业绩评价指标，强化经营管理职责，同步提升“量、质、效”。三是出台考核管理办法，按照量、质、效、基础管理、风险内控 5 个维度，细化考核指标设置，科学评价经营业绩，引导条线集约化经营、精细化管理。

（三）完善制度建设，确保夯实经营基础

一是梳理规章制度，构建规章制度体系。落实财政部核销新政，修订下发《呆账核销实施细则》。梳理经营管理流程，出台《法律追索操作指引》《诊断操作规程》。二是深化系统创新应用。完成8个版本系统功能优化上线，将组件对公功能推广至建亚、澳门分行。整合“新一代”功能点，修订编写《N－DAM组件操作手册》和《运维手册》。挖掘组件功能亮点，累计编发创新应用案例252个，在建行报、企业公众号刊发宣传稿7篇。三是强化数据分析挖掘。按月梳理经营数据，编发经营快报。加强数据质量检查，累计梳理项目信息1.39万户，按季通报并跟踪整改。坚决杜绝线外操作，借助“机控”防范操作风险。总结分析近三年经营处置数据，掌握业务发展规律，预判未来市场趋势。

（四）明确经营策略，确保提升价值创造

一是聚焦回收盘活手段，持续优化处置结构。深化“提质增效、颗粒归仓”专项活动，充分挖掘现金回收潜力。总、分行协同联动，全额回收东航项目拖欠15余年原西北航空公司的贷款本金1.59亿元。二是强化已核销现金回收，全力加快受托处置。快速响应批量处置市场好转的有利形势，组织开展集中推介。加快受托资产处置，将处置周期由3年压缩至2年。三是加大保全资源倾斜力度，有序衔接不良暴露与处置。落实差别化区域经营策略，对资产质量管控压力加大的环渤海、东北、中西部等区域优先安排呆账核销和批量转让规模，加快审批进度，全力支持山东、福建、黑龙江、河南、宁波等重点分行降额进位。四是推进处置渠道创新，与6家产权交易所合作，搭建统一推介平台，拓宽处置渠道，提升不良资产处置价值，成功处置13家分行、501户不良资产，现金回收77.38亿元。加大营销推介，采取总行对总部、分行对分公司分层营销方式，走访四大资产公司等投资者，培育市场客户群。

（五）落实经营责任，确保完成经营任务

一是全面摸排经营能力，自加压力提升目标。主动安排回收盘活等3项力争目标。第四季度按照全行经营需要，追加并完成200亿元不良资产处置任务。逐户落实项目名单制管理，确保项目“户户有人管”，进度“月月有落实”。二是主动把控工作节奏，持续强化监测督导。坚持“抓当季、看下季”，滚动做好经营处置预测和安排，第一季度各项计划完成率优于上年同期，第二季度基本实现“时间过半、任务过半”，第三季度快于序时进度，为第四季度全面完成任务奠定基础。三是加大调研督导力度，“一行一策”抓好帮扶。浙江、宁波、福建3家分行实现“额、率”双降；宁波分行实现同业、系统排名“双进位”；浙江、福建分行实现系统排名进位。四是着力强化责任意识，重点帮扶巴西子行。全年子行处置不良贷款17.01亿元，已核销资产现金回收1.71亿元。五是统筹衔接经营安排，精准完成任务目标。主动沟通协调资债、财会、信管等部门，合理安排处置结构，精准实现境内分行不良贷款处置1400亿元和拨备支用620亿元的目标。

（六）优化经营流程，确保提高经营效率

一是统筹组织集中诊断，督导落实分级诊断。整合条线专家资源，组织开展9期集中诊断，共诊断公司类不良项目126户、个贷重大不良项目12户，累计涉及贷款本金金额458.02亿元，支撑手段分类和方案优化，做到一户一策、择优推进。二是有序开展呆账核销，持续优化申报节奏。按照“标准化、精细化、规范化、流程化”要求，实时跟踪项目进度，按季对分行均衡核销进行通报考核。第一至第三季度均按计划实现均衡核销，第四季度根据经营安排加大核销力度，全面掌握工作主动权。三是发挥现有模式制度优势，提升批转成交率、回收率。继续采取总行牵头组织、总分行协同联动的工作模式，坚持“统一立项、统一基准日、统一中介机构、统一信息发布、统一集中竞价”的工作机制，不断总结变化规律，把握处置窗口期。四是强化审批组织落实，保障处置顺利实施。实现审批会议组织“标准化、规范化、制度化”，强化审批时间节点管理，着力提高审批效率。完成不良资产处置审批26次，审批项目425户、555.83亿元。

（七）防控经营风险，确保守牢合规底线

一是严格审查审核，提升工作质量。按季通报审查发现问题，指导分行持续提升材料质量。二是强化依法收贷，做实尽职追索。千万元以上对公不良项目诉讼占比达71.74%，较上年提升1.38个百分点。指导分行运用失信被执行人名单政策，加大追索力度，提升司法催收成效。三是做好业务检查，落实根源性整改。积极配合做好监管检查，认真落实“三违反、三套利、四不当”和信贷违规检查要求。开展资产保全业务授权检查，规范授权审批操作。全面梳理监管审计发现问题，落实整改督导责任，确保实现根源性整改。四是重视问题反思，强化教训回收。梳理大额风险处置项目，逐户分析原因，形成调查报告。将教训回收与处置审批紧密结合，累计编发风险处置案例20个。

执笔：冉　然

授信审批管理

2017年授信审批工作亮点、措施和成效

（一）主要业务指标运行良好

1. 审批总量增幅大，结构变化明显，业务引导能力提升。审批总量增幅较大，质量保持平稳。全行共审批对公客户信用业务26.6万笔，共计39.7万亿元，金额同比增加16.1%，其中总行审批共计3049笔，共计19.8万亿元，金额同比增加23.4%。审批个人贷款219.4万笔，共计1.13万亿元，同比减少1724亿元。年末对公客户有效信用额度30.5万亿元，较年初增加28.7%，储备总量充足。全行对公业务审批通过率为94.34%，同比略降0.41个百分点；其中总行本级通过率为92.38%，略降0.26个百分点。

审批结构变化明显，业务引导能力显著提升。主要领域审批变化情况有以下几个方面。

（1）受房贷政策趋紧影响，个人住房贷款1.02万亿元，同比减少1358亿元，降幅为11.8%。

（2）对公审批结构中，传统信贷业务审批金额增幅为7.1%，同比增幅高出资管、同业等新兴业务近3个百分点，服务实体经济作用进一步增强。传统信贷业务中，基础设施相关行业以及信息、科研、文教、卫生领域审批量分别增长13.8%、16.3%，较平均增幅分别高6.7个和9.2个百分点，既保持了基建领域优势，信贷资源又向新兴轻资产行业倾斜。

（3）普惠金融领域贷款审批金额3174亿元，增长3.7%，涉农融资业务审批3193亿元，同比增长3.8%。

（4）住房租赁贷款审批30笔，共计244.5亿元。

（5）钢铁等五大产能过剩行业单笔信用审批2448亿元，同比减少207亿元。

（6）债转股类投资理财业务审批60笔，共计1914亿元。

2. “三授信”超额完成目标，评估评级业务快速增长、质量不断提高，资源配置能力提升。“三授信”全面超额完成预定目标。年末全行集团客户综合授信覆盖率为98.6%，提升3.21个百分点，持续稳定在全年综合授信覆盖率目标（95%）之上。综合授信有效期内客户5484户，增幅为9.3%，累计评审金额18.45万亿元，增幅为16.77%。建行集团子公司并表授信业务余额1758亿元，同比新增122亿元，增幅为7.43%，涉及交易对手389户。全年共完成全球授信105户，批复综授额度为1.95万亿元，其中海外分行牵头完成10户1383亿元。

评估业务快速增长，评级质量不断提高。全年共完成项目评估5243个，增幅为8.96%，申请贷款金额3.8万亿元，增幅为21%。确认总行级重点项目600个，总投资8.8万亿元。全行客户评级审定9.01万户，同比降幅12.99%，主要是小企业客户降幅25.9%；评级推翻率3.55%，同比下降1.02个百分点，低于全行6%的考核目标。

（二）主要工作措施成效显著

1. 严守风险管控底线，工作质量得到提高。

（1）做实综合授信。综授评审层级持续提升，额度把控合理，策略落地执行得到强化。总行高管牵头综授评审金额占总行本级评审比重32.6%；一级分行行领导牵头评审金额占比71.6%，提升46.7个百分点，综合授信权威性得到提高。债转股客户综授策略管控得到规范，并进一步落实到信用审批环节。

（2）通过否决、续议及优化完善授信方案等手段，科学引导业务发展。2017年全行续议、否决3020笔，共计1.21万亿元，其中总行本级续议、否决1260笔，共计6231亿元。

（3）重点领域风险防控得到强化。一是多管齐下规范政府背景类项目受理审批。二是将担保机构纳入统一授信管理。三是明确再融资类业务受理审批要求。四是回归本源强化穿透式审查，加强资管、同业等业务研究，切实防范新兴业务风险防范。五是明确将低信用风险业务纳入统一授信管理。

（4）加强合规审查专业化标准化建设，下发评级审定作业指导书。一是针对PPP、政府购买服务等重点难点业务制定下发合规性审查要点及范例模板，做好合规审查工作专业指导。二是出台评级审定作业指导书，加强全行信用评级审定规范化管理。

2. 全面推进专业化建设，工作能力得到增强。

（1）专业化研究计划超额完成。全年共完成90个评级评估授信研究专题，计划完成率为130%；完成253个总分行综授策略，计划完成率为107%。全行完成审批指引研究成果合计496份，计划完成率为180%，其中审批指引283份、授信审批工作参考（研究或分析报告）176份、审批标准37份。总行本级共完成永续债、政府背景产业投资基金等26个行业及产品审批指引编制，正式印发审批指引14个，发布《授信审批工作参考》21期。

（2）重点热点领域研究成果丰硕。形成《地方政府偿债能力测评指标体系》及说明成果，提交2017年第二次董事会风控委审议并通过。完成《公司住房租赁项目评估指引》，大力推进住房租赁业务健康发展；完成《“营改增”税制改革对相关重点行业项目财务效益的影响》专业化课题；对第四方物流、地方商行等金融同业形成授信评价方法。参加监事会担保机构调研，共同形成担保机构调研报告。

（3）持续性研究机制开始建立。在以前年度专业化研究基础上，本年度更新了高速公路、铁路数据库，形成《全国高速公路收入分布图》《全国公铁路网图》。审批指引研讨机制日臻完善，总行本级全年共组织召开5次审批指引咨询专家研讨会。

（4）专业化队伍建设得到加强。完成104名总行级评估委员选聘、28家分行90人次专职审批人和审批部门负责人任职资格审查。组建总行级资管业务审批专家组，细化工作目标，打造学习型、任务型团队。

（5）专业化培训体系逐步完善。一是与人力资源部共同制订2017—2020年专职审批人队伍培训规划。二是全年总行共组织各类培训17期参训1900余人次，其中总行审批人参加外部培训28人次。三是积极拓宽培训渠道，邀请内外部专家举办各类专业讲座及视频培训。四是开展高职级人员参与国际交流项目培训、外部高端培训等，促进高职级人员知识结构优化更新。

（6）专业化系统分析平台建设开始起步。组建管理优化、监测分析、大数据及支持保障三个专门工作团队。优化增补综授、评估、评级风险监测规则46个，上线（包括试运行）35个，在开发11个。

3. 加强精细差异化管理，工作效率得到提升。

（1）有收有放，强化信贷授权动态调整。一是上收受市场流动性影响大风险相对较高的融资租赁公司信用额度审批权限。二是根据全行支持普惠金融业务及住房租赁贷款业务发展的工作部署，调整小企业客户授信审批权限。三是对上海等部分重点区域的重点发展业务加大差别化授权力度。四是规范集团并表管理要求。五是将差别化授权客户名单调整作为授权精细化管理的重要手段。六是调整海外审批中心授权方案，“一行一式”持续优化各海外机构授权方案。七是开展审批授权执行情况专项现场检查，对个别分行授权管理违规问题实施专项整改，及时纠偏。

（2）制订下发授信审批流程精细化管理推广方案。明确提升小企业信贷业务和资管业务审批流程精细化具体措施。

（3）优化改进机制流程。一是调整规范一票否决行使方式，有效落实“风险管理职责进党委”

要求。二是按照做实综授目标要求，提升综授层级，扩大综授参与部门。三是完善“预审批”“直通车”“合并申报”等环节申报审批流程。

（4）助力供给侧改革，服务重点项目建设。一是优化债转股业务审批管理，审批债转股类投资理财业务60笔1941亿元。二是大力支持国家重点战略项目建设，快速完成中国雄安建设投资集团2000亿元综授额度评审和600亿元信用额度审批。三是积极参与支持“蓝海”项目推进，对相关城市公司住房租赁贷款业务做出差别化授权安排。

（5）海外审批体系建设进展顺利。亚太审批中心顺利升格为海外审批中心，审批覆盖范围延伸至美洲四家机构。全年共批复290笔743亿美元，通过率90%。目前中心的后续建设方案已获总行党委会议审核通过，将逐步推进实施。

4. 创新考评督导举措，条线管理得到深化。

（1）优化管理手段，完善授信审批能力考评体系。制订下发《2017年度一级分行授信审批能力评价方案》。

（2）完善制度机制，初步建立审批条线系统管理体系。全面完善审批条线报告工作体系，修订完善境内外分行报告要求。建立审批条线负责人约谈制度，做好约谈实施。

（3）切实落实“两防”要求，条线全年保持“零案件”。下发《关于授信审批条线加强内控合规建设　防范案件风险的通知》，强化条线“一岗双责”要求，组织条线各级主要负责人签署《案件防控和预防腐败责任书》。2017年，全行授信审批条线保持了零案件的良好态势。

（4）开展“回头看”，总结经验教训，编发《授信审批风险项目案例集》。组织全行审批条线对近年来形成授信风险的项目开展“回头看”，从150个案例中选取60个典型风险项目进行剖析整理，全行审批条线学习参考。

（5）加大非现场监测核查力度，持续开展现场检查工作，巩固系统管理成果。总行本级完成CRMS报警项目核查处置387笔，共计997亿元，下发提示及整改意见书23份。全年完成9家分行工作现场检查、24家分行评估评级授信现场检查和12家分行授权执行现场检查。

（6）推进“重点支持、重点帮扶”工作深入开展。一是总结推广“重点支持”阶段性成果及“重点帮扶”经验成效，指导全行有效开展“两重”活动。二是加强对山西、新疆等分行对口帮扶。三是在全行范围内建立“两重”活动长效机制。

（7）做好重大项目回访调研。一是组织审批人成立33个调研小组101人次赴31家分行调研，现场调研项目127个。二是部领导赴广东、江苏等16家分行，以及建信基金、租赁等子公司现场调研，传导最新偏好，协助解决问题。三是完成对阿联酋、南非等8家海外机构调研，有效指导境外授信审批业务健康开展。四是调研试点行创新业务开办及审批情况，指导分行加强创新产品开办、资产池发行配置、差别化政策的落地执行。

执笔：王晓冉

信贷管理

一、强化风险底线思维，推动全行信贷风险主动管

（一）科学决策部署，信贷管理由“被动控”转向“主动管”

深刻学习领会和切实贯彻党的十九大、中央经济工作会议、全国金融工作会议精神，牵头组织上市以来第一次全行信贷管理工作会议，在同业资产质量率先企稳的基础上，又率先推行以“主动管”为特征的信贷管理模式，抓住关键，打造“建行信贷管理品牌”，明确提出风险管理要由重短期管控指标转向长期可持续经

营的安排，在新时期信贷管理要上新台阶，提升风险管理价值创造，引导全行形成底线思维，保持对信用风险的高压严控态势，进一步巩固资产质量持续稳中向好趋势，坚持回归本源，服务实体经济，推动信贷结构优化，秉持改革精神，优化信贷领域机制流程，打造信贷管理常态化和长效化机制。

（二）严格资产质量管理，探索形成适应新形势的风控模式

首创信贷资产质量“七率”① 监测指标体系，全方位、多角度持续跟踪全行信贷资产质量趋势，保持严控风险常态化。强化过程管理，做好关键时点监测督导，避免资产质量大幅波动；严控逾期和垫款增长，注重以更加严格的分类标准推进主动分类，降低分类偏离度；适应新准则实施，调整准备金计提制度与方法，确保风险抵补充足。总结和巩固有效风险管控模式，做好“五个坚持”：坚持党委抓资产质量工作，层层压实责任，明确《关于进一步落实风险管理职责的指导意见》，明确各级党委对风险管控负有主体责任，主要负责人负第一责任，分管负责人负分管领导责任；坚持突出重点，加强对重点行业、区域、客户的风险管控，总行党委率先垂范，对10家重点一级分行资产质量工作进行督导，总行信管部成立帮扶组，对10家重点二级分行基础管理工作进行专门帮扶，总行相关部门协调做好“30大”风险项目化解处置；坚持协同联防，向层级和条线双向下达资产质量考核计划；坚持抓早抓小，借助观察名单加强潜在风险客户的前瞻性管理，持续完善信用风险监测体系，健全信用风险预警和早期干预机制，做到“风险未至，管理先行”；坚持推动结构调整，奠定资产质量持续向好的客户基础。

（三）切实服务实体经济，着力强化信贷政策导向

以“架构清晰化、管理精细化、手段明确化、内容全面化”为目标，对信贷政策进行有效整合、调整和完善。主动对接国家重大战略，积极落实产业政策和监管要求，制定2017年全行信贷政策，明确客户准入标准，鼓励发展先进制造业、新消费、传统产业升级等领域信贷业务，并注重以经济资本手段引导信贷结构调整，加强全行政策执行监测督导。制定国内银行业第一份普惠金融政策，有力支撑普惠金融业务快速健康发展。贯彻落实供给侧改革，做好“去产能”和“去库存”支持服务。在严控钢铁、煤炭产能严重过剩行业信贷总量的前提下，建立“正面清单”，确保“有扶有控”，避免“一刀切”。重检房地产开发贷款政策，对风险较高区域、城市严格准入标准，实施名单制管理。贯彻“绿色”发展理念，加快发展绿色信贷。制定环境和社会风险管理制度，明确客户环境和社会风险分类标准，将环境和社会风险管理措施贯穿信贷全流程，有效提升全行环境和社会风险管理能力。推进五省（区）绿色金融改革创新试验工作，鼓励分行设立绿色支行，积极参与绿色金融改革，推进全行绿色金融发展。

二、扎实推进“五个到位”，打造信贷管理常态化、长效化机制

（一）落实责任到位，构建信贷责任体系

1. 推进全行责任制度建设。制定责任认定管理办法和细则，明确违规即问责的标准，坚持“上问下”的认定原则，提高工作层级，保障认责效果。细化责任分类分级，按照信贷业务各流程环节，将违规行为划分为3类4级81款情形，促进各信贷经营机构、各条线、各岗位尽职履责。制定正面激励的策略，设置宽限期、容错率，明确将功补“过”、戴“罪”立功的工作机制，促进风险化解处置。

2. 扎实推进精准认责。实现责任认定制度、项目、区域、流程全覆盖，提高责任认定发现问题、责任定性、问责主体、管理导向精准度。年内完成对公信贷责任认定项目3304个，金额737.88亿元，发现违规问题8308个。针对检查发现的问题，提出整改要求，做到立行立改，及时遏制违规问题深化和风险蔓延。

（二）落实监督到位，健全内部监督机制

1. 健全信贷风险督察工作机制。明确对上级

① 不良贷款率、纯新发放不良贷款率、新暴露不良比率、关注类贷款占比、关注类迁徙率、逾期贷款率、垫款率。

机关或监管机构对信贷风险领域交办事项、政策制度要求执行情况等开展督察，增强风险管理的独立性和风险报告的及时性。

2. 建立重点业务风险协同管控机制。牵头组织召开重点业务发展与主动风险防控联席会议，发挥风险管理对业务发展的支持、服务和保障作用。

3. 创新风险约谈机制。对发生严重违规问题、重大风险事项的机构负责人约谈提醒、会商整改措施、跟踪督导成效。

4. 巩固风险监控和信贷检查机制。在资产质量、信贷政策、押品、贷后、担保圈等重点领域开展持续性业务监控，跟踪政策制度及管理要求落实情况，及时纠偏。深入开展信贷检查和风险排查，对放款中心、外部中介机构准入退出管理、集团客户认定、贷后及押品管理等进行专项检查。

（三）落实人员到位，推动管理队伍、信贷文化建设

1. 加强管理队伍建设，提高信贷人员素质。持续跟踪、按季督导专职信贷管理岗位人员到位情况，2017 年底全行到位 5223 人，较年初增加 493 人，与客户经理配比整体满足 1:5，34 家一级分行设立了专门的押品管理团队。全年组织 14 期系统性现场培训、3 次视频培训，直接培训各层级信贷管理人员 6100 余人。

2. 推进信贷文化建设，传导健康信贷文化理念。全年各一级分行领导进行 86 次信贷文化宣讲，促进信贷队伍落实“严禁弄虚作假、严禁有章不循、严禁懈怠不为”要求。

（四）落实考核到位，探索平衡风险收益的奖惩机制

开展信用风险管理评价，强化过程性基础管理指标监管。加强资产质量计划管控考核，年初即制订全年不良新暴露及各季不良、逾期、垫款控制计划，将关注类贷款纳入条线指标考核，提升风险管控的前瞻性。加大前三季度资产质量计划目标考核权重，减少季度间指标波动。将信贷政策执行情况、绿色贷款增速纳入经济资本考核，根据各行信贷结构调整情况，给予相应的经济资本奖惩，促进风险收益平衡。

（五）落实管理到位，提升信贷全流程精细化管理水平

1. 完善信贷制度框架体系。对全行对公信贷制度制定、修订、废止等情况进行全面梳理，按月更新对公信贷制度库。关注管理重点，修订再融资制度，提升风险化解措施的针对性和有效性。探索产品制度主动管机制，对于审计检查发现问题较多的产品，开展风险点分析并及时对产品管理部门进行风险提示。

2. 推进押品集约化管理。将押品准入、价值评估等六个关键环节从经营部门分离，明确由分行信贷管理部门组建的押品管理团队集中管理。建立押品管理日常监测机制，强化对存单质押、押品估值、担保圈等领域的日常监控，主动揭示风险。开展押品管理年度检查，发现 18 类不合规押品问题，拦截 1420 笔不合规押品，持续督促整改，提升全行押品管理水平。

3. 提升放款审核效能。拓展放款中心业务范围，将理财业务纳入放款审核职能。注重提升精细化管理水平，依托苏州分行系统，在 8 家试点分行试点推广合同制作功能，进入试运行阶段。制定放款中心产品要点审核手册，提供翔实的放款审核参考指引。

4. 提升贷后专业化管理水平。制定下发贷后跟踪会议实施细则，提升贷后经营决策层级，压实贷后管理责任，强化存量客户再选择，增强风险预判和处置化解能力，促进贷后与贷前、贷中环节的信息共享。2017 年，各一级分行累计召开贷后会议 361 次，覆盖信贷客户 10665 户，涉及信贷余额 1.92 万亿元。

5. 强化信用风险统一监控。建立覆盖集团表内外、境内外、母子公司、信贷与类信贷业务的统一信用风险监控体系，完善集团信用风险信息共享机制。落实以信贷客户为中心的“穿透管理”。

6. 增加国别风险管理能力。组织完成 79 个国家的国别风险评级及发布工作，覆盖面较上年提升 20 多个百分点。制定下发国别风险限额管理办法，按季计提国别风险准备金，提升国别风险抵补能力。开展海外机构所在地以及“一带一路”沿线共计 50 个国家（地区）的国别风险评估工作。

7. 加强信息系统建设和大数据应用。提升信用风险“机控”水平，运用资产质量、重大风险、押品管理、责任认定、热点群体、信用风险管理评价、放款中心及对公到逾期管理等八大功能模块，实现对信贷流程重要环节的持续跟踪和监测。

执笔：刘　翔

内部审计

一、揭示问题，筑牢风险防范底线

密切关注风险高发领域和关键控制环节，针对全行经营管理的重点领域和区域，加大问题揭示力度，强化审计监督职能，助力风险防范和化解，促进各项业务的规范健康发展。

一是关注区域分行经营管理，创新全景视图分析。组织对 11 家分行的主要业务经营管理审计，至此实现三年对 37 家分行主要业务的全面覆盖。持续优化“一单两图三标签四维度①”分析工具，前瞻性预警揭示重大风险事项，深度分析内部控制缺陷。二是关注信贷领域，发挥预防警示作用。紧跟宏观经济金融形势、外部市场环境、产业政策、监管导向变化，加强对风险早期阶段的关注和提示，提高预判和前瞻揭示风险的意识和能力。三是关注新兴业务领域，提示新风险新问题。紧跟“强监管”政策导向，针对同业、理财、债券融资、金融市场、私人银行业务等新兴业务领域，提示业务创新中可能出现的趋势性、苗头性问题，揭示新的风险特征和违规特点。针对交叉性金融业务、互联网金融输入性风险和内源性风险进行分析研究。四是关注海外及子公司领域，助力集团合规管理。组织开展了 8 家海外机构②的主要业务经营管理情况审计。针对海外机构合规管理、流动性、盈利能力等重点方面，提示海外机构及总行相关部门关注合规风险，提升经营管理水平。开展三家子公司③审计，重点关注集团政策执行、统一授信管理、内部防火墙体系有效性等方面，加强母子公司、子公司间风险关联性分析，揭示子公司风险管理、内控合规等方面存在的缺陷和漏洞。

2017 年 11 月 3 日，总行审计部召开学习党的十九大精神暨全国内部审计先进集体和先进工作者表彰大会

---

① “一单”指风险客户清单，“两图”指信用风险热图和内控缺陷分布图，“三标签”指信用风险标签、操作风险标签、内部控制缺陷标签，“四维度”指整体经营、新兴业务、风险管理、内部控制。

② 香港、新加坡、约翰内斯堡、首尔、纽约、伦敦、悉尼、台北 8 家机构。

③ 建信基金、建信信托、建信人寿。

二、抓住重点，强化日常审计监督

在及时提示重大操作风险、重要内控缺陷和严重违规违纪问题的同时，及早发现并提示有关部门和分行妥善解决倾向性、苗头性问题，助力案件防控，抓早抓小。

一是持续推进信贷风险“两项机制”建设。围绕区域（机构）、行业、产品、客户、内控状况等维度，强化信贷风险监控分析，前瞻预判风险趋势，逐户建立重点客户跟踪档案，进行动态跟踪，力求对驻地行经营管理和内控风险有准确把控。二是深入开展类信贷业务风险“两项机制”建设。在信贷业务审计监督机制建设基础上，将理财、债务融资工具承销、同业资产三项类信贷业务纳入风险持续动态审计监督和重点客户审计跟踪工作。三是建立健全操作风险关键环节常态化监督机制。采用“数据驱动、集中运行、统一分析、分类核查”的工作模式，搭建了关键岗位综合信息库、关注客户基础信息库、模型疑点及核查信息库、审计成果信息库，实现对审计信息持续积累和分析。

三、守正出新，力促全行改革发展

内部审计自觉跟进全行改革创新，依托大数据分析，提供融智咨询服务，力求从体制、机制、流程、服务等多个维度，查找经营发展中存在的不足，提出解决问题的应对策略。审计视角兼顾传统业务和新兴业务，致力于促进生产质量、效率、动力的提升，推动全行改革不断深化。

一是助力传统业务强基础、提效率。持续跟进全行信贷基础管理，深入分析信贷业务在政策制度、流程控制、岗位人员、风险管控、IT 系统等基础管理方面的缺陷和问题，推动信贷业务发展，促进夯实基础管理。二是助力新兴业务求创新、稳发展。密切关注新兴业务转型发展，开展加快市场布局、提高内生动力、打造发展优势的相关分析和研究，助推相关领域提高资产质量、提升创新能力。

四、发挥特长，配合落实监管要求

认真落实各项监管要求，积极配合国家审计署审计，帮助全行查找漏洞，完善内控，促进合规，防范金融风险。

一是落实监管要求，促进全行资本管理水平提升。认真落实银监会现场评估意见，推动资本管理审计内容纳入后续海外审计项目中，从而实现资本管理审计在海外机构的全覆盖。二是高度重视反洗钱等审计工作，全面覆盖监管重点。反洗钱审计方面，重点关注跨境业务反洗钱，洗钱新特点、新类型，3 号令对标情况以及反洗钱集中作业中心管理状况等。消保审计方面，围绕消费者权益保护监管重点与管理难点开展审计工作，关注外部监管和内部检查发现问题的整改效果。关联交易管理审计方面，针对流程管理和基础性工作中存在的问题和疏漏进行提示。三是扎实开展经济责任审计项目，促进对领导干部的从严管理和从严监督。优化和完善经济责任审计评价指引，构建通报机制，促进经济责任审计质量全面提升。四是认真配合审计署审计，做好信息传递和服务保障。审计部继续履行全行配合国家审计署牵头部门职责，组织做好沟通协调和大量基础性配合保障工作，得到了审计署审计组的一致好评。五是努力发挥审计专业优势，配合行内外各项工作。审计条线努力发挥专业优势，积极配合中纪委、中央巡视组、银监会、中央金融工委及总行相关部门组织开展的检查工作，获得了有关部门的一致认可和高度评价。

五、开拓创新，全面提升专业能力

在总行党委的统一部署下，审计条线按照“五个转变”① 目标、“八性”② 措施要求，历时三年实现了审计转型收官，运用跨界优势和大数据分析为全行业务发展提供了支持和服务，得到了全行上下的欢迎和好评。

一是落实数据式审计理念，推进三大平台建

① 由关注“已发生问题”向关注“已发生问题和潜在问题并重”转变；由关注“个案问题和局部风险”向关注“控制缺陷和群发性风险”转变；由“以专项审计为主”向“专项审计与动态、全面覆盖并重”转变；由“以揭示问题为主”向“揭示问题和解决问题并重”转变；由“着重提升查证分析能力”向“提升全面服务转型发展能力”转变。

② 坚持原则性，秉承独立性；强化专业性，树立权威性；注重融入性，探索前瞻性；发挥建设性，提高有效性。

2017 年 8 月 21 ~ 25 日，总行审计部举办审计专题研修班

设。制订《中国建设银行数据式审计实施方案》，从数据式审计的实施思路、目标、措施和保障四个方面，对组织推进工作进行了全面的部署与安排，数据引领和驱动的理念深入人心。紧扣大数据技术应用主题，组织实施了一系列特色鲜明的审计项目，大数据应用成效加速显现。着手开展了审计数据分析、常态化审计监督和审计资源管理平台搭建工作，三大应用平台建设稳步推进。二是强化审计跟踪，健全审计督促整改工作机制。增强全局、全员、全流程解决问题的意识和实践水平。持续优化审计跟踪常态化管理机制。构建审计督促整改的“两环三链”① 闭环管理模式，全面提升跟踪项目组织实施水平。将“重大风险化解、内控缺陷改善、管理建议落实及整改机制运作”作为跟踪重点，加大督促整改力度，推动重点难点问题整改。三是推进自身精细化管理，持续提升审计能力。不断加强审计资源的精细化管理，对照数据式审计、“三项机制”建设等新任务，强化专业化建设新定位。启动内部审计章程修订工作，修订审计机构与驻地一级分行、子公司工作联系办法，组织开展新准则实施配套工作，持续完善内部审计规范体系建设。开展审计效果后评估工作，构建多角度全方位审计效果评价体系。扎实推进条线培训工作，推动审计能力提升，持续规范和有序开展审计条线评先评优工作，采取多项促进审计质量的管控措施。优化机构考核评分标准，加大对机构内部管理的监督力度。下发《关于进一步加强审计队伍建设和干部管理的通知》《关于进一步落实中央八项规定精神加强审计机构内部管理的通知》，督促审计条线深入落实“从严治党、从严治行”要求，切实加强审计机构内部管理工作。

执笔：王婷婷

内控合规管理

一、厘清合规管理总体思路

一是在借鉴国际先进银行经验的基础上，结合我行实践，形成了合规工作整体思路：确立“一个目标”，即建立一个科学先进、务实管用、满足监管要求、符合建行实际、覆盖全集团的合规管理体系；致力于“三个提升”，即提升全员合规意识、提升合规管理专业能力和提升合规管理水平；夯实“六大基础”，包括健全合规组织架构、打造高素质合规队伍、优化考核评价体系、规范制度流程、建立合规管理系统、丰富合规管理工具；落实“八个步骤”，包括制度管理、合规审查、合规检查、合规报告、违规处置、违规整改、通报警示、完善内控；最终实现“两个确

① 在总行和分行两个层面，审计部门、内控合规部门、业务管理部门三个环节，实现从审计发现问题到解决问题的全流程管理。

保、五个减少”，即确保法律法规及监管规定在建行得到遵循、确保行内规章制度得到有效落实，减少监管类案件、重大违规事件、监管处罚、因违规导致的资金财产损失、因违规导致的声誉损失。

二是持续推进在国内同业中率先试行的合规官制度工作，通过在八家分行开展试点，进行有益探索，为下一步在全行推广打下了良好基础。各试点分行搭建起以合规官为核心的合规管理组织架构，设立一级、二级分行合规官，建立专门的内控合规部门或团队，在业务部门设置合规团队或岗位，逐步完善合规组织体系。同时，通过建立以合规官为核心的合规运行机制、合规官培训制度，提高合规专业化能力和运行效率，提升合规水平，保障经营管理活动依法合规。

二、搭建合规管理制度框架

总行相继制定或修订了 3 大类共 26 项合规管理基础制度。在规范管理方面，制定了制度管理、合规审查、合规检查、违规处置、案件管理、反洗钱、合规报告等 9 项制度；在规范运行机制方面，制定了“三评价一考核”等 14 项制度；在操作规程方面，制定了员工合规必读等 3 项制度。这些制度使得全行合规管理工作基本做到有章可循、有规可依。

三、强化合规工作的核心功能

一是建立健全规章制度管理，把好制度关口。以制度管理办法为基础，实施计划管理，开展制度审查，在总行层面为提交董事会或行长办公会审议的 10 项制度提出制度审查意见；以监管政策解读和制度重检修订为重点，促进外规内化，保障制度常用常新，重点督促落实 8 项银监会提出的、20 项地方银监局提出的制度修订工作；以制度管理信息系统为技术支撑，成功于 12 月 16 日上线制度系统，将 54751 项内部制度纳入系统管理，提升制度管理的信息科技应用水平，逐步推行制度“废、改、立”全流程管理，实现全行制度的科学化、体系化、规范化、手册化、IT 化以及完整有效，保障全行依法合规经营、健康持续发展。

二是初步建立规章制度和产品创新事项合规性审查工作机制，从源头加强合规管控。2017 年，全行合规性审查事项共计 2065 件，覆盖 30 个业务单元，其中涉及新业务、新产品的合规性审查 1841 件。从审查结果看，复审意见为同意的事项 1430 件（占比 69.2%），同意并附修改意见的 607 件（占比为 29.4%），及时纠正产品和业务中的合规瑕疵。

三是全行上下积极开展合规检查工作，提升违规发现能力。2017 年，一级分行合规部门自主开展合规检查项目 191 个，总计检查约 355.1 万笔业务，除反洗钱、关联交易、操作风险等合规条线业务外，还覆盖了信贷业务、柜面业务等案件或重大违规易发高发领域。

四是在集团范围内建立覆盖一级分行、直营中心、境外机构和子公司的合规报告机制，报告时效性逐步增强。各机构按月度进行合规工作定期报告，重大事项随时报告，有效提升违规应对与违规处置的效果。

五是完善违规整改工作机制，针对审计发现的 10 大类“屡查屡犯”问题，督促业务主管部门从全行体制、机制、制度、流程、系统等方面进行认真整改。2017 年，总行共对 31 类审计项目、176 个主要审计发现问题的整改工作实施督促，推动重要问题的根源性整改。

六是强化违规处置，从事实核查、违规剖析、风险排查、资金资产追索、舆情应对、监管沟通等方面，完成了 9 起监管类案件和 4 起特别严重违规事件处置工作，成效显著。对违规事件进行分类分级管理，实施违规事件差异化处置。以“抓早抓小”为切入点，强化员工行为管理，组织实施对银监会现场检查发现问题的人员问责，对 56 个问题涉及的总行相关业务部门和 31 家一级分行的相关责任人进行了问责，涉及员工 156 人次，扣罚绩效合计约 31 万元，避免了后续监管处罚。

七是在全行范围内建立违规通报机制，有效发挥警示作用。2017 年，针对专项整治工作发现的违规问题，总行共发布违规问题通报 60 次，包括员工与客户发生资金往来、贷款资金流向监控缺失、向客户提示产品风险信息不到位、开户或挂失材料审核不全面等。

八是完善内部控制评价、合规条线评价、同

级部门评价和合规 KPI 考核的“三评价一考核”机制，并不断优化评价方案与指标，坚持结果与过程并重、合规的主体责任与管理责任并重的导向。

四、不断完善合规管理专项工作

一是以“补短板”为核心，大力夯实反洗钱管理基础。2017 年，全行共上线 8 个系统优化版本，完善了 70 项系统功能。其中，制裁清单监测系统上线试运行，开始对跨境业务进行实时监测；异常交易模型和大额交易模型不断完善，交易数据质量持续向好，数据需补录率从 2015 年的 0.6% 下降到 0.18%，IT 支持保障能力进一步增强。同时，我行在四大行中率先实现作业集中化，基本完成“两个集中”，即反洗钱监测的一级分行集中和缺失数据补录的总行集中，全行可疑交易报告质量明显提升。

二是以损失分析为重点，提升操作风险管理成效。建立覆盖总分行、海外机构和子公司的关键风险指标监测体系，涉及员工流动、系统保障、被诉案件、客户服务等 13 个重要领域，对操作风险有效监测预警。收集操作风险损失数据两万多条，全面分析全行损失数据分布情况。创新统计方法，开展信贷违规损失专题分析、监管处罚情况分析，提升合规管理针对性。积极开展操作风险管理信息系统建设，提高质效，在荣获我行金融科技进步奖二等奖后，又获中国人民银行银行科技发展三等奖。

三是以完善制度为基础，保障内部交易与关联交易管理平稳有效。根据监管的最新要求，修订内部交易管理制度，提供了比较完备的制度保障。各机构均按制度要求设立了关联交易和内部交易管理岗位，配备了人员。关联交易系统不断优化，节省了人力，大大提高了全行关联交易和内部交易识别、数据统计、报送的准确度。

五、强化境外机构与子公司内控合规管理

一是逐步健全境外合规管理体系，强化境外机构合规管理。总行内控合规部专门设立了境外机构合规处，建行集团 32 家一级境外机构均设立了合规部门或团队，聘请了当地合规官，充实合规力量。通过建立境外机构合规官选聘机制、合规官双向报告与重大事项报告机制，提高总分行响应能力。通过对新任职的境外机构负责人的合规辅导、合规官培训班以及覆盖境外全体人员的合规网络培训，传导总行合规政策，促进境内外合规工作经验交流，提高专业能力。

二是强化考核和报告，促进子公司提升合规管理水平。通过制定《子公司合规管理办法》和《子公司合规 KPI 考核办法》，进一步加强建行集团对子公司合规工作的统一管理。各子公司能够认真按照监管规定和总行要求开展合规工作，逐步完善公司合规体系建设，均建立了较好的信息沟通和报告机制。2017 年，各子公司未发生监管类案件、重大违规事件、无监管处罚和重大舆情事件，风险合规情况基本稳定。

六、顺利完成“三三四十”系列专项治理工作

2017 年，全行上下积极响应、协同工作、扎实推进，较好地完成了自查和配合监管检查的任务。根据监管机构公布的结果，我行共发现 3415 个问题，最终罚款金额合计 805 万元，是五大行中处罚金额最少的，实现了总行党委确定的问题最少、处罚金额最小、不当反面典型的目标。

执笔：张　凡

产品创新与管理

一、工作成效显著

截至2017年末，完成产品创新1500余项。以战略性创新项目为龙头，创新质量明显提升，42个总战项目预计首年价值目标折算合计为371.1亿元。实验室承接并完成战略性项目原型40个、同业比对报告20份、客户体验14项。共完成移植项目2400余项，比上年增加1400余项，增幅达140%；其中移植重点产品项目1062项，占比为44%；可移植库入库产品达2752项，比年初新增659项。39个“产品创新奖”和27个“移植创新奖”获奖项目约为全行贡献经营收入494.07亿元。雄安贷、Fit越科技3.0、CTMS跨银行财资管理、网点厅堂智能服务、“裕农通”APP、龙财富、乾元智投等一批有影响力的拳头产品取得良好市场效应。新一代“企业级银行产品工厂”项目获得“中国建设银行金融科技进步特等奖”。

二、加强组织推动，完善组织体系

（一）加强组织推动

召开总行部门产品创新工作专题推进会；着眼全行战略，发挥创新引领作用，对新产品、新技术、新业态进行深入研究和趋势判定，并承担社会责任、发现社会痛点、提出解决方案，寻找创新契机，牵头协调开展跨部门重点创新，确保创新能力处于同业领先水平。

（二）强化顶层设计和引导

对产品创新《若干意见》要求作出分解，形成79项具体任务，并发文对落实分工、执行计划、产出成果进行了详细部署。分赴各地进行宣讲，指导分行贯彻落实。跟踪全行落实情况，编发半年执行情况通报，推动创新型银行建设和全行转型战略的深化落实。

（三）积极开展创新体制机制研究和探讨

一是多方面、多次开展创新体制机制研究，并结合金融科技领域创新趋势开展系列专题研究，先后形成《关于完善产品创新组织管理体系的建议方案》《互联网金融研发中心方案》《关于完善我行金融科技创新体制机制的报告》等，均已提交行领导参阅。二是参与全行科技体制改革方案的制订。三是积极配合银监会开展金融科技创新课题研究，对我行金融科技创新情况进行梳理和总结。

（四）做好实验室的布局谋划

新增广东、湖南两家产品创新实验室，分别实现了在大型省域分行和中西部省域分行的首次布局突破。香港产品创新实验室也已进入申设流程，成立后将进一步增强实验室对海外机构和国际金融中心的联动协同能力。

（五）完善创新组织体系

一是敦促总行各业务部门组建产品创新团队或处室。二是鼓励一级分行积极开展自身创新能力建设，加强产品经理队伍建设。三是继续拓展对海外分行和子公司的集团一体化创新管理内容。

三、优化管理机制，强化风控评价

（一）改进创新分层管理

依托产品创新计划，将分行自主创新进一步细分为总行级创新和分行级创新，将高质量、高绩效、涉及核心功能变化的产品创新纳入总行级创新，分行级创新则由分行参照总行标准自行审核和管理。根据不同分层分类，配套不同管理方式和资源。将移植创新分为“重点”项目移植和“普通”项目移植，引导分行聚焦优质创新标的。

（二）优化创新管理机制

一是强化创新认定与审核，进一步完善产品创新项目、移植项目认定标准并严格审核流程，确保创新产品合法合规，并符合发展导向。全年共审核总分行申报项目4500余项，审核通过并纳入总行级创新计划管理1400余项，通过率约30%。二是注重创新质量和实效，重点关注创新带来的经营收入、客户、交易量三方面增长情况，促进产品创新对全行核心经营指标贡献度的提升。三是细化创新质量考核。先后制订了《2017年一级分行产品创新KPI考核方案》《2017年业务部门考核评价方案》和《2017年产品创新KPI考核分行分组及绩效数据报送实施细则》，对不同创新主体进行分类分组考核，并明确了考核流程和各项产品创新指标的考核规则。四是加大财务支持和奖励。继续开展产品创新与流程优化奖励，适度扩大评奖覆盖面。全行共评选出7大序列、160余个奖项，涉及23个总行部门、35个一级分行、2个海外分行和2个子公司，共表彰1073人次，进一步调动了全员创新积极性。五是不断完善同业产品创新跟踪机制。逐步建立和完善涵盖四大行、国内外先进同业在内的同业信息分析架构，形成滚动、连续的同业信息研究工作模式。六是建立实验室能力评价体系，进一步完善了产品评价体系（“产品评价器”）。下发《2017年度中国建设银行产品创新实验室绩效评价方案》，首次将实验室绩效评价结果纳入一级分行“产品创新”KPI考核。

（三）强调产品创新的风险与内控管理

向董事会风险管理委员会提交《建行2016年产品创新情况的报告》（中英文版）。将经风险、信管等风控部门审核的新产品上市结论和经内控合规部门审核通过的洗钱风险评估结果等材料作为创新产品备案要件。

（四）加强制度建设

一是完善产品目录管理、维护和应用机制，修订《中国建设银行产品目录维护管理暂行规程》，发布《中国建设银行产品目录管理办法（2017年版）》。配合目录管理办法，发布系统操作手册，形成标准化的产品目录维护流程及操作程序。二是完善2017年产品创新计划项目认定标准和战略性项目认定标准，引导各单位合理预期产品创新的业绩贡献目标。

（五）提升创新队伍素质

开展产品创新管理能力提升、产品创新综合能力、产品经理与移植推广、实验室技术方法、金融市场条线可移植重点产品（视频）、“新一代”产品研发应用推广等培训，有效传导总行的产品创新管理思路及部署。在培训中展示了与“新一代”合作研发的实验室工具平台，拓展了员工的创新思维和眼界。加强创新文化建设，进一步丰富创新文化内涵。

四、加大总战项目统筹管理，凸显实验室平台作用

（一）发挥实验室创新引领作用

加强实验室能力建设，切实推动九家实验室向战略性产品研发平台、客户参与创新平台、内外部联动创新平台和创新展示与发布平台等四个平台转型。聚焦原型设计与客户体验，在支持战略性项目研发、分行特定项目创新授权、前瞻性研究以及内外部合作创新等方面，发挥独特价值。

（二）组织推动并支持服务产品研发工作

印发《战略性产品创新项目实施与管理指引》，明确项目研发关键环节、关键任务、关键流程及交付件等要求。建立实验室任务“两表一夹”监控体系，制定并试用《实验室支持总行战略性项目操作指引》，加强对原型制作关键节点的审核和把关。将产品创新“负面清单”管理适用范围拓展至实验室所在分行。

（三）建立实验室原型制作工具和工作平台

建立实验室原型工作平台，开发引入了原型快速制作工具并在天津产品创新实验室试点应用。

（四）加强战略性项目统筹管理

一是扩大总行战略性项目需求来源。在全集团范围内共征集形成战略性需求方案92项，较上年增长31项。二是完善总行战略性项目筛选机制。组织召开战略性项目需求沟通会和初评会，推动总行战略性项目需求整合及质量提升。三是明确战略性项目任务。下发总行战略性项目年度项目任务书，明确项目责任主体、任务目标、交付件、实施计划等项目关键要素。四是编制下达2017年度实验室专项财务费用预算，用于支持实验室开展原型开发制作、外部咨询、信息收集加工和市场调查等事宜。五是实行重大产品创新“项目倡导者”机制，42个在研战略性项目均由业务部门主管行领导亲自担任“项目倡导者”。

六是多次召开战略性项目专题推进会，研究解决项目进展中出现的困难和问题，确保项目成果如期交付。

（五）加大实验室宣传力度，展示原型成果

一是积极展示宣传实验室创新成效，与建行报合作开展产品创新实验室系列专题报道，利用每周的客户专版以整个版面专题介绍一家产品创新实验室的创新成果及故事。二是在北京、广东实验室开展展示区建设，打造集集中办公、客户体验、参观访问、成果展示、产品发布等功能于一体的宣传展示平台。

五、紧跟新产业、新业态和新技术，牵头开展前瞻性引领创新

（一）以实验室为主体开展前瞻性研发

安排以产品创新实验室为主体开展前瞻性项目研究并配备相应财务资源，为今后的总行战略性创新项目持续提供孵化和输入。全年各产品创新实验室共计报送前瞻性项目需求30项、立项13项，完成原型交付9项、方案10个、报告10份，配置专项财务费用248万元，内容涵盖移动支付、智能投顾、消费金融等金融科技领域。其中，米动手环支付已成功面世并获得《第一财经》"年度金融科技设备创新奖"，"智能投顾"前瞻性项目研究成果已在"乾元智投"总战项目中应用，"掌上E盾"前瞻性项目成果掌上E盾安全支付工具在华为2017年度旗舰新品发布会上推出，实现企业客户"一站式"支付结算。

（二）组团赴中国香港、英国了解国外前沿创新动态和创新模式

获取了国际领先者及创新研发机构在前瞻领域的发展信息，收集了海外两地创新需求，了解了创新引领型企业的管理理念和研发模式。

（三）围绕金融科技领域，积极开展外部交流合作

建立与第三方合作创新的渠道，与全国高校、研究机构、外部咨询公司、专业科技公司建立跨界商业合作及产品创新合作渠道。先后组织赴京东金融、百度及百信银行、旷视科技等10余家金融科技企业开展互联网金融相关领域调研。广东实验室与广电运通成立智能金融联合创新实验室，开展智能金融服务、区块链、大数据等领域深度创新合作；苏州实验室与苏州大学商学院建立了产品研发联合实验室，与苏州大学工学院建立了人工智能联合实验室。

六、加强移植推广，扩大创新成果共享

一是强化移植创新工作共享全行创新智慧、创新方法、创新成果，以及引领方向、营造创新氛围、提升全行创新能力等价值传导。二是制定差异化移植策略，实行分类管理，重点产品移植考核权重80%，普通产品移植考核权重20%，强化考核引导。三是精选可移植重点创新产品，强化组织推动。与产品经营部门、原创分行共同从可移植创新产品库中分五批次筛选产生100多个创新亮点突出、目标客户群范围广泛、已经取得较好推广效果或预期移植推广效益好的重点产品进行重点推动。四是搭建学习交流平台，强化宣传推广力度。在中国建设银行企业号开设"创新速递"栏目，累计对30多个可移植创新重点产品移植创新价值、亮点、移植创新方法和效果等进行宣讲介绍，搭建全行移植创新共享、交流、学习的平台。五是持续优化产品创新移植推广平台，强化服务支持。细化产品分级分类，添加重点项目标签，丰富按原创行、归口产品经营部门、面市时间、移植行等多关键字快速检索，按业务条线设置专栏，设立培训材料专区，方便学习交流。

七、开展产品竞争力分析，掌控创新改进方向

（一）加强重点领域产品创新研究

一是建立分行重点领域信息收集机制。依据各行地域、业务特色明确分工，在消费金融、金融科技等领域开展创新产品深入比对，形成专题报告。二是与第三方机构合作开展国内外同业专题比对。先后与小企业部、资管中心合作开展了国内外银行同业小企业金融产品体系研究、集团资管业务运营和协同模式研究。

（二）开展产品竞争力及拳头产品分析

围绕"领先性、竞争性、特色性和效益性"特点梳理我行自身拳头产品，结合"新一代"产品评价指标体系，从内、外部市场竞争力两个维度研究制定产品竞争力评估指标和评分方式，征

集总行部门和分行意见，逐步完善拳头产品判定标准、指标权重以及打分方式和管理策略。分别组织总行部门和分行客户经理、产品经理开展拳头产品分析认定。

八、落实“学好用好新一代”要求，发挥产品研发应用效能

（一）加强产品目录手册管理

一是持续开展产品目录的更新和维护。2017年目录增补了海外机构批发业务、子公司、分行特色等产品，进一步提升了集团产品目录的覆盖范围及准确性。二是对产品手册进行更新。总行部门新增产品手册49份、修订54份。

（二）推广应用产品研发平台

一是积极推进产品创意管理、需求整合、转化项目等功能的应用。为全行员工设置标准化岗位，打破层级概念，将创意来源扩展至全员；创意的筛选、整合和管理由总、分行两级同步分类管理，为1300余位用户设置专门岗位，负责创意审核、需求转化、可售产品维护、产品目录审核等工作。二是基于产品工厂创新流程，全面支持总行、境内外分行存量及新增产品发布。在产品设计、装配、发布方面，根据系统落地实施情况，形成了三种不同的操作模式，已支持境内总、分行及中国香港、中国澳门、建行欧洲、马来西亚、迪拜等海外机构开展产品创新。通过“产品设计发布主模式”累计新增、变更了2004个可售产品。三是优化产品研发平台功能，支持境内外产品创新。四是优化产品模型，加强模型对研发需求分析和IT设计的支持作用。与同业中心合作在探索优化产品模型，建立模型与系统服务以及装配参数对应关系，在需求分析阶段支持开发人员准确定位产品需求对应的系统服务和业务处理逻辑。五是加强产品研发功能应用培训与典型案例宣传。

九、深化母子公司联动创新，提升集团一体化服务水平

一是建立母子公司产品创新联席会议制度，搭建母子公司产品创新常态化交流沟通、协调推动平台和重大产品创新联动事项协调推动路径。协调推动“大资管家—全客全资产交易与管理”平台和“私享全智通”创新项目。二是建立母子公司产品创新常态化协同联动对接机制。明确具体对接内容、方式和流程，切实提高母子公司产品创新协同联动效率和效果。共将子公司26个新产品纳入子公司可推广新产品库，并组织各一级分行按产品逐一研究明确推广意向和支持措施需求，有效促进了子公司产品在分行的推广。三是将子公司产品创新纳入评奖范围，调动子公司产品创新积极性。产品创新与流程优化奖评选中，子公司分别在4个序列中获得5个奖项。四是指导子公司进行产品目录梳理及产品手册编写，全年新增子公司可售产品321个，编写产品手册21份。五是建立母子公司学习、沟通、交流平台，组织子公司参加产品经理培训。六是在企业信息服务站开辟母子公司联动创新栏目，强化母子公司产品信息共享。七是强化母子公司产品创新协同联动，建立联系人名录，畅通沟通渠道。

十、优化业务流程，推进集约化建设

牵头制订了流程优化实施方案，组织协调各部门推进流程优化工作，完成《关于流程优化重点专题工作的汇报》，向行长办公会做专题汇报。V1.95版本的企业级业务模型中已建立了88个业务领域、114个业务组件、947个三级活动、4745个四级任务，形成了全集团一体化的流程体系和较为稳定的流程优化长效工作机制。

执笔：何　静

法律事务管理

一、主要工作成绩

法律维权创佳绩。全条线民事诉讼回收创新高，通过诉讼回收现金362.16亿元，避免被诉案件潜在赔偿责任20.50亿元，两项合计实现效益382.66亿元，同比增长14.33%。

法律服务成效更加显著。全条线共审查法律性文件24.9万件，同比增长15.8%；总行本部审查法律性文件、规章制度、提供书面咨询意见5800件次，参与重大项目和产品创新137项。法律服务在推进全行依法合规经营、服务创新发展、维护合同权益方面的作用得到进一步提升。

知识产权申请保持同业领先。截至2017年底，全行共有商标1721件、专利993件、著作权登记541件，同比分别增长13.8%、11.6%、6.3%，商标、专利申请数量继续保持四大行第一，国际专利授权实现了零的突破。

授权执行监督持续加强。根据监管重点，对12家分行资产保全、授信审批、同业业务授权执行情况及授权管理情况进行了现场检查，发现问题60笔。通过检查对授权体系进行全景透视，为授权制度改革进行实践准备。推进授权的动态化管理及调整，全年共办理基本授权变更、股东意见调整、制作特别授权书等授权事项147件，满足了业务发展需要。

法律研究更接地气。针对业务发展热点难点痛点问题开展调查研究，提供法律指导。印发了《实现担保物权特别程序及多种担保方式并用相关法律问题指导意见》《PPP法律问题调研报告》《信贷资产证券化实务操作与法律问题汇编》《商业银行代理销售业务法律风险专题研究报告》等9个指导性文件，这些文件接地气、易理解、可操作，揭示业务风险的同时，也指出了可行的法律路径。

合同文本体系更加完善。根据最高人民法院新司法解释，制作15种独立保函文本及文本使用说明；根据《民法总则》，修订保证合同文本的“保证期间”条款。全年梳理修订合同文本50余个；制作下发43个对公业务合同文本填写范例。多年来，部门已先后自主完成了800余种中英文主要业务合同文本的制作，全面覆盖银行各业务领域；累计下发200余种文本与附表的填写范例，涉及贷款、担保、贸易融资、票据承兑、保理及保函等主要业务品种。

二、主要措施和效果

（一）抓好诉讼维权与管理，力争最佳经济及社会效果

总行加强统筹管理和指导，重大、复杂、疑难案件亲力亲为；总分行上下联动，积极配合，一年来，全行诉讼管理工作质量进一步提高。

持续加大对全行重大诉讼的统筹管理和直接操作力度。总行建立了“包案制”，直接办理了20余件对全行有重大影响的诉讼案件。总行直管的全行重大民事诉讼取得突出成果，央视《今日说法》主持人诉建设银行信用卡格式条款纠纷等重大民事诉讼处理得当，有效维护了建设银行权益。由最高法院审理的案件全部胜诉。有效指导海外分行应对长臂管辖案件，迄今为止尚未出现遭受美国法院处罚或产生其他不良后果的情况。

持续推进诉讼网络化建设。与最高法合作，开发司法网络执行查控系统，既提高了协助执行效率、减轻了柜面工作压力，也减少了人工操作引起的纠纷。与最高法协调，建立失信被执行人名单信息共享系统，通过实时获取失信被执行人信息，帮助业务部门提高信用风险的前瞻识别能力。

（二）抓好法律审查、咨询与服务，发挥参谋助手作用，助力全行服务实体经济

支持建设银行服务实体经济和改善民生重大工程，当好法律智囊。与业务部门密切配合，时间上尽早介入业务流程；人员上对重大项目优先安排，本年度选派专人专职参加“蓝海项目”“熊猫”新支付项目、金融科技公司筹备等重要工作，集中办公；方法上坚持原则性与灵活性相结合的原则，以做成业务为目标，坚持在服务中履行好法律风险防范职责，以提升法律服务效果。

服务国家战略，为实体经济发展贡献力量。全流程支持住房租赁“蓝海项目”，高效优质地参与了“按居贷”“租客贷”“业主贷”等住房租赁创新产品研发工作。深度参与“雄安新区支持贷款”项目、特色小镇建设贷款产品创新，“碳金融”业务创新，协助推出“裕农通”普惠金融服务业务。助力供给侧结构性改革，为市场化债转股提供高效法律支持，参与了建信金融资产投资有限公司的设立、债转股专项理财产品研发。

加强对业务常见法律风险防范的指导。先后下发了《招标采购常见法律问题解答》《对公担保业务常见非诉讼法律问题解答》《关于防范侵犯公民个人信息刑事犯罪的法律风险提示函》《独立保函非标文本法律风险防范及审查要点指导意见》《关于进一步做好司法和执法协助工作维护建行和客户权益的通知》等文件。

（三）抓好知识产权保护，为提升全行品牌价值和核心竞争力注入新动能

响应国家知识产权发展战略，研究应对美国等西方国家对华知识产权竞争战略对建设银行造成的影响，重点做好具有重要战略意义的科技创新及产品创新的知识产权申请与保护。

为创新成果提供及时法律保护。聚焦“新一代”做好专利申请，已累计提交与“新一代”有关的专利申请800余件；紧跟“蓝海项目”等重点项目和“裕农通”等重要产品的创新步伐，做好商标申请，全年累计提交商标申请209件；在美国、智利等国家成功取得了“CCB”“CCB＋行徽”等重要商标的注册；在新加坡取得了第一件PCT专利授权。截至目前，在63个国家和地区，有459件商标、6件专利。

坚决打击他人侵权行为。成功打掉他人恶意抢注的“房易通”商标，为建设银行商标注册扫清了障碍；对他人在智利恶意申请的“CCB”商标提起异议，成功使对方放弃申请。

（四）抓好集团授权管理，研究改进授权机制的路径

围绕改革完善授权管理机制、方法这一目标，以授权调研检查为切入点，对如何优化全行授权管理以使其更契合业务发展需要进行了思考，授权工作主动性进一步增强。

加强授权调研及督导整改。对5家分行授权管理和执行情况进行了检查调研，调查了解现行授权体系是否满足业务发展需要，起草了调研报告，对授权体制改革提出了建议。

帮助境内外机构建立授权管理体制。及时向新设立的建信投资、建信财险、建银造价咨询、马来西亚子行、新西兰分行下发股东意见书/行长授权书，授权管理覆盖到集团各成员单位。

（五）抓好集团视角的法律风险管理，就海外机构重大事项开展现场帮扶与指导

落实行领导关于加强海外法律风险管理的要求，对如何管理海外法律工作进行了思考，逐渐加强对集团法律事务的指导。

持续参与巴西子行帮扶工作。派员到巴西进行了为期三个月的现场帮扶，梳理诉讼案件8500余件。

帮助境内外子公司完善公司治理。为印尼子行、马来西亚子行等8家境外子银行改进公司治理提供法律支持；对建银造价咨询、中德住房储蓄银行、建信人寿等7家子公司的公司章程、议事规则等公司治理文件提出法律意见。

（六）抓好法律工作基础管理和条线建设，进一步提升法律工作内生动力

以制度建设、法治宣传、考核评价、监督检查、信息系统优化为抓手，不断强化条线管理，提升风险防控能力，打造专家型队伍，增强法律工作科学化、精细化管理水平。

完善法律工作制度体系。修订《法律性文件审查与法律咨询工作管理办法》，制定《行长授权管理操作规程》，为保障法律工作规范、高效运作奠定基础。

建立违规问题线索移送问责机制。起草《关于诉讼案件处理中问题线索移送有关问题的通知》《关于明确诉讼案件问责督促工作流程的通知》，建立了被诉案件问责的机制，规范了线索移送和问责督促的流程。

推进警示教育和法律知识普及。组织编写《员工之过与银行之责》，下发《银行员工常用法律法规手册》，继续办好《建设银行报》“善建法治”“以案说法”两个专栏。2017 年，法律条线进行法律培训宣讲 2200 次，受众 13 万人次，编发法律刊物 315 期，发布法律风险提示/指导意见 2400 次，开展征文、演讲比赛、知识竞赛等形式的普法活动 200 余次。

抓好法律条线自身建设。制订对一级分行法律工作的考核评价方案并组织实施了首次法律工作考核评价。召开 2017 年法律工作座谈会。与工商银行等国有大行总行法律部进行了工作交流。大力推动分行加强法律力量建设，以逐步解决前几年全行法律力量明显削弱的状况，已经初见成效。分行法律机构设置和法律人员配备得到加强。

执笔：宁　欣

安全保卫工作

一、讲政治顾大局，确保十九大召开之年全行安全稳定

（一）重要时段安全维稳积极稳妥

把十九大安全维稳作为重中之重，要求各级党委和领导站在党和国家工作全局的高度，强化忧患意识，提高政治警觉，落实主体责任，切实把工作抓到位。元旦、春节和全国“两会”前，专门部署做好全行安全稳定和运营保障工作，要求各级切实加强组织领导，主要领导亲自抓，一级抓一级，层层抓落实。十九大召开前专门要求各级统筹抓好经营管理和维护稳定，努力消除不稳定因素。全行各级机构周密做好突发情况预案，重要时段严格执行 24 小时专人值班和领导带班制度，实行安全稳定信息“零报告”机制，全行没有发生重大安全责任事故和群体性事件。

（二）重要活动安全维稳有序有力

针对股东大会面临滋事扰乱的风险，一方面加强与有关省市公安部门协调，有效瓦解闹访；另一方面加强与驻港警联办沟通，协调香港警方出动警员对会场周边有过激举动人员予以训诫驱离，确保股东大会顺利进。

（三）总行本部安全维稳扎实有效

针对不同群体到总行本部缠访闹访的实际，紧密配合北京警方，主动协调相关部门，积极化解矛盾纠纷，妥善应对处置了各种突发事件。认真贯彻中央国家机关综合治理工作要求，修订完善 13 类应对突发事件预案，督导物业、保安等外委公司开展闹访应对、防火防汛等各种演练 30 余次，确保了总行本部安全稳定。

二、应对风险挑战，外部案件防控转型迈出坚实步伐

（一）案防工作转型创新全面发力

首次召开全行外部案件防控工作座谈会，对案防工作转型创新作出部署，明确案防工作要解决好“守底线、强责任、补短板”三个基本问题，构建“主动防御、技防为主、责任清晰、群防群控”的案防体系，提出案件防控“六个转型”目标，即案防局面由被动反应转向主动防御、案防重心由反盗抢转向反欺诈、案防手段由人防为主转向技防为主、案防管理从传统方式转向穿透式、案防格局由条线防控转向群防群控、案防目标由服务保障转向防范化解风险。

（二）案件防控工作扎实有效

针对外部侵害案件风险高发频发态势，组织拍摄《案防警示录》专题片，选取建设银行发生的典型案例进行警示教育，播出后产生良好反响，

强化了员工安全防范意识。针对办公营业场所面临的潜在风险，研究下发《关于防范不法分子利用建设银行办公和营业场所实施违法犯罪活动的通知》，进一步规范和落实办公营业场所安全管理责任制。

（三）各类案件和风险事件查处及时

全年共成功防范和堵截案件118件，包括云南个旧支行假个贷案件、陕西西安不法分子企图解冻大额涉案资金事件、员工泄露客户信息事件、宁波不法分子伪造公章和三方资金监管协议实施集资诈骗事件。此外，还指导有关分行处置化解了营业场所抢劫、撬盗ATM等暴力事件。

（四）司法查控工作依法合规

着眼提高司法查控效率，制定下发《一级分行电信网络新型违法犯罪案件司法查控行际协作机制》，修改完善协助返还电信网络新型违法犯罪案件冻结资金操作规程。先后4次参加公安部、银监会、国家安全部召开的重大案件查处协调会，圆满完成监管部门、执法机关部署的任务。

三、坚持做深做细做实，安全生产基础管理保持向好态势

（一）安全生产检查监督成效明显

一是按照“专业性、权威性、独立性”的要求，采取阅台账、看视频、查设施、测设备性能、问员工技能等方法，对22个一级分行实施常规检查。二是按照“全覆盖、零容忍、严治理、重实效”的要求，采取基层自查、条线抽查、分行督察、总行巡查等形式，在全行组织开展安全生产大检查。三是突出“五查五看”内容，会同相关部门组织开展金库联合检查。四是吸取北京大兴“11·18”火灾事故教训，深入开展消防安全隐患排查清理整治工作。

（二）直属机构安全管理力度明显加大

坚持把“两地三中心”安全监督管理作为重中之重，指导各园区加强核心部位管理，推动武汉南湖园区防洪排涝工程建设。全面加强直属机构、子公司监督管理，指导成都客服中心、上海信用卡中心开展“反恐防暴暨消防疏散综合演练”，先后3次对在京子公司进行安全检查，就加强子公司安全管理进行了有益探索。

（三）防灾减灾和员工安全管理应对有力

一方面，坚持以人为本、以防为主，从注重灾后救助向注重灾前预防转变，年初下发通知对汛期安全管理进行部署，组织各级机构开展水害隐患、防雷电设施和在建工程排查治理，指导有关单位提前做好防范和应对措施，有效减轻了灾害损失；另一方面，专门下发通知就加强员工安全管理进行部署，引导各级机构把员工生命安全摆在首位，搞好内部管理，加强安全教育，关注身心健康。

（四）“平安建行”理念宣传开花结果

整理印发习近平总书记、李克强总理关于安全生产工作的重要指示批示供全行学习，组织各级机构负责人签订安全生产责任书，强化抓安全、管安全的主体责任。在全行统一组织“安全宣传月”活动，广泛开展安全理念宣传、安全知识学习、安全技能培训，有力地促进了平安文化理念传播。继续组织“平安建行”创建高端访谈，编印《平安建行创建访谈录》，扩大了平安创建的品牌效应和辐射范围。

四、注重科技兴安，安保工作转型创新亮点纷呈

（一）远程监控“五统一”项目全面推进

瞄准行业领先，积极打造集约化、智能化、综合化“新一代”远程监控系统。着眼发挥系统安全防范基础功效、内控监督管理功效、服务业务发展功效，坚持问题导向和需求牵引，按照“统一性、开放性、先进性”原则组织精干力量加快研发平台统一软件，目前研发工作接近尾声，正按计划进行上线测试。着眼发挥试点建设的示范作用，指导福建和湖北两个试点分行加紧项目建设，按照“成熟一个建设一个”原则，批复一批一级分行监控中心和二级分行监控中心建设方案。着眼总行、一级分行、二级分行的三级互通，实现全行三级级联，提高应急处置能力和综合应用水平，启动总行指挥中心建设。

（二）“反欺诈系统”开发建设进展顺利

着眼实现线上线下的快速司法查控、全渠道欺诈交易的主动识别、精准拦截和自动预警控制等目标，全力推进系统二期的开发建设，相继投产上线了常规查询、动态查询、冻结、止付等多

项功能，实现网络直连线上冻结数据、现场办理线下冻结数据等功能，经部分分行试点运行，“反欺诈系统”的综合效益初步显现。

（三）安保工作管理系统运行初见成效

适应信息化、网络化、大数据高速发展和安保转型需要，积极推动安保管理系统上线应用，完成数据初始化录入，加强系统规范化建设，持续完善挖掘系统功能，在打造安保工作“顺风耳”上取得重要进展。

执笔：李海斌

三、党建工作与队伍建设

人力资源管理

一、突出政治建设，压实党建责任

（一）精心做好党的十九大代表选举工作

认真贯彻民主集中制，把发扬党内民主、坚持走群众路线贯穿于党的十九大代表选举工作全过程，全面动员、精心组织代表候选人酝酿推荐。严格遵循“三上三下”程序，坚持好中选优，注重代表结构，认真研究提出推荐人选，组织差额考察，严格核查把关，组织召开全行党代会，选举产生4名出席党的十九大代表，使选举过程成为一次深刻的党内教育。中央电视台《焦点访谈》以“发扬民主，好中选优”为题报道党的十九大代表选举工作，特别报道了建设银行选举工作典型做法和党建工作典型经验。

（二）认真学习宣传贯彻党的十九大精神

把学习贯彻习近平新时代中国特色社会主义思想和党的十九大精神作为首要政治任务抓紧抓好。成立学习宣传贯彻党的十九大精神领导小组，党委书记任组长，党委副书记、纪委书记任副组长，下设推进督导、学习教育、理论宣传3个工作组负责抓好日常工作。制定印发《关于全行组织系统认真学习贯彻党的十九大精神的通知》，明确3大方面11项具体要求。按照“全面覆盖、整体推进、分级分类分批实施”原则，充分发挥党校、培训中心主渠道主阵地作用，扎实开展全方位全员培训。举办两期总行党委管理干部学习贯彻党的十九大精神专题研讨班，党委书记、副书记带头宣讲，邀请中央宣讲团成员和有关部门领导作专题辅导，各一级分行、总行部门、境外机构、境内子公司等300多人参加现场培训，全行1.4万多名处级干部参加视频培训。

（三）扎实推进“两学一做”学习教育常态化、制度化

紧扣“学”的内容、“做”的标准和“改”的要求，坚持全覆盖、常态化、重创新、求实效，推动学习教育在全行1.7多万个党组织和20多万名党员中全面开展。积极运用微党课、“联学+实践”等创新模式，依托井冈山等红色教育基地，打造线上线下学习课堂，促进学习教育融入日常、深入基层。围绕建设“学习之家、争创之家、关怀之家”，积极推进“党员之家”升级建设。截至2017年底，全行共建成约1万个“党员之家”和800个“党员之家”示范点，深化“三亮、三比、三创”活动，为中心工作与改革发展提供有力服务。在总行企业网开设学习教育常态化、制度化专栏，及时传达中央精神，通报基层做法，营造良好氛围。

（四）逐项落实国企党建工作重点任务

率先将党建工作总体要求写入公司章程，明确党组织在公司法人治理结构中的法定地位，促

进党的全面领导和现代公司治理的有机融合。在建信基金、建信信托、中德银行、建银咨询4家子公司和客户服务中心成立党委，促进子公司党建工作全面覆盖全面过硬。从严从实开好民主生活会，加强对下级机构党委民主生活会的督促指导。扎实开展党组织书记抓基层党建述职评议考核，召开现场述职评议会议，建立网上测评系统，以述领抓以考促干。认真做好清理收缴党费使用工作，安排专项资金2248万元，对定点扶贫地区基层党组织活动场所进行修缮更新。下发《进一步加强基层机构党的建设工作意见的通知》，加强对基层机构党建工作指导，明确9大类24项基层党建工作，加大对分行、子公司完成情况督察力度。扎实细致做好党组织和党员信息采集、党内统计和组织关系接转、走访慰问生活困难党员等各项基础性常规性工作。

二、强化班子功能，打造过硬队伍

（一）选优配强各级领导班子

坚持党管干部原则，严格执行干部选拔任用制度，把好人选政治关与专业关。选优配强机构“一把手”，配齐配强一级分行党委副书记，2017年共调整14家一级分行和8个总行部门主要负责人，涉及33人次；从党委副书记新提拔为“一把手”11人，新配备党委副书记10人。坚持“先研判后调配”，充分运用日常了解掌握情况加强综合研判，进行比选择优，有针对性地调配干部，加大集团内干部交流力度，增强领导班子整体功能。继续完善子公司市场化选人用人机制，组织实施建银咨询、建信信托2家子公司3名高管人员差额选聘工作；统一实施子公司高管职务规范更名，使用副总裁和首席官双职衔称谓。制定实施《境外机构领导班子竞争力监测办法》，进一步调整优化境外机构领导班子，注重“一把手”配备，加强干部定期轮换，分批次安排在海外任职时间较长的领导干部调回国内，及时调整不适宜担任现职的干部。2017年全行新提拔任用领导人员157人，其中新提任正职26人，交流任职49人。

（二）持续完善干部培养选拔机制

牢固树立重视基层的用人导向，把经营一线、基层机构以及艰难困苦地区作为培养锻炼干部的“主战场”，持续开展总分行处级干部交流任职，有计划地安排优秀干部到参加定点帮扶县（村）、博士服务团、西部地区、革命老区等地方挂职，切实增强干部的政治能力和业务能力。全行司局级以上领导干部，有基层工作经历的占73%。坚持以价值创造为核心，健全与干部培养、使用、管理相配套的评价、流动和激励机制，大胆选用具有价值创造潜能的“高附加值”干部。根据分行党委推荐意见和总行调研结果，严格掌握选拔资格条件，按照各分行近期、中长期领导班子建设和业务发展需求，统筹考虑人选年龄、经历、任职时间、工作专长、履职表现等因素，经总行党委研究审议后确定217名一级分行副职后备干部和57名中长期培养对象人选名单，其中副职后备干部平均年龄为46.8岁，90%以上具有基层任职经历，中长期培养对象平均年龄为40.6岁。

（三）坚持从严管理监督干部

认真学习贯彻新修订的领导干部报告个人有关事项规定及查核结果处理办法，精心组织填报，严格执行“凡提必核”规定，提高随机抽查比例。2017年，全行共抽查核实领导干部619人，因未如实报告而受到组织处理的100人，其中：批评教育96人、诫勉4人。坚持从关心爱护干部、促进干部健康成长出发，用好提醒、函询和诫勉措施，防止干部小毛病演变成大问题。2017年，全行共提醒258人、函询7人、诫勉23人。突出问题导向，完善程序方法，认真做好干部选拔任用信访核查，深入开展干部选拔任用工作监督检查，2017年共对11个一级分行开展选人用人专项检查，针对发现的问题，督促分行认真整改落实。扎实开展全行选人用人“一报告两评议”工作，利用系统平台，统一组织全行40个一级单位、696个二级单位实施选人用人工作评议，参评总人数为48624人，评议新提拔干部8381人，有权评议人和平均参评率均超过96%。

三、完善培养机制，建设人才强行

（一）稳步推进“213人才工程”

成立专门的人才发展处，全面推进“213人才工程”实施，完善人才培养、发展和流动机制，促进人才资源优化配置。制订印发《关于全面推进“213人才工程”的通知》《2017—2019

年“213”人才培养工作总体方案》及年度具体方案，对“213”人才组织实施分层分类的订制化培训和实践锻炼计划。突出政治理想信念，强化党性修养培训。统筹整合行内外、境内外优质培训资源，实施全覆盖的管理能力与领导力培训。围绕改革发展的战略业务及重点领域，新开辟哈佛、沃顿等世界顶级名校培训渠道，围绕全球经济走势、金融监管、业务创新和组织变革等方面的最新理论和实践成果，加强领军人才国际视野和专业素质培训。全年组织领军、拔尖、骨干三类人才培训 1.3 万人次，6.6 万人天。有计划、分步骤地组织实施人才锻炼使用计划。2017 年，全行“213”人才累计岗位职务调整 1309 人次，基层交流 278 人次，岗位交流 765 人次。

（二）大力培养选拔金融科技人才、国际化人才等急需人才

针对国际化发展、金融科技创新的需要，加大国际化专业人才、外语人才、IT 人才等急需人才的培养力度，健全有利于人才创新创造的评价、使用、激励措施，大力提拔使用在“新一代”等全行重大科技项目研发过程中表现优秀、实绩突出的干部，充分激发科技人员干事创业的动力和活力。2017 年，总行本部部门、各开发中心、数据中心提拔使用参与“新一代”干部 160 人，其中总行层面占到本部新提拔干部约 15%。研究制订《关于进一步加快全行国际化人才培养选拔的实施方案》，加快培养覆盖不同层级不同岗位、熟悉国际金融规则的国际化人才队伍。根据国际化人才使用和调整情况，及时调整优化充实海外人才库，目前海外人才库有 1018 人，覆盖 14 个岗位类别、6 个职务层级。加大国际化人才培养培训力度，全年组织跟岗、外语、新提任管理人员等培训 309 人次，扩招储备外语类人才和小语种专业人才。

（三）统筹推进专业人才队伍建设

按照“条线整合为主，外部补充为辅”的原则，大力拓宽来源，多渠道补充客户经理队伍。截至 2017 年底，全行共聘任客户经理 52488 人，占全部专业技术岗位人员的 57.3%。会同公司、个金等业务部门，引入清华大学作为专家顾问，共同研发客户经理竞争力监测模型，提升客户经理队伍精细化管理水平。加强专业能力建设，深入开展对公信贷人员大规模轮训，首次开展对私客户经理大规模轮训工作，重点加强基层客户经理的业务实操水平和营销服务能力，增强风险防范能力和市场竞争力。2018 年共完成对公信贷人员培训班 1636 期，完成现场培训 96537 人次；组织开展对私客户经理轮训培训班 80 期，参训学员 4670 人。落实中央深化职称制度改革精神，简化申报资格要求，优化高师评审环节，提升评审效率。

四、优化组织架构，提升效能管理

（一）持续优化调整总部组织机构

牵头制订《金融科技创新体制改革总体方案》，巩固拓展“新一代”建设成果，通过金融科技体制改革激发活力，打造先发优势，完善内部协调机制，做好公司化运作与内部体制机制衔接，提高工作效率。成立中国建设银行研究院筹备组，统筹协调推进相关筹建工作。强化总行直接经营职责，成立资产保全经营中心（一级部），撤销风险管理部下设资产保全部（二级部）；明确养老金业务营销牵头职责，公司业务部加挂“养老金业务部”牌子并增设养老金处室；撤销采购部（一级部），财务会计部成立采购部（二级部）；总行信访办公室整体并入办公室；撤销渠道与运营管理部集中业务管理中心（二级部）；加强合规机构建设，在个人与存款投资部等经营管理部门设置综合与合规管理处，明确合规管理职责。

（二）坚持战略导向抓好机构新设工作

贯彻中央大力发展普惠金融政策，快速响应国务院关于国有大型商业银行要率先设立普惠金融事业部的要求，在大型商业银行中第一家挂牌成立普惠金融事业部，同时，在机构设置及人员配备方面持续加大支持保障力度。支持国家发展千年大计，紧抓雄安新区建设机遇，加强监管沟通，积极推进雄安新区分行计划申报与机构设立工作，成为首批获筹建批复的银行。全年新设、升格机构主要支持发展普惠金融和国家级新区、自贸区建设需要。截至 2017 年底，全行境内营业机构总量为 14890 个。围绕提升国际化发展质量，大力支持海外机构建设，更名设立海外审批中心，在香港建亚和建银国际挂牌成立海外融资中心、离岸人民币交易中心、全球投行业务中心、全球资产管理中心等海外业务集中经营机构。

（三）稳步推进直属中心整合

深入推进客户服务中心整合工作，选优配强党委领导班子，建立内设处室，完善纪检监察、工会、团委等组织建设；完成兰州“一地两中心”（兰州电话银行中心、兰州信用卡运行中心）整合工作。结合金融科技创新体制改革工作，研究推进研发类、数据类中心集约化设置，推动开发中心转型为研发一体的研发中心，着力打造专业化的研发中心和数据中心，促进科技与业务深度融合，提升科技创新工作的企业级管控力。积极推动单证业务、业务处理以及托管运营三类中心整合，理顺主分中心管理关系，加快业务整合。

（四）进一步优化人力资源配备结构

综合各分行经营管理情况、盈利情况和减员情况等因素制定人员总量配置模型，合理确定年度招聘计划和人员总量计划。2017 年全行共计招聘 5558 人，截至年底员工总量 35.7 余万人，较 2016 年底减少 1 万余人。提前应对退休高峰，扩充 2018 年招聘计划至 9400 人，预计至 2018 年底，全行员工总量约为 35.2 万人。创新组织实施 2018 年度全行校园招聘及博士后招聘工作，起用年轻员工作为“招聘形象代言人”创新宣传方式，运用科技手段提高招聘效率。拓宽视野渠道，创新方式方法，组织开展总行本部面向北京地区、总行内控合规部反洗钱业务中心、同业业务中心系统内招聘工作，共招聘 154 人，进一步为总行本部补充新鲜力量，优化人员结构。

五、精准配置薪酬，科学考核绩效

（一）精准配置薪酬资源

突出差别化精细化，加强各类机构人力费用预算管理。按照“增人不增资、减人不减资”的原则核定一级分行基本薪酬，核定一级分行基本薪酬为 150.3 亿元，其中基本工资 148.2 亿元，基本劳务费 2.1 亿元。推动总行本部和直属机构人力费用合理增长，落实“属地化”原则，差别化设置直属机构工资增幅，核定总行本部和直属机构人力费用预算 69.8 亿元，其中工资 47.4 亿元，福利费 20.3 亿元，劳务费 2.1 亿元；以压缩工资偏离度为重点，保持审计机构与分行员工收入的横向平衡，核定人力费用合计 13.9 亿元，其中，工资预算 9.6 亿元，福利费 4.3 亿元；以促进价值创造为目标，精细化核定境外机构人力费用，加大绩效工资与业绩考核挂钩力度，绩效工资占比由 14% 提升至 18%，核定境外机构人力费用预算 10.55 亿元。

（二）坚持问题导向完善激励约束机制

协调财会部等相关部门制定印发《关于建立总行直营中心配套管理机制的意见》，探索实行人财物等综合资源配置与业绩贡献挂钩的管理机制，推动直营中心提升直接经营能力，逐步向利润中心转变。制定印发《关于优化总部薪酬分配的实施意见》，针对性优化总行本部薪酬分配机制，进一步厘清职等、岗位（职务）、考核在薪酬分配中的地位和作用，完善工资正常增长机制，使工资结构更加趋于合理，激励保障作用得到更好的发挥。研究制定异地交流干部薪酬管理办法，建立明晰完善的交流补贴核定规则，着力建立全行统一的交流干部薪酬管理制度，充分体现组织对交流干部的人文关怀，激励更多的干部员工愿意到基层一线、到艰苦困难机构工作。

（三）提升薪酬服务质量夯实管理基础

积极与人社部交流沟通，最大限度地为建设银行争取工资总额。严格执行制度规定，强化服务意识，认真做好高管薪酬服务、总行本部薪酬支付和福利保障工作。针对离职员工要求兑现持股权益的诉讼、举报、信访及网络舆情等情况，研究制订股权激励处置方案并启动配套系统开发，探索优先回购不在岗员工持股权益。优化发薪流程，从实际发薪场景入手，以系统构思、重点突破、滚动释放为原则，确定统一视图、自动核算、自动统计、自动报告四项优化重点，加快系统开发，进一步提升绩效与薪酬管理效能。

六、聚焦中心全局，加强教育培训

（一）着力提升教育培训工作格局

完善总行教育培训管理架构，人力资源部加挂“教育培训部”牌子，撤销教育培训部（二级部），在原教育培训处、培训资源管理处基础上调整成立培训一处、培训二处和培训三处。加强培训基地规划布局，按照“总行级—区域性—分行级”三级架构，对培训基地的整体布局、功能定位和建设重点进行科学规划，提升培训质量和效益。研究制订企业大学建设方案，整合全行教育培训资源，打造与建行企业形象相匹配、与发展战略相一致的培训文化和品牌。承担中组部"一把手"教育培训课题研究，全面梳理建设银行以及金融同业"一把手"教育培训总体情况，总结经验成效和存在问题，提出高质量对策建议。精心开展中央组织部组织的基层党支部书记培训试点工作，持续抓好基层党组织负责人和党务工作者培训，全行累计组织基层党支部培训班1042期，培训22775人。

（二）高标准开展各类教育培训项目

以培训需求调查为基础，结合全行培训渠道接待能力和培训经费情况，制定印发2017年教育培训工作意见，突出重点，统筹推进各级各类干部员工教育培训工作，加强培训项目全流程管理，提升定制化、精细化水平，为全行改革发展提供先导引擎和智力支持。2017年举办一级分行党委书记总行部门总经理高级研修班1期，培训116人。举办二级分行党委书记培训班2期，培训372人。举办新任职管理人员培训班1期，培训88人。举办井冈山党性教育培训班46期，培训2326人。举办出国（境）培训班116期，培训3562人，其中香港培训班79期，培训3105人；国外高校培训班11期，培训267人；战略合作培训班6期，培训28人；顶岗及业务合作培训班20期，培训162人。坚持精准施教，加强示范培训项目管理，举办五个总行示范培训项目共培训29期1700人。

（三）进一步夯实教育培训工作基础

充分利用各种网络新媒体开展并推广网络学习培训。2017年，全行共有30.8万员工参加网络培训，学习课程累计558.5万人门次，全年新开发255门网络课程。开通试运行微信移动学习渠道，首期上线党的十九大精神学习、金融科技等4个培训专题31门培训课程。加强岗位资格考试科学组织管理，通过新设重点业务科目加强战略性业务人才队伍建设，合计开考33个科次，较上年增加9个科次，涉及12个业务条线，参考16.6万人次。组织开发《新入职员工手册》，采用学习地图、案例故事、小龙人等创新方式，引导新员工了解建行精神、感受建行理念、学习基础知识，填补了新员工通识类培训教材的空白。完善岗位培训教材体系，完成《柜面业务操作手册》《国际业务岗位培训教材》等7套培训教材的开发。加强专兼职师资队伍建设，截至2017年末，全行共有培训师资2597人。

七、健全制度体系，夯实工作基础

（一）统筹推进制度建设

制定印发进一步加强基层机构党的建设工作的意见、总行直营中心配套管理机制的意见、子机构董监事会建设意见、岗位轮换和强制休假管理办法等规章制度和规范性文件，进一步健全完善组织人事工作制度体系。坚持制度落实与制度制定并重，及时更新组织人事工作制度汇编，以培训解读深化理解，以政策解答规范指导。扎实做好对下级机构上报制度实施细则和落实措施的审核备案工作，跟进执行情况，开展专项检查。注重发挥典型案例的示范带动作用，加强经验交流分享和推广应用，确保每一项制度都能落地生根，取得实效。

（二）全面加强信息化建设

成立专门的信息化建设处，以"技术引领，数据驱动"为指引，紧跟信息科技发展趋势，主动应用先进技术，推动组织人事工作数据化、自动化和智能化。研发建立全方位、立体化、企业级的"员工全景视图"，全面展示员工学过什么、水平如何、干过什么、干得怎样、兴趣爱好和职业特长等信息，为党委选人用人提供数据支持。积极推进考勤与请休假、出入境与证照管理、人事证明办理等事务性工作在线处理与自助设备办理，有效提升人力资源服务效能。顺应移动互联时代企业大学办学理念和办学规律，围绕3大核心目标、10个战略着力点和35个关键成功要素，研究制定建行大学信息化平台建设规划。加强与业务部门合作，广泛挖掘信息化创意，研发"人事证明增值产品""建益筹"等创新产品，用互联网思维解决银企融合、员工关爱等痛点问题，打造人力资源管理与服务新业态。

（三）深入开展调查研究

精心编发《组工参考》，围绕"深、远、实""与建行实际相结合"优选主题，形成具有前瞻性、针对性的研究成果，为领导决策提供有力参考。积极推进实施《组织人事智库建设方案》，拓宽工作思路，借助全行力量建好智库，打造组织人事智库品牌。针对8家有代表性的分行开展组织人事工作调研，分别从一级分行“一把手”、二级分支行和条线负责人、分行组织人事部门、网点负责人和基层一线员工四个层面、不同视角深入挖掘当前组织人事工作亟待解决的突出问题、了解分行组织人事工作的亮点与特色，以及员工在职业发展路径、绩效薪酬体系、组织关心关爱等方面的需求，形成各分行调研报告，并提出调研组的体会与建议，为确立下一步优化组织人事体制机制改革思路提供参考。落实行领导指示开展行为管理专题研究。

执笔：焦　乐

纪委、监察工作

一、抓好思想政治建设，把牢纪检监察工作政治方向

把学习宣传贯彻党的十九大精神作为首要政治任务。成立支部学习推进小组，制订学习贯彻工作方案。组织全体党员集体学习党的十九大报告、新修订的党章等重要文件。班子成员发挥表率示范作用，党支部书记王德刚同志在支部带头上党课，宣讲党的十九大精神，率先撰写学习心得体会，与支部党员进行深入交流；其他班子成员利用到分行出差、调研之机，深入基层宣讲党的十九大精神。

深入推进“两学一做”常态化制度化。传达学习总书记关于推进“两学一做”常态化制度化的重要指示，制订实施方案和学习计划。支部坚持“每月一课”，结合纪检监察工作实际轮流主讲。组织支部党员前往中央国家机关工委法制教育中心开展主题党日活动；组织支部党员参观“砥砺奋进的五年”大型成就展；与北京市分行纪检监察部、东四支行开展了联学共建活动。充分利用“五大学习平台”，加强对党员的日常教育，全年共编发《学习快报》17期。支部“指尖上的微课堂”获得总行本部“支部微党建优秀金方案”表彰。

2017年2月16日，中国建设银行2017年度纪检监察工作会议在北京召开

加强学习平台建设。在《建设银行报》头版开辟了“庆祝党的十九大纪检监察工作巡礼”专栏，以9篇巡礼文章，总结全行纪检监察工作成效，体现十九大新要求新部署。在部门首页开辟学习专栏，设置“学报告　悟精神　促工作”专区，打造全行纪检干部学习十九大的“精神园地”。坚持每周编发《学习快报·学习贯彻党的十九大精神专刊》，精选从中央到建行、从报刊到网络的各类学习资料，下发支部和条线学习。

2017年以来，纪委、监察部认真总结、提炼建设银行管党治党和党风廉政建设方面的工作做法、特点亮点，全年共向中纪委网站报送信息稿件38篇，被采用19篇，在报送数量、被采用数量、总得分等全部指标方面继续保持68家中管企业第一。

二、聚焦监督执纪问责，扎实推进全面从严治党、从严治行

从严执纪执规。坚持“有案必查、违规必究、失责必问、触犯禁令必开除、涉嫌犯罪必移送”，加大违纪违规处理力度，全年给予党政纪处分3574人次，党纪处分312人，行政处分3508人，其中总行管理干部党政纪处分5人。针对严重违纪违规问题，全年开除党籍48人，行政开除146人。按照“严肃、严格、严谨、适度”原则，严把执纪执规质量关，建立党政纪重处分的事前把关和事后重检机制，及时纠正处分不恰当、不审慎情况。灵活运用“四种形态”，在“第一种形态”上下足工夫，全行谈话、函询、提醒、诫勉1391人。

驰而不息纠正“四风”。按照中央纪委部署，开展“四风”问题专项整治活动，通过群众监督、财务审计、信访举报大起底等措施，严查顶风违纪和隐性变异的“四风”问题。专项整治活动以来，全行查实“四风”问题57起，处理131人，对52人给予党政纪处分，点名道姓进行通报。在正风肃纪高压态势下，2017年，全行共查处“四风”问题65起，处理153人，对63人给予党政纪处分。

坚持对腐败零容忍。对利用银行资源进行利益输送的，发现一起查处一起，确保令行禁止。2017年，对山东省分行原党委书记、行长××采取了组织审查措施，在涉案人员级别、审查措施运用、违纪行为查证等方面实现了新的突破。认真贯彻中央要求，紧盯金融信贷领域的腐败问题，

2017年7月28日，总行举办党纪行规知识竞赛决赛

突出重点部位、抓住薄弱环节、实施精准打击。针对信贷领域以贷谋私行为、柜面领域盗取资金行为、集中采购领域利益输送行为、公章管理领域违规出具担保收受好处行为等开展专项治理，查处案件7起。针对干部员工与客户发生大额资金往来、违规经商办企业、参与民间借贷三类突出违规违纪行为，组织开展了全行性“三清查”活动，在员工自查申报基础上，进行审计甄别，对背后可能存在的腐败问题绝不放过，彻底斩断利益输送链条，全行共发现违纪违规问题3065个，涉及2478人。全行共有1014名干部员工申报问题1113个，其中有8名总行党委管理干部主动申报了问题。截至2017年底，全行立案审查647人，给予党政纪处分554人。

抓实警示教育。选取行内领导干部贿赂犯罪和基层员工职务犯罪案例，拍摄《不可逾越的底线》和《不可触碰的红线》两部警示教育片，全行共组织播放5492场，39万人次观看，用身边事教育身边人。对严重违规违纪和违法案件，坚持每案必通报、一案双通报，如对湖北××案件、重庆××案件等，既通报分析案情、深挖内控缺陷、提出整改措施，让干部员工引以为戒，又通报责任追究情况，点分行、点条线、点人名、点问题、点责任、点处理结果，发挥强烈警示震慑作用。2017年，共集中通报了38起受到“双开”处分的违纪违规问题、14起员工非职务犯罪和被行政拘留案件。

夯实工作基础。为推动各一级分行纪检监察工作齐头并进、“填平洼地”，在全行实施纪检监察基础工作达标工程，细化86项达标事项，编制《达标工程手册》，总行纪委逐一进行验收，促进分行苦练内功、夯实基础。按照“控制总量、严把入口、优化配置、专兼结合”原则，因地制宜提出纪检监察人员配备“四种模式”，既实现监督全覆盖，又破解人力资源约束。组织专职纪检监察干部“全员考试”，将各分行平均成绩排名通报，以考促学。

三、持之以恒改进作风，践行忠诚干净担当

加强对全行纪检干部的日常监督管理。在部门增设“纪检监察干部管理监督处”，统筹全行

纪检干部的教育管理和监督工作，选强配齐纪委负责人，全年总行纪委会同组织部门提名考察一级分行纪委书记3名、纪委副书记7名。严肃部内全体员工在出差食宿、工作往来、婚丧喜庆、社会交友等方面的纪律要求。坚持“刀刃向内”，严防灯下黑，对反映纪检监察干部问题的信访举报件，一律由部门“一把手”王德刚同志本人批阅，对副处级以上纪检监察干部的信访举报件，由总行纪委组织核查。2017年全行给予3名纪检干部党政纪处分。

强化对分行纪检监察工作的检查和督导。针对个别纪检监察工作长期落后、基础薄弱的分行，总行纪委一方面是“走下去”，派出工作组，驻点督导帮扶，确保实现根本性改变。2017年，总行纪委对青海分行进行了督导帮扶。另一方面是“请上来”，选取部分分行纪委书记到总行现场述职，总行纪委进行现场评议，点出问题、提出要求，各家行在比较中看到差距、找到方法。

执笔：姜玉鑫

巡视工作

一、党委高度重视，持续深化政治巡视

总行党委履行巡视工作主体责任，多次召开党委会议，学习贯彻《中国共产党巡视工作条例》《党的十八大以来中央巡视工作总结》等文件精神，听取各批次巡视情况汇报，对巡视工作进行部署。党的十九大召开后，党委全面学习贯彻党的十九大精神，要求把学习宣传贯彻情况作为巡视监督检查的重点，深入落实新修改的《中国共产党巡视工作条例》，进一步加强和改进巡视工作。

巡视工作领导小组及时组织巡视机构学习党的十九大精神，转发《中央巡视工作领导小组办公室关于巡视巡察机构认真学习贯彻党的十九大精神的通知》，并提出贯彻落实要求；学习解读《中国共产党巡视工作条例》，对修订建行相关规章制度提出具体要求。党委委员、纪委书记、巡视工作领导小组组长朱克鹏同志亲自指导巡视全流程工作，针对违规违纪问题出现的新特点，及时指示巡视办梳理重点关注的问题，指导巡视组有针对性地聚焦重点查找问题。对问题较多的分行，派出工作组开展帮扶，并亲自约谈分行党委书记、纪委书记；对发现的重要问题线索，指示纪检部门不待巡视结束，即刻组织专案组核查。

二、提高政治站位，立足发现问题，发挥巡视利剑作用

2017年建设银行巡视工作更加突出政治属性，聚焦政治巡视，从过去以业务检查为主转变为全面“政治体检”，从对被巡视对象进行全面评价转变为专注“政治画像”。

一是以“四个意识”为政治标杆，把维护党中央集中统一领导作为根本政治任务，以党章党规党纪为尺子，紧扣“六项纪律”，查找政治偏差，着力发现党的领导弱化、党的建设缺失、全面从严治党不力，党的观念淡薄、组织涣散、纪律松弛、管党治党宽松软等突出问题。

二是破解在金融企业开展政治巡视的难题，正确把握政治和业务的关系，从政治的高度分析业务问题，剖析业务问题背后“人”的问题、查找以权谋私“私”的问题、违规违纪“纪”的问题。

三是抓住领导班子和领导人员特别是主要负责人这个“关键少数”，盯住信贷审批、不良资产处置、基建工程、集中采购、选人用人等权力集中、廉洁隐患较大的重点领域，着力发现利用决策权、审批权、人事权，搞权钱交易、以权谋私等重点问题。

四是拓宽发现问题的有效渠道，在同业中率

先使用IT系统从海量数据中搜索违规违纪问题疑点，运用听取汇报、开展测评和问卷、调阅资料、个别谈话、查阅原始档案等手段发现“蛛丝马迹”，充分挖掘来信来访的重要信息，运用声东击西、突击检查等战术发现问题，编制《巡视发现问题指引》指导巡视组提高发现问题的针对性和有效性。

2017年总行巡视发现问题550个，移交违规违纪问题线索56个；全行巡视发现问题9163个，移交违规违纪问题线索275个。

三、加强巡视成果运用，发挥巡视标本兼治战略作用

一是加强巡视整改，强化整改“双督促”。对巡视发现的问题，在按照部门职责分送相关部门推动条线整改的同时，为确保被巡视单位整改落实到位，2017年组成专门检查组，对上年度被巡视的部分单位整改情况进行现场督查，初步构建立体双向整改监督机制。

二是注重分类处置和警示教育。巡视结束后，及时将巡视发现的违规违纪问题线索梳理、分类，移交相关职能部门和被巡视单位，强化执纪问责。2016年以来问责追责87人，其中处级及以上干部35人；将被巡视单位存在的普遍性、典型性问题在全行范围内进行通报，强化警示教育；将巡视整改落实情况在被巡视单位辖内公开，接受广大干部员工的监督。

三是改立并举。对巡视过程中发现的带有普遍性、倾向性，事关全局系统性的突出问题进行总结归纳，从体制机制、监督管理上向党委提出切实可行的建议。2017年总行巡视向总行党委提交建议21条，向被巡视单位提出建议157条，形成各类专题报告13份。

四是党委高度重视、亲自部署落实。相关职能部门及被巡视党组织及时完善体制机制，2017年，全行根据总行巡视反馈意见，共制定整改措施628条，建立完善制度360项，巡视成果通过制度建设得到巩固，巡视工作发挥了寻找弊端根源、推动改革的治本作用。

四、扎实推进全覆盖零容忍，构建巡视巡察上下联动监督网

有序推进全覆盖计划。一是总行持续推进对一级分行、驻地审计机构、总行部门、直属中心开展巡视，试点对子公司开展巡视，2017年巡视32家机构。二是各一级分行已全部开展对所辖机构的巡视、巡察工作，部分分行还对以往巡视整改落实情况开展了“回头看”，2017年分行共巡视521个机构，巡视工作不断向基层延伸。

加强对分行巡视工作的领导。一是下发《2017年巡视工作要点》，从巡视对象、巡视重点、巡视方法等方面对分行巡视工作提出全面要求。二是抽取6家分行开展调研和专项检查，就如何提升发现问题能力、提高巡视工作质量等进行现场交流和指导。三是从巡视工作开展情况、巡视重点落实情况、基础管理情况三个方面开展对分行巡视工作的全面评价考核，考核结果通报全行，并运用于一级分行党委、纪委“两个责任”考核，发挥了指挥棒的作用，加强了巡视监督网络的上下联动。

五、加强基础管理，确保规范高效开展工作

根据中央精神，转发新修改的《中国共产党巡视工作条例》，修订本行《巡视工作规定》及巡视工作领导小组、巡视组、巡视办工作规则；优化总行巡视工作考评机制，探索建立以发现问题为导向的巡视业绩评价制度。

在《建行报》发表6篇评论员文章，针对存在的问题，分析原因、提出改进措施，促进巡视机构和巡视干部提升能力、强化担当；以巡礼文章的形式总结巡视工作，向党的十九大献礼。

组织两期总、分行巡视人员培训班，共计198人参加了培训。组织巡视人员签订《巡视工作保密责任书》和《个人清退巡视资料报告》，从廉洁从业、落实中央八项规定精神、整治“四风”、工作纪律、劳动纪律等方面加强对巡视人员的约束，防止“灯下黑”。

加强支部建设，将组织学习宣传贯彻党的十九大精神、中央对巡视工作的新部署，与“两学一做”学习教育相结合，不断将学习贯彻引向深入，努力打造忠诚、干净、担当的巡视干部队伍。

执笔：梁　伟

公共关系与企业文化工作

一、加强正面宣传，传播建行好声音

2017年，全行共在各类新闻媒体刊稿326967篇，较2016年提升17%，位居同业前列。其中，平面媒体28849篇，网络媒体175057篇，微信等新媒体123061篇。

（一）持续开展十九大精神宣传工作

在全行掀起学习十九大精神宣传热潮，部署安排迎接党的十九大“砥砺奋进的五年”宣传活动，组织中央媒体记者赴分支机构调研采访，充分展示党的十八大以来建行在各个领域所取得的巨大成就；重点宣传建行十九大代表、各级党员领导干部和广大员工的学习感言及反响；及时宣传总行党委、全行各单位学习十九大情况，特别是基层代表会后传达学习情况，《人民日报》《经济日报》《金融时报》、中国共产党新闻网等中央媒体分别对建行学习情况做了宣传报道。

（二）突出全行改革发展成果宣传

一是营造全力服务国家战略的舆论氛围，重点部署安排服务雄安新区、发展普惠金融、开展债转股业务等主题宣传活动。二是集中开展住房租赁业务宣传，运用微博、微信、H5、短视频等新媒体手段，积极引导“长租即长住，长住即安家”等住房租赁消费新观念，境内外各类媒体报道2万余篇次。三是深度挖掘宣传“新一代”建设成果，配合“新一代”核心系统建设全面竣工开展主题宣传。先后邀请新华社、人民网、《21世纪经济报道》《第一财经日报》等20余家中央媒体及境内外主流媒体，参加“走进建行‘新一代’媒体见面会”，受到媒体和社会大众的广泛关注。

（三）协调行领导参加媒体公关活动

全年共协调安排各级领导参加国内外各种论坛、年会、研讨、对话、颁奖等公关活动40余次。在国内国际重要平台上大力传播建行新理念、新举措，形成了强有力的宣传声势。

二、提升广告效应，优化品牌形象

2017年，重点打造智慧银行新形象，规范海外品牌标识，加强子品牌管理指导，不断提升广告设计品质，强化广告内容创新，全力优化和打造蓝色银行企业形象。

（一）服务和支持业务发展

一是通过设计投放租房、快贷、飞驰等重点产品的平面广告、视频广告、视频宣传片等，重点打造“要租房，到建行”、快贷、“金蜜蜂”大学生客群金融服务等品牌。二是丰富投放渠道，通过央视一套《新闻30分》、二套《经济信息联播》等电视媒体，微信、今日头条、网易新闻客户端等移动端，以及机场、框架等传统渠道，着力推广龙支付、快贷、手机银行等重要战略性产品。三是加强总行本部宣传用品设计与管理，全年共完成出入库125次，发放宣传用品7040件。

（二）优化广告投放策略

秉持加大业务产品广告投放，加大移动端、视频媒体等新兴媒体渠道投入的策略，2017年，电视广告共投放600多次，累计曝光30亿人次，有效覆盖目标人群，投资性价比优于同业；网络广告从渠道、画面、文案、形式、匹配度等方面持续优化，今日头条仅6月曝光量近1亿，投放平均溢出率20%；自媒体营销宣传，持续做好逢节必有图活动，重点策划的“颜，值多少钱”主题活动，快贷页面点击率高达6%，为平均广告点击率的20倍，“快贷”百度指数位达到当月最高点。

（三）规范品牌视觉形象

制定下发子公司VI手册，优化子公司及下属机构标识组合；组织开展全行VI大检查，重点对

14个分行、3个子公司和80多个不同类型网点进行检查调研，整理下发《关于2017年全行VI检查工作情况的通报》；加强海外品牌建设检查指导，重点对伦敦、巴黎、法兰克福等机构进行现场调研；推进建行全球母品牌商标注册，成功在美国注册“CCB”商标；完成行服、网点VI用品和行旗集中采购，将营业网点员工职业装、网点VI用品纳入全行集中采购商品目录。

三、抓好学习教育，强化理论武装

2017年，坚持以学习宣传贯彻党的十九大精神为主题，指导并组织党委中心组学习、员工思想教育、文明创建等工作。

（一）规范创新党委中心组学习

研究制定《中国建设银行党委理论学习中心组学习管理规定》，及时将十九大精神和中央相关要求纳入全行学习制度：制订全行学习贯彻党的十九大精神专题学习计划，编辑《党的十九大精神学习资料汇编》、开设“学习十九大，建行We课堂”、《深入学习贯彻十九大精神宣讲提纲》等辅导材料。2017年，总行党委中心组共完成7次集中学习研讨活动。

（二）深入开展思想宣传工作

启动“第二届最美建行人”评选工作，开展“2016—2017年中国建设银行思想政治工作先进单位和先进工作者”评选表彰工作；受中宣部委托，组织中国特色社会主义和中国梦教育的调研工作，并整理形成《中国建设银行中国特色社会主义和中国梦宣传教育的调研报告》报中宣部。

（三）申报推荐全国文明单位

组织开展第五届总行级文明单位评选表彰工作，同时做好第五届全国文明单位的申报推荐工作。2017年，中央文明委表彰第五届全国文明单位，建行共有27家分支机构受到表彰，位居同业第一。

四、完善管理机制，防控声誉风险

2017年，重点强化主体责任和源头防控，加强声誉风险点排查、舆情监测和声誉风险教育，确保了全行未发生一起因处置不当导致的舆情扩散升级事件。

（一）强化声誉风险责任管理

一是领导重视，总行党委多次审议声誉风险管理工作，行领导先后20余次对舆情应对和处置工作进行批示。二是机制到位，全面构建“责任到位、监督到位、管理到位、人员到位、考核到位”的风险管理长效机制，在等级行、KPI等主要考核体系中优化引入声誉风险指标。三是管理到位，全年编发《媒体监测快报》225期，预警舆情信息160余次，组织声誉风险排查6次，进行风险事项应对80余次，开展声誉风险应急演练7次。

（二）集团联动化解声誉风险

及时下发《关于做好党的十九大期间新闻宣传和声誉风险管理工作的通知》，加强关键时点和重点环节舆情监控；针对案件、违规、客户投诉、假借建设银行名义对外宣传等8个重点内容，开展声誉风险排查，有针对性地做好声誉风险防控；对乐视员工信用卡等较大舆情事件进行总结分析，组织对重点敏感舆情事件进行有效应对。全年共监测并处置各类负面舆情4087条，由总行参与处置的负面舆情371起、潜在舆情124起，确保全行未发生一起因处置不当导致的舆情扩散升级事件。

（三）加强声誉风险学习教育

将声誉风险培训纳入各级机构党委中心组学习、条线业务培训、新员工入职培训等各类培训及教学中；首次对二级分行党委书记、行长进行声誉风险相关内容培训。全年直接参加各类声誉风险培训人员达8000多人。

五、落实监管要求，提升客户满意度

2017年，根据监管部门要求，重点落实“双录”专项评估检查、客户投诉综合管理等工作，切实维护消费者权益。

（一）圆满完成“双录”相关工作

指导、督促各分行做好理财产品销售专区“双录”专项评估检查，配合银监会完成“双录”现场督查；组织全行开展“双录”大检查，选取10余家二级分行和近30家网点实施现场检查。

（二）消保宣传教育深入扎实

开展“2017年金融知识宣传服务月”“送金融知识进校园”“防范电信网络新型违法犯罪集

中宣传月”等金融宣教活动。组织全行1.4万多个营业网点、近13万员工参与，受众超过1898万人，并通过建行报“消费者权益保护案例专栏”刊登26期消保案例。

（三）持续开展客户满意度调研

持续监测全行客户满意度“晴雨表”，发布2016年和2017年上半年研究报告。开展快贷、龙支付产品客户调研，研究提出产品及服务优化建议，努力提升客户满意度。

（四）加强投诉综合管理

研究制定全行《客户投诉管理办法》，编写《营业网点人员应对客户投诉技巧手册》，增设客户服务中心工单系统访问终端，定期对全行投诉情况进行统计分析，做好监管转办投诉的核查报告工作，持续开展投诉监督电话的运行管理。2017年，共接听消费者来电约700通，客户再投诉66笔，均得到妥善办理。

（五）夯实消保工作基础管理

通过年报和社会责任报告对外披露全行消保工作开展情况，并定期向监管部门、董事会社关委、监事会和高管层进行报告；制定《消费者权益保护宣传教育工作管理办法》，建立覆盖总行23个相关部门的工作联系人制度；组织开展37家分行的消保工作复评，核阅各类材料近5000份；先后5次组织推动相关机构对监管通报和内部审计发现的近60项问题进行分析整改。

六、打造文化软实力，助力建行改革发展

2017年，以推进《企业文化建设的实施意见》落实落地为抓手，全面加强建行文化创新与实践，打造文化软实力。

（一）强化建行文化理念认知认同

完成《中国建设银行股份有限公司文化要素及表述语》修订和重新释义；组织《建行文化培训教材》修订工作，制作《建行文化概述与实务》等6个课件；组织文化讲师培训，重点学习企业文化管理基础知识和专项文化建设；编辑企业文化成果汇编，系统总结梳理2014年至2016年建行集团七大方面的企业文化建设成果；创新“文化建行”微信平台，全年累计编发117期，总点击量达73.23万次，阅读人次达52.69万次。

（二）推进百家优秀网点宣传工作

以百家优秀网点为基础，重点完成10余家优秀网点展示活动的方案策划和准备工作，通过大型集中展示，加强智慧分享和经验交流。在香港举办第二期百家网点的培训班，提高基层网点负责人业务素质和综合能力，为推进百家网点经验夯实基础。

（三）加强示范单位建设与管理

制定《“总行级企业文化建设示范单位”六示范标准》，从管理、传播、品牌、业绩等方面对示范单位提出具体要求。重点完成第二届企业文化建设示范单位换届工作，举办企业文化建设创新示范座谈研讨活动。

（四）开展企业文化课题研究

深入开展企业文化课题研究工作，全行共有64家单位申报课题193个，重点在企业文化的组织形式、内容安排、方式方法、机制建设等方面进行探索和尝试。在全国企业文化年会上，广东中山分行的“员工成长积分”体系荣获优秀案例奖，山东德州分行“德馨服务”荣获优秀成果奖；在中国企业文化研究会组织的中外企业文化峰会上，上海浦东分行等18家单位及个人获得荣誉称号。

（五）加强文化场馆建设工作

继续推进企业文化馆、稻香湖展示中心、双辉大厦员工艺术精品展示等建设工作。在集团范围内开展建行历史资料及物品摸底调查和征集工作，对50个单位共1759件珍贵资料进行了登记造册。筹备双辉大厦员工艺术精品展示工作，已定向征集110余幅作品。做好珍宝馆藏品采购、维护、讲解和接待工作，全年共接待贵宾400人次，讲解40余次。

七、推进公益项目管理，履行企业社会责任

2017年，继续做好长期公益项目，加大对精准扶贫资金与相关工作支持力度，深入推进建行公益项目品牌化，提升建行社会形象。

（一）支持定点扶贫工作

加大对全行定点扶贫工作的支持力度，安排分行定点扶贫捐赠额度4792万元，比上年增长37%。继续对29家分行定点扶贫捐赠额度实施年度预算管理，授权分行在预算额度内自行审批安

排。实地走访11个定点扶贫村，对分行定点扶贫捐赠资金使用情况进行检查调研。

（二）创新开展系列公益活动

持续推进“成长计划”“母亲健康快车”、百年职校、建行希望小学等四个长期公益项目。先后举办“建行公益、有你最美”“建行希望夏令营”“母亲健康快车发车仪式”“十年筑梦，我们一起成长”主题宣传活动，以及“希望小学·助学圆梦”“建行公益边疆行”“百年职校公益行”“同学，建行公益在寻找你！”等公益宣传活动。

（三）编制社会责任报告

2016年社会责任报告增加了总行能源消耗数据及废弃物情况等“环境”范畴指标的披露，加大对海外机构履行社会责任和开展公益慈善活动的披露，进一步满足港交所最新ESG报告指引要求，在CDP平台社会责任报告及环境信息公开披露评级中，居同业之首。

八、强化条线管理，提高业务水平

2017年，注重把加强条线建设作为提高全行公共关系与企业文化价值创造力的重要措施：总行研究制订《2017年建设银行公关企化（消费者权益保护）工作考评方案》；举办全行条线负责人、新闻宣传、品牌管理、企业文化、消保工作等6个培训班，共培训基层骨干405人；创新《公关工作动态》组稿方式，采取主动约稿模式，全年共编辑25期；协调组织全行37家一级分行，对条线队伍现状进行专题调研，整理形成《关于全行条线队伍现状调研情况的报告》；总行组成检查调研组，先后对上海等6家分行进行检查调研，整理形成《关于对部分单位检查调研情况的通报》。

九、加强党建工作，培养良好作风

根据总行机关党委关于党建工作的部署要求，在全体党员干部中重点开展了“以案释纪明纪，严守纪律规矩”“严格组织生活，建立支部工作法”“学习十九大，做合格党员”等6个专题的学习教育活动。先后组织参观国家图书馆、参加民族文化宫大讲堂举办的“开启中华民族强起来的新征程”等学习讲座；举办“国际媒体关系维护与危机处理”“大数据与舆情管理”等学习交流和头脑风暴活动。2017年，公关部党支部的严格组织生活“五个正面工作法”，被总行机关党委评为“示范工作法”，工会小组被总行机关工会评为2016—2017年度优秀工会小组。

十、参与奖项评选，提升建行影响力

2017年，建设银行获得香港《亚洲货币》杂志“2017年中国最佳银行”大奖、美国《机构投资者》“2016人民币国际化最佳银行——全方位服务钻石奖”等国内外奖项荣誉总计100多项。

执笔：娄　芸

党群工作

一、强基固本，开拓创新，推动机关党建工作再上新台阶

（一）认真学习贯彻落实十九大精神

在迎接十九大召开时，认真做好政策解读，制订总行机关代表选举工作方案，严格遴选党代表并做好党代表人选资格审查、征求意见、遴选考察、公示公告，做好总行机关党代表选举。十九大后，开展了多层级全面深入学习十九大精神。一是分期举办处级党员干部集中轮训以及群团干部、党员骨干辅导班，开办“机关大讲堂”，邀请专家学者对十九大会议精神进行深入解读，多层级全面深入学习十九大精神。二是发起总行机关各支部微党建联学实践活动，由支部和分行共

同开展“联学＋实践”，纵横融合，落实十九大精神，努力把基层党组织建设成为坚强有力的战斗堡垒。三是结合群团工作特色，在总行机关各支部和全行群团条线开展系列建功活动，贯彻党的十九大精神的工作要求，将十九大精神落实到群团工作各个方面。

（二）“两学一做”常态化、制度化

制订学习教育常态化制度化实施方案，明确学习教育目标任务、基本内容和方法步骤；以不同的形式讲授党课700余次，广泛开展“党课教育月”“警示教育月”“月月微党课”“走进党小组”系列活动，开发出“书记党课”“微型党课”“故事党课”“手机党课”等精品党课，受到中央国家机关工委表彰；探索支部之间互查互评、互学互鉴模式，对45个支部（总支）开展“两学一做”专项督察。

（三）组织征集“支部微党建金方案”

探索基层党建工作的新思路新举措新模式，使党建工作活起来、实起来、严起来，丰富支部活动载体，增强学习教育的吸引力和感染力。

（四）强化队伍建设及人员培养

加强基层党组织和党员队伍建设，紧盯支部政治功能不强、组织软弱涣散、从严治党缺位等重点问题，持续深化“灯下黑”问题专项整治，推进组织“强身健体”。完成了52个支部（总支）的组织成立、换届选举和委员调整；转正40名预备党员，发展新党员38名，对40名积极分子进行了党性教育的集中培训。

（五）做好宣传展示工作

综合运用企业网、建行报、紫光阁网、工作简报、微信公众平台、电子大屏等各种载体，线上线下、多种渠道做好宣传工作，积极展示总行机关党建工作新风采、廉政建设新面貌。在人民网、紫光阁网刊发近20篇稿件。举办“机关微党建、支部工作法”总行机关党建成果分享汇报会；组织开展“身边的榜样”宣传展示活动，促进示范引领作用。

（六）加强党员干部日常监督

落实纪工委主题警示教育月活动要求，抓实“用身边事教育身边人”活动，机关纪委对处级干部任职前党风廉洁意见回复230人次，修订处级领导干部任职廉洁谈话办法，分批次对新提拔正处级领导干部60人集体任职廉洁谈话，督促所在支部做好新提拔副处级干部廉洁谈话，从严管理新提拔任职干部。开展处级干部“三清查”活动，加强廉洁从业监督。

（七）强化监督执纪问责

坚持把纪律挺在前面，不打招呼检查支部落实主体责任情况，抓好“两个责任”落实。结合总行机关特点，开展违反中央八项规定精神问题专项整治，持之以恒纠正“四风”。

二、围绕中心，服务群众，发挥工会组织凝心聚力作用

（一）抓好民主管理，营造民主氛围

召开全行四届二次职工代表大会，大会共征集代表提案84件，立案46件，立案率54.76%，提案提出了不少建设性意见，提升了建设银行职工参与管理的有效性。

（二）贴近基层，做好调查研究

2017年组织开展以问题为导向的群团重点工作调研，组织6个小组赴分行实地调研，走进总行本部26个部门召开访谈会，了解基层实际情况、充分听取基层声音，改进工作、提升服务。落实总行工会常委会会议制度和总行工会常委联系点制度，总行工会7名常委到基层网点，参加了联系点基层工会组织活动、召开总行工会常委会议、开展工会重点工作调研并慰问基层一线特困员工。

（三）评先评优，发挥先进示范效应

在全行系统大力弘扬劳模、劳动、工匠精神，营造学习、争当工匠的良好风尚；培育和选树了5家“全国金融系统劳模创新工作室”，形成有影响力的劳模创新品牌；承办全国金融系统劳模创新工作室现场交流推进活动暨全行劳模创新工作室现场会，输出建行精神，树立建行品牌；关注女职工群体，做好“巾帼建功标兵”“女职工文明示范岗”等荣誉评选和推荐工作。同时，为鼓励总行本部各工会小组和兼职工会干部，组织完成了总行本部2016—2017年度先进工会组织、优秀工会积极分子和优秀工会创意活动的评选和表彰。

（四）深化文体活动，繁荣职工生活

一是组织全行170多名运动员参加全国金融

系统第三届运动会，获得团体总分第一名，再次蝉联团体冠军。二是“创新形式、整合资源、体验至上、节约成本”办比赛。成功举办全行第八届职工乒乓球比赛，全行46支代表队457名运动员参赛。将竞技性比赛与群众性运动结合，与中央国家机关“公仆杯”乒乓球赛和金融系统运动会乒乓球赛的运动员选拔结合，与密切银政银企关系和送体育下基层活动结合，活动反响良好。三是在山东召开全行文联、体协相关人员座谈会。邀请全行各级各类文体人才，倾听基层意见建议，发挥协会组织在推动全行群众性文化体育活动中的重要作用。四是在对总行本部原有文体协会进行梳理的基础上，重新批准成立了23个文体协会，协会总人数接近2000人，充分体现了活动的群众性，活跃融洽了总行本部工作氛围。

（五）严格管理，规范财务收支

严格工会经费财务管理，降低费用收取比例，以收定支，确保费用留在基层，服务基层员工，充分发挥工会经费使用效能。切实强化工会常委会、工会经费审查委员会职责，规范工会费用预决算管理流程，重申预算管理的严肃性。在合规、有效的基础上，建立工会费用的支出标准；优化修订现有费用支出办法，逐步建立责权利对等的管理机制，建立以“预算、标准、流程”为链条的费用全流程管控，确保全行工会财务工作安全、规范、有效。

（六）强化监督，做好经费审计检查

一是抽调人员组成11个检查组，对22家一级机构两年的工会经费收支情况进行审计。事后将整体审查情况对全行通报，促进各级工会严格执行财经纪律和工会财务制度。二是接受中国金融经审办委托的审计组对建设银行2015—2016年工会经费收支情况的审计，对审计组查出的问题逐一落实整改措施，提升建设银行工会费用管理规范性。三是为切实履行工会经费审查委员会职责，加大对本级和下级工会年度经费预算编制审查力度和预算执行情况及重点项目审计力度，组建了由财务、审计和工会经审人员组成的109人的特约审计员队伍，为审计工作的开展提供了人员保障。2017年，建设银行获得金融工会经审工作规范化考核一等奖。

（七）启动“我爱我家·双百工程”建设

制定下发了《中国建设银行职工之（小）家建设与管理指导意见》的通知，为建设银行职工之家建设建立规则和标准，保障建设效果。2017年总行安排800万元财务资源为老少边穷地区和中心城市行的基层网点各打造100个职工之（小）家，由总行示范带动各级机构关心、关怀基层员工。

三、强化引领，搭建平台，助推团员青年奋发有为

（一）思想引领，把握建设银行团青工作方向

一是贯彻落实团中央、中央金融团工委从严治团各种要求，重申三会两制一课要求，对“一学一做”活动进行部署。二是以总行党委名义下发《关于加强新形势下全行团青工作的意见》，加强党组织对团青工作的领导，夯实制度基础，指明工作方向，明确相关要求。

（二）加强全行团青工作阵地建设

一是继续在全行推进“三建合一”，为开展团青活动提供场所，加强与工会、党建工作的融合协调。二是加强“青春建行”“CCB机关团委”等微信公众号、内外网、《建行报》等宣传渠道建设，使之成为引领团员和青年员工思想的有力阵地。在《建行报》刊载“五四”贺信、公众号宣传“向上向善好青年”人物案例、进行“青年心声献给党”“我与国旗、行旗合个影”“十九大精神学习感悟”等主题展示，打造思想引领的网络阵地。

（三）倡议青年参与公益志愿活动

一是在全行系统内成立各级青年志愿者协会，聚合志愿者的力量。二是加强与团中央的合作，在现有“积分圆梦·微公益”品牌的基础上开发“积分圆梦·微公益”新项目——关爱农民工子女计划，引导青年员工关注弱势群体。建设银行“积分圆梦·微公益”成功入围2017年度全国青年志愿服务示范项目并作为全国金融系统代表完成现场评审路演。

（四）搭建学习研究平台，施展青年才华

一是发动和组织全行青年员工参与战略课题研究工作，首期组建了600多人的研究团队，并

启动了10个战略课题研究工作。二是组织“根在基层”联学联建活动。联合发展改革委、国土资源部、交通部、国家安全部、知识产权局、清华大学以及总分行子公司近40名青年先后赴青海、河北雄安、宁夏、深圳开展青年联学实践活动，形成多个调研成果和专题报告，促进了青年对相关主题的思考，实现了品牌调研与青年工作的有益结合。三是组织全行劳动竞赛活动。先后与总行多个部门联合开展2017年劳动竞赛活动，主要有青年创新大赛、转型发展主题、母子联动主题、客户服务主题和机构业务条线竞赛等，契合全行发展重点和中心工作，并为青年员工提供了展示的平台。

四、加强管理，夯实基础，提升群团条线能力和情怀

（一）开发信息系统，建立群团工作与“互联网+”的链接

2017年已立项开发党群综合信息管理系统，旨在搭建网络平台，理顺管理路径、实现信息共享、提高工作效率、规范报表报送，改变一直以来的信息孤岛化、数据碎片化、报表手工化的落后局面。逐步实现全行范围内（含子公司）群团工作模块的线上运作，并打通与行内相关系统的数据接口，实现信息共享。研究“机关党建”“青春建行”和《CCB总行青年》杂志等渠道平台的整合和建设，集中优势资源，力争全面覆盖，形成党群宣传的新阵地。

（二）创新需求培训基层人员

除了开展机关党员干部十九大精神专题培训班以外，还加强全行群团系统人员的业务能力，创新特色培训项目，探索新的培训模式。一是组织全行130余名群团专兼职骨干人员参加了首期群团工作新媒体特训营，增强新媒体环境下基层群团组织的宣传工作能力；二是与中国传媒大学合作开展首期主持人培训班，培训了来自全行各层级机构的55名主持骨干和爱好者；三是重点培训了130余名特约审计员，提升经审干部的专业能力和履职能力；四是举办总行本部工会兼职人员培训，进一步规范总行机关工会活动的开展。

（三）做好基层专兼职群团干部培训课件开发

与哈尔滨培训中心和常州培训中心联合启动工会条线和团青条线培训课件开发工作，针对不同培训对象，开发菜单式培训课程，对基层群团专兼职人员进行系统培训，提高全系统群团工作质量和人员素质。

（四）帮危救急，为基层困难员工送温暖

2017年共走访慰问老党员和生活困难党员276人次，发送慰问金55.2万元。利用行内的互助帮扶机制，对有重大困难的职工实施二级分行、一级分行和总行的分级救助，救急纾困。对全行困难职工进行统计梳理，由总行工会统一安排500万元财务资源，采取总行领导上门走访和分行走访的方式，送去关怀。

（五）多方式、多渠道支持扶贫

一是开展“善心慧思”扶贫夏令营活动，组织总行定点扶贫点陕西安康45名师生和四川凉山贫困地区30名师生分别到西安和北京参观学习，进行爱国主义教育，为贫困地区师生开阔视野、启智圆梦。二是在全行倡议开展“善心慧思”爱心助学行动，汇聚员工爱心，直接对接需要帮助的贫困学生，以公益力量助力精准扶贫事业。该活动已在全行范围内广泛推广，其中总行机关定点对口陕西安康，计划资助320名贫困学生。三是发动总行机关各部门为建设银行对口扶贫陕西安康财梁学校捐赠学习用品和书籍、计算机设备等，热心努力做好扶贫工作。

（六）加强制度建设，提高群团工作的规范性

2017年度，先后修订和出台一系列制度和办法，主要有《加强对总行机关员工慰问工作的通知》《总行本部文体协会管理规则》《中国建设银行职工之（小）家建设与管理指导意见》《关于进一步规范团费收缴使用和管理的通知》等。

执笔：易　非

党校（高级研修院）教育培训工作

一、高度重视、精心组织，深入推动学习贯彻落实党的十九大精神

（一）举办党的十九大精神学习培训班

联合总行纪委、监察部举办了一级分行纪委书记学习贯彻党的十九大精神专题研讨班，并在秋季学期主体班中开展一系列十九大精神学习活动，推动党的十九大精神进教材、进课堂、进头脑。

（二）开展十九大精神教学活动

通过参观展览、观看直播、组织知识竞赛、主题研讨交流等一系列教学活动，积极开展十九大学习宣传贯彻，努力推动党的十九大精神进教材、进课堂、进头脑。

（三）送课进部门、进分行

发挥党校师资力量，送课进部门、进分行，获得总行各部门和分行的好评。

二、立足本职、突出主业，做好干部教育培训

2017年，党校（高级研修院）共举办两期主体班，与总行房金部、监察部分别合作举办了2期专题研修/研讨班，并承办了金融市场、审计、风险管理、零售等8期业务专题研修班。

（一）制定《关于加强和改进党校工作的实施意见》

2017年1月，党校牵头制定并以总行党委名义下发了《关于加强和改进党校工作的实施意见》（建党发［2017］1号）。该意见明确了建行党校今后工作的指导思想、原则及目标，并从坚持党校姓党强化干部调训、突出党校特色完善培训功能、加强师资和研发人员队伍建设保证教学质量、科学设置培训项目强化培训质量管理、加强组织领导完善保障机制5个方面提出了明确要求和具体措施。

（二）抓好主体班培训

一是坚持党校姓党，突出教学重点。在党校秋季干部培训班的教学安排和组织实施过程中，党校坚决贯彻落实中央关于党校工作的要求，严格按照中央党校中央国家机关分校教学计划，将理论教育与党性教育作为教学重点，符合中央党校关于理论教育和党性教育在教学安排中不低于总课时70%的要求；邀请总行高管、部门领导及专家学者授课及辅导20次，在总课时占比24%，符合中央党校领导干部讲课课时数（含金融特色课）不得低于总课时20%的要求；同时，将党性锻炼贯穿到教学全过程中，圆满完成了教学计划。二是加强教学管理，提高办学质量。党校积极参加中央党校中央国家机关分校及所属学区召开的教学研讨会，同时“一校三地”每期班均召开教学研讨会，总结当期教学情况，研究改进措施，不断探索党校办学规律，创新办学方式方法，提升教学质量。2017年，党校通过了中央党校中央国家机关分校质量管理体系认证；《加强管理　从严治校　切实提高办学质量》一文在《中央党校中央国家机关分校工作通讯》2017年第3期刊载；2017年8月，中央党校《学习时报》以《为建设银行转型发展提供人才和智力支撑——访中国建设银行党校常务副校长郭元析》为题发表了采访稿，全面介绍了我校干部培训工作的基本布局、重点和特色，以及下一步工作方向。

（三）首次申办并完成领军人才培训

2017年，经中央党校中央国家机关分校同意，党校春季干部进修班改为专题研究班，培训对象主要是“213人才工程”中的领军人才（在总行党校培训）和拔尖人才（在哈尔滨、常州分校培训）。专题研究班从干部进修班的“以学为

主、兼作课题”向“学研并重、多出成果”转变，在课程设计中突出党性教育、领导力培养和课题研究三大特色。一是强化理论教育和党性教育。严格执行中央党校教学计划安排，认真学习贯彻党的十八大、十八届三中、四中、五中、六中全会精神和习近平总书记系列重要讲话精神，赴河南兰考焦裕禄干部学院开展党性教育实践活动，使学员坚定理想信念、增强党性修养。二是开设领导力培训课程。首次与北京大学光华管理学院合作，邀请专家教授讲授领导力相关课程；同时邀请总行领导、高管、总行部门以及分行优秀领导为学员讲授建设银行经营管理中的重大课题，交流管理经验，提升实践技能。三是开展课题研究。开班之前通过发函征集、走访调研等方式选取了 10 个重点专题，并将学员按照专业专长、任职经历等分成对应的课题小组；开班后，各小组多次开展课题研讨，并从总分行相关部门聘请指导老师，集体研究、共享资源、求真务实，最终形成了 10 篇高质量的课题报告。

三、强化职能、助力发展，开展党建相关工作

2017 年 3 月，党校成立党建教育处，围绕国企党建相关要求，结合建设银行实际情况，开展党建相关工作，助力全行经营发展。

（一）加强党建理论研究

与中央党校党建部建立沟通联系机制，探讨联合开展国企党建课题研究等事宜，拟在总行党校成立党建教育示范基地，进一步开展相关合作。2017 年 12 月，郭元析常务副校长被聘为中央党校党章党规研究中心学术委员会副主任，受邀参加了中央党校党章党规研究中心成立大会暨十九大党章学习研讨会，并以《如何认识党的政治建设的准确内涵和重大意义》为题在学术研讨会上发言，进一步建立了与中央党校党建部的良好合作关系。

（二）开展党建案例研发

组建党建案例开发小组，选取广东省分行作为典型案例，访谈一级分行行长、纪委书记，分行本部各部门和二级分支行的党委、党支部班子成员和党务工作者，优秀党员和员工代表等 60 余人，按照党中央、总行党委对党建工作的要求，结合党建工作理论以及分行工作实践，完成了基层党建案例初稿的编写。

四、围绕中心、服务大局，搭建案例开发和课题研修子平台

（一）搭建案例开发子平台

“一校三地”组建案例项目组，编制《案例工作手册》，明确了案例开发的流程、方法和技术，并选取苏州分行精细化管理作为重点案例，深入分行开展调研。

（二）搭建课题研修子平台

高级研修院在以往主要承办总行业务部门培训班的基础上，2017 年首次尝试与业务部门以联合课题组的形式，与总行房金部联合举办了房地产市场专题研修班，分析建设银行开展房地产金融服务存在的机遇及需要应对的挑战，探索业务发展思路，最终形成《美、日、东南亚房地产市场泡沫研究及启示与借鉴》《“先租后买”住房交易金融服务方案构想》《使命呼唤责任担当，创新引领居住未来》等 5 篇研究成果，供建设银行业务发展参考。

五、夯实基础、规范管理，稳步提升各项工作水平

（一）加强制度建设，提升规范化管理水平

下发《党校（高级研修院）内设处室职责》，进一步明确各处室的职责分工；并正式下发包含议事决策制度、工作督办制度、突发事件应急处理预案等 12 个各类规章制度的《党校（高级研修院）规章制度汇编》，进一步提升了党校内部的规范化管理水平。

（二）强化信息技术，提升信息化管理水平

做好各类多媒体教学设备和办公设备的维修和维护工作，全面保障了教学活动的开展和校内各项工作的运转，并完成部门主页改版，开通了企业网与中央党校内网直联。

（三）完善工作流程，提升精细化服务水平

通过严查并改进薄弱环节，始终将安全放在首位，创建安全的校园环境，强化为学员服务的意识，围绕吃、住、行等各个环节，细化服务流程，严格流程操作，进一步提升服务质量和水平。

（四）加强内部队伍建设，提升团队战斗力

着力加强队伍建设，从总行、分行引进优秀人才，有效充实党校力量，并抓好劳务派遣制人员选、用、育、留各环节，完善选拔、考核和薪酬等相关管理办法和流程，切实提升管理水平。

执笔：邹　玲

CHINA 中国建设银行年鉴 2018
CONSTRUCTION BANK ALMANAC

第四部分　境内分行改革与发展

北京市分行

北京市分行行长　廖　林
（2017 年 2 月免）

北京市分行行长　袁桂军
（2017 年 2 月任）

一、业务发展概况

【负债业务】截至 2017 年底，全口径存款时点余额 14802 亿元，日均余额 14228 亿元，均保持建设银行系统第一。一般性存款时点余额 11702 亿元，新增 863 亿元；日均余额 11014 亿元，新增 799 亿元。

【资产业务】各项贷款余额 6493 亿元，新增 786 亿元，比上年提升 22.3 个百分点，新增额区域四大行第一，新增区域四大行占比 29.19%。余额系统排名上升至第四名，新增额系统排名由第三十七名提升至第二名。

【中间业务】实现中间业务净收入 85.79 亿元，系统排名由第三名升至第二名；同比新增 2.18 亿元，增速 2.61%，增速超过系统平均增速；市场占比提升 0.07 个百分点。

【经营效益】实现拨备前利润 239 亿元，同比新增 15.7 亿元，增幅 7%。主营业务收入同比增长 8 亿元，增幅 2.5%。人民币存贷利差 2.76%，保持区域四大行最高。

【资产质量】不良贷款额 14.99 亿元，较年初减少 0.66 亿元，不良率 0.23%，四大行最低，较年初下降 0.04 个百分点。

【客户基础】单位人民币结算账户总量 27.91 万户，净新增 2.67 万户，保持四大行新增第一。公司机构加权有效客户 48.14 万户，较年初新增 4.2 万户，总行计划完成率 206.9%；个人加权有效客户 2777.38 万户，较年初新增 273.41 万户，总行计划完成率 217%。

【重点客户】1627 户重点客户中，目标客户突破 89 户，重点客户巩固 430 户，年末存款余额 5700 亿元，较年初新增 663 亿元；贷款余额 4292 亿元，新增 881 亿元。307 个重大项目中，64 个取得显著营销进展，其中，新开户项目 23 个；新增授信项目 44 个，授信金额 1548 亿元。AUM 1000 万元以上私人银行客户 4069 人，新增 423 人，金融资产新增 77 亿元。

二、主要工作措施

（一）抓党建，促业务

【学习贯彻落实党的十九大精神】把学习宣传贯彻党的十九大精神作为首要政治任务。成立了学习宣传贯彻领导小组，召开党委会和全体党员干部大会学习传达；制订《实施方案》，从传达精神、学习宣讲、分层培训等6个方面确定了65个工作事项，逐项明确牵头部门、工作内容和时间安排；党委会5次专题研究部署；党委中心组（扩大）召开专题学习会，近500名各级领导人员和党员代表参加；举办2期基层党支部书记专题培训班，覆盖36家二级分支行的159名支部书记；分行党委成员分别到15个部门和基层行进行宣讲；各基层党组织也运用征集感言、参观专题展览、邀请行内外专家讲党课等方式开展学习活动。

【“两学一做”学习教育常态化制度化】制定《推进“两学一做”学习教育常态化制度化实施细则》，明确了19项工作重点、制定了50条推进落实措施，确保“学”有目标、“做”有标准。开展专项督查，对18个单位的学习教育情况进行了现场督查。以“联学共建”创新“两学一做”的落实推进方法。开展各类联学共建活动300余次，共建范围涵盖中央国家机关工委、总行、兄弟分行、分行各单位以及众多客户的党组织；分行本级、各二级行、各网点与本层级重要客户的联学已成常态。

【夯实两个责任】全年共出台27个党建类规范性文件，用制度管人管事。《落实主体责任清单》明确71条措施要求，确保向下压实；《党支部工作清单》，推动主体责任在基层落地生根。《纪委监督责任工作清单》和考核方案，运用“四种形态”做好监督，持续提高执规执纪质量。完成了对16个单位的巡视巡察工作，发现问题205个。

【强化组织建设】网点独立支部由年初的311个增至395个，占网点总量的98%，366个综合营业网点覆盖度达100%。督导各支部建立“三

2017年6月20日，北京市分行在中关村国家自主创新示范区展示中心举办“小微快贷”系列产品发布会

会一课”台账，推广“固定党日”制度，开展优秀《党支部工作手册》评比。加大对基层党组织的经费支持力度，将党费核拨比例由40%提高至50%。

2017年12月6日，北京市分行与海淀区人民政府签订《战略合作框架协议》

（二）抓机遇，解痛点

落实“房子是用来住的、不是用来炒的”定位，紧扣总行“蓝海战略”：一是在国家、北京市、各区三个层面深化与政府的合作。与中央国家机关公务员住宅中心签署合作协议，搭建了国管资产物业管理平台；为北京市保障房中心开发了业务管理系统，成功对接政府公共租赁平台；与海淀、延庆、西城等区政府签订了合作协议。二是落实服务系统和产品，搭建了住房租赁综合服务平台，首家发布北京地区住房租赁市场价格指数，提供了70多种产品。三是储备并发布租赁房源，举办现场发布活动，发布“真、准、实”房源1556套，储备现房房源7714套。四是专业专注，注册成立建信住房服务（北京）有限责任公司，对租赁住房实施专业化运作。

服务实体经济。通过贷款、理财、表外信贷等渠道满足客户融资需求，年末融资余额11243亿元，较年初增长874亿元。支持非首都功能疏解。充分用好“疏解贷”，全年储备项目116个，金额2627亿元，投放项目22个，金额190亿元。服务京津冀协同发展。重点加大交通基础设施互联互通等领域营销力度，成功营销新机场、京沈客运专线、京津冀城际铁路发展基金等15个重大项目，投放贷款近80亿元。支持地区重大建设。成功投放首环高速、首钢东南地块城镇化等23个5年期以上的固贷项目。多元化满足企业融资需求。通过银行承兑汇票、银团贷款等方式解决客

户融资需求536亿元；盘活信贷资源，利用回收的2654亿元贷款向新客户投放977亿元，占比36.81%。

普惠金融、消费者权益保护。小企业贷款余额426亿元，新增133亿元，增幅超过45%；普惠金融贷款64亿元，新增31亿元，总行计划完成率146%。为本市最大的棚改项目提供30亿元贷款。投放保障房开发贷款12亿元，较年初增长35.61%。以公积金贷款为抓手服务群众购买自住房，全年发放公积金贷款197亿元，新增贷款客户2.1万户。多策并举服务“三农”。与建行（亚洲）联动，为首农股份办理内保外贷业务1.17亿美元。累计为全国197家涉棉企业发放e棉通贷款70.6亿元，投放额和贷款余额居同业第一。独家为顺鑫控股、中国农发提供财务公司筹建咨询顾问服务。北京银监局消保工作考评，总分位列同业第一，连续三年获评一类行。

（三）抓重点，促发展

抓“一把手”工程。ETC总量61.68万张，新增39.2万张，新增同业第一，市场占比由7.39%提升到16.48%。信用卡贷款余额155亿元；分期交易额96亿元，同比增长19%。开展“拓代发，争源头”营销活动，新增签约代发单位17151户，完成全年计划的220%；代发额1838亿元，同比增速30.31%。开展“万户千家”商户营销竞赛，净增特约商户19565户，商户总数突破3.7万户；“龙支付”个人活跃商户新增2.7万户，完成率系统第一。

抓核心客户，成功营销中航器材、中丝普洱丝绸等开户，总部在京央企开户覆盖度达100%。抓核心机遇，紧盯大型企业混改等机遇精准营销大额存款，吸收联通混改资金237亿元，份额同业第一。抓核心板块，新开军警基本结算户13户，定期户2户，日均存款新增286亿元；签约1056家中央单位社保服务，社保日均存款较年初增长超过4倍；独家中标清华大学、北京大学校园缴费平台项目；银医通、银校通合计新增30户，产品覆盖度区域四大行第一；公检法司客户新增36户，党费账户新增236个。抓对私全量资金。个人理财日均余额905亿元，同比新增140亿元，推动个人客户金融资产日均新增309亿元，同比新增34%。个人存款占比增幅四大行第一。

同业业务保持存款时点余额区域和系统双第一；对公贵金属租赁业务收入2.55亿元，四大行占比超过50%；分行子公司业务联动额突破千亿元，达到1088亿元，保持系统第一。投行业务承销债券1086亿元，保持系统第一，实现收入4.43亿元；拓展财务顾问客户65户，同比增长170%。托管业务实现中收8.5亿元，保持系统第一，同比增速18.32%；全年证券类资产托管客户增长284户，规模增长超过8000亿元。资管业务继续保持理财产品规模系统第一，年末全口径理财产品日均余额2439亿元，较年初新增319亿元，增速15.6%。

（四）深转型，多创新

将国际业务的定位由战略性业务调整为支柱性业务，分行国际部增加客户部门职责，在各二级行设立国际部或团队，调动全行力量做大做强国际业务。国际化转型指标全面提升，国际收支客户新增264户，增幅6.09%；信贷客户新增66户，增幅22.53%；境内外联动产品增长率142%。

依托“新一代”平台积极创新，向总行报送“新一代”促发展典型案例890个，总行审核发布560个。全年完成自主创新产品120项，移植创新101项，兄弟行移植分行创新219项，第4次蝉联总行“最具创新力分行”。智慧柜员机从1180台增至1701台，主要业务迁移率86.1%，较年初提升45.58%；移动金融交易量占比84.28%，提升14.3%。

（五）抓合规，控风险

不良贷款处置额14.21亿元，计划完成率121%；“三十大”客户信贷余额由84.69亿元降至76.66亿元，两个信用风险项目全额化解。风险防控体系更加严密，进一步明确党委风险管理职责，制定了大中型信贷业务、信用卡业务的责任认定操作规程以及《重大风险上追认责实施方案》；构建直营业务风控机制，设置专职防控科室和岗位，梳理风险点；对投贷联动、互联互保等重点领域进行风险排查，加强全流程管控。信贷业务经济资本占用比年初减少0.27个百分点，折合经济资本26.85亿元，创造经济增加值2.82亿元。

落实监管要求，强化员工行为管控，深化合规文化创建，开展“合规建行，知行合一”活动，组织员工观看《不可逾越的底线》《不可触碰的红线》警示教育片，推动“三线”教育入脑入心入行。外部检查发现的34个问题均已有效整改。严惩违规违纪，全年党政纪处分36人次。

建立了立体式案防体系。以积分管理将案件风险隐患控制在初始阶段，共积分1217人次。堵截各类案件29起，金额312万元，全年未发生案件和重大风险事项。

平安运营圆满实现。完成党的十九大等重点时期的安保任务；持续深入开展“平安建行”创建工作。完成反洗钱监测分析系统大额补录13288笔，上报重点可疑交易报告10份。妥善处理信访突发事件，有效控制了舆情。

（六）抓队伍，育人才

重点围绕人数不足、岗位吸引力不高的问题，加强客户、产品和风险经理队伍建设。“三支队伍”总数量由2542人增至2918人，增幅14.79%。持续开展人才储备培养。加速培养年轻干部和“123”后备人才。出台员工奖励晋升办法，将职务资源向特殊贡献员工倾斜。加大晋升力度，共有351名员工晋升至五、六级专业技术职务。员工关爱力度持续加大。细化落实了39条员工福利清单。向员工发放住院补助968人次、困难补助132人次。解决了66名员工就近上班。为离退休干部上门服务35人次，慰问244人次，发放各类慰问金55.76万元。设立周转宿舍解决新入行员工的居住困难。

执笔：杜国增　何　冰

天津市分行

天津市分行行长　邱书民

一、业务发展概况

截至2017年底，天津市分行负债业务全口径存款时点余额2658亿元，当年新增83亿元，增幅3.2%。本外币一般性存款日均余额2588亿元，新增155亿元；时点余额2576亿元，新增102亿元。资产业务结构更趋合理，个人贷款占比显著提高。各项贷款余额2916亿元，新增218亿元，余额四大行第一。人民币对公贷款全年累计投放1104亿元。个人住房贷款余额达到1044亿元，全年净新增311亿元，增幅42.4%，建设银行系统内增幅排名第二，余额、新增额继续领跑当地四大行。客户拓展成绩突出，对公人民币全部结算账户较年初新增2.6万余户，增幅17.73%。经营效益受风险因素影响有所下滑，全年实现中间业务净收入26.6亿元，四大行占比37.13%，连续五年保持四大行第一。剔除风险因素后，盈利指标呈现增长态势。拨备前考核利润实现75.3亿元，同比增长0.3亿元。

二、主要工作举措

（一）党建工作取得新成效，带动发展基础更加坚实

2017年，分行围绕“两学一做”学习教育常态化制度化，扎实落实党建责任制，抓好领导班子和党员队伍建设，严格党员干部日常监督，夯实基层党建基础。圆满完成党的十九大代表选举工作，成功推选张丽丽同志为党的十九大代表。将深入学习宣传贯彻党的十九大精神作为首要政治任务，制订深入推进学习宣传贯彻党的十九大精神实施方案，党委中心组集中研学，党委成员带头讲授党课。安排中共十九大代表张丽丽同志与广大党员干部进行互动式宣讲交流，分期分批开展组织人事、纪检条线、基层党支部书记、入党积极分子的辅导培训，在门户网站、报刊、微信公众号上开设专栏，组织各级党组织开展多种形式的学习宣讲活动，让党的十九大精神宣讲深入一线，走近基层员工，掀起学习热潮。认真落实党委主体责任和纪委监督责任，严格执行中央“八项规定”，持续抓好“四风”问题整改落实，努力改进机关工作作风。进一步强化全面从严治党、从严治行导向，完成对除纪检监察部、人力资源部之外分行部门的巡察工作，严肃处理员工违规违纪问题，起到了正风肃纪、凝心聚力的作用。加大信访突出矛盾和积案化解力度，做好党的十九大前后信访维稳工作。广泛组织开展群众性文体活动，进一步丰富职工生活，使全行向心力和凝聚力不断增强。

（二）持续推进转型工作，业务结构趋于合理

全行积极落实总行战略转型要求和新发展理念，进一步增强业务发展的稳健与协调性，业务结构更加合理。

一是积极服务国家重点战略，支持改善民生，加大对实体经济的服务力度。对公条线积极支持雄安新区建设、京津冀协同发展、自贸区建设及天津市基础设施等重点领域建设项目，持续加强对“三大一高”客户资金支持力度，优先支持实体经济、绿色信贷、民生领域、涉农领域，保持资产业务传统优势。截至2017年末，分行支持京津冀协同发展贷款余额496.62亿元，其中支持交通体系建设项目贷款余额148.36亿元，支持天津金融创新运营示范区建设贷款余额161.27亿元。积极落实“大资产、大负债”经营理念，投行资管业务账面收入占全行中收的24.7%，账面收入列四大行第一。债券承销实现发行规模、数量居银行机构第一，大幅领跑同业发行机构。

2017年2月9日，天津市分行召开2017年度工作会议

2017年6月24日，天津市分行成功上线“新一代”3.2期对私业务

二是坚持零售优先战略，实现普惠金融新突破。将有限的信贷资源向个人贷款和普惠金融倾斜。个人贷款方面，全部二级支（分）行个人住房贷款余额当年新增四大行排名位列前两位，其中13家二级支（分）行四大行第一。继续独家承办市公积金管理中心“公转商”业务，全年成功实施六批公转商贷款共计38亿元。个人消费类贷款余额比年初新增24亿元，四大行新增排名第一。普惠金融贷款余额新增10.2亿元，超额完成总行普惠金融任务目标，全面完成“三个不低于”的监管目标。

三是积极推进住房租赁业务发展。按照总行“蓝海项目”战略部署，分行迅速成立住房租赁研发项目组，与国土资源和房屋管理局成功签署合作协议，推进住房租赁综合服务平台建设，成功上线企业租赁服务平台。在总行协助下，成功发布天津市住房租赁价格指数分析报告，研究公积金提取支付租金方案、公租房系统纳入云平台管理方式、疏解非首都功能及新移入市民租赁服务模式，推动组建建信租赁服务（天津）有限公司，全力打造“CCB建融家园”住房租赁服务品牌。

四是部分产品创新成绩突出。成功上线潮汐

现金池、跨行收款、同业资产转让、境外金融机构同业拆入等服务产品。国际结算业务收入稳居四大行第一；金融市场业务转型成绩突出，代客资金业务量和收入四大行排名第二，连续三年均超越当地工行。

五是全力开展商户营销工作。启动全行商户拓展攻坚战，对公条线建立五项机制①，推动开展常态化和规范化商户营销，取得良好效果。截至2017年末，对公商户当年新增2191户，对公商户存款日均新增30.18亿元，日均存款余额达123亿元。零售条线明确市场商圈定位，整合聚合支付工具，加大商户拓展力度。个人商户3.07万户，当年新增2.72万户，日均存款余额达15.12亿元。

（三）持续提升精细化水平，助力经营管理提质增效

一是实现业务精准营销。充分发挥建筑行业总行级主办银行客户的示范带动作用，实现对公客户营销服务全流程的规范化、标准化、个性化。为天物集团设计在线供应链金融服务方案，投放天津分行首笔“e点通”多点模式；为渤海证券上线“鑫存管”银证E路通业务，进一步提高客户在分行资金存放比例和规模。个金条线加强大数据分析应用对业务发展支持力度，加大源头资金业务拓展以及商户拓展等重点领域精准营销力度。二是全面提升风险管理精细化水平。开发集约化合同制作系统管理平台，组建押品专业管理团队，强化到逾期贷款管理，充分应用催收组件提升贷后催收机控能力，提高分行贷后催收管理工作质量和效率。经济资本管理成效显著，资本占比低于总行平均水平，对公信贷客户综合收益水平跃居总行系统第三位。三是财务管理更加精细化。推进做好总行“21+21”案例本地化应用。着力将推进工作由体验式向机制化建设转变，在研发办公用品管理系统、压缩钞币运送费、推进贷款定价精细化管理、加强贷款承诺管理等方面取得成效。

（四）加强全面风险管理，管理基础不断夯实

紧密围绕总行提出的“五个到位”② 管理要求，全面落实“风险管理职责进党委”，积极推进全面风险管理体系建设。建立信用风险监控机制、联席会议机制，加强重点业务发展与主动风险防控工作，强化存量信贷客户风险监测、分析、报告，提高业务决策科学性、风险管理前瞻性、风险防控有效性。高度重视内控体系建设在经营管理中的基础作用，持续加强合规文化建设，推进“合规建行、知行合一”创建，不断完善内控合规管理机制，逐步提升全行内控合规管理水平。根据总行、银监会相关要求，组织开展了整治市场乱象、“三违反”、“三套利”及“四不当”系列专项整治活动，不断提升内外部检查发现问题整改工作质量和效率，积极推进审计成果运用。出台实施分行本部行政值班制度，加强分行本部智能化考勤管理。开展全行安全生产大检查，认真做好安全生产运营工作。

执笔：吕树楠

① “五项机制”即“商户综合营销、商户认领和分派、商圈综合方案、商户集中审议、商户日常维护”。

② “五个到位”即“责任到位、监督到位、管理到位、人员到位、考核到位”。

河北省分行

河北省分行行长　程远国
（2017 年 2 月免）

河北省分行行长　李　民
（2017 年 2 月任党委书记，4 月任行长）

一、业务发展概况

【负债业务】截至 2017 年底，一般性存款日均余额 6503.85 亿元，比年初新增 651.31 亿元，新增位居建设银行系统第六、当地同业第二。一般性存款时点余额 6589.53 亿元，比年初新增 383.77 亿元，新增位居系统第十一、当地同业第二。

【资产业务】本外币各项贷款余额 5052.83 亿元，比年初新增 476.79 亿元，新增位居系统第六、当地同业第二。

【中间业务收入】全年实现中间业务净收入 45.64 亿元，市场份额 30.86%，位居系统第十、当地同业第一，有 10 项产品收入、网均和人均中间业务净收入位居当地同业第一。

【经营效益】全年实现拨备前利润 146.15 亿元，同比增长 8.95%；实现账面利润 77.83 亿元，位居系统第十、当地同业第一。

【公司业务】本外币对公存款日均余额 2677.58 亿元，比年初新增 362.75 亿元，新增位居系统第九、当地同业第一。本外币对公非贴贷款比年初新增 206.6 亿元，位居系统第十、当地同业第一。对公板块实现中收 23.17 亿元，位居系统第十。

【机构业务】机构客户人民币存款日均新增 154.65 亿元，占对公存款日均新增的 42.63%。总行考核口径中收实现 3262.94 万元，位居系统第十。累计发放机构客户贷款 16.85 亿元，教育卫生行业贷款余额当地同业第一。银医银校通客户新增 37 户，位居系统第六；“军建安鑫” 合作客户新增 6 户，公检法司账户新增 69 户，机关保和职业年金账户新增 146 户，均位居系统第三。所辖 119 个县支行中有 108 个支行实现了关键账户的突破，覆盖度 90.76%。

【小企业业务】小企业授信基本客户比年初新增 3826 户，位居系统第七。单户贷款余额 500 万元（含）以下客户新增 6099 户，“小微快贷” 客户新增 7099 户，贷款余额新增 30.2 亿元，均位居系统第七。

【个人金融业务】个人存款日均余额 3826.27 亿元，比年初新增 288.56 亿元，位居系统第二、当地同业第二。有效客户总量达 715.5 万户，折算后新增 79.8 万户，均位居系统第三。个人资产客户达 1865 万户、位居系统第五，新增 217 万

2017 年 6 月 22 日，河北省分行召开全省建设银行"合规建行　知行合一"活动动员暨案件防控（视频）大会

户、位居系统第三。深化交通生态圈建设，在 7 个地市实现公交一卡通发卡。大力推广聚合支付的"慧兜圈"业务，全年慧兜圈商户新增 14129 户、位居系统第五。累计拓展龙支付用户 286 万户，累计交易 244 万笔、位居系统第三。

【住房金融业务】个人贷款（不含卡透支）余额 2260.07 亿元，新增 334.94 亿元，新增位居系统第七、当地同业第三。房地产开发贷款余额 133.5 亿元，当年累计投放 65.55 亿元。年末个人消费经营类贷款余额 82.74 亿元，新增 30.15 亿元，均居当地同业第一。其中"快贷"累计客户 60.58 万户，新增 30.91 万户，分别位居系统第一、第二；"快贷"余额在消费经营类贷款余额占比 63.9%。

【国际业务】对公外汇存款日均余额 6.9 亿美元；对公外汇存款时点余额 44.32 亿元、新增 2.05 亿元，在当地四大行唯一实现跨境人民币净流入。实现外汇中间业务收入 4.17 亿元，位居当地同业第二。国际收支客户同比新增 567 户，增速 22%。实现金融市场业务收入 3.59 亿元，位居当地同业第一，与当地工行比值达 137.3%。结售汇交易 85 亿美元，同比增长 27.85%，位居当地同业第二。办理系统内首笔寺庙金以及棉花、燃料油、橡胶、豆粕境内盘套保等业务，其中寺庙金客户数达 1597 户、位居系统第一。

【信用卡业务】存量客户达 415 万户，当年净新增客户 49 万户，新增客户中年轻客户占比 64.2%。信用卡贷款余额 282 亿元，新增 82.52 亿元，均居系统第二、当地同业第一。商户新增 5.7 万户、位居系统第三，其中达标商户新增 4.48 万户、位居系统第一。分期业务交易额 202 亿元，同比增长 53%，位居系统第四、当地同业第一。实现信用卡中收 16.99 亿元，同比增长 52%，位居系统第七、当地同业第一。十项核心指标均位居系统领先、当地同业第一。

【电子银行业务】个人网上银行、手机银行、企业网上银行活跃客户净新增分别位居系统第三、第四、第四。电子银行直接业务收入 2.83 亿元，同比增长 16.54%。移动金融交易量占比 85.31%，位居系统第十四，比上年末提高 13.87 个百分点。善融商务交易额 171.65 亿元、位居系统第二，同比增长 167.42%。自建微信公众号"建设银行河北省分行"粉丝数达 81.3 万人，新增 34.6 万人，增速 74%。党费云商户达 2288 户，电子渠道缴费 53.5 万笔，均位居系统第一。

【资产质量与风险控制】不良贷款处置 37.65 亿元，完成总行计划的 117.2%。其中，现金回收（不含打包项目回收额）7.97 亿元，打包处置 15.80 亿元，呆账核销 6.40 亿元（不含打包项目核销额）。不良贷款额（审计后）为 86.93 亿元，不良贷款率为 1.72%。

【内控合规建设】部署开展"合规建行　知行合一"活动，多渠道传导合规理念和文化内涵。开展 2017 年度屡查屡犯问题专项治理，扎实开展四大重点领域专项整治、"三清查"和长期不在岗人员清理，严管和厚爱相结合加强了员工行为管理。

【其他业务】资管投行业务方面，实现资管

2017 年 12 月 5 日，全行首个公共租赁住房服务平台在秦皇岛上线

业务收入5.87亿元，投行融资总量589.52亿元；为河钢集团办理全国国有钢铁企业首笔DFI（债务融资工具）；与河钢集团、冀中能源集团签署总规模400亿元的债转股业务合作协议。同业业务方面，年末同业资产业务规模达497亿元，实现同业业务收入3757万元、同比增长66%。私人银行业务方面，AUM 1000万元以上私人银行客户新增660户，客户金融资产规模新增76.03亿元，分别位居系统第三和第六；“金管家”签约新增4.95万户、位居系统第五，“金管家”交易额新增405.2亿元、位居系统第二。资金结算业务方面，单位人民币结算账户和基本结算账户的总量、新增均位居当地同业第一。

二、主要工作举措

【党建引领，持续推进全面从严治党】将学习宣传贯彻党的十九大精神作为当前和今后一个时期的首要政治任务，成立学习宣传贯彻党的十九大精神领导小组，突出特色，制定深入推进学习宣传贯彻党的十九大精神实施方案，“请进来”和“走出去”相结合，课内课外、线上线下多种平台，推动党的十九大精神落地见效。以加强党的政治建设为统领，统筹加强了党的思想建设、基层组织建设、党风廉政建设、制度建设和干部队伍建设。

【履职尽责，坚决贯彻落实上级重大决策部署】设立服务雄安新区建设实施小组，精准对接业务需求，创新产品服务，年内雄安分行获得监管部门设立批复，与新区合作实现良好开端。全力推进住房租赁金融服务，所辖11个地市、2个省直管市、雄安新区以及雄安三县全部签约住房租赁公有云平台，秦皇岛分行上线了全行系统首个保障房管理系统项目。积极发展普惠金融，圆满完成小微企业“三个不低于”监管要求，年末普惠金融贷款余额196.60亿元。认真完成“新一代”主体工程在河北的圆满收官，全力做好“新一代”推广应用，全年发布“新一代”应用案例1983个、位居系统第三。扎实推进金融精准扶贫，有效推进定点扶贫，涉农贷款符合持续增长监管要求，承担的32个定点扶贫村脱贫户数和脱贫人数占比均达到73.2%。

【精细管理，突出价值创造主体地位】在省分行建立健全三个业务委员会（公司机构业务委员会、大零售业务委员会、合规与风险管理委员会）和一个纪律检查委员会，积极开发运用2个平台4个工具［2个平台，精准营销平台和企业级数据平台；4个工具，“网点综合信息”系列报表（包括网点综合晨报、利润表和存款付息率情况表）、管理会计系统、经济增加值计算器、员工业绩计量系统］。开发“网点综合信息”三张表，完善横向、纵向考核机制并按季调整，同时积极探索基层绩效考核机制，价值创造理念深入人心。

【抢抓机遇，深入服务实体经济】持续完善京津冀重点项目库，加大信贷投放力度和对“走出去”企业的支持力度，同时加快发展资管投行，为重点领域、重点客户项目提供综合融资的能力不断增强。积极抢抓全量资金，高度重视存款业务的基础性地位，统筹推进个人存款和对公存款增长，特别是高度重视机构业务在对公存款增长中的重要地位及贡献，资金实力不断增强。

【突出重点，纵深推进改革发展】落实“大零售”战略，以信用卡分期、商户、年轻客群拓展、龙支付等为重点，推进消费金融快速发展。推出“裕农通”助农金融服务，狠抓助农点提质增效，年末县域个人存款新增系统贡献度78.13%，累计拓展助农点13291个，其中裕农通助农点4420个。深入传导“网点兴则分行兴，网点强则分行强”的理念，加大渠道建设规划管理力度，探索实施网点等级分类管理，年内26个新设机构、37个普惠金融特色网点顺利取得监管部门的筹建批准。推进智慧柜员机推广应用，加强自助设备布放，优化调整网点劳动组合，推进网点物理环境“亮化”，为客户提供了优质金融服务，2017年个人客户满意度位居同业第一。加强数据管理转型，加快产品创新和创意转化，为改革发展提供了有力支撑。

【固本强基，全面加强基础管理】严格执行“风险管理职责进党委”要求，加强信贷文化建设，全面构建风险责任体系，以“五位一体”（以责任到位为前提，贷后到位为关键，监督制衡到位为保障，考核到位为手段，人员到位为基础）推进全面风险管控，“量、质、效”并举做好不良处置经营，资产质量保持当地同业领先。保持案件风险防控高压态势，扎实推进“平安建行”

创建，加强信息安全管理、消费者权益保护和声誉风险防范，做好“一区双录”，逐级落实保密责任制，认真做好“两节”“两会”十九大等敏感时期及节假日期间的信访安全稳定工作，营造了安全运营良好环境。全面开启“双基”工程（抓基础和强基层），从业务基础、管理基础和队伍基础三方面发力，重点关注基层网点、基层员工和基层负责人，通过资源倾斜、服务基层一线、组织开展“三深入”活动、关心关爱员工、选树先进典型、加强思想政治工作、做好谈心谈话等，营造了积极向上的良好氛围。

执笔：赵亚旗

山西省分行

山西省分行行长　尚朝辉

一、业务发展概况

【负债业务】截至2017年底，一般性存款日均余额3122亿元，当地四大行占比24%；日均新增190亿元。其中，企业存款日均新增87亿元，四大行占比26%，排名第二；个人存款日均新增103亿元，时点新增同业第二。

【资产业务】各项贷款余额2015亿元，四大行占比28%，较上年末提升0.93个百分点，是同业唯一占比提升的行。新增161亿元，四大行占比46%，较上年末提升8个百分点，增量、增幅均为四大行第一。其中，对公贷非贴贷款新增37.7亿元，四大行第二；个人类贷款新增260亿元，四大行第一，占比61%。

【中间业务】实现中间业务净收入18亿元，四大行第一，市场占比34.5%，达到历史最高水平。同比增速、增量四大行第一，是四大行中唯一连续两年实现正增长的行。

【账户发展】全量账户12.9万户，四大行占比28%，总量跃居四大行第一。新增1.9万户，四大行占比43%，增量、增速保持四大行第一。

【经营效益】实现主营业务收入85亿元，超额完成总行计划，同比增加3.2亿元；在减值计提支出40亿元前提下，实现税前利润15.7亿元。

【资产质量与风险控制】不良贷款额59.77亿元，不良贷款率2.97%，逐季完成总行管控目标。不良贷款逾期“剪刀差”在同业唯一为负。全年累计处置不良贷款28.8亿元。

【公司业务】存款日均、时点新增同业第一，贷款加权利率、加权浮动水平保持四大行第一；

2017年9月7日，山西省分行参加山西金融系统第三届男子篮球友谊赛

网络银行业务成功破零。

【个人业务】零售业务发展水平综合评价系统排名较上年提升5个位次。持续丰富集约化生产平台，投产运营全国首家集约化中心。

【住房金融业务】个贷余额627亿元，新增227亿元，增速56%，居系统第一。余额、新增占比四大行第一。

【国际业务】对公外汇存款时点余额、日均余额保持同业第一；国际结算量同比增长10%，首次迈入“60亿美元”大关，达到63.3亿美元。

【内控合规建设】扎实推进“合规建行 知行合一”工作，开展“三线”合规教育，举办党纪行规知识竞赛和知识考试201场，进一步提高员工廉洁合规意识。

【其他业务】机构业务成功取得跨省异地就医结算账户代理银行资格；成功营销山西省监察委涉案资金专户，率先成为中央新组建监察机构三个试点省份首个开户行。私人银行业务实现家族信托业务破“零”；建设银行系统内第三家推出“私享品”营销协办业务。网络金融业务手机银行存量客户数同业第一、新增第二；网上银行存量客户数及新增均为同业第二；移动金融柜面替代率提升18.7个百分点。同业票据业务实现代客资金业务、贵金属及大宗商品业务收入“双超对标行”目标。

二、主要工作举措

【贯彻落实总行部署，构建发展全新思路】以党的十九大精神为指导，认真分析所处区域环境，直面挑战、沉着应对、砥砺奋进，全面落实总行党委各项决策部署，明确全年工作思路，提出“一个目标、四个坚持”，即以“二类行”为总体目标，坚持转型发展不松劲，坚持质量管控不动摇，坚持提质增效、提比进位双导向，坚持从严治党、从严治行同并重，实现创新竞争新优势，确保员工分享转型发展成果，不断打造“最具价值创造力的当地最优银行”。倡导“五福”信贷管理理念，即“持续、高效、安全、共赢、善终”，对应商业银行“收益、风险和资本的平衡”，着力实现风险管理目标。

【回归本源服务实体，助力供给侧结构性改革】密切跟进国家和全省重大战略项目。多渠道引入资金对接项目落地，全年对公非贴贷款投放157亿元。“融资＋融智”全面服务客户金融需求。共发行理财产品460亿元，同比增发143亿元；承销各类非金融企业债券265亿元，居同业第一，系统第五。深入推动供给侧结构性改革。市场化债转股引领同业，山西焦煤集团“降杠杆”基金项目已落地118亿元，签约和落地规模均为同业之首。实施差别化信贷政策，全力做好商品房、保障房、二手房领域信贷投放工作，个人住房按揭贷款余额市场占比50%，两年翻番，平均增速系统第一。有力支持企业“走出去”战略。自主研发“融票通”“融证通”“集团代证通”等产品，落地9.2亿元，为“走出去”企业累计引入境外低成本资金158亿元。

【聚焦民生领域建设，全力发展普惠金融】发力住房租赁市场。快速响应、积极落实党的十九大“关于加快住房租赁市场发展”的要求，率先与山西省住房和城乡建设厅签订住房租赁全面合作协议，搭建省、市、县三级住房租赁综合服务平台，2017年12月30日太原市上线监管系统和企业租赁系统，2018年其余地市逐步上线。推进普惠金融业务。全年完成普惠金融领域贷款新增27亿元，八项指标超额完成总行计划任务。积极推进小微企业快贷、产业扶贫、小额信贷扶贫、电商扶贫等工作；347个基层机构上线“小微快贷”，白名单客户新增2200户，贷款新增9.7亿元；普惠金融特色网点新设机构27个，系统占比18%；23个机构升格为特色支行，系统占比21%。

2017年4月10日，山西省分行召开党代表会议

【加大资产结构调整，提升综合效益贡献】大力拓展消费金融新领域。以经济资本预算管理为导向，个贷、信用卡分期、小微企业贷款三项资产业务下沉到网点。个人类贷款取得全面领先优势；信用卡业务多项指标同业第一。创新产品，服务重点同业客户。积极转变经营策略，提前统筹全行贴现规模，腾挪信贷规模137亿元，支持业务发展。同业客户授信规模突破100亿元，累计办理买入返售业务量系统第七；累计办理贴现业务量系统第三，收益率系统第二，综合评价系统第四。

【深化改革创新，激发内生动力】扎实推进学好用好“新一代”工作。周密部署上线工作，成立推进领导小组，细化职责分工，加大培训宣讲。及时总结推广案例，共收集案例1122个，提交总行系统864个，发布495个，58个被选为推荐案例。积极促进成果转化，运用“新一代”深入开展节约经济资本攻坚活动，对经济资本占用高、风险回报水平低的客户和债项加强精细化管理，信贷业务经济资本占用总量降低13亿元，等同创造EVA8700万元。提升集约化运营水平。创新成立“集约化中心”，设立账务集中处理、账户集中审批、后台集中建模管理等模式，实现“物理分离”“随机分配”系统功能，提升业务处理质量和风险控制水平，实现“云生产”实验突破。重点城市行提前完成三年发展目标。积极落实《重点城市行转型发展三年行动方案》，牵头对接服务综改示范区，以差别化发展策略加大资源倾斜力度；主要业绩指标实现提比进位，成为提前完成总行发展目标的6家重点城市行之一。

【标本兼治压实责任，全面加强风险管理】深化推进风险管理职责进党委。加大党委会研究、指导、落实风险管理和信贷管理各项政策的频度；细化全面风险管理方案，分解落实具体任务，完善报告机制，强化过程管理。加强信贷流程精细化管理。细化信贷管理主体责任考核评价指标，把资产质量控制成效与二级机构领导班子绩效挂钩，重点突出信用风险管理，建立信贷管理约谈机制；制定《对公信贷集中放款标准化操作指引》，提升放款审核质量和效率；制定《大中型客户信贷业务贷后岗位尽职指引》，明确13个关键业务环节、58项规定动作的任务、要求和职责。积极处置化解不良贷款。开展“提质增效、颗粒归仓”现金回收专项活动，现金回收8.5亿元，占比29%，同比提升18个百分点；批量转让处置占比34%，下降26个百分点，处置结构得到优化。

【筑牢案防合规基础，强化平安建行建设】筑牢合规守纪基础。抓好警示教育，连续两年召开警示教育大会，通报违规违纪问题和典型案例；组织全辖观看《不可逾越的底线》《不可触碰的红线》警示教育片，确保做到全覆盖。严格落实两防责任。建立案防联席会议机制，调整案防工作职责；狠抓印章、柜面、信贷、采购等重点领域专项治理，以问题为导向，边查边改，整改到位。全面推进银监会“三三四十”专项治理自查，落实检查，严肃整改，合规管理得到有效提升。完善巡视机构运行模式和机制。全年完成4个二级分行及所辖45个基层机构巡视、省分行本部8个部门巡察工作，组织开展2个分行巡视“回头看”。探索开展省分行本部部门主要负责人家访，做好家人合规提醒和监督；开展巡视整改专题民主生活会，确保巡视整改工作落到实处。持续抓好平安建行建设。持之以恒推进“平安建行”创建工作，扎实做好中共十九大期间信访工作，连续两年在总行考评中名列第一。

【发挥党建引领作用，深入关心关爱员工】深入学习宣传贯彻党的十九大精神。紧扣中央“六个聚焦”和总行党委具体要求，提高政治站位，及时成立以“一把手”任组长的领导小组，加大理论宣传、学习教育、推进督导。扎实推进“两学一做”学习教育常态化制度化工作。以清单管理压紧压实党建工作。党委成员严格落实“一岗双责”，到基层党建联系点、分管条线、所在党支部讲授党课61次；严格实行月报告、季督察、半年约谈和年度述职考评制度，就落实“两个责任”问题公开约谈5个二级分支行；开展党建工作现场大检查，强化责任，落实整改。加大人才培养力度。落实“人才强行”战略，推进“213”人才工程培养和“百人工程”交流挂职常态化管理，建立各条线后备人才库。持续推进“关爱员工十件事”，建立常态化机制，以“10+30”模式推进关爱员工。

执笔：薛　峰

内蒙古自治区分行

内蒙古自治区分行行长　张　勤
（2017 年 10 月改任资深专家）

内蒙古自治区分行党委书记　邵　斌
（2017 年 10 月任）

一、业务发展概况

【负债业务】截至 2017 年底，一般性存款日均余额 2742 亿元，当年新增 260 亿元，增速 10.5%，高于建设银行系统平均水平。在地区四大行，按考核口径，余额占比 30.7%，新增占比 35.3%，排名均保持第一。

【资产业务】各项贷款余额 2523 亿元，四大行占比 32.7%，当年新增 229 亿元，四大行占比 39%，均排名第一。

【中间业务】实现中间业务净收入 15.96 亿元，地区四大行占比 33%，排名第一。

【经营效益】实现税前利润 39.52 亿元，同比增长 60%，地区四大行占比 45%，排名第一。实现经济增加值 6.6 亿元，同比增长 13.3 亿元。

【资产质量与风险控制】不良贷款余额 62.7 亿元，较年初增加 11 亿元，不良贷款率 2.49%，不良额、不良率四大行最低。逾期贷款余额 31.7 亿元，较年初减少 15.5 亿元；逾期贷款率 1.26%，较年初下降 0.8 个百分点。

【客户、账户】单位人民币结算账户总量、新增、增幅保持四大行第一。账户总量四大行占比 34%，新增四大行占比 73.2%，账户增速系统排名第五。基本结算账户占比 77%，高于总行平均水平。对公、个人有效客户增速高于系统平均水平。加权后对公有效客户增速 10.8%，系统排名第十三位。加权个人有效客户增速 17.8%，系统排名第四。

【零售业务】个人存款日均余额 1384 亿元，当年新增 92 亿元，余额及新增四大行均排名第二。个人类贷款余额 587 亿元，当年新增 73.3 亿

2017 年 4 月 14 日，内蒙古自治区分行召开党代表会议

元。个人贷款余额、新增、累计投放均居四大行第一。个人金融资产总量快速增长，当年新增244亿元。个人金融四大行可比产品中间业务收入占比37%，排名第一。信用卡业务多项核心指标保持四大行第一。手机银行和个人网银客户总量四大行第一。住房资金归集余额同业占比71%，新增占比78%。AUM值500万元以上私人银行客户增速17.5%，AUM值1000万元以上私人客户金融资产增速系统排名第三。

【对公业务】对公存款日均余额1358亿元，四大行占比34.4%，当年新增168亿元，四大行占比42.1%，均排名第一。对公贷款余额1936亿元，四大行占比33%，当年新增156亿元，四大行占比41%，均排名第一。对公资金体内循环率系统排名第六；对公资金体内承接率系统排名第七位。养老金个人账户增速16.2%。机构业务有效客户新增系统排名第四，银医银校项目合作覆盖度同业排名第一。多项资金结算产品及现金管理业务系统排名靠前。小微企业单户贷款500万元（含）以下客户占比81.8%，较年初提升23.68个百分点。债券承销收入、新型财务顾问收入四大行排名第一。

【国际业务】对公外汇存款日均新增四大行排名第一。贸易融资累计投放74亿元，同比增长48%，四大行第一。外币账户新增同比增长62%，增长率系统排名第一。国际收支客户同比增长36%。国际出口双保理、福费廷等多种产品实现新突破。“新一代”国际结算系统、蒙图业务系统、蒙图对公和对私直通业务成功上线。金融市场业务呈良好发展态势。代客大宗商品套期保值业务系统排名第三。对公黄金积存业务累计签约客户系统排名第九，期末积存余额系统排名第六，寺庙类对公黄金积存业务系统排名第五。

【内控合规建设】合规官试点工作稳步推进，构建以合规官为主导的合规管理组织架构，合规制度及制度管理体系日趋完善。应配备合规官的二级分行合规官均已到位，各项工作机制运转正常。目前，区分行专职合规人员144人。深入开展各项合规检查。建立了案件防控和预防腐败联席会议机制，确定两家分行为2017年案件防控工作重点联系行。加强反洗钱工作，将全区异常交易人工识别、大额交易补录和客户洗钱风险等级

2017年11月7日，内蒙古自治区分行与内蒙古集通铁路（集团）有限责任公司座谈

分类等三项工作上收到区分行集中处理。

【其他业务】普惠金融业务取得新突破，在区分行本部和二级分行成立普惠金融事业部，成功上线“小微快贷”。“蓝海项目”取得新进展，签约3家《住房租赁战略合作协议》，11家政府平台《住房租赁业务（平台）合作协议》，住房租赁综合服务平台项目推广顺利。经济资本压缩卓有成效，全年压缩存量信贷业务经济资本占用65.6亿元，占用比例下降幅度系统排名第二。全面完成“新一代”核心系统推广上线。大数据应用成效逐步显现，手机银行渗透率、个人产品覆盖度提升较快。集约化运营水平稳步提升，营运主要生产指标系统排名靠前。

二、主要工作举措

【坚持党建引领，强化组织建设】认真学习宣传贯彻党的十九大精神，成立领导小组，制定并推进具体实施方案落地。积极推进“两学一做”学习教育常态化制度化。层层签订《全面从严治党责任书》，突出抓好“六个重点”。完善党建工作配套机制。切实强化党委中心组学习。加强党的基层组织建设，召开了区分行党代表会议，对434名基层党组织书记实施了党建述职评议考核。加强组织建设，配齐二级分行行领导班子，充实了区分行部门领导，完成了二级分行副行级后备干部推荐选拔入库工作。严格执行中央八项规定，细化制度，开展专项整治工作。全年对26个机构进行了巡察和巡察“回头看”，发现各类问题486个，巡察工作考核系统排名第十。

【严格责任落实，加强全面风险管控】细化明确“风险管理职责进党委”具体要求，落实全

面风险管理“五个到位”。加强三大业务风险管控。在全辖开展风险排查。加强授信审批管理，强化“两定一提”信贷资源配置作用，大力推进综授覆盖，改进综合授信评审工作机制，做实综合授信“两头延伸”。持续深化全流程全覆盖、周而复始信贷检查机制，全年对所有二级分支机构的两次全覆盖检查，并对区分行授信审批部、放款中心开展两轮专项检查。加强柜面风险管控，完善管理制度，开展专项整治活动，加强委派营运主管管理。不良处置“量、质、效”同步提升。全年处置不良资产66亿元，系统排名第八。信贷管理重点帮扶工作取得新进展。总行重点帮扶机构阿拉善支行不良资产余额较年初减少6.9亿元，不良贷款率较年初下降12.23个百分点。做好列入总行信用风险“30大”项目化解处置工作。推进对公不良资产客户分级诊断制度实施，全年累计诊断公司类不良贷款客户198户，已核销公司类不良资产客户177户。积极参加总行不良贷款诊断会议，整户处置公司类不良贷款59户、处置金额25.4亿元，整户处置受托资产64户、现金回收11亿元。将不良资产反思纳入处置流程，举一反三做好不良项目总结反思。

【多措并举，夯实客户账户基础】账户拓展方面：一是前移客户营销环节，加强与工商局、行业协会、招商局等部门的联系合作，派驻专人入驻当地政府行政服务大厅，获取源头客户信息。二是抢抓商事登记制度改革机遇，成为自治区首家实现专线接入工商局全程电子化登记系统。加大总行工商推送数据的应用力度。三是开展账户营销系列竞赛活动，全力打造账户营销“先锋队”客户经理队伍。四是加强小额无贷户管理。推进小名单制管理；对未达标的临界无效客户开展提升活动；加强典型营销案例的收集、推广。个人客户拓展方面：一是推动“一老一小”核心客群经营。推广“安心悠享”老年客群与“金蜜蜂”大学生客群综合服务方案。二是抓中高端客户服务，提升价值客户贡献度。利用精准营销工具，加大数据分析，实现按客户需求与偏好推送商机，提升客户服务体验。三是建立“表单工作制”“三到位”管理机制，提出客户经理常态化规定动作“营销七条”。

【抢抓发展机遇，拓展核心存款】个人存款一手抓低成本资金沉淀，一手抓投资理财类产品销售，加快做大市场化定价资金总量。通过公私联动拓宽代工资金来源，新增代工单位2800余户，新增代发有效客户100余万人，新增代发金额161亿元。对公存款积极跟进国家政策，抓住产能重组、国企改革、PPP项目、债转股以及各类产业基金发展机遇，打造新的存款增长点；围绕核心企业拓展其上下游供应链客户，拓展产业链条资金沉淀；高度重视机关事业单位养老保险和职业年金制度改革进入实质性操作阶段的机遇，全力拼抢市场份额，拓展机构类存款；通过“双贯标”、公积金转移接续平台，加强房改金融业务综合营销服务。

【强化创新驱动，提升服务能力】强化产品和服务创新。创新推出“蒙商通”“边贸贷”产品，拓展了与蒙方账户行的业务合作。创新推出“光伏贷”“养殖贷”“种植贷”“国贫贷”等金融扶贫标准化信贷产品。创新推出“票押融”业务；成功营销呼铁局“e点通”网络银行业务。创新提出手机银行“9选4”活跃客户概念。强化科技创新，完成了公积金银企直联等56个项目的开发、测试和上线，开发了风险管理平台、对公客户经理考核系统优化等项目。推进渠道建设，全年打造旗舰网点2个，累计为网点配置智能化电子设备1037台。深入推进网点三代转型工作，完成20家样板网点打造和剩余网点的复制推广工作。自助设备布局结构持续优化，布放智慧柜员机1794台，营业网点与自助银行数量之比为1:2.47。移动金融柜面替代率81.79%，提升值系统排名第七。客户平均等候时间和柜员每笔业务平均处理时间两项指标保持系统前十。

执笔：其木格

辽宁省分行

辽宁省分行行长　袁桂军
（2017 年 2 月免）

辽宁省分行行长　杨铁军
（2017 年 2 月任）

一、业务发展概况

【主要业务指标完成情况】截至 2017 年底，各项贷款余额 3085 亿元，当地四大行第一；新增 142 亿元，四大行第二。发放非贴贷款 1531 亿元，四大行第一。一般性存款日均余额 4160 亿元，四大行第一；日均新增 82 亿元，四大行第三。实现中间业务净收入 29.4 亿元，四大行第一，收入四大行占比 39.9%。实现经营收入 120.5 亿元，拨备前利润 73.6 亿元，税前利润 37.02 亿元；实现经济增加值 6.63 亿元。

【对公业务】公司类贷款余额 1905 亿元；对公非贴贷款余额 1749 亿元，新增 87 亿元；贴现转贴现余额 155 亿元，建设银行系统第一。对公非贴贷款发放 1205 亿元；新增 104 亿元，四大行第一。投放 PPP 贷款 44 亿元，同业第一。累计投放政府购买服务贷款 26.7 亿元，同业领先。化解过剩产能，钢铁行业、煤炭行业和水泥行业信贷余额同比分别减少 24 亿元、8 亿元和 0.7 亿元。企业存款日均余额 1677 亿元，四大行第一；日均新增 -38 亿元。对公板块实现中间业务毛收入 16 亿元。贵金属业务借力黄金租赁，收入突破 2 亿元，四大行第一。转贷款、银团贷款收入翻倍增长。同业业务中收 0.9 亿元，超额完成总行计划。造价咨询业务中收 0.49 亿元。对公加权有效客户新增 3239 户。单位结算账户 16.4 万户，四大行第一；新增 3.3 万户，四大行第一。

【零售业务】个人类贷款余额 1181 亿元，四大行第一；新增 207 亿元，四大行第一。个人存款日均余额 2483 亿元，四大行第一，新增 119.5 亿元，系统第十，提升三位。对私板块实现中间

2017 年 12 月 19 日，辽宁省分行深入朝阳市北镇县富有村开展定点扶贫帮扶工作

业务毛收入15.5亿元。本年新增商户10636户，新增有效商户9007户，超额完成总行计划。私人银行客户金融资产251.29亿元，跃升至四大行第一，客户数1840户，由四大行第三升至第二。个人加权有效客户新增220.7万户，其中富裕客户新增164.5万户，占全国新增的74.5%。基金代销业务收入、代理保险业务收入、理财产品销售额均为四大行第一。

【普惠金融业务】小微企业贷款余额377亿元，新增35亿元，增速10.16%，高于分行各项贷款增速5.35个百分点。把握“小微快贷”上线的有利契机，拓展授信客户3361户，拓展贷款客户2304户，“小微快贷”授信余额13.6亿元，贷款余额8.3亿元。抓好普惠金融八项指标，余额达到69亿元。

【投行资管业务】承销企业债券70亿元，市场占比25%，四大行第一；认购地方政府债189亿元，四大行第一；新增非标理财资产配置231.3亿元，年末理财资产余额440亿元，实现中收6.72亿元，系统第九。

【电子银行业务】手机银行活跃用户147万户，同比增长39.07%，增幅高于全行平均水平2.3个百分点。

【国际业务】对公外汇存款日均余额11.14亿美元，四大行占比41.7%。国际业务表内外贸易融资产品合计投放507.8亿元，增长72.3亿元。国际业务实现中收2.7亿元，四大行占比33.5%。国际收支客户数1412户，增长149户，四大行占比26.1%。跨境人民币流入额186.85亿元，四大行占比62.71%；增长129.5亿元，四大行第一。营销自贸区客户3825户，同业第一。实现系统内首笔代理押汇业务等9项业务突破。连续八年在省外汇管理局年度考核中获评A级，为同业唯一一家。

【资产质量与风险控制】不良贷款率1.39%，上升0.72个百分点；逾期率0.96%，上升0.14个百分点。全年不良贷款处置22.31亿元，现金回收3.99亿元；组建两单资产包，本金合计5.97亿元，本金回收率分别为47%和58%；提前完成三年受托资产处置计划。

【内控合规建设】设立单独的内控合规部，实现省分行可疑交易反洗钱作业集中。开展重大领域风险专项治理，核查疑点线索1980条、交易1814笔，信贷客户98户、员工122人，基层机构58家，发现违规问题588个，问责188人次。

二、主要工作举措

【狠抓党建工作，强化了“红色引擎”引领带动作用】认真学习宣传贯彻党的十九大精神。成立了学习宣传贯彻党的十九大精神领导小组，省分行党委班子成员深入基层宣讲党的十九大精神。组织全行各级机构签订《全面从严治党责任书》637份，抓好“两个责任”的考核问责，认真执行“一岗双责”，强化了责任担当。加强基层机构党的建设，全行党支部数量达到675个，比年初增加195个；“党员之家”实现全覆盖；网点主要负责人党员比例提高至90%；举办党支部书记集中轮训培训班165期，培训3105人次。

开展违反中央八项规定精神问题专项整治工作。坚持勤俭办行，全行宣传费、招待费、会议费同比分别下降7.3%、4%和1.9%。

加大对党委主体责任的问责力度，强化对各条线各层级员工的责任追究。2017年，给予党纪处分18人次，行政处分113人次，违规积分3604人次。严格执行总行党委政治巡视要求，增强巡视力量，以问题导向开展巡视工作。对8个二级行，7个省分行部门、16个县域和城区支行开展了巡视、巡察，对3个二级行开展了巡视“回头看”。

2017年7月26日，辽宁省鞍山分行成立郭明义爱心工作室

【主动调整布局，结构得到优化】分行腾挪票据等短期信贷规模，支持个人贷款投放，优先满足居民合理住房信贷、消费信贷等需求。精准定位客群，提供差异化服务，对公加权有效客户近年来首次实现正增长；个人有效客户新增37万户，有效客户占比22.08%，提高了0.22个百分点；加强移动金融建设，移动金融交易量占比80.7%，提升了16.5个百分点。重点中间业务产品收入13.4亿元，占全行收入总量的42.6%，比上年新增近3亿元。

【突出零售优先战略，拓展大零售金融生态圈】个人客户金融资产日均余额3442亿元，新增305亿元；协同联动推进代发工资业务，代发工资额870亿元，增速系统第一；个人住房贷款余额1026亿元，新增158亿元，四大行第一；个人消费类贷款余额45亿元，新增24亿元，四大行第一。

信用卡业务取得新突破，客户基础得到巩固，信用卡发卡净增25万张，实现分期交易额75亿元，四大行第一，实现收入7.2亿元，增速32%，带动客户净增17万户。

精准定位客群，依托“金蜜蜂”构建大学生“成长账户”体系；通过“安心悠享”综合服务方案服务老年客群；利用“工匠宝”模式深挖农民工代发客群潜力，取得了良好成效。

高度重视商户拓展，组建沈阳地区商户中心，绘制商户营销目标版图和重点突破商户名录，开展商户拓展“百千万”工程。统筹推进商户拓展与移动支付推广工作，联合省内300余家大型商户开展龙支付主题优惠活动，形成品牌效应，“龙支付”个人用户突破百万。

创新以“网点客户经理、主管行长和省分行财富顾问”为核心的私人银行铁三角运营模式，补齐了客户服务短板。

【立足本源，发力普惠，体现国有大行担当】全力推进住房租赁项目，与省住建厅、省内各地市政府签署战略合作协议和平台建设合作协议，实现辖区内城市合作签约全覆盖。

支持地方重点企业混改。响应国家号召，全面推动市场化债转股业务，市场化债转股签约金额540亿元，实现投放115亿元，其中为沈阳机床办理东北地区首笔市场化债转股业务40亿元，为企业引入市场化资金及国企资金投资27亿元；为鞍钢集团办理市场首单永续理财型债转股业务75亿元；债转股签约金额、落地金额均居系统前列。同时，为省属国企投放股权类理财产品62.6亿元，为省交投集团投放50亿元、水资源集团投放12亿元、粮食集团投放0.6亿元。

在省分行和辖内全部27家二级分（支）行设立了普惠金融事业部，与辽宁省工信委签订《中小企业金融服务战略合作协议》，推出普惠金融服务，向广大小微企业、农民、商户提供资金支持，促进“大众创业、万众创新”，完成“三个不低于”监管要求，得到政府、监管部门认可。

抢抓辽宁自贸区建设新机遇。深入研究自贸区金融改革机遇，成立了“自贸区工作领导小组”，通过制订综合金融服务方案、参加自贸区沈阳片区揭牌仪式、举办自贸区金融讲坛、组建自贸区支行、专人进驻自贸区政务大厅等一系列活动，全程参与自贸区建设。

积极拓展供应链融资业务，通过网络银行“e信通”融资方案，为沈飞、黎明集团下游经销商提供融资服务。

【抓住源头拓展客户，深化重点客户合作】与工商部门开展战略合作，建立新型政府合作模式，推动单位人民币结算账户快速增长。成功中标“沈阳市社保选择银行”资格，重回沈阳社保市场。与辽宁大学、中国医科大学、沈阳军区总医院等高校和医院签署银校通、银医通合作协议，打造大教育、大健康金融生态圈；与省公安厅、省军区、省武警边防总队等军警类客户，省旅游发展委、省供销社等知名企事业单位签署战略合作协议，夯实了合作基础。公检法账户爆发式增长，市场占比达63.5%。以唯一指定协办银行身份与辽宁省、沈阳市农委举办线上、场馆农博会，获得“金融助农贡献奖”。

【学好用好“新一代”】深入推进“新一代”系统应用，成立了“新一代”推广领导小组，制定推广工作方案，对推广工作先进单位给予专项奖励。在大数据应用、精准营销、风险和内控、特色业务迁移等方面取得了显著的成效。在总行组织的“新一代”应用案例编制中，分行发布案例1097个，被总行作为推荐案例153个，系统第六。

【发挥建行集团联动优势，提高综合金融服务水平】与建信租赁合作，成功营销中国能源东北电力第一工程公司售后回租业务，实现投放1.05亿元。联手建信人寿，销售建信人寿期缴产品1.1亿元。率先成立具备运营能力的建信养老金辽宁中心，承接运营能力系统第一。与建行亚洲、悉尼分行等11家海外分行开展境内外联动，办理跨境贸易融资、融资性保函等业务342亿元。

【加强基础管理和精细化管理，提升了运营效率】加强定价管理，坚持量价平衡，累计新发生贷款加权利率四大行第二。强化资源配置管理，业务管理费配置坚持"总量适度、结构优化"的原则，提升了要素资源配置效能。提高经济资本精细化管理水平，抵质押信贷业务占比43.6%，比年初提升3.87个百分点，节约了经济资本。实施集约化经营，对沈阳地区运钞车实施集中统一调度管理、优化线路，压缩钞车10台；辽宁地区通过减少低效上门服务，压缩钞车7台，2018年预计全省可节约运钞费用950万元。对沈阳地区现金类自助设备进行集中运维管理，新增集中维护离行自助设备145台，减轻了基层行负担。深化集中采购改革，扩大省分行集中采购范围，提高了运行效率。

制订了《县域支行转型发展三年行动方案》，省分行领导包干负责，省分行部门协同帮扶。加强对县直、省直企事业单位的营销拓展力度；发行县域专属理财产品；在发达地区、富裕乡镇、特色产业乡镇等区域布放各类渠道，提升县域金融服务能力，促进县域业务发展。县域一般性存款日均余额509亿元，新增36.6亿元，占分行日均存款新增的44.6%。

制定了《物理渠道建设三年规划》，完成装修项目147个，建设旗舰网点3家、轻型网点15家，565家综合性网点完成智慧转型，全行营业机构全部升格为支行，具备综合化经营条件。鞍山分行营业室获评中银协百佳示范网点，通过中银协验收五星级网点3家、四星级网点6家、三星级网点2家。

【加强队伍建设，培育了正能量的企业文化】加强队伍建设。对31个单位"一把手"进行了调整，新提拔20名正职领导人员（含副职主持工作9名）中，50%来自基层；通过公开选聘，选拔了12名工作表现优异、发展潜力较大的七职等领导人员，基层占比达到92%；重点选拔了一批40周岁以下、政治过硬、工作突出、潜力较大的八职等人员作为七职等管理岗位后备人才；组织开展了省分行科级管理岗位和专业技术岗位的聘任工作，聘任科长36人、副科长58人，聘任专业技术五级18人、六级69人；加强对"213"人才的培养和锻炼，先后有31名人才走上科级以上管理岗位；选拔了辽宁省分行"200青年人才"，配备了职业发展导师，贴身进行岗位指导和工作交流。

累计举办培训项目968期，培训4.58万人次，分层分类开展培训，提高全行员工专业知识水平，增强了履岗能力。

创建了劳模创新工作室。关心困难职工，帮扶616人，累计发放扶贫帮困资金111万元。积极履行社会责任，开展定点扶贫和"送温暖"活动，帮助贫困村农产品上线善融商务平台。

执笔：孙三齐

吉林省分行

吉林省分行行长　杨铁军
（2017 年 2 月免）

吉林省分行行长　梁德顺
（2017 年 5 月任党委书记、7 月任行长）

一、业务发展概况

（一）主要业务指标保持同业领先势头

截至 2017 年底，全口径存款日均余额 2608 亿元，日均新增 219 亿元，增长 9%。一般性存款日均余额 2560 亿元，日均新增 220 亿元，增长 9.5%。其中，对公存款日均新增 108 亿元，个人存款日均新增 112 亿元。全口径存款、一般性存款、企业存款的日均余额和新增额及个人存款日均新增额等 7 项指标居当地四大行第一。

各项贷款余额 1736 亿元，新增 110 亿元，增长 6.8%。其中，对公贷款余额 1099 亿元，个人贷款余额 637 亿元，直接投融资 396.5 亿元，实际发行 303.1 亿元，同比增长 23.2%。各项贷款和个人贷款新增额居四大行首位。

拨备前利润和中间业务毛收入分别实现 52.8 亿元和 19.8 亿元，继续保持同业领先。

不良贷款余额 49.56 亿元，较年初下降 0.33 亿元；不良贷款率 2.85%，较年初下降 0.22 个百分点。逾期贷款余额 48.66 亿元，较年初下降 3.65 亿元；逾期率 2.8%，较年初下降 0.42 个百分点。不良额、不良率和逾期额、逾期率均实现“双降”。

单位人民币结算账户 12 万户，增长 13.4%。其中，基本户 9.4 万户，增长 18.8%，结算户、基本户总量及净新增均居四大行第一。

（二）各项重点工作全面深化落实

1. 公司业务方面。紧盯重大项目建设、国企改革、重点行业发展，全年累计投放 790.4 亿元，牵头推进了商事登记制度改革、商户拓展、养老金业务发展、ETC 营销等重点工作，对公存款日均和时点余额实现逆势上扬，均居四大行首位。完成与长春市国资委 13 家出资企业、吉林省国资委 18 家监管企业全面合作协议签署工作及业务对接。牵头举办了“深化银企合作，助力医药产业发展”战略合作金融服务推介会，会上 9 家分支行与 13 家医药企业签订了授信合作协议。

2. 个人金融业务方面。向综合性、大零售服务方向转型推进，制定了年轻客群、老年客群、拆迁补偿客群、私人银行客群专项营销方案，建成支付结算圈 117 个，实现发卡 451 万张。加大高校、财政对公客户代发工资营销，争取学费、奖学金、补助等一次性资金代发，本年代发工资增速 19.3%，基本户代发覆盖率 3.9%。实现全省水、电、煤气、燃气等居民生活缴费全覆盖，

2017年7月3日，吉林省分行出席吉林省直住房公积金管理中心综合管理信息系统上线现场会

打造"支付场景＋金融服务＋营销服务"的综合化服务模式，龙支付和龙商户活跃客户居系统前列。通过丰富产品，协同联动子公司，突出优势"拳头产品"，实现"金管家"交易额新增328亿元，家族信托新增签约金额15.5亿元。

3. 房地产业务方面。保持一手房贷款优势的基础上，加大二手房贷款市场拓展，投放住房贷款169.4亿元。为省直公积金中心搭建国管系统高分通过住建部验收，成为系统内标杆版本。大力拓展住房租赁业务"蓝海项目"，率先与省市住房租赁管理部门签订了战略合作协议，实现了全省地市全覆盖。

4. 投行银行业务方面。着力拓展债券承销、专业性基金等融资服务，创新满足政府类客户融资需求。为长春城投等发行政府购买服务类理财产品30.68亿元，为吉林省能源交通总公司债转股融资15亿元，与吉林市政府合作的20亿元PPP基金实现首笔投放，设立了17亿元吉林省长热智能服务业基金，为吉林省承接央企"三供一业"资产移交融资开辟了新渠道。承销地方政府债127.6亿元，非金融企业债25.5亿元，得到省政府致函感谢。

5. 国际业务方面。重点围绕一汽大众、中车长春轨道客车及其上下游产业链客户，持续加大"国内信用证＋福费廷"产品和票据融资产品的营销力度，创新"跨境融资保""银行承兑汇票质押＋跨境风参""票据池＋跨境风参""国内信用证承兑＋跨境风参"等系列跨境融资产品，实现跨境人民币结算量四大行占比第一，贸易融资实现较快增长。

6. 电子银行业务方面。利用悦生活平台、善融商务、e路惠等渠道，纵深推进移动优先战略。开展了长春市2017年第三届网络年货节、e路惠扫码支付送好礼活动等近20项专项营销活动，悦生活平台重点推进了党费云、幼儿园云，建立了善融商务"吉林馆"，入驻企业13家。个人网银、企业网银、手机银行客户总量保持同业首位，移动金融交易量占比为82.1%，较年初提高21.4%。

（三）风险管理和不良资产处置取得较大进展

签订了《信贷资产质量管控目标责任书》，对122笔、385.5亿元基础资产进行了分类认定，全行经济资本平均占用率比年初下降0.43%，出台了省分行"信贷结构调整三年规划"，压缩问题贷款20.07亿元，退出对公信贷客户75户，13.58亿元。对二级分行实施审批授权差别化管理，放款中心将投资理财业务、同业投资业务纳入放款中心审核范围，建立了押品评估价值审核会商机制，累计核减押品价值6.37亿元，退出非政府背景担保机构1户。灵活运用常规催收、司法诉讼、盘活重组、呆账核销、委外催收等多种手段提高处置效率，全行共处置不良贷款27.83亿元，现金回收11.55亿元，占处置总额的41.48%，已核销资产现金回收5481万元。

（四）进一步强化内控合规基础管理工作

"双基管理年"活动分解落实1481个任务清单，梳理制度1646个，重点解决了6大类、307个问题。"信贷管理年"活动落实25项工作任务，举办了3期信贷文化大讲堂，开展了信贷知识专项竞赛，解决问题17个。扎实开展了银监会部署的"三违反""三套利""四不当""银行业市场乱象"系列专项治理工作，同步推进总行"合规建行 知行合一"教育活动，开展了"我为合规献计献策"活动，组织全员手写宣读《廉洁合规承诺书》。集中开展员工行为排查8853人，问责23人次。对信贷业务、柜面业务、集中采购和印章管理重点领域开展专项检查，整改问题864个，被人民银行授予吉林省金融系统反洗钱宣传先进集体称号。

（五）以中共十九大精神引领党建工作

分行党委将学习宣传贯彻落实党的十九大精

2017年9月4日，吉林省分行参加第11届中国东北亚博览会

神作为最重要的政治任务，在党的十九大召开之际，成立了学习领导小组，组织同步收听收看，专题研究学习贯彻部署工作，组织了13期省分行党委中心组学习，开展了基层党组织书记轮训班和管理人员党性教育培训班，累计培训380人次。强化了基层支部“三会一课”等制度落实，规范了基层党支部“党员之家”示范点建设，行领导深入分支行机构，解决分支行疑难问题30个。将“两个责任”考核结果计入KPI得分，将党建工作纳入各级班子和干部综合考核评价，明晰了党建工作责任清单，定期听取纪委工作汇报，坚持选拔干部“凡提四必”，保持“四风”高压态势。启动了“2+1+1，手拉手、强党建、促转型”结对帮扶活动，与中行吉林省分行结成了党建共建帮扶关系，有2家分支行荣获第五届全国“文明单位”荣誉称号。

二、主要工作措施

1. 转变经营管理理念，推进全行经营转型

着力传导“公司业务+”“客户+”“平台+”“1+N”“好贷款是管出来的”等经营管理理念，引导前台以公司业务为基础，把各项业务、母子公司和境内外联动服务等都囊括进来，综合化运用，引导客户经理“打开一扇窗看到一个世界”，改变了做单项、单笔业务的惯性思维，全面增强了拓展金融生态圈、搭建互联网+代收缴费平台、运用非金融增值服务等方面意识和能力，实现了对公全量客户9.4万户，增长14%，对私全量客户980.9万户，增长15%。

2. 下大气力解决合规问题，从根源上增强风险防控能力

针对内控合规管理薄弱、各类遵循性违规问题频发、部分员工对制度缺乏敬畏、不知畏、无所畏惧等问题，分行党委决定必须采取标本兼治措施，把合规经营摆在各项工作的首位，扎实开展了“双基”管理年活动，一年来，在强监管、强处罚的大环境下，2017年人民银行、银监局未对分行进行处罚，得到了总行有关部门领导的充分肯定。

3. 集中力量卸包袱，加快改善资产质量

分行党委把不良资产处置作为重点工作，逐户听取不良资产专题汇报，逐户确定化解处置方案，逐户落实时间表和责任人，全行各层级都付出了艰苦的努力，一批老大难项目处置有序推进，累计处置不良贷款27.84亿元，现金回收11.55亿元，现金回收率为41.49%，批量转让回收率超过35%。2017年经济资本占用降至6.37%，比上年下降0.43个百分点；RAROC值为14.02%，比上年提升0.71个百分点。

4. 厚植战略性业务，为长远业务发展奠定坚实基础

分行党委及时部署抢抓商户拓展、金融社保卡、代发工资、信用卡分期、小微快贷、住房租赁、ETC推进等战略性业务商机，提前部署，制定推进方案，靠前指挥，打通关键环节，有效组织了市场攻坚战，实现了由被动到主动、由落后到领先的市场转变。与省内高校、军警、公检法、医院及同业合作取得实质性新进展，实现了机关事业单位养老保险账户、省级国库现金管理、金融社保卡城镇职工居民发卡同业绝对领先优势。

5. 提高政治站位，发挥党建带动作用

分行党委善于从抓各级党组织落实主体责任和发挥先锋模范作用入手，引导党员干部从政治角度分析问题、解决问题，激发“关键少数”作用，焕发全员正能量，有力推动了中共十九大精神学习、巡视整改、“双基”管理等重点工作。陆续开展了干部培养和专业人才梯队建设等系列工作，启动了19个条线专业人才库选拔工作。积极推进产业扶贫、捐赠扶贫、普惠扶贫、电商扶贫，共惠及36个县、42个乡镇、47个村、1712户、3377人。

执笔：贺楷元

黑龙江省分行

黑龙江省分行行长　石永拴
（2017年2月免）

黑龙江省分行行长　樊庆刚
（2017年4月任党委书记，8月任行长）

一、业务发展概况

【资产负债业务】截至2017年底，本外币全口径存款日均余额2579.9亿元，新增87.7亿元，一般性存款日均余额2569.5亿元，新增91.5亿元，同业四大行排名第三位；一般性存款时点余额2580.5亿元，新增11.6亿元，同业四大行排名第四位；本外币各项贷款余额1154.9亿元，比年初新增52.7亿元，其中：对公非贴贷款余额647.3亿元，新增55.6亿元，同业四大行排名第三位；个人贷款余额481.2亿元，新增92.5亿元，同业四大行排名第一位。

【中间业务】实现中间业务净收入13.8亿元，系统排名第二十九位，完成总行计划的86.2%；同比少实现1.35亿元，同比下降8.9%。

【经营效益】实现主营业务收入66.86亿元，同业四大行列第二位，拨备前利润32.85亿元，同业四大行列第二位，中间业务净收入13.8亿元，净利润－28.39亿元。

【资产质量】不良贷款余额64.6亿元，比年初增长14亿元，不良贷款率为5.6%，比年初增长1.34个百分点，全年新暴露不良贷款42.23亿元。

【转型与创新成效显著】对海外直接投资、全球并购重组等“走出去”项目给予重点支持，办理出口商业发票融资40笔、1064万美元，为哈飞空客办理779万美元外币固定资产贷款。

牵头承销3期地方政府债，认购规模149.1亿元、市场份额15.4%，居同业第二位；发行2亿元中期票据和7.3亿元定制化对公保本理财产品。

自主创新迪拜哈翔电厂无追索融资模式和分离式保函等业务，办理首笔国内信用证福费廷买入和保函业务内部委托；创新封顶型远期购汇产品和零成本利率期权组合产品；在系统内首创工程建设军地联合监管业务；“商户易贷”和“木监融”等新产品先后走入市场；政府购买服务贷款和银行承兑汇票质押业务实现破“零”。

【普惠金融快速发展】“小微快贷”上线推广并实现二级分支行全覆盖，授信客户和贷款余额分别达到1644户和3.2亿元。与省国税局合作搭建了“银税互动”数据直连系统，“云税贷”产品顺利投产，余额近1.3亿元。个人住房贷款投放规模达到127.3亿元，余额较年初新增75.9亿元，助力4万户家庭实现安居梦。投放个人消费经营类贷款48.1亿元，余额较年初新增6.9亿元，信用卡分期交易额达到32.7亿元、同比增长39.6%，尤其是“快贷”余额达到13.6亿元，新增客户超过7.86万户。为黑龙江省东部垦区提供了16.3亿元小额支农贷款，并以推介“庆安模式”为契机，与2个地级市政府和23个县政府签署了“三农”战略合作协议，为38家农村合作组织投放承包土地经营权抵押贷款1.6亿元。

【运用投资银行工具满足客户需求】牵头承销黑龙江省3期地方政府债券，实际认购规模149.1亿元、市场份额15.4%，居地区同业第二位。为省建设集团发行2亿元中期票据，投放虎林创达投资4亿元股权收益权理财资金，发行定制化对公保本理财产品7.3亿元。

【部分战略业务亮点纷呈】贵金属租赁发展迅速，累计办理黄金租赁业务10.8亿元，同比增长105.4%。母子公司联动效果显著，融资租赁投放4.2亿元；销售建信人寿产品11.6亿元，占对私寿险代销总量的37.3%。新建个人客户金融生态圈15个，其中“银医通”和“银校通”项目6个。机关事业单位养老保险及职业年金战役成绩突出，累计开户118户，在有网点地区市场中占比34.5%，高于企业养老保险15.1个百分点。中标哈尔滨市产业基金及新区产业基金托管资质。保险专业中介注册资本托管业务市场占有率达到25%，同业领先。全面启动企业电子化登记大数据认证服务。本外币多模式现金池客户新增9户，票据池客户新增20户，现金管理活跃高级客户和一般客户分别净增1352户和1359户。

2017年3月8日，黑龙江省分行与国家开发银行黑龙江省分行举行战略合作协议签约仪式

【“蓝海项目”推进顺利】辖内12家市（地）分行均与地方政府签订了住房租赁战略合作协议，哈尔滨地区已与相关企业合作完成了首个企业租赁服务管理系统的上线工作。

二、主要工作举措

【为重大基础设施建设和重点产业项目提供有效融资支撑】分行组建高铁、龙兴矿业、涉农、大商、中航东安网络银行业务等专业团队，牵头推动牡佳高铁、省交通厅等亿元以上重大产业项目32个，授信总金额452亿元。全年累计投放大中型企业（项目）贷款356亿元，其中新增亿元以上项目45个、金额145亿元。

助力“龙江丝路带”建设，重点推进越南永新三期电厂、印度尼西亚坦竣电厂等项目。不断扩大外汇融资规模，办理出口商业发票融资40笔、金额1064万美元，并为哈飞空客办理了779万美元外币固定资产贷款。

【发挥存款基础性作用，狠抓资金留存】对公存款日均余额1001.6亿元，首次超过千亿元，连续7年实现同业第一。机构存款发挥“压舱石”作用，时点余额466.50亿元，较年初增长27.61亿元，增幅6.3%。个人存款稳步增长，本外币个人存款日均余额1567亿元，系统内排名第十七位；日均新增81.8亿元，同比多增10.4亿元，系统内排名第二十一位，同比提升四个位次。持续开展了“每点每天十万元”增存活动，并开展加大对公经营性资金承接专项营销活动力度，一手抓资金源头拓展，一手抓资金后续沉淀。

【积极主动加强风险合规管控】截至年末，贷款减值准备保有额为91亿元，当年计提约62亿元，拨备覆盖率达到141%、较年初上升了41.3个百分点。建立了合规性审查机制，对20项创新产品和业务实施了合规性审查。开展了内部控制设计有效性与运行有效性评价，并将评价结果纳入KPI考核。开展了案件风险治理专项行动。

【举全行之力打响资产质量绝地反击战】分行党委将资产保卫战升格为资产质量绝地反击战，本着“一户一策”“一户多策”的方法，细化名单制管理，逐户明确存量不良资产处置的手段、

2017 年 11 月 10 日，黑龙江省分行参加“龙江脊梁　时代声音”高端访谈

时限、责任人，快速推进不良资产处置。全年共处置不良贷款 27.93 亿元、计划完成率 119.28%，并实现受托资产回收 7.1 亿元。全年纯新发放贷款不良率及逾期率均为零，实现了纯新发放贷款质量优于全国系统平均水平的目标。

【大力推进渠道转型，切实增强渠道服务能力】大力推行“移动优先”战略，手机银行活跃客户同比新增 24.11 万户，短信银行和微信银行客户分别新增 58.81 万户和 28.16 万户，移动金融柜面替代率达到 74.6%、较上年末提升 19 个百分点，新增“龙支付”个人客户 37.67 万户。累计实现善融商务交易额 5 亿元，其中企业商城交易占比 97%。持续推广“悦生活”缴费云平台，接入党费项目 112 户、幼儿园项目 117 户、学杂费项目 132 户、其他项目 110 户。

推广布放智慧设备，目前投用智慧柜员机 1427 台，且实现 19 个大类 290 项业务功能的上线，月均柜面业务迁移率提升至 85% 以上；省级财政授权支付电子化及自助柜面业务系统签约率和使用率分别达到 100% 和 80.2%。

优化网点建设布局，完成了 36 个低效网点优化整治；自助银行建设进一步加快，新增离行式自助银行 124 家。

网点综合化经营转型加快推进，营销服务人员占比较年初增加 5 个百分点，小微企业信贷开办率由 20% 提高到 75% 以上。

【坚持创新驱动，不断增强内生发展动力】着力提升创新实效。在全国系统首推新产品重检及后评价机制，对控制新产品风险发挥了积极作用。省分行自主创新了迪拜哈翔电厂无追索融资模式和分离式保函、分离式信贷证明等业务，实现了联合融资、烟草公司综合服务方案、工程造价经济纠纷调解服务和承诺性额度保证业务的移植应用；通过与系统内分行联动合作，办理了首笔国内信用证福费廷买入业务和保函业务内部委托；推出了“龙汇赢三号”产品，业务量累计 14 亿元；创新了封顶型远期购汇产品和零成本利率期权组合产品；在系统内首创工程建设军地联合监管业务，扩展了“军建安鑫”服务内涵；“商户易贷”和“木监融”等新产品先后走入市场。此外，政府购买服务贷款和银行承兑汇票质押业务实现破“零”。

依托“新一代”系统完备功能，协助大庆市住房公积金管理部门开发上线了“智慧住房公积金”批量跨行托收项目，在全国系统内首家使用 P1 平台为公积金管理机构办理批量跨行托收业务。借助跨行扣收解决方案，建成了哈尔滨市机关事业养老保险和职业年金跨行收款项目，填补了在哈尔滨市级社保业务领域的空白。

【深入推进全面从严治党治行，不断提升党建水平】明确将学习宣传贯彻党的十九大精神作为当前和今后一个时期的首要政治任务，分行党委班子成员带头深入基层联系点、所在支部、分管条线宣讲，基层党支部书记就学习领会党的十九大精神、提高党建工作水平进行了集中轮训，纪检、组织部等各个条线纷纷开展系列培训和理论研讨活动。

举办了“两学一做”党纪行规知识竞赛、最有创意主题党日评比以及“为党庆生 合规先行”知识问答等系列主题活动；开通了“微党课”工作群；组织“最美建行人”和“百佳服务明星”评选活动；开展了“三亮三比三评”活动，建立党员先锋岗、示范岗 548 个，划定党员责任区 362 个、党员示范窗口 384 个；推出了“两学一做”学习教育专栏，以党建工作微信群为载体，创办和发布了 11 期《党建微刊》，在全行形成了良好的学习氛围；开展了“两学一做”学习教育常态化制度化现场督察，覆盖面达到三分之一。

从严遏制“四风”，对“四风”问题线索大起底，下发了 3 期党的十八大以来违反中央八项规定精神问题专题通报，持续开展警示教育。

加大监督执纪。深入开展了“三清查”工

作，纠正二级分支行问责偏轻偏软问题21人次。分5批次对42个机构和部门开展了巡视巡察。对2016年“两个责任”落实不力的6家二级分支行和省分行2个部门党委（支部）、纪委主要负责人（纪检委员）进行了公开约谈并通报全辖。严肃查处违规违纪行为，累计处理违规违纪责任人126人，其中开除8人、撤职2人、降级10人。

【加强基础管理，营造和谐发展氛围】组织开展了“两优一先”、青年岗位能手等荣誉评选及推荐工作；冠名协办第三届全省“互联网+”大学生创新创业大赛等活动；开展了“十年筑梦——我们一起成长”高中生成长计划故事征集活动。在“助力金秋圆梦”活动中，捐助贫困大学生24.9万元。为安达市羊草镇中心校的62名留守儿童送去了价值6000元的文体用品，为大庆市朝阳沟中心学校设立了快乐音乐教室，并组织青年志愿者参加了哈尔滨燎原学校义卖活动。

持续开展员工关爱活动。实行了“快乐星期五”员工关爱日和营业网点周末定休，降低了员工工作强度；为营业网点安装了新风换气系统；在各级单位办公场所全面配置了空气净化器；推行常态化员工关爱举措，累计为170人次发放慰问金约17.6万元，累计慰问特困职工和特困协解人员517人次、发放慰问金98.4万元，应急救助5人次、发放救助资金15万元。

【切实履行社会责任，全力以赴推进精准有效攻坚】一是扎实推进驻村定点扶贫。选派了一批政治素养高、业务能力强、肯吃苦耐劳的优秀干部充实到驻村工作队，使一线扶贫力量进一步加强。坚持公益本质，将总行核定的200万元扶贫捐赠资金按需投向了28个县（区）的33个贫困村，重点为基础设施建设和农业生产经营等领域提供了支持和救助。组织开展了“冬衣送温暖 建行情常在”扶贫捐赠活动，共计收集并赠予900余件闲置的衣物和生活用品，帮助贫困户温暖过冬。二是深入开展金融扶贫。通过为省生资集团、飞鹤（甘南）乳品、象屿农业等多家龙头企业累计提供20.9亿元融资支持，对增加贫困地区农民收入发挥了带动作用；以金融IC卡为媒介代发贫困补助款，且免除了发卡工本费和首年年费，并在贫困地区设立了助农取款点、免费安装了助农取款POS机，进一步解决了偏远贫困地区居民的取款难问题。

执笔：武连成　王玉明

上海市分行

上海市分行行长　段超良

一、业务发展概况

【负债业务】截至2017年底，本外币一般性存款时点新增和日均新增均为当地四大行第一：时点余额9877亿元，四大行占比27.9%，提升0.28个百分点；时点新增403亿元，四大行占比36.8%；日均余额9602亿元，四大行占比27.5%，提升0.57个百分点；日均新增722亿元，四大行占比37.3%。其中，对公存款时点新增四大行第二、日均新增四大行第一。个人存款时点新增四大行第一、日均新增四大行第二。

【资产业务】本外币各项贷款余额6663亿元，四大行第一，新增593亿元，四大行第一，新增占比32.2%。其中，本外币对公贷款余额和新增四大行第二，个人类贷款（含信用卡）余额和新增四大行第一，个人住房贷款突破2000亿元，余额和新增四大行第一。

【中间业务】实现中间业务收入85.51亿元，同比同口径增长0.21亿元，增速0.25%。国际结算收入四大行第一，成功落地全国同业首单区块链应用福费廷业务。个金同业可比产品中收四大行份额31.96%，提升4.25个百分点。

【经营效益】实现拨备前利润213.06亿元，新增9.73亿元，增速4.78%。

【资产质量与风险控制】不良贷款额29.06亿元，下降0.93亿元，不良贷款率0.44%，下降0.06个百分点，不良贷款率保持四大行最高水平。逾期贷款额27.03亿元，增加0.55亿元，逾期贷款率0.41%，下降0.03个百分点。

二、主要工作举措

【着力提升服务实体经济质效】全力以赴推进“蓝海项目”。牵头发放首笔租赁土地贷款，在CCB建融家园上发布5家企业、10个品牌公寓项目、1551套房源。租赁建设项目贷款、运营贷款、类REITs、按居贷、租房贷、租赁联名卡等创新产品和服务全面落地，涵盖住房租赁全链条。积极履行普惠金融职责。首家推出体系化的行动方案和专项机制，普惠金融领域贷款新增超过40亿元。法人小微企业客户新增3083户，增幅133.81%。发展个人商户5.7万户，个人消费贷款新增四大行第一。全力服务国家战略和地方建设。围绕科创中心建设，制定3年行动方案，信贷余额超过250亿元；围绕自由贸易区建设，举办多场合作论坛和各种形式的对接会，FT客户总量四大行第一，FT存贷款同业领先；围绕国际金融中心建设，成功争办两家新成立的重大金融要素平台基本账户；围绕“一带一路”战略，信贷支持企业“走出去”发展超过40亿美元；围绕供给侧结构性改革，落地上海地区首单市场化债转股项目；围绕上海城市建设，三年累计承贷重大项目近500亿元、城镇化建设项目100余个；围绕保障和改善民生，设立14家“裕农通”金

2017年1月12日，上海市分行举行上海第三支行揭牌仪式

融服务点，开办上海首家大学校园银行，代发工资个人客户新增系统第一，其中外来务工人员代发工资金额增长近20%。

【深入推进金融改革创新】召开全行创新工作会议，对全年创新工作提出具体要求。积极做好“新一代”推广应用工作，向总行报送案例1656个，龙支付米动手环、集团客户综合账簿现金池案例在总行“新一代”案例研讨会上作了汇报。建设大数据“数航工程”，完成76个数航项目。实施“网点智能化、柜面智慧化、管理精细化”转型，在上海市和系统内率先完成全辖网点智能化改造。启动互联网“智网工程”，研究探索线上客户发展和服务、线上产品和业务的全新商业模式。积极推进组织机构优化改革。在市分行层面，设立科技信贷部，牵头推进科创金融业务；设立普惠金融工作领导小组和普惠金融事业部，体现大行担当；设立消费者权益保护工作领导小组和消费者权益保护部，维护金融消费者权益；独立设立私人银行部，助力全行私行业务发展。在虹桥商务区设立二级分行，进一步融入区域发展。在分支行层面，针对现有分支行部门职责不明确、重点不清晰的短板，制定分支行部门设置方案，年内完成全部24家分支行机构改革，改革后分支行部门总数同口径减少45个。

【持续增强防控金融风险能力】认真贯彻总行党委和监管部门要求，推进落实风险管理职责进党委，层层压实风控主体责任，主动加强全面风险把控，持续强化合规管理，确保资产质量保持稳定，经营合规稳健。开展审批专业

化建设、授信专业化研究、放款标准化操作、押品精细化管理，进一步夯实风险管控基础。量质效并举推进不良资产化解和处置，全年总体回收处置金额接近历史最高水平。在银监会“三三四十”专项治理及其他检查中表现良好，是系统内全年未被采取监管措施的6家分行之一。配合审计分部合力推动根源性整改，狠抓动态管理和考核评价，问题整改率达到99.1%。召开全员警示教育大会，签订“七个严禁”承诺书，将全面从严治党治行落到实处。组织行务公章管理和保密专项检查，协同打造安全稳定环境。开展安全生产大检查，切实做好党的十九大、“两会”、传统节假日期间安全保卫工作，继续保持未发生重大案件、违规违纪事件和安全事故的良好稳定局面。

【坚定不移夯实客户发展根基】坚持将客户服务和发展作为最重要的基础工作一抓到底，全力推进“客户服务提升年”活动，客户规模数量、服务水平和价值贡献实现同步提升，在本市同业中的客户账户优势地位进一步确立。客户账户规模四大行领先。对公全量账户和基本账户四大行第一，当年本市新注册企业的30.29%在分行开立基本账户。个人全量客户数同业进位超农行，提升至四大行第二。私人银行客户数量、AUM总量、增速均超过同业标杆行。同业客户新增、账户新增计划完成超过130%，本地法人同业客户覆盖度达到83%。客户服务水平显著提升。总行客户满意度调查地区排名提升到四大行第一。上海同业首家通过银行业网点服务国家标准认证，1家网点获评中国银行业协会“百佳”示范单位，6家网点被评为五星级网点，7位员工被评为全国明星大堂经理，创历年最好成绩。客户价值贡献持续增长。当年新拓展对公账户存款总量系统第二、户均余额系统第四、户均结算收入系统第五。对公和个人客户产品覆盖双双进入“5”时代。个人加权有效客户、个人有资产客户两项重要的个人客户质量指标超额完成计划，个人有资产客户和AUM 20万元以上中高端客户新增四大行双第一。

【全力推动“蓝海计划”纵深迈进】深入实施对公业务三年“蓝海计划”，聚焦八个重点，完善六项机制，夯实四项基础，有效增强客户经

2017年10月27日，上海市分行举办“最美夕阳红——建行上海市分行‘敬老节’活动”

营能力，持续提升市场竞争力和价值创造力。三年来，组织开展核心客户“精耕”行动计划、推进小企业经营新体系建设、推进小企业经营新体系建设、打造“星罗科创”科技金融服务方案、实施“携手丝路行”行动计划、推进自贸区“创新引领”行动计划、打造同业客户“互融互信”系统工程、构筑“普民慧学”系统工程、开展“新特精”黏性产品营销活动八大重点行动，不断强化组织推进，构筑适合市场运行规律的对公业务经营新体系，取得积极成效。2017年，荣获上海银监局“优秀科技金融转型重点机构”，上海市银行同业公会“小微企业金融服务突出贡献奖”、银团最佳机构奖，上海市促进中小企业发展协调办公室“2017年度上海中小企业融资服务最佳合作伙伴”；“星罗科创”科技金融方案荣获上海金融公会2017年上海银行业“科技金融大擂台”三等奖，“星罗科创”综合服务方案荣获上海金融学会“2017年小微金融创新——支持企业科技创新类优秀案例”，“小微快贷——云税贷”荣获上海市银行同业公会“小微企业金融服务创新奖”；“飞机租赁公司‘跨境航贷通’”“支持科技创新企业FTN美元融资综合服务方案”入选上海市银行同业公会优秀创新融资案例汇编；中船集团市场化债转股项目入选人民银行2017—2018年度上海市金融支持制造强国建设示范项目名单。

【不断改进强化党建工作】认真学习贯彻党的十九大精神，制定学习细化实施方案和57项重点任务。开展“不忘初心、牢记使命，贯彻落实党的十九大精神”主题征文、党组织书记学习党

的十九大报告感言、“十九大学习与建言”青年论坛等多项活动，自觉将党的十九大精神融入各项工作之中。精心打造“融智共联”和“党员登高”党建特色品牌，在学做结合、知行合一，以党建带发展上下功夫。制定实施深化党建共建工作指导意见，全年共建单位达到604家，开展活动986次，有力地支持和推动了中心工作；从“不忘初心、锻造匠心、奉献爱心”三个方面落实可量化可评估的“登高计划”目标，引领全行党员进一步提高党性修养、激发干事创业热情、创造更好的工作业绩。层层抓实党建责任落实，积极创建与新时代新要求相适应的高质量基层党建工作。形成“50+100”（50项“两学一做”任务清单、100个基层党建工作任务）的基层操作准则，建立“1534”（1个督查目标、5个督查原则、3个督查手段、4个结果应用）基层党建督查管理框架，构建“十六六”（十个方面六个结合六大步骤）的基层党支部考核架构，进一步将基层党建的基础夯牢。探索“两日三微”（党员活动日、教育日，党员微平台、微党课、微讲坛）党组织活动模式，开展丰富多样的实践活动，全年各级党组织开展活动1067次，形成196个微平台，76个微论坛，721次微党课。有效扩大党的组织和工作覆盖面，党支部较2015年增加了近70%。着力宣传推广党建工作经验做法，组织开展“活力浦东”“美丽乡镇”“小静工作室”等基层党建服务品牌创建经验交流巡讲，编写基层党建工作成果手册，制作党建文化宣传片，《生命力的绽放》获总行党员电视教育活动一等奖，基层党组织工作创新案例获上海金融系统“党组织的温暖”三项大奖。全面从严管党治行，全年召开党委会11次，狠抓重点领域和关键环节，推动层层签订全面从严治党责任书，制定落实“两个责任”、加强党风廉政建设等14项制度，对6个分支行和9个市分行部门实施巡视巡察，对6家支行开展巡视“回头看”。

【以人为本加强队伍建设】落实“温暖工程”等一批职工提议，以“六小”阵地为抓手加强员工关爱，并对员工子女教育升学给予奖励，对大病重疾员工及直系亲属进行慰问，对生活困难党员和群众帮困扶贫，举办受到员工欢迎的职工文化艺术节，围绕中心工作开展劳动竞赛，表彰宣传劳动模范、学雷锋标兵。首次举办“美食周”，改善食堂环境、提高菜肴质量、提升就餐体验。突出基层导向，推动选优配强分支行和市分行部门领导班子，不断加大领导干部上下交流力度，对干部实施多领域、多层次、多岗位的培养锻炼。全年调整市分行党委管理领导人员143人，其中提拔使用79人，40周岁及以下年轻干部21人；全年交流干部52人，其中有14人为初次赴基层任职。扎实推进“213”骨干人才的培养，坚持选贤任能、及时使用。开拓培养渠道，有计划地安排“213”人才承担党团工作、巡视工作。持续推进“百人工程”实施，选拔优秀青年员工挂职网点副行长或行长助理，培养后备人才。

执笔：邱　博

江苏省分行

江苏省分行行长　张　毅

一、业务发展概况

截至2017年底，考核口径存款比年初新增586亿元，居当地四大行第一，余额8842亿元，四大行提升一位至第二；其中一般性存款日均余额8535亿元，新增627亿元，为近三年最高增量。各项贷款余额为6920亿元，新增557亿元，余额份额25.57%，四大行第二。全年中间业务净收入81.7亿元，拨备前利润211.6亿元，份额分别较年初提升1.74个、0.87个百分点至27.65%、25.81%，总量四大行均居第二。不良贷款额（审计前）85.76亿元，不良贷款率1.24%，继续实现双降。

【公司业务】本外币对公存款日均余额4607亿元，四大行第二，提升一位；日均新增544亿元，新增份额34%，连续两年四大行第一。本外币对公贷款余额3701亿元，新增38亿元，其中人民币非贴贷款新增247亿元，同比多增106亿元。对公基本户和对公账户总量分别为34.88万户、54.7万户，新增份额四大行均过半，余额份额均突破25%。高综合贡献度对公商户新增868户。

【零售业务】本外币个人存款日均余额3928亿元，同业第二，日均新增82亿元。个人有效客户（折算后）3494万户，系统第二，较年初新增437万户，增幅14.3%。龙支付个人商户突破11万户，系统第二。个人类贷款余额3218亿元，新增519亿元，其中个人消费贷款新增67亿元，以上3项指标均列四大行第一。信用卡客户总量近470万户，带来中间业务收入19.8亿元，多项信用卡核心指标连续数年保持同业第一。普惠金融小微贷款余额179亿元，比年初新增81亿元，圆满完成总行目标任务；累计服务小微快贷客户1.4万户，授信金额87亿元，系统均排第四。

【中间业务】实现中间业务净收入81.7亿元，系统第五、四大行第二，增速2.7%。产品和服务收入比重为83.8%，较年初上升3个百分点，中收对资产业务依赖度继续下降。中间业务整体支出收入比为6.2%，系统第五，控制较好。

【住房金融业务】个人住房贷款余额2821亿元，新增418亿元，均居同业第一。住房资金归集余额1716.5亿元，四大行占比56.83%，较年初提升1.93个百分点；归集新增213亿元，系统同业均居第一。全省住房租赁推进实现综合服务

2017年9月28日，江苏省分行与江苏省住房和城乡建设厅签署工程建设领域农民工工资业务战略合作框架协议

平台签约全覆盖，五地市成功推广上线分行监管平台。

【投行资管业务】全年实现投行资管业务中间业务收入16.65亿元，系统第四。分行资产组合型理财产品日均余额830亿元，增速22%，余额系统第五；全年资产转移价格4.85%，低于总行近80个基点。债券承销规模、收入双创历史新高，增速分别为33%、43%，实现收入1.4亿元，四大行占比近40%。

【网络金融业务】手机银行活跃客户433万户，系统第二，活跃户占比62.3%，系统第一；个人网银活跃客户73万户；企业网银活跃客户新增5.2万户，存量突破15万户。云平台商户新增3043户，活跃户、交易量、交易额等4项均居系统第一。移动金融交易量占比84%，比上年提升19.14%。

【国际业务】全口径外汇存款日均余额34亿美元，外汇贷款余额8.2亿美元。国际收支客户新增1475户，四大行占比43%，客户总数占全分行对公客户比重提升0.54个百分点，年内荣获总行"两全三化综合贡献奖"及"客户拓展奖"。国际结算收入1.97亿元，同比增长3247万元，新增四大行第一。"三建客"产品系统内首家全部落地。

【其他业务】银团、新型结算产品收入系统第一，金融市场业务中收进入系统前三。为苏宁云商提供参与"联通混改"融资28亿元，系全国首家资金支持央企混改的银行。成功取得两个市级国库集中支付代理资格和8个区县财政支付业务合作突破。分别完成总行级自主、移植创新110个和256个，系统均居第二。新一代发布案例1608个，推荐案例248个、系统第二。

【资产质量】不良贷款额85.76亿元，较年初下降4.05亿元；不良贷款率1.24%，比年初下降0.17个百分点。信贷成本率0.61%，持续下降。全年计提拨备审慎充足，拨备覆盖率较年初提升38个百分点至222%。不良处置质效双升，累计处置56亿元，回收盘活处置占比54%，属近三年最高；核销资产现金回收1.47亿元，为多年来最高水平。

【内控合规】全面完成二级分行合规官配备及合规部一级部设置工作。成立省分行反洗钱中心。全方位优化调整合规考核和内控评价体系，实现指标量化、结果导向，做到严管重罚。将监管评价与合规评价有机结合，合规KPI考核中外部监管结果指标提升至28%。构建屡查屡犯问题库，狠抓专项治理，全年屡查屡犯问题比前三年平均数量减少九成。

二、主要工作举措

【坚持稳健经营　筑牢风控底线】牢固树立稳健审慎经营理念，始终将风险防控放在全分行发展的重要位置。一是全面推进"风险管理职责进党委"。进一步强化各级党委信贷主体责任，全年对两家分行主要负责人实施约谈。年初省分行党委专题研究制定风险政策底线、明确年度管控目标、部署9大重点工作和32项具体措施。主动靠前化解潜在风险。二是强化信贷基础管理和关键环节管控。建立覆盖所有业务类型和全部风险客户的全景风险视图，根据风险程度实行分类管理；健全经济资本管理架构，成立经济资本管理领导小组，全年压降存量经济资本27亿元；完善押品管理制度，实现六个关键环节独立集中管理；全面清退民营合作担保机构。紧盯关键环节不放松，对市场和政策敏感行业严格准入，严把大额授信和多头过度授信风险，将快贷等快速发展业务纳入主动风险防控联席会议机制。

【深化改革创新　激发内在活力】聚焦人力资源效能提升，进一步完善体制机制，服务全行转型和创新。一是整合内设部门，提升直接经营

2017年5月3日，江苏省分行召开共青团中国建设银行江苏省分行第一次代表大会暨青年志愿者协会分会成立大会

能力。连续两年多推动全辖二级分行内设部门优化调整，分行机关本部合计净减少85个内设部门、净减少588人，充实232人到前台一线岗位。机关人员和薪酬占比较上年下降约3个百分点，有效腾挪资源支持一线。着手打造各级专业营销团队，年初在省分行本级先行先试成立大客户经营中心，聚焦营销职能直接营销客户，全年新增直营客户22户，新增额度授信224亿元，累计实现综合融资178亿元，形成良好示范效应。二是健全考核激励机制，调动全员积极性。优化并严格执行二级分行、省分行部门正副职“一人一表”绩效考核，进一步拉开领导人员收入差距；部门考核增加产品创新指标，着力推动创新价值贡献。全面打通网点绩效考核“最后一公里”，强化价值创造理念传导，提升考核分配公开性、透明性和及时性，已实现季后一个月兑现当季绩效。首次实施中后台部门KTI考核，量化考核指标，客观评估业绩。将投行部和大客户经营中心新纳入市场化考核范围，鼓励多劳多得、多做贡献。

【推动业务转型　服务实体经济】积极落实金融回归本源要求，把服务实体经济摆在各项经营工作首位，做到“两个提升”。一是提升综合投融资服务水平。坚持发挥集团优势，整体把握客户需求，继续做优做强信贷业务，稳健发展资管投行、金融市场及同业业务，全面深化母子公司战略协同。全年综合投融资总量达1400亿元，贷款实际新增约600亿元，全部投向实体；母子公司联动总量达到408亿元，同比增长超过40%。二是提升精准服务国家区域发展能力。服务好重大项目建设，全年共支持省级重点项目31个，新增授信548亿元、贷款投放103亿元。支持制造业转型升级，制造业贷款新增91亿元，同比增长14%，较分行对公贷款增速高出6个百分点，新增贡献属四大行最高；为优质制造业客户承销债券114亿元，同比多增31亿元。加快普惠金融发展，在省市分行设立普惠金融事业部，建设普惠特色支行11家，小微快贷业务试点实现综合网点全覆盖；建设“裕农通”助农服务点2000家，国内生产总值50亿元以上乡镇物理渠道覆盖九成以上。扶贫工作扎实推进，金融精准扶贫贷款余额70亿元，新增12亿元。

【夯实经营基础　增强发展后劲】继续把客户拓展作为唯一的“一把手工程”加大推进力度，明确商户、金融生态圈、手机银行客户三大重点。一是将商贸客户作为客户拓展重中之重。推动上下联动分级分类开展批量营销和精准营销，重点抓消费类商户拓展，加强消费资金承接。全年商贸类企业新开账户4万户，结算资金流量2285亿元，对公商户日均存款新增135亿元。二是深度打造客户金融生态圈。以平台化、体系化思路推进金融生态圈建设。省市分行抓大项目，支行网点渗透周边，相关责任落实到人。推动龙支付和手机银行等特色优势结算工具的场景应用。38个金融生态圈达到总行建设标准。三是继续加快手机银行业务发展。将手机银行客户定位于“个人客户基本户”，加大手机银行对各类应用场景的渗透，年末代发工资、VIP及信用卡客户等重点客群手机银行使用率均超过30%。

【持续发挥党建核心统领优势】深入学习宣传贯彻党的十九大精神。组织全辖党员收听收看党的十九大报告；制发学习宣传贯彻实施方案，确定56项具体措施，推动党的十九大精神融入日常工作。提升各级党组织组织力。继续加强党建主体责任和领导干部“一岗双责”落地，将党建工作按10%权重纳入二级分行KPI体系。各级党委带头落实组织生活，推进“两学一做”学习教育常态化制度化。坚持党管干部原则，加快人才队伍建设，选优配强4家二级分行党委副书记；动态调整后备人才库，重新选拔34人入库；全辖建成600个“党员之家”活动阵地，871个支部实现结对共建。持续推进党风廉政建设，坚持以上率下，制定省分行党委成员关于严格执行中央八项规定精神的28条规定；坚持惩防并举，警示教育实现全覆盖，对3家分行6个部门9家支行开展巡视巡察，对6家分行“回头看”。坚持走群众路线，关爱员工“十件实事”取得实效，全行凝聚力和向心力增强。

执笔：王　璐

浙江省分行

浙江省分行行长　高　强

一、业务发展概况

【负债业务】截至 2017 年底，等级行考核口径一般性存款（包含保本理财和非存款类金融机构存款）日均余额 6989.5 亿元，新增 686 亿元，四大行占比分别为 20.8% 和 23.9%。本外币存款付息率 1.45%，继续保持当地四大行最低。

【资产业务】各项贷款余额 5538 亿元（其中个人贷款占 49.3%），比年初增加 287 亿元，同比多增 370 亿元。

【中间业务】实现中间业务净收入 61.18 亿元，同比增速 16.2%；四大行占比 19.85%，同比提升 2.59 个百分点；中收同比增量、增速均列四大行第一。

【经营效益】实现拨备前利润 159 亿元，同比增长 15.5 亿元，增幅 10.8%。据测算实现税前考核利润 134.4 亿元，同比增长 118.6 亿元，超过历史高点 2011 年的 123 亿元。

【资产质量】审计后不良贷款额 151.6 亿元、不良贷款率 2.74%，分别较年初下降 47.8 亿元、1.06 个百分点；逾期贷款额 110.6 亿元，逾期贷款率 2.00%，分别较年初下降 68.2 亿元、1.41 个百分点，逾期率实现了历年来首次四大行第三，摆脱了长期四大行末位的情况；新暴露不良贷款 100.1 亿元，同比下降 65.1 亿元，降幅达 39.4%；实现已核销资产回收超过 10 亿元，系统占比达 20%。

二、主要工作举措

（一）服务实体经济，转型发展取得积极进展

【客户基础不断厚植】一方面，建立科技金融与上市公司经营中心，紧抓“六型”客户拓展，不断优化资产结构和客户结构。截至 2017 年末，已与近 300 家上市公司建立合作关系，覆盖了浙江省内超过 70% 的上市公司；全省名单内科技型企业已开户 3002 户，比年初新增 620 户，开户率达 34.8%；成功打造“滨蓝计划”，科技型企业投贷联动实现破题。推动总行与省政府、阿里巴巴（蚂蚁金服）签订战略合作协议，省分行分别与省军区、省建设厅、省科技厅、省水利厅、省文化厅和杭州海关等源头性客户建立战略合作关系；成功营销了第 19 届亚运会组委会、“之江实验室”等重要客户在分行开立基本账户。全年支持国家重大项目超过 40 个，贷款余额超过 150 亿元；支持省重点建设项目 88 个，贷款余额近

2017 年 9 月 26 日，浙江省分行与丽水市金控公司、纳爱斯集团公司签署战略合作协议

300 亿元。单位人民币结算账户 37.7 万户，新增 5.2 万户，新增持续四大行第一。另一方面，坚持贯彻“零售优先”战略，深入推进代发工资、商户拓展、移动金融和农村金融四大会战。截至 2017 年末，新增个人客户金融生态圈 232 个，覆盖个人客户 134.7 万户；代发工资客户净增 48.1 万户，代发金额 1193 亿元，代发资金留存率达 50%；新增个人商户 32000 户，达到以往年度累计数的 74%，杭州公交、地铁移动支付应用项目使用客户数居四大行第二。2016 年底成功拿下 ETC 业务合作银行资格后，2017 年末签约客户数达到 31.7 万户，移动金融交易量占比达 85.5%。

【转型业务市场地位不断提升】全年拓展国际收支客户 9248 户，同比增速达 30%，创历史新高；国际结算总量及增速均位列四大行第一，实现 6 项全国首单业务，跨境电子商务综合金融服务平台获得 2017 年度浙江银行业转型升级亮点项目。全年完成债券承销总额 163 亿元，同比新增 74 亿元。发行红狮水泥国内首单“一带一路”永续中期票据，完成曹操专车首轮股权融资项目。同时，建银国际浙江分部的成功落地为后续发展拓展了空间。同业资产业务累计发生额 1444 亿元，同比增幅 356%；托管业务规模 2626 亿元，同比增幅 259%；全年腾挪贴现规模 325 亿元，很好地起到了票据“蓄水池”的作用。在湖州分行设立绿色金融事业部和绿色支行，成立两山绿色发展基金，湖州分行通过渠道绿色支付量占比达到 95% 以上。

【全力推进蓝海项目】注册成立建信住房服务（浙江）有限责任公司，依托总行住房租赁综合服务平台五大系统，打造“CCB 建融家园”品牌长租社区，以住房租赁解决方案助推租购并举住房制度建设。2017 年，与省内全部地级及以上城市政府签订住房租赁战略合作和平台建设协议；“CCB 建融家园”杭州站成为全国第 11 个开通的城市，全年累计上架房源 1109 套；绍兴市“政府公共住房服务系统”成功上线，共导入 17 个小区、2673 套房源信息，成为全国数据信息最全、文件依据最多、系统功能最优的公租房系统上线城市；联动建信租赁向杭州东部城市建设投资集团投放全国首单人才房租赁项目融资租赁款 2.5 亿元。

【普惠金融业务实现新突破】全省共计推送 21.2 万户小企业潜在目标客户，重点营销快 e 贷、云税贷等大数据产品，年末普惠金融贷款余额 391 亿元，总行计划完成率超过 120%。其中，个人快贷新增 74.7 亿元，较年初翻了四倍。

（二）稳健合规经营，全面风险管控取得良好效果

【着力构建基础管理架构】做深做实“风险管理职责进党委”，建立了“一把手亲自抓，分管领导具体管，部门各负其责、分工协作，齐抓共建”的工作机制，筑牢“三道防线”。深入开展“信贷文化建设年”和“信贷基础管理提升年”活动，全年共举办 570 次信贷文化大讲堂，起到良好的警示效果；在全省范围内推广运用客户风险预警共享平台，进一步做实预警跟踪管理会议，不断加大了预警排摸和管控力度。

【持之以恒强调从严治行、合规经营】省分行反洗钱中心完成对全辖可疑交易分析工作的上收；11 家二级分行全部实现反洗钱集中作业。开展合规竞赛、合规课堂等多形式的合规文化建设活动，持续加强合规文化建设。深入开展合规官试点工作，搭建合规主管例会平台和整改督导推进会平台。2017 年，全分行各项检查发现问题数量降幅达 60.4%，其中严重及比较严重的问题数量降幅达 76.8%，屡查屡犯问题数量降幅达 63.7%。

【不遗余力抓好“平安建行”创建工作】全面推行“平安建行，人人有责”理念，全年签订安全管理责任书 45 份，实现目标层层分解、无盲区、全覆盖，连续多年无案件、事故。2017 年，在第五轮安全评估中，省分行及 7 个二级分行评估结果位居四大行首位；台州温岭支行成功堵截诈骗案件的事件被中央电视台报道。切实增强保密“两识”，抓好各类印章的日常管理，有力杜绝泄密事件和操作风险等情况发生。

（三）强化改革创新，经营管理基础得到有效夯实

【集约化管理效果显著】网点集约化方面，2017 年撤销低效网点 27 个，压缩低效附行、离行式自助柜员机 707 台，实现轻型化网点达 309 个（其中纯轻型网点 20 个），全辖所有网点均完成智慧转型。成本集约化方面，全省通过撤并、迁址、缩面、加大租金谈判力度等方式共有125个网点及离行式自助银行的租金实现了下降，节约支出2856万元；加大全省集中采购力度，先后完成了办公用品、律师库等集中采购，真正体现勤俭办行。人力集约化方面，平稳有序地完成造价咨询条线的公司化改革，人员划转率超过80%；稳步推动二级分行本部集约化管理，二级分行中后台人员总量下降5.3%；实现本部部门间交流44人，跨区域调动45人，内部人才市场建设初见成效。

【精细化管理成果初现】数据应用支撑方面，积极开展“学好用好新一代”活动，2017年共报送发布案例数量1390个，居系统第六位。大数据服务成效逐步显现：“获客”上，开展信用卡支付宝微信绑定目标客户营销，成功率提升了3倍；通过对公客户“两率”提升工程，资金承接率和循环率分别提升5.81个和4.87个百分点。“活客”上，开展手机银行存量客户画像项目，营销成功率提升1倍以上。“留客”上，分析个人客户资金流向，开展针对性营销和定价策略。资源配置方面，专项安排费用用于战略转型激励，加大中间业务和母子公司联动收入增量挂钩力度；加强资本约束，注重量价平衡；以嘉兴、湖州为试点单位，运用业绩计量系统助力营业网点员工考核分配真正落地。

【创新管理全面突破】共完成自主创新项目206项，突破双百大关；“金通”系列品牌不断丰富拓展，新增科技金通等30多项，“跨境金通”被总行提升为全国建行品牌；“金点子”活动、众创平台建设等推动全行创新氛围全面形成。荣获机构最高荣誉总行十大“最具创新力奖”，个人最高荣誉总行十大“创新人物奖”等。

（四）全面从严治党，党建引领作用得到充分激发

【着力压实“两个责任”】一方面，严格落实党委主体责任，层层签订《全面从严治党责任书》和《案件防控和预防腐败责任书》。完成对二级分行第一轮巡视“全覆盖”；抽取省分行5个部门进行巡察，实现前中后台部门“全覆盖”；持续推进巡察工作向二级分行所辖城区支行、县支行延伸，逐步形成横向到边、纵向到底的巡视巡察监督网络格局。另一方面，深入开展“三清查”和中央八项规定精神问题专项整治，审慎做好信访维稳工作。建立廉洁纪律警示教育基地，组织全员观看警示教育片，充分发挥教育治本作用。

【着力做深党建工作】将学习贯彻落实党的十九大精神作为“两学一做”学习教育的重点工作，组织开展形式多样的党的十九大会议精神和新党章学习讨论活动，鼓励基层党组织对外共联共建共学。打造“红船旁的党建高地”桐乡支行党委先进示范品牌，提炼并推广辖内基层党建工作有形化典型案例，构建标准化、特色化的党建工作体系；深入开展“三亮三比三创”活动，引导党员立足岗位“看齐创优当先锋”，全分行近800个基层党组织的战斗堡垒作用和8000多名党员同志的模范先锋作用得到有效提升。

【着力打磨企业文化】开展“浙江建行梦 最美建行人”系列活动，举行“双先”表彰大会、第七届职工运动会、主题文艺晚会；打造“阳光厨房”，开展“夏日送清凉”“每周定期免费用餐”等活动，将“以人为本”的理念落实到方方面面，极大地增强广大员工的归属感、凝聚力和向心力。加快人才梯队建设，全年提拔六、七职等实职管理岗位职务54人。坚持将各项资源向业务部门倾斜，向基层一线倾斜，员工士气有了大幅提升。2017年，成功承办总行董事会和全国文明单位创建经验交流活动，获得各级领导高度肯定；湖州安吉支行被评为全国文明单位，省分行“天龙在线”科技服务团队荣获全国金融系统劳模创新工作室称号；“杨琛工作室”成为全国顶尖涉案资金研判精英团队。

执笔：陶　懿

安徽省分行

安徽省分行行长　戴跃明

一、业务发展概况

【主要业务指标】截至2017年底，全行全口径存款余额4525亿元，新增351亿元。各项贷款余额3194亿元，新增321亿元。实现税前利润80.4亿元①。

【对公业务】一是全行对公存款余额2533亿元、新增276.5亿元，余额和新增均居四大行第一；对公存款时点新增系统内排名第九、日均新增系统内排名第八。二是全行对公贷款余额1461亿元，四大行第一；非贴贷款时点新增系统内排名第七。三是单位结算账户25.94万户、其中基本户19.24万户，结算账户总量和基本户总量四大行“双第一”；结算账户新增5.07万户、其中基本结算账户新增4.46万户，结算账户新增连续六年保持四大行第一。四是非金融企业债券承销量154.43亿元，位列系统内第九；四大行占比达59.28%，连续保持四大行第一，承销认购安徽省地方政府债券345.33亿元，连续三年全市场第一。

【个人业务】一是全行个人存款时点余额1935亿元、时点新增77.4亿元，日均余额1963亿元、日均新增112亿元，四大行第三。二是全行个人贷款余额1733.1亿元、新增207亿元，余额和新增均居四大行第二。三是私人银行客户增速29.38%，系统排名第一；私人银行客户金融资产值增速32.39%，系统排名第六。四是个人外币储蓄新增四大行第二，个人外币储蓄客户系统内排名第五；个人结售汇交易量增速系统排名第一，个人账户外汇客户新增6.7万人，系统内排名第二。五是全行住房资金存款新增42.42亿元，系统内排名第八；其中公积金存款新增14.04亿元，新增系统内排名第十五。六是继续保持手机银行用户数、交易量、交易额等七项指标同业第一；其中手机银行活跃用户总量首次突破200万户大关，网络特约活动商户突破5000户，系统内排名第二。

【中间业务】全年实现中间业务净收入30亿元，增幅20.3%，实现连续四年四大行第一。其中个人条线实现中间业务净收入15.7亿元，基金、实物贵金属业务收入均居四大行第一；对公条线实现中间业务净收入14.3亿元，位于四大行第一。

【重点业务】累计代发工资828亿元、系统排名第十五，新增188亿元、系统排名第十四，增速29.47%，系统排名第七。信用卡净增客户18.77万户，净增有效活动客户18.23万户；全行信用卡消费交易额489亿元、四大行第一，当年新增分期交易额121.67亿元，系统排名第十四。四部委口径小微企业客户数达到2.2万户、位居四大行第二，增幅65%、位居四大行第一；小企业贷款余额569亿元、新增66亿元，全面完成“三个不低于”的监管要求。商户拓展成效显著，个人商户累计11.2万户，当年新增4.7万户，系

① 2017年末总行拨备计提政策调整前的税前利润。

统排名第十，活动商户5.01万户，系统排名第十；信用卡特约商户新增2.1万户，系统排名第八；总行级高价值对公商户提升711户，系统排名第九，对公商户结算账户日均存款新增67亿元，系统排名第十；小额无贷客户8.4万户、新增1.67万户，系统内排名第六。投行条线实现中间业务收入6.64亿元，债转股业务省内首家落地，截至2017年末共投放110亿元；权益类理财产品投放152.39亿元，系统内排名第四；安徽分行“乾元”资产组合型理财产品累计募集资金1148.27亿元。

【资产质量与风险控制】年末不良贷款额34.90亿元，较年初下降1.03亿元；不良率1.1%，较年初下降0.16个百分点，降幅12.8%，保持同业第二。全年处置不良资产40亿元，其中处置不良贷款28亿元；回收盘活不良贷款12.90亿元，回收盘活计划完成率系统排名第二；实现已核销资产现金回收1.02亿元，增幅325%，计划完成率系统排名第一。

二、主要工作举措

（一）聚焦价值创造，深化战略转型

【拓展客户，做大负债】积极应对财政性存款集中划出的不利局面，开展“迎接挑战，永争第一”存款专项营销活动。与15个地市政府签订战略合作协议，推动银政合作向纵深发展。“引江济淮”项目营销取得实效，军警客户、财政机关养老保险、土地出让金、土地交易保证金、公积金等客户关系进一步巩固。

【全面发力，做强资产】开展公司业务“攻城掠地”活动，省分行牵头，一行一策，逐行制订行业与客户提升目标，拓展了古井集团、京福铁路、江淮汽车等一批优质客户，巩固了在大中型项目领域的传统优势。适应普惠金融发展趋势，推动小企业业务、信用卡业务、个贷业务和快贷产品四项资产业务下沉网点，大力推广“云税贷”“快贷”等大数据资产业务。

【解决痛点，服务民生】抓住供给侧改革机遇，推进市场化债转股项目，首批三户两淮煤矿和马钢投放总额110亿元，受到省委省政府批示和表扬。积极响应总行“蓝海项目”战略部署，全力拓展住房租赁业务。实现与试点城市合肥、安徽省住建厅、15个非试点城市的合作签约全覆盖，完成合肥“企业住房租赁服务管理平台”上线，实现平台房源发布和交易。15个非试点城市平台上线均已通过总行审核列入上线计划。完成租赁企业签约11家，上线准备工作顺利推进。协同推进，深化转型。依托“一体两翼”，强化区域协同。进一步发挥合肥地区的转型引领作用，省分行营业部在全国23家重点城市行2017年考核排名前移至第四位，实现重点城市行三年规划圆满收官。制定和实施城区网点三年发展规划，42个四类网点如期转型，释放人力资源185人。各二级分行制定新的县支行发展规划，不断提升县域市场竞争力。

（二）加强风险内控，提升管理能力

【实施主动风险管理】认真落实总行“风险管理职责进党委”各项要求，压实“五个责任”，构建“横向到边、纵向到底”的风险管理履责机制。加强风险控制、结构优化、流程管控、基础管理等“四个能力”建设，贯彻“风险管理创造价值”理念，开展“控拨备降资本”活动，风险管理价值贡献能力提升。

【加快不良资产处置】全力推进不良资产处置“五大”战役，创造了近年来处置额最大、处置效益最好、处置结构最优、已核销资产回收最多、呆账核销规模最大、债转股转让价格最高等“六个之最”。

【强化内控合规管理】开展“合规建行　知行合一”深化创建工作，通过“三线”合规专题教育，持续提升全员合规意识。主动适应“强监管、防风险”的监管要求，积极配合监管系列专项治理；完成反洗钱集中作业，提升反洗钱管理

2017年12月10日，安徽省分行与安徽省住房和建设厅举行住房租赁战略合作推进会

能力。与安徽总审室建立定期沟通机制，做好审计整改工作。强化内控评价考核，以评价促管理。齐抓共管案件防控，深入开展“加强内控管理，防范案件风险”排查、“四个领域”专项整治，落实保密责任制，突出抓好关键风险点防控，整治屡查屡犯问题。持续开展“违规问责万里行，警示教育万人听”活动，严格责任追究。

（三）加强文化引领，凝聚发展正能量

【深化企业文化内涵】坚持“以人为本，关爱员工”的治行理念，梳理历年来累计实施的120条关爱员工举措，出台关爱员工常态化实施意见。发挥工会、共青团、老干部管理等职能部门作用，组织开展各项文体活动和“送温暖”活动。关爱员工工作在总行作经验交流，深受好评。随着全面风险管理理念的深入，将“风险文化”的要义纳入企业文化的内涵。

【加强人才队伍建设】落实总行“213”人才培养工程，实施省分行“123”人才培养计划。继续实施职务与职等并行，完善员工晋升通道。体现重视基层、重视一线的导向，全年新提拔任用七职等以上人员28人，超过70%来自基层。

【打造服务品牌形象】黄山市分行、安庆怀宁支行、阜阳市分行营业部3家单位荣获第五届全国文明单位，全国文明单位达到8家，创建数量系统第一、同业第一。黄山市分行营业部荣获中国银行业文明规范服务百佳示范单位，成为安徽省银行同业获此殊荣的三家单位之一；滨湖新区支行营业部等五个网点荣获中国银行业文明规范服务五星级营业网点称号，新增数量全省同业第一。启动以“十大最美建行人”王瑞琴命名的“瑞琴热线”品牌升级推广工作；持续开展“善建者行　成其久远”社会公益活动，建立“五个一”扶贫工作机制，全面推进扶贫攻坚。

（四）坚持党建统领，全面从严治党

【整体推进，夯实基础】召开全行党的建设工作会议，完善整体推进从严治党的统一平台。进一步整合党建职能，系统梳理党委、党委书记、纪委书记、党委委员、支部、党员的规定动作清单，让每个党组织党建动作真正规范起来。推出第三批“党建工作十件事”，作为全年党建工作抓手，在党建品牌打造、党建与业务发展、企业文化建设融入上重点推进。将2017年作为支部建

2017年11月8日，安徽省分行召开“新时代　新青年　新征程——团员青年大会”

设年，着力推进“五化”建设全覆盖。树立党建标杆，组织各二级分行标杆党支部现场观摩，表彰党建工作“五十佳”。加强党建考核，并强化考核结果运用。

【压实责任，改进作风】全力支持纪委工作，深化政治巡视，把党风廉政建设“两个责任”扛在肩上，落到实处。逐级签署《全面从严治党责任书》，强化党委班子党风廉政建设主体责任和主要负责人“第一责任人”意识。严守党的纪律和规矩，抓好“四风”专项整治，持续深化作风建设。开展述责述廉、廉洁谈话，建立廉洁档案，认真组织党风廉政建设“两个责任”考核。强化监督，认真执行“三重一大”集体决策机制，贯彻落实中央八项规定精神和总行党委十项要求，严格领导人员婚丧喜庆事宜报告等制度。强化学习和培训，在总行举办的党纪行规知识竞赛总决赛中，勇夺桂冠，获得团体一等奖，1名选手获得最佳个人风采奖。激发活力，促进发展。强化“围绕发展抓党建，抓好党建促发展”理念，将党建作为推进转型发展的“红色引擎”，开展“讲担当　作表率”主题活动，省分行党委班子成员分片包干各二级分支行，对口联系基层党支部，指导党建工作，共谋转型发展。进一步丰富“党建+”内涵，积极探索党建+业务转型发展、党建+服务实体经济、党建+风险内控、党建+班子队伍建设等模式，激发转型活力。

执笔：陈　琦　凌　云

福建省分行

福建省分行行长　刘丽华

一、业务发展概况

【主要业务指标】截至2017年底，一般性存款、各项贷款余额和新增额，日均数和时点数均保持四大行第一。一般性存款日均余额4270亿元，在当地四大行占比33%；日均新增310亿元，是中行的2倍、工行的1.3倍、农行的1.2倍。各项贷款余额4288亿元，四大行占比32%，新增255亿元，余额领先同业第二名981亿元。实现中收47.6亿元，四大行占比39%，领先第二名工行16个百分点。

【经营效益】实现主营业务收入175.36亿元，同比增加2.06亿元；实现税前利润57.12亿元，同比增长98.27%。实现经济增加值10.14亿元，同比增加23.87亿元。一般性存款付息率0.96%（同比下降0.12个百分点），四大行最低；存贷利差3.43%，四大行最高。同时，员工人均实发工资增长9.9%。

【履行大行责任】支持122个省重点项目和“一带一路”项目，新增贷款90亿元；新储备大中型项目885亿元，其中PPP项目59亿元。承销地方政府债券226亿元，投放各类基金55亿元，与4家省属国企签署210亿元的债转股协议，资管业务新增配置资产60%投向基础设施领域；承办超亿元造价咨询项目40个，为重点项目核减投资23亿元。用心服务社会民生，机关事业单位养老保险覆盖度同业第一，国库现金存款四大行第一，“银医通”“银校通”系统客户覆盖度从38%提升到44%，在四大行中独家中标政府采购保证金服务资格。致力发展普惠金融，小微企业贷款余额611亿元、授信客户2.7万户，均居四大行第一，提前一个季度超额完成“三个不低于”监管任务。全面给力消费金融，发放自营性个人住房贷款579亿元，信用卡分期交易额突破200亿元，“个人快贷”当年新增12万户、98亿元。发力住房租赁业务，先后与省住建厅、所有地市（包括平潭综合试验区）、82家房企和中介签署协议，并在全国系统率先实现监管服务系统和企业租赁服务管理系统全省一次性上线。抓实做好扶贫工作，定点扶贫建档立卡贫困人数减少23%；“善融商务”对全省23个贫困县实现扶贫全覆盖。

【客户服务】个人加权有效客户增量位居系统前10。个人客户经营收入占比、个人有效客户占比、个人客户产品覆盖度都居系统第一位。信用卡发卡突破500万张，是当地同业第二、第三位的总和；私人银行客户数在全国唯一一家连续三年五行（含招行）第一；建信人寿银保期缴渠道占比提升到45%，全国第四。对公加权有效客户新增1.14万户，同比增长348%。副大军区级军警客户实现历史性突破。参加37个外部银团，做透53家综合金融服务客户。托管业务突破700亿元，收入同比增长50%；同业业务创造主营收入1.7亿元，净收入居系统第六。贵金属租借四大行第一、系统第四；大宗商品交易量系统第二。手机银行用户突破1099万，四大行占比超过40%；移动金融日均账务性交易笔数在系统和同业中都居第一。现金管理核心客户新增居系统第二；全辖总行级重点客户82%签约了现金管理；为全省15家省属集团中的11家开展现金管理合作，还成为全省首家提供代办企业注册登记服务的银行。

【风险管理】资产质量“五大指标”全面完成任务，不良贷款额、不良贷款率连续两年“双降”，资产质量四大行最优，优势进一步扩大。聚焦总行“30大”信用风险项目的重检化解，压缩风险敞口、追加担保单位，没有贷款下迁至不良。运用法律手段，执行回收不良贷款金额连续三年翻番。信贷结构持续优化，零售类贷款余额占比60%，比系统平均水平高16个百分点。优先支持行业贷款增速比对公贷款平均增速高12个百分点；逐步压缩行业贷款降幅31%，“绿色信贷”增速20%，机构类贷款90%以上投向民生领域，连续五年零不良。理财本金收益100%兑付，金融市场业务零垫款。主要生产系统100%可用，49类集中账务核算无差错，金库和自助设备安全无事故。法律和声誉风险有效控制。在全省金融系统中独家被省综治委评为“平安先进单位”。

【基础管理】人才队伍活力持续激发，创新实施公开遴选挂职见习副行长制度，实行领导干部任职试用期制，开展“3123”人才定制化精准培训，选送103人次跟岗、帮扶、跨行交流，选派31名青年员工挂职锻炼，在县级及以下经营机构推行职务、职等并行制度。完善合规管理和案防体系，监管检查发现问题整改率100%；内外部审计、监管检查发现问题数量明显减少。“新一代”功能快速释放，20个重点应用成果有7个进入系统前六，8个案例在全国系统宣讲。渠道“智能+在线”业务量突破2000万笔，智慧柜员机月均业务量达上年的2.3倍，产品销售迁移率超过98%。柜面业务集中、反洗钱集中作业深化推进。

二、主要工作举措

【强化政治担当】坚持高站位、大情怀、大格局，立足福建特殊区位，全力支持福建实施全面赶超战略；成立服务实体经济领导小组，出台提升服务实体经济质效的47条意见，牢牢扎根实体经济，服务的质效评价位居省内23家银行首位。落实“三大一高”战略，制定《战略客户高层营销实施意见》，实施行领导“首席客户经理”制，对省能源集团、省投资集团等53家客户提供综合金融服务。致力用金融的力量解决社会痛点，蓝海项目快速推进，实现住房租赁攻坚突破。加强与母子公司联动，充分运用信贷、租赁、基金、投行等手段，提升客户服务能力。成立普惠金融委员会、设立普惠金融事业部，出台配套政策推进普惠金融，着力将网点打造成小企业业务主阵地，网点推荐办理小企业信贷客户覆盖率达99.32%。践行服务承诺，积极分流网点柜面业务，提升渠道效能，完善各级消保、投诉工作的组织、制度架构，抓实服务质量专项治理，服务质量三年来蝉联系统第一。

【全量客户经营】零售客群方面，坚定落实“零售优先”战略。运用互联网思维，建立金融生态圈，以“龙支付”“慧兜圈”为切入口，搭建金融自场景，利用悦生活云平台，延伸行业应用，覆盖客户超过40万人，活跃场景数与交易额均居系统前两位。对代工客群、个贷客群、信用卡客群、私人银行客群、年轻客群，强化数据挖掘和综合营销服务。对公客群方面，建立高效的联动机制，做好财政、社保、军警、事业单位、房改金融等重点客户拓展，利用资金结算、资管投行等条线产品，用产品打开市场。出台重点优质房地产客户差别化政策，回归市场优势。制定“两全三化”营销活动方案等，开拓国业客户群体。以现金管理产品和结算网络为纽带，与重点行业、重点客户开展深度合作。抓住改革新机遇，组织机构业务“双提升”活动，综合应用行内、行外资源，组合投资理财、现金管理、工程造价等专业服务，对军警、社保、财政等客户实施重点突破。

【加强风险管理】严格落实“风险管理职责进党委”，细化出台15项落实措施和6项深化意见，制定全面风险管理“五个到位”25条实施细则；加强信贷全流程精细化管理，深入开展“信贷文化大讨论”，在反思中完善制度，构建长效机制。提升保全管理质效。突出现金回收和盘活上迁两大核心，做好不良处置中的项目管理和日常管理，全面提升处置质效水平；创新运用单户债权转让手段处置“老大难”项目。强化合规案防管理。深入开展“合规文化深化年”活动，抓实推进四个领域的专项整治，落实监管系列专项治理，落实“两防九责”。安全运营方面，深化“平安建行”创建，开展安全生产大检查，做好中共十九大和金砖国家厦门会晤安全稳定工作，有效抗击自然灾害，确保全辖安全无事故。

【不断夯实基础】学好用好“新一代”。做好对私核心系统项目上线收官，举全行之力推进“新一代”应用。加强联动协同。应用平台思维、共享思维，推进部门协同、行际协同、行内行外和境内境外协同。立足“跳出辖区做业务”，积极开展大泉州对标厦门专题活动，全力实现客户资金系统内循环。强化精细管理。将精细管理作为提升风险内控、资本约束、经营效能的主要途径。以经营计划、绩效考核、资源配置为抓手，从市场、系统、对标等维度全面加强统筹，向管理要效益。加大创新力度。坚持“管理向下延伸、业务向上集约、专业横向协同”，规划创新工作，并体系化地推进落地。梳理、分析、移植推广总行发布的好案例，持续研究，加大激励，促进流程精细、运营集中、成本节约、效率提升、管理科学。

【加强党的建设】认真学习宣传贯彻党的十九大精神，深入开展“两学一做”常态化制度化工作。压实政治责任，明确打造“党建工作标杆行”目标，启动“12345 党建工程”，明确重点推进党建 20 件事。深入实施“三好”工程，积极释放人才政策红利，优化业绩考核分配机制，完善人才培养机制。持续推动员工关爱品牌建设，将员工关爱做细做实。

执笔：周　卉

江西省分行

江西省分行行长　万国平

一、业务发展概况

一般性存款（含保本理财）日均余额2819 亿元，当地四大行占比 25.97%，比上年提升 0.68 个百分点；日均新增 345 亿元，创历史新高，四大行占比 32%，四大行第一；其中：对公存款日均余额 1556 亿元，日均新增 207 亿元，四大行占比 35.91%，四大行第一。各项贷款余额 2168 亿元，比年初新增 167 亿元。其中：公司类贷款 904 亿元，比年初新增 9 亿元；个人类贷款 1264 亿元，比年初新增 158 亿元。不良贷款余额 34.5 亿元，比年初增加 1.94 亿元；不良贷款率 1.59%，比年初下降 0.04 个百分点。在全省不良贷款加快暴露的情况下，资产质量继续保持四大行第一。中间业务净收入 25.52 亿元，四大行第一，四大行占比 32.5%，比上年提升 1.53 个百分点。实现营业收入 101 亿元，首次突破 100 亿元，拨备前利润 67.9 亿元，四大行第一，增长 14%。

客户基础更加牢固。对公账户总量 20.7 万户，新增 3.43 万户，新增四大行占比 47%，四大行第一。借记卡总量 2132 万张，净新增 185 万张，净新增四大行占比 44%，四大行第一。贷记卡总量 210 万张，新增 47.6 万张，四大行占比 34%，四大行第一。公司机构加权有效客户、个人加权有效客户增幅分别排名系统第九位、第十位。产品覆盖排位前移。对公产品覆盖度 5.62，系统排第十位，较上年前移二位，较上年提升 0.41，提升值系统排第五位；个人产品覆盖度

4.99，系统排第十九位，较上年前移二位，较上年提升0.45，提升值系统排第七位。重点业务快速发展。资金结算、母子联动、国际化转型、境内外保函、对公理财、代客资金交易、同业业务、托管业务、养老金、个人金融、信用卡、住房金融以及网络金融等多项业务快速发展，四大行保持前两位，系统进入前十六位。内控管理扎实有效。认真落实总行内控管理要求，层层压紧压实风险案件防控主体责任，全行没有发生大的案件、重大责任事故和重大风险事件。

二、主要工作举措

全力服务实体经济。一是加大信贷投入。全年累计投放贷款833亿元，积极支持航空制造、中医药、新能源、旅游、绿色环保、新型城镇化、特色小镇和新农村建设等领域重大项目建设。全年累计发放基建类贷款41亿元，支持重大项目43个。二是助推供给侧结构性改革。坚决落实“三去一降一补”有关要求，为妥善处理煤炭行业信贷风险问题，促成相关单位签订全省首笔债转股协议。三是抢抓住房租赁市场发展机遇。率先在省内与住建厅签订合作协议，与各市区签订合作协议，签约租赁房源近千套，打响了“要存房到建行、要租房到建行”的品牌。四是加快普惠金融发展。专门成立普惠金融事业部，“两个快贷”、个人助业贷款、“益农贷”和“两权抵押贷款”等普惠金融贷款较年初增加8.63亿元，完成总行计划的124%，小微企业全面完成了监管部门的要求。五是加快绿色金融发展。在赣江新区实施绿色信贷考核，绿色贷款较年初增加6.5亿元，增速超过全行对公贷款增速2.8个百分点。六是全力抓好扶贫工作。扶贫贷款较年初增加5.2亿元，增长32.8%，远高于全行贷款增速。全行向定点扶贫村投入资金700余万元，帮助3700人实现脱贫。七是加快消费金融发展。依托个人贷款中心，在全行成立100个消费金融中心，加快手机银行、信用卡、移动支付和个人类贷款的发展。信用卡消费交易额、分期交易额和二手房贷款新增四大行第一。八是建成“裕农通”服务点1420个，在普及金融知识的同时，较好地满足了农户金融服务的需要。

打牢基础加快发展。一是深入推进“4818”客户战略①。明确目标任务，分解落实到分行到网点，加强调度通报，强化对标对人考核，客户营销取得了明显成效。对公账户、借记卡和贷记卡新增四大行第一，市场占比远超同业，对公账户、借记卡和贷记卡总量稳居四大行前两位。二是强化产品销售和覆盖。依托“大数据+产品+活动”，狠抓银行卡、手机银行、悦生活、信用卡、快贷等基础型产品，以及理财、保险、基金、贵金属、保函、结售汇等交易性产品的销售与覆盖，持之以恒拓客户、抓商户、推产品、布场景、造闭环，全行中间业务净收入四大行第一，对公存款、个人存款日均新增分列四大行第一、第二，对公产品和个人产品覆盖提升值分列系统第五位、第七位。三是大力推进“零售优先、移动优先、智能替代”战略。积极开展“降房租、增设备、布网络、减柜台”工作，线上已经成为客服主渠道，移动金融交易量占比达到85.43%，同比提升20.36个百分点，智慧柜员机交易量占比60.12%，同比提升35.74个百分点。四是强化综合性支行考核。根据各设区市的行政区划，设立综合性支行，直接对接区委区政府，提升综合服务能力。并从对公、个金、房金、信用卡、柜面分流、存贷款定价和内控管理七个方面设立考核指标，由省分行直接考核评比，促使综合性支行直接面对市场，提升竞争力。五是狠抓“新一代”系统推广和大数据运用。积极向总行上报应用案例，有6个被总行列为评优候选案例。运用大数据精准推送，引导客户办理信用卡6900张、账单分期1.3万笔、现金分期2739笔；成功营销553个客户购买某个产品，1天销售1.12亿元；利用大数据，在贷后监控方面研发了7个监控模型，在建设银行系统得到复制推广，在反洗钱方面研发了12个数据模型，反洗钱工作得到了人民

① “4818”工程，即“四抓四进、八大市场、十八大战役”。“四抓”包括：抓户、抓卡、抓代发、抓全员；“四进”包括：进社区、进园区、进商务区、进校区；“八大市场”包括：收入分配、县域、支付结算、理财资金、资本、信贷、消费和社区金融市场；“十八大战役”包括：社保、学校、医院、建筑业、年金、商户、善融商务、结算通卡、私人银行、对公有效客户、零资产客户激活、资金体内循环、ETC、CTS、二手房、公积金、龙支付和快贷。

银行和总行的表扬。

狠抓风险案件防控。层层压紧压实主体责任，全面风险管理得到加强，法律事务和内控合规的保障作用日趋明显，全行 IT 和各类生产系统运行稳定，安保防控体系不断完善，消费者权益保护、舆情监测、印章保密和信访维稳工作持续加强，行务政务及后勤保障运行平稳，全行保持了安全稳定，连续 11 年被评为全省综治目标管理先进单位。一是坚持风险管理职责进党委，落实“五位一体”尽职尽责管理要求，完善押品管理、贷后管理和全面风险协同管控机制。全力打好资产质量保卫战和不良贷款攻坚战，全行不良贷款新暴露 18.62 亿元，四大行最少。全年处置不良贷款 17.39 亿元，已核销资产现金回收 1.13 亿元，完成总行计划的 188%。不良贷款率 1.59%，低于全省同业平均 0.42 个百分点，低于五大行平均 0.28 个百分点。二是严格防范操作风险。在省分行成立“稽核监测、远程监控、放款中心、贷后管理监控”四个中心，突出抓好操作风险、信贷风险、财务规范和员工行为管控工作。全年发现问题 3057 个，涉及员工 1491 人，问题数量逐月在下降。三是严格落实各项监管要求。连续三年召开全行 8000 人警示教育大会，传达贯彻落实人民银行“反洗钱、反假币、反恐怖融资”及外汇管理要求、银监会“三三四十”专项治理要求、总行“合规建行　知行合一”及“两防”工作精神。充分依托审计力量，发挥外部监管作用，切实抓好柜面、采购、信贷和用印等重点领域风险管控和整改工作。全行没有发现严重违章违规行为，也没有发生大的案件。四是扎实做好“三清查”自查自纠工作。借助审计力量开发数据筛查模型，利用跨行联动排查系统，加强异常行为的排查和核查，对核实的违规违纪行为严肃问责，全行有 19 人受到党政纪处分。

坚持全面从严治党。认真履行“两个责任”，履行“一岗双责”，坚持党建和业务“两手抓、两手硬”，做到同谋划、同部署、同考核。一是深入学习宣传贯彻党的十九大精神。把学习宣传贯彻党的十九大精神，作为首要政治任务来抓，坚决维护党中央权威和集中统一领导，始终同以习近平同志为核心的党中央保持高度一致，党员领导干部的“四个意识”不断增强，“四个自信”更加坚定。省分行已举办两期处级及以上领导干部培训班。二是坚持全面从严治党。牢牢抓好领导干部这个关键少数、夯实党内政治生活这个基础、扭住党内监督这个抓手，强化巡视巡察工作，加大违规违纪惩处力度，推动管党治党走向“严、紧、实”。累计问责并给予党政纪处分 94 人次，行政开除 3 人。三是狠抓干部队伍建设。坚持注重创造、注重实绩、注重基层的用人导向，珍重人才、用好人才、留住人才。全年共调整、提任、交流领导人员 89 人，选派 43 名年轻干部到基层挂职锻炼。加强基层党组织建设，建设标杆“党员之家”46 个。坚持绩效、培训和人力资源配置、评先评优、晋职晋级向基层和前台倾斜。积极做好工会、共青团、妇女和老干部工作，落实关爱政策，员工的获得感和幸福感得到提升。

执笔：卢　松　吴建辉　丁　璐

山东省分行

山东省分行行长　段红涛

一、业务发展概况

【效益指标】实现拨备前利润163亿元，居系统第六位、当地四大行第二位，当地四大行占比26.7%。存贷利差、一般性存款付息率分别为2.93%、1.38%，均保持当地四大行最优，非贴对公贷款加权平均浮动比例6.05%，居当地四大行首位。

【负债业务】一般性、对公、个人存款日均新增分别为565亿元、285亿元、280亿元，分别居当地四大行第二、第一、第二位，居系统第七、第十一、第三位；时点新增分别为309亿元、163亿元、146亿元，均居当地四大行第三位，分别居系统第十四、第十四、第七位。一般性存款日均余额7561亿元，居当地四大行第二位，当地四大行占比26.47%，较上年提升0.42个百分点。

【资产业务】综合融资期末余额6778亿元，较年初新增432亿元。其中，各项贷款新增299亿元（对公贷款新增-131亿元，个人类贷款新增430亿元）。

【中间业务】实现净收入60.9亿元，首次跃居同业首位，当地四大行占比30%，创历史同期新高，较年初提升0.9个百分点。

【资产质量与风险控制】不良贷款余额117.76亿元，较年初下降28.9亿元，不良率2.34%，较年初下降0.76个百分点，实现“双降”，资产质量跃居四大行最优。逾期贷款余额118.37亿元，逾期率2.36%，均为四大行最优。逾期与不良“剪刀差”四大行最低。全年共处置不良贷款230.46亿元，居当地四大行第一位，其中现金回收33.36亿元，盘活及抵债25.87亿元，核销处置83.11亿元，批量转让86.87亿元，证券化1.25亿元。

【业务转型】信贷结构不断优化，个贷余额占全部贷款总量的44.29%，提高6.3个百分点，新增占全部贷款新增的144%，其中个人住房贷款新增326亿元，居当地四大行第二位；持续提升风险缓释水平，抵质押信贷业务占比58.25%，提高3.54个百分点。存款结构不断优化，活期存款占比49.83%，提升4.51个百分点；对公高成本负债占比4.98%，较系统平均水平低1.4个百分点；非存款金融资产日均增速20.11%，高于存款增速13个百分点。渠道结构不断优化，移动金融交易量占比86.49%，居系统第七位，提升14个位次；手机银行、个人网银、企业网银客户总量及新增六项指标连续三年当地四大行第一，善融商务交易额连续五年系统第一；龙支付累计开户量324万户，居系统第三位；慧兜圈、家园龙卡加速推进，累计拓展慧兜圈商圈319个、商户5.52万户，全国37家一级分行全部接入平台开展业务，累计发行家园龙卡22万张。

二、主要工作举措

【控风险、降不良，促进质量新提升】落实主体责任。坚决落实“风险管理职责进党委”要求，将风险管控作为重中之重。建立化解处置双“513”责任体系和决策机制，促进全行不良“双降”的同时，保持了机构、投行、金融市场等业务板块无不良状态，实现信用卡、个贷资产质量进入系统前十。严格激励约束。将风险管理水平纳入等级行、KPI、内控评价等综合考评体系，建立质量管控承诺践诺问责机制，出台对公和个人信贷逾期管控责任风险金专项考核办法，“一个分行一张任务书、一个部门一张管控纸、一个月份一张进度表”。加强风险预警。对民营企业、直接融资、抵质押、贸易融资、担保圈、小企业、集团客户、压缩行业、重点区域、再融资等十大重点领域逐一诊断、摸清底数、精准施策，严防“小事拖大、大事拖炸”。加速不良处置。遵循“政府担当、监管支持、银行抱团、企业作为”原则，加强与地方政府、监管机构、金融同业、企业客户的沟通合作，精细区分不同行业客户，建立个性化处置模式。省行“三十大”不良项目中，27户、70亿元完成处置，处置率95%。

【细统筹、精谋划，构建发展新格局】“一主两副”龙头作用明显。将济南、烟台、潍坊三家分行作为全行发展的主战场，全面对标同业和系统先进城市分行，从存款、中收、贷款、客户、资产质量及内控约束等维度进行考核，促进三家分行率先突破。“多极分行”竞相跨越赶超。对其他13家分行开展互相PK，以“两两分组、同台竞技、比学赶超、第一为胜”为评价原则，以“胜奖败罚、激励先进、按月考核，按季兑现”为激励方式，引导各行全面提升竞争力、争做新的发展增长极。“五大中心”活力日益凸显。设立投资银行业务部、金融市场业务中心/同业业务中心、信用卡业务部、造价咨询中心、资产保全经营中心等五大直营机构，实施专业化运作，建立市场化薪酬分配与效益增长挂钩机制，引导其更加积极高效地参与市场竞争。“县域支行”加速潜力突破。按照强县强行、强县弱行、弱县强行、弱县弱行进行分类管理，明确目标、强化支持、加强激励，促进弱行向强行转变。

【破难题、补短板，实现管理新进步】加强合规管理。落实监管、审计要求，加强授信业务真实性管理，开展员工涉及民事诉讼、参与民间借贷、大额博彩、飞单等专项排查，加快完善合规组织体系，推动合规文化建设，强化全流程监督检查，严格案件风险查处，有效遏制了违纪违规蔓延势头。强化资本管控。制定信用风险经济资本节约工作方案，建立跨部门低效资本压控会诊制度，明确“评级约束、风险缓释、压降逾期、不良处置、结构调整、数据清理”六大靶向，加强精准管控。完善考核机制。全面实施三维对标管理，始终做到高目标引领、高起点定位；全面建立“早发展、早受益”的差别化资源配置体系，强化投入产出分析，引导全行对投入项目“优中选优”；各项计划和考核以市场和系统内位次为评价标准，精准实施激励约束。

【固优势、抓重点，把握发展新机遇】积极拓展大资产。由单一信贷服务向综合融资服务转变，年末大资产业务余额6778亿元，新增432亿元，其中新型融资新增205亿元，占比47.4%。以打造“支持地方经济　建设主力银行”为目标，坚持定向与精准相结合，主动跟进全省动能转换重大工程项目，全年优先支持行业增速12%，选择支持行业、逐步压缩行业分别较年初下降4.2%、6.8%。加速建设大渠道。大力发展移动互联，智能渠道应用分流明显。加速物理渠道“二次创业”，做好网点功能提升、分类建设、减高减低，集约度6项指标中，点均一般性存款新增、点均个人存款余额及新增、人均一般性存款余额及新增5项指标均居当地四大行首位，点均一般性存款余额当地四大行第二。深化应用“新一代”。开展“学好用好‘新一代’，助力转型新跨越”主题活动，共发布“新一代”应用案例1450个，居系统第五位。推进金融生态圈建设，大力推广“慧兜圈”、蓝色梦想社区平台、药品信息追溯体系等创新项目。全力拓展新蓝海。明确“建设山东最大个人住房贷款银行”目标，大力推进住房租赁金融“蓝海项目”，与省住建厅、各地主管部门签订合作协议，与16家企业签署住房租赁合作协议，为居民提供住房租赁金融解决方案。加快发展普惠金融，加大对小微企业和“三农”支持力度，共发放普惠金融类贷款129亿元，余额较年初增加6亿元。

【抓党建、固根基，营造发展新风气】坚持学懂弄通做实，深入贯彻党的十九大精神。坚持以人民为中心与以客户为中心相统一，坚持公仆情怀与企业家精神、工匠意识相统一，坚持履行社会责任与质量第一、效益优先相统一，引导全行将学习成果转化为促进发展的不竭动力。坚持班子以上率下，凝聚干事创业力量。分行党委成员以身作则，坚持立身为旗，坚持党性原则。坚持集体决策开诚布公，坚持任务落实一抓到底，坚持监督工作全覆盖，认真履行“一岗双责”，不断增进员工的感情认同、心理认同、事业认同。坚持基层基础导向，夯实跨越发展根基。牢固树立抓基层、强基础的鲜明导向，严肃党内政治生活，做到哪里有短板、哪里有困难，党委和支部决策调度工作就跟进到哪里。深入推进“三互三创”“从严从实抓作风，立规立诺树形象”主题活动，实施本部作风效能集中整治，形成快节奏、快行动、快落实的工作氛围。坚持从严治党治行，弘扬执纪问责正气。将党内监督、纪委监督、群众监督、业务监督、外部监督紧密结合，不断强化各级党组织的政治自觉和责任担当。全力配合总行巡视，坚决拥护总行党委对原分行主要负责人涉嫌严重违纪进行组织审查的决定，组织全行提高政治站位，扎实做好专案查办工作。坚持铁腕治行、铁拳执纪、铁面问责，在大是大非面前敢于发声、在违规违纪面前敢于棒喝，将问责从宽、松、软走向严、紧、硬。

【提效率、增活力，凝聚发展新动能】增强干部队伍活力。抓好“选种育苗”，制定领导人员实名推荐干部办法，先后开展四轮大规模公开遴选，选拔二级分行和本部部门正职、“80后”副职、副处级后备人才、副处级管理岗位和专业技术三级人员。抓好“田间管理”，解决“重选轻管”的问题，建立日常考核与定期考察相结合的考评机制，制定突出贡献和承诺践诺考核办法，实施干部成长周期管理、试用期管理，把实践作为检验干部的试金石。提升人力资源效能。加快推进存量挖潜，对网点转岗人员统筹制定配置调整计划，优先充实营销服务力量。探索实施“外包内替”用工模式，远程监控中心50人外包岗位全部由行内年龄较大员工适岗转任，提高了用工效率，减少了运营成本，降低了管理风险。激发员工工作热情。在基层机构实行职务职等并行晋升机制，实施基层一线“暖心”行动，为员工办好“十件实事”，推进关爱员工向“一老一小”两头延伸，帮助员工解决后顾之忧。

执笔：乔　鹏

河南省分行

河南省分行行长　李尚荣
(2017年2月免)

河南省分行行长　石永拴
(2017年2月任)

一、业务发展概况

【主要业务指标】一般性存款日均余额突破5500亿元，达到5508亿元，比年初新增517.31亿元，新增系统排名第十位，同业排名第一位。各项贷款余额4228.71亿元，保持同业第一位，比年初新增397.13亿元，同业排名第四位。实现经济增加值25.0亿元，比上年增加9.94亿元。实现中间业务净收入48.93亿元，系统第八位，同业第一位，市场占比31.85%。实现拨备前账面利润117.89亿元，同业排名第一位，比上年增加11.94亿元。对公有效客户加权新增2.55万户，增速7.97%；个人有效客户加权新增390.74万户，增速16.37%。对公有效客户和个人有效客户加权新增分别居系统内第九位和第五位。

【对公业务】对公存款日均余额2432.17亿元，比年初新增280.9亿元，新增系统排名第十二位，同业排名第一位；对公非贴贷款余额2077.24亿元，比年初新增208.76亿元，余额及新增均为同业第二位。

【零售业务】个人存款日均余额3075.72亿元，比年初新增236.4亿元，新增系统排名第五位，同业排名第二位。个人类贷款余额2059.85亿元，同业排名第一位。比年初新增318.22亿元，同业排名第三位。

【房地产业务】个人住房贷款余额1748.88亿元，同业排名第二位，比年初新增233.41亿元，同业排名第四位。普惠金融个贷余额56.52亿元，第四季度新增11.82亿元，完成总、分行计划。住房资金存款新增33.7亿元，同比多增62.95亿元，系统内排名第十一位，新增当地四大行占比57.4%。

【投行资管业务】完成省内债转股首单两笔100亿元投放。综合融资办理量达到1002.29亿元。"投资通"投放单数和余额分别居系统第一位和第六位，股权、基金等权益类理财资产余额居系统第二位。

【电子银行业务】手机银行、对公网络活跃客户新增同业第一，微信客户新增系统第三位；网络银行业务同比增幅达124%，系统第六位。

【国际业务】国际结算量增速达到39.5%，系统第五位。实现自贸区服务大厅首家入驻、首单突破，打造自贸区企业开户"一站通"业务。

【资产质量与风险控制】不良贷款控制在总行计划之内。不良贷款额95.44亿元，比年初增加21.77亿元，不良率为2.26%，系统内排名第二十七位，比年初上升0.33个百分点。逾期贷款87.71亿元，比年初增加10.99亿元。

【内控合规建设】启动全辖基层机构合规转型，基层机构合规经理介入流程开展关键风险点合规审查14709次，发现问题1673个，并及时督促整改。分（支）行在外部监管、审计、上级行检查中问题数量总体大幅下降。

【其他业务】私人银行客户新增系统第八位，较上年提升2个位次，金管家有效签约客户新增系统第三位。信用卡当年净增发卡72.35万张，系统排名第四，计划完成率137.81%。结算业务收入共54578.44万元，收入总量系统内排名第五位。第四季度全行普惠金融贷款新增28.11亿元，完成总行新增计划的172%，位居系统前列。全年累计处置各类不良贷款48.75亿元，实现不良资产盘活回收23.14亿元，已核销资产现金回收0.94亿元，超额完成总、分行下达的年度主要经营计划。

二、主要工作举措

（一）坚持稳中求进

发展思路稳。省分行新一届领导班子成立以来，明确了"加快发展、持续发展、健康发展"的总布局。调整改革稳。对郑州地区组织结构进行了调整，设立了郑州地区发展委员会协调办公室，成立了四个直营团队，进一步理顺管理机制，强化协调联动，充分发挥郑州地区各行经营责任主体作用。发展基础稳。全面启动基层机构合规转型，聚焦违规关键流程节点，落实事前主动管理模式，将合规管理覆盖经营管理活动全流程，

2017年11月10日，河南省分行与河南省住房和城乡建设厅联合签署住房租赁市场合作协议

努力打通合规管理“最后一公里”。资产质量稳。全力组织抓好“控不良、压逾期”保卫战，不良贷款、逾期贷款控制在总行计划之内，为2018年重返可持续发展轨道打下了基础。

（二）加强市场营销

客户营销量质齐升，对公有效客户和个人有效客户加权新增分别居系统第九位和第五位。对公结算账户总量、新增均居四大行第一位；对公客户资金体内循环率系统第二位，资金承接率系统第四位；实现了上汽郑州基地开户、洛阳钼业、中原内配海外并购等重大营销突破，相继与省有色金属地质矿产局、省国土资源开发投资管理中心、省供销合作总社及棉花交易市场、郑州银行、中原证券、河南牧业经济学院等重点客户签订战略合作协议，提前实现总行级主办银行客户综合金融服务方案全覆盖。个人有资产客户新增系统第四位，个人客户金融资产网均新增系统第五位；IC卡发卡新增量居系统第一位，基金客户新增系统第三位。财政、社保、公检法、国土、教育、卫生、军警等机构客户营销成绩突出，市场份额、客户覆盖度、资金承接率持续提升。战略性业务齐头并进，系统位次和市场竞争力持续提升。

（三）提升服务质效

充分发挥建设银行集团综合化牌照优势，深化与建设银行子公司及海外分行联动，进一步提升基金、信托、租赁、资管计划、发债等综合融资服务能力，综合融资办理量达到1002.29亿元，有力支持了供给侧结构性改革。完成省内债转股首单两笔100亿元投放，陈润儿省长两次批示肯定并亲赴分行主持召开现场会。小企业业务圆满完成“三个不低于”要求，“小微快贷”客户达到5293户，系统第十位；搭建银税合作平台144个，系统第三位。实现自贸区服务大厅首家入驻、首单突破，打造自贸区企业开户“一站通”业务。积极拓宽渠道、引资入豫，推动设立建信养老金河南分中心，推动建信人寿在郑州设立全国保障基地，加快筹建建信住房服务河南子公司。蝉联河南省政府综合考评“金融支持河南经济发展优秀单位”一等奖第一名。客户服务品牌获得好评。在总行“星级网点创建”活动中，分行35个网点被评为“五星级”网点；荣获河南省银行业“最具社会责任”十强银行和“最具创新活力”十强银行等多项殊荣，自贸区分行营业部荣获全国银行业“文明规范服务百佳示范单位”。

2017年11月28日，河南省分行与郑州市政府签署住房租赁市场合作协议

（四）重视创新引领

新领域拓展有成效。围绕住房租赁蓝海项目、商户拓展、农村市场拓展、上市公司营销、普惠金融等重点业务，集中打好“五大阵地战”，取得初步成效。高综合贡献度对公商户新增量系统第七位，信用卡商户新增量系统第五位，超额完成个人商户净增及日均存款新增计划；激活裕农通服务点8476户，计划完成率177%，系统第二位；成功实现河南省上市公司开户的全覆盖；超额完成普惠金融小微企业贷款、个人贷款新增计划；成功实现河南省住房租赁政府签约全覆盖，全覆盖签约全国建行第七名，郑州市住房租赁企业管理服务系统成功上线并试运营，营销两家公司正式入驻CCB建融公寓；与省住建厅公布的首批16个住房租赁试点企业签约，营销现房房源943套。新业务发展有亮点。对公贵金属实现收入1.86亿元，为2016年的3.6倍，系统第九位。投资托管业务余额及新增、企业年金托管规模居同业第一，托管业务收入增长1.02亿元，系统第一位。代理销售建信保险43.3亿元，系统第一位；代理建信人寿团险保费规模系统第一位；买入返售票据累计办理量1456亿元，系统第一位。保持省内最大的住房按揭贷款银行地位，个人消费贷款余额及新增均居系统第七位，个人“快贷”余额和新增均居系统第六位。新系统驱动有突破。“新一代”推广应用初见成效，形成了一大批精准营销、精准服务和精细化管理案例，在总行会议上作了优秀案例宣讲。新增“智慧云

医”项目44家，其中27家已成功上线运行，上线数为上年同期的2.3倍。借助狱管资金系统撬动与省内监狱的合作，成功与14家监狱签订合作协议，为38家法院上线案款系统。安阳市民之家项目上迁总行云平台，为探索新型银政合作之路积累了经验。创新推出物流商户二维码收款、地方财政授权支付系统、国税资金监管系统、“E认证”“军E通”等一大批优质网络服务平台，拓客增存能力进一步凸显。

（五）狠抓队伍建设

注重加强领导班子和队伍建设，省分行党委以身作则，率先向全行做出“八个更加”的宣示，打造团结干事的领导班子；坚持“德才兼备和凭能力、凭业绩用干部”的导向，共提拔使用领导干部9人，平级调整干部27人；制订“213人才”培养计划，以校园招聘录用新员工206人，持续夯实加快发展的队伍基础。制定下发《员工关爱工程实施意见》，引导、督促各级机构开展员工关爱系列活动。大力推进职工之家建设，保证员工休息有去处、活动有场所、健康关爱有引领。关心关爱困难员工，全年慰问困难员工500多人次。广泛开展“最美建行人”和“最美建行网点”评选和宣传活动，弘扬正能量，激发内在动力。持续开展青年业务营销、创新论坛、志愿服务等品牌活动，为青年员工增长才干、成长进步、展示才华搭建平台。

（六）强化党建引领

坚持全面从严治党，促进融合融入，不断提升党建引领和精细管理支撑能力。从严治党更加坚实。深入推进“两学一做”常态化、制度化，学习贯彻党的十九大精神，进一步提升各级领导班子的政治定力，凝聚发展合力。召开党建工作会议、警示教育大会等，明确全年党建工作思路及重点任务；举办25场党组织书记抓党建述职评议会，抓实党建量化考核，让党建工作由软指标变为硬约束。组织开展了“八项整治”和“六个重检”，坚决防止不正之风反弹回潮，全行求真务实、担当作为的作风更加坚定。突出问题导向，制定党委主体责任和纪委监督责任落实清单，认认真真，扎扎实实，不断把短板补齐拉长。在总行2017年度“一级分行巡视工作评价”中，分行名列系统第三位。

执笔：孙俊岭

湖北省分行

湖北省分行行长　林顺辉

一、业务发展概况

【经营效益】全年实现拨备前利润122.1亿元，当地四大行第一，同比增长3.9亿元。实现中收39.3亿元，当地四大行份额34.4%，同比提升0.89个百分点。

【对公业务】企业存款日均余额（本外币）2523.67亿元（含保本理财），当地四大行第一；时点余额（本外币）2606.87亿元（含保本理财），当地四大行第二。公司类贷款余额2027.10亿元（非贴现），新增160.47亿元，增幅8.59%。公司机构有效客户（折算后）35.20万户，系统第九；新增2.38万户，系统第十。对公商户2.17万户，新增0.56万户。公司条线实现中间业务收入22.53亿元，当地四大行第二。

【零售业务】个人存款日均余额系统排名第八，比上年提升一位，存款付息率（1.4%）保持同业四大行最优。实现个人中间业务收入20.71亿元（含个人电子银行收入），同比增长1.18亿元，增幅6%，占全行比例47.9%，比上年提升2.4个百分点，“两金一险”、信用卡等重点产品收入保持当地四大行第一。个人客户经营“量质齐升”，个人有资产客户、有效客户、产品覆盖度均超额完成总行计划，信用卡净增客户、净增发卡、净增活动客户、新增年轻客户均排名系统前10。在总行2017年度一级分行零售业务发展水平综合评价中，湖北分行排名第五，保持在第一方阵。

【房地产业务】个人贷款余额、新增占全行比例分别为44.2%、98.6%，分别比上年提升5个百分点和18个百分点；个人住房贷款加权利率5.10%，比上年提升30个基点，当地同业第二，系统第三。“蓝海项目”实现全省17个市州平台独家承建、五大系统上线全部落地、监管系统上线全覆盖，所有地市均达平台上线“1+1”基本标准。五大平台运营正式启动，监管系统直连房屋产权信息726万套，入驻中介公司2711家，经纪人1.38万人，上线房源3910个，完成交易1637笔，累计发放住房租赁贷款2.9亿元。

【投行资管业务】实现资管投行业务收入7.9亿元，系统第八位，较上年提升四位。完成资产入池76.79亿元，取得首笔城镇化建设基金和首笔PPP资本金融资业务突破。理财产品销售余额549亿元，系统第十三位，新增105亿元，系统第四位，保本理财产品新增全国第一。财务顾问信息平台服务创新得到市场认可，拓展客户485户，实现税前收入4183万元。承销并认购地方政府债207亿元，再夺市场第一；承销非金融企业债务融资工具60亿元，取得四大行三连冠。资产证券化取得历史性突破。

【电子银行业务】手机银行、个人网银、企业网银的用户总量及新增量均位列同业第一。用户质量显著提升，电子银行活跃用户均位列系统前十，手机银行活跃用户数实现“三年翻一番”。移动金融交易量占比85.2%，较年初提升17.4个百分点；移动金融账务性交易量1.4亿笔。特色品牌“速缴通”拓展中小学幼儿园910所，家长用户57万户，稳定存款166亿元；帮助扶贫商户在善融商城实现销售交易额1.7亿元。

【国际业务】对公外汇存款时点余额48.5亿元，当地四大行第一。实现代客交易收入30910万元，四大行第一。国际保理等重点联动产品发生额114亿元，同比新增34亿元，增幅43%，新增交易量及增幅均居于中部五省第一。

【其他业务】全年新增普惠金融贷款51.4亿元，系统第五、中部六省第一。“裕农通村口银行”已辐射省内50%以上乡镇和40%以上行政村，累计发放裕龙卡235万张，新增80万张，沉淀存款163亿元，新增45亿元，裕农通服务点APP上线7782个，系统第一。扶贫脱贫“个人小额贷款”和“小微企业贷款”分别投放1.27亿元、6117万元。“湖北建行善融扶贫专区”商户交易额达到1.7亿元。帮助2835户、7186名贫困户脱贫，被湖北省委授予扶贫攻坚“突出单位”。

【资产质量】不良贷款余额43.26亿元，比年初减少0.65亿元，不良贷款率1.06%，比年初下降0.12个百分点，实现不良额/率、逾期额/率、新暴露不良、关注贷款“六降”，不良率系统排名第十一位、提升六位，同业排名当地四大行第二。

【内控合规建设】构建科学的联防联控责任管理体系，全方位建立“联防联控”工作机制。开展“坚守真实、拒绝违规、严守三线”合规主题巡讲等多个合规文化主题宣传活动。全面开展内部控制评价和缺陷整改，整改率达到100%。全年开展应急演练357次。

2017年11月10日，湖北省分行与武汉长江新城管理委员会签署战略合作协议

二、主要工作措施

【牢固树立党建首位意识，从严治党从严治行体系全面深化】坚定不移贯彻党的路线方针政策，确保中央和总行党委决策部署在湖北省分行不折不扣贯彻落实，确保政令畅通，确保正确政治方向。第一时间组织传达学习党的十九大精神，覆盖所有中层干部及总行驻汉机构和子公司。成立领导小组，制定推进实施方案及系列配套活动方案。通过中心组学习、专题研修班、专题党课等形式开展各类宣讲25次，覆盖所有二级行、324名处级干部和1175名基层党组织书记。严格落实“两个责任”。推进“党建工作100条”，建立新任二级行党委书记党委工作实施细则面谈机制，承办总行基层一线党支部书记试点培训班。单设省分行机关党委。加强总行驻汉机构党建工作管理。坚定支持纪委监督履职。二级行纪委书记全部异地任职。层层签订了《全面从严治党责任书》和《党风廉政建设及案件防控责任书》，制定领导人员“庸懒散”问责办法和“能上能下”办法，将责任逐级落实到基层。开展“四风”问题专项检查和整治，组织线索大起底及干部自查。全面配合总行巡视，逐条整改总行巡视反馈的18个问题，健全完善70余项规章制度，处理巡视反馈问题相关责任人153人次。完成了8个二级行的巡视“回头看”和2个县支行的“点穴式”巡察，实现省分行部门巡察全覆盖。

【主动配合供给侧结构性改革，服务实体经济能力增强】推动落实总行2017年6月与省政府签署的战略合作协议，全年新增综合融资940亿元。助力区域经济发展，满足民生金融需求。做实做细精准扶贫工作，打好脱贫攻坚战。班子成员带队深入贫困村、贫困户，开展“扶贫春季攻势”“百名管理人员走百村访千名贫困户”等活动。建立健全精准扶贫组织体系和制度体系，倾斜资源扎实完成扶贫帮困任务。全面对接贫困地区金融服务需求，先后推出了恩施扶贫脱贫金融服务方案、潜江龙虾易贷等特色扶贫小微产品。

【强化全面风险管理，合规风控体系完善】优化监管审计发现问题的信息管控和整改工作考核机制，按照简单、干净、短链条、可穿透的要求强化重点业务领域整改。深入开展“三三四”专项治理。持续加强反洗钱管理，推动反洗钱集中。落实联防联控工作机制，在全行开展“三线”合规宣讲、万人警示教育。省分行单设内控合规部，在二级行建立单独的内控合规部门，省分行20个部门设立风控合规科。主动作为妥善处置“3·24”案件，建立健全办公场所、印章管理、异地开户、大额资金变动等管理制度，落实基层机构负责人案防“十必做”和员工行为“十大风险”严查严管措施。落实风险管理职责进党委，制定风险管理职责进党委实施意见，班子成员带头开展重点行、重点项目资产质量督导工作，逐级压实主体责任。按季研究全面风险管理工作，构建“网格化”风险管理体系。强化集约风控，推动风控动作融入直营业务流程，成立省分行对公押品管理中心。成功化解处置重大风险项目，全年处置不良资产42.7亿元，完成总行级“三十大”客户陈长宏集团15.6亿元贷款风险化解任务，妥善应对宜化集团风险事件，实现华清电力5.18亿元不良贷款的成功处置。加强办公场所安全管控，省分行和二级行办公楼实现了道闸和门禁管控全覆盖。组织消防等应急演练88场次，6000多人参与。扎实做好信访维稳与声誉风险管理，保障安全稳定局面。

【着力打基础谋长远，业务可持续发展的动力强劲】“新一代”系统成功上线推广，完成了“新一代”3.2期项目试点上线任务，组织开展“学好用好‘新一代’”活动，促进了业务精准营销、风险精确管控、流程精益管理水平提升。母子公司联动显著加强，建立省内建设银行母子公司联席会议制度，全年召开5次会议。举办“中国建设银行及十大子公司支持武汉建设国家中心城市和长江新城重点项目对接暨揭牌签约”活动，与长江新城管委会等重点客户签署了一揽子协议。

【加强员工关心关爱和精神文明建设】不断加强干部队伍建设，持续打造人才队伍锻炼“六大平台”，选派优秀干部系统外挂职，开展“213”人才工程中的骨干人才上挂下派和省分行“222”人才工程选拔。深入落实员工关爱举措，持续推进基层营业网点、二级行本部经营类部门职务与职等并行，连续两年开展“万人大家访”，将年休假执行情况、最低工资保障、员工健康指数等纳入年度考核体系。开展帮扶解困送温暖和“员工接待日”活动。持续开展“建行感谢您，满意在建行”活动，推进营业网点服务文化品牌标准化建设，标本兼治加强消费者权益保护，客户投诉大幅降低，连续三年获得湖北省“十佳优质文明服务银行”第一名。四家分行被中央文明委授予第五届“全国文明单位”，新增数量同业第一，总数达到七家。江岸支行营业室被授予中银协百佳示范单位，实现零的突破。

执笔：李炳云

湖南省分行

湖南省分行行长　文爱华

（2017年3月任党委书记，5月任行长）

一．业务发展概况

【主要业务指标完成情况】一般性存款余额6236亿元，新增549亿元，当地四大行第一；各项贷款余额4158亿元，考虑打包核销等因素，贷款实际比年初新增516亿元，当地四大行第一；税前利润112亿元，当地四大行第一，人均利润超过100万元，居系统前列。创新活力不断增强，建设银行系统第9家产品创新实验室落户湖南，连续两年荣获总行“最具创新力奖”；全年缴纳各项地方税收15亿元，申报企业所得税31.5亿元。

【公司业务】对公存款2741亿元，较年初新增332.02亿元，增速达13.78%，对公存款余额、新增当地四大行占比分别为38.62%、35.59%，继续稳居当地四大行首位。公司机构有效客户新增5708户，完成总行计划的257%；对公商户新增9325户，其中高综合贡献度对公商户客户新增2901户，系统第一。对公贷款余额2484亿元，较年初新增63.84亿元，对公贷款余额当地四大行占比34.88%，排名第一。对公非贴贷款余额2439亿元，当地四大行占比35.56%，当地四大行排名第一。

【个人金融业务】个人存款3496亿元，比年初新增217亿元，余额、新增当地四大行占比分别为34.45%、35.28%，四大行第一，个人贷款1674亿元，比年初新增321亿元，余额、新增四大行占比分别为38.35%、41.78%，稳居同业首位。全行零售业务发展水平综合评价系统第二，个人有效客户新增75.5万户，个人龙支付客户达330万户、龙商户达18万户，私人银行客户新增311户，总量为排第二招商银行的1.1倍。个人客户质量指标系统内第二，AUM 0.2万元以上个人客户产品覆盖度、有效客户占比、有资产客户保有率系统内第四，对公经营性资金行内承接占比系统内第一。

【中间业务】实现中间业务毛收入51.8亿元，增长12.17%，高于系统平均水平8.6个百分点，当地四大行第一。

【资产质量和风险控制】不良率1.15%，控制在总行计划之内，保持同业最优，比系统、同业平均水平分别低0.4个、0.9个百分点。全年现金回收9.57亿元，创历史新高，其中已核销资产现金回收2.13亿元，完成总行计划的129%，非核销处置比率62.45%，比上年提升14个百分点，为近几年来最高水平。

【其他业务】外汇资产与负债业务全面发展，外汇企业存款7.24亿美元，当地四大行占比49.6%；外汇贷款9亿美元，当地四大行占比

2017年12月21日，湖南省分行与湖南省工商局签署全面战略合作协议

48.7%。国际收支量、结售汇业务实现量和占比双提升，完成国际收支量98.3亿美元，当地四大行占比36%，首超中行实现第一；实现结售汇量50.6亿美元，当地四大行占比27.9%，首次突破25%。全年实现贸易融资投放36.51亿美元，同比增长11.52亿美元，其中表内贸易融资投放当地四大行占比42.7%。连续5年获得执行外汇管理规定A类行。

承销非金融企业债务融资工具91.12亿元，当地四大行占比72.25%，发行期数及金额均排名当地四大行第一。通过理财资金配置标准化债券产品29.8亿元，实现对客户债券融资需求的全面对接。积极开展产品创新，其中响应中央“精准扶贫”精神设立20亿元张家界旅游扶贫基金，并实现首笔3亿元投放，为业内首笔旅游扶贫基金。分行理财业务收入四大行占比53.60%，领先优势进一步扩大。资产组合型理财业务仅用200天突破200亿元大关，较年初新增206亿元，增幅264.18%。

大力发展普惠金融，2017年普惠金融贷款余额达158亿元，比年初新增52亿元，全行小微企业贷款余额748亿元，保持当地四大行第一，远超四部委小微企业“三个不低于”要求；涉农贷款余额727亿元，新增76亿元。

落实总行“蓝海项目”部署，实现了与省住建厅以及全省14个地市政府平台的签约合作，与近30家优质房地产企业签订合作协议，长沙、株洲地区住房租赁企业服务平台成功上线。

推进金融精准扶贫，精准扶贫贷款余额103亿元，较年初新增15.34亿元，增速达19.68%，高出全行各项贷款平均增速；绿色信贷较年初新增24.47亿元，增速达11.75%。所辖各级分支行已有43个定点帮扶村通过脱贫验收。

提升金融生态圈建设质效，全年金融生态圈建设累计立项880多个，做深做透270多个，对私、对公客户平均获客量分别达6500个、10个以上，产品平均覆盖度分别达7个、8个以上，存贷款等金融总量平均达6亿元以上。

扩大信用卡业务优势，信用卡新增客户、累计客户、新增卡量、累计卡量、消费交易额、分期交易额、分期收入、贷款余额、资产质量、中间业务收入等12项核心指标四大行第一，其中信用卡分期交易额202亿元，连续两年超工行，三年翻了近三番，系统排名第三，商户新增3.5万户，系统排名第五，信用卡活动客户新增32.19万户，系统排名第五，信用卡条线创造中收19.98亿元，比上年提升8.32个百分点，系统排名第四。

加快发展互联网金融，建成金湘通服务点1.3万多个；成功拓展了北京钱袋宝、上海宝付、北京奇元科技、芒果TV等网络平台客户，基于互联网客户拓展稳定存款近300亿元；善融商务有效买家达31.6万户，系统排名第一；手机银行客户数达1391万户，覆盖度55.49%，系统排名第一；移动金融交易量占比达到86.17%，比上年提升14.3%。

二、主要工作举措

（1）开启银政银企合作新模式。认真研究与对接湖南省及各市州的“十三五”规划，支持重

2017年12月28日，湖南省分行与湖南省住房和城乡建设厅举办“住房+金融+互联网”政银、银企全面战略合作签约仪式暨建行长沙、株洲地区住房租赁企业服务平台上线发布会

大工作、重大工程、重大产业建设，基础设施领域贷款新增185亿元。在信贷规模受控、成本上升的市场环境下及时补位，拓宽融资渠道，支持实体经济发展，运用产业基金、理财产品以及母子公司联动等渠道为湖南省企业融资344亿元，承销各类企业债91亿元，认购政府债418亿元。充分发挥省行本部舞龙头、扛大旗的作用，2017年省行牵头先后与23个省直单位、地市政府和大型企业集团签订战略合作协议。与省商务厅合作，出资近500万元协助商务厅搭建“湘企出海+”平台，系全省金融系统首创，也是建设银行首创以支持区域内企业践行国家“一带一路”战略为服务宗旨的新型综合服务平台；开发“税单融”“订单融”产品，对接全省外向型企业；与长沙市政府签约，前后对接20多次，除主协议外，还签订了15个子协议，得到了总行领导和长沙市委主要领导的高度认可，全年在长沙地区累计投放贷款631亿元，为938家企业提供了资金支持；深化与省工商联系统的全面战略合作，累计发放湘商单位结算卡2.6万多张，服务客户达2.4万多户；与省工商局系统开展战略合作，抢抓商事登记制度商机，与省工商局以及9个地市工商局签订了战略合作协议。

（2）大力推进改革创新促转型发展。出台创新发展十项措施，举办首届创客大赛暨创意展示大会，召开创新表彰大会，对12个“最具创新力单位”、11个“产品创新奖”、10个“流程优化奖”、5个“金融生态圈优秀项目奖”等进行了现场表彰，全行创新意识和质量明显提升，全年完成产品创新项目160个，连续两年荣获总行“最具创新力奖”。在总行考核的21项转型推进指标中，湖南分行12项必选指标综合考核排名靠前。稳步推进渠道转型，建成旗舰网点2家、轻型网点7家，新设网点4个、装修改造网点80个，24个分理处升格；新增离行自助银行33个、自助设备180台，累计投放智慧柜员机2493台，迁移率达90.27%，同比提升29.36个百分点；累计减少柜台943个，实现1205名网点员工岗位转型，网点营销服务人员占比达67.35%，同比提升4.7个百分点。依托“新一代”精准营销平台开展大数据分析，做好精准营销、精细化定价管理，有效提高了对公客户经营性资金个人客户承接率，针对特定客群开展定期存款专享优惠利率政策，取得很好的成效，推广“新一代”成果运用案例达1985个，系统第二，“金湘通”“有车客群”案例被选为总行“新一代”应用成果典型案例经验介绍。深入开展县域支行劳动竞赛活动，试水县域支行管理新模式，调整优化宁乡支行和浏阳支行管理模式，由省行直管，单独授权、单独计划、单独考核，全行县域支行一般性存款、贷款四大行占比分别比上年末提升0.3个、2.1个百分点，其中浏阳支行、宁乡支行的贷款当地四大行占比分别比上年提升4.3个、4.0个百分点。

（3）强化内控严控风险保平安。有效落实“风险管理职责进党委”。省行党委先后召开10次党委会，研究部署加强风险和内控管理工作，制定直营业务风险管理融入流程实施细则，加强押品管理，实施对公信贷押品集中管理，由省行班子成员牵头，对重大风险项目逐个制定化解处置方案，芙蓉国、潭衡高速等一批重点风险项目得到有效化解处置。稳步推进“315工程”。出台“315工程”考核评价办法，加强对二级行的督促和指导，提升全行信贷基础管理能力，全行纳入“315工程”由各二级行“一把手”直接负责的客户达918户、金额2465亿元，金额占比达81.7%，信贷违规违纪问题呈现下降趋势，屡查屡犯问题数量较上年下降178笔，严重违规违纪问题得到有效遏制，逾期贷款额、逾期贷款率均比年初实现双降，不良贷款暴露比总行计划少5.5亿元，拨备覆盖率203%，高于全国平均水平40个百分点。逐步夯实内控合规管理基础。坚持问题导向，按照“充分暴露问题，妥善处置问题，追究责任到位，建立长效机制”的原则，着力构建内控合规管理长效机制，在19个二级行配备专职三级风险经理，强化内控管理责任落实；重检规章制度流程，全年共优化31项业务流程，修订、废止69项规章制度，归并、废止234个规范性文件；抓好审计发现问题真实性、根源性整改，审计发现问题总数比上年下降37%，严重问题个数下降75%。夯实安全稳定基础。深入开展平安创建工作，实现了无重大违规、无重大安全责任事故、无案件的目标；强化源头处置，完善应对预案，积极妥善化解处置，全年未发生重大声誉风险事件。

（4）全面从严治党治行取得新成效。学习宣传贯彻党的十九大精神。成立领导小组，制定实施方案，举办党的十九大精神专题培训班，省行党委成员带头结合实际讲党课、谈体会，重点在做实上下功夫，结合湖南行实际，提出了做实党的十九大精神的具体措施。严格执行中央八项规定精神，制定《省行党委成员关于严格执行中央八项规定精神的若干规定》，坚持勤俭办行，招待费、会议费等控制类费用分别比上年下降7.5%、16.42%。加大考核与问责力度，出台《党委主体责任考核办法》，强化考核结果运用，对2名二级行党委书记、2名纪委书记、2名监察部经理进行了公开约谈，对履行监督责任不力的3名二级行纪委书记进行了诫勉谈话，强化了压力传导，增强了管党治党意识。扎实推进“两学一做”学习教育常态化制度化。建立完善党建工作联席会议制度，制订实施方案，加强对全行党建工作的指导督促和推动。多层次推进党性教育，累计举办高管人员、基层支部书记等各类党性教育培训58期、1135人次。党委中心组学习形式活、内容实、效果好，全行共举办党委中心组学习332次，其中省行党委中心组组织学习13次。结合实际推进“四个融合”，把党建工作做实做细。全行党支部数量增加至713个，建成36个“党员之家”示范点，建立党员责任区443个、党员示范窗口361个、党员示范岗883个。

（5）关心关爱员工更细更实。从政治上、生活上、工作上多维度关心员工，建成4个职工之家、49个职工小家和10个县支行“双百工程”；成立写作协会、合唱团等各类文体协会16个，全年共开展各类活动达100多场次，尤其是蓝星合唱团荣获了全国第二届“金声奖”第二名，成为分行企业文化建设的响亮名片。制定了员工互助机制实施细则，出台员工大病救助实施办法，帮助员工解决后顾之忧，使员工在工作的同时，有更多的幸福感和获得感。

执笔：杨　红

广东省分行

广东省分行行长　刘　军

一、业务发展概况

【主要业务指标】经济增加值、税前利润、拨备前利润分别为107.7亿元、228.2亿元、285亿元，同比增速分别为22%、13.5%和11%，远超系统平均水平；中间业务净收入108.5亿元，同比增速1.5%，经营效益提升。一般性存款日均余额12771亿元，新增1259亿元；各项贷款余额8557亿元，新增1073亿元。中间业务收入、一般性存款日均和时点、个人存款日均和时点、本外币各项贷款、个人类贷款和个人住房贷款等八项主要指标系统第一。税前利润、中收、一般性存款日均和贷款当地四大行占比分别较年初提升0.1个、0.24个、0.28个和0.57个百分点，市场竞争力提升。

【公司业务】企业存款日均余额分别达到6650亿元，比年初新增939亿元，新增位列系统内第一，余额系统内贡献度比年初提升0.31个百分点。对公非贴贷款余额3756亿元，比年初新增440亿元，新增额当地四大行第一，余额当地四大行占比22.54%，比年初提升1.28个百分点。对公中间业务净收入52.53亿元，同比增长3.03%。公司机构有效客户加权前、加权后、全量客户余额和新增均系统内第一，单位结算账户实现4项系统第一和3项同业第一。其中，有效客户加权后余额80.89万户，比年初新增8.09万户，自2013年起，首次实现系统第一；单位结算账户余额65.9万户，比年初新增14.83万户，当地四大行占比25.24%，排名第二。

【零售业务】个人存款日均余额突破6000亿元，达到6121亿元，当地四大行占比22.01%，较年初提升0.1个百分点。个人中间业务收入当地四大行占比达到26.86%，较年初提升1.88个百分点。私人银行级客户拓展系统领先，AUM、客户数余额及新增四项指标系统排名领先，其中客户数7591户，新增764户，客户AUM余额1172亿元，新增151亿元。个人住房贷款余额、新增额分别为3984亿元和580亿元，系统排名双第一。个人消费经营类贷款新增108亿元，增幅81%，在当地四大行唯一实现正增长。信用卡贷款余额、分期交易额、消费交易额当地四大行排名均为第一；个人有资产客户数量和个人客户金融资产余额分别突破3300万户和9100亿元大关，分别比年初新增282万人和660亿元，均创近年来最好水平。

【投行资管业务】理财总规模三年翻番，理财余额突破2100亿元，资管口径当地四大行第一，系统第二；债券承销量连续六年蝉联榜首，承销量351亿元，市场第一；托管规模突破6600亿元，同比增长23%；累计交易量突破9万亿元，为2016年的1.5倍。

【移动金融业务】手机银行活跃客户达550万户，绝对值、同比提升值、同比增速均为系统第一。网上银行、手机银行、微信银行和短信金融客户分别达2428万户、2400万户、359万户、2357万户。移动金融交易量占比（88.2%）超过全国平均水平3.2个百分点。个人电子银行2017年度账务性交易量达48亿笔，在全渠道中的占比高达94%；企业网银覆盖全行对公客户的96.34%，企业网银账务性交易量在全渠道的占比高达98.46%。

【国际业务】国际结算量首次突破2000亿美元，同比增长8.9%，系统第一；重点产品“科技贸易通”投放147亿元，“科技跨境融”投放116亿元；年国际收支量百万美元以上科技企业达639户，同比增长57%；国际收支客户新增1706户，超额完成总行计划；亿元以上授信客户跨境金融产品覆盖80.54%。

2017年1月15日，广东省分行与南方财经全媒体集团举行战略合作协议暨全媒体文化产业基金协议签约仪式

【住房租赁业务】与辖内19个地级市政府签订平台共建协议，与当地知名房地产企业签订314份合作协议；辖内20个地级市中，9家已完成企业租赁服务管理系统上线，在“CCB建融公寓”发布现房3731套。

【风控与合规工作】分行不良贷款余额89.91亿元，较上年减少24.42亿元；不良率1.05%，较上年下降0.48个百分点。其中，公司类不良贷款2016年起得到有效控制并开始回落；个人贷款和信用卡资产质量保持稳定，不良额增速逐步放缓，不良率下降。自主合规检查发现问题的能力大幅提升，内部审计发现问题严重程度逐年下降，问题整改率逐年上升，屡查屡犯问题整改成效显著。

【其他业务】普惠金融贷款余额323亿元，比年初新增117亿元，总行计划完成率137%；带动小企业贷款2.5万户，计划完成率838%，超过过往8年总和且位列全国第一。

二、主要工作举措

（一）强化党建引领，全面从严治党、从严治行

一是认真组织学习贯彻党的十九大精神，传

2017年2月25日，广东省分行举办2017年“双先”表彰大会

达贯彻广、推进落实细、带头宣讲深、学习领悟透、宣传发动久、考核督查严，让全行更加自觉地在思想上政治上行动上同以习近平同志为核心的党中央、与总行党委保持高度一致。二是创建“点、线、面”网格化党建工作格局。截至2017年末，分行共有各级党组织902个，比2016年增加91个，其中党总支比上年底增加15个；党支部比上年底增加76个；省分行本部新成立4个条线党总支，条线部门对党建工作的纵向管理推动作用进一步增强。三是坚持正确选人用人导向，建设高素质干部队伍。从严把好选任关口，坚持廉洁选人用人，选好配强领导班子。2017年共调整领导干部144人次。持续实施“青年人才培养计划”。四是严格监督专项整治，重拳正风肃纪。共受理信访举报49件，特派员监督发现违纪违规问题13件，其他渠道发现问题线索72件，认真落实“三清查”工作，主动申报问题312人次，核实违规违纪问题20个。五是全面压实“两个责任”。行领导带头转变作风，开展“走进访”、客户营销活动合计649次。分行严格落实中央八项规定精神，会议费、车辆费用负增长。党风廉政建设得到总行充分肯定。实施广州地区派驻机构改革，向广州地区支行派驻6个纪检组（监察室），完成首轮巡视全覆盖。

（二）深化改革转型，夯实基础，激发活力

一是深化经营管理机制改革。推动分行经营管理机制改革，省分行撤销了7个工作领导小组，区分了各工作委员会和领导小组的工作权责，对二级分支行内设部门进行了市场化调整，对二级分支行党委班子进行了分工“大轮岗”、责任“大轮训”，加强了对网点员工岗位资格认证的管理，对网点非管理岗位设置、网点KPI考核机制进行了优化，调整优化了网点营业时间。二是大力拓宽渠道。具备条件的网点100%开办小企业信贷和个贷业务，48%的网点具备对公外汇业务经营资格。打造了27家旗舰网点，成为系统内首个离行自助银行过千家的分行，探索出校园e银行、书香银行、轻型网点联合经营等一系列特色网点。三是大力优化服务。通过服务品牌打造、服务理念培育、服务技能培训、服务样板树立，持续开展“服务100，满意在建行”活动，初步建立两级本部分级经营、基层网点分层维护的立体式客户经营维护体系。

（三）创新服务实体经济新模式，打造竞争优势

1. 大力发展住房租赁业务，圆百姓“安居梦”。积极推进与政府和房地产企业合作，打造了全国第一个政府主导型业务模式——“佛山模式”并成功实现落地推广；创新性提出了第一个存房业务方案——“要存房 到建行”金融服务方案；与所有地级市政府签订了监管平台共建协议，与知名房地产企业签订314份合作协议，联合省内33家知名房企举办“发展租房市场圆桌论坛”，发起建信住房租赁发展基金，设立“广东住房租赁产业与金融研究院”，“要租房 到建行”品牌已在南粤大地深入人心。

2. 打造综合金融服务同业标杆，积极支持实体经济发展。累计为省内企业提供资金支持3716亿元，其中发放对公贷款2412亿元，其他融资1294亿元。积极参与支持了广明高速、广佛环线佛山西站至广州南站段、机场第二高速等重要基础设施项目建设，服务中铁建南方总部、中远海运散货运输等大企业落户广州。积极参与保障房建设和城市更新改造等民生工程，探索研发城市更新改造贷款产品，累计投放城镇化建设贷款19亿元。积极参与现代产业体系建设。累计向先进制造业产业投放信贷资金416.39亿元，成功取得610亿元富士康G10.5代液晶面板项目银团牵头资格和31亿美元的LG项目银团贷款。

3. 加快科技金融发展。探索建立差别化的客户价值评估体系，首创“技术流+能力流”科创企业专属评价模型，创设建粤高企技术指数，挖掘和扶持有价值的科技企业。升级Fit粤3.0科技金融服务方案，进一步深化对省内科技企业的综合金融服务支持。截至2017年末，科技金融服务高新技术企业达10608家，资产业务余额突破1400亿元，为实体经济融资成本减负8450万元。在全省金融工作会议上，作为银行业代表专题介绍了建设银行科技金融发展情况。

4. 推进“三融合一”，支持企业发展壮大。全力打造以“金色成长”为品牌的并购金融业务，搭建并购金融的信息支持系统和交易撮合系统，建立客户数据库，建立买卖双方自愿标的库。并购金融累计申报量764亿元，办理量433亿元，排名系统第一，实现并购重组顾问收入2.5亿元。大力推进“三融合一”，走访“三融合一”客户1276户，需求采集率73.04%。已实现投放235户，专项额度授信投放701.75亿元。

5. 打造跨境金融，助推粤港澳大湾区建设。推进粤深港澳四地五机构区域联动一体化发展，分别与珠海、东莞、南沙签署粤港澳大湾区建设规划合作协议。全面启动和推广“建粤自贸”综合金融服务方案，加强境内外联动，创新满足境外优先股、高等级债、跨境融资等需求，进一步推动跨境财富管理业务的发展。截至2017年底，国际结算量首次突破2000亿美元，达2011亿美元，当地四大行占比27.65%。

6. 大力发展普惠金融。设立普惠金融事业部，实施差别化的考核办法和支持政策。作为唯一合作银行开展普惠性科技金融试点，搭建各类商业协会、专业市场商圈、核心企业商圈等“两会两圈”第三方合作平台413个。截至2017年底，小企业贷款余额332亿元，比年初新增32亿元。大力服务绿色经济。绿色贷款余额435.44亿元，比年初增加31.66亿元，增幅7.84%，高于分行对公贷款增速2.41个百分点。

7. 大力推进消费金融，服务百姓民生生活。推进“消费金融创新年”活动，创新推出“金蜜蜂校园快贷”“社区业主贷”“优享贷”“四海快融”“核心企业龙商通卡现金管理”等消费金融创新产品。龙支付个人客户、个人商户、交易笔数、交易金额均为系统第一，善融商务个人商城交易额8.5亿元，新增悦生活商户1852个，悦生活活跃交易量704万笔，搭建消费金融平台103个，落地48个。商业模式创新取得突破。借助“龙支付”“裕农通”等平台成功上线，助推商户快速拓展，个人商户18.65万户，新增13.5万户，增速269%。对公商户8.97万户，新增6.97万户，增速349%。围绕家庭需求，创新立项“楼盘社区消费金融综合服务”，开发智慧社区云平台，打造社区金融生态圈。

（四）牢牢守住风险底线，打造“平安分行”

始终将驾驭、防范金融风险放在重中之重的位置，绷紧思想之弦、怀有敬畏之心，以“反复抓”和“抓反复”为工作方法，以合规转型和风控机制建设为抓手，抓好银监会“三三四”及银行乱象专项治理，进一步强化风险管理，深入推进合规转型。截至2017年底，不良额、不良率、逾期额、逾期率实现“四降”，资产质量核心指标全面改善。资本成本控制成效突出，经济资本总量较2015年下降9.66亿元，占用率系统排名累计提升十五位，存量经济资本压缩合计超百亿元；风险成本控制得力，信贷结构调整成果喜人，新暴露不良贷款大幅减少。合规管理内容不断扩展，管理工具持续丰富，合规意识深入人心，合规保障基础持续夯实。

（五）落实“温暖工程”，提高员工幸福感

温暖工程十件民生实事顺利完成，解决了一批员工关切的问题。分行三年来员工工资人均增长26.7%；网点建设投入资金1.5亿元安装了新一代空气过滤机，员工工作环境进一步改善；各级成长学院组织员工参加业务培训达7.5万人次；组织各种文体活动4000多次，参加活动的员工和家属超过10万人次；组织慰问困难员工2894人次，发放慰问金额531万元，发放7900万元加班伙食补助，部分分支行建立了急症报告制度、想方设法为员工及家属在就医安排上排忧解难。积极开展新时期精准扶贫工作。派出25名驻村扶贫干部，截至2017年12月底，分行挂钩帮扶的98个贫困村，有超过2/3的建档立卡贫困人口实现脱贫，脱贫人口数量为5938人。分行产业精准扶贫贷款余额为92.14亿元，贷款1575笔，贷款发放金额2.73亿元。

执笔：卢洪旭

广西壮族自治区分行

广西壮族自治区分行行长　李思影
(2017 年 2 月任党委书记，5 月任行长)

一、业务发展概况

【主要业务指标】截至 2017 年底，广西区分行大负债余额 3107 亿元，一般性存款日均余额 2903 亿元，新增 293 亿元，新增、增速连续六年居当地四大行第一；县支行一般性存款日均余额 440 亿元，新增 83 亿元，创历史新高。大资产余额 2901 亿元，各项贷款余额 2407 亿元，新增 255 亿元，新增、增速连续四年居当地四大行第一。实现中间业务净收入 22.9 亿元，当地四大行占比 33.1%，居当地四大行第一。主营业务收入 101.1 亿元，增幅 8.4%；实现拨备前利润 70.4 亿元，增幅 13.8%；实现经济增加值 28.8 亿元，增幅 11.5%。不良贷款余额 15.2 亿元，不良率 0.63%，居系统第五，低于当地四大行平均水平 0.55 个百分点，资产质量保持当地四大行最优。折算后对公、个人有效客户分别新增 1.85 万户、166 万户。

【对公业务】对公存款日均余额 1632 亿元，新增 209 亿元，增速 14.7%，余额、新增额当地四大行占比均排名第一；对公非贴贷款余额 1289 亿元，新增 139 亿元，增速 12.1%，新增额当地四大行占比 25.1%。支持政府购买项目 65 个，贷款投放 115 亿元。人民币对公结算账户新增 2.6 万户，连续六年保持新增、增速四大行第一，新增四大行占比 50%，创历史新高。

【零售业务】储蓄存款日均余额 1270 亿元，新增 84 亿元，增速 7%；个人客户金融资产新增 164 亿元，创历史新高；私人银行客户 AUM 总量突破 100 亿元，增速系统排名第二；信用卡贷款余额 128 亿元，新增 37 亿元；信用卡业务收入突破 9 亿元，新增额在主营业务收入新增中占比 38%；信用卡客户净增 16 万户；快贷客户新增 18 万户；龙支付用户 96 万户。

【房地产业务】个人贷款余额 945 亿元，占全行各项贷款余额比例 39%，投放 327 亿元，新增 159 亿元，当地四大行排名第一，当地四大行占比 34%，新增占全行各项贷款新增比例 63%，投放、新增均创历史新高；其中，个人住房贷款余额 874 亿元，投放 208 亿元，新增 108 亿元；住房资金归集新增 48 亿元；与广西 14 个地市政府签订住房租赁战略合作协议，住房租赁蓝海项目实现全辖覆盖。

2017 年 1 月 10 日，广西壮族自治区分行与中国信保南宁营管部举行海外业务对接会暨专项合作协议签约、联合创新工作室揭牌仪式

【投行资管业务】全行资管投行业务资产余额为350亿元，较年初新增15亿元；理财产品销售余额为198亿元，新增46亿元，增速30%；资管投行业务融资总额为421亿元，新增41亿元，增速11%；全行资产管理和投资银行业务实现账面收入5亿元，增速24%，其中投资理财收入超4亿元，迈上新台阶。

【电子银行业务】手机银行活跃客户148万户，新增46万户；微信银行客户总量117万户，新增46万户，增速62%，系统排名第二；短信银行610万户，新增86万户；个人网银活跃客户22.6万户，企业网银活跃客户4.1万户；善融商务交易额16.8亿元；银校平台项目上线达62个，覆盖学生、家长近40万人，全渠道交易量527万笔，交易额4.3亿元，均系统排名第一。

【国际业务】对公外汇存款余额55950万美元，新增3767万美元；日均余额57096万美元，新增9067万美元，增幅18.9%；全年累计办理跨境人民币业务181亿元，办理国际结算54.4亿美元，办理结售汇业务18.7亿美元；合规管理获外汇局最高评价"A类银行"。

【其他业务】拓展10个师旅级军警账户、78个各级财政社保账户，以及南崇铁路、桂林比亚迪公司等一批高质量基本户，取得南宁市4个城区财政局国库集中支付业务独家代理资格；累计开立机关事业单位养老保险和职业年金相关账户194个，账户综合覆盖率达88%；小企业"三个不低于"监管要求全面达标；小企业授信客户新增3815户；四部委口径小微企业贷款余额268亿元，新增47亿元，增速21.5%。

二、主要工作举措

【扎实推进综合金融服务，服务客户水平持续提升】持续推进转型发展，扎根实体经济建设，成功与自治区北部湾办、糖业办、中信保、柳钢集团、广西财院等客户签订战略合作协议；打造一批专业化平台，带动各项业务综合发展，成功上线党费云、专业市场结算平台、"交管12123"APP支付系统、法院"一案一账户"系统、社会救助人员账户查询系统等平台；通过承销债券为地方政府融资304亿元，通过境内外、母子公司联动为客户融资73亿元，有效解决客户融资难的问题；举办综合金融服务进广西推介暨签约活动、海外业务推介暨海外机构联动会议等大型活动；开展"十百千万"工程，成功拓展87家"优质企业"、121个目标"圈链"、118家医院类客户、113家学校类客户以及109个社区客户，加大支持"一带一路"建设，荣获东盟博览会"2017年度最佳跨境金融服务银行"奖项。

2017年5月25日，广西壮族自治区分行举办"全面从严治党，依规从严治行"情景剧比赛

【大力发展绿色信贷业务，着力支持普惠金融业务】引领信贷资源逐步从高污染、高耗能、低效益的行业退出，主要支持南宁海绵城市基金、那考河水环境治理项目、南宁市沙江河综合治理项目、南宁市地下综合管廊PPP项目等；系统内首笔支持林业绿色产业发展的私募基金——广西国有储备林基地产业私募投资基金完成募集与投资；以区域特色产业制糖业及相关产业链作为扶持"三农"的重点，创新推出"甜蜜通达"系列产品，重点支持制糖业"二次创业"。绿色信贷新增68.8亿元，涉农贷款新增61.9亿元，普惠金融贷款新增24.2亿元，精准扶贫贷款新增5.2亿元。

【大数据应用进一步深化，渠道建设不断完善提效】顺利完成"新一代"系统上线工作；大力开展"学好用好'新一代'"活动，上报案例725个，已发布案例565个；成立数据管理部，实现代发工资、龙支付营销等多个大数据项目的开发，全行依托大数据开展精准营销的模式得到快速普及，逐渐形成"人人用系统"的工作氛围；完成三江、巴马、上林3个县支行回设；金融柜面替代率86.6%，居系统第六位；新增"裕农通”服务点577个，新增智慧柜员机217台，迁移率提升到91%；完成11个低效网点轻型化转型；移动悦生活云服务项目总数达到921户，交易量41万笔；荣获2017年度银行业协会文明规范服务五星级网点4个。

【落实创新驱动发展战略，产品创新屡创历史新高】成立广西区分行创新工作室，以创新促转型，为转型发展注入新动力；强化总行创新政策传导及重点创新指引，加强产品创新计划管理，引导全行深入研究把握“十三五”规划实施、“一带一路”等创新机遇。22个二级行部实现创新全覆盖；全年共完成产品创新100项，增幅56%；34项原创产品被26家分行共移植90项次，比上年增长246%；通过产品创新共实现利润5.22亿元，增速43%，占全行总利润的7.4%。

创新成果丰富：南宁轨道交通综合金融服务方案获2017年建设银行总行“移植创新奖”二等奖；电票服务通、我的开“薪”生活、地方财政非税收入电子化收缴、广西区分行支持21世纪海上丝绸之路建设综合金融服务方案等获总行重点推介；完成广西首单债务融资工具自动储架发行（DFI）项目，并先后为客户发行30亿元债券；为客户办理全国首笔特色小镇贷款、全国首笔资产重组类投资通业务、广西首笔合格境内机构投资者（QDII）基金汇出金融服务等；首创跨境承换通、“票据池+跨境风参”等服务模式；创新发展住房租赁业务，上线全国首个非试点行企业租赁服务管理平台。

【风险经营能力持续增强，合规管理理念深入人心】重大风险事项化解、处置取得新突破，通过抓住不良资产批量转让的机遇，组织推进“提质增效、颗粒归仓”不良资产现金回收专项活动等措施，处置各类不良资产19.1亿元，完成总行下达计划，并在系统内首次实现“资产收益权表外不良资产”转让。落实总行“风险管理职责进党委”工作要求，健全“两挂钩、七主动、三创新”的风险管理体制，持续改进“13个非现场监测”和“58个现场检查”指标体系；扎实开展“合规建行　人人践行”等活动，认真开展监管系列专项治理排查。抓好案件防控，建设“平安建行”，成功防范和堵截外部侵害风险事件81起；全年未发生新的案件、重大责任事故和重大监管处罚。

【坚持党建统领，实施人才战略，深化社会责任】全面深入学习贯彻党的十九大精神，全面深化从严治党主体责任。系统实施党建“六大工程”和纪检监察“四大工程”，扎实推进“两学一做”学习教育常态化制度化；巩固和落实中央八项规定精神成果，保持反腐败高压态势；各级班子成员开展“转走促”工作调研957次，其中区分行党委成员到基层开展“转走促”134次，切实帮助基层解决实际问题。

实施人才强行战略，切实加强领导班子和干部队伍建设。2017年共选拔、调整七职等及以上人员116人，其中调整“一把手”16人，选配二级行部党委副书记7人，安排七职等及以上干部70人交流任职。加大人才培养力度，调整交流拔尖人才16人、后备干部53人，继续选派7名优秀年轻干部参加“百人工程”，全部安排到县支行担任主要负责人职务，纳入雏鹰计划人员共305人，客户经理岗位员工占比到2017年末已稳步提升到27%。

着力落实建设银行价值理念，加强文明建设，深化社会责任。十年扎根农村扶贫的老党员韦镇雄荣获全国银行业“最美人物”称号；加强对定点扶贫村的支持，共有挂钩帮扶贫困村32个，其中分行派出驻村第一书记的贫困村3个，全年捐赠扶贫资金118万余元；员工“扶贫日”自愿捐款捐物累计50万元，参与人数比例96%，捐赠金额名列广西银行同业第一位；荣获“全国文明单位”的下辖机构达到2家（柳州分行、玉林分行），取得历史性突破；广西区分行荣获2016年度广西银行业“年度服务八桂综合贡献奖”“年度服务八桂‘小微’贡献奖”和“年度服务八桂公益贡献奖”。

执笔：刘轶菲

海南省分行

海南省分行行长　张中科

一、业务发展概况

截至2017年末，海南省分行实现税前利润20.23亿元，比上年增加2.67亿元，增幅15.23%；净利润15.16亿元，比上年增加2.01亿元，增幅15.3%；经济增加值9.99亿元，比上年增加1.96亿元，增幅24.45%。税前利润、净利润和经济增加值等效益指标全面完成总行下达的计划。全行一般性存款时点余额1053.96亿元，比年初增长83.43亿元；一般性存款日均余额1025.06亿元，比年初增长142.74亿元，增速16.18%，增速排名系统内第一。全行各项贷款余额718.61亿元，比年初新增103.03亿元，增速16.74%，增速系统内排名第二。

【公司业务】企业存款时点余额693.73亿元，比年初增长71.11亿元；企业存款日均余额667.5亿元，比年初增长117.19亿元，增速21.3%，排名系统内第二。对公贷款余额347亿元，当年累计投放127.76亿元。新发放非贴对公贷款加权利率排名系统内第四；贷款收益率排名系统内第三位；小企业贷款完成“三个不低于”监管目标。

【个人金融业务】个人存款时点余额360.24亿元，比年初增长12.33亿元。个人类贷款（不含信用卡）余额371.61亿元，比年初新增114.52亿元，个人类贷款余额、新增额均位居当地四大行第一。其中，个人住房贷款余额316.08亿元，比年初新增94.99亿元，当地四大行第一；住房资金归余额、委托性住房存款余额和公积金个人住房贷款余额三项指标继续保持同业第一。个人住房贷款加权利率系统内第八。

【中间业务】全行实现中间业务净收入6.5亿元，总量排名当地四大行第二；同比增加0.5亿元，同比增速8.4%。

【资产质量与风险控制】按五级分类口径，全行本外币不良贷款额3.51亿元（含信用卡透支），不良贷款率0.57%，资产资量继续保持当地四大行和同业前列，全年无重大风险报告事项，未发生案件、重大违规事件，未受到监管处罚，是建设银行系统未受处罚的6家分行之一；连续七年被当地人行评为反洗钱A级企业。

【创新突破】国际业务强化协同经营，2017年协同建行亚洲实现系统内首笔跨境贷款担保债券创新项目突破，完成系统内第二笔、分行首笔大额对公记账式国债交易业务。全年实现国际业务收入1.84亿元，居当地四大行第一，其中，贸易融资业务收入、境外保函业务收入和对公黄金业务收入均为当地四大行第一。资管业务计划完成率排名系统内第二。同业业务增量增速均列当地四大行第一，增幅排名系统内首位。与省军区签订“工程招投标监管协议”，完成省军区“物资采购监管”系统的上线工作并办理省军区定期存款，实现分行与省军区业务合作的突破。创新消费经营类贷款模式，以“快贷”“工商易贷通”为抓手加快消费金融发展，全年个人消费经营类贷款余额及新增均居当地四大行第一；信用卡分期交易计划完成率系统排名第三，信用卡消费交易额、分期消费额、收单商户新增及交易额等完成率均排名全国前十。2017年分行智慧柜员机账务性交易量占比58.97%，系统排名第十；自助柜员机账务性交易量占比91.87%，系统排名第四。

二、主要工作举措

【驱动转型落地，扁平化管理体制机制进一步优化】1. 强化省分行本级直接经营管理能力。一是进一步强化省分行资管各业务中心直营机构职能，集中优势，直接营销。二是建立省分行对公业务大联动平台，推行省分行各对公部门大联动营销，共同完成营销工作，共同参与考核分配。三是深化各业务委员会内部各条线之间的联动，协同作战，全量经营。四是在省分行本级设立法律事务部、普惠金融事业部和消费者权益保护部，落实监管要求，做到专业专注。

2. 强力推进各重点区域业务战略协同发展。一是建立大片区行党建工作机制，在海口地区八大片区行中设立行党总支，负责管辖区内的各个网点型支行的党建工作，以党建统领大片区行各项工作开展。二是发挥三亚、洋浦分行表率作用，在推进重大客户拓展、大零售表率、转型示范上为全行做出榜样。三是加快县支行发展。重点加快县支行的有效客户增长、个贷、小企业贷款、商户与分期、代发工资业务等五大业务转型发展，并作为行长问责重点项目强力推进。四是协同服务渠道转型升级。完成旗舰网点建设、轻型网点新设、分理处升格、自助柜员机布设等工作，打造网点差别化服务网络；持续推进营业网点向营销服务转型，截至2017年末，全行营销服务人员占比66.08%，比总行要求高6.08个百分点。

3. 实施海南省分行工单制管理。创新推行工单制管理，在业务拓展工作中涉及的重大业务、重大客户、重大系统、重大创新等营销攻坚和大数据、大平台、大客群、大商圈的协同攻坚问题，按照内容重要性、贡献度等因素分级分类，通过党委工单、支持工单或任务工单形式派发给相关单位负责落实，更好地贯彻总行转型发展及精细化管理要求，更有针对性地解决转型发展中的重点、难点、热点等问题。

4. 创新实施内部管理精细化的日督、日促系统。一是日督系统用于记录统计全行各单位日常教育监督谈话情况，省分行行领导、本级各部室和分支机构主要负责人和专兼职纪检监察干部作为主谈人，按照职责分工及管理权限，对存在不当和轻微失范行为的干部员工进行提示教育谈话，并将相关谈话情况记录在日督系统中，立足抓早抓小。全年共记录教育谈话1544条。二是日促系统用于记录统计各单位负责人日常经营管理工作履职情况，全行各级领导干部定期将个人有关工作情况或有关工作建议简要输入系统，省分行行领导、各单位主要负责人按权限可查看相关领导干部的日常履职情况，并对重点工作进行跟踪督促。全年共记录工作情况2331条。

【筑牢转型支撑，转型发展根基进一步夯实】1. 发挥金融优势服务实体经济。加大基础设施领域投入，助力区域重大战略和重点项目落地生根。全行支持省内十二大重点产业累计投放61.17亿元、基础设施行业累计投放59.08亿元、“五网”建设累计投放45.09亿元、重点项目累计投放14.75亿元、PPP贷款累计投放3.28亿元。

2. 持续做优“三大”工程。继续深入抓好“480”抓户工程、“3050”优质工程和“专业市场”展业工程。一是单位结算账户增量、增速均排名四大行第一，总量四大行份额首次突破四分之一。二是公司机构加权有效客户、个人加权有效客户增速分别排名系统内第四和第一位。三是公司机构产品覆盖度、个人产品覆盖度提升值均排名系统内第二位。

3. 协同推进大零售业务攻坚。一是深化个人客户金融生态圈建设。成功上线车友卡车用天然气充值项目，全行车友卡持卡人11.95万人，比年初新增7.51万人，成功发行宝岛通卡、实现宝岛通卡充值项目上线，有效拓展公交客群，全行宝岛通卡持卡人8.98万人，比年初新增8.86万人。二是打造总代类型供应链生态圈。借助善融商务平台，打造以善付通平台为依托的线上供应链金融生态圈。三是打造“大消费”金融生态圈。全年新增学校、医院、文化、体育等大消费金融生态圈账户22户，省内已有20家二甲以上医院与分行建立业务合作关系，业务合作覆盖面达77%；成功实现了十几家“银校通”业务合作。四是打造代发工资生态链。积极推动客户网银代发激活，全年全行新开户单位结算户签约网银达76%，签约网银客户中同步签约网银代发的达88%。五是开展商户拓展攻坚战役。全年共新增特约商户4531户，完成总行计划的354%；新增慧兜圈商户2665户。

4. 加快拓展“普惠蓝海”。一是依托海南省农资龙头企业打造农资金融生态圈。截至2017年末，已在全省建立170个惠农支付点，覆盖了除三沙市外的所有市县；共为生态圈客户发放贷款1.22亿元，安装裕农通、电话POS机、商户POS机共601个，为农资经销商、农户办理对公、个人类产品15090个。二是加快小微企业贷款业务发展。深入推进“以小为主、以微为重”的发展战略，截至2017年末，全行小微贷款户数同比新增5128户、普惠金融贷款余额40.85亿元，较年初新增19.66亿元，新增额居当地四大行第一，全面完成“三个不低于”监管目标。

5. 深耕社会民生领域。一是积极落实住房租赁市场“蓝海项目”。截至2017年末，省分行已与省政府签订了合作协议，6个市县支行与当地政府签订合作协议，已签约房企有25家。二是成功争办农民工工资代发业务。经过一年半的投标争夺，成功中标农民工工资代发业务，与海南省人社厅签署合作协议，成为省内唯一一家代理农民工工资的国有银行。截至2017年末，新开立企业代发工资430户，代发人数达4.1万人次。三是构筑工商注册服务生态链。在同业中率先与海南省工商局签署《战略合作框架协议》，与海口市工商部门签订“工商便利通”合作协议，在代办工商登记注册服务、共同发行具有金融功能的电子营业执照、建立企业注册官“驻点办公”等11项业务领域展开合作，打造“一站式”政银服务窗口。四是加快推进智慧农贸市场建设。将分行聚合支付结算方式集成于电子秤中，为市场摊主提供收单、结算、支付等金融服务。与海口市商务局、部分县域地区商务局开展合作，为海口地区多家农贸市场、农批市场摊主安装溯源电子秤；为三亚市12家海鲜市场摊主安装智慧衡器电子秤，并逐渐扩大至水果批发等市场。

6. 推进电子平台综合营销。一是持续推动电子招投标业务发展。独家承办海南三大政务中心“招投标账务管理系统”建设。二是为海南省军区提供电子商务采购服务支持。针对海南省军区的善融商务军采服务已于年初顺利上线，省军区辖内各级单位到分行开立物资采购专用公务卡43张，并成功注册成为分行善融商务客户；推动省军区相关物资供应商共13户前往分行开立对公账户，入驻善融商城。三是打造“党费通”归集服务生态链。创新推出“党费通”项目，实现党费收、支、用全流程资金管理。全年共有21家单位党组织与分行签约党费合作项目，所辖党支部达到800多个、党员七万多名。

7. 创新网点经营模式。一是进一步优化网点劳动组合，促进柜面人员进一步向营销岗位转型。截至2017年末全行网点岗位人数1250人，营销服务人员占比66.08%。二是稳步推进网点分类建设。加快推进旗舰网点、标准化综合网点、轻型网点规划，继续调整和优化自助设备布局。2017年自助银行渠道总业务量为7196万笔，账务性交易量占比91.93%，全行系统排名第二位。三是持续提升智慧柜员机使用效能。截至2017年末，分行STM交易量为342万笔，增幅达163%，STM交易量占比为59.03%，增幅达35.07%。

【强化风险管控，保障转型发展能力进一步提升】一是实施“五大底线”目标管理。包括县市分支行竞争力容忍度、网点业务底线发展目标、营运安全底线、主体责任底线、资产质量底线管理，认真落实“风险管理职责进党委（进支部）”要求。二是持续深化落实全面风险管理。组织全辖层层签订《风险防控工作责任书》，进一步完善风险管理轨迹；加强重点客户及事项风险跟踪管理，严格落实贷后集中诊断，加强不良贷款差别化管理；开展“提质增效、颗粒归仓”不良资产现金回收专项活动，全年累计非包非核不良贷款处置额47175万元，非包非核处置比率85.59%，较上年提升7.53个百分点。三是严抓狠管“两防”责任落实。制定下发分行案件防控和预防腐败工作制度，建立“两防”联席会议、“一案双查”“一案双通报”等工作机制；组织全辖签订《案件防控和预防腐败工作责任状》，层层落细落实“两防”工作责任；规范有关案件（风险）信息报告，及时有效应对处置案件；组织开展“三清查”专项治理工作和监管部门系列专项整治、总行重点领域案件风险专项整治工作。四是从严抓好合规经营管理工作。制定分行合规工作指引、合规管理主体考核评价办法、合规审查操作细则，强化同级管理和基层合规能力建设；全年审计监管检查发现问题229个，内部审计发现问题整改完成率98.19%，外部监管检查发现问题整改完成率90.76%，整改实效不断提升；着力抓好洗钱风险、监管风险、操作风险和法律风险管理，实现全年无监管处罚。五是认真抓好安全管理工作。层层签订安全保卫目标责任书，进一步完善“三级管理、五级防范”责任体系；对全行62个分支机构进行全覆盖式的安全生产大检查；加强案件风险管理，协助公安机关做好打击电信网络诈骗工作；加强信息系统安全运维管理，全年未发生六级以上安全生产责任事件，实现重要生产系统可用率达99.99%以上的运行目标；积极稳妥做好信访维稳工作，维护正常办公营业秩序。

【扎实推进精细化管理试点工作】一是认真落实总行精细化管理工作会议精神，制定《分行2017年精细化管理推进工作方案》，构建系统性精细化管理框架。二是持续推进总行级主办银行客户精细化管理工作，并推广至11户分行级主办银行客户和13户当地龙头企业，实现总主客户一户一策一表、综合金融服务方案覆盖度、客户走访次数等完成率100%。三是制定资本精细化管理15项重点工作，精细化推广综合定价系统，提高经济资本和贷款资源配置、综合定价等能力。截至2017年末，分行经济资本回报率30.8%，较年初提升3.22个百分点；全行一般性存款付息率1.15%，较上年下降0.02个百分点；新发生全部非贴贷款加权平均利率5.05%，排名系统第二、当地四大行第一。其中，新发生对公非贴贷款加权平均利率排名系统内第四、当地四大行第一；新发生个人类贷款利率水平排名系统内第十。

【稳步做好“新一代”项目建设各项工作】一是顺利完成新一代3.2期对私业务境内分行推广项目实施工作。二是圆满完成总行“两地三中心”海南分行切换上线试点工作，成为系统内首家完成员工渠道“两地三中心”投产的分行。三是高度重视并认真做好“学好用好‘新一代’”各项工作。制定《持续开展学好用好“新一代”活动实施方案》，做好学习研究、应用推广、总结提炼“新一代”案例工作，获得总行肯定并发布208篇。

【扎实从严做好管党治行】一是深入学习宣传贯彻党的十九大会议精神。各级领导干部带头宣讲党的十九大会议精神，分行党委成员带头深入支部、网点讲党课，以上率下示范带动全行各级领导干部做宣讲，全行各级领导干部共讲授专题党课359次。二是深入推进“两学一做”学习教育常态化制度化。建立党支部的问题清单、责任清单、整改清单和党员的问题清单、整改清单和销号清单，并持续加强对问题清单整改的督促和落实。三是抓好“党建工作十二条”，进一步规范基层党组织党建工作。

【在队伍建设上加速培养和结构优化并举】一是严把选人用人关，调整充实领导班子力量，优化领导班子结构，激活基层领导活力。二是加快推进“213人才工程”，坚持在竞争中选拔、在实践中锤炼、在实绩中使用，实施“213”人才库动态调整。三是推动基层行负责人后备人才建设，完成省分行两批挂职人员挂职结束考核及岗位安排。四是重视青年员工培养。加大各类人才工程项目对青年人才培养支持力度，为青年员工成长搭台筑梯。五是高度重视加快客户经理队伍建设。组织实施“优秀客户经理精英培养计划”，加快打造数量和质量都与转型发展要求相适应的客户经理队伍。

【统筹抓好扶贫和员工关爱等工作】一是扎实做好定点扶贫和金融精准扶贫工作。创新实施捐赠帮扶、产业帮扶、教育帮扶、基础设施帮扶、转移就业帮扶等金融帮扶模式，圆满完成年度扶贫攻坚任务，帮扶对象收入增幅均高于当地平均水平。二是用心做好员工关爱工作。开展经办岗位职务与职等并行制度，对长期在基层经营部门、经营岗位的员工，在原业务员分别对应十五至十职等的基础上向上延伸4个职等，拓展基层营业网点员工职业发展空间；完善工资分配机制，推行薪酬分配向基层倾斜政策。

执笔：张　斌　王天雷　黄　智

重庆市分行

重庆市分行行长 王晓永

一、业务发展概况

【主要指标】全年实现拨备前利润83亿元，中间业务净收入25.5亿元；一般性存款余额2867亿元，日均新增188亿元；本外币各项贷款余额3000亿元，新增180亿元；不良率0.79%、逾期率0.96%，主要业务指标居当地四大行前两位。

【公司业务】对公人民币存款日均新增112.7亿元，贷款新增46.8亿元、增幅3.43%；单位人民币全量账户新增1.78万户，基本账户新增1.42万户，余额和新增均为当地四大行第一。公司机构有效客户达4.45万户，占比系统第七。

【零售业务】个人客户综合竞争力居系统十一位；新开户有资产客户占比83.97%，系统第五；个人全量资金新增当地四大行第一，其中，投资理财资金日均新增129亿元，增速30%，系统第九；理财产品余额261亿元，当地四大行第一。

【房地产业务】房地产类贷款投放73.71亿元，优质房企贷款余额93.37亿元，占比达77%。累计退出中小民营房企31户，退出金额20.21亿元；主动退出风险隐患客户12户，退出金额10.86亿元。成功落地万科、龙湖、碧桂园优质并购项目，累计投放18.98亿元。

【投行资管业务】承销银行间市场债券融资工具70.9亿元，其中非金融企业债务融资工具63.4亿元，系统排名第十九，当地四大行第一，市场第一；承销及认购重庆市地方政府债189.15亿元，市场第三。配置高收益资产125.24亿元，系统第十六名，年末高收益资产366.49亿元，系统第十；年末理财产品规模491.1亿元，系统第十六名。资产组合型理财产品余额332.1亿元，系统第十一名。债券承销规模保持当地四大行“四连冠”，首夺全市场第一。

【电子银行业务】手机银行客户新增88.2万户，交易额11464.57亿元；移动金融交易量占比85.57%，系统第十；善融商务交易额53.8亿元，系统第十一名；手机银行客户数市场占比超三分之一，交易量和交易额超50%。

【国际业务】外币企业存款日均余额110.9亿元，系统第十一，当地四大行第二；国际收支客户数当地四大行第二；中新（重庆）互联互通项目项下贷款金额、笔数市场占比保持全市第一；

2017年6月21日，重庆市分行举办“善融链通 智通道合”2017年产业链融资客户推介会

连续7年获市外汇局外汇政策执行情况A级评价，贸易融资不良率保持为零。

【资产质量与风险控制】不良贷款余额23.80亿元，不良贷款率0.79%，系统排名第七、当地四大行第二；逾期率0.96%，系统第十一名，当地四大行第一。信贷资产损失准备金保有额54.59亿元，拨备覆盖率229.40%，拨备率1.82%。全面完成资产质量管控目标，资产质量继续列系统和当地四大行前列。

【内控合规建设】扎实开展银监会“三三四十”专项整治，获重庆银监局肯定；外汇政策执行情况获重庆外汇局A级评价；强化消保工作，客户投诉笔数同比下降17%，监管转办投诉四大行最少，银行业文明规范服务“双十佳”获奖人数四大行最多；做实反洗钱工作，被当地人民银行评选为2017年重点可疑交易报告优秀机构。

【其他业务】同业资金运用量近1300亿元，系统第八；托管规模超过1300亿元，其中企业年金托管资产规模新增5.3亿元，当地同业第二，计划完成率265%；实现托管费收入1.06亿元，托管业务收入超过1亿元，系统第七。企业年金受托资产规模新增0.76亿元，计划完成率300%。信用卡净增27万张，客户净增15万户，净增商户7482户。

二、主要工作举措

【坚持固本强基，不断夯实发展基础】一是持续夯实客户基础。确立“26111”“5131”经营

2017年12月4日，重庆市分行召开党员干部大会

目标，深入开展客群化、场景化经营。对公重大客户账户取得突破，成功开立油气中心、中建、神华等多个关键账户，开立机保账户54户，全市第一。个人有资产客户新增53万户，其中私行客户新增165户。二是持续优化业务结构。推进“零售优先”战略，83%的信贷资源用于零售业务发展，个人客户金融资产、贷款余额、零售业务EVA占比分别较年初提升1.6%、3%和8%，个人消费贷款当地四大行中唯一正增长。优先支持行业信贷增速18%、基建类贷款增速20.8%，分别高于对公信贷平均增速19%、14%；实现长安汽车、航交所等一批优质核心客户网络项目上线。积极谋划区域结构调整，针对渝西和库区研究制定信贷业务资产包，启动向两大区域业务拓展工作。三是持续加强渠道建设。制定标准的手机银行营销流程，微信覆盖度、手机银行活跃度、移动金融交易量分居系统第一、第十、第十。推动建立网点等级管理机制，出台28项措施，提升网点服务能力；打造25个旗舰网点、21个轻型网点，推动40个网点升格，投放智慧柜员机1000台，ATM综合考核系统第五。

【坚持回归本源，不断提升服务实体经济能力】一是集中资源服务重大战略。密切跟进“一带一路”、长江经济带建设以及内陆开放高地建设等重大战略，向铁路、机场、轨道等重点领域提供综合融资1738亿元；率先在两江、西永等自贸区核心区域挂牌成立经营机构，并落地非银金融机构跨境借款和结汇等业务。二是积极服务供给侧改革。钢贸、煤贸、产能过剩行业融资余额同比下降26.26%；新增住房按揭贷款190亿元，余额全市第一；区域内率先推动综合化降杠杆一揽子金融服务方案，化医、建工“债转股”项目顺利实现投放20亿元；通过投行渠道投放资金415亿元，累计承销债券71亿元，全市第一。三是着力服务社会痛点难点。率先在系统内实现住房租赁业务融资租赁投放，成功与重庆市国土局签订首个省级非试点城市战略合作协议，并获得为房管局独家搭建商品房交易监管平台的授权。全力发展普惠金融，新增“小微快贷”客户逾4000户，普惠金融计划完成率达122%，全面完成“三个不低于”监管目标。全力助推扶贫攻坚，13个贫困区县贷款余额达425亿元，新增37

亿元；首次将“母亲健康快车”引入重庆，组织员工为对口扶贫区县募集资金逾140万元，建档立卡贫困人口全部如期脱贫，荣获重庆市“精准扶贫示范金融机构”称号。

【坚持内涵式发展，不断提升经营管理效能】一是深入推进精细化管理。高质量完成九大精细化管理项目，启动“三个一”全员精细化管理活动，实施财务事项审批优化、人力资源精细化配置、网点集中授权等工作，进一步提升经营管理效率。二是加快建立大数据支持的管理模式。积极推动“新一代”、大数据运用，加快银企直联，与国土房管局、电子口岸中心、国税局等实现系统对接；批量拓展产业链客户312户，提供供应链融资91亿元；反洗钱、反欺诈智能化水平大幅提升。三是加强机制建设。推动建立覆盖经营部门、非经营部门、直管分支行、网点的评价体系；确定“能上能下”的基本原则和标准，多维度完善直管领导薪酬分配体系；推进区县支行和一线网点分类管理、进位升级，营造比学赶超良好氛围。

【坚持创新发展，不断提升服务客户能力】一是强化创新驱动发展。推动成立创新委员会，组织全员参与创新活动；探索创新项目制，完成创新产品128项，获总行“创新进步奖”，成功开办14项全国、全市以及系统内首笔业务。二是加快推动轻资产业务发展。深化私人银行客户经营，加强私行专营机构建设，强化“1+1+1+N”团队服务模式执行，2017年私人银行客户AUM新增31.3亿元，增速系统第四。

【坚持严守底线，不断强化风险管理】一是压实风险管理责任。深入推进“风险管理职责进党委”，班子成员靠前指挥，双十大项目较年初下降15亿元，化解率47.5%；落实“五个到位”要求，明确9大风险牵头部门，推进建立覆盖全员、全流程、全机构和各类风险形态的风险管理责任制。二是强化重点领域风险防控。建立重点业务发展与主动风险防控联席会议机制，将风险管理融入资管、同业、金融市场交易等新兴业务流程；深入开展房地产开发贷款、供给侧改革涉及企业、大中型民营企业等重点领域风险排查、化解工作；成功应对资产组合理财产品流动性风险压力。三是提升不良资产处置质效。推动不良资产由被动处置向主动经营转变，全年处置不良资产20.98亿元，同比增长15%，其中回收盘活占比56%；实现已核销资产现金回收4133万元，完成率210%。

【坚持从严管党治党，不断改进工作作风】一是做实党建工作。出台“一要点一方案一意见”和《党建工作量化评价办法》，明确41项年度重点工作和党建7个方面65项工作任务；深入学习宣传贯彻党的十九大精神，牢固树立“四个意识”，坚定“四个自信”；扎实推进“两学一做”学习教育常态化制度化，推动党员教育融入日常、抓在经常；持续扩大党组织覆盖面，将3个党总支升格为党委，7个党支部升格为党总支，增设党支部128个。二是加强党风廉政教育。充分发挥教育的治本功能，组织开展“守纪律、讲规矩”主题宣讲、“六比六增强”等主题活动，深入开展四个重点领域专项整治和“三清查”工作，全年无案件发生。三是强化干部队伍建设。完善干部选育用退制度体系，增强选人用人工作规范性、科学性和精准性；初步构建四至九职等全覆盖的后备干部队伍，出台客户经理队伍建设实施意见，制订投资银行业务、国际业务等多项专业人才培养计划；开展直管干部竞争上岗，选拔优秀年轻干部；启动“213（双百）人才”专属培养项目。四是持续深化作风建设。完善行领导基层联系行制度、对外联系机制，全年党委成员到部门及支行调研92次，解决实际问题239个；出台机关作风改进方案，开展“行领导接待日”“机关员工站大堂”等活动；围绕工作、成长、文化、学习、生活关爱等五大方面，扎实推进员工关爱措施，全行干部员工满意度和获得感显著提升。

执笔：余　婧

四川省分行

四川省分行行长　杨丰来

一、业务发展概况

一般性存款时点余额8646亿元，新增673亿元，分别居系统第四、第三；日均余额8375亿元，系统第五、当地四大行第二，日均新增913亿元创历史新高，系统第三、当地四大行第一。各项贷款余额4611亿元，新增477亿元，其中对公非贴贷款新增263亿元，个人贷款新增277亿元、当地四大行第一，均创近年新高。实现中间业务净收入43.1亿元，当地四大行占比26.4%。实现拨备前利润160亿元、系统第七。成都连续四年在总行重点城市行考核中居系统首位。

【公司业务】对公存款日均新增705亿元创历史新高，保持当地四大行第一。对公有效客户加权新增4.2万户，创历史新高，系统第四。新增单位人民币结算账户5.6万户，当地四大行占比53.4%，连续两年保持第一，账户总量28万户，首次超越农行居当地四大行第二，当地四大行占比29%，提升3个百分点。落实总行与省政府战略合作协议，主动对接重大基建项目，各项融资发放额1500余亿元。

【零售业务】个人有效客户加权新增363万户、客户金融资产新增548亿元，均居系统第六。公私联动拓展代发业务，代发有效个人账户新增125万户、系统第三。狠抓重点卡拓展，惠福龙卡发卡15万张，成都社保卡发卡156万张、主城区市场占比32%、同业首位。

【房地产业务】成都地区个贷余额、新增均居当地四大行第一。二手房贷款在房贷新增中占比58%、提升22个百分点。房地产开发贷款余额96.5亿元，较年初新增6.1亿元。

【投行资管业务】加快发展直接融资业务，认购地方政府债券462亿元，系统第一、同业第二。加大债券承销发展力度，推广资产支持票据、永续票据等新产品，承销债券93亿元、当地四大行第二。加强与四川发展、成都交投、天投集团等客户业务协同，投放产业基金20亿元。重点支持棚户区改造等项目，运用投资通等新产品，理财产品入池104亿元。实现资管投行业务收入7亿元，占对公中收近40%。

【电子银行业务】推进"移动为主"，组建线上营销团队，线上累计吸纳行外资金66亿元，手机银行用户AUM占比同比提升12个百分点。创新推出"财智引擎"，线上理财产品销量同比增加44%、基金销量同比翻番，手机银行账户贵金属交易人数系统第二、提高十一位。运用新媒体累计营销客户1600万人次，累计吸引14万个他行客户转化为我行客户。将客户首次风险评估嵌入新开户、新签约电子银行流程，同步率64%、提升54个百分点，移动金融交易量占比85%、提升15个百分点。

【中间业务】实现中间业务净收入43.1亿元，当地四大行占比26.4%。信用卡中间业务收入12.5亿元，当地四大行占比34%、排名第一、提升2.4个百分点，占分行中收的29%、提升7个百分点，资产质量、客户满意度同业最优。发挥造价咨询业务优势，提高对重点客户的审价服务水平，实现中收1.4亿元。黄金租借业务创造中收近亿元，成为

2017 年 12 月 18 日，四川省分行与四川省住房和城乡建设厅举行住房租赁金融战略合作协议签约仪式

系统内开展线下黄金租借业务的 3 家试点行之一，金融市场收入当地四大行第一。

【国际业务】新增国际收支客户近 1500 户、增速 14%，国际结算量、跨境人民币结算量分别突破 170 亿美元、270 亿元人民币，创历史新高，增幅均居系统前三。累计办理跨境融资业务 145 亿元、系统第二，同业占比超过 80%，并在 13 家兄弟分行进行产品移植。加快金融市场业务发展，代客资金与贵金属收入“双超”工行。

【资产质量与风险控制】压缩风险客户 61 户、信贷金额 35 亿元。加强风险客户经营管理，分别压退总行、省分行“三十大”风险客户贷款 3 亿元、16 亿元，267 户预警客户压退 198 户、86 亿元。成立押品管理团队，实施公司信贷业务押品准入、价值评估等 6 个环节的集约化管理，押品重估比例、押品覆盖率均为 99.9%，分别高于系统平均 0.2 个和 0.5 个百分点。完善不良资产联合处置机制，全年共处置不良资产 21 亿元，其中现金回收 6 亿元。不良贷款额、不良率均控制在总行计划内。

【内控合规建设】开展全行制度重检，规范制度入库管理。规范业务流程和业务操作，形成内控流程管理闭环。实现反洗钱可疑交易分析一级分行集中处理，释放基层人力资源。加强对反恐怖、反分裂、反贪腐、涉毒犯罪和非法集资等资金及客户的监测。分行保持总行内部控制等级一类行地位。

【其他业务】加快推进住房租赁项目，系统内率先与全部市州签订战略合作协议，顺利上线政府监管服务系统，大力拓展房源、租客，房源发布量破万套，实现线上交易近千笔，均居系统第一。

二、主要工作措施及成效

（一）大力拓展零售业务

零售条线税前利润占分行的 52%、提高 5 个百分点，EVA 占分行的 67%、提高 8 个百分点。差异化营销优质单位中高层、CTS 高净值等富裕客群，VIP 客户新增 7.6 万户、系统第二。强化资源整合、联动拓展，私人银行客户金融资产新增 56 亿元，增速 17%。顺应房地产宏观形势和政策调整。“快贷”市场反应良好，新增 64 亿元、系统第五，加权利率 5.8%、系统第一。个人贷款、房贷、消费经营类贷款较年初新增额（还原证券化后）均居四大行第一，个贷不良率 0.2%，当地四大行最优。

加大信用卡业务推进力度，净增发卡 71 万张、系统第五，信用卡累计客户数 367 万户、消费交易额 841 亿元、中间业务收入 12.5 亿元均居当地四大行第一，资产质量、客户满意度同业最优。同时，进一步加快代理保险、基金、理财产品发展力度，实现代理保险收入 4.5 亿元、系统第五，代理基金收入 0.9 亿元、当地四大行第二，理财产品收入 1.6 亿元、系统第五。

（二）持续夯实对公业务基础

运用“新一代”报表工具开展精准营销，高综合贡献度商户新增 2429 户、系统第三，带动日均存款新增 160 亿元、系统第二。建立负面清单，完善工作机制，突破财政、社保、教育、卫生等行业空白点 50 个，系统内率先向大军区级客户推荐“军建安鑫”业务，开立军警账户 5 个，军警存款新增创历史新高。CTS 客户新增 33 万户，两融客户突破 10 万户，保持同业第一。机构存款日均余额 3172 亿元、新增 561 亿元，均居系统和四大行第一。

巩固传统领域市场份额，大力营销供水燃气、污水处理、医药旅游等行业，中型客户贷款新增 7.6 亿元、增速 21%。加快发展直接融资业务，认购地方政府债券 462 亿元，系统第一、同业第二。加大债券承销发展力度，推广资产支持票据、永续票据等新产品，承销债券 93 亿元、当地四大行第二。重点支持棚户区改造等项目，运用投资通等新产品，理财产品入池104亿元。实现资管投行业务收入7亿元，占对公中收近40%。

强化现金池、票据池、金融IC单位结算卡等产品应用，对公一户通沉淀存款2130亿元、系统第一，金融IC单位结算卡净增1.5万张、系统第六。发挥造价咨询业务优势，提高对重点客户的审价服务水平，实现中收1.4亿元。深化与核心企业（平台）合作，成功办理系统首单“e点通”业务，挖掘电子商票业务潜力，累计投放供应链融资30亿元，票据承诺、国内保理收入增速分别为67%、137%。

（三）积极履行大行责任

普惠金融贷款余额123亿元，新增41亿元。坚持“以小为主，以微为重”，大力推进“小微快贷”“房押快贷”“云税贷”等产品，“小微快贷”支用客户新增1万余户、系统第二。研发“小企业助手”，助力网点营销和强化过程管理，系统内率先上线“电商e贷”，强化批量营销。小企业贷款不良率、不良额实现“双降”，全面完成“三个不低于”监管要求。

投放金融扶贫贷款111亿元，优选20个项目用好扶贫捐赠额度。发挥党建扶贫政治优势，选优配强帮扶干部。全分行对口帮扶建档立卡贫困户3000余户、贫困人口逾万人，实现800余户、近3000人脱贫，省分行荣获四川银监局“四川银行业扶贫工作先进单位”、中银协“年度最佳公益慈善贡献奖”。

（四）增强全渠道服务能力

成都自贸试验区支行、天府国际机场支行在同业中率先开业，建成开业20家网点、28个自助银行，升格23个分理处为网点型支行。持续优化网点服务，获评中银协6个五星、12个四星、6个三星网点。提升智慧柜员机渠道效能，布放智慧柜员机2648台，投产率100%，产品服务迁移率90%、系统第三，综合排名系统第一。柜面人均账务性交易量3800笔、下降33%。推广自助设备“存折取款”功能，试点升级版自助柜员机、自助设备“刷脸取款”功能、“集客通”项目，自助渠道综合排名系统第三。

打造行业、商圈等领域的规模化支付场景，系统内率先在STM创新上线交通罚款、公积金等8项特色业务，业务量超100万笔、系统第一。以聚合支付、悦生活为抓手，上线交通出行、生活缴费等民生领域107个应用场景，悦生活场景活跃率42%、系统第一。围绕购物、餐饮、娱乐、专业市场，全力拓展龙支付商户、善融商务等服务平台，新签约个人活动商户6万户、系统第三。投放300台“龙易行”移动设备，交易量、交易金额均列系统第一。运用银企直联、账单自助等产品，进一步巩固与省公积金中心、华西医院等41家重点客户业务合作。

（五）努力提升精细化、集约化管理水平

优化考核激励机制，51家分支行拉通评定等级行。建立房租谈判机制，房租费同比下降3.4%。抓好审批质量和效率管控，审批时间较2016年缩短1.3个工作日、降幅5.5%。完善对公业务“一行一策”管理机制，梳理重点客户市场份额，合理制订目标计划，联动加强营销服务，进一步提升市场竞争力。统筹推进创新工作，自主创新110项，移植创新112项、系统第六，获评总行创新进步奖。

开发特色系统，同业首家支持社保线上缴费、线下跨区域缴费，实施征信查询、商户维护、小企业信贷录入等多项创新集中，累计实现40项业务前后台分离，业务量系统第六。实施营运集约管理与作业分离，首批剥离操作性岗位31人。系统内首家将集中稽核监控纳入业务全流程管理，延伸稽核监测服务至小企业信贷等领域。建立省交通厅直接服务机制，连续14个月ETC清算零差错、同业第一。

加强“新一代”的上线推广和学习应用工作，“龙易行”“云筑e点多核通”等9个案例候选总行优秀案例，占全行总量的6%。运用精准营销平台，营销客户1354万人次，借助“新一代”稽核和大数据技术，全流程管控小微企业风险。通过“活客通”系统，网点场景式营销客户2500余万人次，获评总行产品创新三等奖。组织开展40个特色研发、20个大数据分析挖掘项目，进一步转化为实际生产力。

（六）持续抓好风险防范和案件防控

加强信用风险管控，完善党委成员重点督导机制，13家重点督导行不良率下降0.7个百分点，其中7家行不良额、不良率实现“双降”。将个贷业务纳入统一风险管理体系，进一步提升个贷风险防控能力。省分行上收理财业务放款审核，扩大集中放款覆盖面，审核6516笔、金额1631亿元。

坚持“机控优于人控”，依托自主开发的“岗位操作风险报告系统”，主动识别风险点。紧盯重点人、重点事、重点部位，持续开展信贷业务、柜面业务、集中采购、公章管理专项整治。扎实开展保密印章检查、安保工作座谈帮扶，高度重视内外部审计检查发现问题整改，进一步提升合规管理能力。主动化解媒体敏感信息，维护良好形象。

（七）不断深化全面从严治党

逐一签订《全面从严治党责任书》，明确责任；组织部分基层党组织书记现场述职，严格考核。推进“两学一做”学习教育常态化制度化，通过巡回宣讲、讲授党课等形式，深入领会习近平新时代中国特色社会主义思想丰富内涵。做好总行党代会、党的十九大代表选举，呷西哈姆被选为建设银行参加党的十九大两位基层党员代表之一。完善省分行机关党委设置，实现基层党组织对所有机构全覆盖。持续开展“三亮三比三评”，深化双向培养工程。制定《省分行党委班子成员严格执行中央八项规定精神和总行党委十项要求的实施意见》，专项管理类费用均控制在总行计划内。加大基层调研力度，广泛收集意见建议，推动党建工作和业务发展。加强廉洁从业教育，开展“三清查”及违反中央八项规定精神专项整治，进一步强化巡视工作。持续深化“三转”，加大执纪问责力度。

分行统一思想，提高政治站位，积极配合完成总行巡视工作，严格落实整改要求。

严格遵循《党政领导干部选拔任用工作条例》。创新开展KTI考核，履职打分调整为按条线排序打分，增强可比性，合理拉开差距、展示业绩。建立竞争性选拔平台，公开竞聘专职贷款审批人、资产管理业务中心总经理。强化重视基层用人导向，推进机关员工下一线。在省分行开展轮岗交流、员工互派项目。推进“专业人才成长计划”，建立100余人的数据管理与分析、电子银行营销、国际化等专业人才库，启动金融科技、科技信贷、私人银行等领域专业人才选拔。

做好九寨沟地震抗震救灾、灾后重建金融服务工作。组织“最美建行人”“十佳基层网点”评选，为优秀员工发挥先锋示范作用搭建平台，12人次分获“全国金融五一劳动奖章”、“四川金融五一劳动奖章”等称号。深化文明创建，2家单位获评“第五届全国文明单位”，4家单位获评总行级文明单位。完善消费者权益保护工作机制。加强员工关爱，补助72个职工之家、职工小家建家资金495万元，看望慰问困难员工278人次、金额112万元。

执笔：彭昌睿

贵州省分行

贵州省分行行长　王　浩

一、业务发展概况

【主要业务指标完成情况】2017年，分行一般性存款日均余额2511.17亿元，当地四大行占比余额保持第二，新增183.94亿元，增幅7.90%。其中，对公存款日均余额1527.38亿元，个人存款日均余额983.79亿元。各项贷款时点余额1926.03亿元，新增196.61亿元，增幅11.37%，新增为近三年最高，增速系统内排名第九位，高于全国和西部地区平均水平。其中，对公贷款时点余额 1255.15 亿元，新增 90.19 亿元；个人贷款时点余额 670.88 亿元，新增 106.42 亿元，新增额当地四大行第一，新增当地四大行占比 34.23%。实现税前利润 55.68 亿元，较上年增加 1.43 亿元。经济资本回报率 32.60%，系统内处于领先水平。

【公司业务】一是公司机构客户及账户持续提升。单位结算账户新增、增速及当地四大行占比提升值均排名第一，新增当地四大行占比达 53.92%，新开基本户占比达 82.23%；公司机构全量客户、加权有效客户均实现提比进位，其中加权后有效客户增速系统内排名第六位；产品覆盖面为 5.43%，提升值系统内排名第七位。二是持续加大支持基础设施力度。支持贵遵扩容等高速公路及瓮马铁路、夹岩水库等重点基础设施项目，共支持全省 3800 多千米高速公路和 1300 多千米的铁路建设。三是大力支持绿色信贷，促进信贷结构调整。重点支持清洁能源、绿色交通、污水处理等项目，独家支持省内首个垃圾发电项目。绿色信贷领域贷款余额 309.49 亿元，增速为 13.74%。四是借力“贵工贷”，支持企业发展。借力省政府扶持工业中小企业融资实施平台，全年发放“贵工贷”金额 25.61 亿元，获得省政府风险奖补金 4300 万元，同业排名第二。五是扎实开展金融精准扶贫工作。投放全国首笔政府购买模式下的易地扶贫搬迁贷款。金融精准扶贫贷款余额达 268 亿元，贷款服务贫困人口 1260 余万人。六是巩固财政社保传统优势。共获得 6 期省级财政国库定期存款 128.95 亿元，当地四大行占比 24.8%；全省财政业务和社保业务覆盖度分别达到 79% 和 91%；实现各级预算单位零余额账户新增 95 个，业务代理量超过 1200 亿元。七是同业业务实现转型发展。新增银行同业账户 5 户，全年累计办理非结算性同业存款 271 亿元，累计办理资产业务 108.4 亿元，实现综合收益 1.69 亿元。同时，实现系统内首笔国开行同业投资业务办理，带动资金结算新增 79.73 亿元。八是普惠金融业务发展迅速。普惠金融领域贷款余额 43.54 亿元，较上年增加 15.34 亿元，计划完成率 137.45%，系统内首家提前完成总行普惠金融领域贷款新增计划。

【零售业务】个人全量客户为 1021 万户，当年新增 86 万户，增速 9.2%，系统排位第九。个人有资产客户 599 万户，当年新增 63 万户，增速 11.8%，系统内排第七位。个人加强有效客户 876 万户，当年新增 110 万户，增速 14.4%。八项可比产品中代销基金、个人短信、实物贵金属、代理保险、国债五项产品排当地四大行第一。信用卡客户净增 23.2 万户，计划完成率 105%；净增发卡、净增客户同比增幅分别为 109.4%、40.6%，分别排名系统第一和第三。分期交易额 61.46 亿元，同比增幅 65.8%，计划完成率 102.43%。

【房地产业务】涉房贷款余额为 45.14 亿元（房地产、保障房、棚户区改造），较年初新增 10.59 亿元。全年累计投放 30 亿元，主要支持了中铁、保利、碧桂园等房地产优质客户。累计实现涉房贷款回收 19.41 亿元。个人住房贷款（小口径）余额 500.29 亿元，较年初新增 50.22 亿元，当地四大行占比分别为 28.79% 和 20.2%。全年住房资金存款余额 84.51 亿元，较年初新增 14.86 亿元，同比多增 7.81 亿元，稳居同业首位。

【投行资管业务】理财资产配置余额达到 169.69 亿元，较年初新增 31%，余额增幅在系统内排第七位；全口径理财产品收入当地四大行占比 41%，同比提升 5%，总量、增量、增速均列当地四大行第一；全年完成地方政府债券承销 290.78 亿元，市场占比 13.85%。

【国际业务】外汇存款时点新增 9571.18 万元，计划完成率 141.8%；日均新增 8150.44 万元，计划完成率 215.73%。全年共保有国际收支客户 182 户，同比增加 37 户，增幅 25.52%。国

2017 年 3 月 4 日，贵州省遵义湄潭支行走进建材市场宣传分行家装分期业务

际收支客户同比增速系统内排名第五。累计实现中间业务收入4110.75万元，增幅41.93%。全年累计实现国际业务信贷产品投放27.33亿元，贸易融资信贷余额19.16亿元。

【电子银行业务】移动金融交易量占比达84.52%，全国排名第十七位。个人手机银行用户数增速全国排名第六位；个人网银用户数增速全国排名第四位；个人短信银行账户数增速全国排名第二位；微信银行用户数增速全国排名第十五位。手机银行交易额、个人短信银行当地四大行排名第一位，占比分别达53%、36%。善融商城扶贫交易额3957万元，全国排名第十七位。在善融商城率先开立贵州扶贫馆。

【资产质量与风险控制】不良贷款18.08亿元（审计后，含信用卡，下同），较年初增加0.73亿元，不良贷款率0.94%，较年初下降0.06个百分点，顺利完成总行下达的资产质量控制目标。全年累计处置各类不良资产5.86亿元，实现不良资产现金回收（含批量转让现金回收）2.98亿元。

【内控合规建设】制定《贵州省分行“合规建行，知行合一”合规管理强化年活动实施方案》，完成20项业务、产品的合规性审查，10个业务单元共提出修改意见69条，被采纳63条。推进实施可疑交易分析全省集中作业，设立反洗钱中心，完成全省集中任务。

【其他业务】全年实现母子公司联动新增投放78.93亿元，同比增长54.13%。首笔“e信通”业务成功落地。实现首笔交易所公司债券2

2017年12月26日，中国建设银行“母亲健康快车”贵州捐赠暨发车仪式在贵州省贵安新区举办

亿元投资业务。省公积金中心G系统通过双贯标验收。“云税贷”试点行投产上线，发放小微快贷3.03亿元。

二、主要工作措施

【优化业务结构，持续转型发展】进一步压缩煤炭、火电、化工等去产能行业信贷，腾出存量规模103.86亿元，有力支持重点领域、优质客户和项目的融资需求。一是服务重大工程项目，重点支持交通运输、水利、环境保护等基础设施和公共服务领域，加快推进PPP项目营销拓展和内外部银团贷款组建，提供综合融资210.4亿元。二是大力发展普惠金融业务。促进大数据与信用体系融合，拓展“云税贷、筑信贷”等精准合作平台，推广应用标准化、小额化大数据贷款产品。全面完成“三个不低于”监管要求。三是支持消费市场升级。个人贷款多点发力，“快贷”新增31.87亿元，信用卡分期交易额61.46亿元，消费贷款余额首超对标行。盘活存量个人住房贷款32.98亿元，个人贷款合计新增106.42亿元，保持四大行第一。

【依托产品优势，加快改革创新】一是实现融资创新突破。创新毕节试验区贫困县涉农资金整合贷款，新增投放六盘水“三变”扶贫产业基金24.2亿元。“水利投资通”股权类产品在全省推广，新增投放9.7亿元。相继发放“兴黔支持贷”6亿元、全国首笔政府购买模式下易地扶贫搬迁贷款3亿元、首笔子公司支持棚改项目融资10亿元。主承销全国首单产业扶贫中期票据4亿元。二是积极推进产品创新。全年完成创新项目73项，推出银税易贷、智慧医疗、“三变”扶贫产业基金等创新产品。三是推进业务扬长补短。大资管业务有效推进，理财产品收入3.28亿元，增幅53.24%，首次排名第一。银团贷款市场份额提升，增长3251万元，增幅49%，收入系统内排名第六。新型结算业务实现收入4825万元，增速83.6%。重点产品收入较上年增长3.43亿元，占比达到52%，形成中收有效增长的骨干支撑。

【坚持客户账户战略，夯实业务发展基础】一是持续拓展客户面。与各层级工商部门开展全面合作，推进工具创新和流程创新，构筑工商服务生态圈。单位人民币结算账户增长2.43万户，增幅23.82%，账户新增、增速及当地四大行占比提升值均为第一。个人全量客户数增速9.2%，系统排位第九，较年初提升六位。二是突破重点深化战略合作。有序推进与遵义市、毕节市、贵安新区战略合作。深化教育、医疗行业合作，银医通、银校通项目新增系统内排名第二。破冰贵州军区开立定期存款账户，实现全省军警客户全覆盖战略。成功与省住建厅及各市州住建部门签订住房租赁业务战略合作协议，住房租赁战略措施顺利落地。资产托管业务实现新增164.57亿元；独家中标贵州省中政企合作基金、华芯通集成电路产业基金，总规模近200亿元。机关养老保险及职业年金账户综合覆盖度达到50.31%，超总行计划24个百分点。三是推进客户“圈、链、群”建设。聚焦交通出行、零售商业、教育、医疗等方向重点突破，共拓展个人商户2.11万户，户均存款3万元；拓展商圈107个，慧兜圈商户4704户；对公商户客户净新增2778户，系统内排名第十五位，高综合贡献度对公商户客户净新增956户，完成总行计划的210%。四是积极营销低成本链式资金和大额专项资金。利用资金体内循环系统和对公存款潜力客户大数据挖掘，促进低成本资金在分行体内沉淀。

【强化渠道运营效能，提升经营管理能力】一是着力强化渠道运营效能。加快推进网点分类建设工作，建立低效网点动态管理机制，调整搬迁改造低效网点14个，调整贵阳城区10个网点管理归属关系。加强智慧柜员机应用管理，客户投诉量下降29%。河滨支行营业室获评2017年中银协百佳网点，成为西南地区建行唯一代表。金阳支行邓丽荣获中国银行业协会“明星大堂经理之魅力之星”。二是持续强化资本集约管理理念。强化风险缓释安排，加强评级有效期管理，减少资本无效占用。制定存贷款差别化定价方案，扩大分支行定价授权。贷款新增超总行下达的指导计划，而信用风险经济资本较全年计划节约4900万元，经济资本占用较年初下降0.44个百分点。

【完善责任体系，全面风险管理】一是强化重点领域风险防控。不良贷款率稳中有降，逾期贷款实现双降，逾期不良“剪刀差”由正转负（-3.87亿元）。累计化解处置分行“30大”项目风险金额13.47亿元，信贷余额3000万元（含）以上观察名单客户累计压缩退出29.97亿元，完成总行下达目标。二是提升不良资产处置效率。实现不良资产出表2.11亿元，现金回收1.18亿元，回收率56.1%。实现已核销资产现金回收及拨备回拨0.61亿元，成为全国4家已核资产现金回收率超过5%的一级分行之一。重大对公不良贷款项目累计处置5.86亿元。贷款拨备计提11.16亿元（入账数），风险抵补能力不断增强。三是不断夯实合规案防基础。健全合规案防的组织架构，建立“两防”联席会议机制。开展合规管理强化年活动，推进全行“三线”合规学习教育。梳理25类、462个关键控制点，强化风险隐患事前控制，构建操作风险关键风险指标监测体系。

【深化党建引领，加强队伍建设】一是持续推进全面从严治党从严治行。在直属支行全面设立党委和纪委。严格落实保密工作责任制，被评为省委保密自查自评工作优秀单位。二是持续加强队伍建设。建立“213”“220”人才工程培养档案。组织实施跨层级、跨条线、跨机构的人才交流培养。三是抓实党建定点扶贫。规范驻村党组织第一书记管理，抓实260万元捐赠项目落地，开展金融扶贫，支持黔货出山，增加村民经济收入。重视离退职工工作，开展困难职工和困难党员帮扶，关爱青年成长。

执笔：傅　华　邓　欢

2017年1月6日，江西省分行与中国水利水电第八工程局有限公司举行战略合作协议签约仪式

2017年1月10日，黑龙江省分行举行助力小微、服务“三农”，“庆安模式”涉农金融服务推介暨“三农”战略合作签约会

2017年1月12日，新疆维吾尔自治区分行与自治区知识产权局、自治区担保公司签署支持小微企业发展的框架合作协议

2017年3月3日，河北省分行组织青年志愿者赴平山县两河乡完全小学为当地贫困儿童送爱心

2017年3月3日，内蒙古自治区分行举办“靓丽女性、风采飞扬”迎三八节联欢会

2017年3月4日，浙江省绍兴分行开展“老屋记忆”——拆迁人员全家福公益拍摄活动，走进东浦镇赏祊村为50多户拆迁村民拍摄全家福

2017年3月20日，黑龙江省分行与中国移动通信集团黑龙江有限公司举行战略合作签约仪式

2017年3月27日，陕西省分行举办2017“建融智医”银医合作座谈会

2017年3月28日，西藏自治区分行组织青年员工参加全区植树活动

2017年4月8日，苏州吴中支行举行“和合至善”公益品牌发布会

2017年4月12日，吉林省分行与珲春市人民政府签署全面金融合作框架协议

2017年4月18日，北京市分行出席京津冀城际铁路发展基金签约仪式

2017年4月22日，山东省分行本部举办第三届员工趣味运动会

2017年5月4日，上海市分行举办“聚焦 聚力 聚效”金点子大赛暨第十八届青年创新创效论坛

2017年5月4日，青海省分行举办“书香建行 青春留声”青年节诗歌朗诵比赛

2017年5月5日，陕西省分行召开“向一线致敬”弘扬正能量表彰大会

2017年5月19日，青海省分行举行“感动建行高原人”模范人物颁奖典礼

2017年5月20日，浙江省嘉善支行组织行内员工子女开展亲子活动

2017年6月10日，宁夏回族自治区分行举行第七届职工乒乓球赛

2017年6月19日，宁夏回族自治区分行与同心县人民政府举行金融扶贫合作协议签约仪式

2017年6月25日，常州培训中心承办第一期“213”拔尖人才领导力示范培训班

2017年6月28日，甘肃省分行举办中国建设银行母子公司联动及全面金融解决方案（FITS）签约仪式

2017年7月2日，安徽省分行举行党建工作“五十佳”表彰大会

2017年7月7日，广西壮族自治区分行与广西第一书记扶贫产业园携手设立首个“裕农通”助农金融服务点在南宁武鸣区陆斡镇忠党村揭牌落户

2017年7月13日，辽宁省分行举办“自贸启航　善建者行”自贸区金融讲坛

2017年7月17日，辽宁省分行冠名举办“建行杯”第三届辽宁省“互联网+”大学生创新创业大赛

2017年8月1日，江苏省分行举办2017年新行员入职培训结业典礼

2017年8月28日，新疆维吾尔自治区分行与中建新疆建工（集团）有限公司举行战略合作协议签约仪式

2017年9月2日，宁波市分行举办宁波旅游年卡首发仪式

2017年9月6日，西藏自治区分行开展共建单位送老兵慰问活动

2017年9月7日，海南省分行参加在海口市西海岸海南国际会展中心举办的“金秋车展”开展购车分期业务营销

2017年9月8日，广东省分行携手建银亚洲、建银国际、澳门分行，与珠海市政府、南沙区政府及东莞市政府签署支持与服务珠海市全面落实粤港澳大湾区建设合作协议

2017年9月9日，吉林省分行举办助力“一带一路”建行金秋交响音乐会

2017年9月15日，安徽省分行举办“小微快贷——云税贷”产品发布会

2017年9月20日，江苏省分行在南京林业大学举办“银在校园，信守未来”正规金融进校园宣传教育活动

2017年9月20日，湖南省分行举办“开放崛起从头越”媒体见面会

2017年9月27日，哈尔滨培训中心举办“道德讲堂·员工故事”活动

2017年9月28日，四川省分行与四川省旅游投资集团有限责任公司举行战略合作协议签约仪式

2017年9月30日，深圳市分行举行首笔个人按居贷款签约发放仪式

2017年10月1日，贵州省毕节市分行联合毕节市商务局、毕节市物流协会主办“毕节试验区首届乌蒙山农特产品博览会”

2017年10月10日，内蒙古自治区分行举办委派营运主管风采大赛

2017年10月16日，云南省分行大学、党员教育基地在海埂培训中心挂牌

2017年10月18日，福建省分行举办党委中心组理论学习暨“2017财智论坛”

2017年10月31日，广西壮族自治区分行到柳州融水县开展定点扶贫工作

2017年11月2日，广东省佛山市分行与佛山市万科置业有限公司举行“CCB建融家园·泊寓”项目奠基仪式

2017年11月2日，青岛市分行举办2017年党纪行规知识竞赛决赛

2017年11月6日，上海市分行首家“校园e银行”正式开业

2017年11月11日，河北省秦皇岛分行走进社区开展“宣讲十九大 服务进社区”活动

2017年11月16日，山西省分行与山西省住房和城乡建设厅签署住房租赁全面合作协议

2017年11月17日，湖北省分行与湖北省住房和城乡建设厅举行战略合作协议签约仪式

2017年11月22日，湖南省分行与长沙市人民政府举行战略合作协议签约仪式

2017年11月22日，贵州省遵义播州支行开展党的十九大精神宣讲进社区活动

2017年11月23日，天津市分行举行共青团中国建设银行天津市分行第一次代表大会暨青年志愿者协会分会成立大会

2017年11月23日，河南省分行举办2017年“活力建行 青春绽放”建行演说家总决赛活动

2017年11月24日，厦门市分行举办“新时代·新作为——建设银行全面支持厦门市住房租赁市场发展发布会”

2017年11月25日，重庆市分行组织消防演练

2017年11月25日，深圳市分行举办2017年职工趣味运动会

2017年11月28日，重庆市分行举办“六比六增强”职工技能竞赛

2017年12月12日，天津市分行荣获2017年度“榜样天津”最高奖项——“最具社会责任企业奖”

2017年12月13日，甘肃省分行与甘肃省住房和城乡建设厅举行住房租赁工作战略合作协议签约仪式

2017年12月18日，北京市分行举办“长租即长住，长住即安家”携手共筑首都住房租赁市场发布会

2017年12月21日，河南省分行与中国（河南）自由贸易试验区郑州片区举行“政银合作直通车”启动仪式

2017年12月22日，云南省分行邀请中国人民解放军31638部队党的十九大精神宣讲团走进我行，举行迈向新时代 践行新思想 创造新业绩 党的十九大精神军地联学共建主题宣讲

2017年12月22日，大连市分行与大连市国土资源和房屋局、大连市房屋租赁公共服务平台签署住房租赁业务战略合作协议

云南省分行

云南省分行行长　高升亮
（2017 年 5 月免）

云南省分行行长　陈中新
（2017 年 5 月任党委书记，8 月任行长）

一、业务发展概况

【经营效益】2017 年实现税前利润 52.48 亿元，当地四大行占比 38.06%，保持同业第一；中间业务净收入 20.31 亿元，当地四大行占比 34.36%，保持同业第一。

【负债业务】一般性日均存款余额 3531.84 亿元，较年初新增 425.16 亿元，增长 13.69%，新增当地四大行占比 37.64%，居第二位。其中对公日均存款余额 2152.6 亿元，新增 312.81 亿元，增长 17%，新增占比 45.44%，当地四大行第一；个人日均存款余额 1379.24 亿元，新增 112.35 亿元，增长 8.87%，新增占比 26.59%，当地四大行第二。

【资产业务】各项贷款余额 2358.65 亿元，较年初新增 170.46 亿元，增长 7.79%，新增当地四大行占比 27.42%，居第二位。其中公司类贷款余额 1349.24 亿元，新增 52.88 亿元，增长 4.08%，新增占比 14.08%，当地四大行第三；个人贷款余额 1009.41 亿元，新增 117.58 亿元，增长 13.18%，新增占比 44.5%，当地四大行第一。

【客户商户】对公结算账户当地四大行占比 30.17%，超越工行跃居当地四大行第二位，增量、增速当地四大行第一，与农行的差距由年初 26251 户缩小到 6087 户。公司机构有效客户 40801 户，新增 4220 户，增速 68.7%；个人有效客户较年初新增 35.23 万人，同比多增 13.54 万人，增速为 14.83%，系统第八位；个人商户新增 9.14 万户，系统第六位，计划完成率为 286%，系统第三位；对公商户净增 5084 户，增速为 59.77%；信用卡累计发卡、累计客户当地四大行第一，外部渠道获客占比系统第一位，新增年轻客户占比系统第四位。手机银行活跃客户 145 万户，活跃用户占比 25%，系统第十位。

【资产质量】不良贷款余额 36.92 亿元，控制在总行下达目标内；不良率 1.55%，资产质量当地四大行第二。

二、主要工作举措

【党建统领，形成了从严治党新气象】以党的十九大精神为统领，提高政治站位，推动全面从严治党不断深化。一是认真学习宣传贯彻党的十九大精神。成立学习宣传贯彻党的十九大精神

2017 年 11 月 4 日，云南省分行举行职工运动会

领导小组，下发细化实施方案，从省分行党委、二级分行党委、基层党组织三个层级明确 6 个方面 59 项具体工作。认真统筹学习贯彻党的十九大精神各项工作，紧扣实际做到“六讲”，即党委书记率先讲，党委成员带头讲，练兵平台系统讲，青年员工广泛讲，党的十九大进晨会深入讲，银企军地联学共同讲，年末党委班子成员宣讲 20 次，联学共建 3 次，在全行形成学习宣传贯彻党的十九大精神热潮。二是全面从严管党治行。打造“严、实、新、细、廉”五字作风，召开全行作风建设大会，开展“转作风、提能力、暖基层、创一流”活动，推进省分行部门挂钩网点“六个一”和县支行党组织结对共建，为基层解决具体问题 345 个，作风建设成果不断转化为执行力和服务基层能力。逐级签署全面从严治党责任书，开展党组织书记抓基层党建工作述职评议考核，在领导班子与领导人员综合考核评价中设置党建工作指标，对 137 个基层党组织开展党建专项督查，形成横向到边、纵向到底党建工作新格局。三是狠抓基层党的建设。制定基层党建工作责任清单，分层细化 55 项重点任务，研究出台会议管理、“三会一课”、基层党建巡视等 10 余个制度。认真落实“四同步”原则，新增党支部 66 个，增幅 23%，发展党员 82 名，其中 63% 为基层负责人和中层骨干。坚持“三会一课”制度，规范基层党组织生活，创新开展联学联做等活动。加大基层阵地资源投入，建设党建宣传长廊、红色书轩，建立党员之家 213 个，实现网点党员活动阵地全覆盖。

【顶层设计，明确了战略统筹新思路】准确理解总行发展要求，科学推进业务转型，契合资源禀赋推动经营发展。一是明确发展思路。新一届党委成立以来，在历届领导班子打下的良好工作基础上，针对内外部形势、对标总行要求、结合云南实际深入研究，确立了“一二三四五六七”七字方略，即紧盯一个目标，夯实两个基础，守牢三条主线，落实四铸方针，锻造五字作风，打响六大战役，构建七个层次内控合规体系，引导全行在履行好大行担当的同时，进一步提升市场竞争能力。二是抓好顶层设计。成立公司委、大零售委、合规与风险委三大委员会，推动党建、内控、业务、决策、资源和干部评价考核“六统一”，着力解决部门银行问题；在各二级行建立普惠金融事业部、信用卡中心、机构业务部（中心），加大重点业务拓展力度；在网点实施“双基”工程，开展“压高减低”工作，优化渠道布局，新增个人客户经理和产品经理 725 名并打通晋升通道，营销服务岗位人员占比由年初的 60% 提升到 75%，处于系统领先水平，网点营销能力持续提升；建立督查办长效机制，实行周例会、月汇报、半年点评和年度述职点评制度，有序推进工作落实。

【六大战役，打开了转型创新新局面】结合当地资源禀赋打好“六大战役”，在云南叫响了“起跑就是冲刺，开局就是决战”的口号。打好资产业务“攻坚战”，紧跟国家和省市政府战略导向，多渠道为地方经济建设和个人客户提供资金支持 1721 亿元，同比多增 221 亿元。与省国资委签订 500 亿元综合化降杠杆协议，有力支持地方国企降低负债率，得到国务院领导批示肯定；强力推进蓝海工程，短短 43 天与云南省住建厅和 16 个州市住建部门全部建立战略合作关系，住房租赁系统平台上线数量位居全国前列；加大普惠金融服务力度，推广“裕农通”服务点 380 个，打造创客银行、文化银行、科技银行 3 张名片，普惠金融完成总行计划的 133%；持续深化与中信保合作，海外重大项目推进并列系统首位，国际业务主营指标首次超越中行跃居同业第一位；探索产业扶贫新模式，向 88 个贫困县投放扶贫贷款 146 亿元，向定点扶贫点投入公益捐赠和项目扶持资金 712 万元。打好消费金融“突围战”，打造交通、旅游、医药、智慧菜场、特色餐饮、城市综合体等 37 个金融生态圈，建设数量系统第九位，其中达标生态圈系统第六位。赢下“两桶

2017 年 12 月 20 日，云南省分行与云南省住房和城乡建设厅举行全面战略合作协议签约仪式

油”合作，全国首发中石油联名卡抢占 700 家加油站，中石化以“龙支付—扫码付”覆盖全省 1200 个加油站，省内独家发行交通一卡通、ETC 云通卡，建成全国首个龙支付智慧停车场，完成高速公路 51 个服务区 154 个慧兜圈商户布放，成为全省公路联网售票主办银行；与一心堂健康大药房 658 家分店合作；成功营销建新园 33 家直营店、桥香园 14 家直营店；打造“电交 e 通”平台助力电力生态圈建设。打好机构业务“保卫战”，机构日均存款新增 202 亿元创历史新高，余额、新增四大行双第一，机关事业单位养老保险账户综合覆盖度超过 50%，代理国开行 45 个项目 334 亿元，代理项目和代理量系统、同业双第一。打好转型指标“提升战”，聚焦落后指标，对标系统和同业清单管理，下半年系统位次大幅回升。打好“新一代”应用“深化战”，围绕 6 大业务领域 54 个方向加大推广应用，5 个优秀案例全国巡讲。打好内控合规、不良贷款“生存战”，从顶层设计入手，改善内控环境，坚决守牢内控合规底线和资产质量生命线。

【铁腕治行，树立了稳健经营新风气】坚持问题导向，铁腕抓管理，以从严治党带动从严治行。一是抓资产质量管控。严格执行“风险管理职责进党委”要求，主动做好风险的“了解”和“化解”。统一信贷风险偏好，果断退出高风险行业客户，及时调整小企业审批导向，连续两年未发生对公纯新发放不良贷款。强化风险分类管理，加大对风险暴露突出行业、区域的排查力度。依托“新一代”和大数据加强风险预警，建立信用风险延伸核查和交叉核查工作机制。二是抓内控合规管理。按照七个层次构建内控合规案防管理体系，在省分行所有部门设置内控科，二级行设立内控团队，组建 120 余人内控队伍。召开警示教育大会。分三个阶段深化“三清查”自查自纠工作，对 55 个问题线索深入开展核查。针对现金运营、柜面操作风险、小企业、个人贷款、员工参与非法集资等关键领域开展专项排查治理。梳理 108 项业务（产品）关键风险控制点 407 个，健全关键岗位职责和管控机制，抓实发现问题的根源性整改。组织开展大规模审计筛查，进一步落实整改责任。对 30 家机构开展巡视巡察，做好安保、信访、舆情应对等工作，保障了安全稳定运营。

【文化引领，凝聚了奋力拼搏新合力】坚持以人为本、文化引领，努力打造一支有灵魂的队伍，为业务发展提供组织保障和人才支撑。一是搭平台建机制，打造过硬干部人才队伍。坚持党管干部，明确“讲政治有品质，敢担当有能力，善作为有业绩”干部使用导向，做到干部在基层成长、从基层选拔、到基层培养，全年共调整 3 个二级分行 4 名“一把手”。坚持党管人才，系统搭建人才队伍梯队化建设体系，围绕省分行人才辈出计划，持续推进启航、英才、储备、继任和精英五大人才培养工程，把基层网点作为培养选拔管理干部的重要基地。成立建行云南大学、党员教育基地、大讲堂“三大练兵平台”，建立师徒制和多岗位培养锻炼机制，创办《研究与思考》《信息快报》，不断提升各级党员干部“7 种能力”和“14 项思维”。二是暖基层树品牌，文化力量凝聚人心。加强文化建设和价值观引领，与时俱进丰富云南分行价值理念体系，培塑和传导特色企业文化。做好关心关爱员工实事，推出关爱员工 10 条举措，组织感动人物颁奖礼、全省运动会、每月员工集体生日，成立 22 种协会活跃文体生活，安排州市分行“一把手”到昆明体检，明确基层员工到省分行出差免费优先就餐，解决交流干部住房，提高基层网点低职等员工“八岗位”补贴，创办老年大学并开设 8 门课程，进一步凝聚全行力量，营造了向上向善的文化氛围。

执笔：杨之霞

西藏自治区分行

西藏自治区分行行长　查克健

（2017年9月任党委书记，10月任行长）

一、业务发展概况

1. 存款：各项存款（含保本理财资金）时点余额1060.59亿元，比年初新增179亿元，增幅20.30%，日均余额达954.34亿元。一般性存款日均余额达到921.30亿元，比年初新增65.84亿元，增幅7.7%。其中对公存款日均余额740.91亿元，比年初新增48.95亿元，增幅7.07%；个人存款日均余额180.38亿元，比年初新增16.90亿元。

2. 贷款：各项贷款余额621.25亿元，同比新增72.23亿元，增速13.16%，系统排名第五。其中，对公贷款新增59.87亿元，增幅系统第三；个人贷款新增12.36亿元，完成全年计划的205.93%。

3. 中间业务收入：实现中间业务净收入1.48亿元，同比增长0.3亿元。

4. 经营利润：实现税前利润27.14亿元，净利润20.32亿元，经济增加值15.49亿元，全面完成年度计划。成本收入比17.88%，同比降低0.34个百分点。存贷利差3.68%，同业第二。

5. 不良资产：全年处置不良贷款2326.91万元，计划完成率109%。年末不良贷款余额5408.09万元，较年初减少1099.28万元，不良率0.09%，较年初下降0.03%，不良额、不良率实现双降，资产质量进一步提升。

二、主要工作举措

（一）经营能力持续提升

稳存增存能力不断增强。对公存款方面，狠抓资金承接。及时组建任务型团队、强化高层营销、上下联动，新增地市级社保基金、扶贫资金专户、非税收入专户、事业收入专户等财政可保留专户，顺利承接130亿元政府产业基金，军警类存款增长率35.17%，社保类存款增长率53.26%。累计代理政策性银行贷款资金207.66亿元，同比增长130.7%；实现交通领域资金有效承接140多亿元，当年实现存款新增83亿元；年末对公资金承接率为58.22%。储蓄存款方面，进一步细化客户分层管理、精准营销；强化公私联动，着力提高对公基本户和有贷户代工覆盖率，新增代发工资个人客户8.4万户，狠抓对公经营性资金承接，实现个人客户承接对公经营性资金70.42亿元。

2017年1月15日，西藏自治区分行举行迎新晚会

资产结构不断优化。全年累计实现信贷投放45亿元。积极支持区内农网升级改造、藏中和昌都电网联网、新型城镇化、产业园区等项目建设，做好政府风险补偿金担保贷款的投放。加快发展个人消费贷款，个人消费经营类贷款余额17.64亿元，比年初新增7.38亿元，增幅71.92%；个人“快贷”快速推进，实现客户新增2682户，余额4.24亿元。

中间业务快速发展。零售条线（含电子银行）中间业务收入突破1亿元，全行占比达到59.93%。其中信用卡及商户收单业务等优势业务表现突出，占全行中间业务收入的25.14%。批发条线贡献度迅速提升，中收增长率达到77%，其中，新型结算产品价值创造力日趋凸显，占单位人民币结算业务收入的46.18%，提高了27.24个百分点；传统产品收入快速增长，实现银团贷款收入799万元，较上年新增688万元；保函业务收入1232万元，较上年新增1197万元。

普惠金融业务取得新突破。积极推进完善普惠金融组织架构，全面推动普惠金融业务，提前超额完成总行下达的普惠金融任务计划。加大金融支持精准扶贫力度，金融精准扶贫贷款（包括产业扶贫和项目扶贫）余额达到31.90亿元。建立健全小微企业业务管理、考核及风险管理机制，以“小微快贷”“云税贷”等产品为抓手，全面完成“三个不低于”任务，仅半年时间共成功发放小微快贷381笔，累计金额4.03亿元。

（二）发展基础不断夯实

客户账户基础进一步加强。全行正常结算账户增长18.13%，基本账户增长21.92%。个人全量客户较年初新增8.76万人。个人短信客户45.33万户，企业网银客户1.28万户。公司机构有效客户增幅为26.67%，个人有效客户增幅为15.18%。公司机构客户产品覆盖度为4.63，提升0.33；个人客户产品覆盖度为4.49，提升0.39。

渠道支持能力不断提高。物理渠道布局持续优化，离行自助银行与网点比例达1.84，自助设备全功能服务率提升至97.49%；智慧柜员机迁移率提升至91.39%。完成全辖网点柜面COS－T及智慧柜员机渠道远程集中授权审核上收，完成智慧柜员机人脸识别技术推广应用，渠道集约化智慧化水平进一步提高。移动金融交易量占比较年初提升19.10%；电子银行账务性交易量占比高达97.68%，交易量6326.6万笔，是柜面交易量的42倍，是自助渠道交易量的6倍。

信息科技支撑作用日益明显。全面完成新一代对私核心系统的推广上线。完成中心机房改造，为分行可持续发展提供了重要保障。完成社保代发系统等14项自主开发工作，科技条线深度参与客户综合营销，“科技融入业务”能力进一步提升。完成ODSB应用迁移改造、反洗钱项目改造，开展个人存款和青年客户消费行为分析，数据挖掘应用能力不断提升。

资源配置更加有效。根据保障和业务发展相适应的原则合理调配人力资源，持续强化教育培训，提高全员综合业务素质。持续完善全面费用预算管理制度，推进费用的精细化与科学化管理，提升资源配置效率，将更多的财务资源用于业务拓展和市场营销，提升全行价值创造水平。

（三）风险防线进一步筑牢

全面风险管理持续加强。认真落实“风险管理职责进党委”，按照“一把手负总责、领导班子负全责”的层级主体责任要求，从主要风险入手，推动全面风险管理“五个到位”，层层分解细化责任，实现风险管理工作全覆盖。信贷行业调研分析能力不断提高，押品管理制度进一步完善，贷后管理工作扎实有力，不良额和不良率达到15年来历史最低。实现柜面督导和稽核监测有机整合，强化线下督导与线上监测工作协同，增强柜面业务风险防范能力，稽核问题率降幅达到

2017年10月14日，西藏自治区分行女工委组织“喜迎十九大、深秋舞诗风”诗歌散文鉴赏活动

38.94％。以开展“信贷业务、柜面业务、印章管理和集中采购”4个重点领域专项整治活动为抓手，加大高风险领域整治力度。全行印章基本实现集中管理，大大降低了印章风险。深入推进廉洁采购文化建设，全行尤其是二级分行采购专业水平、规范化程度明显提高。保密工作再上新台阶，被评为自治区保密工作良好单位。安保维稳工作扎实规范，获得拉萨市社会治安综合治理先进单位称号。

聚焦合规主业，提升内控水平。初步搭建了合规管理制度体系，围绕理顺合规管理流程、规范运行机制、强化基础管理三个方面，细化制定8项合规及案防管理流程，初建“两防”联席管理机制，全面落实案防及合规管理主体责任。聚焦合规主业，首次开展了合规检查，初步建立了强制性的合规性审查流程，确定了合规报告路径，细化明确了违规分级分类处置流程，加强缺陷整改，强化警示通报，“全流程”合规管理模式初步形成。以“合规建行、知行合一”为主线，全面组织开展员工行为排查，层层培养传导合规文化，合规导向及要求在全行得到广泛普及知晓。2017年西藏分行内部控制评价首次进入系统一类行。

（四）党建工作更加扎实有力

推进“两学一做”学习教育常态化制度化。进一步规范党内政治生活，以支部为基本单位，落实“三会一课”基本制度，创新组织生活内容形式，切实增强政治自觉思想自觉行动自觉。深入开展党的十九大精神学习宣传工作，切实增强“四个意识”，提高政治站位，各级班子成员带头学、带头讲，全行形成了学习宣传贯彻党的十九大精神的浓厚氛围。

两个责任进一步落实。不断完善党建工作机制和制度体系，通过细化考核指标、层层签订责任书，进一步夯实两个责任。强化基层党建及两个责任考核结果运用，各级领导管党治党主动意识不断提高，基层党建工作进一步加强。

深入推进党风廉政建设。加强组织队伍建设，实现辖内基层网点纪检监察监督全覆盖。深入开展“三线”教育和“三清查”工作，进一步加强员工廉洁从业教育和监督管理。持续开展巡视巡查和“回头看”工作，坚持政治巡视定位，巡视利剑作用进一步发挥。严肃执纪问责，全年查处违规事件5件，问责处理7人次，轻处理61人次。

（五）优化队伍建设，培养和谐文化

坚持党管干部、党管人才，严格按照“好干部”任用标准，注重培养选拔具有基层经验、多岗位锻炼的好干部，突出抓好各级班子“一把手”、关键岗位领导人员配备，优化领导班子配备和干部队伍结构。全年共提拔使用23人次，平级调整15人次，其中提拔2名二级分行主要负责人，充实了二级分行“一把手”力量。扎实推进“213”“258”关键后备人才队伍建设和专业技术人才队伍建设，着力推进职务与职等并行落实，晋升七职等7人，晋升网点经办岗位41人，关注特殊类群员工职业生涯，完成33名定向招聘劳动合同员工择优选拔工作，进一步激发了干部员工队伍活力。

大力弘扬社会主义核心价值观和建行核心价值理念，围绕“两路”精神、“老西藏”精神，强化价值观引领，打造高原建行精神。各级工青妇组织深入落实员工关爱措施，组织开展丰富多彩的群团活动，充分展现全行积极向上、团结拼搏的良好的精神风貌。

执笔：雷　勇

陕西省分行

陕西省分行行长 杨新丰

一、业务发展概况

【主要业务指标】2017年，一般性存款日均余额4389亿元，新增366亿元，首次实现监管口径日均规模和新增、时点余额和新增，核心口径日均规模和新增、时点余额和新增“八个四大行第一”；贷款年末余额2783亿元，新增188亿元，四大行第一，投放创历史新高；拨备后利润64.08亿元，四大行第一。

【公司业务】对公存款日均余额1948亿元，新增136亿元，首次做到七项指标“四大行第一”；对公非贴贷款新增四大行第二。对公账户19.36万户、基本账户14.57万户，分别新增2.98万户、2.82万户，首次做到四项指标“四大行第一”。

【个人金融业务】个人存款日均余额2441亿元，新增230亿元，保持七项指标“四大行第一”；个人核心存款日均增速系统第一，监管口径时点新增系统第二。信用卡总量392万张，四大行第一；年轻客户新增44万户，建设银行系统第二。信用卡消费交易额、贷款余额和新增，四大行第一；跨行收单交易额524亿元，四大行第一；活动商户1.3万户，四大行第一；龙支付商户推广率45%，系统第三。

【房地产业务】个人贷款余额1151亿元，四大行第一；新增208亿元，四大行第一；同比新增113亿元，系统第四。公积金个贷新增44亿元，四大行第一。二手房贷款新增30亿元，占住房贷款新增的18.93%，同比提升12.59个百分点。

【投行资管业务】投行资管收入6.5亿元，四大行第一。债券承销收入系统第九。签约陕煤300亿元债转股，刷新全国金融系统单笔纪录；投放145亿元，创系统单笔最大单；托管业务规模1236亿元，增量系统第八，实现收入系统第六。

【电子银行业务】移动金融交易量占比86.48%，系统第五。手机银行、个人网银活跃客户占比分居系统第五和第三，活跃客户总量均居四大行第一。善融商务交易额29.94亿元，计划完成率系统第一；个人有效买家2.3万户，系统第九。

【国际业务】融资性保函实现零的突破，交易额四大行第一、增速系统第一。福费廷交易额21亿元，四大行位次“脱四进一”，增速系统第二。银关通客户新增73户，连续两年四大行第一，税费缴付首居四大行第一。代客结售汇业务量34.3亿美元，领先对标行的优势居系统第二。大宗商品业务落地开单，交易额系统第五。

【资产质量】不良贷款额32.87亿元、不良贷

2017年1月16日，陕西省分行举办“迎新春·2017银校合作座谈会”

款率1.18%，分别较年初减少1.05亿元、0.13个百分点；逾期贷款37.66亿元、垫款0.19亿元，分别较年初减少3.17亿元、6.07亿元，均控制在总行计划之内。全年未发生案件和重大风险事件。

【内控合规建设】建立内控合规评价、合规KPI考核、案件“两防九责”考核三轮驱动的内控考核体系。表单化制定涵盖23个方面、283项任务的“三三四十”治理活动自查方案。内外部审计检查问题整改完成率分别为90%、88%。

二、主要工作举措

【精准服务实体经济发展】主动对接城市综合管廊、幸福林带、军民融合等中央和省级重大工程包，建立营销台账、授信台账、审批台账“三本账”，列出名单，精准支持。累计投放非贴对公贷款715亿元，新发放非贴贷款加权平均利率4.77%，四大行第一。梳理国家和地方PPP示范项目44个，对接落地11个，提供资金36亿元。依托建行增信，不断丰富融资渠道。“投行+第三方引资”额527亿元，四大行第一。债权类同业投资四大行第一，同业借款、存放同业四大行第一。结算性同业存款日均余额、时点余额和新增，均居四大行第一。把普惠金融纳入“一把手”工程，任务横向分解到小企业和房金部门、纵向落实到网点。普惠金融贷款余额56.2亿元，计划完成率126%，为总行普惠金融圆满收官起到了至关重要的作用。

【巩固扩大全面领先优势】推行重点对公客户“招拍挂”制度，重点发力“人有我无”“人多我少”两类同业存量客户，对公存款新增“三年来前所未有”。主攻“五大账户、四类平台”及六大高地，新增五大账户1201户、四类平台51个，日均存款21亿元。军警客户多点突破，移防换防部队账户市场份额同业第一、“军建安鑫”签约量系统第四。银医通平台新增系统第十，计划完成率系统第七。坚持运用系统工程思维布局个人业务，抢抓代发工资、大额拆迁资金、对公经营性资金“三大源头”，一类群一方案。代发工资个人有效账户新增31.6万户，代发额817.9亿元。私人银行客户保有率全国第一，新增全国第十、增量和增速四大行第一；私人银行金融资产新增全国第八、增量和增速四大行第一，人均全国第三。依托分行资产组合型理财产品，发行“点心式”理财产品等，资产组合型理财产品规模269亿元，新增80亿元，吸引行外资金35亿元。

【前瞻布局战略性新兴业务】用“1号文件”布局分期业务，增机构、扩人员、提单价、创模式，信用卡分期交易额99亿元，超过其他三大行之和；增幅为117%，高出全国平均水平82个百分点；当年创造收入3.9亿元，是上年的1.51倍，收入、增速四大行双第一。创新推出电子功德箱、智慧加油、零现金小镇等12个新场景，“悦缴费”应用场景达到37个。全年新增“悦缴费”商户434户，交易量3096万笔、交易额97亿元，沉淀时点存款104亿元。一点一户，拉网式拓展“扫码付”，全年新增商户6.47万户，交易量1228万笔、交易额19亿元，沉淀时点存款42亿元，被全国15个一级行移植。坚持“四做”策略，打造“双二十大”典型商圈。全年新破商圈241个，营销产品20多万个；累计破商圈514个，实现省内主流商圈全覆盖。学好用好“新一代”，发布“新一代”案例817个，西部第一。

【坚决守牢风险合规底线】严格落实“五个到位”，加快全面“风险管理职责进党委”。从再融资、调整还款计划等8个维度入手，穿透式摸底对公信贷风险，分类分级预警，预警名单客户现金回收压缩34.07亿元。加快不良贷款由控增长、控入口向扩出口、快处置转变，累计处置不良贷款30.56亿元，盘活回收率46.85%，首次做到了历史存量不良、社会经济周期性不良和区域性不良全部出清。突出资本精细化管理，经济资本占用比例4.72%，低于系统平均0.4个百分点。

2017年2月16日，陕西省分行召开2017年工作会议

印发《三线合规教育手册》，明确162条底线、352条红线、38条高压线的员工负面清单。坚持年年有主题，年年有动作，开展“合规文化我来讲”等“合规创造价值年”活动。

【构建大服务、大合力的工作格局】持续优化渠道布局，新设营业机构4个、搬迁优化9个，提升改造12个，低效网点降至9家。建成自助银行51个，同比降幅29.17%。投产智慧柜员机1535台，产品服务迁移率62.85%。率先试点人脸识别身份审核和“刷脸取款”，刷脸取款交易量、开通客户量全国双第一。深入推进“三授信”，综合授信覆盖度100%。常态化开展安全生产大检查，发现问题2363个，整改率78%。举办《向一线致敬》典型风采汇报展播，开展综合金融服务方案大赛、个人业务大数据精准营销风采大赛、大龄员工主题展示评选等系列活动，唱响了主旋律、汇聚了正能量。定制“关爱温馨包”、实施温暖工程，构建关爱员工长效机制。

【坚定不移全面从严治党】将全面从严治党主体责任考核细化为7个方面、40项指标，量化工作、严肃考核、表单式推进。将学习宣传贯彻党的十九大精神明确为6大类、66个重点事项，落实部门、落实进度、落实动作。从6个方面、18个动作入手，扎实推进“两学一做”常态化制度化。开展“固定党日+”活动，组织集体学习1291次、主题党日活动364次、支部书记讲党课421次、与客户联学共建41次。依托延安红色教育基地，集中轮训支部书记1572人。缩减联合支部20个，打造示范党员之家21个，新设党建微信群33个、解答基层党建问题2303个、交流党建作品291部。主动承办总行党纪行规知识竞赛北部赛区预赛，北部赛区第一、总决赛第六。巡视发现问题67个，提出意见建议31条，实现本轮巡视二级行全覆盖。

执笔：李　垒

甘肃省分行

甘肃省分行行长　朱博海
（2017年11月免）

甘肃省分行党委书记　方华平
（2017年11月任）

一、业务发展概况

【主要业务指标】2017年，全口径存款年末时点余额1708.97亿元，实现税前利润-2.97亿元。各项贷款年末余额1323.74亿元，较年初新增79.21亿元，增幅6.36%；其中，对公类贷款余额 859.30 亿元，新增 -32.49 亿元，增幅 -3.64%；个人类贷款余额 464.45 亿元，新增 111.7 亿元，增幅 31.67%。公司机构加权有效客户 126282 户，较年初下降 147 户；个人加权有效客户 727.06 户，较年初新增 97.26 万户。

【对公业务】对公存款日均余额（本外币合计）903.12 亿元，较年初新增 47.54 亿元，其中，公司客户日均存款余额 336.38 亿元，较年初新增 61.4 亿元。大中型公司客户贷款余额 729.51 亿元，占全部对公贷款的 84.9%，当年新增 33.27 亿元。全量客户数达到 62207 户，较年初新增 6099 户，增长率为 10.87%。OBU 电子标签当年累计新增 51720 个，完成总行下达计划的 103.44%，市场份额 36.05%，存量及新增持续保持市场第一的领先优势。资金循环两率提升显著，资金循环率比年初提升 4.02%，资金承接率比年初提升 4.4%。

【零售业务】个人存款日均余额 821 亿元。个人有资产客户 586 万户，本年新增 50 万户，增速 9.5%。个人加权有效客户 727 万户，本年新增 97 万户，增速 15.4%。借记卡累计发卡 1340 万张，金融 IC 卡当年发卡新增 113 万张，同比增长 6.2%；借记卡消费交易额 1756 亿元，同比增速 67%。代销基金、证券投资基金托管、账户贵金属、代理国债、保管箱均排名同业第一；借记卡及结算、代理保险排名同业第二。“快贷”产品实现快速增长，快贷客户 12.59 万户，新增 8.06 万户；余额 24.13 亿元，新增 18.05 亿元。

【房地产业务】住房资金归集余额 405 亿元，新增 42 亿元，完成全年计划的 105%，四大行占比 63%，市场份额继续保持第一。实现中间业务收入 6132 万元，完成全年计划的 102%。个人贷款余额 372.68 亿元，新增 79 亿元，余额和新增四大行占比分别为 36.18%、42.73%，市场份额第一。其中，个人住房贷款余额 336 亿元，新增 64.6 亿元，余额和新增四大行占比分别为 38.1% 和 37.5%，市场份额第一。

【投行资管业务】实现中间业务收入 12100 万元，较上年同期增长 3361.99 万元，同比增幅 38.47%，增速创近年来新高。实现高收益资产配置新增 38.33 亿元，余额达 83.53 亿元，余额增幅 39.87%，增幅在建设银行系统排名第六位。实现新型财务顾问业务收入 691.82 万元，是上年收入的 12.32 倍。同时实现了首单“政府购买服务理财产品”、首单“股权投资类理财产品”、首单“投资通人民币理财产品”、首单“理财资金配置债券类标准资产业务”及债券承销、境外发债等多项投行资管业务的突破。

【电子银行业务】移动金融交易量占比达到 81.62%，较年初提升 14.45 个百分点。手机银行活跃客户总量为 103.50 万户，手机银行活跃客户占比 26.24%。微信银行客户达到 105.24 万户，较年初新增 29.15 万户，完成全年计划的 85.73%。网络特约活动商户总行口径达到 351 户，完成总行计划的 254%；省分行口径完成 304 户，完成省分行计划的 109%。善融商务有效买家完成 12286 户，完成总行计划的 115.35%。善融商务交易额总行口径实现交易额 15148 万元，完成总行计划的 60.60%。个人网银活跃客户达到 9.50 万户。

【国际业务】外汇对公存款日均余额 9 亿元，时点余额 6 亿元，四大行占比 30%，四大行排名第二。外汇贷款余额 14 亿元，四大行占比 57%，四大行排名第一。国际结算量 23.78 亿美元，跨境人民币结算量 7.71 亿元。实现中间业务收入 21722 万元，其中，贵金属租赁业务收入 13014 万元，四大行占比 69%，四大行排名第一；国际结算手续费收入 4059 万元，四大行占比 62%，四大行排名第一。

【资产质量】全行不良贷款年末余额 43.55 亿元，不良率 3.29%。逾期贷款额 44.73 亿元，逾

2017 年 6 月 8 日，甘肃省分行与甘肃中医药大学举行全面业务合作暨“智慧校园”银校通协议签约仪式

期率 3.38%。垫款 1.57 亿元，垫款率 0.94%。2017 年共处置不良贷款 270789 万元，完成总行计划的 208%。其中，公司类处置 228707 万元，个人类处置 34990 万元，不良信用卡处置 7092 万元。从处置方式看，回收盘活 64692 万元，呆账核销 90804 万元，公司类批量转让 113451 万元，信用卡证券化 1842 万元。

【内控合规建设】紧紧围绕合规管理“八个步骤”，全面深入推进合规官试点工作，聚焦合规管理主责主业，构建合规组织体系、丰富合规文化内涵、提升违规发现能力、搭建合规管理服务平台、系统推进合规管理各项工作，为全行业务稳健发展提供了坚实的保障。

【其他业务】结算账户总量 114978 户，四大行占比 36.85%，基本账户 79998 户，四大行占比 36.80%，账户总量及基本户总量均四大行排名第一。管理“养老金受托资产”9.33 亿元，新增 2.04 亿元；管理“养老金托管资产”30.18 亿元，新增 1.77 亿元；管理“养老金个人账户数”8.72 万个。兰州地区一般性存款日均余额 822.26 亿元，四大行占比 32.99%，四大行排名第一；其中，对公存款日均余额 484.89 亿元，四大行占比 30.14%，四大行排名第一；个人存款日均余额 337.37 亿元，四大行占比 38.08%，四大行排名第一。

二、主要工作举措

【落实总行转型发展战略，努力打造分行核心竞争力】一是紧跟总行战略导向。牢固树立价值创造核心导向和合规创造价值理念，坚持施行

2017 年 8 月 14 日，甘肃省分行召开夏季工作会议

以经济资本为核心的综合业务计划和资源配置体系，主动优化调整业务结构。把合规挺在一切经营管理的前面，全面完善合规工作机制、合规考核机制，把合规融入业务，做到“合规管理全覆盖”。二是夯实基础，全面增强发展后劲。筑牢制度基础，建立健全各项制度规定，实施制度化的经营管理；夯实客户基础，抓好账户拓展，做好存量客户的维护和有效客户的提升；夯实渠道基础，聚焦网点“三个平台”建设、网点综合化转型、网络金融发展，并全力推进龙支付业务。三是真拼实干，提升核心业务和重点区域市场竞争力。坚持存款立行不动摇，驰而不息抓存款，巩固储蓄存款的良好发展态势，保持中间业务收入的市场优势，提升兰州中心城市行竞争力，积极打造县域支行竞争新优势。四是调整资产业务结构，提高盈利能力。加快非贷融资业务和同业资产业务发展。五是加快推进转型，实现可持续发展。突出重点业务发展，重视“新一代”核心系统建设和大数据应用，突出创新驱动，提升综合服务能力。

【贯彻五大发展理念，履行国有大行责任】积极支持国家“一带一路”、创新驱动、乡村振兴、普惠金融等一系列战略，大力支持甘肃省重大基础设施建设，加大绿色信贷和扶贫信贷投放，大力支持贫困地区特色产业和实体经济发展，提高贫困地区“造血”能力。住房租赁业务实现省市州住房租赁战略合作协议全覆盖，全省首家与省住建厅签订战略合作协议，兰州、天水、庆阳住房租赁平台成功上线。普惠金融推进力度加大，设置 12 个普惠金融特色支行，普惠金融贷款余额 69.07 亿元，较 9 月末新增 3.04 亿元。“小微快贷”业务成功上线及扩面，营业网点覆盖率 97%，贷款客户 2630 户、贷款余额 5.68 亿元；与省国家税务局合作，成功研发搭建小微企业“银税直连”获客平台。截至 2017 年末，金融精准扶贫贷款余额 36.18 亿元，较年初新增 28.25 亿元，其中个人精准扶贫贷款余额 7.02 亿元，新增 1.98 亿元；单位精准扶贫贷款余额 28.49 亿元，新增 25.59 亿元。小微企业精准扶贫贷款投放 2910 万元，贷款余额 4921 万元。其中“五业富民贷”实现投放 2110 万元，贷款余额 3640 万元。2017 年投放“农耕文明”涉农个人贷款 7.1

亿元。在总行帮助下为27个帮扶村支持项目捐助资金260万元，为11个帮扶村捐赠配送农用物资20万元；捐赠贫困地区乡镇卫生院5台“母亲健康快车”，价值100万元；继续实施“中学生成长计划”，资助252名贫困村的中学生在省内13所重点中学就学，捐赠金额75.6万元；实施“中国贫困英模母亲——建设银行资助计划”，资助全省65名贫困英模母亲人均2500元，累计金额16.25万元；为定点扶贫村捐赠电脑35台，帮助搭建“善融商务”电商平台；捐赠新年慰问大礼包1382个，捐赠费用27.64万元；省分行本部捐赠资金11.36万元，对贫困户进行“双节”走访慰问；开展扶贫村支部共建活动，划拨专项党费59万元；完成“微公益”网络捐赠项目4个，累计捐助资金16万元。

【深化物理渠道转型，夯实业务发展基础】一是深入推进网点综合化建设，全行综合性网点覆盖率达到100%，对公业务开办率提升至97%，综合柜员占比达到93%，组建综合营销团队584个，网点营销岗位人员占比达到63%。二是加大在县域的机构及自助设备的布设力度，延伸渠道服务触角，做实普惠金融、服务“三农”、支持小微、扶贫攻坚等工作，不断扩大市场份额。2017年新设县域营业网点3家，新设普惠金融特色网点12家，完成营业网点升格7家，完成营业网点和自助银行装修52家，完成建设投产离行自助银行29个。三是加快智慧柜员机渠道建设，加大集约化运营集中度，提高网点服务效能，积极构建“统一、规范、安全、高效、融合、智慧”的物理渠道体系。

【夯实合规管理基础，提升合规管理水平】一是深入推进合规官试点工作，积极探索“三审三建议三沟通两查一报告”工作流程，推进基层机构合规转型。初步搭建完成“省分行—二级行—基层机构”全覆盖网格化的合规管理体系。二是规范审查流程，将合规管理要求提前嵌入业务流程。全年共开展制度、业务、产品合规性审查事项56次，提出审核意见132条，采纳率92.30%，强化事前防控。三是搭建“制度管理平台”，对现行有效的制度实行分层分类管理并实时更新，为进一步加强制度管理提供了平台。四是全年累计开展合规检查7次，发现各类违规问题319个，2017年全行无案件、无监管处罚。五是规范违规处置流程，综合运用违规处置手段，加大违规问题的处置力度，集中解决处置宽、松、软问题。六是建立定期调度机制，开展问题整改有效性检查，建立联防机制，禁止性行为得到有效控制，系统性、根源性整改力度不断加强。七是加强与监管机构的日常沟通联络，合规工作得到监管机构肯定。2017年，分行获得人民银行综合评价A类第二名、反洗钱综合评级A类第三名，均较上年度有较大提升。八是开展“合规建行，知行合一”等文化活动，采取多种形式培训和警示教育，全行员工合规意识不断增强。九是加大诉讼力度，配合做好全行不良贷款清收，妥善处理重大疑难案件和风险事件，提升依法维权效率，为全行转型发展提供坚实保障。2017年全行审理结案的案件共966笔、涉及金额23.86亿元，通过诉讼途径共执行回收5.45亿元，执行率为15.98%。

【加强基层党建工作，创造发展内生动力】一是党员领导干部带头讲党课，各级党组织和广大党员在“学”和“做”上对标看齐，研究制定全面从严治党实施意见，明确全行党建目标。做好发展党员工作和党费收缴使用管理，开展党建工作调研督查，建立“党建工作联系站”。抓党建促扶贫攻坚，开展慰问生活困难党员、老党员和老干部活动。二是落实“两个责任”季度报告制度，制定两考核一评价实施方案，对履责不到位的党组织公开约谈。三是各级党组织认真落实“三会一课”、民主生活会、民主评议等组织生活制度。开展基层党组织规范设置工作，建成“党员之家”“党支部活动室”和“党员墙”等阵地235家。四是坚持干部选拔任用工作基本原则，严肃纪律要求，遵循程序规定，稳步开展干部交流工作。扎实推进“213人才”培养措施落地，严格开展各项培训工作。

【严肃执纪执规，坚持把纪律和规矩挺在前面】一是坚持“突出重点，宽严相济”的原则，从信访受理、线索处置，到执纪审查、调查谈话、审理处理，将“四种形态”体现在执纪问责的全过程。二是坚持“零容忍”惩治腐败，以开展“三清查”自查自纠工作为契机，深挖细查违规问题背后可能存在的以权谋私、利益输送、权钱交易等腐败问题，加强对腐败行为的查处力度，坚决斩断利益输送的链条。三是深入推进作风建设，认真落实中央八项规定精神和总行十项要求，在坚持、巩固、深化方面狠下功夫，扎实做好抓常、抓细、抓长的工作，形成了作风建设新常态。四是进一步夯实纪检监察工作基础，以“忠诚、干净、担当”为标准，持之以恒抓好干部教育、监督、管理，抓好队伍能力建设，着力打造一支政治上合格、技能上过硬、风清气正、乐于奉献的纪检监察队伍。

【深化政治巡视，发挥利剑作用】一是坚持全面从严治党，深化政治巡视巡察。召开巡视培训暨动员大会，贯彻传达总行巡视工作会议精神，制定并推进年度巡视巡察工作计划实施。完成辖内6个二级分支行党委、8个县域支行和6个省分行本部部门党支部的巡视、巡察工作任务，占辖内巡视巡察对象总数的25%。二是找准巡视定位，坚持问题导向，突出整改实效。发现问题137个，提出巡视建议45条，移送《立行立改通知书》37份，提出整改建议书4份。三是持续关注巡视成果的应用与转化，建立问题整改台账，对整改完成情况进行客观评价。及时制发《巡视情况通报》，形成“巡视一个、震慑一片”的监督效应。

执笔：王敦生

青海省分行

青海省分行行长　李振宇

一、业务发展概况

【主要指标】2017年实现账面利润11.36亿元，当地四大行占比27.37%，居第二位；全口径存款年末时点余额896.97亿元，减少25.06亿元；一般性存款年末时点余额895.79亿元，减少21.96亿元；日均余额899.13亿元，减少20.46亿元；各项贷款年末余额714.59亿元，新增48.65亿元，同比多增45.13亿元，增长率7.31%，完成计划的103.25%，余额四大行占比保持第一；不良贷款年末余额28.83亿元，较年初增加5.71亿元；不良贷款率4.03%，较年初上升0.56%；全年实现中间业务净收入3.77亿元，四大行占比34.24%，居第一位。

【对公业务】对公存款年末时点余额487.96亿元，减少20.97亿元；日均余额499.83亿元，减少29.17亿元。对公贷款余额（含贴现）611.74亿元，新增25.9亿元。制定对公存款营销细则、全量客户拓展整体推进实施意见，开展对公客户、商户拓展活动，对公商户客户新增461户，结算账户存款日均新增6.6亿元。着力服务实体经济，重点支持了黄河公司班多水电站、都兰西北水电新能源风电、鲁能新能源多能互补等项目，累计发放对公贷款621.12亿元，发放政府购买服务和PPP贷款11.47亿元，绿色信贷新增27.69亿元。“小微快贷”余额2.56亿元，投放“双基联动”合作贷款1.89亿元；设立普惠金融事业部，普惠金融贷款新增4.51亿元；小微企业贷款同比新增14.34亿元，申贷获得率93%，实现“三个不低于”监管目标。

【个金业务】个人存款年末时点余额407.83亿元，减少0.99亿元；日均余额399.3亿元，新增8.71亿元。同业存款年末余额0.35亿元，减少1.85亿元。一般性存款、对公存款余额四大行占比分别为30.83%、29.97%，继续保持第一；个人存款余额四大行占比31.92%，居第二位。个人贷款（含信用卡透支）余额102.86亿元，新增22.75亿元。个人代工有效账户净增11.46万户，累计代发255.29亿元；个人全量客户净增25.32万户，AUM 2000元以上个人客户产品覆盖度新增0.34个，计划完成率系统内第一。借记卡新增81.36万张，其中，金融IC借记卡（不含社保卡）新增8.75万张，ETC青通龙卡新增0.27万张；与省一卡通公司联合发行大美青海交通一卡通联名卡，独家发行货车ETC卡；“龙支付”个人客户新增14.6万户。制定社保卡功能应用三年规划，累计发放社保卡408.34万张，新增69.05万张，沉淀个人存款12.69亿元。销售私人银行专属理财产品32.28亿元，AUM 1000万元以上私人银行客户新增17户，AUM值21.95亿元，新增4.1亿元。

【投行业务】累计认购政府债券52.62亿元，沉淀财政存款16.6亿元。主承销盐湖股份首笔20亿元超短期融资券；为桥电实业、西部水电等企业出具融资租赁方案，形成1.5亿元有效投放；为西矿股份股权融资1.8亿元，实现股权投资业务破“零”，累计为客户提供直接融资13.3亿元。理财产品新增16.97亿元。与盐湖股份、西部矿业签署市场化债转股合作框架协议，全力推动市场化债转股项目落地。

【机构业务】扎实推进机构业务“双提升”活动，成功开立西宁联勤保障中心定期账户、解放军某集团军装备账户两个军级账户，实现移防军警部队账户全覆盖，签订首笔“军建安鑫”服务协议，军警存款新增16.25亿元，增幅112%，系统内第一；取得省级机关事业单位养老保险基金银行核算账户、省级异地就医结算财政专户等核心账户，社保账户覆盖度达86.13%，社保存款新增15.03亿元、增幅28.36%。连续5年获得省级国库集中支付业务考评第一名，累计吸收国库定期存款57.13亿元。成功中标省国土资源厅、三江源国家公园管理局等关键账户，“银医”“银校”项目市场份额保持第一，教育、医疗行业贷款余额市场占比均居前列。资产托管业务规模56.9亿元，办理同业资产业务30亿元，营销首笔保险公司注册资本金托管业务及证券公司定向资产管理计划业务，“鑫存管”客户新增同业第一；向青海银行授信7.5亿元信用额度，填补了银行类授信业务空白。

2017年5月5日，青海省分行与青海省交通一卡通有限公司举行“互联互通龙卡”业务合作框架协议签约仪式

【房金业务】个贷客户新增6289户，个人贷款、个人住房贷款、再交易住房贷款分别新增14.31亿元、21.09亿元、3.23亿元，四大行占比均稳居第一。个人消费经营类贷款新增4.12亿元，贷款余额、新增四大行占比分别为29%、78%，贷款投放、新增、指标完成率、余额及新增占比五项指标再创历史新高。“快贷”客户新增1.47万户，贷款新增4.72亿元。住房资金归集和公积金委托贷款分别新增3.67亿元、13.49亿元。

【中间业务】制发中间业务发展指导意见，开展增收竞赛活动，创新产品组合，优化收入结构。对公条线持续加大对外担保咨询服务、法人账户透支、贷款承诺、保函等七项重点产品和小企业贷款、年金产品、新型结算产品等产品覆盖度的考核力度，银团中收破“零”，实现中间业务收入1.89亿元。对私条线开展“全员营销、决战分期”专项营销及“满立减”主题活动，加强信用卡分期、贵金属、基金、保险期缴等重点业务和产品营销，实现中间业务收入1.89亿元。其中，信用卡分期业务实现收入1.18亿元、全行占比31%。

【国际业务】为桥头铝电办理1600万美元跨境融资性风参、配套货币利率互换及1011.76万美元海外代付业务、980万美元信托收据贷款业务；办理首笔福费廷买入业务2.74亿元；为中铁二十一局第四工程公司办理首笔国内信用证项下福费廷自营业务2500万元，营销青海省投5亿元发债资金并配套办理3亿美元即期结汇业务和2亿美元远期结汇业务，对公黄金积存业务有效客户破“零”，累计交易量10公斤。国际结算量和代客结售汇总量分别为6.72亿美元、6.07亿美元，双双跃居同业第一。

【战略性业务】电子银行客户新增34.9万户；移动金融交易占比67.74%，系统内同比提升七个位次；善融商务商户新增22户、交易额602.79万元，个人有效买家新增3307户；“悦生活”商户达161户、交易额5.83亿元；拓展青海油田“党费云+聚合付”、茶卡盐湖“聚合付”生态圈，“聚合付”商户上线1342户，交易额6352.4万元；首创系统内及当地同业善融商务体验店。信用卡业务实现分期交易额13.66亿元，同比增长134.67%，系统内第一；信用卡客户净增5.32万户，发卡净增7.19万张，累计客户数、发卡量和客户、发卡净增均居同业第一；信用卡贷款新增8.44亿元，居四大行第一；年轻客户新增4.11万户，计划完成率居系统内第五位。养老金业务成功取得水电四局受托、账户和投资管理三项资格，养老金受托资产新增2.27亿元，个人账户新增1259户，投资资产规模新增8593.27万元。成功与青海航天信息公司签约首笔智能跨行收款业务，单位结算卡、账单自助、通兑签约、对公一户通等四项产品客户综合覆盖度达134.9%，单位人民币银行结算账户量和新增均居四大行第一。

二、主要工作措施

【加强财务管理，资源配置引领作用有效发挥】突出价值创造和转型发展指标考核，完善等级行及KPI考核，引导资源配置向战略转型和重点业务倾斜。成立省分行财务审核委员会，建立重大财务项目集体决策机制。强化专项费用管控，招待费、会议费、宣传费、广告费同比分别下降14.11%、3.29%、6.28%、3.92%；加强“新一代”定价管理系统应用，实现总分行一体化和业务流程融合的电子化价格审批与权限控制。

2017年12月19日，青海省分行与青海省住房和城乡建设厅举行住房租赁战略合作协议签约仪式

【坚持多措并举，资产质量管控不断加强】推进“风险管理进党委”，落实信贷主体责任。加大对制造业、批零业、采矿业等行业的信贷退出力度，合计减少39.06亿元、余额占比下降16.85%。建立完善钢铁和煤炭行业“去产能”风险客户台账，强化动态管理，退出公司类不良客户13户。发挥放款中心作用，审核退回补充材料业务276笔，拦截率40.31%。完善押品管理机制，累计审核评估价值214.8亿元，核减押品估值23.96亿元。综合运用批量转让、现金回收等手段化解不良资产，首个3.14亿元资产包竞价成功，全年共处置不良贷款6.05亿元。

【不断深化改革，转型发展取得新进展】成立法律事务部、反洗钱中心、数据管理中心、同业业务中心，优化二级分支机构客户部和合规与风险管理部设置，增强集约化经营管理效能。创新“社保卡+裕农通”服务模式，依托“裕农通”普惠金融服务平台，打通社保卡金融服务“最后一公里”。6月24日“新一代”3.2对私核心业务系统成功上线，推进学好用好“新一代”工作，举办“新一代”推广培训项目36期，培训2089人天。成功与省住建厅及全省7个州地市政府、西宁市19家优质房地产中介机构签署住房租赁战略合作协议，实现政府签约全覆盖，住房租赁业务取得先发优势。

【强化内控管理，合规意识进一步强化】制定“合规建行、知行合一”工作实施方案，在全辖范围开展手写并集体宣读《合规承诺书》活动。扎实开展四个重点领域案件风险、“三三四十”系列专项治理和“三个公私分开”“员工异常及非正常借款行为”专项排查。完成涉及8个部门20项规章的合规性审查，梳理规章和规范性文件1132个；完成内外部审计监管检查项目35个，问题综合整改率为89.78%。贯彻落实人民银行“3号令”，加大反洗钱工作力度，执行人民银行可疑客户调查42份，确认一般可疑交易113笔，上报重点可疑交易报告8份。建立信访工作联席会议制度，制定信访督查督办实施细则等4项规章制度，将信访工作纳入各二级分支行KPI考核，深入推进信访工作规范化、信息化、法制化建设，顺利完成党的十九大期间信访维稳任务，全年未发生重大信访事项。

【加快渠道建设，网点布局和功能更趋完善】完成首家旗舰网点建设、4个轻型网点转型和15个网点装修改造，网点与离行自助银行之比从1:0.54提升至1:0.68；新增现金类自助设备100台，完成344台自助设备动态密码锁改造、113台综合版智慧柜员机对公业务、电子签名业务上线工作，实现STM存折预约取款、社保卡发卡功能。深化前后台业务分离，推进远程集中授权，实现风险“背对背”控制；实现自助设备清机加钞集中运维。核查确认稽核问题2204笔，稽核问题率为0.97‱。

【全面从严治党，党的建设进一步加强】扎实推进“两学一做”学习教育，深入学习宣传贯彻党的十九大精神，建立150名领导干部廉洁档案，对49名新提任和交流任职的领导干部进行任职集中廉洁谈话，认真开展“三清查”自查自纠及违反中央八项规定精神问题专项整治。消除网点党员“空白点”。分别对1个基层党组织、3名纪委书记和纪检特派员、1名主要负责人进行通报、约谈和诫勉谈话，全年给予党政纪处分21人次。做好总行党委巡视配合及反馈意见整改工作；配合总行督导帮扶组工作。以“一托三”“一托五”方式完成5个二级分支行常规巡视、6个省分行部门、5个县支行巡察和4个行、部巡视“回头看”工作，发现问题334个，提出工作建议72条。提拔任用副总经理以上领导干部3人，选派赴市县村及监管单位交流挂职干部8名，选拔10名优秀干部双向挂职锻炼、50名优秀年轻员工到基层挂职，校园招聘新员工70名，举办各类培训项目538期。

【履行社会责任，企业文化建设取得新成效】深入开展“感动建行高原人”模范人物评选表彰和徒步、乒乓球比赛等活动，丰富员工文体生活。成立青年志愿者协会，召开共青团省分行第二次代表会议、全行团员代表大会，开展送温暖和关爱员工活动，凝聚转型发展正能量。深入定点扶贫村调研，开展结对帮扶活动，向22个定点扶贫村捐赠扶贫资金120万元；制定精准扶贫方案，支持格尔木鸿岩石材加工厂等一批扶贫企业，扶贫贷款余额56.62亿元。

执笔：段国荣

宁夏回族自治区分行

宁夏回族自治区分行行长　张　敏

（2017年3月任）

一、业务发展概况

【主要指标】2017年，实现主营业务收入25.54亿元，拨备前利润16.92亿元。

【负债业务】全口径存款年末余额689.4亿元，当地四大行占比30.1%，占位第一；新增36.7亿元，四大行占比30.8%，占位第一。其中对公存款余额336.1亿元，四大行占比30%，占位第一；个人存款新增29亿元，四大行占比42.4%，占位第一。

【资产业务】各项贷款年末余额 686.4 亿元，新增50.8 亿元，四大行占比31%，占位第一。信贷结构得到极大优化，个人资产业务有效提升，个人贷款余额 169.27 亿元，比年初新增 23.09 亿元，累计营销“快贷”客户 49274 户，授信额度 29.9 亿元。信用卡贷款余额 39 亿元，较年初新增 12.1 亿元，余额、新增均居四大行第一。

【中间业务】实现中间业务净收入5.13 亿元，同比增长5475 万元，同比增速11.9%，四大行占比32.1%，占比较年初提升 1.7 个百分点，继续保持四大行第一。

【资产质量】不良额（率）近三年首次实现双降，全行不良贷款额 26.06 亿元，比年初下降 7.3 亿元；不良贷款率 3.8%，较年初下降 1.46 个百分点。

二、主要工作举措

【使命担当，切实践行大行责任】一是助力国家供给侧结构性改革，持续推进“三去一降一补”和“绿色信贷”，重点支持 PPP、宁夏回族自治区 60 大庆及“项目推进年”重要项目、水污染治理、新能源、环保服务科技企业、旅游业和民生领域，深入优化信贷结构，产能严重过剩和“6+1”行业得到有效控制。

二是积极推进普惠金融政策落实。大力推介“小微快贷”“助保贷”“大数据”等特色产品，助力普惠金融贷款八项指标余额达 26.11 亿元，较年初新增 10.05 亿元，全面完成总行及监管部门下达的普惠金融贷款任务；同时开办“裕农通”普惠金融服务点共 144 个，时点存款达

2017 年 4 月 20 日，宁夏回族自治区分行与自治区商务厅举行战略合作协议签约仪式

2017 年 6 月 20 日，宁夏回族自治区分行与自治区工商局举行战略合作签约仪式

674.96 万元。

三是发挥集团优势，多渠道助力地方经济。积极联动建信信托，实现银川滨河新区百亿城镇化建设及产业基金项目成功签约，首笔 6.5 亿元投资落地；通过建信金融租赁为吴忠人民医院投放资金 1.2 亿元；中民新能源光伏项目 2 亿元融资租赁保理业务成功落地；为宁夏国有资产投资控股集团有限公司成功开办投资通业务，投放理财资金 4 亿元，实现该产品在分行成功破零；积极参与地方债承销，承销地方政府债规模 41.6 亿元，位居同业第一。自主发行保本理财产品 12 期，时点余额较年初新增 10.38 亿元，创历史新高。

四是“蓝海项目”迅速推进。2017 年完成了与区住建厅住房租赁战略合作协议的签署，与八家宁夏当地著名房地产开发有限公司签署了战略合作协议；实现了所有地市战略合作协议的签署，成为全国第 11 个租赁业务全覆盖的省区。

五是展现建行价值，持续回馈社会。着力做好金融精准扶贫工作，全年发放金融精准扶贫贷款 9.02 亿元。加大定点扶贫力度，向总行申请捐赠资金 120 万元，完成了张易镇贺套村等四个定点扶贫项目。积极开办“成长计划”公益项目，发放资助金 75.6 万元。开展“英模母亲”资助计划，为 18 位“英模母亲”发放资助金 5.25 万元。在总行的统一安排部署下，向贫困地区捐赠“母亲健康快车”20 辆。

【着力推进，新兴业务亮点给力】一是信用卡业务成绩优异。全年净增发信用卡 12.1 万张，完成总行计划的269%，净增客户 9.5 万户，完成

总行计划的272%，发卡客户完成率全国排名第一。移动优先战略落实成效显著，手机银行客户新增37.61万户，连续七年保持同业第一，用户总量达174.08万户，连续五年居四大行首位；个人网银、企业网银用户总量也均稳居四大行首位，新增继续保持同业第一。场景应用不断丰富，共上线“悦生活”平台商户286户，在总行悦生活营销活动中，共35家商户获奖，与13家一级分行并列排名第一；拓展扫码付商户3059户，沉淀时点存款余额3.03亿元；善融商务有效买家7166户，计划完成率324.84%；新增“银医通”5户，“银校通”1户，发挥了较好的资金沉淀效果。借记卡规模同业领先，龙支付业务扎实推进，借记卡累计发卡489.21万张，居四大行首位；龙支付当年新增客户累计36.75万户，计划完成率168%；龙支付个人商户新增1.55万户。ETC业务发展势头迅猛，成功实现ETC业务发展“后来居上”目标，共发行ETC卡6.15万张，占当地市场份额的25%，市场占位第二。私人银行业务圆满完成任务，私人银行条线中间业务收入135.41万元，计划完成率250.76%，位居系统第一。

二是渠道服务不断深化。不断提升客户满意度，以星级网点评定为契机，打造服务标杆网点，在中国银行业协会2017年星级网点评定中，分行有两家网点被评为五星级网点，两家网点评为四星级网点。全年智慧柜员机投放率达100%，活动率99%以上，迁移率90.67%，全国综合排名第十五位，进入优秀行列。加快县域网点设立，西吉支行、彭阳悦龙新区支行开业，填补了县域金融服务空白。

三是“新一代”核心系统顺利上线。通过有效组织完成“新一代”分行特色配套改造项目，完成全行“新一代”模拟演练、培训和测试工作，圆满实现了“新一代”3.2期对私业务上线。组织“学好用好‘新一代’”推广工作，共征集有效案例252份，发布208份，取得了阶段性成效。

【夯实基础，客户拓展成效显著】一是个人客户增势明显。全量客户全年新增30.03万户，其中有资产客户新增25.95万户，新增占比86%，增速12.3%，系统第六；有效客户快速增长，存量有效客户当年新增11.69万户，增速15.5%，系统第四。

二是公司客户量质同步提升。全量客户新增4337户，完成计划任务的361.45%；有效客户新增1949户，完成计划任务的314.35%；加权有效客户新增4387户，完成计划任务的463.81%。同时，对公人民币结算账户总量四大行占比33.73%，连续四年稳居第一。

三是机构客户拓展成效显著。全力推动机构业务“双提升”活动，“五个一”工程，对公客户“大拜访”，累计客户拜访量达到16680次。在国库现金管理商业银行定期存款业务招标中，以第一名的成绩在16家竞标银行中脱颖而出，中标份额3.65亿元。与多市人民政府签订《战略合作协议》《“银政担”合作协议》《“银税互动”合作协议》；为固原市九龙城市建设集团有限公司办理单位委托贷款业务，成功实现单位委托贷款手续费收入破零并完成全年计划；与宁夏体育局、宁夏体育彩票中心签订《体育彩票销售额度转账业务合作协议》并完成系统上线，打破了宁夏地区体彩业务长期由农业银行、宁夏银行二家承办的局面。

【力抓党建，筑牢全行发展基础】一是深入学习宣传贯彻党的十九大精神。分行党委将学习宣传贯彻党的十九大精神作为首要政治任务，第一时间成立了学习宣传贯彻党的十九大精神领导小组，结合实际研究制定了细化方案，提出了具体要求，分行班子成员分别深入一线参加基层党支部集体学习和组织生活会，带头宣讲党的十九大，以实际行动带动全行广大干部员工学习贯彻党的十九大精神，部署召开了“学习贯彻十九大精神，推进年末重点工作”（视频）会议，切实把党的十九大精神转化为推动分行改革发展的强大动力，在全行掀起了学习宣传贯彻党的十九大精神的热潮。

二是加强“两个责任”落实，全面深化从严治党治行。研究制定了党委工作要点、党委主体责任分工清单、提升党委主体责任的60条措施，以规范、完善的制度办法，保证党委主体责任的履行有据可依、落实到位。层层压紧压实管党治党主体责任，发挥党组织主体作用，严肃党内政治生活，严格党员日常教育管理。高度重视基层党建工作，对“党员之家”进行升级改造。推进基层党支部书记轮训，共举办18期239人次基层党支部书记轮训。关注党员发展，全年共发展党员26人。对有关违规违纪问题进行集中查处和严肃追责，共给予党政纪律处分29人次。建立了“每周一讲”学习教育机制，组织观看警示教育片和反腐电视专题片50余场。充分发挥巡视利剑作用，全年对8个行部开展了巡视巡察，发现问题144个，提出建议53条。一系列工作开展向全行广大党员和领导干部表明了从严治党治行的决心，形成了有力震慑。

三是切实推进人才队伍建设。优化领导班子结构，全年共交流调整干部77人，对11个二级分支行、营业部以及分行13个部门的领导班子调整，7个二级行领导班子的平均年龄下降；开展了二级分支行、分行部门副职公开选拔工作，提拔15名领导干部；推进“213人才”工程，组织实施了分行“213人才”工程倍增计划，实施了两批“213人才”挂职交流培养；研究制定了《领导人员行政管理若干规定》，完善了从严选拔管理干部制度体系，形成能上能下的选人用人机制，全行发展活力和动力得以激发。

四是持续关爱员工，构建和谐温暖集体。在全行范围开展员工家访活动，通过家访深入了解员工家庭状况、生活状况、思想状况及困难等，帮助员工解决后顾之忧；加强“职工之家”品牌建设，精心打造员工活动阵地；开展劳动竞赛与文体活动，丰富员工文化生活；召开第四届职工（会员）代表大会，对员工代表提出的队伍建设、员工福利、业务发展、关爱员工、内部管理等方面16件提案，认真梳理、分办、研究、回复，回复率为100%；重点关注一线员工，开展帮扶送温暖活动，为全行基层营业网点员工采购了新职业装。在非常困难的局面下，努力向总行申请员工费用，实现了员工收入3%的增长目标，实现了年初对员工的承诺。

【合规护航，内部管理持续加强】一是深化落实“风险管理职责进党委”要求，通过开展“压不良，降逾期，向资产质量要效益”攻坚战活动，强化考核问责，压实风险管理责任；以实现信贷资产质量防控目标为出发点，强化信贷基础管理水平，区分行领导班子成员分片包干，认真落实“五个到位”风险管理长效机制，做好重点联系行帮扶工作，及时研究解决风险管理、不良防控处置等不到位问题。

二是强化合规教育，全年组织开展了专项合规检查；组织落实“合规建行，知行合一”活动；开展员工行为管理与“三线”专题教育；开展合规宣讲教育11场1500余人次，合规培训500余人次；组织签署并集体宣读《合规承诺书》活动，2500余人做到了人人手抄、签署并宣读《合规承诺书》；开展“党建引领　合规护航”风采展示大赛活动。通过一系列活动向全行员工宣导了守法合规经营理念与案件防控意识，起到了良好的警示教育作用。

三是夯实反洗钱管理基础，落实好各项监管要求，加强反洗钱监测与业务联动机制，及时下发反洗钱自主风险提示8份，举办了反洗钱、反恐怖融资、金融制裁合规视频培训班，200余人进行了培训，积极开展反洗钱宣传工作，共计发放宣传资料2.75万份，解答群众咨询1.08万人次，达到了活动的宣传目的，收到了良好的预期效果。

四是坚持以安全发展为核心，成立区分行案件防控和预防腐败工作联防联控委员会，明确了“两防”委员会各成员单位的主要职责，以及各业务部门在“两防”工作中应承担的主体责任，组织逐级签订“两防”责任书223份。通过全行共同努力，安全保卫工作被总行评为优秀，连续十三年未发生“三类”案件和重大责任事故，连续十年未发生群体性事件，为全行改革发展提供了坚实保障。

执笔：杜　晖

新疆维吾尔自治区分行

新疆维吾尔自治区分行行长　杨险峰

一、业务发展概况

【主要指标】2017 年，一般性存款日均余额 2221.69 亿元，新增 225.5 亿元，增速 11.3%；各项贷款年末余额 1548.81 亿元，新增 146.2 亿元；实现中间业务净收入 15.87 亿元，增速 12.65%，市场占比 32.54%；实现账面利润 33.21 亿元，同业第一；拨备前利润 51.1 亿元，增速 13.4%；实现经济增加值 18.37 亿元，超额完成总行计划。

【对公业务】对公存款日均余额 1420.98 亿元，新增 177.93 亿元，增速 14.31%；对公贷款年末时点余额 1092.85 亿元，新增 65.07 亿元；实现对公中间业务净收入 6.5 亿元，同业第一；普惠金融贷款新增 15.19 亿元，四部委口径小微企业贷款新增 32.31 亿元；资管投行创新产品和交易模式，以债权、基金、投资通、投贷联动等产品有效解决了企业在高杠杆下的资本金问题，全年实现资管投行收入 2.07 亿元；单位人民币结算账户总量首次跃居同业第一，增速、增量稳居同业第一；公司机构有效客户加权前、后增速分列建设银行系统第一和第三。

【零售业务】个人存款日均余额 800.71 亿元，新增 47.57 亿元，增速 6.32%；个人贷款时点余额 455.97 亿元，新增 81.13 亿元，余额、新增均排名同业第一；个人快贷新增 17.53 亿元，余额 25.36 亿元；实现中间业务收入 16.81 亿元，市场占比 31.28%，同业第一；上线金融生态圈项目 383 个，覆盖 17 类客群、24 种场景，惠及百万客户；借记卡新增、社保及时补卡同业第一；移动金融交易量占比 83.56%，移动金融交易量是柜面的 5.1 倍；手机银行、个人网银存量及新增保持同业第一；信用卡七项指标同业第一，中收同业市场占比达 45%，系统内排名实现七个领先。

【房地产业务】房地产贷款年末余额 6.02 亿元，个人住房类贷款实现投放 60.10 亿元，余额 296.35 亿元，新增 21.93 亿元；房改金融业务方面，委托性贷款余额 362.40 亿元，新增 31.29 亿元，其中，公积金个贷余额 362.10 亿元，新增 34.27 亿元。坚决迅速推进住房租赁项目，短时间内与自治区、兵团及大部分地州市主管部门签订合作协议，并实现租赁服务平台正式上线。

【兵团业务】兵团对公存款年末时点余额达到 310 亿元，时点新增 48.4 亿元，日均新增 44.6

2017 年 3 月 16 日，新疆维吾尔自治区分行与新疆机场集团、乌鲁木齐高铁开发公司分别签署停车场 ETC 项目合作框架协议

亿元；兵团贷款余额252亿元，年新增近62亿元，增幅高达32%，投行增幅超过60%。积极抢抓兵团重点建设项目，成功与中新建达成基金组建意向，支持兵团十二条重点公路建设，并成功投放兵团交通建设领域首笔贷款。联动营销取得重大突破，与兵团十四个师达成农民工实名制项目独家合作协议，累计开立对公账户两百多户，新增发卡近6万张；与兵团社保的合作全面提速，已完成社保卡发卡29.9万张；与个人条线共同启动“星火工程”，在十四个师实现全覆盖，团场金融生态圈建设初见成效。

【国际业务】霍尔果斯境外人民币板块资产业务投放208.8亿元，吸收境外人民币存款日均79亿元，服务实体经济效果显著；跨境人民币创新业务继续保持同业第一，实现中收8230万元，市场占比近60%；跨境人民币实收实付结算量同比提升310%，以绝对领先的市场份额占据同业第一；跨境人民币业务量、国际结算收入同业第一。

【资产质量】年末不良贷款额9.73亿元，比年初下降5.18亿元，不良贷款率0.69%，比年初下降0.41个百分点；全行处置不良贷款13.97亿元，已核销呆账资产现金回收3991万元，不良贷款、逾期贷款、垫款和不良处置均控制在总行计划内。

【内控合规建设】抓实合规管理和案件防控，专题开展了“两自两严”专项整治活动，引导全行员工自发抵制违规经营、自觉践行合规理念，累计发现问题10313个，问题整改率为98.37%，问责率为100%。重点开展了“三三四十”和四个领域等系列专项活动，整改及问责率达98%以上；持续开展“季季有主题”“一季一谈话”合规活动，未出现重大经济损失或声誉损失。

二、主要工作举措

【突出“转型发展促提升”的首要任务，作为主要目标贯彻到底】综合竞争能力更加强劲，围绕做大规模、做强质量、做优结构，十八项核心指标同业第一，多项指标增速高达两位数以上，多项业务创历史新高；员工人均收入逐年增长，2017年增幅4.2%，其中人均浮动收入增长5.3%。服务实体经济更加主动，以综合服务为抓手，凸显“EPC（总装集成）”中心功能，抢抓自治区1.5万亿元和兵团2700亿元固定资产投资机遇，实现自治区及兵团固定资产投资、PPP、重大项目贷款投放235亿元，赢得了政府、重点企业认可；与新疆有色、金风科技签订百亿元综合化降杠杆协议，积极落实“三去一降一补”供给侧改革。紧跟中央、总行党委和自治区部署，设立普金委统领全行普惠金融业务发展，区分行及二级分行均设立普惠金融事业部，连续7年完成“三个不低于”监管指标，小微企业贷款余额、客户总量、客户新增均在当地同业排名第一。累计发行ETC卡突破45万张，当年发行10.77万张，连续两年市场占比100%；ETC签约圈存储蓄存款115亿元，当年圈存38亿元，实现中收累计近2亿元，《新疆分行ETC项目拓展典型案例》2016年、2017年连续两年在总行“建网杯”转型大赛评选中获奖。

【突出“精细管理创价值”的具体抓手，作为内生动力贯彻到底】精细化管理更加深入，全行加快转型精细化管理，单独设立转型评价考核办法，进一步明确16项重点指标牵头，促进7家重点转型行发挥领先作用。获客活客手段更加有效，全行围绕小微企业、商户拓展、供应链等资金流、客户流营销，加强生产组织管理，推广“燕京模式”“扫码付”“党费云”“悦生活”“小微快贷”等，加快提升客户批量拓展效率，嵌入各项金融及非金融服务，进一步串接金融生态枢纽节点，显著提升客户黏性。扎实开展“学好用好‘新一代’，促业务转型发展”专项活动，推广总行“对公雷达”、个人数据分析及精准营销、企业级数据应用平台、慧视、企业微信号等数据平台，“新一代”为客户营销、营运支持、绩效考核、风险防范等提供有力数据支撑，资金体内循环率、承接率分别达42.16%和43.52%，实现双提升。客户服务水平不断提升，区分行将客户优质服务作为“一把手”工程，从柜面培训、优化流程、网点局部改造、服务考核、第三方检查等多方面入手，出实招、下重拳进行服务整治，促进全行服务质量明显提升，客户等候和业务平均时长分别较2016年末提升了1个和14个位次，以历史最好成绩成功创建五星级、四星级网点共6家；完成86个网点的快速装修，客户体验有效提升，网点综合效能不断增强。

【突出“风险合规固基础”的问题导向，作为坚强保障贯彻到底】风险管控更加牢固，持续深化落实“风险管理职责进党委”要求，突出“党委管、全面管、主动管”三管齐下，层层压实各级机构党委对风险管控的主体责任；以“五个到位”为抓手，强化全面风险总体管控和协调防控机制，进一步压实风控主体责任，健全信贷风险督察工作机制。持续开展信贷结构调整优化，落实党的十九大精神，跟进经济转型升级，重点支持消费金融、普惠金融、住房租赁、先进制造业和现代服务业发展，巩固基础设施领域传统优势，坚持“有保有压、有扶有控”，积极通过移位再贷加强信贷结构调整，将腾挪出的规模重点投向优质客户、风险回报高的行业以及符合经济发展方向的领域。合规氛围更加浓厚，2017 年开展了“两自两严”专项整治活动，之后又按照总行和监管机构要求开展了系列专项治理工作，通过主动发现、暴露缺陷，赢得主动、把握先机，合规创造价值的文化氛围日趋浓厚。整改问责更加有效，将整改流程与新疆总审计室和外部检查跟踪对接，形成良性互动，通过高层驱动、条线管控、层级落实，有效推进屡查屡犯问题和重大风险事项整改，将审计发现问责率纳入考核，督促全行落实审计整改责任制，通过流程优化不断改进和提高整改效率和效果。

【突出“党的建设把方向”的核心要求，作为首要责任贯彻到底】全面组织推进学习贯彻党的十九大精神，将深入学习党的十九大精神，作为首要政治任务，做实规定动作，创新自选动作，强化督导检查，确保学习宣传贯彻工作全覆盖、真落地、见实效；制订系统性学习培训计划，推广“234”学习机制，各级党支部利用非工作时间开展“每周一学”“五个一”主题活动，将贯彻落实党的十九大精神作为统领全行业务发展的思想根基，体现到服务实体经济的方方面面。推动党的信息化建设、党支部阵地建设、党建标准化建设，区分行本部与基层结成帮扶对子 137 个，建立党员责任区、示范岗、先锋岗 1746 个，将党员的先锋模范作用发挥到一线、体现到基层；“向党工作站”荣获全国金融系统首批“劳模创新工作室”命名，承办全国金融系统劳模创新工作室现场推进会，品牌影响力得到极大提升。从严治党更加深入，多渠道发现违规违纪问题线索，对 107 人次进行党纪、行政处分，及时进行通报，充分发挥问责警示作用；组织开展巡察，以推动全面从严治党、从严治行向基层延伸，确保巡察监督无死角；针对典型案例组织拍摄警示教育片，加强纪律作风和案件警示教育，让广大干部员工引以为戒；持之以恒落实中央八项规定，制定加强作风建设十项要求，组织开展了“三清查”、违反中央八项规定精神问题等专项整治活动，从细从实坚决抵制“四风”，招待费、会议费、宣传费连续五年下降。

【突出“队伍建设聚合力”的宝贵财富，作为强大支撑贯彻到底】人才队伍建设积蓄动力，着眼长远，统筹推进，配强领导班子，涉及二级分行与区分行本部间、二级分行间、本部部门间处级干部调整轮换共 47 人次，各级领导班子建设实现了“四个更加”；人才战略全景化落地，管理岗位建设拉开帷幕，选派年轻干部 16 人次到副处级岗位挂职锻炼，二级分行选派 40 人挂职锻炼；专业技术岗位扩大总量，全辖 413 人聘任专业技术岗位职务，其中二级分行占比 87%；经办岗位晋升打开通道，398 人按照经办岗位职务办法、职务与职等并行政策晋升了职等，占全行在岗员工的 7.4%，全面有效的干部人才队伍建设为全行转型发展注入了源源不断的动力。员工减负更加实际，积极推进印章、签名电子化，实现 252 个常用柜面印章自动加盖，柜面 13 类业务、244 个对私交易客户签名电子化，效率提升 20%，柜面凭证数量、种类分别减少 60% 和 65%；试点推进 210 个交易授权事项后台集中，有效减少网点授权业务量。员工关爱更加具体，从基层员工最关心关注的具体问题入手，温暖关爱、帮扶救助更加细致，加强职工之家（小家）建设，持续开展“讲述建行好故事”、“旬”找出彩建行人、月度服务明星评选等活动，进一步增强全行员工的认同感、归属感和自豪感。

执笔：杨　福

深圳市分行

深圳市分行行长　王　业

一、业务发展概况

【主要指标】2017年，全年实现税前利润158.0亿元，增长20.3%；中间业务净收入80.9亿元，增长13.7%，占主营业务收入的比重达35.9%，比上年提升1.9%。

分行全口径存款年末余额8266亿元，新增865亿元，增长11.7%，其中一般性存款余额7168亿元，新增982亿元，增长15.9%；同业存款余额1098亿元。各项贷款余额6075亿元，新增428亿元，增长7.6%。全口径存款余额及新增、一般性存款余额及新增、同业存款余额、各项贷款余额等主要指标均保持四大行第一。

【公司业务】分行本外币企业存款日均4771亿元，新增798亿元，增幅20%，其中人民币企业存款日均4123亿元，新增888亿元，增幅27%，本外币和人民币企业存款日均四大行份额保持第一，人民币企业存款日均新增及增幅创历史新高。人民币对公非贴贷款余额2443亿元，累计实现投放1894亿元，余额及投放量均居同业第一，收息率、加权利率及加权浮动比例继续保持同业最高。对公中间业务收入56.23亿元，保持同业第一。公司机构加权有效客户折算后增长7.63万户，建设银行系统内增量、增幅均排名第二。

【个人金融业务】分行个人客户全量金融资产日均2695亿元，新增414亿元，增幅18.2%；储蓄存款日均（不含保本）1492亿元，新增76亿元；个人贷款年末余额2667亿元，新增166亿元，余额和定价保持四大行第一；个人客户经营综合竞争力排名系统第三，私行级客户增速、增量均为五行第一；对私中间业务收入四大行份额40%，四大行第一。信用卡分期交易额158亿元，同比提升17%，实现中收9.8亿元，同比增长13%；客户总量、净增、贷款余额、当年消费额、分期贷款投放、资产质量、中收等核心指标保持四大行第一。新发放人民币对公非贴贷款平均利率5.88%、新发放个人住房贷款平均利率5.19%、人民币存贷利差3.11%等均为四大行第一。

【房地产业务】分行房地产公司类贷款年末余额292.7亿元，比年初增加65.79亿元，在人民币非贴贷款余额中占比11.98%；其中8级（含）以上客户贷款余额272.35亿元，占比93.05%；住房开发项目贷款余额208.82亿元，

2017年2月9日，深圳市分行召开2017年工作会议

占比71.34%。

【中间业务】全年实现中间业务净收入80.93亿元，增幅14%。对公、零售、资管业务分别实现中间业务收入36.59亿元、29.07亿元和15.27亿元，占比分别为45%、36%、19%。非利息收入合计83.5亿元，同比增长9.4亿元，在主营业务收入中占比为33.7%。

【国际业务】国际业务收入9.9亿元，同比增长11.0%，同业排名第二、系统第三。对公外币存款日均余额99.6亿美元，同业排名第二、系统第一。连续创新一年期打包贷款、福保通、出口保付通、深圳信用证联盟、贸融通等多个新产品，其中"全球融资易"获总行产品创新三等奖，圆满实现总分行自主创新目标。同时，积极推动创新产品落地，全年创新产品办理业务量43.0亿元，实现中收2155.0万元。扎实服务"一带一路"、大湾区建设等国家战略，支持企业"走出去"，国际收支客户数新增5838户；贸易融资余额1584.1亿元，同业和系统第一。

【网络金融业务】分行个人电子银行中收9.83亿元，系统排名第二；移动金融交易量占比93.81%，系统排名第二；手机银行产品覆盖度53.52%，系统排名第四；企业手机银行新增客户数2.9万户，系统排名第六；手机银行活跃用户占比26.15%，系统排名第七；手机银行活跃客户总数157.34万户，计划完成率145.37%；龙支付线上商户计划完成率181.67%，交易额系统排名第一，超大型商户数系统排名第三。

【投行（资管）业务】全年实现投行（资管）业务收入18.67亿元，同比增长1.28亿元，全行中收占比近1/4。其中资管业务收入15.42亿元；投行业务收入3.25亿元。资管业务收入系统、同业均排名第一。投行业务收入系统第四、同业第一。高收益资产余额1578亿元，新增171亿元，高收益资产余额、当年配置额、资产定价收益率保持系统、同业第一。

【资产质量】年末不良贷款额59.58亿元，不良率0.94%，同比分别减少4.19亿元和下降0.15%。逾期贷款余额65.53亿元，逾期贷款率1.04%，同比分别减少8.19亿元和下降0.22%。

【内控合规建设】高度重视监管动态，加强外规内化，为合规经营提供参考，全年解读及研究重要监管政策34份；紧抓合规性审查，全年完成新产品、新业务、新制度的合规性审查181项，合规咨询48笔，从源头上严控合规风险，推动合规与业务平衡发展。

全年实现"无监管处罚、无案件、无重大违规事件"，成为系统内6家全年未受到监管机构的处罚或罚款的分行之一。

【其他业务】普惠金融领域贷款合计452亿元，系统第一，占比11.4%；普惠金融领域贷款余额新增208亿元，系统第一，占比20%，其中小微企业贷款在系统内及同业均近乎占据"半壁江山"。2017年末分行同业资产余额114.6亿元，同业资产收益2.73亿元；金融市场中间业务收入19.83亿元，增长32.7%。

二、主要工作措施

【聚焦党建首责，加强党的建设】明确58项具体工作，包括在"CCB建融家园"开展贯彻落实党的十九大专题宣传等创新。牢固树立干部在基层成长、从基层选拔、到基层培养的导向，基层晋升比例为部门1.6倍，绩效增量全配到基层一线。创新运用线上党建，迸发基层党建活力：制作《我是共产党员，每天在你身边》教育微视频并荣获总行一等奖；开展"我身边的共产党员"故事会大赛，吸引3800人次在线观看。

【以扶贫抓党建，以党建促扶贫】扎实落实定点帮扶河源市紫金县在上村精准脱贫三年攻坚任务，制定抓党建促脱贫攻坚具体实施方案，创新设立"在上村扶贫基金"，主导成立农民专业

2017年11月16日，深圳市分行与星河控股集团举行"新时代、星未来、善建行"签约发布仪式

合作社，推动产业项目精准落地，引入优质上市公司，建设百亩“三叉苦”药材种植示范基地项目等。经过两年的努力，实现34户186名贫困户的脱贫，脱贫任务完成率74%，顺利完成政府下达的脱贫年度计划，获总行党委及紫金县政府认可。

【持续正风肃纪，做到守廉倡廉】落实纪检监察人员配置，将“两个责任”纳入各二级分支行的年度考核。严明党的纪律，保持惩治高压态势，及早纠正违规违纪行为，党政纪处分16人次。完成对15家二级分支行、直属支行的巡视全覆盖，督促新出台8项规章制度，提交意见建议35条。

【深入推进住房租赁项目，助力解决社会难点痛点】总行在2017年8月初着手部署住房租赁项目，助力解决社会痛点。深圳市分行作为首批试点分行，深入推进住房租赁项目，与房企、公积金中心举办战略合作协议签约仪式，打造CCB建融家园长租社区品牌；推出银行业首创的个人住房租赁贷款“按居贷”，2017年发放“按居贷”31笔、金额444.27万元；率先成立住房租赁服务子公司，探索专业化、机构化经营；向社会推出家庭式长租房源，截至2017年末已上线加储备房源共9748套；开展“长租长住、减租减负”活动，为老百姓理财、为长租客减负；运用金融智慧支持培育专业化、机构化租赁企业，12月4日与招商局集团共同推出银行间市场首单住房租赁ABN，规模达200亿元；加快推进长租住房储蓄计划及养老社区项目；探索打造开放共享的存房租赁平台，扶持中小型房屋租赁企业做大做强；推广长租理念，助力社会培育长租文化。

【金融科技创新层出不穷】推出“智能开户”“对公移动支付”“社保E站通”和智云推荐等项目。星银行成功部署，通过极简高效服务模式和优惠便捷产品吸引行外客户，实现e账户在线实时开户，为发展直销银行服务做出有益探索。拓展与大众生活联系紧密、需求广泛的高频非金融应用，积极参与“智慧城市”建设，推出“无感停车”“就医160预约挂号”“摩拜单车扫一扫解锁”等一系列场景应用。在总行2017年“产品创新和流程优化奖”评选中，连续五年蝉联“最具创新力分行”，“线上鑫存管”“全球融资易”“车生活龙卡”“赎易安”“新一代反洗钱应用优化项目”分获不同奖项，获奖数量和等次均排名系统第一。在2017年度深圳市金融创新奖评选中，“云快贷”“智能开户”均荣获二等奖，分行获奖连续多年位居非总部机构第一名。

【渠道转型持续深化】分行按照线上银行设计理念进行全流程再造，打造新型智慧银行。持续推进52项柜面业务流程优化，延伸智慧柜员机、智慧卡库、智慧现金循环机等智能机具的效能，形成112家综合网点、25家轻型网点、60家微银行、635家离行自助银行等为触角的线下渠道和线上相融合的全渠道客户服务体系。离行自助银行与网点之比达到3.19∶1，远高于0.96∶1的系统平均水平。自助银行渠道运营情况综合得分、账务性交易占比、台均手续费收入均为系统第一。

【积极支持政府、事业单位及大型央企、国企改革及发展】独家开立机关事业单位养老改革收入户、支出户以及机关事业单位收入户等，累计承接补缴金160亿元，沉淀资金超70亿元。中标深圳9区国库集中支付代理银行资格，基本实现全覆盖。充分发挥全市唯一同时取得住房公积金和物业维修资金专户银行资格的专业优势，服务居民住房需求。2017年实现住房公积金存款日均188.3亿元，物业专项维修资金管理中心存款日均76亿元，中收4900万元。

【积极履行社会责任，企业形象不断提升】分行坚持履行大型国有商业银行的应有责任，担任深圳银行业协会会长单位、深圳市银行业消费者权益保护促进会会长单位。凭借课题研究报告《交易银行发展与业务模式创新研究》荣获中国银行业协会“中国银行业发展研究优秀成果评选（2017）”全国一等奖；彭白萍、张甲霖双双荣获全国金融五一劳动奖章。

执笔：李睿杰

大连市分行

大连市分行行长　张喜军

一、业务发展概况

【主要指标】2017 年，实现主营业务收入 39.9 亿元。中间业务净收入 9.5 亿元，跃居当地四大行第一。

【负债业务】年末一般性存款（本外币）日均余额 1319 亿元，四大行第二，其中对公存款日均余额 681 亿元；个人存款日均余额 638 亿元。

【资产业务】重点投向个人贷款，个人贷款占全部贷款比重达 45%，提升近 10 个百分点，个贷余额、新增、增速四大行第一。年末本外币贷款余额 1038 亿元，四大行第二。其中对公贷款余额 572 亿元；个人贷款余额 466 亿元。

【资产质量】不良贷款年末余额 34.21 亿元，四大行第二；不良率 3.3%，四大行最优。

【战略性业务】普惠金融业务全面推进。新设普惠金融事业部，成功上线小微快贷、云税贷；与市工商联合作发展供应链平台业务。

【国际业务】对公结售汇业务同比增长 21.92%，连续 12 个月位居四大行第一；四大行占比 33.5%。跨境人民币结算量四大行第一，四大行占比 44.27%。国际结算收入四大行第一，四大行占比 37.03%。

【机构业务】成功营销省海警第一支队，实现"军建安鑫"客户合作零突破；中标旅顺口区财政专户项目；地区合作高校升至 26 所，占比 87%；地区二级甲等以上医院合作 26 所，占比 48%；卫生行业市场份额继续保持同业第一。

【投行业务】完成辽渔集团债转股，实现辽渔集团 12 亿元股权投资产品投放，成为地区首单落地的国有企业降杠杆业务；完成大连港集团 24 亿元股权收益理财资金投放；高收益理财基础资产较上年同期新增 53 亿元，增速 79%；承销地方政府债 74.43 亿元，全口径债券承销量四大行第一。

【金融市场业务】开展了首笔贵金属租借、大宗商品套期保值、债券分销、对公记账式国债销售等业务，形成新的业务增长点。

二、主要工作举措

【夯实基础，稳步提升发展质量】主动管控风险。深化全面风险管理"五个到位"构建要求，推进风险管理职责进党委，强化建行各层级风险责任落实，实现责任体系全覆盖；加强风险预警监测，建立了"三层预警、三级诊断"工作机制，有效提升了风险主动应对能力；健全不良资产处置机制，推动重大项目化解，"量、质、效"全面提升。

加强内控合规及案件防控管理。扎实推进完成监管机构"3341"系列专项治理、总行四项专项治理以及分行专项治理检查；积极传导合规文化，深化全员"合规建行　知行合一"活动；加强反洗钱集中作业管理，持续提升反洗钱数据报告质量；健全完善案防管理长效机制，强化员工从业行为管理，组织召开"回归诚实　敬畏制度　合规经营　精细管理　健康发展"警示教育大会；落实安全管理主体责任，进一步深化"平安建行"创建工作。

【效益优先，着力调整业务结构】加快信贷结构调整。抓住住房市场机遇期，向个人资产业务倾斜的同时，加速存量资产结构调整，通过地方债置换、资产证券化和加大不良资产处置等多种手段盘活低效、无效资产。

推进收入结构优化。增强中间业务精细化管理，不断提升中间业务市场竞争力。

【整合资源，提高机构运营效能】优化区域机构布局。紧跟辽宁自贸区、金普新区发展政策，有序完成周边营业机构整合，成立自贸区支行，将开发区分行正式更名为金普新区分行，合力服务区域经济建设与发展，并首推“一站式极速”开户服务，所需时间由6个工作日减至20分钟。

深化渠道建设运营。完善网点分类建设，精细规划网点及自助渠道，加快网点智慧化转型，打造“服务型分行、引领型支行、攻坚型网点”。强化“移动优先”，加速发展移动金融，移动金融交易量占比76.15%，较年初提升23.13个百分点；手机银行用户净增同业排名第一。积极打造“龙支付”品牌，再造支付结算新优势。

【巩固优势，促进重点业务引领发展】一是强化资产引领。继续拓展与地方政府的合作，积极跟进对接政府基础设施和招商引资项目。加强客户服务营销，推进工商服务生态圈建设，强化不动户和零余额账户激活，开发推出“微信预约开户”，实现跨行现金池、票据池、对公网络平台跨区域客户授权资金监管、全球账户信息报告等业务首次应用。

二是注重客户、客群经营，个人业务发展水平稳步提升。注重更新理念，加快个人客户经营转型。加快个人金融生态系统建设，做好低成本资金承接，打造兼具广度和深度的生态闭环。组建“出入境金融服务中心”和“个人金融市场交易中心”，创新打造“一站世界”服务品牌。个贷业务余额、资产质量、新发放个贷定价水平均居地区四大行首位；委托性住房金融业务保持同业领先；银行卡业务同业领先，居民健康卡累计发卡同业第一；信用卡活卡率四大行第一。做强大负债经营能力，紧抓代发业务资金源头，积极提升留存率；开展资金拓展专项营销，精准营销，抓好沉淀。加快补齐私行短板，重构私行中心经营模式，丰富产品体系，提升服务品质。

【党建引领，激发干部队伍活力】深入贯彻落实党的十九大会议精神。成立学习宣传贯彻党的十九大精神领导小组；分行党委带头宣讲，并举办基层党组织书记党的十九大精神专题培训班，引导全行领导干部自觉把思想和行动统一到党的十九大精神上来。

严谨规范抓好党建工作。压实“两个责任”，细化责任清单，强化考评监督。推进“两学一做”学习教育常态化、制度化，规范各级党委理论中心组学习，严格“三会一课”制度；强化基层党组织建设，成立分行机关党委；完善党建工作制度，编写《基层党组织工作实务操作手册》；丰富学习活动形式，升级“党员之家”建设；完成党费收缴专项检查整改。严抓作风建设，认真贯彻执行中央八项规定精神和习近平总书记关于进一步纠正“四风”加强作风建设重要批示精神要求。强化党风廉政建设，重视建立经常性教育机制，加强正面引导，强化警示教育，组织观看教育片，举办党纪行规知识竞赛。

【客户至上，塑造优质服务品牌】推进“大服务”战略。重塑服务理念，完善服务流程，明晰服务标准，打造了“心系客户，服务制胜”文化；健全消保工作机制，建立了客户投诉三级管理体系。全行客户服务质量明显提升。分行获评“2015—2017年度省级文明单位”荣誉称号；分行营业部荣获第五届全国文明单位荣誉称号，是大连市唯一获此殊荣的金融机构；在大连市银行业机构服务管理年度工作评价中，三年三跃升，由2015年的十九名大幅提升至第三名；荣获大连市银行服务知识竞赛团体第三名；有两家和八家基层机构分别获“银协五星级”和“总行五星级”网点称号，建行优质服务也赢得了社会和客户的进一步认可。

【员工为本，“大文化”建设展现新气象】积极开展“文化主题年”实践活动。创建“文化建行”展示平台，开展“知行合一”读书文化论坛和“珍藏生活”微活动；开展文化理念讨论与征集活动，引导员工形成文化自觉；宣传先进典型，开展“六个一”员工故事征集活动和“讲好转型发展故事”系列宣讲，组织“新一代”核心系统上线表彰大会暨“弘扬‘新一代’精神，共铸新时代辉煌”主题演讲比赛，弘扬转型发展正能量。

充分发挥党政工团作用。丰富员工文体活动，举办了职工乒乓球赛、羽毛球赛、篮球赛以及夏秋健身活动，举办了“放飞梦想”员工子女才艺风采作品展，组建了“知行”合唱团，极大满足广大员工业余文化生活。组织开展“爱我家乡心系建行”主题团日活动及分行首届“十大杰出青年”评选表彰活动，充分发挥青年员工助力分行转型作用。

关心关爱关注员工。落实“温暖一线员工”要求，深入了解员工思想状态，帮助解决员工实际困难，开展送温暖活动；加强“职工之家”和“职工小家”建设；积极落实老干部“两个待遇”工作，员工凝聚力、归属感不断提升。

执笔：何少琛

宁波市分行

宁波市分行行长　江文波

一、业务发展概况

【经营效益】2017 年，实现税前利润 7.9 亿元，同比增加 18.7 亿元，增量四大行第一；实现资产规模增加、经济资本占用下降的良好局面；实现中间业务收入 10.7 亿元，四大行排名第二。

【资产质量】不良贷款额年末 31.82 亿元，比 2016 年减少 39.96 亿元，建设银行系统排名十三位；不良贷款率 2.11%，系统第二十三位，比 2016 年提升十三位、下降 3.06 个百分点。不良额、率连续五个季度“双降”，成功摆脱 2015 年以来四大行最末的窘境，居四大行第三。拨备覆盖率 168.8%，同比大幅提升 64.3 个百分点。全年处置不良资产 54.98 亿元，超额完成总行年度计划；新暴露不良资产 15 亿元，同比大幅减少 35 亿元。2017 年度一级分行授信审批能力评价指标跃升两级至 B 档。

【资产业务】各项贷款余额 1510 亿元，剔除不良处置、地方债置换等因素，人民币贷款[①] 较上年末实际增长 219.8 亿元，四大行第一。其中个人类贷款占比 42.26%，较上年末提升 7.4 个百分点。个人住房贷款余额 580.9 亿元，新增 147.8 亿元，总量、增量、定价均居四大行第一。信用风险经济资本占用较年初负增长 16.5 亿元，资产增长、经济资本占用呈现“一升一降”的良好局面。

【客户发展】对公人民币结算账户全年净增 6604 户，账户新开数、净增数、基本户净增数均列四大行第一；账户总量首超工行，居四大行第二。机构账户新开户 538 户，创历史新高。营销社保资金专户 4 个；新增军警账户 6 个，其中师级以上账户 2 个；开立党费专户 110 户，与 18 家

① 不含信用卡透支。

单位签约“党费云”平台。国际收支客户比年初净增203户，增量与增幅双双进入系统前十，排名较上年大幅提升16个和20个位次。个人条线客户量质发展提速，个人加权有效客户新增43.12万户，代发工资客户新增13.16万户，均提前超额完成总行全年计划。

【战略性业务】国际业务完成出口一般贸易量49.42亿美元，同比增加14.3%，国际收支总量比重同比提高12.7个百分点，实现“量、比”双增；网银结售汇业务量21.3亿美元，系统排名前十；两项大宗商品套期保值业务实现系统首单。资管投行业务实现高收益资产余额165.52亿元，收入总量提升至四大行第二。财务顾问收入7400万元，系统第十四位；理财业务收入总量赶超农行，四大行第二。累计发行债务融资工具8只、26.3亿元，承销量、承销只数、承销费收入继续领跑同业。信用卡业务实现中收2.15亿元，四大行第二，比年初提升一个位次；商户收单交易额同比增长33%，首次超越工行跃居四大行第一；ETC新增电子标签3.35万户，四大行占比34%，四大行第一。客户满意度四大行首位，行内客户信用卡渗透率、分期网点产能、达标率居系统前列。移动金融交易占比77.49%，提升值系统第四；善融商务交易额突破10亿元大关，系统内首创引入海外商户入驻善融直营；区域和系统首创公积金手机端支取，实现公积金支取指尖化。创新推出健康生活龙卡，累计发卡16.2万张，卡均存款远超全行平均。

【社会形象】获人民银行综合评价A档；连续第三年获评外汇管理规定执行考核A类行。荣获“2017年宁波市重点工程服务优胜奖”奖项，是全市金融系统唯一获奖的单位。全年实现全辖无监管案件、零处罚，是系统内未发生监管处罚的6家分行之一。保持无案件、无事故的安全稳健运行局面，荣获浙江省治安安全单位中的最高级别荣誉——“省级治安安全”单位称号。

二、主要工作举措

【突出优化结构，资产业务实现稳健发展】抓住宁波市作为“中国制造2025”示范城市试点建设契机，紧盯重点企业和重大项目，完善双优目标库建设，新营销客户105户，信贷投放54户、信贷余额19.86亿元。加大省市重点项目、PPP项目投放力度，完成重点资产项目审批27个、批复总金额262.54亿元；重点资产项目累计投放55.08亿元，较上年增加10.12亿元。将发展普惠金融业务作为一项政治任务高度重视，层层压实责任，普惠金融贷款新增提前超额完成计划。加快推进蓝海项目，与市住建委、11家房企和中介机构签署住房租赁战略合作协议，上线企业租赁平台和公租房租赁平台，首批82条房源成功上挂系统。

【突出以点带面，客户基础逐步量质齐升】对公条线重点提升客户质量。开展“一号工程”“百人百户”“商户拓展”“上市公司”等专项营销活动，举办“融创制胜　助力甬企”银企恳谈会。以商事制度改革为契机，跟进省工商局电子营业执照和全流程电子注册试点工作进程，新开账户近千户。公款存放招投标中标率70.15%，比上年同期大幅提升11个百分点。个人条线重点提升战略定位。强调零售优先战略，将零售业务摆在分行党委工作重中之重的位置，树立超常规的目标与计划、采取超常规的措施与力度、实行超常规的激励和约束，用“死里逃生”的勇气改变当前落后的面貌。强化“主动营销”“精准营销”和“批量营销”，加快个人客户金融生态圈打造，深耕客群经营，努力解决客户基础薄弱问题。

【突出产品应用，重点业务不断争先进位】国际业务提高定位，业务布局上向轻资产业务集中，坚持“侧重出口、进出口均衡”方向。深化

2017年9月15日，宁波市分行举办“小微快贷—云税贷”产品发布会

直营长效机制，全年走访客户300多人次，覆盖15个支行163家客户。投行资管业务贯彻总行“两大”活动要求，狠抓资产经营拓展，抢抓资产投放时效性管理，加速非标资产投放，“融资+融智”双轮驱动模式进一步形成。信用卡业务依托“消费循环信贷”和“分期消费信贷”两个引擎，经营结构持续优化，效益质量稳步提升，在总行竞赛活动中夺得“卓越贡献奖”和“创收先锋奖”。

【突出全面管理，风险防控取得明显成效】贯彻“风险管理职责进党委”要求，坚持“党委管、主动管、全面管”三管齐下，以“五个到位”为抓手，不断深化全面风险管理长效机制建设。创新不良资产处置方式，树立“向不良资产要效益”理念。已核销资产现金回收较上年同期增长81.48%；受托资产现金回收5.36亿元，提前一年半完成总行任务；全年三个资产包均以高回收率、高溢价率成交。继续实施信贷流程优化“八个集中”，实现贷前、贷中、贷后全流程信贷风险管控。开展“合规建行、知行合一”活动，持续宣导“合规无偏好，违规零容忍”“合规从高层做起”等理念，加强内部检查，健全“两防”联席会议机制，全年实现无监管案件、无安全责任事故、无群体性事件的目标。

【突出德才兼备，队伍建设不断做优做强】坚持党管干部原则，将政治素质作为选人用人的首要考核指标，提拔干部突出“政治过硬、德才兼备、以德为先、注重业绩”标准。加强领导班子建设，全年累计调整13家机构的主要负责人，新提拔分行处级领导人员20人。注重青年骨干储备，分行本部和支行各选派15名“双百工程”优秀青年员工进行双向交流。创新新行员“扬帆计划”培养，招录管理培训生29名，培养关键和紧缺岗位人才。关心员工职业发展，完善专业技术职务名称体系，扩大经办岗位职务晋升范围，实施职务与职等并行等制度。新聘专业技术岗位职务297人，经办岗位晋升223人。围绕“干部员工业务技能提升年”，开展多类群、针对性的培训，着力提升干部员工的专业素养和业务技能。创办“建行大讲堂”，由分行行领导、中层干部等上台讲课，突出实战管用，实施案例教学，取得良好成效。

2017年11月27日，宁波市分行与宁波市市住房和城乡建设委员会签署住房租赁工作战略合作协议

【突出价值导向，精细管理深化创新转型】深入实施“21+N”精细化管理工程，完成总行案例18个，分行“+N”项目22项。开展“学好‘新一代’、用好‘新一代’”活动，加快推进“新一代”建设成果向先进生产力转化。强化本部直接经营，实施“首问负责制”。强化考核价值导向，突出EVA在考核分配中的总量权重。开启“达标”工程，对没有完成任务的领导干部进行约谈，加大督导和鞭策。推进渠道建设转型，存量网点和自助设备通过“撤、并、迁、改、升格”等方式，提高布局的科学性和合理性。完成9个网点撤并、7个网点迁址、23个低效网点整改，新配置综合版智慧柜员机55台；整体业务迁移率达到79.13%，较年初提升19.93个百分点。

【突出党建引领，全面从严治行持续加强】深入学习贯彻党的十九大精神，成立学习宣传贯彻党的十九大精神领导小组，系统推进宣传贯彻工作。坚持领导带头，分行领导班子14人次深入分管条线、所在党支部等宣讲党的十九大精神。以“抓基础、抓融入、抓典型、抓督导、抓宣传”为核心，持续推进党建工作。分行党委书记和班子成员分别在全行以及分管条线讲授专题党课，带头推进“两学一做”学习教育常态化制度化。强化基层党建工作考核刚性，党建考核与各单位班子及领导人员年度考核和评先评优挂钩。始终将党风廉政建设摆在党委工作的突出位置，将全面从严治党从严治行贯穿于转型发展全过程。

全年给予责任人党纪处分 7 人、政纪处分 30 人（七职等以上 16 人次）。积极落实总行党委巡视组揭示问题整改工作，逐项明确整改计划、制定完成时限，高标准、严要求认真落实整改。注重发挥巡视利剑作用，完成 5 个支行的巡视、7 个部门的巡察。

执笔：毛薇薇

厦门市分行

厦门市分行行长　生柳荣
（2017 年 9 月免）

厦门市分行行长　黄惠玲
（2017 年 9 月任党委书记，11 月任行长）

一、业务发展概况

2017 年，实现经营利润 33.6 亿元；缴交税收 15 亿元。不良贷款余额 12.2 亿元，不良率 0.34%，较年初下降 0.3 个百分点，资产质量保持四大行最优；存款新增、贷款新增、中收、利润、资产质量五项主要业务指标排名四大行第一，存贷款余额在当地银行同业中均保持第一。一般性存款年末余额 1416 亿元，四大行占比 37.7%，较年初提升 0.3%；贷款余额 1342 亿元，四大行占比 33.2%，较年初提升 0.4%。

信用卡全市首家发卡超过 100 万张；私人银行客户数突破 1000 户，跃居同业首位。手机银行用户数超过 230 万户；移动金融交易量占比 94.35%，手机银行活跃率 35.41%，均在建行系统内排名第一位；手机银行账务性交易量全渠道占比 41%、高出建行系统平均水平 12 个百分点。

二、主要工作举措

【加大融资力度，支持重大项目建设】2017 年分行积极参与集美新城、环东海域东部新城、五缘湾游艇综合体等系列重大项目建设。信贷投放额超过 1300 亿元，有力支持了邮轮母港、抽水蓄能、联芯集成电路、紫光科技园、电气硝子等重点项目。通过牵头或参与外部银团，持续加大制造业信贷投放力度，制造业客户信贷余额占全行对公信贷余额的 25%。

【集合集团优势，推进总部经济建设】2017 年分行与建行集团子公司建信租赁合作为厦门航空提供 13 架飞机的融资租赁业务，金额约 45 亿元人民币。累计为厦门航空提供 24 架飞机的融资租赁业务，总金额约 100 亿元人民币，为厦门航空第一大合作租赁公司，占厦门航空飞机融资总金额近 20%。同时，分行、建信租赁还与厦门自贸区管委会签订战略合作协议，共同推动厦门自贸片区在医疗设备融资租赁业务上的发展，形成产业聚集效应，努力提升厦门自贸片区融资租赁业务综合实力。

建行集团子公司建信期货为建发、象屿等国有集团提供套期保值方案，有效降低企业经营风险，截至2017年底保证金权益已超过4亿元。建行集团子公司建信信托与特房集团、信息集团、住宅集团等国企合作成立基金管理公司，截至2017年底超过100亿元级别的产业基金已有3只。建信信托与港务集团合作成立海信升融资租赁公司，截至2017年底资产规模已超过10亿元。

为更好地服务总部经济发展，分行借助全行先进的全球现金管理系统，为跨国企业建立包括账户管理、收付款管理、投融资、风险管理等在内的一站式、全方位、专业化现金管理服务体系。截至2017年底，共为16家跨国企业集团办理跨境双向人民币资金池业务，累计跨境收支46亿元人民币；为5家跨国企业集团办理外币资金池业务，累计境内资金归集13亿美元。

【拓展海外业务，服务“一带一路”战略】分行与建行台北、纽约、首尔等多家海外分行合作，为企业搭建全球性的境内外投融资平台，截至2017年底，创新产品带动跨境人民币结算量60亿元。

通过与新加坡分行联手，为我国“一带一路”战略上的第一个文化“走出去”项目——厦门大学马来西亚分校项目累计提供1亿美元融资，

2017年9月28日，厦门市分行参加厦门市住房租赁市场金融服务战略合作签约仪式

用于厦大马来西亚分校的学校建设；与纽约分行携手，通过开立融资性借款保函为在厦企业海外并购项目提供3500万美元融资；通过多种渠道、多种形式为大型集团客户提供境外融资超20亿元人民币。

自福建自贸试验区厦门片区挂牌以来，分行及时跟进自贸试验区建设，成功办理厦门自贸试验区内首笔个人跨境人民币业务，首单自贸试验区中资企业全口径外债业务等十多项创新业务。分行还通过基金产品、资管产品等多种产品来满足客户降低负债率的需求，助力自贸区企业降杠杆，全面满足客户的需求。2017年，成功办理自贸试验区内3笔融资租赁保理，累计投放6.3亿元，帮助自贸片区内租赁公司扩大了业务范围，并满足了企业降低融资成本、拓宽融资渠道的需求。

【助力小微企业，实现多快好省服务】针对科技小微企业轻资产的特点，先后开发了双百人才创业贷、科技投联贷等科技小微企业专属信贷产品，“科技六宝”系列信贷产品已累计为400多家科技小微企业发放贷款超20亿元。加大科技投入，2017年3月正式在四大行中率先推出“小微快贷”，贷款从申请、审批、签约到支用、还款，全流程由客户通过网银或手机终端自助操作，仅需要5分钟时间。客户不管是足不出户，还是在环游世界，都可以随时随地随借随还，体现了互联网和大数据的完美结合。截至2017年底客户数已经接近2000户，授信金额超过10亿元。

与此同时，分行加强互联网科技的运用，通过网银循环贷款模式，实现企业7×24小时随借随还、循环支用，贷款按实际用款天数计息，相比传统的贷款使用方式，极大地减少了企业的利息支出，真正实现了小微企业服务的“多快好省”。

【加强创新合作，提升综合服务能力】分行加强与政府单位、社会团体等机构合作，积极探索新的金融创新模式。作为唯一受邀试点行参与市发展改革委牵头发起的厦门市信用大数据产业基地建设，该项目下的工商预开户、海关云保函、信易贷等子项目已经实现初步突破。

与厦门大学经济学院合作，完成《大数据挖掘与应用》和《利用社会资源进行开放式创新》课题研究，研究成果将在厦门区域先行先试；与

湖里区、翔安区、科技局、火炬管委会合作，探索互联网轻资产客群金融创新，共同搭建“银投平台”，扶持拉动新兴产业客群成长壮大。

大力发展科技金融，为科技企业提供的综合融资余额超过170亿元。绿色信贷增速16.5%，超过分行各项贷款平均增速4.2个百分点。

分行还于10月初推出集合龙支付、银联、微信和支付宝等支付渠道的“扫码付”产品，不仅为商家们提供了更快速便捷的收款渠道，也为市民的衣食住行提供更多样化的移动金融服务。万石植物园、园博园、南普陀寺等厦门市著名旅游景点率先使用了建行“扫码付”，改变了原先只能现金购票的单一渠道。鹭燕大药房、德善堂门诊部、华祥苑、毕思特酒店等与百姓生活息息相关的各行各业商家也纷纷选择使用建行“扫码付”。

【参与国企混改，支持构建现代产业】积极参与国有资产管理、国有企业改制以及混合所有制改革等课题研究，支持在厦企业的并购重组和行业整合，促进厦门产业升级。至2017年底已为象屿、海投等国有企业提供直接融资规模超过20亿元，在支持企业发展的同时有效优化其资产负债表。积极推进广电集团影视产业基金、湖里高新区产业投资基金、港务集团海峡投资基金、土总集团投资平台、金龙客车融资租赁公司、厦工中铁设备租赁公司等重点项目。

【发挥科技优势，优化公共金融服务】2017年9月初，总行党委书记田国立到分行调研，对分行提出了“积极响应国家政策，为厦门市住房租赁市场发展提供全方位支持”的要求。

2017年依托建行总行住房租赁“公有云”平台系统，推出“全面支持厦门市住房租赁市场发展”六大举措，具体包括：开放共享——搭建免费的住房租赁综合服务平台（积极参与共建的厦门市住房租赁交易服务系统已于上年11月底试运行上线；租赁企业系统也于上年11月上线）；资源整合——推出阳光租赁房源（建融家园手机APP成功上线，推出了一批有效房源）；专业运营——设立住房服务公司，建信住房服务厦门有限责任公司；增信服务——助力诚信体系建设；数据支持——发布市场价格指数（已编制完成厦门市一手、二手住房指数、岛内与岛外各行政区住房租赁指数价量图与对比图）；融智融技——推进综合服务（已对一批租赁企业提供授信、支付结算、财务顾问等综合金融服务）；为推动住房租赁市场健康发展，贡献了建行的智慧和力量。

创新推出的“厦门党建e家”网络平台，一站式解决党员缴费体验和党费专户管理需求，目前正根据市委组织部安排向全市推广；完成“博士龙”校园e银行发展规划，首家校园e银行——城市职业学院校园e银行已于2017年12月正式营业。

【防范金融风险，创新处置不良资产】创新运用投行思维处置不良资产。比如泓信特种纤维，主动引入优质企业作为并购方，采取股权并购的方式完成对不良资产的收购，银行现金回收近3亿元，也保证了企业的后续发展，实现了银行、被收购方、并购方多方共赢的良好效果。

执笔：陈勇鹏

青岛市分行

青岛分行行长　郝子建

一、业务发展概况

【主要指标】2017年，本外币全口径存款年末余额1318.86亿元，同比新增104.48亿元，增幅8.60%，四大行排名第一；本外币一般性存款时点新增83.10亿元，四大行排名第二；本外币一般性存款日均新增184.79亿元，四大行排名第一。各项贷款年末余额1364.67亿元，同比新增212.81亿元，增幅18.47%，四大行排名第一。实现税前利润22.64亿元，新增26.11亿元，四大行第一；实现经济增加值7.89亿元，同比新增19.65亿元，实现中间业务收入9.92亿元，同比新增1.50亿元，增幅17.86%，四大行排名第二，为四大行唯一正增长；不良贷款余额44.72亿元，同比上升2.17亿元，不良贷款率3.28%；净利息收入实现33.84亿元，增速10.71%，建设银行系统排名第三。

【公司业务】对公存款年末时点余额659.55亿元，同比新增68.51亿元，增幅11.59%。对公贷款余额706.42亿元，同比新增118.89亿元，增幅20.24%；本外币同业存款时点余额119.66亿元，同比新增23.10亿元，增幅23.93%；非存款类金融机构存款时点余额10.93亿元，同比新增-1.72亿元，增幅-13.60%。

【个人业务】储蓄存款本外币年末时点余额528.72亿元，同比新增14.59亿元，增幅2.84%；个人类贷款余额626.76亿元（不含信用卡专项分期），同比新增84.33亿元，增幅15.55%。

【住房金融与个人信贷业务】个人住房贷款年末余额610.40亿元，同比新增77.29亿元，增幅14.50%；个人消费贷款余额16.36亿元，同比新增7.05亿元，增幅75.66%，其中“快贷”客户累计27973户，比年初新增18724户，贷款余额11.34亿元；住房资金存款余额70.19亿元，比年初新增20.72亿元，其中，住房公积金存款余额33.50亿元，比年初新增14.54亿元。

【国际业务】实现国际结算业务量243.93亿美元，同比新增52.81亿美元，增幅27.63%。实现外汇中间业务收入2.88亿元，计划完成率126.49%；同业四大行占比达35.87%，同比提升8.02%；同比增长额及增长率均居四大行第一；其中，国际结算收入1.54亿元，同比提升1个位次，四大行第一；外汇资金收入1.05亿元，保持同业第二并扩大了领先优势。

【信用卡业务】累计信用卡客户数达到64.56万户；当年净增客户3.56万户，同比上升

2017年1月6日，青岛市分行召开2017年工作会议暨政策解读和旺季营销动员会

43.26%；全年实现消费交易额169.3亿元（不含分期），同比增长10%；实现分期交易额19.41亿元，同比增长106.56%；实现信用卡中间业务收入1.75亿元，同比增长21.05%；全量商户数1.26万户，本年净增0.10万户；贷款不良率0.74%，资产质量保持同业最优。

【网络金融业务】移动金融交易量占比达81.88%，较年初提升了27.82个百分点；手机银行活跃客户增速达57.14%，直属六行第一；实现中间业务净收入4086.98万元；实现善融商务交易额15.65亿元，其中个人商城交易额5383.65万元。

二、主要工作措施

【强化目标引领，中长期发展规划作用凸显】把握区域发展机遇，在综合考虑未来发展趋势和条件的基础上，紧紧围绕“打造市场份额大、资产质量优、内部机制全、经营效益好、队伍素质强、社会形象佳、幸福指数高的最具价值创造力银行”的总体目标，通过四大布局，确立“强化基础管理，加快业务发展，打造当地最具价值创造力银行”的中心工作思路。坚持“一季一主题、一季一超越”，全力推进转型发展，市场竞争力、价值创造力、业务支撑力、内涵式发展稳步提升，形成目标引领、争先创优的良好氛围，完成全行中长期发展顶层“体系化”设计。实现用发展战略和愿景鼓舞士气、激发干劲的管理目的。

通过认真贯彻落实总行“CCB2020”转型发展规划，编制《中长期发展规划》，确立“强化基础管理，加快业务发展，打造当地最具价值创造力银行”的中心工作思路，落实任务书、时间表和路线图，实现总体目标。

2017年2月17日，青岛市分行与青岛国际邮轮港管理局签署全面战略合作协议

先后提出“三个一”的管理理念、“十三种意识”、“五个有利于”工作标准、“五带头、六提升”的能力观、“五个统一”的标准要求、“八个等于零”的执行观等理念，积极引领全行上下克服“浮、懒、散、怨、推、粗、盲、慢、混”等不良现象，打破陈旧观念的禁锢，突破守常思维的羁绊，冲破守成思想的藩篱，为全行工作作风、工作方法、工作质量提供统一的思想导向。

搭建“六位一体”的考核评价体系，考核体系以党建为引领，涵盖主营业务发展、基础管理评价、服务质量提升、网点竞争力增强、客户发展规划五大方面，并按照“一把尺子、四个维度”的统一标准，实行月通报、季考核、年统算，使全行锚定前进目标和路线。

坚持将客户营销放在首位，制定对公对私两大条线、涵盖13类客户的《客户发展规划》。加强与当地各级政府的合作，抓源头、抓信息、抓关键人物，有针对性地组织客户营销策略。举全行之力拓展重点客户群体，努力提升客户在分行的资产、负债、结算业务份额占比，不断提高客户黏性和贡献度。

【夯实发展根基，提升精细化管理水平】对公客户围绕“定目标、抓重点”，夯实发展基础。以青岛市纳税100万元以上企业作为提质增量的主攻方向，实施精准营销，2017年末，对公客户日均存款一万元以上客户较年初新增5643户，计划完成率140%。个人客户围绕“圈链群、拓生态”，促使量质齐升。制定了个人客户发展规划、《金融助力智慧青岛建设实施方案》，通过“优惠与授信”等营销方式提升客户资产质量，加大对高净值客户资产配置力度，2017年末，个人有资产客户比年初新增28.71万户；个人加权有效客户比年初新增72.7万户。

以“七个一批”和“五个精准”为总抓手，持续推动项目储备，确保每个环节都有相应客户储备，形成一种良性循环；梳理明确2017年青岛市200个重点项目，通过实施公司、机构业务“两大会战”“三重”客户推进等形式，成立分行行长、分管行级领导、部门（支行）“三位一体”的重点核心客户攻关小组，对存量和目标客户，集中人力、物力和时间，逐个突破，2017 年末储备对公客户 204 户，金额 1101.86 亿元。

围绕“轻资本、强服务、优结构、促创新”的转型思路，将 13 项重点产品作为分行中间业务考核推动重点，并分类配置激励标准，引导全行加快夯实收入可持续增长基础；重新构建中间业务通报体系，全产品、全方位进行对标分析，对发展相对落后的业务明确发展标杆，加快赶超。提高内涵式发展水平，通过加强“定价、资本、成本”管理，进一步提升经营效率；加强定价管理，推行“完善定价体系、规范审批流程、开展联动排查、定期考核通报”四项举措；加强资本管理，建立“部门会商、分支行联动、重点客户监测和优化调整跟踪”等四项机制；加强成本管理，加大对“费用预算、专项管控、定额标准和增值税进项”四项关键的重点管控。

坚持线上和线下“两个渠道”办银行，统筹各类渠道建设，建立起高效、协同、互补的全渠道管理体系和服务格局。投产 531 台综合版智慧柜员机，优化对公转账汇款、个人开户、账户升降级等 95 项功能，智慧柜员机月交易量 46 万余笔，STM 迁移率 88.94%。离行式自助银行数量 196 个，位居同业第一；实现移动金融交易量占比达 81.88%，直属六行排名第三；手机银行活跃客户同比净增 14 万户，直属六行第三；手机银行活跃客户增速达 57.14%，系统内排名第四，直属六行第一。

【构建长效机制，实现风险管控目标】市分行党委高度重视风险管控工作，立足于标本兼治，一方面摸清风险底数、明确管控策略和目标；另一方面，着力构建风险管理的长效机制，深入落实总行“风险管理进党委”的决策和部署，在总行的支持和指导下，积极有序开展风控工作。2017 年末分行不良额 44.72 亿元，不良率 3.28%。逾期贷款 28.93 亿元，比年初减少 8.66 亿元，完成总行控制计划，其中，年末公司类非不良逾期为零；垫款余额 1.14 亿元，比年初减少 0.29 亿元，超总行控制计划 0.14 亿元。不良和逾期贷款的“剪刀差”为 -15.8 亿元，资产质量稳中向好。

【强化基础管理，践行合规经营】全行建立了从分行到支行到网点三级的基础管理综合评价体系，涵盖柜面、信贷、综合三大业务板块、298 个关键风险点。全年现场检查问题发现数量共 1275 个并全部完成整改，基础管理水平呈现向好趋势。

成立案防与合规管理委员会，每季度召开“两防”联席会议，建立起各负其责、齐抓共管的联动机制；制定了《案件防控和预防腐败工作考核方案》，层层压紧压实案防“九责”。每季召开“从严治行”全员警示教育大会。

开展以知促行为目标的“五个一”合规文化建设，建立“合规建行”微信公众号，每日发布合规充电知识，大力营造“不想违规、不能违规、不敢违规”的管理环境和合规文化氛围。

【激活“党建引擎”，深化作风建设】市分行党委坚决贯彻落实中央和总行党委各项部署，通过制定《强化基础管理　加快业务发展　打造当地最具价值创造力银行》（党委 1 号文件）和《加强党建工作的指导意见》（党委 2 号文件），不断强化“四种意识”，提升“三种力量”，使党建成为分行加快转型发展、打造当地最具价值创造力银行的总抓手和政治保证。在党的十九大胜利召开以后，分行党委迅速组织，成立领导小组，集中开展党的十九大精神宣讲活动。通过党委中心组学习、主题教育等方式，组织面向全体党员的多形式、分层次、全覆盖的学习宣传，把深入学习党的十九大精神作为首要的政治任务抓紧抓实，以党的创新理论不断把学习教育引向深入，在全行迅速掀起学习党的十九大精神的热潮。

执笔：谭庆勋

苏州分行

苏州分行行长　张伟煜

一、业务发展概况

【主要指标】2017 年末，大资产 4182 亿元，比年初新增 243 亿元，大负债 3423 亿元，比年初新增 40 亿元。

【负债业务】各项存款日均余额 2937 亿元，四大行排名第二，四大行占比 24.39%，较年初提升 0.70 个百分点；日均新增 210 亿元，四大行排名第一，四大行占比 39.36%。

【资产业务】各项贷款余额 2938 亿元，四大行排名第二，四大行占比 25.55%；新增 188 亿元，四大行排名第四，四大行占比 20.59%；其中人民币各项贷款余额 2842 亿元，四大行排名第二，四大行占比 25.68%；新增 262 亿元，四大行排名第一，四大行占比 27.61%。

【中间业务】中间业务净收入 31 亿元，四大行排名第一，四大行占比 30.56%，较年初提升 1.32 个百分点。累计实现拨备前利润 82.63 亿元，同比增幅 8.08%，总行计划完成率 101.74%。成本收入比 19.32%，系统排名第二。

【资产质量】不良贷款额 21.05 亿元，较年初下降 5.36 亿元，不良贷款率 0.72%，较年初下降 0.24 个百分点，不良率四大行最低。

【客户新增】公司机构加权有效客户 24.53 万户，新增 1.62 万户，增速 7.09%；单位人民币结算账户总量四大行排名第二，增量四大行排名第一，基本户新增四大行排名第一；个人加权有效客户 1088 万户，当年新增 130.4 万户，增速 13.61%。

二、主要工作举措

【聚力创新，深化转型服务实体经济】强基提质，对公综合经营取得新成绩。对接“三去一降一补”，初步建立对公负债发展管理体系，加快提升对公全量资金管理能力。多方向推进对公资产结构调整，全力拓展优质资产。建立首批分行重点客户综合效益考核名单，25 户重点客户综合贡献度较上年末提升 15.35%。深挖承兑、银团等传统产品潜力，银团中收 1.33 亿元，列系统第三，同业第二。投行资管业务优势稳固扩大，资管资产余额 659 亿元，理财余额 557 亿元，资产组合型理财产品规模控制在 388 亿元；债券承销发行总额 93.3 亿元，四大行占比 79.2%，市场占比 15.96%。金融市场创收能力不断提升，贵金属和代客资金业务实现业务收入列四大行第一；黄金积存业务中收列系统第五，代理保险中收增幅 103%，托管业务中收增幅 161%。机构业务“双提升”扎实推进，财政国库累计中标 24.1 亿元，列四大行第一；土拍保证金专户、机关保账户、法院重点账户、军警业务、农民工代发业务等营销取得积极突破。国际业务积极探索发展新模式，大力推进海外重大项目，累计签约金额 4.75 亿美元，总行任务完成率 238%，列系统第一。

提速增效，零售优先发展实现新突破。推动零售业务“客户驱动”转型，个人客户满意度 90.4%，较上半年提升 14.3%。持续做大全量资金规模，个人存款日均增速、网均新增均列四大行第一。私人银行客户金融资产169亿元，较年初增幅15.14%。个贷业务保持同业第一，个人贷款余额和新增、消费贷款新增均列四大行第一；推出“学易贷”“公积金快贷”等产品，加速二手房贷款、消费贷款增长。信用卡业务年内实现分期交易额61.83亿元，同比增长52%；净增发卡20.91万张，同比增长6.65%；消费交易额保持四大行第一。网络金融业务的移动金融柜面替代率81.68%，年度提升21.16%，列系统第十三。完善支付金融生态，龙商户当年新增完成率列系统第二；龙支付个人有效客户完成率列系统第六；转账电话沉淀低成本资金178亿元；扫码付商户累计交易额8.66亿元。

突出重点，创新驱动打造竞争新优势。深化母子公司协同联动，建信人寿团险代理规模任务完成率列系统第二；代销建信养老保障管理产品任务完成率390.19%。专业专注发力新兴市场，并购融资业务累计投放69.90亿元，并购贷款从年初零余额提升至14.37亿元；投贷联动业务加快发展，建银科创（苏州）投贷联动股权投资基金成立，实现常熟产业升级基金首单投放，推动建银国际投资“长风药业”D轮股权融资，与中民未来、昆高新集团联合设立“建银中民医疗（昆山）基金”。大力推进普惠金融业务，普惠金融贷款新增列系统前十，荣获“2017财富苏州·普惠金融奖”。抢抓“蓝海项目”，住房租赁业务快速推进，推动苏州市政府出台住房租赁管理实施细则，成功与苏州市住建局签订住房租赁战略合作协议，推动建信人寿投资苏州工业园区润家住房租赁服务有限公司，成功签约23家战略性合作企业，储备房源3500套。

【严抓细管，稳控风险持续夯基蓄势】全面风险管控能力不断增强。积极推进“风险管理职责进党委”工作，严格落实资产质量“一把手”负责制及信贷主体责任；健全全面信用风险监控体系，升级风险预警预控机制，运用大数据强化风险监控；实行信贷和类信贷业务统一监控，加强对预警客户的风险核实、跟踪、处置，推进直营业务穿透式管理，有效防控、化解风险。

信贷基础管理水平持续提高。持续优化信贷结构，全年绿色信贷增幅25%，主动压控风险客户信贷余额14.75亿元。开展押品专业化集约化管理，健全管理机制。不良处置“量、质、效”全面提升，累计处置不良贷款27.67亿元。

内控合规管理效能显著提升。整合二级行内控合规管理职能，全力做好银监会系列专项治理及总行四个领域专项整治工作；深入开展“合规建行、知行合一”创建工作，持续完善内控管理八项工作机制①；连续两年被人民银行评定为反洗钱工作管理“A”类行。

【改革创新，激发动力推动转型落地】完善优化机构部门设置。梳理分行部门内设机构，对本部114个内设科室进行重新调整定位。优化二级分支行组织架构，增加前台经营部门4个，减少中后台部门4个，下沉管理团队37个。

加强干部人才队伍建设。制定“二级分支行主要负责人聘期及后评价办法”，制定中层干部交流锻炼管理办法，组织开展选聘辩论会，强化干部队伍管理。制定客户经理、产品经理、网点负责人队伍建设管理办法，制定本部部门科室负责人考核办法，建立国际人才库，积极打造专业人才队伍。推出人才盘点机制、“创客计划”，持续开展员工跟岗锻炼。加强重点业务岗位人员配置，制订柜面人员释放计划，全年增加客户经理261人、产品经理和风险经理11人。推进多层次多维度的培训工作。深入开展关爱员工九项实事，开展发现“身边的感动”活动、全民读书、健身活动，营造积极向上的氛围。

提升考核激励约束效能。继续实施对标管理，等级行、KPI考核继续突出引导核心经营成果和关键业务。制定网点常态化营销考核方案，做实业务发展基础。坚持激励价值创造，优化员工费用配置方案。建立核心人才激励机制，加大激励力度。明确本部部门关键任务目标考核办法，强化提升“八大能力②”。实施区域差别化发展策略，促进提升分行整体经营水平。

---

① 八项工作机制：检查追踪管理工作机制、合规性审查工作机制、双向报告工作机制、规章制度管理工作机制、联防联动工作机制、内控和案防考核工作机制、案件防控工作机制、合规检查工作机制。

② 八大能力：创新能力、服务能力、营销能力、风控能力、定价能力、执行能力、协同能力和精细化管理能力。

加快实施渠道综合改革。制定网点发展三年规划，加快网点建设，当年网点调整率18.9%。新增“裕农通”普惠金融服务点74个，着力突破空白富裕村镇。推进渠道智慧转型，智慧柜员机渠道交易占比56.2%。持续优化网点员工结构，网点营销人员占比达76.16%，建立跨网点的市区行弹性排班队伍，出台营业网点劳动组合方案。强化网点服务能力提升，客户满意度四大行第一。

【精细管理，厚植基础释放发展动能】大力推进精细化管理。加强定价管理，存款付息率列四大行第一。加强成本管理，成本收入比排名持续保持系统第二。加强经济资本管理，累计压控低效、无效经济资本占用11亿元，信贷客户RAROC列系统第八。放款中心统一合同制作管理模式获总行大力推广。

强化信息技术支撑。全力推进“新一代”功能应用和释放，累计发布“新一代”案例759篇，列系统第十五。强化数据挖掘，提升数据研究分析能力。加大产品创新，楼盘大数据二期项目荣获总行产品创新最高奖——“卓越原型奖”。

加大产品创新推广。加快项目研发和推广，“工匠宝”“地方政府债务置换类理财产品”“复杂模式现金池综合金融服务方案”入选总行重点产品库。楼盘大数据二期项目荣获总行产品创新最高奖——“卓越原型奖”。

执笔：杨雪梅

哈尔滨培训中心

哈尔滨培训中心主任　孙平生
（2017年7月免）

哈尔滨培训中心主任　于宁哲
（2017年7月任）

一、培训业务工作概况

【培训工作量】全年共承办培训班488期，培训学员34661人次，完成培训工作量230746人天，完成全年计划的107.23%。其中，现场培训工作量215166人天，占全部培训工作量的93.25%；非现场培训工作量10175人天，占全部培训工作量的4.41%，较上年增长30.45%；远程课件制作折合培训工作量5405人天，占全部培训工作量的2.34%。

【培训项目和课程开发】全年参加总行13个项目开发，自主开发创新项目4个，培训项目总数达80个，维护整合原有培训项目41个。开发新课程6门，培训课程总量达450门。维护完成原有课程190门。

【人才素质测评和学员考核】全年完成人才

素质测评7120人次，完成年度计划的101.71%。考核学员20271人次，完成全年计划的119.85%。

【远程培训工作】全年开发完成366个电子课件，其中，总分行课件266个，自主立项开发课件100个。

二、主要工作举措

【围绕全行改革发展，发挥中心教育培训作用】深入研究全行改革发展最新成果和最新要求，将培训中心工作融入全行业务发展中，发挥培训中心在全行改革发展中培训支持和交流平台的作用。紧跟全行改革发展脉搏，狠抓培训管理和服务、培训教学、基础设施建设，持续推进培训体制、机制、渠道等改革和创新，较好地发挥了全行教育培训工作主阵地的作用。

【保持较大培训规模，不断完善培训功能】切实抓好现场培训工作。一是抓好重点培训班的管理工作。统筹资源配置，有效发挥培训中心与党校分校联动优势，认真做好对处级管理人员培训、“213人才工程”培训、党校进修班培训等重点培训班的现场培训工作。二是认真抓好其他培训班次的培训工作，在抓好总行培训项目的同时，积极与分行沟通协调，抓好分行计划落实。三是充分发挥培训中心培训项目和课程资源丰富的优势，通过培训师外派授课，将优秀的培训资源带到分行，满足分行培训需求，解决分行员工工学矛盾。四是紧跟总行移动学习平台开发及应用步伐，研究学习微课制作理念和技术并取得初步成效，在第六届金融教育新媒体课件大赛中，培训中心参赛的7件作品获得了两个一等奖，一个二等奖，一个优秀创意奖四项大奖。参与总行微信学习平台规划与建设，拓宽远程培训渠道。探索开展网络考试工作，组织分行2.2万余人次和总行1338人次进行了在线考试，取得良好反响。五是突出党校的主业主课地位，以对党的十九大精神学习为重点，抓好理论教学，将党的十九大精神与建设银行业务相结合，在服务实体经济、从严治党等方面做了深入的思考和研究。创新教学组织方式，做好总行党校的“规定动作”基础上，努力做好“走进《习近平的七年知青岁月》”读书沙龙活动等“自选动作”。加大现场教学力度，扩大了现场教学的范围，得到学员的广泛好评。积极探索课题研究工作，提高了学员的思考能力和解决问题的能力。同时，做好人文关怀工作，以专业化的服务为学员提供“温馨、舒适”的生活体验。

【深化培训教学创新，提升培训教学质量】一是不断优化项目和课程管理方式。坚持定期对现有的项目和课程进行整理和分析，形成年度培训项目和课程清单。严把项目和课程审核验收关，从源头上保障项目和课程质量。

二是切实抓好课程及项目开发和维护工作。加强与总行各部门沟通联系，积极参与总行项目研发。综合近四年培训需求、现有师资状况及总行相关政策制度，寻找到课程体系43个空白点，并将其作为新课程开发的主攻方向，积极推进新课程的开发。扎实做好项目和课程维护工作，增强课程的针对性和实效性。

三是深入推进教学改革创新。制定了《哈尔滨培训中心培训课程体系优化建设方案》，将培训中心课程划分为党建与综合管理、业务经营与管理两大类，共十个课程体系。制定了《哈尔滨培训中心培训师师资能力提升工作方案》，对培训中心师资队伍进行多个维度分析，梳理出师资队伍存在的优势和不足，构建了培训师能力素质模型。制定了《哈尔滨培训中心教学评估改进方案》，优化了教学质量评估模型，让教学评估更加科学、客观、公正和全面。回归教学评估本源，让教学评估成为提高培训师授课质量的重要依据。制定了《哈尔滨培训中心开展案例教学工作方案》，将案例教学引入培训教学中，丰富教学方式，增强培训教学效果。

【加强培训管理工作，提升学员培训体验】一是认真做好培训组织及日常管理工作。坚持班主任坐班制和电教人员分包管理制，进一步做好课堂管理工作。深入推进360度评价系统，发挥考核评价对培训管理和服务的促进作用。根据现场教学需要，扩展了学员外出参观考察内容和范围，严格遵守学员外出考察相关规定，确保学员外出考察安全。

二是不断提高培训服务质量。进一步增强培训服务意识，为学员创造良好的培训环境。在全中心组织开展了“抓管理、强服务，切实提升学员体验”主题活动，寻找和发现在培训管理和服务各项工作中存在的103个问题和不足，紧密结合实际提出整改措施，并秉承立行立改的原则，已完成了56个问题的整改工作，各岗位人员的服务意识明显增强，学员接送站、学员公寓、教室、餐厅、园区、健身场所等管理和服务水平有了较为明显的提高，学员在培训中心的培训体验不断改善。

三是狠抓学员安全管理工作不放松。重点抓好接送站安全管理，确保学员接送安全，在开班式上做好安全提示和教育，提高学员安全意识。将学员动态管控制度等学员安全管理相关制度要求落实到位。

【优化员工队伍建设，提高员工整体素质】进一步强化员工培训管理，制订员工培训计划，加强对员工培训工作指导和监督，不断扩大员工培训工作的覆盖面。严格执行培训经费、培训地点管理等员工培训管理要求，细化培训经费分配，提升培训经费使用效率，加强培训成果分享管理，提高培训效果。灵活利用网络学习平台、培训班课程资源，拓宽员工培训渠道。全年共培训员工282人次，其中，六、七职等员工54人次，培训师120人次，经办岗位员工98人次，培训量累计1211人天。

【夯实基础管理工作，提高后勤服务保障水平】一是持续推进整章建制工作。以“抓管理、强服务，切实提升学员体验”主题活动为契机，全面梳理和完善相关制度和流程。重点抓好规章制度的执行和落实。

二是进一步落实精细化管理。各部门年初制订工作计划，并通过定期检查等方式狠抓工作落实。积极推进网络和电子信息化平台建设工作，提升电子化管理水平。完成了2号公寓、3号公寓和综合楼WiFi建设，实现了学员公寓WiFi全覆盖。

三是不断加强合规管理工作。组织开展了员工思想调查、“合规建行，知行合一”“三清查”等活动，提高员工合规意识。补充完善了《中国建设银行员工违规处理办法》和《哈尔滨培训中心员工轻微违规行为补充积分标准》，为合规管理提供了制度保障。

四是不断提升后勤保障水平。做好基础设施设备建设和改造工作。对园区建设进行了整体规划，提出了园区道路和景观、教学楼和学员公寓等园区内建筑物改造升级方案。稳步推进1号公寓改造、培训楼新增电梯、第八教室改造等重大项目工程。全力做好安全管理工作。推进“平安培训中心”建设，落实部门“一岗双责”制度。组织开展安全宣传月活动，认真落实安全责任制，定期组织开展安全大检查，做好学员的安全教育和提示，确保无重大安全事故发生。

【抓好党的建设工作，全面落实从严治党】一是不断强化党建工作责任落实。不断完善党建工作考核评价机制，把做实党建工作责任制作为领导人员实绩评定的重要内容。组织推进“两学一做”学习教育常态化制度化，认真落实“三会一课”制度，切实提高党内政治生活质量。

二是进一步强化从严治党主体责任落实。履行好主要负责人党风廉政建设的第一责任人职责和班子成员“一岗双责”，提高党委班子管党治党责任意识。切实增强“四个意识”，严守政治纪律和政治规矩，不断加强党风廉政建设和反腐败工作。制定了党支部党风廉政建设责任考核实施细则，推动全面从严治党在各部门各层级深化落地。

三是组织开展了学习宣传贯彻党的十九大精神活动。将学习宣传贯彻党的十九大精神作为当前和今后一段时期首要政治任务，制定了实施方案，召开了全体员工动员会。党委成员和各党支部书记带头宣讲了党的十九大精神，各部门通过自学、集中学习等形式在培训中心掀起了学习宣传贯彻党的十九大精神的热潮。

四是加强企业文化建设。开展了“道德讲堂”系列活动，加强了员工道德修养，促进了员工凝心聚力。加大员工关心关爱力度，做好服务老干部和离退休人员工作，为培训中心创造和谐向上的良好氛围。

执笔：和素军

常州培训中心

常州培训中心主任　屈建伟

一、培训工作概况

【项目研发保持高效能】2017年重点实施了“213”拔尖人才和骨干人才培训班、模拟银行决策专题培训班、处级管理人员领导力培训班等一批重点项目，同时完成了对公信贷人员和对私客户经理两个轮训项目教学任务。完善优化团干部能力提升体验式训练营项目、行动学习培训咨询项目和员工心理资本提升项目等一批精品项目，提升培训质量，扩大品牌项目影响力。其中团干部能力提升体验式训练营项目培训需求增长迅速，全年共举办10期培训班，有两期作为全行示范班在中心成功举办。2017年新推出的成长加油站——青年员工培训项目、网点营销训练营项目分别举办了12期和10期，项目满意度均在98%以上。对公案例营销训练营项目已基本完成课程架构与实施方案设计，信贷风险专题项目已明确课程研发方向并逐步推进。积极参与总行党校案例开发项目，通过编写《案例开发搜集素材方法及操作流程》《案例开发手册》等途径学习掌握案例研究技术，并积极推进“钢贸案例”教学材料自主开发工作。

【现场培训保持平稳有序】中心坚持需求管理理念，强化需求分析，深挖培训潜力，确保圆满完成总行下达的培训任务和中心设定的工作目标，全年共举办各类现场培训班486期，完成培训量22.5万人/天，同比增长1.5%。全年培训师教学平均满意度达98.8%。培训组织管理平均满意度达99.71%。

【网络培训发展态势良好】全年共制作网络课件401个。在第六届金融教育多媒体课件评比活动中，共斩获1个移动课件三等奖和1个标准网络课件三等奖。2017年主要完成了公司客户经理进阶式网络培训项目、“新一代”模拟训练系统2.0版、对公信贷基础知识网络培训项目等自主项目的研发和推广，其中对公信贷基础知识网络培训项目荣获第六届金融教育多媒体最佳培训项目奖。全年参与网络课程学习538.18万人次，现场班注册127.48万人次。

【考试测评坚持创新发展】全年共完成考试项目105个，累计考试18.7万人次；笔试命题组卷194套，答辩题命题542题；完成测评项目34个，累计测评4540人次。充分发挥在线考试系统和题库建设专业优势，推进考试测评业务规范化、标准化发展，积极探索测评技术与培训发展、人

2017年6月27日，常州培训中心举办庆祝建党96周年党员风采故事会暨优秀表彰活动

才盘点等领域的融合。启动人才测评模型标准化重构、考试和测评数据大样本分析、创新无领导小组讨论形式、优化测评报告等工作，持续提升考试测评新颖性和应用价值。

【党校办学坚定政治方向】全年共完成40期班的教学组织和学员管理任务，积极开展课题研究，全年提交课题报告20篇。完成建设银行基层党支部书记示范培训班（中组部现场观摩）任务。

二、主要工作措施

【多措并举，全面提升培训质量】严格执行《课程开发管理办法（试行）》，全年共通过验收新课程8门。通过建立《主题活动类培训教学规范》，对世界咖啡、开放空间、迪士尼策略等主题活动类培训工作开展明晰责任和内容，切实提升主题活动类课程质量。建立客户之声调研工作规范手册，细化调研内容和对象，为持续改进项目和课程质量提供科学有效的参考依据。积极参与跟进总行机构业务岗位培训教材开发、新入职员工培训教材开发等7个教材开发项目，以及全行移动学习平台需求分析和市场产品调研、企业大学信息平台总体方案设计等工作，在参与项目过程中锻炼业务研究能力，拓宽培训工作视野和格局。中心先后有11人次在参与总行项目或工作中受到有关部门书面表扬。鼓励培训师围绕宏观经济结构调整、银行业竞争加剧、互联网新型金融业态兴起等热点问题主动研究探索，全年在建设银行报发表两个专刊共12篇文章，2名青年培训师荣获建行报优秀撰稿人称号。此外，在现代商业银行导刊等期刊杂志上也有培训师将授课内容转化成论文公开发表，中心科研氛围日益浓厚。

【坚定方向，履行管党治党责任】深入学习贯彻党的十九大精神，通过党委书记和支部书记上党课、中心组学习、处级干部十九大精神专题辅导班等多种形式，在全中心掀起学习党的十九大精神热潮。深入推进"两学一做"学习教育制度化常态化，组织开展作风建设大讨论征文活动、革命传统教育党日活动、党员风采故事会演讲比赛、青年培训师教学技能大赛等活动。组织召开年度党建工作会议，定期召开党建工作联席会议。组织开展党支部书记党建述职评议考核、支部"三会一课"情况专项检查等工作。根据总行巡视反馈意见，制定了《常州培训中心落实总行巡视反馈意见整改方案》，编制了巡视问题对照检查整改台账，将巡视反馈提出的4个方面11项意见分解为29项具体整改内容，坚持把巡视整改作为全年重要的政治任务来抓，确保整改工作逐项落实到位。认真开展违反中央八项规定精神问题专项整治工作，全面、认真、彻底排查"四风"新问题新表现。认真开展"三清查"自查自纠专项工作，与重点岗位人员进行面对面谈话19人次。针对集中采购、财务管理、印章管理等重点领域开展案件风险防控工作。印发《加强员工廉洁合规和党员党纪教育实施方案》，组织干部员工观看《不可逾越的底线》和《不可触碰的红线》专题教育片，提升员工廉洁、合规和法律观念。

【以人为本，加强人才队伍建设】一方面，完善建立科学规范的领导人员选拔任用制度和考核机制，出台了《常州培训中心党委管理的领导人员选拔任用工作规定》和《常州培训中心新任职领导人员跟踪考核办法（试行）》。根据中心业务工作需要，聘任了1名副总经理跨部门兼职；按照干部选拔任用工作流程，组织开展了6名科级干部选拔任用工作和近两年新提任领导干部的跟踪考核工作。同时，结合中心改革发展实际，紧跟建行发展趋势，科学系统地制定了《常州培训中心2018—2020年人才发展规划》。做好青年人才培养工作，选派15名后备人才参加总行优秀青年管理人才培训班；拓宽业务骨干培养渠道，

2017年1月19日，常州培训中心举办"鸡祥如意·祝福常培"新春茶话会

选派4名培训师参加总行业务部门主办的高校培训班；推进专业技术人才队伍建设，按计划完成5～8级专业技术岗位职务共计56人职务聘任工作。

【完善制度，提升精细化管理水平】逐步完善建立“一把手”负责、分管领导亲自抓、安全保卫部门具体抓、各部门配合抓、全体员工共同抓的安全管理工作机制。全面贯彻落实“合规建行 知行合一”活动要求，组织开展“三线”专题教育、签署合规承诺书、合规知识竞赛等活动，强化员工合规意识，提升中心整体内控合规水平。组织开展安全生产大检查、安全消防演练、观看安全警示教育片等活动，增强全员安全意识，筑牢中心安全运营防线。建立培训师绩效考核办法、网络课件开发浮动绩效考核办法等制度，探索符合中心特点的薪酬管理体系和工资分配制度，形成合理的激励机制。出台财务管理办法、供应商履约考核实施细则、集中采购评委管理规程和履职考核方案等规章制度，严格践行勤俭办学要求。

【关爱员工，凝聚改革发展合力】通过举办新春茶话会、插花活动、趣味运动会、摄影展等活动，全面活跃员工业余文化生活。通过开展团委换届选举、“一学一做”教育实践活动、“建言中心发展”世界咖啡、善心慧思积分圆梦、青年文明号开放周等活动，激发青年员工爱岗敬业、创新创造的热情。深化关爱员工机制，继续实施高考亲情假、获中心外荣誉奖励、员工慰问关怀、派遣制员工体检等制度。此外，切实做好帮扶工作，主动关心、了解困难员工尤其是协解人员和离退休人员的具体情况，尽可能地帮助他们解决实际困难，营造常培和谐氛围。

执笔：田　艳

CHINA 中国建设银行年鉴 2018
CONSTRUCTION BANK ALMANAC

第五部分　综合统计

中国建设银行股份有限公司资产负债表

（2017 年 12 月 31 日）（除特别注明外，以人民币百万元列式）

	附注	本集团		本行	
		2017 年	2016 年	2017 年	2016 年
资产					
现金及存放中央银行款项	6	2988256	2849261	2973506	2842072
存放同业款项	7	175005	494618	126766	389062
贵金属		157036	202851	157036	202851
拆出资金	8	325233	260670	286797	318511
以公允价值计量且其变动计入当期损益的金融资产	9	578436	488370	395536	360628
衍生金融资产	10	82980	89786	75851	81425
买入返售金融资产	11	208360	103174	194850	67391
应收利息	12	116993	101645	111436	98040
客户贷款和垫款	13	12574473	11488355	12081328	11084938
可供出售金融资产	14	1550680	1633834	1402017	1473168
持有至到期投资	15	2586722	2438417	2550066	2410110
应收款项类投资	16	465810	507963	575994	508363
对子公司的投资	17	—	—	51660	37024
对联营和合营企业的投资	18	7067	7318	—	—
纳入合并范围的结构化主体投资	—	—	187486	211908	
固定资产	20	169679	170095	144042	145421
土地使用权	21	14545	14742	13657	14277
无形资产	22	2752	2599	1831	1588
商誉	23	2751	2947	—	—
递延所得税资产	24	46189	31062	43821	28281
其他资产	25	71416	75998	91671	106344
资产总计		22124383	20963705	21465351	20381402
负债					
向中央银行借款	27	547287	439339	546633	438660
同业及其他金融机构存放款项	28	1336995	1612995	1323371	1582881
拆入资金	29	383639	322546	318488	311095
以公允价值计量且其变动计入当期损益的金融负债	30	414148	396591	413523	395769
衍生金融负债	10	79867	90333	73730	83332
卖出回购金融资产	31	74279	190580	53123	170067
客户存款	32	16363754	15402915	16064638	15114993
应付职工薪酬	33	32632	33870	29908	31779

续表

	附注	本集团		本行	
		2017 年	2016 年	2017 年	2016 年
应交税费	34	54106	44900	51772	43653
应付利息	35	199588	211330	197153	210035
预计负债	36	10581	9276	8543	7336
已发行债务证券	37	596526	451554	538989	386491
递延所得税负债	24	389	570	39	53
其他负债	38	234765	167252	95324	54015
负债合计		20328556	19374051	19715234	18830159
股东权益					
股本	39	250011	250011	250011	250011
其他权益工具					
优先股	40	79636	19659	79636	19659
资本公积	41	134537	134543	135109	135109
其他综合收益	42	（29638）	（1211）	（24225）	（1990）
盈余公积	43	198613	175445	198613	175445
一般风险准备	44	259680	211193	254864	206697
未分配利润	45	886921	786860	856109	766312
归属于本行股东权益合计		1779760	1576500	1750117	1551243
少数股东权益		16067	13154	—	—
股东权益合计		1795827	1589654	1750117	1551243
负债和股东权益总计		22124383	20963705	21465351	20381402

中国建设银行股份有限公司利润表

（2017 年度）　　（除特别注明外，以人民币百万元列示）

	附注	本集团		本行	
		2017 年	2016 年	2017 年	2016 年
一、营业收入		621659	605090	562284	535687
利息净收入	46	452456	417799	430982	402900
利息收入		750154	696637	713821	670855
利息支出		（297698）	（278838）	（282839）	（267955）
手续费及佣金净收入	47	117798	118509	113855	115876
手续费及佣金收入		131322	127863	126067	125024
手续费及佣金支出		（13524）	（9354）	（12212）	（9148）
投资收益	48	6411	19112	4656	13383

续表

	附注	本集团		本行	
		2017 年	2016 年	2017 年	2016 年
其中：对联营和合营企业的投资收益		161	69	—	—
公允价值变动（损失）/收益	49	（32）	（1412）	502	（458）
汇兑收益		14455	2817	11606	3377
其他业务收入	50	30571	48265	683	609
二、营业支出		（323473）	（312701）	（280300）	（252071）
税金及附加		（5767）	（17473）	（5472）	（17019）
业务及管理费	51	（159118）	（152820）	（149427）	（143229）
资产减值损失	52	（127362）	（93204）	（124042）	（90534）
其他业务成本	53	（31226）	（49204）	（1359）	（1289）
三、营业利润		298186	292389	281984	283616
加：营业外收入		3983	4257	3710	3931
减：营业外支出		（2382）	（1436）	（1951）	（1360）
四、利润总额		299787	295210	283743	286187
减：所得税费用	54	（56172）	（62821）	（52063）	（62059）
五、净利润		243615	232389	231680	224128
归属于本行股东的净利润		242264	231460	231680	224128
少数股东损益		1351	929	—	—
六、其他综合收益	42	（28995）	（19752）	（22235）	（23411）
归属于本行股东的其他综合收益的税后净额		（28427）	（19042）	（22235）	（23411）
最终不计入损益		801	（771）	801	（771）
补充退休福利重新计量的金额		593	（839）	593	（839）
其他		208	68	208	68
最终计入损益		（29228）	（18271）	（23036）	（22640）
可供出售金融资产产生的损失金额		（37498）	（26932）	（35881）	（26344）
可供出售金融资产产生的所得税影响		9067	6828	8923	6597
前期计入其他综合收益当期转入损益的净额		3403	（3930）	3708	（4015）
现金流量套期净收益/（损失）		470	（150）	470	（150）
外币报表折算差额		（4670）	5913	（256）	1272
归属于少数股东的其他综合收益的税后净额		（568）	（710）	—	—
七、综合收益总额		214620	212637	209445	200717
归属于本行股东的综合收益		213837	212418		
归属于少数股东的综合收益		783	219		
八、基本和稀释每股收益（人民币元）		0.96	0.92		

中国建设银行股份有限公司现金流量表

（2017 年度） （除特别注明外，以人民币百万元列示）

	附注	本集团		本行	
		2017 年	2016 年	2017 年	2016 年
一、经营活动现金流量					
向中央银行借款净增加额		110473	395118	110488	395343
客户存款和同业及其他金融机构存放款项净增加额		766290	1829273	751673	1808250
拆入资金净增加额		79857	—	29663	—
以公允价值计量且其变动计入当期损益的金融负债净增加额		18588	92919	18740	93010
已发行存款证净增加额		141011	12653	148479	20006
存放中央银行和同业款项净减少额		32837	—	—	—
拆出资金净减少额		47448	10762	80567	—
买入返售金融资产净减少额		—	208433	—	242148
收取的利息、手续费及佣金的现金		911742	842155	870400	810378
收到的其他与经营活动有关的现金		155039	37734	124264	4573
经营活动现金流入小计		2263285	3429047	2134274	3373708
存放中央银行和同业款项净增加额		—	（328481）	（5448）	（257744）
拆出资金净增加额		—	—	—	（24082）
以公允价值计量且其变动计入当期损益的金融资产净增加额		（92424）	（211099）	（34795）	（97478）
买入返售金融资产净增加额		（105468）	—	（127459）	—
客户贷款和垫款净增加额		（1299971）	（1258420）	（1190454）	（1205481）
拆入资金净减少额		—	（16216）	—	（14329）
卖出回购金融资产净减少额		（115297）	（78104）	（116926）	（94502）
支付的利息、手续费及佣金的现金		（327235）	（276489）	（316333）	（265453）
支付给职工以及为职工支付的现金		（97576）	（93055）	（92423）	（87231）
支付的各项税费		（91429）	（102743）	（88766）	（103617）
支付的其他与经营活动有关的现金		（54795）	（181908）	（33597）	（192369）
经营活动现金流出小计		（2184195）	（2546515）	（2006201）	（2342286）
经营活动产生的现金流量净额	55（1）	79090	882532	128073	1031422

续表

	附注	本集团		本行	
		2017 年	2016 年	2017 年	2016 年
二、投资活动现金流量					
收回投资收到的现金		1446732	777941	925343	685822
收取的现金股利		2237	2566	133	104
处置固定资产和其他长期资产收回的现金净额		2911	1187	556	1536
收回纳入合并范围的结构化主体投资收到的净现金		—	—	24422	—
投资活动现金流入小计		1451880	781694	950454	687462
投资支付的现金		(1525529)	(1363040)	(1105742)	(1239507)
购建固定资产和其他长期资产支付的现金		(22263)	(27742)	(14688)	(16827)
取得子公司、联营和合营企业支付的现金		(1544)	(1393)	(12000)	(2503)
对子公司增资支付的现金		—	—	(2636)	(2256)
投资纳入合并范围的结构化主体支付的净现金		—	—	—	(211908)
投资活动现金流出小计		(1549336)	(1392175)	(1135066)	(1473001)
投资活动所用的现金流量净额		(97456)	(610481)	(184612)	(785539)
三、筹资活动现金流量					
发行债券收到的现金		34989	16522	22030	—
子公司吸收少数股东投资收到的现金		3569	13	—	—
发行优先股收到的现金		59977	—	59977	—
筹资活动现金流入小计		98535	16535	82007	—
分配股利支付的现金		(70688)	(69574)	(70548)	(69570)
偿还债务支付的现金		(6347)	(11711)	(1790)	(3500)
子公司购买少数股东股权支付的现金		—	(144)	—	—
偿还债券利息支付的现金		(12708)	(10474)	(10818)	(9682)
筹资活动现金流出小计		(89743)	(91903)	(83156)	(82752)
筹资活动产生/（所用）的现金流量净额		8792	(75368)	(1149)	(82752)
四、汇率变动对现金及现金等价物的影响		(18211)	14520	(20047)	15617
五、现金及现金等价物净（减少）/增加额	55（2）	(27785)	211203	(77735)	178748
加：年初现金及现金等价物余额		599124	387921	592413	413665
六、年末现金及现金等价物余额	55（3）	571339	599124	514678	592413

中国建设银行存、贷款主要指标统计表（人民币）

2017 年 12 月　　单位：亿元

项　　目	本期余额	比年初新增		新增比 2016 年同期（±）
		2017 年	2016 年	
一、一般性存款	153911.39	9037.65	15760.65	-6723.00
1. 对公存款	83296.20	7003.68	10452.43	-3448.75
其中：活期存款	55393.88	5431.98	9036.75	-3604.77
定期存款	27902.31	1571.70	1415.68	156.02
2. 个人存款	70615.19	2033.97	5308.21	-3274.24
其中：活期存款	31573.40	1952.21	3927.66	-1975.45
定期存款	39041.79	81.76	1380.56	-1298.80
二、归入存款口径的金融机构存款	8691.19	-240.15	-1387.44	1147.29
三、保本理财资金	3543.82	258.92	697.76	-438.84
1. 对公保本理财资金	1961.51	-803.09	655.31	-1458.40
2. 个人保本理财资金	1582.31	1062.02	42.44	1019.58
四、同业存款	1907.90	-1821.74	1775.98	-3597.72
五、各项贷款	113748.80	9296.98	9469.12	-172.14
1. 对公贷款	61538.49	1818.11	1025.67	792.44
其中：贴现贷款	1243.61	-3758.11	603.66	-4361.77
2. 个人类贷款	51774.11	8382.61	8737.83	-355.22
其中：个人住房贷款	43807.45	6115.88	8178.82	-2062.94

注：1. 个人类贷款包括个人住房贷款、个人消费类贷款和信用卡透支，不含“个人买方信贷”。

2. 个人住房贷款中含个人商业用房贷款。

中国建设银行存、贷款主要指标统计表（外币）

2017 年 12 月　　单位：亿美元

项　　目	本期余额	比年初新增		新增比 2016 年同期（±）
		2017 年	2016 年	
一般性存款	**659.95**	**14.11**	**154.55**	**-140.44**
一、对公存款	558.68	22.19	110.66	-88.47
其中：活期存款	175.73	16.35	42.08	-25.73

续表

项　　目	本期余额	比年初新增		新增比2016年同期（±）
		2017年	2016年	
定期存款	382.95	5.85	68.58	-62.73
二、个人存款	101.27	-8.08	43.89	-51.97
其中：活期存款	46.65	1.45	16.60	-15.15
定期存款	54.62	-9.54	27.29	-36.83
归入存款口径的金融机构存款	**21.38**	**1.59**	**-6.61**	**8.20**
同业存款	**57.54**	**-19.05**	**0.79**	**-19.84**
各项贷款	**602.71**	**10.64**	**29.87**	**-19.23**
一、短期贷款	78.65	4.99	-60.68	65.67
二、中长期贷款	169.72	-3.01	-26.11	23.09
三、进出口贸易融资	323.59	9.72	115.60	-105.88
四、各项垫款	0.66	-1.30	-0.05	-1.25
五、境外贷款	30.08	0.25	1.11	-0.86

中国建设银行个人贷款主要指标统计表（本外币）

2017年12月　　　　单位：亿元

项　　目	本期余额	比年初新增		新增比2016年同期（±）
		2017年	2016年	
个人贷款合计	**51780.68**	**8380.05**	**8738.33**	**-358.28**
1. 个人消费贷款	1926.57	1176.18	195.70	980.48
2. 个人助学贷款	0.81	-0.35	-0.47	0.13
3. 个人住房贷款	41974.56	6118.12	8117.49	-1999.37
4. 个人商业用房贷款	1782.69	21.25	76.85	-55.60
5. 个人其他消费贷款	0.01	-0.03	0.00	-0.03
6. 下岗失业人员小额担保贷款	0.90	-0.35	0.14	-0.49
7. 个人助业贷款	363.76	-100.20	-167.58	67.38
8. 个人住房最高额抵押贷款	50.27	-23.51	-15.57	-7.94
9. 个人支农贷款	46.71	-8.31	-8.44	0.13
10. 个人信用卡透支	5634.40	1197.25	540.20	657.05

中国建设银行各分行存款主要指标统计表（本外币）

2017 年 12 月 单位：亿元

地区	一般性存款		其中：对公存款		其中：个人存款	
	本期余额	比年初新增	本期余额	比年初新增	本期余额	比年初新增
境内合计	**158205.46**	**8843.49**	**86931.33**	**6910.53**	**71274.12**	**1932.96**
总行本级	58.56	31.07	58.56	31.07	0.00	0.00
信用卡中心	104.39	10.72	0.26	0.04	104.13	10.68
长三角	29516.65	1339.29	18424.44	1470.51	11092.21	-131.21
上海	9877.18	402.70	6513.22	371.13	3363.96	31.57
江苏	8615.46	415.96	4812.69	469.82	3802.77	-53.86
浙江	6886.21	414.40	4364.50	481.72	2521.71	-67.32
宁波	1388.32	39.27	955.07	59.04	433.25	-19.76
苏州	2749.48	66.96	1778.96	88.80	970.52	-21.84
珠三角	25605.52	2046.28	14733.08	1744.69	10872.44	301.59
广东	12714.13	653.42	6651.15	613.14	6062.98	40.28
深圳	7168.08	981.89	5563.10	891.14	1604.98	90.75
福建	4307.12	284.61	1765.79	145.82	2541.33	138.79
厦门	1416.20	126.37	753.06	94.58	663.15	31.78
环渤海	29220.33	1633.72	16538.38	1353.01	12681.95	280.71
北京	11643.50	827.20	7976.99	774.61	3666.51	52.59
山东	7273.98	267.74	3682.81	173.90	3591.17	93.84
天津	2575.69	102.03	1515.22	110.90	1060.46	-8.88
河北	6589.53	383.77	2723.21	230.01	3866.32	153.76
青岛	1137.63	52.98	640.15	63.59	497.48	-10.60
中部	31922.97	2161.17	15481.97	1468.26	16441.00	692.91
山西	3081.67	98.07	1305.58	31.44	1776.09	66.63
广西	2885.12	279.07	1601.22	201.10	1283.90	77.96
湖北	5770.38	156.91	2577.95	165.36	3192.43	-8.45
河南	5630.19	399.21	2461.11	215.25	3169.08	183.96
湖南	6236.47	549.32	2740.79	332.02	3495.68	217.30
江西	2796.36	241.26	1568.61	175.51	1227.75	65.74
海南	1053.96	83.43	693.73	71.11	360.24	12.33
安徽	4468.82	353.90	2532.99	276.46	1935.83	77.44
西部	31315.96	1871.08	17380.55	1239.67	13935.41	631.41
四川	8645.82	673.37	4887.29	538.57	3758.53	134.80
重庆	2815.67	91.08	1518.05	52.46	1297.62	38.62
贵州	2531.36	50.54	1549.69	30.71	981.67	19.83
云南	3679.83	343.62	2226.27	220.70	1453.57	122.92
西藏	920.20	41.01	723.45	31.70	196.74	9.31
内蒙古	2699.74	10.85	1318.16	-7.06	1381.58	17.91
陕西	4362.66	388.21	1938.52	182.30	2424.13	205.91
甘肃	1701.21	-17.97	865.01	-19.51	836.20	1.54
青海	895.79	-21.96	487.96	-20.97	407.83	-0.99
宁夏	670.79	23.35	332.29	2.68	338.50	20.67
新疆	2392.89	288.98	1533.86	228.10	859.03	60.89
东北	10461.07	-249.85	4314.08	-396.71	6146.99	146.87
辽宁	4069.20	-291.05	1562.25	-310.91	2506.95	19.85
吉林	2583.72	178.27	1171.88	93.64	1411.84	84.63
黑龙江	2580.45	11.58	980.09	-37.70	1600.36	49.29
大连	1227.70	-148.65	599.86	-141.74	627.84	-6.91

注：存款不含保本理财资金。

中国建设银行各分行贷款主要指标统计表（本外币）

2017 年 12 月　　　　单位：亿元

地区	各项贷款		其中：对公贷款		其中：个人贷款	
	本期余额	比年初新增	本期余额	比年初新增	本期余额	比年初新增
境内合计	**117670.44**	**9104.07**	**65228.53**	**1610.83**	**51780.68**	**8380.05**
总行本级	766.57	-877.81	109.44	-0.51	0.00	0.00
长三角	23568.40	1746.98	13182.04	219.01	10382.27	1534.47
上海	6663.26	592.95	4357.18	258.74	2302.08	340.71
江苏	6919.42	556.68	3700.87	38.14	3218.45	518.54
浙江	5537.98	287.11	2809.42	-65.64	2728.55	352.75
宁波	1509.95	122.71	871.85	-31.87	638.10	154.58
苏州	2937.80	187.54	1442.72	19.65	1495.08	167.89
珠三角	20499.92	1927.68	9399.15	384.10	11100.77	1546.57
广东	8557.23	1073.46	3758.70	203.50	4798.53	872.94
深圳	6312.55	452.68	3407.68	261.47	2904.87	191.21
福建	4288.07	255.06	1709.33	-131.70	2578.74	386.76
厦门	1342.06	146.47	523.44	50.83	818.62	95.65
环渤海	20743.16	1993.94	12454.17	463.56	8288.98	1530.38
北京	6383.36	786.73	4636.15	533.98	1747.21	252.75
山东	5026.49	299.40	2800.28	-131.02	2226.20	430.42
天津	2915.80	218.20	1800.19	-117.62	1115.61	335.82
河北	5052.83	476.79	2511.13	59.33	2541.71	417.47
青岛	1364.67	212.81	706.42	118.89	658.25	93.91
中部	22962.11	2131.78	12065.72	176.50	10896.39	1955.31
山西	2014.57	161.17	1263.62	-98.83	750.95	260.00
广西	2406.63	254.57	1333.25	58.74	1073.38	195.85
湖北	4074.08	343.49	2104.37	-37.62	1969.70	381.11
河南	4228.71	397.13	2168.86	78.92	2059.85	318.22
湖南	4157.73	384.53	2483.99	63.82	1673.74	320.72
江西	2167.71	166.78	903.68	8.92	1264.02	157.85
海南	718.61	103.03	347.00	-11.49	371.61	114.52
安徽	3194.08	321.07	1460.95	114.04	1733.12	207.03
西部	22116.17	1843.99	13768.02	561.73	8348.15	1282.26
四川	4610.51	477.18	2520.72	199.87	2089.79	277.31
重庆	3000.49	179.97	1451.64	-54.94	1548.85	234.91
贵州	1926.03	196.62	1255.15	90.19	670.88	106.42
云南	2377.93	176.15	1368.46	58.58	1009.47	117.57
西藏	621.25	72.23	562.12	58.30	59.13	13.93
内蒙古	2523.20	229.32	1935.92	156.01	587.28	73.31
陕西	2783.26	187.63	1632.02	-20.42	1151.24	208.06
甘肃	1323.74	79.21	859.30	-32.49	464.45	111.70
青海	714.59	48.65	611.74	25.90	102.86	22.75
宁夏	686.35	50.83	478.11	15.66	208.24	35.17
新疆	1548.81	146.20	1092.85	65.07	455.97	81.13
东北	7014.10	337.51	4249.98	-193.56	2764.12	531.07
辽宁	3085.27	141.56	1904.65	-65.71	1180.61	207.27
吉林	1736.00	110.13	1099.33	-11.04	636.67	121.17
黑龙江	1154.85	52.68	673.69	-39.83	481.17	92.51
大连	1037.98	33.14	572.31	-76.98	465.67	110.13

注：信用卡透支数据已拆分至各分行。

中国建设银行各分行国际结算业务量情况统计表

2017 年 12 月　　　　单位：笔，万美元

地区	进口业务		出口业务		边贸业务		收入（人民币万元）
	笔数	金额	笔数	金额	笔数	金额	
境内合计	**1455538**	**54542056**	**2873603**	**61993617**	**29784**	**413883**	**450121**
总行本级	1436	296738	5204	5555	0	0	2686
长三角	574376	14463670	1147367	19542996	0	0	114427
上海	230710	7446883	176724	4090488	0	0	60450
江苏	76648	2011901	188817	2749879	0	0	19737
浙江	88179	1126071	532138	7900671	0	0	14941
宁波	25463	602073	86378	942676	0	0	7006
苏州	153376	3276742	163310	3859282	0	0	12294
珠三角	344437	17646873	883879	21001950	0	0	111929
广东	112871	9470629	346283	10634605	0	0	42043
深圳	180585	6076428	181771	7514647	0	0	48079
福建	21390	790746	219416	1254102	0	0	13164
厦门	29591	1309070	136409	1598596	0	0	8643
环渤海	248551	11696402	446463	11831531	0	0	122622
北京	113923	4438425	105546	5315554	0	0	35647
山东	70571	2967667	196452	2770942	0	0	31739
天津	20765	2263833	22830	1679067	0	0	27732
河北	22591	783411	69961	869723	0	0	12151
青岛	20701	1243066	51674	1196245	0	0	15353
中部	106184	4829540	203396	4194665	10370	151944	42933
山西	2176	358889	4008	274088	0	0	3613
广西	5971	256335	7769	136187	10370	151944	3941
湖北	31779	741075	39312	540623	0	0	3098
河南	23064	1060956	64531	1207602	0	0	7567
湖南	12836	572010	23491	544020	0	0	7433
江西	5961	519745	19614	496694	0	0	4298
海南	5725	273462	3627	39168	0	0	3901
安徽	18672	1047068	41044	956283	0	0	9081
西部	109696	2928052	86316	3753578	15457	236148	33126
四川	37839	915921	26117	827896	0	0	4008
重庆	24292	951436	20655	2191418	0	0	8055
贵州	4210	99339	2845	123511	0	0	995
云南	8016	81960	5394	66852	3036	68070	3558
西藏	38	295	235	201	0	0	0
内蒙古	14739	282782	5458	116391	8798	105509	939
陕西	12082	271862	12487	141696	0	0	2784
甘肃	937	149431	2729	88409	0	0	4059
青海	585	9387	397	57832	0	0	392
宁夏	1032	49117	2833	38722	0	0	1311
新疆	5926	116522	7166	100650	3623	62569	7025
东北	70858	2680781	100978	1663342	3957	25791	22398
辽宁	16987	1269981	33710	868118	100	2023	11143
吉林	16756	601556	20131	117840	0	0	1835
黑龙江	8282	122425	9012	71983	3857	23768	689
大连	28833	686819	38125	605401	0	0	8731

中国建设银行各分行中间业务收入情况统计表（本外币、境内）

2017 年 12 月　　单位：万元，%

地区	中间业务毛收入	中间业务支出	中间业务净收入	同比增速（毛收入）
境内合计	**13600225. 69**	**1166482. 37**	**12433743. 33**	**3. 57**
总行本级	96177. 67	65798. 11	30379. 56	-29. 88
长三角	2808215. 87	194757. 74	2613458. 13	1. 47
上海	911932. 14	56856. 81	855075. 33	-0. 10
江苏	860447. 94	54016. 68	806431. 26	2. 48
浙江	629634. 53	57649. 34	571985. 19	9. 74
宁波	111284. 05	8697. 52	102586. 53	-10. 64
苏州	294917. 21	17537. 39	277379. 82	-6. 92
珠三角	2727529. 99	174094. 47	2553435. 52	7. 61
广东	1162860. 79	78044. 45	1084816. 34	2. 44
深圳	882228. 20	38919. 68	843308. 52	18. 50
福建	523198. 10	47591. 45	475606. 65	4. 31
厦门	159242. 90	9538. 89	149704. 01	3. 91
环渤海	2488537. 28	200229. 86	2288307. 41	2. 56
北京	911925. 77	54150. 69	857775. 08	3. 63
山东	678485. 71	69389. 25	609096. 47	2. 02
天津	278724. 14	12836. 83	265887. 31	-3. 63
河北	510452. 03	54057. 51	456394. 52	1. 77
青岛	108949. 62	9795. 58	99154. 04	20. 14
中部	2624547. 03	265786. 51	2358760. 52	8. 28
山西	197013. 73	16499. 21	180514. 52	9. 28
广西	245739. 49	17210. 35	228529. 14	11. 48
湖北	432491. 15	39517. 00	392974. 15	0. 70
河南	532275. 47	49575. 38	482700. 09	0. 78
湖南	518474. 70	73009. 42	445465. 28	12. 17
江西	287113. 08	31930. 25	255182. 83	8. 56
海南	84703. 71	7735. 58	76968. 13	18. 67
安徽	326735. 69	30309. 32	296426. 37	22. 18
西部	2071832. 95	207742. 78	1864090. 17	2. 24
四川	480831. 41	49519. 85	431311. 57	-2. 41
重庆	279256. 73	24095. 83	255160. 90	-1. 78
贵州	201935. 46	15226. 87	186708. 59	9. 68
云南	225620. 58	21177. 43	204443. 15	-6. 33
西藏	16889. 33	2028. 81	14860. 52	28. 00
内蒙古	176088. 74	16523. 47	159565. 28	11. 22
陕西	269739. 00	28999. 10	240739. 90	-0. 55
甘肃	150794. 36	19033. 83	131760. 53	3. 47
青海	42586. 52	4860. 22	37726. 30	13. 05
宁夏	60017. 26	8696. 81	51320. 45	18. 07
新疆	168073. 55	17580. 56	150492. 99	14. 01
东北	783384. 90	58072. 89	725312. 01	-3. 94
辽宁	315310. 40	21135. 04	294175. 36	-3. 78
吉林	212734. 39	14694. 04	198040. 36	-2. 16
黑龙江	152754. 55	14796. 22	137958. 33	-5. 99
大连	102585. 56	7447. 60	95137. 96	-4. 94

中国建设银行各分行借记卡主要指标统计表（本外币）

2017 年 12 月

地区	发卡总量（万张）	存款余额		交易总额		购物消费额（万元）
		余额（万元）	卡均（元）	余额（万元）	卡均（元）	
境内合计	**89824**	**362040732**	**4031**	**10093246828**	**112367**	**1540205607**
长三角	13485	54200406	4019	1657542697	122917	255053804
上海	2276	16312770	7166	382584339	168065	54276092
江苏	4987	15047132	3017	479135376	96075	81226014
浙江	3738	15026568	4020	528080711	141272	80713314
宁波	883	2224143	2519	97484429	110417	11770804
苏州	1601	5589793	3492	170257841	106370	27067580
珠三角	13561	64689500	4770	2047565843	150985	302717454
广东	7514	32457476	4320	789638223	105094	142375843
深圳	2450	11483804	4686	324220491	132311	42678050
福建	2832	16058153	5670	743404499	262474	93688343
厦门	765	4690067	6130	190302629	248738	23975217
环渤海	14534	58711855	4040	1539088475	105896	229304026
北京	2444	18621669	7619	402329835	164603	65893272
山东	5424	15518096	2861	483532166	89141	72458749
天津	1634	4086478	2501	98704356	60415	14976648
河北	4334	18276491	4217	493252339	113817	65026696
青岛	698	2209120	3166	61269779	87797	10948661
中部	23327	86480498	3707	2472027352	105975	394033638
山西	2651	6457315	2436	170887909	64468	27119392
广西	1829	7136303	3901	181372679	99151	30877997
湖北	3680	16303919	4430	452284955	122906	76605164
河南	5861	18819670	3211	520911793	88883	81300188
湖南	4006	18795112	4692	518702535	129480	88005172
江西	2293	7636583	3330	281398285	122706	34913435
海南	394	2149922	5461	53741689	136509	8963054
安徽	2613	9181675	3514	292727505	112025	46249236
西部	17658	74412795	4214	1733763895	98188	268597386
四川	3949	19295057	4887	442810016	112144	70710739
重庆	1947	6991488	3592	200022133	102753	29731603
贵州	1321	6549958	4960	153379043	116143	25627050
云南	1888	8357819	4426	190690845	100994	30974798
西藏	124	1385121	11153	26834159	216059	3089803
内蒙古	1889	6938876	3674	173008196	91607	24288717
陕西	2614	10599654	4055	227365463	86989	37790013
甘肃	1339	4932079	3683	110449250	82470	17500165
青海	752	2272043	3023	38588908	51345	5524316
宁夏	489	2202384	4502	69165710	141384	8273770
新疆	1347	4888316	3629	101450173	75307	15086411
东北	7259	23545678	3244	643258567	88613	90499299
辽宁	2743	8613505	3141	227671426	83015	32924827
吉林	1499	6299515	4202	190832225	127289	24633833
黑龙江	2117	6570007	3103	168302475	79488	24172740
大连	900	2062650	2292	56452441	62718	8767899

中国建设银行各分行信用卡主要指标统计表（本外币、境内）

2017 年 12 月　　　　单位：户，张，万元，元/户，%

地区	一、规模类指标										二、效率、质量类指标			三、效益类指标			
	客户拓展				消费交易			贷款投放									
	1. 累计客户数	2. 净增客户数	3. 新增年轻客户数	4. 净增发卡	5. 纯消费交易额	6. 分期交易额	7. 收单交易额	8. 贷款余额	9. 其中：分期贷款余额	10. 当年新增贷款	11. 客户活动率	12. 贷款收益率	13. 不良率	14. 业务收入（不含增值税）	15. 其中：中收	16. 活动户均收入	17. 信用卡中收在分行占比
全国总计	**81626468**	**7191971**	**8115900**	**12863432**	**238161419**	**36316351**	**334961256**	**56347119**	**31547687**	**11973821**	**63.33**	**6.34**	**0.89**	**4511731**	**3546706**	**932**	**26.05**
长三角	14765066	653144	1165507	1449070	37010510	6180812	81215372	9308215	5405164	1506480	56.09	6.52	0.83	779909	612426	977	21.70
上海	4289755	13766	261526	114269	10631383	1514856	31378516	2240052	1140133	278381	57.25	6.75	0.49	200960	151367	839	16.60
江苏	4594505	291180	375266	558416	10998897	1877262	15591909	2884340	1762339	337065	53.30	6.51	1.02	244523	198436	1041	23.06
浙江	4018527	237768	357841	494250	10977709	1950661	27704392	2963899	1768864	598800	56.95	6.29	0.89	241013	193312	1096	30.01
宁波	705424	24627	48382	72460	1731729	219704	2835699	355348	167826	33138	51.72	6.52	1.36	29996	21527	845	19.34
苏州	1156855	85803	122492	209675	2670792	618327	3704857	864577	566002	259097	62.58	6.75	0.71	63417	47784	923	16.20
珠三角	13365572	1114388	1429667	2276711	43459679	8160585	37556253	12356212	7697790	2577737	67.50	6.62	0.95	906211	709923	1070	26.03
广东	6554338	674259	829306	1567165	17551230	4203542	18167809	5722368	3777588	1843317	66.01	7.04	0.86	406336	314224	1022	27.02
深圳	2263936	143974	255685	206922	8186736	1578651	9633012	2374123	1467889	251810	70.28	7.04	0.98	183195	137893	1218	15.63
福建	3753917	242900	269783	418089	15422696	2049441	8942080	3701209	2130001	390776	69.58	5.90	1.13	277652	226938	1102	43.38
厦门	793381	53255	74893	84535	2299017	328951	813352	558512	322311	91834	62.09	5.95	0.59	39028	30869	830	19.38
环渤海	13620493	1029969	1222913	1765729	40013816	5193125	68327250	8222607	4291297	1682956	64.42	5.81	0.64	666062	537788	803	21.61
北京	3184021	48489	201879	191839	7628588	960084	30227856	1554474	804122	125430	56.65	6.82	0.77	149568	117207	860	12.85
山东	4507051	387133	431476	774831	16814520	1745795	16973606	3070574	1445648	627783	68.47	5.27	0.69	247531	201412	850	29.69
天津	1136285	69594	107768	87912	1870256	281149	3378149	466157	271076	8733	48.47	6.82	0.68	40418	31753	770	11.39
河北	4147555	489113	423433	661617	12007259	2014681	13121549	2816394	1628338	825198	71.00	5.61	0.51	204770	169878	746	33.28
青岛	645581	35640	58357	49530	1693194	191416	4626091	315008	142113	95812	60.27	6.05	0.74	23774	17538	640	16.10
中部	17604732	1832635	1873303	2857147	59530054	8013476	72010994	13270225	7206393	2763864	64.09	6.03	1.07	1032634	831835	988	31.69
山西	2278282	206539	207722	300032	7671004	612113	3191989	1238728	480464	329937	67.65	5.42	0.85	94011	70618	653	35.84
广西	1456131	174482	170048	275194	4406608	836757	5209186	1279879	792220	366248	67.56	6.42	1.01	91496	72120	1021	29.35

续表

地区	一、规模类指标										二、效率、质量类指标			三、效益类指标			
	客户拓展				消费交易			贷款投放									
	1. 累计客户数	2. 净增客户数	3. 新增年轻客户数	4. 净增发卡	5. 纯消费交易额	6. 分期交易额	7. 收单交易额	8. 贷款余额	9. 其中：分期贷款余额	10. 当年新增贷款	11. 客户活动率	12. 贷款收益率	13. 不良率	14. 业务收入（不含增值税）	15. 其中：中收	16. 活动户均收入	17. 信用卡中收在分行占比
湖北	2954639	304516	301376	502739	7699737	1047592	6431727	1672389	837168	425376	58.45	6.09	0.93	130019	101740	810	23.52
河南	3466389	422956	411742	725414	14289825	1035781	11627126	2039749	680024	345824	70.85	5.04	1.32	166004	134415	732	25.25
湖南	3467491	291050	354933	405763	11297718	2018595	20046157	3103809	1917887	604002	61.29	6.63	1.07	244311	199621	1244	38.50
江西	1701832	198408	170661	285640	7727527	1053076	13939538	1746150	1006588	108928	62.26	6.38	1.40	152972	128247	1532	44.67
海南	317312	46947	42177	59712	1523386	194808	3806653	341945	181545	85033	70.75	6.61	1.03	29838	22684	1448	26.78
安徽	1962656	187737	214644	302653	4914248	1214755	7758616	1847577	1310498	498515	59.40	5.76	0.79	123983	102390	1154	31.34
西部	16054765	2203759	1940164	3552190	44264312	6916594	61168826	10246244	5447708	2863877	65.79	6.87	0.75	853113	647782	881	31.27
四川	3665227	317394	353900	714723	8425830	1419323	13917418	2114336	1146055	362692	65.22	7.77	0.79	199427	150674	893	31.34
重庆	1539294	154643	163157	266736	4787036	731525	7276789	1101425	588604	254485	63.92	7.30	0.98	97717	72542	1062	25.98
贵州	1165655	232056	200051	477193	2961393	614625	4220451	944042	590484	311396	66.76	7.18	0.66	71631	53551	1045	26.52
云南	1396946	165709	164028	261749	4346714	519011	5749558	881934	402983	231925	67.81	6.41	0.94	74323	53842	849	23.86
西藏	66436	12908	11034	17820	204748	30895	1563935	49740	25044	15713	74.50	7.84	0.63	5284	3721	1196	22.03
内蒙	1620427	202524	173274	286766	7592710	699931	3803022	1242113	459749	174170	74.83	6.01	0.71	100620	77509	894	44.02
陕西	3083735	575450	446922	769205	4526219	985130	7922592	1269506	786568	511334	54.41	6.86	0.73	95005	74273	625	27.54
甘肃	1321522	198122	172159	288035	4022516	637245	7017644	918090	477590	328140	70.31	6.07	0.70	70606	54747	840	36.31
青海	318017	53192	41445	72142	775620	136636	2169932	189530	101488	84447	70.06	7.52	0.71	16675	11822	837	27.76
宁夏	520053	95136	72884	121090	2589356	202090	2668870	389682	136627	120840	80.22	5.35	1.11	34072	25618	903	42.68
新疆	1357453	196625	141310	276731	4032170	940183	4858614	1145845	732518	468734	70.29	6.88	0.39	87754	69483	1021	41.34
东北	6215290	357615	483938	576917	13875862	1852061	14682561	2943616	1499335	578907	60.62	7.02	1.10	268518	201675	761	25.74
辽宁	2345158	172138	197999	253016	4626709	753198	4694047	1090566	614953	253861	60.40	7.13	1.17	95668	71560	730	22.70
吉林	1654734	102196	134181	160318	4515685	568064	4106135	964130	495841	170860	63.78	6.93	0.97	87716	67445	879	31.70
黑龙江	1601337	60418	98661	128231	3458522	333143	4097896	592332	226834	96872	59.88	7.00	1.30	58782	42879	655	28.07
大连	614061	22863	53097	35352	1274945	197655	1784482	296587	161707	57315	54.88	6.93	0.86	26352	19791	816	19.29

注：1. 账单分期、消费分期、商户分期、益贷卡交易额双边计入纯消费交易额。

2. 收单交易额含网络商户收单交易额。

中国建设银行分行网络金融业务主要指标表（境内）

2017 年 12 月　　单位：户，%

地区	移动金融柜面替代率		企业网银当年活跃用户数		个人网银当年活跃用户数		手机银行当年活跃用户数		善融商务交易额	善融商务个人商城交易额
	期末数	比年初	期末数	同比增长	期末数	同比增长	期末数	同比增长	期末数	期末数
总计	85.01	17.29	2470549	613705	13202324	-6373459	62792199	16881382	15267472	849805
长三角										
上海	86.00	15.37	170448	44737	328305	-104792	1822918	209384	1348265	30574
江苏	84.05	19.20	151652	52000	725129	-863669	4326294	1382484	842877	59829
浙江	85.46	18.82	98769	27076	412170	-232147	2274334	565806	814035	11508
宁波	77.49	23.83	23879	4983	57797	-100455	394593	77532	100904	2445
苏州	81.68	21.16	53406	13027	144957	-44336	963147	317646	299744	10373
珠三角										
广东	88.23	20.75	219205	69385	1121934	-109854	5502507	2233345	375918	86418
深圳	93.84	8.85	124410	20860	247144	-87231	1573359	228635	212319	8916
福建	93.80	7.86	106444	20117	510718	-291380	3554805	786874	1295029	95653
厦门	94.35	7.83	51315	9348	315080	-63187	827787	123603	176924	2499
环渤海										
北京	84.28	13.89	119494	31079	362581	-109877	1685832	453574	56339	25255
山东	86.57	22.43	115952	20321	915449	-446185	3703719	1461578	1818797	117587
天津	72.41	27.14	29432	7370	153689	-122762	641667	211032	175540	8004
河北	85.31	13.87	125482	29684	902279	-445300	3382132	1048885	1716482	44240
青岛	81.88	27.83	20009	5265	81696	-43596	386260	140447	156481	5319
中部										
山西	82.73	18.69	30505	7816	218729	-129468	1104564	349956	581811	13460
广西	86.64	21.81	41071	11262	226440	-166914	1478349	455515	151321	8657
湖北	85.20	17.40	101817	22794	663606	-74574	3039180	716212	503025	42199
河南	80.27	19.56	97684	27358	562304	-308744	2673086	863730	386267	39813
湖南	86.17	14.31	72690	10802	784444	-653499	3630695	771862	926815	72590
江西	85.43	20.36	64179	14458	241952	-94421	1325514	346993	843558	37381
海南	84.86	21.19	21629	7037	33753	-15880	324547	123329	12916	6022
安徽	81.96	18.90	73748	20632	871564	-75804	2076060	688480	211192	6748
西部										
四川	85.37	15.34	119996	28145	366340	-291763	2674748	589878	558042	17486
重庆	85.57	15.27	51930	8096	194685	-66410	1504674	76225	538156	9528
贵州	84.52	15.02	33065	10526	101666	-55915	1106271	253282	37252	8120
云南	82.87	21.39	45019	10014	171839	-182215	1445065	361690	226896	10088
西藏	66.26	18.86	6412	2596	6365	-3611	54476	12163	789	101
内蒙古	81.79	22.22	32856	8232	130128	-148507	1062159	318675	205209	10531
陕西	87.02	17.57	54970	12990	846169	-291857	2003552	342477	250654	14621
甘肃	81.62	14.45	25291	6055	95016	-69639	1034994	66769	15148	1574
青海	67.74	22.19	9157	1928	23260	-15706	216915	34118	1398	591
宁夏	79.22	24.22	15466	4791	64018	-8251	358914	125279	1249	247
新疆	83.56	18.92	37221	13164	286432	-260973	862725	192589	8244	7316
东北										
辽宁	80.70	16.50	50682	16930	275636	-207984	1471173	413301	246772	25980
吉林	82.15	21.37	38932	7659	506248	-51310	1052416	218019	30676	5762
黑龙江	74.64	19.02	23411	4611	185410	-102954	834566	241135	49343	1508
大连	76.15	22.56	12921	557	67304	-32313	418150	78852	91085	861

中国建设银行100个中心城市行各项存款综合排名表（本外币）

2017年12月　　单位：亿元

名次	地区	一般性存款		其中：对公存款		其中：储蓄存款	
		本期余额	比年初新增	本期余额	比年初新增	本期余额	比年初新增
1	北京	11643.50	827.20	7976.99	774.61	3666.51	52.59
2	上海	9877.18	402.70	6513.22	371.13	3363.96	31.57
3	深圳	7168.08	981.89	5563.10	891.14	1604.98	90.75
4	成都	5205.07	408.91	3211.01	354.85	1994.06	54.06
5	广州	4449.85	257.09	2427.73	263.20	2022.12	-6.11
6	重庆	2815.67	91.08	1518.05	52.46	1297.62	38.62
7	苏州	2749.48	66.96	1778.96	88.80	970.52	-21.84
8	杭州	2592.37	253.08	1995.16	263.16	597.21	-10.08
9	天津	2575.69	102.03	1515.22	110.90	1060.46	-8.88
10	武汉	2423.29	45.74	1235.36	61.50	1187.92	-15.76
11	西安	2388.96	179.70	1142.98	85.72	1245.98	93.98
12	南京	1986.97	151.22	1341.24	153.65	645.73	-2.43
13	沈阳	1970.08	-191.25	888.57	-194.92	1081.52	3.67
14	长沙	1863.61	26.96	1018.83	39.11	844.78	-12.15
15	福州	1857.19	124.53	775.54	66.08	1081.66	58.44
16	郑州	1783.22	83.26	1038.59	76.52	744.63	6.74
17	昆明	1715.27	182.59	1090.55	148.11	624.72	34.49
18	济南	1530.56	70.64	924.06	68.18	606.50	2.46
19	合肥	1444.74	66.70	997.85	49.11	446.89	17.59
20	石家庄	1417.21	133.94	764.70	97.43	652.51	36.51
21	厦门	1416.20	126.37	753.06	94.58	663.15	31.78
22	宁波	1388.32	39.27	955.07	59.04	433.25	-19.76
23	长春	1330.62	62.80	664.93	32.93	665.69	29.86
24	南宁	1239.91	79.87	777.97	54.52	461.94	25.34
25	贵阳	1230.76	68.58	818.86	82.67	411.90	-14.10
26	大连	1227.70	-148.65	599.86	-141.74	627.84	-6.91
27	东莞	1138.39	62.39	560.26	64.87	578.13	-2.47
28	青岛	1137.63	52.98	640.15	63.59	497.48	-10.60
29	佛山	1136.36	8.42	607.72	33.58	528.65	-25.16
30	南通	1116.96	-4.21	512.20	14.08	604.76	-18.29
31	无锡	1101.77	24.80	618.22	35.63	483.55	-10.83
32	哈尔滨	1096.34	-4.94	416.91	-19.68	679.42	14.74

续表

名次	地区	一般性存款		其中：对公存款		其中：储蓄存款	
		本期余额	比年初新增	本期余额	比年初新增	本期余额	比年初新增
33	常州	1086.32	71.70	548.62	76.02	537.70	-4.33
34	乌鲁木齐	1067.11	119.36	672.36	96.50	394.75	22.86
35	南昌	1033.81	110.35	670.09	91.79	363.71	18.56
36	泉州	1025.67	39.28	369.86	9.83	655.80	29.45
37	唐山	1016.35	7.70	395.53	6.79	620.82	0.91
38	太原	968.61	-21.53	530.25	-44.04	438.36	22.51
39	惠州	887.49	27.89	516.96	13.90	370.53	13.98
40	中山	818.28	39.77	463.91	37.72	354.37	2.05
41	温州	818.16	5.61	333.46	21.92	484.69	-16.30
42	保定	786.46	40.10	262.44	17.41	524.02	22.70
43	兰州	775.16	-7.46	437.95	-2.44	337.21	-5.02
44	金华	772.38	23.34	411.19	28.99	361.19	-5.65
45	潍坊	723.05	69.25	333.02	42.73	390.03	26.52
46	廊坊	720.05	32.72	352.08	4.79	367.98	27.93
47	嘉兴	700.70	37.33	417.40	46.01	283.30	-8.68
48	烟台	700.11	-23.63	401.58	-18.27	298.53	-5.35
49	扬州	667.38	6.94	346.90	17.43	320.48	-10.49
50	珠海	656.38	7.32	387.15	6.34	269.22	0.98
51	海口	628.26	33.59	419.02	33.50	209.24	0.09
52	西宁	592.49	-21.07	304.04	-16.40	288.45	-4.67
53	徐州	573.41	80.15	279.03	73.28	294.39	6.86
54	邯郸	561.50	30.37	190.76	14.79	370.74	15.57
55	沧州	555.81	49.99	200.52	35.78	355.29	14.21
56	拉萨	552.51	-23.81	411.21	-29.56	141.31	5.75
57	呼和浩特	548.08	-28.19	296.24	-30.26	251.84	2.08
58	泰州	545.00	18.69	254.87	17.21	290.13	1.48
59	襄樊	530.31	9.15	197.55	19.13	332.76	-9.98
60	临沂	517.28	56.14	279.55	35.50	237.73	20.65
61	江门	513.10	26.38	208.12	20.32	304.99	6.06
62	绍兴	507.33	31.46	306.43	41.80	200.90	-10.33
63	洛阳	507.15	19.42	201.92	8.92	305.24	10.49
64	衡阳	499.80	51.38	203.75	36.17	296.05	15.21
65	三峡	476.91	1.64	180.12	5.68	296.79	-4.04
66	鄂尔多斯	472.99	-7.57	200.73	-6.58	272.26	-0.99
67	济宁	451.85	11.20	185.67	9.91	266.18	1.29

续表

名次	地区	一般性存款		其中：对公存款		其中：储蓄存款	
		本期余额	比年初新增	本期余额	比年初新增	本期余额	比年初新增
68	咸阳	451.13	47.70	178.57	22.94	272.56	24.76
69	淄博	448.40	2.39	180.24	3.02	268.16	-0.63
70	包头	443.59	31.67	189.63	31.45	253.96	0.22
71	汕头	441.55	24.95	172.31	24.30	269.24	0.65
72	镇江	440.73	-1.07	248.07	6.56	192.67	-7.63
73	台州	436.77	8.77	254.95	13.59	181.82	-4.82
74	盐城	430.99	12.95	247.33	21.53	183.66	-8.59
75	榆林	413.73	56.26	153.94	25.84	259.80	30.42
76	柳州	399.67	38.87	213.35	27.50	186.31	11.37
77	鞍山	388.15	5.08	81.28	-6.03	306.87	11.11
78	湖州	379.08	50.09	227.54	50.82	151.54	-0.74
79	漳州	371.10	37.42	179.65	24.18	191.45	13.24
80	滨州	362.56	-1.42	188.60	-10.82	173.96	9.39
81	莆田	355.84	25.74	103.81	11.08	252.03	14.66
82	南阳	355.20	35.70	153.31	20.57	201.89	15.13
83	东营	343.01	-73.90	177.93	-65.12	165.08	-8.78
84	大庆	341.62	-12.47	124.97	-16.80	216.65	4.34
85	盘锦	332.54	21.93	122.85	12.04	209.69	9.89
86	菏泽	328.75	23.85	138.21	9.48	190.54	14.37
87	银川	323.80	-8.53	145.40	-12.69	178.40	4.17
88	聊城	314.16	19.36	149.88	9.48	164.28	9.88
89	新乡	290.41	20.72	110.11	9.42	180.30	11.30
90	平顶山	283.24	36.81	120.14	21.03	163.11	15.78
91	桂林	280.64	45.67	122.82	38.74	157.82	6.93
92	泰安	279.12	8.00	115.88	4.49	163.24	3.51
93	吉林	267.85	16.44	97.55	8.27	170.29	8.16
94	芜湖	254.30	20.34	109.50	13.90	144.80	6.44
95	吕梁	241.77	21.33	104.86	14.47	136.90	6.86
96	滁州	232.81	26.22	150.48	23.80	82.34	2.43
97	三明	227.63	24.93	113.01	16.85	114.61	8.09
98	九江	204.42	12.83	104.87	8.60	99.55	4.23
99	龙岩	184.28	12.66	88.64	6.40	95.63	6.25
100	日照	163.73	8.50	81.88	6.85	81.86	1.65

中国建设银行100个中心城市行各项贷款综合排名表（本外币）

2017年12月　　单位：亿元

名次	地区	各项贷款		其中：对公贷款		其中：个人贷款	
		本期余额	比年初新增	本期余额	比年初新增	本期余额	比年初新增
1	上海	6663.26	592.95	4357.18	258.74	2302.08	340.71
2	北京	6383.36	786.73	4636.15	533.98	1747.21	252.75
3	深圳	6312.55	452.68	3407.68	261.47	2904.87	191.21
4	成都	3058.22	246.11	1726.31	139.34	1331.91	106.77
5	重庆	3000.49	179.97	1451.64	-54.94	1548.85	234.91
6	广州	2951.87	6.99	1637.38	4.76	1314.48	5.21
7	苏州	2937.80	187.54	1442.72	19.65	1495.08	167.89
8	天津	2915.80	218.20	1800.19	-117.62	1115.61	335.82
9	武汉	2183.89	177.48	1029.51	-83.00	1154.38	260.47
10	福州	1944.45	-115.27	716.43	-82.57	1228.03	-32.70
11	沈阳	1756.65	-9.51	959.38	-115.24	797.27	105.73
12	杭州	1748.27	27.51	920.98	-138.65	827.29	166.15
13	西安	1736.25	33.73	916.71	-83.17	819.54	116.90
14	南京	1709.04	-76.05	810.71	-2.62	898.34	-73.43
15	长沙	1697.62	200.97	1097.76	87.33	599.85	113.64
16	郑州	1649.08	185.05	760.36	7.28	888.72	177.77
17	宁波	1509.95	122.71	871.85	-31.87	638.10	154.58
18	青岛	1364.67	212.81	706.42	118.89	658.25	93.91
19	厦门	1342.06	146.47	523.44	50.83	818.62	95.65
20	昆明	1303.85	116.35	766.67	87.27	537.18	29.08
21	合肥	1168.00	107.82	399.27	12.09	768.74	95.72
22	南宁	1164.58	160.92	729.26	66.95	435.32	93.97
23	贵阳	1105.94	74.14	783.63	67.54	322.31	6.61
24	石家庄	1088.88	167.09	683.82	62.24	405.05	104.85
25	大连	1037.98	33.14	572.31	-76.98	465.67	110.13
26	无锡	1028.04	64.94	684.84	-2.02	343.19	66.96
27	长春	989.43	48.84	657.06	2.51	332.36	46.32
28	南昌	949.03	251.78	408.86	46.62	540.16	205.16
29	泉州	933.35	99.42	503.37	-35.90	429.98	135.33
30	廊坊	925.82	140.89	158.77	20.19	767.05	120.70
31	太原	909.80	150.95	584.91	-12.45	324.89	163.40

续表

名次	地区	各项贷款		其中：对公贷款		其中：个人贷款	
		本期余额	比年初新增	本期余额	比年初新增	本期余额	比年初新增
32	济南	887.63	253.63	520.99	128.19	366.63	125.44
33	佛山	842.76	153.45	377.83	58.58	464.93	94.87
34	乌鲁木齐	780.51	78.36	569.13	12.29	211.38	66.07
35	常州	774.98	89.08	446.28	14.61	328.70	74.47
36	南通	734.97	93.90	431.37	1.40	303.60	92.50
37	哈尔滨	707.31	62.70	409.64	-28.78	297.67	91.48
38	中山	693.43	178.30	296.65	97.66	396.78	80.65
39	唐山	687.01	1.75	518.10	-50.29	168.91	52.04
40	东莞	670.45	135.11	222.48	33.22	447.97	101.89
41	金华	668.83	75.44	349.23	6.89	319.60	68.54
42	兰州	652.14	54.62	461.33	-6.54	190.81	61.16
43	嘉兴	645.20	89.13	350.78	16.24	294.43	72.89
44	温州	594.89	54.94	258.54	-6.89	336.35	61.83
45	惠州	593.41	83.51	192.55	-9.90	400.86	93.41
46	珠海	563.87	29.32	155.05	-32.32	408.82	61.63
47	西宁	553.06	5.93	472.35	-9.72	80.71	15.65
48	鄂尔多斯	544.57	-3.18	496.71	-13.52	47.87	10.33
49	烟台	533.95	33.44	334.10	-18.32	199.85	51.76
50	潍坊	508.40	77.81	260.79	21.95	247.61	55.86
51	呼和浩特	503.35	97.30	377.22	63.28	126.13	34.02
52	临沂	492.43	93.49	246.22	8.44	246.21	85.05
53	海口	470.34	37.69	267.02	-8.84	203.32	46.53
54	泰州	469.80	50.49	268.20	0.41	201.60	50.09
55	台州	469.11	70.82	228.78	15.75	240.33	55.07
56	扬州	464.66	65.44	249.33	3.86	215.32	61.59
57	保定	461.64	68.96	160.39	-1.56	301.25	70.51
58	绍兴	449.55	37.54	251.46	-3.72	198.10	41.26
59	漳州	432.09	110.86	129.99	-0.51	302.10	111.37
60	三峡	403.91	59.03	266.67	24.71	137.24	34.32
61	银川	380.56	14.93	278.37	9.19	102.20	5.74
62	徐州	371.53	66.49	158.95	4.93	212.58	61.57
63	沧州	369.14	84.87	193.81	39.92	175.33	44.95
64	镇江	367.43	42.19	200.31	0.75	167.11	41.44
65	江门	355.64	76.14	145.82	5.68	209.81	70.46

续表

名次	地区	各项贷款		其中：对公贷款		其中：个人贷款	
		本期余额	比年初新增	本期余额	比年初新增	本期余额	比年初新增
66	盐城	347.45	40.20	190.23	-3.26	157.18	43.46
67	洛阳	343.56	53.97	194.46	17.36	149.10	36.61
68	邯郸	329.78	23.61	228.13	-17.88	101.65	41.49
69	湖州	325.08	61.61	155.07	26.18	170.01	35.43
70	东营	324.30	-32.46	249.86	-57.63	74.44	25.17
71	济宁	284.36	21.53	155.20	-19.79	129.16	41.33
72	柳州	276.62	-2.43	129.00	-39.90	147.63	37.47
73	莆田	272.83	43.19	95.98	-6.10	176.86	49.29
74	滨州	261.54	16.21	168.27	-16.06	93.28	32.28
75	淄博	252.73	-4.10	117.51	-39.85	135.22	35.74
76	包头	247.34	40.29	126.21	8.96	121.13	31.33
77	衡阳	244.60	43.20	139.72	4.72	104.88	38.48
78	拉萨	234.96	19.88	189.14	9.26	45.82	10.62
79	鞍山	233.88	13.65	186.67	4.73	47.21	8.91
80	龙岩	232.43	49.10	98.27	9.87	134.16	39.24
81	汕头	229.15	61.35	129.89	20.06	99.26	41.29
82	榆林	228.64	-5.28	175.11	-11.47	53.53	6.19
83	襄樊	209.58	42.20	103.82	2.16	105.77	40.03
84	桂林	207.11	18.58	113.27	-15.46	93.84	34.04
85	三明	206.92	26.78	80.83	-6.20	126.08	32.98
86	平顶山	205.31	15.89	152.90	-1.96	52.41	17.85
87	芜湖	201.78	16.64	114.94	-7.18	86.84	23.82
88	泰安	200.77	12.27	109.40	-17.07	91.37	29.34
89	菏泽	200.62	6.74	91.07	-17.78	109.55	24.53
90	南阳	200.33	23.84	99.43	4.78	100.90	19.07
91	聊城	190.48	22.37	100.89	-4.85	89.60	27.22
92	吉林	187.60	14.45	119.32	-5.50	68.28	19.95
93	九江	185.19	25.57	73.81	0.00	111.38	25.56
94	滁州	184.03	28.37	101.24	11.65	82.79	16.72
95	咸阳	183.68	22.56	97.59	-1.27	86.09	23.83
96	新乡	182.14	14.23	86.44	-9.69	95.70	23.92
97	日照	178.09	-9.51	95.34	-27.52	82.75	18.01
98	盘锦	117.19	6.10	83.74	-1.57	33.44	7.67
99	吕梁	108.00	0.09	62.92	-12.25	45.08	12.33
100	大庆	83.73	8.45	56.30	-2.63	27.43	11.08

中国建设银行各项存款市场占比表（本外币、分地区）

2017 年 12 月　　　　单位：亿元，%

地区	各项存款				其中：对公存款				其中：个人存款			
	余额	占比	比年初	占比	余额	占比	比年初	占比	余额	占比	比年初	占比
全国总计	**170753.46**	**26.28**	**8545.04**	**22.01**	**88674.52**	**27.69**	**6212.97**	**21.80**	**72220.38**	**24.23**	**3025.90**	**23.75**
长三角	32059.04	24.38	490.39	11.31	18850.69	26.49	1384.19	21.30	11385.40	21.50	107.91	12.77
上海	11495.81	27.81	-548.58	-669.41	6634.04	30.42	226.09	17.32	3319.67	23.75	45.24	44.81
江苏	8902.21	24.52	347.36	19.19	4916.25	26.24	500.83	25.47	3884.36	22.95	-19.37	-8.39
浙江	7284.00	20.61	567.70	27.98	4434.18	23.22	492.02	19.87	2722.74	17.84	77.64	16.20
宁波	1411.76	22.05	24.42	8.64	969.22	23.69	43.29	13.61	438.86	19.28	-19.20	-180.78
苏州	2965.26	24.52	99.49	33.54	1897.00	25.56	121.96	28.14	1019.77	22.57	23.60	52.78
珠三角	27635.90	28.06	1518.23	22.08	15553.37	29.76	1398.17	21.35	10526.82	25.37	366.42	23.79
广东	13325.42	24.17	424.44	11.15	7086.80	26.67	432.96	12.46	5916.79	21.79	59.77	7.50
深圳	8414.50	32.54	677.87	36.76	5803.90	33.63	758.10	33.35	1480.68	26.50	114.76	43.81
福建	4446.51	32.72	321.98	35.82	1852.84	30.67	159.67	27.83	2505.35	34.21	155.13	37.95
厦门	1449.47	37.28	93.94	28.93	809.83	33.87	47.44	20.88	624.00	43.74	36.76	50.64
环渤海	32635.77	23.91	561.19	11.08	16735.58	23.00	1135.87	21.84	12943.34	23.02	458.04	25.69
北京	14502.93	22.00	-258.07	-11.13	8006.65	19.01	534.05	15.62	3753.07	22.06	97.52	33.05
山东	7445.48	25.66	304.11	22.52	3677.38	27.45	176.67	19.21	3678.81	24.01	146.69	23.65
天津	2767.28	24.61	171.09	44.98	1625.83	28.80	158.11	48.37	1084.20	19.95	15.06	10.83
河北	6720.60	26.71	262.16	28.19	2764.42	30.42	197.89	45.01	3900.87	24.57	183.44	25.66
青岛	1199.48	23.18	81.90	97.14	661.30	26.35	69.15	73.73	526.39	20.38	15.33	108.08
中部	32721.78	28.10	2234.25	27.90	15521.81	30.70	1345.73	27.57	16758.09	26.01	983.38	27.13
山西	3144.55	24.29	75.70	30.22	1320.50	27.65	-6.44	-20.84	1809.62	22.43	90.41	28.15
广西	2924.61	25.96	221.84	26.83	1609.85	30.32	166.41	31.49	1298.16	22.26	92.19	27.11
湖北	6005.21	28.14	307.69	20.53	2553.18	27.02	176.86	18.86	3352.27	28.82	141.97	22.53
河南	5708.99	27.49	395.38	28.11	2430.53	30.29	208.50	28.80	3195.84	25.53	208.25	27.11
湖南	6392.71	36.15	530.78	36.37	2741.87	38.66	305.69	35.02	3517.46	34.36	237.46	37.52
江西	2901.32	25.59	256.15	29.77	1596.27	30.91	163.72	30.17	1260.01	21.02	96.73	22.19
海南	1072.89	22.74	86.14	16.62	702.41	24.64	63.76	15.11	370.10	20.06	22.41	21.94
安徽	4571.50	27.87	360.57	30.34	2567.20	32.49	267.23	30.20	1954.63	23.50	93.96	23.84
西部	32189.89	28.59	2147.59	25.30	17626.84	30.87	1341.71	23.20	14263.62	26.21	862.53	29.74
四川	8824.95	28.23	707.65	23.50	4911.34	32.07	550.20	25.06	3849.42	24.62	207.73	22.60
重庆	2891.73	25.29	74.96	11.28	1514.42	26.72	55.29	11.24	1307.72	23.59	36.91	19.07
贵州	2559.98	30.11	54.83	17.48	1560.40	30.98	26.00	12.51	992.35	29.22	29.80	24.46
云南	3715.28	30.59	332.48	34.54	2239.61	34.67	205.43	33.56	1461.92	26.04	132.71	34.13
西藏	1060.14	28.79	180.15	35.37	859.73	29.49	168.25	38.85	199.72	26.23	11.88	15.88
内蒙古	2799.21	30.08	56.30	10.54	1321.88	33.06	-6.44	-2.17	1441.10	27.66	65.49	25.90
陕西	4547.73	30.34	434.83	40.07	1969.10	31.51	172.29	34.64	2502.56	29.21	234.88	40.53
甘肃	1721.48	28.50	-19.41	-37.31	860.62	28.63	-35.67	-59.84	854.30	28.55	18.20	443.90
青海	908.23	30.83	-13.03	-11.14	491.69	30.09	-17.48	-22.13	415.43	31.92	5.89	14.14
宁夏	683.90	30.46	32.23	29.86	334.68	30.13	5.05	10.29	347.68	30.80	29.01	47.69
新疆	2477.26	24.71	306.60	27.12	1563.37	27.43	218.79	25.41	891.42	20.84	90.03	33.21
东北	10682.83	29.95	-206.46	-95.09	4314.06	35.59	-417.84	-107.41	6238.95	27.15	236.94	33.40
辽宁	4146.18	31.82	-304.23	-341.25	1569.40	36.93	-348.41	-128.22	2532.83	29.39	45.11	26.72
吉林	2654.07	32.27	203.77	116.83	1180.09	38.50	97.42	815.23	1440.36	28.41	111.47	55.44
黑龙江	2612.07	27.10	26.13	7.18	974.64	32.07	-36.66	-36.94	1623.29	25.01	70.69	25.17
大连	1270.51	26.60	-132.13	-56.91	589.93	33.36	-130.19	-63.64	642.47	22.90	9.67	16.47

注：1. 本表数据来源于人民银行信贷收支月报，2017 年 12 月 31 日人民银行美元汇率为 6.5342。

2. 与建行口径比，人民银行各项存款均包含保本理财资金，“对公存款”多包含邮储银行协议存款。

3. 占比为建行数据占国有四大银行的比重。

中国建设银行各项贷款市场占比表（本外币、分地区）

2017 年 12 月　　　　单位：亿元,%

地区	各项贷款			
	余额	占比	比年初	占比
全国总计	**117687.01**	**26.60**	**9128.04**	**25.64**
长三角	23572.73	24.82	1753.40	22.92
上海	6666.71	28.68	597.83	32.21
江苏	6919.64	25.74	557.04	23.36
浙江	5538.10	20.89	287.35	13.30
宁波	1510.07	22.06	122.93	36.43
苏州	2938.21	25.55	188.25	20.60
珠三角	20505.81	28.74	1936.35	28.26
广东	8558.78	24.20	1075.61	28.96
深圳	6316.53	33.77	458.68	24.24
福建	4288.24	32.40	255.32	29.75
厦门	1342.26	33.24	146.74	37.87
环渤海	20746.01	27.07	1997.91	28.54
北京	6384.27	29.68	788.11	29.29
山东	5027.02	23.31	300.18	27.60
天津	2916.17	27.34	218.71	25.75
河北	5053.06	28.23	477.12	27.17
青岛	1365.49	27.42	213.79	34.63
中部	22963.58	29.29	2133.63	26.07
山西	2014.57	28.00	161.17	46.22
广西	2406.72	28.17	254.67	32.36
湖北	4074.21	28.68	343.71	20.61
河南	4229.36	29.64	397.89	23.11
湖南	4157.98	36.20	384.88	31.66
江西	2167.77	25.98	166.86	19.47
海南	718.67	26.15	103.10	29.08
安徽	3194.30	27.50	321.35	26.06
西部	22116.85	27.91	1845.12	26.10
四川	4610.72	24.51	477.41	26.18
重庆	3000.66	27.77	180.39	17.75
贵州	1926.04	25.96	196.63	24.08
云南	2378.01	27.19	176.26	28.35
西藏	621.25	29.16	72.23	21.98
内蒙古	2523.26	33.03	229.40	38.98
陕西	2783.30	32.04	187.72	31.59
甘肃	1323.81	27.11	79.32	24.78
青海	714.60	29.19	48.67	23.55
宁夏	686.37	29.92	50.86	32.03
新疆	1548.83	28.81	146.23	24.55
东北	7014.44	29.36	338.05	27.03
辽宁	3085.42	32.95	141.88	29.57
吉林	1736.01	30.16	110.14	42.96
黑龙江	1154.89	23.67	52.75	20.05
大连	1038.12	26.67	33.28	13.24

注：1. 本表数据来源于人民银行信贷收支月报，2017 年 12 月 31 日人民银行美元汇率为 6.5342。

2. 占比为建行数据占国有四大银行的比重。

CHINA 中国建设银行年鉴 2018
CONSTRUCTION BANK ALMANAC

第六部分　专题与调查研究

一、高层论坛

扛起国企党建责任抓好建行党建工作

中国建设银行董事长　王洪章

国有企业是中国特色社会主义的重要物质基础和政治基础，是我们党执政兴国的重要支柱和依靠力量。国有大型商业银行是党执政兴国的金融利器。中国建设银行作为国有控股大型商业银行，必须认真贯彻落实党的十八届六中全会精神和全国国有企业党的建设工作会议精神，深刻认识和理解自身的重要地位作用和重要历史使命，在大力加强国企党建、大力推进全面从严治党中，自觉扛起国企党建责任，着力抓好建行党建工作。

一、抓好党建工作是国有大型商业银行的政治责任

坚持党的领导、加强党的建设，是国有企业的“根”和“魂”。中国建设银行以切实提高对党建工作政治责任的认识为前提，不断增强落实党建工作责任的思想自觉和行动自觉。

加强国有大型商业银行党建工作具有现实重要性。中国金融改革发展成就证明，只有坚持党的领导，坚持全面从严治党，才能确保未来金融改革发展不偏离正确方向。落实全面从严治党要求，国有大型商业银行是重要领域，更是重要力量，理应在落实从严治党上走在前列、创造经验。中国建设银行坚持责在人先，把从严治党体现到党组织、党员、干部的一切工作和活动中，转化为做强做优做大的动力和活力。坚持全面从严治行，构建不敢违规、不能违规、不想违规的有效机制，形成制度完善、经营合规、操作规范的良好局面，保障全行稳健经营与持续发展，使发展业绩经得起规则的丈量、历史的检验。通过大力加强党建工作，通过严格管理、从严要求，中国建设银行各项事业取得了发展进步，这些发展进步固然离不开战略的调整、管理的改进、产品和服务的创新，但归根结底还是坚持党的领导、加强党的建设的结果。

加强国有大型商业银行党建工作具有紧迫性。党的十八大以来，全行党建责任不断强化，党建氛围日益呈现；选培机制不断完善，人才优势更加巩固；思想教育不断加强，从严管理持续推进；制度体系不断健全，基础建设逐步夯实。但是，对照党中央的要求还存在一定的差距。例如，部分领导人员对全面从严治党、从严治行的内涵把握还不够、认识还不透，还存在“重业务、轻党建”的现象；有的同志还没有认识到自己的第一身份是共产党员和领导干部，个别同志比高薪要待遇、讲吃喝论排场；日常管理、督促检查、考核监督、执纪问责中还存在“宽松软”现象，在严格管理、严守底线特别是风险底线上还存在薄弱环节；有的基层机构党组织设置还不规范，

"三会一课"制度坚持得不好。这些必须通过大力加强党建工作来解决。

二、从严从实加强建设银行党建工作

中国建设银行必须严格遵循党中央关于新形势下国有企业坚持党的领导、加强党的建设的总体要求，把党的政治、思想和组织优势不断转化为公司治理、科学管理和市场竞争优势。

扛起国有大型商业银行党建工作责任。把全面从严治党和全面从严治行紧密结合起来，将严的要求贯穿党的建设和经营管理全过程，在深化改革中发挥企业党建的独特优势。牵住落实管党治党责任这个"牛鼻子"，让各级党委成为管党治党的"统帅部"，让党委书记担负起第一责任，让每个领导班子成员认真履行"一岗双责"，让党委有关部门切实履行职责。加强党建工作述职，强化考核评价及其结果运用，严肃问责追责，使各级党委始终把抓好党的建设作为主责主业。

确保加强党的领导与完善公司治理相统一。准确把握党委在公司治理中的功能定位，认真研究如何在公司章程中落实党组织的法定地位，结合建行实际把党建工作的总体要求尽快写入公司章程。做好公司章程与党委议事决策规则的衔接，使党委充分发挥把方向、管大局、保落实的重要作用。在决策程序上，重大事项经党委研究决定后，再提交董事会按法律程序审定。不以党政联席会、经营办公会代替党委会，党委也大力支持董事会、监事会、管理层的工作。党委与其他公司治理相关方加强日常沟通交流，增进相互理解和支持，保证公司治理体系协调高效运转。

建设高素质领导人员队伍。各级领导人员必须做到对党忠诚、勇于创新、治企有方、兴企有为、清正廉洁。坚持党管干部，保证各级党委对干部工作的领导权和对重要干部的管理权。坚持重视基层，让基层成为锻炼干部的主阵地，让基层经历成为职业发展的台阶。坚持规范程序，干部提名做到动之有规、议之有据，任前把关做到"凡提四必"，讨论决定做到党委会集体研究。坚持配强领导班子，注重选拔培养既熟悉党建又善于经营的"一把手"，配齐配强党委副书记，形成科学有序的领导班子梯队递进机制。坚持人才强行，加快实施"213 人才工程""国际化人才千人计划"，尽快打造转型发展的生力军。坚持正向激励，不断完善既看发展又看基础、既看显绩又看潜绩的综合考评体系、贡献与回报相匹配的薪酬分配机制、科学合理的容错纠错机制。坚持正风肃纪，增强监督合力，突出日常监督、"一把手"监督、干部选拔任用全程监督和"三重一大"决策监督，加强惩治和预防腐败体系建设，切实把纪律和规矩挺在前面。

把基层党组织建设成为坚强战斗堡垒。无论机构如何调整，坚决做到哪里有员工哪里就有党员、哪里有党员哪里就有党组织、哪里有党组织哪里就有健全的组织生活和党的组织作用的充分发挥。把抓好子公司和境外机构的党组织建设作为当前的一项紧迫任务。充分发挥党支部教育管理党员、团结凝聚员工的主体作用，选好支部带头人，经常性地督查指导支部工作，让支部找准增强服务功能的着力点，增强党组织活动的吸引力感染力和针对性实效性。坚持好"三会一课"、民主生活会、组织生活会、党员党性分析等制度，增强党内政治生活的政治性、时代性、原则性、战斗性。抓紧抓好党员日常教育管理，以深入开展"两学一做"学习教育为契机，树立合格党员的标尺，激励广大党员用行动彰显优秀。严把党员发展质量关，重视在经营一线和青年中发展党员，加大培养吸收优秀人才入党力度。

抓好干部员工的思想政治教育。用好总行党校、井冈山培训中心等教育培训资源，加强对领导人员的党性教育、宗旨教育、警示教育，不断提高领导人员思想政治素质。推进思想教育工作进经营一线、进营业网点，贴近基层经营实际和员工思想实际，多为员工办实事解难事。推进思想政治工作与企业文化建设有机结合，把员工的思想信念、精神动力和价值追求凝聚到转型发展的目标上来。加强党纪行规教育，注重正面激励引导和反面案例警示相结合，使党员和员工知法守法、严守底线、抵制诱惑。把群团建设纳入党建工作总体部署，增强群团组织的政治性、先进性、群众性，将全行员工更加紧密地团结在党组织的周围。

（原载《党建研究》2017 年第 1 期）

加快新常态下商业银行内涵式转型发展

中国建设银行行长　王祖继

金融危机以来，世界经济延续低迷增长态势，不稳定不确定因素增多，全球银行业面临前所未有的发展困境。在中国经济稳中向好的进程中，虽然银行业实现稳健发展，取得较好的经营业绩，但在经济新常态下，面对利率市场化、金融脱媒、互联网金融快速发展以及境外风险因素等方面的挑战，银行从业者都在思考，如何弥补自身的薄弱环节，提高竞争力；如何更好地服务实体经济，体现金融的核心作用。“明者因时而变，知者随事而制”，我们需要准确把握趋势，未雨绸缪，积极应对。

一、关注银行业发展的六大趋势

趋势一：行业发展格局显著变化。同业竞争日益白热化，国内银行业法人机构超过4000家、各类金融机构超过2万家，同质化竞争严重。新兴金融科技企业跨界进入支付结算领域，并从事实质性的存贷款业务，撬动客户关系。研究显示，中国互联网金融的市场渗透率接近40%、用户超过5亿，第三方支付超过20万亿元，存款搬家至互联网金融公司金额超过2万亿元，网络贷款交易规模超过1万亿元。利率市场化导致银行利差收窄，传统盈利模式难以为继。2016年银行业NIM降至2.22%，为历史最低水平，尽管净利润增速企稳回升至3.5%，较上年提升1.1个百分点，但是盈利中枢水平已大幅下降，与高速增长的黄金十年不可同日而语。为应对竞争，获得新的利润增长点，各家商业银行纷纷转向综合化经营，凭借多元化产品和服务重塑市场竞争力。

趋势二：风险防控高压态势持续。国内经济仍处于新旧动能转换节点，区域、行业和企业分化加剧，市场主体高杠杆率和高负债率潜藏系统性风险。去产能、清理“僵尸企业”和变相“逃废债”等带来的金融风险不容忽视，银行业信贷资产质量管控形势依然严峻。同时，股市、债市、汇市联动，跨市场、跨行业交叉风险增多，金融市场波动加剧，对银行流动性风险管理和市场风险管控提出更高要求。随着海外布局加快，中资银行面临更多海外合规风险，近期国际大型银行和中资银行受到监管处罚的事件频发，对银行利润和声誉产生严重影响。

趋势三：客户行为模式发生深刻转变。随着金融市场的不断完善、利率市场化的深入推进和移动互联网等技术进步，金融脱媒加剧。对公客户融资选择多元化，传统信贷需求下降，直接融资快速发展；“轻资本、轻资产”客户转向模块化、定制化、综合化服务，要求银行提供更加符合行业特性的解决方案。个人客户投资渠道多元化，理财需求强烈，资管类等高收益产品快速发展，对传统的存款业务造成很大的冲击；年轻客户对移动化、场景化和人性化的期望和要求日益增加；11亿个移动互联网用户利用数字化渠道获取金融服务成为主流。客户行为的分化和忠诚度下降，倒逼各家银行拿出差异化的客户定位和营销服务方案。只有找到客户“痛点”，用创新的产品和服务解决“痛点”，才能留住客户，实现可持续发展。

趋势四：新技术带来重大机遇与挑战。大数据、云计算、区块链、人工智能等新技术快速发展，推动金融科技公司迅速崛起。“他山之石，可以攻玉”，银行业需要尽快吸收、应用，努力提升科技转化能力和经营效率。如借助大数据分析，更加精准判断客户需求，从“盲人摸象”灌输营销转向“数据驱动”精准营销，提高销售服务效率，深挖客户价值；利用云计算提供更加低成本、高效率的财务和运营支持。同时，新技术应用也带来数据风险和系统安全等问题，商业银行亟须提高对数据的整合、挖掘和管理能力，不断夯实 IT 基础，严防泄密风险，确保信息系统安全稳定运行。

趋势五：新经济要求银行不断创新服务模式。消费对经济增长贡献度已逐步提升至65%，战略性新兴产业和共享经济等领域快速发展，文体娱乐、教育医疗等新业态蓬勃兴起，经济新旧动力切换、新旧模式转换加快，2016 年网络消费超过 5 万亿元，增长 33%，占比提升至 16%；市场活跃度增加，工商登记的各类市场主体每天新增 4.5 万户。银行业在告别过去普遍性、总量增长机会的同时，也迎来了细分领域、结构性机会的发展商机。业务转型处处可见，获客活客多种多样，商业模式改变也是实实在在。如商户作为支付环境重要组成部分，成为金融机构竞相追逐的目标客户群体。小微企业、“三农”、民生等领域金融需求还远未得到满足，二维码支付、消费金融、直销银行等成为创新服务的有效方式。银行要避免变成“21 世纪的恐龙”，唯有加快转型步伐，变得更有张力和活力。

趋势六：金融监管标准更加严格。2017 年，监管部门把防控金融风险和抑制资产泡沫摆在更加突出位置，对资管、理财、同业等交叉性产品坚持穿透原则，严防金融机构加长企业融资链条、增加融资成本、加剧资金脱实向虚等问题，做实并表监管，防止监管套利。宏观审慎评估体系（MPA）持续升级，房地产调控措施密集出台，对银行资产配置和风险管控形成挑战。同时，巴塞尔协议Ⅲ对资本管理、流动性风险管理等方面提出更高要求，四大行已入选全球系统重要性银行，需要满足更高的资本充足率要求和总损失吸收能力，银行业资本内生增长能力已难以支持规模快速扩张的粗放式发展模式。

二、理顺银行转型发展内在机理

面对内外部因素的不断变化，商业银行转型是永恒不变的主题。转型永远在路上，但不同发展阶段的侧重点不同，追求的阶段性目标不同，关键是转型战略要有合适布局，那就是转型的目标一定要与实体经济发展和客户需求相一致；转型策略要扎实有效，那就是转型的外延拓展一定要与管理能力提升相一致。内涵式转型永远是重中之重。银行诞生于实体经济、成长于实体经济，实体经济潮起潮落是客观规律，银行要想屹立于浪潮之巅而不倒，拼规模、跑马圈地的外延式扩张必定不可持续，想要打造百年老店，就必须牢固树立稳健经营和价值创造理念，苦练内功，深入推进技术创新和管理变革，不断提升银行经营效率和可持续发展能力，咬定内涵式转型发展道路不动摇。

顶层设计，总体布局，做好五个方面转型。“凡事预则立，不预则废。”转型发展最重要的问题就是把握大方向，做好“往哪去、如何去”的顶层设计和总体布局，有五个方面需要做好重点谋划，包括：综合化经营。客户需求越来越多样化，金融领域越来越融合，综合化经营转型是大势所趋，不仅是健全银行＋非银行牌照，更重要的是资源配置、考核机制、营销模式、收益结构的综合化，实现以银行业为主，非银行金融为辅，综合业务战略协同发展。多功能服务。未来银行一定是平台，将服务、产品在平台上统一组织、展示和提供，构建全方位、一揽子的金融产品和服务体系，为客户创造价值的同时实现银行自身价值。集约化发展。大象起舞首先要克服“大企业病”，想变得身轻如燕，就必须走集约化发展道路，集中生产要素，整合优化流程，做好前后台分离，提高运营效率，优化资源配置，实现低投入、高回报。创新型银行。创新对国家、企业都是第一生产力，银行也必须强化自主研发和创新能力，做好产品创新规划，实施清单式管理，完善创新体制机制，强化商业模式创新，实现由规模驱动向创新驱动转型。智慧型银行。新技术蓬勃发展，令人眼花缭乱，打造智慧型银行，实现服务管理、产品渠道和数据应用的智能化，是银行能否赢得未来的关键。转型发展是一项系统工程，上述五个方面逻辑自洽，缺一不可，必须统筹谋划，全面推进，其中不断优化管理是核心。集约化、创新型和智慧型银行更多体现为银行“眼睛向内”管理。同样，没有管理水平的提高，综合化经营就意味着更大的风险，多功能模式必然导致服务效率下降。

把握大势，服务大局，加强三个能力建设。作为国有大型银行，要有大战略，坚持内涵式发展道路和稳健经营，目的是把习近平总书记2014年对中国建设银行批示的要求落到实处，即增强“三个能力”。服务国家经济社会发展能力，全方位对接国家重大战略，服务实体经济、助力供给侧结构性改革，拓展普惠金融，支持“双创”，把“小企业”做成“大事业”，为“三农”持续加力，为广大客户提供从信贷到综合性投融资，再到“融资＋融智”的全面金融服务。防范金融风险能力，风险防范是发展的生命线，是银行的看家本领，要着力构建全面风险管理体系，做好风险识别、风险计量、风险预警、风险化解等工作，不断提升风险管理能力和水平。参与国际化竞争能力，紧跟中国经济融入全球，助力人民币国际化、“一带一路”和“走出去”战略，统筹境内外市场和资源，客户到哪里，银行服务就到哪里，稳步提升国际化水平。

三、推进转型的主要管理措施

如果说“五个方面转型”和“三个能力建设”构筑了银行内涵式转型的整体架构，属于顶层设计范畴，那么实现内涵式转型还需要具体的管理措施来支撑落地，主要包括以下几个方面。

一是进一步强化资本约束理念。资本是银行最宝贵的资源。当前，支撑银行业传统盈利增长的宏观政策以及市场环境正在发生根本性变化，银行业利润增速已从高点向合适水平回归，依靠利润积累实现的资本增长难以支持原有的规模扩张和粗放式经营。作为经营风险的特殊企业，银行必须牢固树立资本约束的理念，经营重心不能仅关注账面上的盈利，更重要的是关注风险资本调整后的净利润，以风险调整后的收益最大化为目标。构建以资本为核心的资源配置体系，发挥资本统筹平衡规模、效益和风险的作用，优化贷款、债券投资、同业、理财等资产配置。建立以经济增加值（EVA）、经济资本回报（RAROC）等指标为核心的价值贡献和绩效评价体系，促进低资本占用、高资本回报的业务发展。

二是把风险防控摆在更加突出位置。后金融危机时代，风险是侵蚀利润的最主要因素，经营好风险是银行基业长青的关键。首先要靠机制建设。建立涵盖信用风险、市场风险、流动性风险以及操作风险等全面风险管理体制，明确管理责任、方式、流程和措施。其次是抓好信用风险这个关键。建立全流程信用风险管理机制，把牢贷前、贷中、贷后三道关，提前预警风险、防控风险。要重视信贷结构调整，特别是存量信贷业务结构优化，主动压缩高风险、高资本耗用业务，降低银行整体风险水平。再次是关注交叉金融产品风控。通过制定交易前准入标准，将风险管理融入交易流程中，建立交易后持续期管理等措施，加强交叉性金融业务的风险管理。最后要高度重视内控合规风险。通过建立有效的合规管理体系，完善境外合规管理构架，加强IT建设等，确保境内外机构合规经营。

三是为转型注入更多精细化管理内涵。精细化管理是实现稳健经营最重要的保证，是提升管理水平最重要的手段，是转型发展的重要内容。要把精细化管理作为银行稳健经营文化的最重要组成部分，全面、持续加以推进。第一是细分市场和客户。要以客户为中心、以市场为导向，以加强流程建设和综合服务为管理着力点，通过客户和市场细分，充分了解客户需求，开展精准营销，集中优势资源，提供差别化、综合化的金融服务，改善客户体验，提升客户满意度。第二是完善资源配置机制。要“把钱花在刀刃上”。银行经营要牢固树立效益意识，在追求业务指标优势的同时，更要关注效益类管理指标，提升资源配置的机制化和标准化水平。第三是提高价值贡献计量水平。完善内部资金转移价格体系，科学计量资金成本和收益；推进管理会计运用，实现对部门、经营机构、条线、产品、客户、渠道等多维度盈利计量、分析及绩效评价。第四是构建风险定价能力。以风险定价模型为基础，价格的确定不仅考虑资金成本、运营成本、风险成本，而且考虑经济资本回报。将经济增加值（EVA）、风险回报率（RAROC）作为确定价格水平的重要标准，并充分考虑市场反应，在量与价之间实现平衡。第五是突出强调数据管理。数据已成为一种重要的资源。要从事后的统计分析，转为事前和事中的大数据支持，用数据推动业务、防控风险、加强管理，打造银行经营管理的“数据化驱动”模式；以客户体验为中心，运用大数据发现和满足客户需求，提供点对点的数字化产品和服务。第六是优化业务流程。银行要从操作方法、操作标准和操作规则等方面做好业务流程优化。如在信贷管理方面，建立授信审批平行作业方案，梳理并定期重检押品目录，完善风险监控预警和监督检查机制等。

四是紧随技术进步，夯实 IT 基础。大数据、人工智能、移动互联、云计算等新技术、新应用迅猛发展，传统银行 IT 框架难以应对快速变革的市场竞争需要，亟须重构 IT 框架，打造以支持引领、自主研发和安全运营为核心的 IT 能力体系。要以客户为中心，从客户体验的角度、企业级的视角去设计和研发 IT 系统。打破“部门级”“分行级”“系统级”等画地为牢的观念限制，从全集团的角度去统筹资源、组织布局，构建支持“多法人、多时区、多语言、多账套、多币种、多领域”等的企业级 IT 核心系统，系统设计灵活、可扩展，能随需而变，支持快速产品创新，满足客户全方位的金融需求。

五是持续做好“银行 + 互联网”。“凡益之道，与时偕行。”面对互联网金融对传统金融带来的挑战，银行应变压力为动力，保持开放的心态，利用互联网思维和技术，扩展营销渠道、创新产品、优化业务流程、提高运营效率。首先，利用自身网络资源、信誉和安全、数据和线下渠道等诸多优势，连点为面，不断把自己的网织牢拓宽。如 ETC 业务将通行费结算接口搬到了高速路收费站；建行“善融商务”平台，将客户日常购物与银行结算网络相连；金融社保卡的应用推广，除社保中心，还与医院、药店相连，甚至拓展到市民日常缴费。类似的业务做多了，结算网就扩大了许多。设想一下，一个银行如果有一张“汇通天下”的大网，涵盖了几乎所有的行业应用和用户场景，连接了无数超市、影院、餐厅、医院、学校等，客户只需要一部手机就能够随时随地完成所有交易支付，那它将是多么强大！其次，围绕互联网加快创新，为客户提供便捷、高效、低成本的产品，探索直销银行服务模式。银行要基于自身信贷、结算、代收代付等传统业务优势，利用互联网和大数据技术进行创新，作为应对互联网金融、服务客户多样化需求的利器。如建行推出了龙支付、快贷、悦生活等产品，其中快贷产品就是借鉴国外直销银行经验，基于大数据技术创新的低门槛、高效率、低成本、全流程在线办理的银行系互联网信贷产品，广受个人和小微企业客户的欢迎。此外，银行还要深入研究新型科技企业金融服务的特点，在传统信贷业务之外，利用符合科技企业特点的 IPO、SPV 风投、顾问咨询等方式为企业解决融资和发展壮大问题。

六是不断深化扁平化管理。扁平化管理是银行集约化发展和互联网时代的必然趋势。集约化过程伴随着组织资源在组织内部纵向和横向上的集中、整合，必然会要求组织结构在纵向和横向上收缩优化。互联网时代，点与点之间实现直联，不同地点的工作人员通过互联网可以分享和处理信息，履行各自的职责，不再需要通过金字塔模式的管理层次逐级传递，从而走向扁平化的网络模式。推进扁平化管理需要长期坚持、持续优化的工匠精神。扁平化管理不仅是机构的扁平化，实现管理的扁平化才是根本。具体而言，要推进组织机构集约化设置，压缩管理层级，实施审计、风险等条线的集中统一管理，以及部分业务的总行直营；实现业务数据的全国集中；完成对账、稽核、批量代收代付前后台分离等。同时，要借助互联网、物联网、人工智能等先进技术，形成扁平化的云生产、云客服、云创新、云开发、云管理等平台，提升内部经营管理集中、集约化水平。

七是着力打造职业银行家队伍。转型要靠人才梯队引领，并团结全体员工共同努力，归根到底是人的发展。没有人力资源自身的发展，没有转型发展中坚力量，科技进步和管理进步都是无源之水、无本之木，转型发展只是空谈。中央金融企业是“大国重器”。国有大型商业银行在人力资源发展上一定要有大视野、大格局，既要立足于自身转型发展需要，更要着眼于国家金融事业发展需要。人才成长要抓早、早抓，这是对历史负责，是政治担当。建设银行早年实施的“三千人”工程影响深远。当年在全行范围选拔的 3000 名 35 岁以下的年轻干部，今天多数都已成长为建设银行和中国金融业的中坚力量。面对国内外复杂多变的经济金融形势，对人才也要有更高的标准和要求，过去强调成才，今后还要强调成家，即成为职业银行家。国有大型商业银行要切实担负起我国职业银行家队伍建设的重任，按照习近平总书记“五过硬、五坚持”的要求，培养一批政治过硬、业务过硬、责任过硬、纪律过硬、作风过硬，具有坚持绝对忠诚的政治品格、坚持高度自觉的大局意识、坚持极端负责的工作作风、坚持无怨无悔的奉献精神、坚持廉洁自律的道德操守的优秀职业银行家。这不仅是事关一行转型发展的质量、竞争力、影响力的问题，也是影响我国未来金融事业发展质量、竞争力、影响力的战略问题。

（《清华金融评论》2017 年第 4 期）

一心一意办好银行

中国建设银行行长　王祖继

党的十九大将习近平新时代中国特色社会主义思想确立为我们党必须长期坚持的指导思想，标志着马克思主义中国化又一次历史性飞跃，开辟了中国特色社会主义的新境界。习近平总书记以马克思主义政治家、理论家的高超智慧和战略洞察作出了原创性贡献，提出了新时代坚持和发展中国特色社会主义的基本理论、基本路线、基本方略，“八个明确”“十四个坚持”为核心的一系列重要论断和重大创新，形成了系统完整的科学理论体系，体现了对共产党执政规律、社会主义建设规律、人类社会发展规律的认识达到了一个全新的高度。

国有商业银行作为我国金融的中坚力量，要把掌握思想武器、提高政治站位作为首要任务。要把习近平新时代中国特色社会主义思想作为最根本的遵循，把坚定维护以习近平同志为核心的党中央权威和集中统一领导作为最大的政治，不断增强对标看齐的自觉、维护核心的自觉。做到务虚和务实相结合，在学懂弄通做实上下足功夫。一是掌握新理论。原原本本地学深悟透习近平新时代中国特色社会主义思想，深刻领会内在蕴含的科学世界观、价值观和认识论、方法论，深入掌握贯穿其中的辩证唯物主义和历史唯物主义立场、观点和方法，做到廓清迷雾、洞幽烛微，以理论上的清醒不断增强理想信念的坚定。二是引领新实践。融会贯通地用好用活先进理论武器，结合金融工作的实际，紧扣新时代坚持和发展中国特色社会主义的目标任务、总体布局和战略布局，紧扣经济社会发展路径、方式、动力变化等一系列重大问题，做到登高望远、把牢方向，以政治上的坚定不断增强全行服务党和国家战略的自觉。

中国特色社会主义的最本质特征和最大优势是中国共产党领导，这是我国长期以来革命、建设和改革发展事业中得出的基本结论。党的十八大以来，面对越发复杂的内外部环境、交互叠加的各种风险挑战，以习近平同志为核心的党中央指挥若定、高瞻远瞩，引领全党全国人民克难奋进，取得了举世瞩目的成就。从经济金融领域看，虽然这些年来海外形形色色唱衰中国的“噪声”不断，但我国经济金融发展的态势和质效、展现出来的韧性和活力，在全球各大经济体中始终是“风景这边独好”，对世界经济增长的贡献更是逐年提高。可以说，没有党的坚强领导，就没有今天我国经济金融欣欣向荣的良好局面；只有坚持和加强党的领导，才能确保经济金融改革发展不偏离正确方向。

旗帜鲜明地坚持党对一切工作的领导，要体现在工作的方方面面。作为国有大型银行，要坚持把政治建设摆在党建工作首位，进一步增强“四个意识”，提高政治能力，自觉把中央经济金融政策方针落实到具体工作中。要以党的十九大精神为指引深化推进“两学一做”学习教育和“不忘初心、牢记使命”专题教育，积极探索新时代国有金融企业党建科学规律。

党的十九大吹响了新时代进军号角，跨越雄关漫道需要我们团结奋斗、真抓实干，把党中央各项决策部署一锤接着一锤地钉紧做实，把党的十九大绘就的宏伟蓝图一步接着一步地变为现实。作为国有金融机构，建设银行将不忘初心、牢记使命，做到永葆本色、回归本源、恪守本分，一心一意办好银行，全力以赴完成好党中央交给的任务，努力做出无愧于新时代的业绩。

（原载于《经济日报》2017年10月19日）

银行业助力供给侧结构性改革

中国建设银行行长　王祖继

2017年是推进供给侧结构性改革的“深化之年”，作为国有大型商业银行，建设银行将主动适应经济升级和金融业态发展趋势，通过自身转型创新，不断提升服务实体经济和风险防范能力，为供给侧结构性改革提供重要助力。

供给侧结构性改革具有极强的现实针对性和长远战略意义

推进供给侧结构性改革，是以习近平同志为核心的党中央在综合分析世界经济长周期和我国发展阶段性特征及其相互作用的基础上，集中全党和全国人民智慧，从理论到实践不断探索的结晶。我国推进供给侧结构性改革既是解决当前诸多现实问题的必然选择，又是对长远发展的战略安排。

供给侧结构性改革是支撑未来经济可持续发展的战略保障

2008年国际金融危机以来，为应对经济低迷的形势，很多国家采取了大规模刺激经济的需求管理政策。事实证明，需求刺激政策效果并不理想。我国也存在类似的情况，表明当前经济矛盾已经不是短期的、周期性的、外部的冲击，而是中长期的、结构性的、内生性的问题。供给侧结构性改革就是着眼于优化经济结构、促进技术进步、提高全要素生产率、进一步解放生产力等中长期的一系列优化改进措施，换言之，就是为了解决中长期的、结构性的、内生性的问题。

党的十八大以来，在“创新、协调、绿色、开放、共享”五大发展理念的引领下，结构调整取得积极进展，高新技术产业发展迅速，服务业持续较快增长，金融市场加速发育，改革开放不断深化，绿色发展成效显现，城镇新增就业好于预期，城乡居民收入和社会发展保持协调稳定。同时，工业内部结构升级，低端制造业、高污染、高能耗工业占比降低，高技术、高端装备、清洁工业的占比提升。其中高新技术制造业和装备制造业表现抢眼，以高铁、核电和卫星等为代表的中国高端科技产品深受亚洲各国的欢迎。互联网催生商业模式革命，新经济快速成长，新业态突飞猛进。

总之，中国经济要解决长期积累的结构性矛盾，顺利跨越“中等收入陷阱”，并实现后工业经济时代的可持续发展，就必须实施供给侧结构性改革，带动经济转型升级，最终实现新经济结构和技术平台的可持续发展。

深化供给侧结构性改革，可以从根本上保障金融与实体经济之间的良性互动

金融作为现代经济的核心，作用体现在通过金融机制引导社会资本与资金的优化配置，这正是供给侧结构性改革要解决的问题。金融业充分利用市场手段引导资源从过剩产能、落后产能的企业和项目退出，将更多资源配置到高科技、高附加值的新兴产业和基础设施建设项目上来，在实现金融结构优化的同时，提高社会资源配置效率，促进实体经济结构转型，实现补经济结构短板、补科技创新进步短板、补基础设施建设短板的目标。

实体经济结构优化，必然催生一系列新产业、新技术、新业态和新商业模式，要求金融行业健全金融服务体系，建立相应的服务能力。一是提升对不同生命周期企业的针对性服务能力。对于初创期的企业，要重点加强风险投资机构的培育；对于成长期、成熟期的企业，重在帮助企业开展多元化、多层次资本市场融资；对于衰退期的企业，提供并购、重组、转型的整体解决方案。二是提升对科技、文创、民营、服务业、制造业小微企业的服务能力。将支持方式从银行信贷向咨询顾问、风险管控、拓展市场、改善管理等全方位服务延伸。三是提升普惠金融服务能力、新型电子支付服务能力、民生金融服务能力等，在提升金融服务质量的同时优化金融资源的配置，进一步推动实体经济供给结构升级。

供给侧结构性改革是突破金融危机以来我国经济发展困境、推动经济转型升级的必然选择

当前主要经济矛盾之一就是供给结构跟不上需求的变化。我国一些行业和产业的产能严重过剩，同时大量关键装备、核心技术、高端产品还依赖进口，供需结构不匹配矛盾日益突出。2015年我国人均 GDP 超过 8000 美元，居民消费需求结构与档次逐步接近发达国家水平，尤其是在一线城市、东部沿海地区不断壮大起来的中产阶层，对生活品质要求迅速提高，但是消费品供给结构与档次的调整升级缓慢，难以满足消费需求，出现中国居民在海外大量购买马桶盖、婴儿奶粉等现象。

同时，多年的低水平重复建设使得第二产业落后产能几乎全部过剩，不仅消耗了大量宝贵资源，而且过剩产能导致的高库存引发企业资金链紧张，削弱了投资前景和投资意愿，增大企业债务负担和金融风险。要破解国内供需结构错位的问题，必须从供给侧入手，从体制机制、市场主体、产业转型等多个维度推进改革，通过改革淘汰过剩产能，促进供给结构转型升级，推动经济提质增效。

建设银行助推供给侧结构性改革取得积极成效

近年来，建设银行认真履行国有大型银行职责，把服务国家战略、支持实体经济发展放在首位，特别是在助推供给侧结构性改革方面发挥了重要作用。

以综合性、多功能转型助推“去产能、去库存、去杠杆、降成本”

一是充分发挥多功能金融优势，帮助地方政府和企业去产能、去库存。支持煤炭、钢铁、水泥等传统产业的重组，2016 年建设银行发放并购贷款 300 多亿元；全面压缩过剩产业的信贷投放，过剩行业的信贷余额逐年降低，2016 年仅从钢铁和煤炭行业的 147 户企业就退出贷款 68 亿元；发挥住房金融的优势，大力支持三线、四线城市居民住房刚性需求，2016 年新发放的住房按揭贷款平均每笔金额 49 万元，对应平均房屋单价每平方米 7500 元，超过七成贷款所购房屋面积在 120 平方米以下。

二是充分发挥专业化金融优势，服务企业市场化债转股去杠杆。积极探索开展市场化、法治化债转股试点，2016 年 10 月国务院发布《关于市场化银行债权转股权的指导意见》后，建设银行率先行动，与武钢、云南锡业等成功实施债转股方案，示范效应非常明显。目前已与煤炭、钢铁、有色、建筑工程、交通运输业中资产负债率偏高但是发展前景好的 7 家企业，自主协商达成市场化、法制化债转股协议金额近千亿元，可以实现降低企业资产负债率 5～15 个百分点，大幅度减少转股企业当前财务支出，更重要的是推动了企业股权结构多元化，促进企业改组改制，完善现代企业制度，提升公司管理水平。

三是积极发挥集团综合金融服务优势，优化企业财务结构。近年来，建设银行发挥集团优势，满足了企业多元化融资需求，除了信贷融资外，通过理财、委托贷款、信托、债券承销以及 IPO 等非信贷综合投融资服务，帮助客户累计融资超过 4.6 万亿元。

四是提升金融服务水平，努力降低社会融资成本。2016 年 1～9 月，新发放人民币非贴公司类贷款加权平均利率同比下降 92 个基点；9 月小微企业贷款利率已下降至5.15%。积极认购地方债和参与地方债置换，为地方政府每年节省利息支出约730多亿元。在提升服务质量的同时，实施一系列收费减免措施。2010—2014年累计给企业、个人客户让利600多亿元。

以创新型和智慧型银行建设助推“补短板”

一是以“融智+融资”创新服务模式，帮助地方政府补公共服务短板。发挥在基础设施领域的优势，率先在业内推出PPP模式系列贷款、PPP基金业务方案、PPP专项财务顾问方案和政府购买服务贷款，助力政府提高基础设施和公共服务领域供给水平和效率。目前已储备PPP项目贷款需求800多亿元；发起设立的PPP类基金总规模超千亿元。建设银行还购买政府债券2.4万亿元，为各级政府提供融资支持。

二是创新小企业信贷产品，积极补足小企业融资难短板。借助大数据分析技术和公共信息，拓宽小微企业征信渠道，减少小微企业信贷对财务信息和抵押担保等环节的依赖，量身定制“五贷一透”等金融产品和服务。截至2016年9月末，小微企业贷款余额1.38万亿元，同比增长1500多亿元，申贷获得率93.36%，同比提高9.23个百分点。连续五年满足“三个不低于”监管要求，更好地帮助小微企业破解融资难题，支持其创业发展。

三是创新消费金融产品，助力消费转型升级。前瞻性地研究消费升级趋势，积极满足居民消费需求。截至2016年9月末，个人消费贷款和信用卡贷款余额5400多亿元，2016年以来累计发放消费及信用卡贷款超过两万亿元，同比增速10%。1~11月累计发放服务业贷款2.1万亿元，同比多发放超过3000亿元。加大对百姓安居的金融支持力度，优先支持居民购买普通住房，普通住房贷款笔数达到92%，满足242万户居民实现安居梦。

四是依托技术进步，推进普惠金融。建设银行立足开放合作、互惠共赢、长尾效应、体验为王的“互联网+”理念，正视互联网企业跨界竞争，积极推动互联网创新成果、大数据分析技术与银行业务深度融合，加快打造以建设银行、第三方金融服务商和客户为主体的、线上线下融合发展的网络金融生态系统。坚持“移动优先”策略，搭建一流的互联网渠道和平台，网上银行、手机银行、微信银行的用户数分别达到2.3亿、2.14亿、3300万个，连续三年保持同业第一。首创全流程在线的网络银行业务模式，与金银岛、全国棉花交易市场等百余家优质核心平台建立合作，累计发放网络贷款2300多亿元。建设银行通过“善融商务”电商平台，为6万户企业免费开辟了新的网上销售渠道。

创新产品和服务模式，促进经济新动能发展壮大

一方面，明确把战略性新兴产业、信息技术产业、高端装备制造业等作为优先支持领域，特别是对清洁能源和交通、节能减排、治理污染等具有低碳环保特征的绿色领域加大金融支持力度。2016年上半年，建设银行对绿色交通、绿色建筑、节能环保等产业基金投放400亿元，新增绿色资产配置超过50%。另一方面，发展科技金融，大力支持“大众创业、万众创新”。成立科技金融创新中心、投贷联金融中心，全面构建服务“双创”综合金融服务大平台。为科技型企业打造集“融信、融创、融资、融智、融惠、融通”于一体的综合金融服务，探索对科技企业的专属产品与服务模式。连续冠名赞助“建行杯”中国“互联网+”大学生创新创业大赛，与教育部门共同推动赛事成果转化和产学研用结合。自2015年至2016年6月末，累计为1.8万户创业创新型小微企业发放贷款1100多亿元。

不断提升全面风险管理水平，助力实体经济持续稳健发展

“打铁还须自身硬。”为提高服务实体经济的能力，建设银行不断加强全面风险管理体系建设，完善政策制度体系，健全风险管理流程，强化授信审批及贷款投放管理，开发风险计量模型，提升监测及预警能力，实施数据大集中并推动企业级的IT系统架构建设。2014年成为国内首批获准实施资本管理高级方法的银行之一。

随着风险管控能力的提升，建设银行的资产质量逐年向好，2016年实现了不良率逐季下降，9月末不良率比2015年末下降0.02个百分点，当年新暴露不良资产比2015年减少了121亿元。与此同时，建设银行还帮助两千多个客户优化融资方案，通过机控系统对风险的实时监测和预警，防范和化解风险550亿元。对当前遇到困难，处在行业重要地位又有发展前景的9500余户企业提供近3000亿元再融资支持，帮助它们渡过难关，调整结构，实现可持续发展。

在助推供给侧结构性改革的同时，建设银行也实现了自身的发展，取得了较好的经营业绩。2016年9月末，建设银行的ROA、ROE和资本充足率分别达到1.34%、17.16%和15.36%，均居国内同业前列。随着自身能力增强，服务实体经济的水平和效率大幅度提升，通过信托、债券、理财等方式为客户融资超过9000亿元；为小微企业提供的融资，发放的个人住房贷款、个人消费类贷款和绿色信贷，都比2015年同期大幅度提升。

推进转型发展，进一步提升服务供给侧结构性改革的能力

当前实体经济的转型升级对银行业提出了更多新的要求，银行业只有加快转型发展，才能满足深化供给侧结构性改革的需要。

深化综合性经营、多功能服务、集约化发展的转型，满足产业转型升级的金融需求

深化综合性经营转型。一是进一步拓宽金融业务领域，形成资产结构多元、金融业务门类完整、各项业务协调发展的经营体系，以满足产业升级的多方面需求；二是在稳步发展银行主业的同时，加速发展子公司、股权投资（非控股）公司、新兴业务，实现为产业升级提供多样化的服务；三是集团内部银行业务与非银行业务之间、银行内部的批发与零售等业务条线之间实现功能融合，推动战略协同效应最大化，延长服务产业升级的链条；四是通过资产组合以及业务经营的多元化，实现风险分散与风险对冲，保证稳健经营，提升服务实体经济的能力。

深化多功能服务转型。一是紧跟全量客户结构变化，以满足客户需求为服务导向，构建有效分类、精准识别、快速匹配的服务机制；二是整合集团和第三方机构各类资源，为客户提供本外币、境内外、银行与非银行、融资与融智相结合的多样化金融产品和服务组合；三是实现产品、服务体系完备，品质优良，既能“一站式”满足一个客户的多种金融需求，又能让各类客户都获得满意的服务和产品；四是基于对客户个性化需求的准确把握和对银行集团产品的深入了解，通过优化标准产品或设计产品组合方案，能够为客户提供最匹配其需求的差异化金融服务；五是以线上线下、多样化、智能化的渠道或方式，及时响应客户需求，将产品服务快速高效精准地送达客户；六是努力为客户创造风险调整后的最大收益，提升客户服务体验和满意度。

深化集约化发展转型。即实现银行内部资源运用的集中、专业、高效。通过提高内部运营效率，降低运营成本，为客户提供全面高效的技术支持，切实提升服务效率，降低客户融资成本。

全面加快智慧型、创新型银行建设步伐，满足客户创新发展需要

随着经济进入新常态，我国经济发展正在从要素驱动、投资拉动转向创新驱动，对银行业的产品和服务创新提出了更高要求。建设银行确定的创新型银行内涵是指为了适应新的经营环境，主动地对集团内各种金融要素进行持续性优化组合或创造性变革，通过流程创新、产品创新、制度创新、管理创新和商业模式创新，提高要素配置效率。坚持创新驱动发展，就是要在战略思维层面，秉持创新理念，通过形成竞争新优势，为发展提供新动能。通过创新体制机制，形成创新人才队伍不断壮大、创新体系日益高效、具有深厚的创新潜力基础和强大的自主创新能力。

实现经营管理高度智能化。通过信息化支撑、数据化保障和渠道智能化升级，业务经营上能灵活快速响应市场，快捷有效识客、获客、稳客和服务客户；内部管理上实现智能监测业务运营、及时提供全面信息、敏锐洞察各类风险、辅助精准高效决策。充分运用移动互联网、大数据、人工智能、云计算等现代信息技术改造经营管理范式，消除信息资产的不透明和不确定性，提高客户服务水平和经营管理效率，实现客户经营的高效智能和内部管理的精准精细。

全面推进内涵转型，打造最具价值创造力的银行

为提升服务能力和服务效率，建设银行亟须加快内涵转型步伐，进一步完善资源配置机制、风险定价机制和激励约束机制。优化全额资金计价机制，建立全集团统一的资金中心，将全额资金计价机制延伸到海外机构、子公司，总行根据

每笔资金来源运用的重定价期限和现金流特征匹配转移价格；加强转移价格与市场利率的衔接，提高转移价格的敏感度，发挥转移价格“看不见的手”的作用，有效引导经营单位的经营行为。改进管理会计，扩大成本、盈利的计量维度，合理匹配不同维度对应的责任业绩和成本投入，有效落实经营主体责任，提高基于价值链的投入产出分析能力，为决策层提供及时准确的决策信息；全面实施经济资本管理，将经济资本应用于风险偏好和风险战略、计划预算、资源配置、风险定价、信贷决策、绩效评估等经营和管理过程，提高全行资本使用效率和回报水平；健全风险定价管理体系，适应利率市场化，进一步明确定价策略，优化定价模型，强化授权约束，建立以客户为中心、以市场为导向的风险定价管理机制和体系，提升核心竞争力；完善以经济增加值为核心的激励约束机制，充分体现风险约束和价值创造的经营导向。

做好维护国家安全的“压舱石”

中国建设银行副行长　余静波

党的十八大以来，以习近平同志为核心的党中央多次强调指出，要准确把握国家安全形势变化新特点新趋势，坚持总体国家安全观，走出一条中国特色国家安全道路。习近平总书记在主持中共中央政治局第四十次集体学习时强调，“金融安全是国家安全的重要组成部分，是经济平稳健康发展的重要基础”。金融安全事关国家核心利益，国有商业银行是稳定经济命脉、服务国家金融安全的“压舱石”，必须充分认识自身在经济发展和社会生活中的重要地位和维护国家金融安全中的重要作用，主动贯彻总体国家安全观，积极服务国家发展战略，支撑和保障经济社会协调稳定发展。

习近平总书记金融安全战略思想具有很强的思想性、战略性和指导性

习近平总书记关于金融工作和金融安全的重要讲话，内涵丰富、意义深远，涵盖了金融工作和金融安全的方方面面，具有很强的思想性、战略性和指导性。

第一，正确领悟金融安全战略思想在治国理政全局中的作用地位。维护金融安全，是关系我国经济社会发展全局的一件带有战略性、根本性的大事。必须切实把维护金融安全作为治国理政的一件大事，扎扎实实把金融工作做好。习近平总书记的重要指示，精辟阐明了金融与经济的关系，将金融安全提升到了治国理政高度，摆到党和国家工作全局、经济社会发展大局和国家安全战略格局的重要位置，充分表明了党中央、国务院对金融工作的高度重视，进一步丰富了习近平总书记治国理政新理念新思想新战略。

从中央政治局会议明确要“确保不发生系统性金融风险”，到集体学习时强调“金融安全是国家安全的重要组成部分”，习近平总书记从我国经济社会发展的全局出发，深入剖析金融“活”与“稳”和经济“活”与“稳”之间的密切联系，准确把握我国金融行业发展形势，既立足国内又放眼世界，既立足当前又着眼长远，不仅实践内涵丰富，而且充满了战略思维、系统思维和辩证思维，是解决当前我国金融领域突出问题的战略指引，是我们做好新时期金融工作的根本遵循。

第二，切实把握金融安全战略思想的深刻内涵。金融安全战略思想的形成，集中反映了现阶段国家总体发展观念的演进，体现了我国对全球经济趋势的应对策略、经济社会发展的关键诉求和国家安全的重要内容。

金融安全的根本目的是让金融服务好实体经

济。金融必须回归服务实体经济的“初心”和本源，为实体经济发展提供融资和融智服务，推动我国经济发展行稳致远。

金融安全的根本原则是牢牢守住不发生系统性风险的底线。在思想观念上，要把防风险摆在突出位置，不忽视一个风险，不放过一个隐患，着力增强风险防控意识和能力，力争不出现重大风险或在出现重大风险时扛得住、过得去。在工作手段上，要加快金融监管体制改革。坚持市场化改革方向，加快建立符合现代金融特点、统筹协调监管、有力有效的现代金融监管框架。在应对措施上，要把握好保障金融安全的前提，即准确判断风险隐患，对存在的金融风险点，做到准确预判，未雨绸缪，有效化解。

金融安全现阶段工作目标是形成全国一盘棋的金融风险防控格局。金融监管部门和各金融机构要按照职能分工，做好本职工作；地方各级党委和政府要做好本地区金融发展和稳定工作，各级各类单位要守土有责，防控金融风险。

维护好金融安全的思维方式是做到“两个坚持”，即坚持底线思维，坚持问题导向。坚持底线思维，就是在全面做好金融工作基础上，着力深化金融改革，加强金融监管，科学防范风险，强化安全能力建设，不断提高金融业竞争能力、抗风险能力、可持续发展能力，不发生系统性风险。坚持问题导向，在学习借鉴外国有益经验的同时，必须立足国情，从我国实际出发，准确把握我国金融发展特点和规律，切实解决我国现实金融发展中存在的问题。

维护金融安全必须坚持科学的实施路径。其一，党的集中统一领导是金融安全的灵魂支柱。党中央始终高度重视对金融工作的领导，根据各个时期面临的不同形势和任务，与时俱进地制定切合实际的金融方针政策和实施措施，不断加强党对金融工作的领导。

其二，建立和完善监管协调机制是金融安全的制度保障。加强监管协调和统筹是我国金融业混业经营新趋势下的迫切要求，监管部门要承担监督责任，确保风险防控耳聪目明，形成金融发展和监管强大合力，补齐监管短板，避免监管空白。

其三，金融机构自身是维护金融安全的“第一道防线”。金融机构自身风险防范意识和公司治理水平是防范金融风险的根本，金融机构要在公司治理、经营理念、业务模式等方面进行深度变革，把稳健审慎、合规经营的理念根植于企业文化，正本清源、回归主业。

其四，把握好关键风险点是金融安全的防控要点。要采取措施处置风险点，加大对市场违法违规行为的打击力度，重点针对金融市场和互联网金融开展全面摸排和查处。

其五，提高领导干部能力是金融安全的人才保证。要提高金融工作能力，既要学会用金融手段促进经济社会发展，又要学会防范和化解金融风险，强化监管意识，提高监管效能。

提升对金融安全战略思想的认识，准确把握总体国家安全观中金融的重要地位，是我们正确处理国际国内矛盾、维护国家利益的必然要求。只有深入学习、全面准确地把握习近平总书记金融安全战略思想，才能确保在货币风云激荡、金融交锋频繁的国际舞台上从容应对，措置裕如。

坚守金融安全底线，在建设世界一流国有商业银行进程中强力助推中华民族伟大复兴

在金融领域，国有大型银行占据绝对重要的地位，建设健康稳健的一流银行，是金融安全的重要根基。习近平总书记在建设银行成立60周年之际作出重要批示，要求建设银行要进一步增强服务国家建设能力、防范金融风险能力、参与国际竞争能力。作为国有大型银行之一，建设银行要按照“综合性、多功能、集约化”战略定位，加大向综合性银行集团转型的力度，建设最具价值创造力的现代商业银行集团，全面支持实体经济转型升级，为国家金融安全筑牢防线。

第一，维护金融安全是国有银行必须坚守的底线。国有银行稳则金融稳，国有商业银行是金融稳定的“压舱石”，涉及国家命脉、民心安定，不容有失。必须把风险防范放在更加重要的位置，守住不发生系统性金融风险的底线。

国有商业银行抓好金融安全，要着眼于建设一流银行，努力夯实基础。其一，坚持党的领导、加强党的建设，是维护金融安全的“根”和“魂”。要进一步提高政治站位，始终坚持从严治

党，发挥党组织的领导核心作用，始终牢记和履行国有大行的重要职责和使命，保证党和国家方针政策、重大部署有效贯彻执行。其二，持续壮大实力是维护金融安全的底气。国有银行要成为市场竞争的强者、经营管理的佼佼者、金融发展的领跑者，就必须在保持必要的规模、体量和比重的同时，以大战略为引领，筹划实施大思路、大手笔、大举措，努力打造具有国际竞争力、影响力的“国之栋梁”。其三，全面风险管理是维护金融安全的基石。要强化全面风险管理理念，切实提高复杂环境下风险管理水平，在经营管理和风险管理活动中逐步形成广大员工认同和遵守的风险管理文化、风险价值观念和风险管理行为规范。

作为国有大型商业银行，建设银行始终将转型发展作为主线，持续提升价值创造力和市场竞争力，历经60余年发展，从计划迈向市场，从传统走进现代，从探索图存到变革强盛，建设银行做强做优做大的步伐从未停止。

第二，服务实体经济是国有银行的生存根本。我国经济是靠实体经济起家的，也要靠实体经济走向未来。中国正走在中华民族伟大复兴的征途上，这个历史阶段，更需要实体经济的支撑。国有银行既要有政治担当，也要有民族情怀，围绕国家发展战略和实体经济发展做好金融服务工作，为中华民族伟大复兴输送金融“血液”。

一是将服务实体经济的成效作为评价经营绩效的重要指标。坚决遏制资金“脱实向虚”倾向，紧紧围绕供给侧结构性改革这条主线，坚持有保有压、有扶有控，做好信贷投放的加减法，促进经济结构调整和产业优化升级。二是将金融产品和服务方式的创新作为服务社会的重要手段。结合庞大的线上、线下网络开展业务，既要创新金融产品和服务方式，又要提高服务的覆盖面和便捷度，为广大民众和各类企业提供更具特色、更有差异性的优质产品和高效服务。三是将保障民生与普惠金融作为承担社会责任的重要工作。通过加大政策引导扶持、加强金融体系建设、健全金融基础设施，为有金融服务需求的社会各阶层和群体提供适当、有效的金融服务，让每个人享受到及时、体面、便捷、高质量的金融服务。

第三，融入全球战略布局是国有银行的壮大路径。习近平总书记贯穿国内全面协同发展与国内外发展一盘棋的顶层设计理念，为中国经济转型升级、实现中国梦擘画了一幅充满希望、扎实有效的宏伟蓝图。围绕我国全球战略布局，把握“走出去”的历史机遇，是国有银行长远发展、长治久安的必由之路。

国有商业银行要以习近平总书记在“一带一路”高峰论坛上的讲话为指针，做好资金融通工作，在服务国家战略中发挥引领和导向作用。一是加大对“一带一路”重大项目和民生领域的支持力度，推动沿线各国经济发展和社会进步。二是积极融入人民币国际化战略进程，不断提升跨境人民币金融服务能力，增强国际竞争力。三是作为全球系统性重要银行，要自觉遵守国际监管规则，积极参与国际反洗钱、反恐怖融资、反金融诈骗等全球治理活动，提升中国银行业的话语权和影响力。

全面落实军民融合战略思想，有效履行服务强军目标的责任担当

要践行好习近平总书记“扭住军民融合不放松”的讲话精神、实现富国强军目标，国有银行还必须不断增强国防意识，以高度的政治责任感和使命感，积极探索服务军民融合和现代化军队建设的新模式。

第一，对接国防需求，着眼强军兴军搞好顶层筹划。富国与强军相辅相成，中国经济呈指数级增长，军事能力也应随着经济的增长而快速提升，国有商业银行在服务国防和军队建设中要积极作为。

一是要着眼国防重点项目建设和军事发展的各方面需求，做好顶层安排，强化国防教育，增强国防意识，参与国防动员，在深化国防和军队改革的进程中发挥金融保障作用。二是在组织体制上进行适应性创新，成立由总行牵头、多分行参与的协同服务体系，可考虑适时成立由总行领导任组长的专项工作领导小组，通过资源整合、流程优化，配合推进军队各项改革。

第二，主动综合施策，为承担军备任务企业提供金融支持。习近平总书记指出，要将“军民融合发展提升为国家战略”。能打仗、打胜仗，军队必须要有现代化武器装备，因此，支持承担

军备任务企业发展，也是国有银行义不容辞的责任。

一是为军备企业提供综合化金融服务。综合运用投行金融解决方案、债券承销、产业基金、供应链融资、金融租赁等金融工具，满足军备企业多元化融资和融智需求。二是通过金融产品和业务创新，推动军备企业转型升级。三是对军备企业实施差别化政策支持。在业务准入、产品定价、授信审批等方面建立绿色通道，提升服务军备企业效率和水平。

第三，实施暖心工程，开创新形势下拥军优属新途径。固本强基，实现强军目标的基础在基层，活力也在基层。“一滴水可以折射太阳的光辉。”做好对基层官兵的金融服务，能够体现党和政府对军队、军事、军人、军属的关心厚爱，增强军事职业吸引力和军人使命感、荣誉感，有利于凝聚军心，彰显国家意志上的温情。

一是在金融服务方面给予官兵最大化优惠政策，实行银行卡免年费、免除异地手续费，军人住房贷款利率优惠，为官兵定制专属理财产品等，从细节上落实对军人的关爱。二是在军队驻地较为集中地区设置军人金融服务机构，提供全套银行自助设备，方便官兵办理一般性银行业务。银行服务电话设置军人专属服务专线，在网点设置军人优先服务窗口，为军人提供便利服务。三是按照“大众创业、万众创新”的部署要求，支持退伍军人和军属干事创业，为这些“国防绿”人群的银行贷款开辟绿色通道，提供优惠政策。配合军队做好转业军人安置工作，提升军人荣誉感。

问题导向中的“问题”

中国建设银行董事会秘书　陈彩虹

“问题导向”是公司治理的一个原则。细想下来，这个原则中的“问题”，究竟是什么样的问题？是不是所有“问题”，都可以成为“导向”，还是只有某些“问题”才在公司治理中具有引导决策、管理和执行的价值？

公司治理的问题千头万绪。梳理问题、理解问题、分析问题和解决问题，始终是公司治理的核心内容。毫无疑问，将众多的问题分类和排序，是处理问题的第一步，也是最为重要的一步。实践中最常见的做法，是将问题分为“大问题”和“小问题”，或者是“主要问题”和“次要问题”等，由此来决定处理策略，并配置资源和安排顺序。

这样的问题策略，从实践来看，很有效果。在通常情况下，“大问题和小问题”“主要问题和次要问题”的分类，体现出了“问题”对于公司治理的重要程度或价值排序。依此来设置处理对策，“大问题”或“主要问题”一经解决，其他问题就不在话下了。

由此来看，“大问题”或“主要问题”就是在公司治理中，能够起到“导向”作用的那一类问题。这种看似无须思考，每个人一般都会如此行为的“问题”选定，实际上隐含了重大的治理逻辑——只有那些关系到全局、战略重点、转折拐点、矛盾中心类的“问题”，才应当作为“导向”来处理。在这里，我们有必要对这些“问题”稍加详细讨论。

第一是“全局性问题”。“全局”是一个综合的概念，在公司治理实践中，它是指那种涉及几近所有业务条线、部门和单元的问题。例如，由于外部市场原因或竞争需要，公司裁减人员；内部管理成本过高，需要全面控制财务成本；新产品、新技术或新模式的启用，公司需要调整组织构架等。所有这些都会改变现有的经营管理格局，对原有的资源配置、管理程序、操作流程、员工心态等都会带来实质性的变化，这样的“问题”，一定是要作为“导向”来对待的。

第二是“战略重点问题”。这类问题并不难分辨，在一个较为清晰的战略目标之下，战略重点通常会很自然地凸显出来。例如，某年的战略目标是提升利润水平，那些“利润增长点”就会出现在视线之内；如果战略目标是收缩业务规模，那些贡献度小、风险大、经营管理不到位的业务单元，一定是收缩的重点；还有，如果一定时期的战略是抢占市场份额，那么，不同区域、城市和客户群体，就必定会显现出轻重来，其中的“重点”就一定要有优先的安排、足够的资源提供和完备的激励配套等保障。

第三是“转折拐点问题”。如果将一家公司的业务发展、财务效益、人员变化等数据化的指标，通过图示列出，向上或向下拐点是很容易看到的。“拐点问题”是公司整体或是某个方面发生实质性变化的关键所在，它传递正面的上扬信息，或是负面的下降走势，具有绝对的“导向”价值。例如，某种产品销售的“断崖式”下滑，客户的同类投诉大增等，都是“拐点问题”，对其不给予“导向性”的重视并迅速加以解决，失去的可能就是市场地位和社会信誉等关系公司生存的大事。

第四是“矛盾中心问题”。一家公司总是面临许多的矛盾要去解决，除了在极为特殊的情况下，那种错综复杂、难以理出某种头绪的全面性矛盾之外，正常运行的公司，会有“矛盾中心”也就是矛盾集中的情况出现。这要么出现在某个业务部门或单元，要么出现在某个关键产品上，要么牵涉到某个管理程序，等等。它们类似于木桶的“短板”，阻滞或是影响了关联部门、关联产品或是关联程序的作用，因而必须优先、重点去解决。此外，如果遇到极为复杂的矛盾，如同一群老鼠尾巴纠缠在一起，谁也跑不开时，这是另外一种“矛盾中心”出现，所有相关方面都牵扯其中了。这时，“问题”就引导我们不能一根一根地把“老鼠尾巴”择开，必须断然快刀下斩，伤痛一二，解开全局。

除了上面这些“问题”，应当作为导向来看待，并由此去设计策略外，在治理实践中，还有另外一种梳理问题的方法，值得推崇。这就是将问题分为“选择性问题”和“对错性问题”两类，以此来考虑它们的“导向”价值。

所谓“选择性问题”，是指在多个策略之中选择其一，并不关涉到任何策略最优或最差的问题。也就是说，选择任何一个策略，都是可以的，没有绝对优劣和对错之分。例如，实业公司选择一家开户银行，在国内最大的几家银行中选定一家，这只是一种选择问题，并不存在哪种选择绝对正确或错误；又如，上市公司选择外部审计师，在目前“国际四大会计师事务所（普华、毕马威、安永和德勤）”之间挑一个，也是“选择性问题”——使用其中任何一家，都能够按要求完成审计任务。显而易见，这类问题，是没有“导向”作用的。如果没有特殊的考虑，这种决策甚至可以抽签完成。

“对错性问题”就完全不同，它们是原则性、决定性和本质性的问题。一经选择，就决定了选中和未选中者之间，存在着巨大的“对”与“错”的鸿沟。它们天然地具有“导向性”。例如，对于一家实体经济公司而言，当手头拥有一笔资金时，是选择投入自己的主业，还是投入到其他领域如金融产品上面，具有本质上的不同。在一定的历史阶段和市场环境下，这类投资选择，关系到公司的生死存亡和发展未来。因此，针对“对错性问题”，必须有清晰的公司战略和治理程序，来保证决策的科学和完备，绝对马虎不得。

令人较为乐观的是，实践表明，一家公司大量的问题，都是“选择性问题”而不是“对错性问题”。这也告诉我们，日常的公司治理并非要有多么复杂的决策、管理和执行的策略、资源、工具等的配置，而是只需要常规性的机制和体制保障即可；同时，“对错性问题”又常常是各种因素综合出来的结果，较为容易判别，也就相对容易决定——“对”和“错”问题上，困难的通常不在于选择，而在于选择之后的实际运作。由此来看，只要认真去梳理和把握好各种“问题”，公司治理的难题都是能够较好破解的。

现实却总是不足以令人满意。从当下的公司治理来看，在“问题导向”方面，存在着诸多的“主要问题”，需要优先考虑予以解决。

问题之一：一些公司口头上大讲“问题导向”的治理原则，但完全没有落实到体制和机制上，几乎不对各种问题进行梳理和分析，仅仅凭借固定的经验、习惯和感觉进行决策、管理和运转。最典型的，是一些公司历史上有过某些失误和教训，具有“导向性”的问题已经明确，仍然没有足够的重视，不整理问题，分析问题，更没有预案。例如，那些“屡错不改”的决策，那些“反常识性”的管理，特别是那些“本不应当发生”的事项，等等，都是在缺乏对问题梳理、理解、分析和总结的基础上出现的。

问题之二：一些公司分不清或不去分清“导向性”问题和“非导向性”问题，“眉毛胡子一把抓”。这在大中型公司中表现得较为突出，那些全局性、战略重点、转折拐点、矛盾中心类的“问题”，常常消隐在公司日常琐碎的“小问题”纠缠之中，结果是从决策、管理到执行，“捡了芝麻，丢了西瓜”。

问题之三：一些公司将“选择性问题”当成“对错性问题”，人为地复杂化选择过程，结果产生了不作为或是延迟选择的“布里丹驴困境”。本来是任何策略均可接受的决策，硬是要以某种固化的理解，坚持某种选择的绝对性。换言之，抽签能够完成的事情，为“对”“错”而起争议，结果不是损失效率和效益，就是时机错过，一事无成。

总体来看，“问题导向”的关键在于对“问题”的理解。光说“问题导向”而不弄清楚是什么“问题”，结果就必然会出“大问题”。

“创新难题”的破解

中国建设银行董事会秘书　陈彩虹

公司治理不论在哪个层面，绝大多数情况下，都是由一个管理团队来完成的。团队的主要领导者，天然就负有“双重性”的管理职责。一方面，他要对所有管辖范围内的业务、效益和风险承担全面的管理责任；另一方面，他又要负责对团队其他成员的指挥、调配、协调、监督和评价等。对于后者，不少人认为，管理团队是一个整体，只要职责分工明确，每个团队成员都会在确定的职责范围内，充分发挥各自的主观能动性，将分管的事情做好，最后合成起来，完成整个治理的工作。就此来看，主要领导者并不需要在这方面耗费太多的精力。顶多，这也只是一项次要的补充性工作。

这是一个很深的误解。不错，在一个管理团队内部，各成员通常是有明确职责分工的，这是管理的基本前提。然而，实践表明，一家公司的业务，总是在发展和变化之中的，特别是创新型业务的出现，必定会提出跨越已有职责分工的管理要求。在这样的格局之下，既有的职责分工，就不足以明确谁来负责相关的管理事项，更无法解决团队成员之间可能需要的协作和配合问题。这时，主要领导者根本不可能依靠已有的职责分工来行事。事实上，如何面对业务发展特别是创新型业务的出现，适时调整成员任务分配，构造成员之间的协调配合关联，一直就是主要领导者治理工作中的一个重大事项。

说起管理团队基本的职责分工，颇具意味的是，一方面，这种分工明确了不同成员的职责范围，它有利于业务管理“各负其责”，保证管理的效率和秩序；另一方面，这种分工又容易为不同成员推诿甚至拒绝承担新业务提供“武器”——“这不在我的职责范围之内”或“这不归我管”一说，在公司治理实践中是经常听得到的。可见，任何管理团队的基本职责分工，都是一柄这样的“双刃剑”。看不到这一点，公司治理就容易陷入业务创新发展的困境之中，主要领导者也会产生管理上的困惑，甚至产生管理上的畏难情绪。我将这种跨越既有职责分工而来的管理困境，称之为“创新难题”。

容易看出，“创新难题”一般只有管理团队

的主要领导者才能去破解。这一点，衍生出了主要领导者一个不能回避的重大职责，即“管理创新”。特别地，对于处在公司治理最高层的管理团队来说，这也就是公司发展中的战略性问题，主要领导者更需要高度重视。鉴于重新定位团队成员的基本职责分工，总是需要一定的治理程序和时间，当“创新难题”出现时，主要领导者通常会先通过行政命令、经济激励、资源增配，还有精神鼓励等方式，将新业务要求暂时性地追加到某个管理团队成员身上，并用同样的方式，构造起其他成员的协调和配合关联，以保证新业务的及时、有效和稳妥开展。

另一个意味深长的问题是，暂时承担了新业务的管理成员，在面对原有职责范围内的业务和新业务双重要求时，他会如何去安排人力、时间和其他资源的配置呢？细问一句，新业务所增加的资源，会被全部无条件地用到新业务上，还是可能会被“挪用”到原有职责范围内的业务上去呢？

有些不幸的是，实践告诉我们，如果没有强势硬性的安排和高度的激励，并且没有足够大覆盖面的监督措施，承担新业务的管理成员，大多会将新业务放置在次要位置。也就是说，新业务的资源配置不足甚至缺失，通常情况下是很难避免的。这个问题的要害，在于新业务大多具有强烈的不确定性，厌恶风险是所有管理者的共性；同时，新业务通常需要其他成员的协调和配合，这一点，涉及其他成员的资源调配，到位难度大，即便有主要领导重视，也有资源总量的相应追加。因此，新业务的暂时承担者在利弊权衡之下，大多会选择原有职责范围内的业务为主，资源配置明确倾斜于此。相应地，新业务的开展当然难以达到理想的高度了。所谓的“创新难”，这里提供了一种源自职责分工的解释。

在这样的现实面前，主要领导者强势硬性的安排、高度的激励和覆盖面足够大的监督，就成了解决“创新难题”的三个关键举措。或者说，主要领导者此时的“管理创新”，就是大刀阔斧地使用行政手段、经济手段和监督手段，否则，任何“创新难题”的破解，都会消解在原有的“职责分工”里。在这里，我们对这三个关键举措做些详细分析。

首先看行政手段的强势硬性安排。“创新难题”之难，突出在于既有职责分工的巨大阻滞。这种已经以制度形式固化下来、并转化成了运作惯性的职责分工，非主要领导者强势硬性的行政安排，不足以在短期内对其有所调整；或者是，职责分工在形式上，虽然可能被主要领导者调整得有所变化，实质运作却还是会“换汤不换药”，根本无助于新业务的开展。这是一种极为经典的“领导力”与既有制度安排的博弈，主要领导者的视野、胆魄和能力，也就是能不能够明了大势、无所畏惧、身体力行，决定着破解“难题”的成功与否。这一点，既是检验治理团队主要领导者素质的一个重大标尺；同时，又是提示主要领导者面对此情此景如何作为的路牌——只有拿出“一把手”位置之权之威的“强硬”之招，“难题”才有破解之望。

其次看高度的激励。这显然是由于新业务的不确定性所决定的，只有激励达到某种高的临界水平，新业务的承担者才有起码的积极性。这里的“高度激励”，除了给新业务的开展配置质高量足的资源、明确成功后绩效的较高分成之外，最要紧的，是允许运作过程中的试错，并容忍可能的失败。实践中，资源增配和绩效分成实现起来，相对简单和容易，主要领导者一般都敢大胆决策；试错和容忍失败，就不那么好实现了。这里的主要问题是，试错和容忍失败的激励，对于新业务的承担者而言，相当于“兜底”保证，其激励意义非同寻常；但对于主要领导者，则是要承担全部的可能责任，领导者自己的“底”就完全没有东西可“兜”了。因此，设置“试错和容忍失败”的激励，主要领导者决策起来，通常会谨慎有加，附加条件多多，有时甚至犹豫不决。最终来看，这项特殊的激励，要么不大完整或很不完整，要么干脆没有。可以看出，“高度激励”能否到位，也实实在在地考验着主要领导者的“领导力”。

最后看大覆盖面的监督。监督常常是针对执行中的“道德风险”而来的。换言之，如果没有监督，执行者就容易怠慢或至少不那么努力地去完成任务。在新业务的开展中，主要领导者确定的暂时承担者，大多对强势硬性的行政安排存在某种抵触，若是高度的激励又不能够实足到位，其“道德风险”的发生，就是大概率事件。实践来看，凡是新业务的开拓，没有监督是不可想象的；而没有覆盖面大的监督，个别的“道德风险”事件，就将产生传染性效果，使得整个新业务的开展都受到影响。因此，这里讲的监督可以是频次不高的，却必须是能够覆盖到全部业务领域和全部流程的。这种监督的直接目的，在于清晰地掌握新业务开展中的各种信息，消除新业务承担者依托于“信息不对称”而可能发生的消极怠慢现象。经验表明，许多的创新业务，就因为缺乏大覆盖面的监督半途而废。

鉴于三个关键举措是针对新业务开展时的暂时性安排，是主要领导者“领导力”的特殊运用，因此，它们不可以常态化。事实上，诉诸过大的行政力量、高强度激励和大面积监督来处理日常的业务事项，都不具有可持续性。一旦新业务的开展获得了起步阶段的实质突破，那么，随之而来的治理，就必须归位到正常制度规则之下，通过合适的程序，将其纳入管理团队常规的职责分工之中去。要明白的是，所谓关键举措，关键在于它们是短期性的和冲击性的，争取市场的时间之先和客户的空间之先，是最主要的目标，并非可以转化成常用手段，也完全没有必要。这一点提示的价值在于，主要领导者手中的各种手段或“资源”，并不是用之不竭的。相反，它们很稀缺。

公司治理的效率问题

中国建设银行董事会秘书　陈彩虹

每每谈到公司治理的效率问题，我们就会迅速想到复杂的层级、冗长的程序和多方的掣肘等降低效率的体制、机制因素，进而提出提升效率的改革建议。我们很少去想，是不是过高的治理效率，也会反过来对合理的体制、机制产生负面的冲击，因而要有一个“度”的节制。问题的实质在于，公司治理的效率，是不是越高越好？如果不是，那就需要掌控，但又如何掌控？

公司治理效率的核心，从实践的视角来说，就是一个关键词，速度——决策速度、执行速度、调整速度等。我们知道，从自然界到社会领域，速度具有超乎寻常的意义。在一些特殊情形下，速度甚至决定着事物的生死和事业的成败。虽然说，速度有快慢之分，而且不同的事物、事业有着相对应的速度快慢要求，但不无遗憾的是，谈及速度，人们的第一反应就是“高速度”，就是要“快”。换言之，“速度”在人们的脑海里，与“慢”字无缘。这一点，也是在公司治理中，人们时常忽视治理效率“适度”而一味强调“加快”的意识原因。

实践表明，治理效率和治理质量、治理风险之间，常常存在某种此长彼消的关系。也就是说，追求过高的效率，是需要在质量和风险方面付出某种代价的；而过于强调质量和风险要求，又必定会降低效率。这种具有常识性质的治理要素之间的关系，自然而然地引出各种要素均衡的“理论状态”或“理想状态”诉求，即“适度的治理效率、适中的治理质量和适量的治理风险”。在这样的状态下，治理效率可以支撑公司的正常运转，治理质量可以维护公司的发展基础，而治理风险的“适量”，则可以保证公司不会受到灾难性的冲击。由此来看，公司治理的效率，重要的是掌握一个“度”，并非越高越好。

那么，如何来掌握这个“度”呢？

公司治理效率，主要关联组织构架、运转程序和制衡力量三个大的方面。假定我们追求最高的公司治理效率，那么，消解组织构架，实施零运转程序，并且完全放弃制衡力量，这一目标就能够实现。这种情形，便是所谓的“高度集权”或是典型的“一人说了算”的体制。不论是决策，还是执行，或是调整原有的治理走向，在这样的体制中，没有组织层级、程序和制衡力量的阻碍，处事的速度是绝对能够保证的。但与此同时，治理质量和治理风险，就要承受巨大的压力了。正因为如此，绝大多数正常运转的公司，都会设置一定的组织层级、基本的程序和某些专门的制衡力量。所谓掌握“度”，第一大要件就是必须有起码的组织、程序和制衡力量。

设置组织层级在公司治理中解决的问题，主要是将决策功能和执行功能分离开来，决策和执行由不同的层级组织来承担。这种分离有两方面的意义。一是决策者和执行者专业化，可以各自将决策和执行做到较高的专业水准；二是防止决策和执行的一体化，导致仓促或冲动甚至于错误的决策无间隙、无阻碍地进入执行之中，结果耗费大量资源，毫无效益，还可能出现不堪负担的损失。就本质而言，决策和执行相分离，必定形成治理权力在组织层级之间的分配，它将有力地防止权力的绝对集中，削减甚至于消除由此带来的种种弊端。

观察来看，实践中最为突出的问题，一方面是层级组织的形式是完备的，但权力的配置过于偏重决策层，执行层因执行权偏小导致效率低下，而且缺乏足够的执行积极性，通常需要再增加督促或监管力量和成本，才能够保证决策的“应付式”执行；另一方面是执行层过分把控执行信息，形成执行层级的信息堡垒，选择性地过滤并上传信息，决策层无以全部、及时和准确掌握执行运转情况，不得不倚重执行层，有时则让渡给执行层一些特殊的利益诉求，决策由此失去了战略性、整体性、全面性，甚至于科学性。因此，权力配置适度和信息传递通畅，是组织层级里掌控“度”最为迫切需要解决的问题。

解决执行层级权力偏小问题，通常遵循的原则是“事责决定权力”，即将负责的事情交给了执行层，相配的权力就应当同时赋予。实践中的问题，绝大部分就是这种“事责”与“权力”的分离，决策层拿着权力，指挥执行层落实事项，结果不是“瞎指挥”，就是指挥不动，效果空悬。执行层对于执行信息的过分把控，很大程度上，也是由于“事”与“权”不匹配造成的，执行层实际上是利用执行信息，向决策层诉求一定的权力。解决了“事责”与“权力”的基本对等，让执行层享有执行范围内的自主权，往往事半功倍。至于那种执行层“恶意”把控信息，而对决策层“倒逼”增加小集团利益的做法，决策层可以通过监督、评估机制和科技手段，通畅信息渠道，透明信息传递，化解执行层的“信息堡垒”。

说到程序的作用，我们的理解，就是制度性的牵制。从时间上看，程序是“放缓”事项过程的，有程序就必须费点时间；从空间上看，程序则是牵制力量的结构性分布，程序的每个环节，都有特殊的牵制力。这种特殊的牵制力，通常是从专门或专业的视角，来对事项进行审视和评估的，尽管这不一定是某种权力。因此，程序只要存在，就有对于治理过高效率平缓的作用。相对而言，程序带来的时间上延缓，并不是最要紧的。最要紧的在于每个环节上的牵制力量。从某种意义上讲，这种牵制力量，甚至是决定公司治理好坏、成败的重大要素，必须给予足够的重视。

实践中看到的程序类问题，主要有两个方面。一是程序的高度形式化，也就是程序只具备时间上的“延缓”功能，各个环节基本没有牵制力量，我们时常听到的“就这么定了，再走个程序吧”之说，是较为经典的案例——开个会，办个文，发个通告，等等；二是程序中的一些环节将牵制力量转化成了一种实质性的准许权力，环节的专门性和专业性成为行使权力的工具，整个程序的基本性质发生了改变，公司治理不只是效率受到影响，质量和风险问题也时隐时现。就前一个问题而言，不是程序太多，且必要性不大；就是权力过于集中，程序形同虚设。后一个问题的核心在于，程序中的环节试图钳制甚至于挑战整个程序的权威，公司治理的正常秩序面临维持的困难。

高度形式化的程序，看起来解决不难，消除一些不必要的程序，并让程序中各个环节的专业审视和评估特性显现出来，问题就可以迎刃而解。实际上，这个问题是公司治理中的“顽症”。本来，程序问题应当是公司治理中方方面面都必须认真对待的，实践中却常常被“忘记”，事情做完再来“做程序”很为普遍。这也就直接导致了后一问题的产生，程序中的一些环节，因被忽略但要承担某些责任，很容易“冒尖”出来，以专业性和专门性为由头，从阻滞“做程序”到实质钳制和挑战整个程序，导致整个治理的过程复杂化、艰难化和高成本性。因此，程序高度形式化问题，是程序方面问题的“牛鼻子”。一家公司要实现治理效率的“适度”，必须始终高度关注并解决程序过于形式化的问题。

如果说，组织层级和程序是一般制度性的力量，那么，安排制衡力量，就将对公司治理的效率产生直接性的“平缓”作用。在这个问题上，一个颇大的误区是认为制衡是一种权力对于另外一种权力的掣肘，如监督就是监督权掣肘决策权或执行权。从公司治理实践看，制衡的根本之处，是保证整个组织各个层级的信息，能够全面、及时和准确地传递出来，让决策层有效地掌握执行层的情况，让执行层确切理解决策层的决策意图等，使得整个公司的治理在一个信息相对透明的环境下，各种治理要素均衡地运转起来。如此的误区，经常造成层级和部门之间的权力式冲突，制衡的真正作用反而无从实现。对于一家公司而言，整体的目标和利益是一致的，制衡力量的安排，是防止信息不对称而来的，并不是权力的角斗。从当下看，解决好了这一认知问题，相应的制衡所为，就会改变操作方式，支持治理效率的适度性。

系统重要性金融机构的责任

中国建设银行首席经济学家　黄志凌

全球系统重要性金融机构的监管框架

在2007年美国次贷危机中，雷曼兄弟、美林银行、AIG、花旗集团等大型金融机构的轰然崩塌及其对市场的巨大冲击，让美国监管机构措手不及，面临前所未有的艰难抉择。然而无论是救或不救，最终都未能遏制住国际金融危机的爆发。之后，国际监管机构以及各国监管机构都在深刻反思，并相继出台了一系列的监管新政策。其中，一项重要的监管政策就是提出了识别全球系统重要性金融机构（GSIFIs），并对这些机构加强监管，降低其倒闭的可能性及不利影响。

2009年9月，二十国集团（G20）要求金融稳定理事会（FSB）和巴塞尔银行监管委员会（BCBS）等国际监管机构加强对系统重要性金融机构监管政策的研究，并陆续出台了一系列监管指引。

一是确定系统重要性金融机构。按照FSB的定义，“系统重要性金融机构是指由于规模、复杂度与系统相关度，其无序破产将对更广范围内金融体系与经济活动造成严重干扰的公司”。也就是说，识别系统重要性金融机构关注的是一家机构倒闭后对金融体系的影响，而不是倒闭的可能性。针对全球系统重要性银行（GSIBs），2013年7月，FSB和BCBS发布《全球系统重要性银行的最新评估方法及额外损失吸收能力要求》，确定了按照跨境活动、规模、关联度、可替代性和复杂性5个维度、12个指标来评估银行的全球系统重要性的方法论，并要求参加评估的银行披露12个指标数据。

二是提高附加资本要求，提出总损失吸收能力要求。首先，为了降低倒闭的可能性，针对GSIBs提出了1%～3.5%的附加资本要求，提高GSIBs在正常经营状态下的损失吸收能力。这在一定程度上限制了资产和其他业务的盲目扩张，促使商业银行合理调整业务结构，增强自身风险管理能力，客观上可以抑制银行的负外部效应和降低对社会造成损失的可能性。其次，为确保GSIBs在正常经营和非持续经营状态下均有充足的损失吸收能力，避免在处置GSIBs时由公共资金承担损失，FSB又在2015年11月提出了“总损失吸收能力”（TLAC）这一技术工具。总损失吸收能力是指商业银行在出现损失时以其持有的资本或特定形式的债务承担损失的能力。TLAC最基本的资本要求是16%～18%，如果再加上2.5%储备资本要求，最高3.5%的GSIBs附加资本要求和最高2.5%的逆周期资本要求，最高将达到24.5%～26.5%。

三是制订恢复与处置计划，加强跨境监管协作。恢复与处置计划包括恢复计划和处置计划（也被称为“生前遗嘱”）两部分。恢复计划是为解决银行在严重压力情景下恢复资本和流动性水平的问题，而事先作出的一系列经营、资本补充、流动性补充的具体安排；处置计划是为解决在恢复计划没能挽救银行，或重大灾难性事故导致银行无法持续经营的情况下，最大限度降低银行破产对社会经济的影响，避免纳税人承担损失，而事先对银行处置（解体）作出的整体安排。制订恢复与处置计划这项监管要求，其实就是敦促GSIBs和监管部门提前摸清整个金融集团的业务状况和风险状况，对银行恢复资本流动性水平或有序退出市场事先作出安排，以防止风险外溢。同时，还要求成立危机管理工作组并签订跨境处置合作协议，确保发生危机时母国和东道国监管机构能够有效合作，在全球范围内有序处置GSIBs。

四是提升内部风险数据整合能力，确保在危机时的快速决策。在危机时，大型金融集团由于机构众多、业务复杂、信息技术和数据治理结构等原因，无法在集团层面、业务条线层面，快速且准确地汇总风险暴露和识别风险集中度，这使得管理层和监管部门无法快速准确地把握整个风险全貌，从而造成了对风险的误判或者错过了营救的最佳时机。为此，BCBS公布了《有效风险数据加总及风险报告原则》，涉及数据治理和基础设施，以及数据的准确性、完整性、及时性、灵活性等要求。

五是解决GSIBs的数据缺口，减少信息不对称。为能够实时监控GSIBs之间的关联情况和风险集中度情况，FSB设计了一套模板，用于定时收集全球30家GSIBs的数据情况，其主要关注的就是金融机构间的业务关联依赖性，以及银行对整个金融体系的风险暴露程度，从而能够清晰地掌握GSIBs之间的关联网络，判断出风险传导路径。

国际金融危机后，美联储推出全面资本评估与评审（CCAR）监管改革计划。CCAR的核心是要求银行制定明确的战略，能够清晰、动态地报告清楚战略实施对每条业务线、每个机构、每个客户群所产生的影响，分析清楚业务收入、风险损失与资本占用的变化。CCAR主要基于压力测试手段，计算未来九个季度每一类资产的业务收入、风险损失与资本占用变化；反映系统性风险发生时银行各个方面的具体情况，为采取措施做好准备。

危机后，英国将原来的金融服务局（FSA）一分为二，成立审慎监管局（PRA）和金融行为监管局（FCA）。FCA主要对所有在英金融机构的行为风险进行监管，目前负责约2.6万家金融机构的行为监管和PRA监管范围外的约2.3万家金融机构的审慎监管。FCA已出台详尽的监管指引，明确金融机构在消费者权益保护中的职责，并详细规定金融机构处理消费者投诉的具体操作流程，要求金融机构按指定格式定期上报消费者投诉案件的数量和处理结果，并向公众发布各家金融机构遭受投诉情况等相关信息，通过舆论监督的方式督促金融机构公正对待消费者，改善金融产品和服务。

中国大型银行必须承担起系统重要性责任

中国政府一直高度关注美国次贷危机之后国际金融监管改革动向，并要求“一行三会”加强对系统重要性金融机构的监管，始终将守住不发生系统性风险的底线，作为维护金融安全和经济金融发展的战略任务。由于历史原因和现实需求，中国大型商业银行曾经在相当长的时间内处于绝对垄断地位，近年来在中国金融改革中虽然市场份额有所下降，但仍然扮演着重要角色，有着国家经济基石之称。与国外许多大型商业银行相比，中国大型银行是更加特殊、更加重要的风险经营者和信用创造者，其经营活动涉及更加众多而广泛的利益相关者，包含着复杂的隐性契约关系，存在着广泛的信息不对称，具有系统重要性和显著的外部性。

在现实经济生活中，我国金融机构之间的传

导性、交叉性、关联性大增，显著推高了单点风险引发系统性风险的概率。随着金融混业经营改革的深化，银行、信托、证券、基金、保险业务相互交叉；商业银行表外业务快速扩张，互联网金融平台和各类型资产交易平台纷纷涌现；货币市场、信贷市场、债券市场、股票市场之间的风险传递增加；交易主体不断增多，交易链条不断加长，杠杆不断升高，各类风险之间的交叉性与传染性不断增大；交易行为趋同化特征日趋明显，金融体系顺周期特征不断强化；信用风险、市场风险、流动性风险和操作风险相互叠加，风险传播渠道更为复杂，金融风险跨市场、跨领域的特点日益突出。尤其是分业监管体制面临重大挑战，监管空缺导致的金融欺诈等违法金融活动已经成为社会关注热点。一旦个别具有系统重要性金融机构的经营活动出现重大失误，市场将对与该机构有业务关联的一系列机构产生负面预期，导致信用紧缩和市场踩踏。美国次贷危机已经对这一路径和机制作了生动演示。

因此，大型银行要深刻认识到自身的系统重要性，顾大局，行大道，树大家风范，勇于担当起系统重要性责任，这也是大型银行应该承担的最基本的社会责任。

第一，大型银行应该合理把握发展边界，有效控制风险承担水平。与一般企业不同，银行是经营风险的机构，其资本是用于承担风险的。正是资本的特殊、稀缺与昂贵，从根本上构成了银行规模扩张的客观技术边界。国际金融危机后，各国不断加强对资本的监管。储备资本要求、逆周期资本要求、TLAC 的出台等，都是在强调资本在危机出现时的重要性。因此，大型银行应加强资本管理，使经营发展与资本规模相适应，确保银行不破产。只要大型银行都成为“资本充足、内控严密、运营安全、效益良好”的微观个体，防范系统性金融风险就有了坚固的基础。

需要强调的是，确保自身不破产仅靠资本充足还是不够的，流动性问题通常是银行“猝死”的重要诱发因素。尤其是大型银行一旦出现流动性危机，即使资本充足、可变现资产丰富，市场也可能因容量有限而无法承受，极端情况下会形成负预期恐慌。

第二，大型银行应该成为抑制金融泡沫、坚持服务实体的主力军。实体经济既是经济社会繁荣的根基，也是金融发展的根基。金融因应实体经济需要而产生，其效能也应体现在对实体经济发展的贡献上，其收益归根结底来源于实体经济新增产出的部分让渡。正因为如此，金融服务必须立足于实体经济的真实需求，金融的发展应与实体经济的发展相适应，金融服务的供给规模也应与实体经济的金融需求相匹配。如果金融创新或金融服务脱离了实体经济的实际需要，金融发展与实体经济的发展不再协调，金融业极易呈现海市蜃楼般的虚假繁荣，这也是金融泡沫产生的根本原因。这种虚拟经济与实体经济的本末倒置，不仅会导致资源配置扭曲、影响实体经济发展，而且还常会因泡沫破裂引发系统性风险。实际上，1997 年亚洲金融风暴、2008 年国际金融危机等，都是金融脱离实体经济自我循环、自我膨胀的结果。

我国银行业是金融业主体，也是实体经济融资的主渠道。更好地服务民生改善和社会和谐稳定，更好地促进经济结构调整和发展方式转变，是中国银行业肩负的主要社会责任，大型银行更应率先垂范，躬体力行。值得警惕的是，近年来金融市场套利投机大行其道，一些金融机构乐此不疲，荒废了主业，推高了系统性金融风险。就银行体系而言，对非金融机构和其他居民部门债权，是反映经营偏好“虚与实”的试金石。2010 年 6 月底，大型银行、中型银行和小型银行对非金融机构和其他居民部门债权占其总资产比重依次为 51.1%、59.4% 和 55.6%；2016 年 6 月底，这个比值依次为 56.1%、49.5% 和 44.5%。

第三，大型商业银行要做维护市场秩序，降低市场风险的定海神针。市场波动不可避免，在市场波动中趋利避害是商业银行的天性。然而，考虑到其经营规模和对市场的重大影响，大型银行在应对市场波动尤其是巨幅波动时，必须体现战略思维和责任担当，坚持正确的交易原则和投资策略，做到有所为有所不为。一方面，要提升市场趋势的分析预判能力，坚守价值投资理念和逆向投资策略，不做市场波动风险的放大器，而在发挥逆向调节市场波动作用的同时，实现银行的价值投资目标。另一方面，做市场秩序的坚定维护者，不做市场的非法套利者，坚守长期发展、合规经营的理念，在促进金融市场稳定有效运行前提下实现商业利益。总之，在主动应对市场波动风险中，大型银行不仅要考虑自身的商业利益，更要考虑作为市场引领者的社会责任，主动维护宏观金融体系稳定和金融安全。

此外，银行业作为信用中介，推进信用文化建设，提升金融道德水准，是改善市场基础生态和防范金融风险的重要内容。所有的银行都不能置身事外，大型银行尤其要发挥榜样作用。国际金融危机以来，在人们的头脑里，一些“金融家”变成了唯利是图的“资本家”和“庞氏骗局”的“发明家”。联合国副秘书长诺林·海泽曾指出，金融危机的核心是市场信心的崩溃，而要重获公众的信心，企业必须将焦点从短期的盈利考虑转移到企业责任和道德建设上，以构建长远的、永续发展的价值观。大型商业银行要引领正确的金融价值理念，秉持“以义取利，义利并举，利济天下”的商业文化精髓，扶正祛邪、弘扬正气，带头维护市场秩序。

第四，大型银行还应承担起发展普惠金融业务的社会责任。与中小商业银行服务一域、一类或几类细分市场不同，为各类客户提供全方位、全球化金融服务是大型商业银行不可推卸的社会责任。在这中间，商业银行不可避免地会面对陌生的市场、陌生的领域和一些风险回报尚不平衡的客户群，有不少风险与挑战需要客观对待，在实践中作出探索和改革。一方面，作为国有控股大型银行，应将信贷目光聚焦到普惠金融领域，大力开展小微企业和“三农”业务，努力服务中国大型企业“走出去”，这是积极履行其社会责任的体现；另一方面，大型银行凭借全球化服务网络优势，借助大数据、云计算等新技术、新工具大幅提升风险管控效能，可以迅速降低经营成本，不断提升风险回报水平，将这些传统金融服务的难点领域开辟成风险可控、盈利可期、空间广阔的新兴领域。

国外领先银行实践表明，大型银行不但非常重视小企业业务，而且小企业也主要依靠大型银行，小企业业务在大型银行收入中占据重要的地位。根据资料，2011 年底，摩根大通、美国银行、花旗银行、富国银行四家银行的总资产占美国7000 多家银行总资产的45%，其小企业贷款余额占全美银行的37%。西班牙桑坦德银行的小企业贷款余额占全部贷款的 24%，利息收入占比33%，手续费占比 41%。

第五，大型银行还应主动成为金融消费者保护的领航者。金融消费者是金融市场的重要参与者，也是金融业持续健康发展的推动者。加强金融消费者权益保护工作，是防范和化解金融风险的重要内容。大型银行应健全金融消费者权益保护机制，将保护金融消费者合法权益纳入公司治理、企业文化建设和经营发展战略中统筹规划，落实人员配备和经费预算，完善金融消费者权益保护工作机制。建立金融消费者适当性制度，应当对金融产品和服务的风险及复杂程度进行评估并实施分级动态管理，完善金融消费者风险偏好、风险认知和风险承受能力测评制度，将合适的金融产品和服务提供给适当的金融消费者。充分尊重并自觉保障金融消费者的财产安全权、知情权、自主选择权、公平交易权、依法求偿权、受教育权、受尊重权、信息安全权等基本权利，提升金融消费者信心、维护金融安全与稳定、促进社会公平正义和社会和谐。

需要强调的是，中国的大型银行必须深刻理解“消费者保护”的监管要求。国际金融危机之后，美国对系统重要性银行履行消费者保护职责的监管更加严格，经常开出天价罚单，正是吸取当年危机教训的表现。据媒体披露，在国际金融危机爆发后的10 年中，金融机构已在美国累计支付了超过 1500 亿美元相关的罚款。追究银行的不当行为，就是为了避免重蹈覆辙，防止大型银行倒闭导致金融危机重演。由此可见，大型银行在守牢合规经营底线、切实履行保护消费者方面承担着更大的社会责任。

中国银行业如何走向成熟

中国建设银行首席经济学家　黄志凌

经过改革开放近40年的持续探索和发展，中国的银行业发生了翻天覆地的变化。中国银行业资产规模从改革开放初期的3000多亿元人民币增加到2016年末的232万亿元，不良贷款率已从高峰时的30%左右下降到2016年底的1.74%。2017年初以来各种媒体分析显示，中国金融业增加值占国内生产总值（GDP）的比重由2005年的不足5%，提高到2016年底的8.4%，已超过美国、英国、德国、日本等主要发达国家（美国和日本这一比值的历史高位分别在7.7%和8.5%）。从微观角度来看，中国金融行业的上市公司利润占全部上市公司总利润比重达到57%（其中银行业上市公司利润占全部上市公司总利润比重达46%），而在金融市场更发达的美国这一比重为45%。作为银行经济学家，看见中国银行业不断“长大”，当然是很高兴的，但我们也同时感到“长大”并不等于“成熟”，中国银行业如何走向成熟是银行家面临的更大挑战。

一、中国银行业“长大”的过程充满着曲折

回顾历史，我们不难发现中国银行业规模扩张的主要驱动力，来自于中国改革开放和经济持续高速增长产生的金融需求。始于1978年的改革开放，为新中国银行业带来了第一次发展机遇。根据对外经济开放、对内经济搞活的政策，中央政府开始对银行系统进行恢复和重建。在1979年10月，邓小平提出“要把银行作为发展经济、革新技术的杠杆，要把银行办成真正的银行”之后，国有银行改革开始起步。“工农中建”四大行相继恢复（分立）和成立。1979年，为加强对农村经济的支持，中国农业银行恢复；为适应对外开放和国际金融业务需要，中国银行从中国人民银行中分设出来；中国建设银行也从财政部分离出来，成为一家独立的银行，后来由中央批准为管理基本建设投资的国家专业银行；1984年，中国工商银行从中国人民银行分离，中国人民银行专门行使中央银行职能，过去承担的工商信贷和储蓄业务由中国工商银行经营，从而形成了中央银行加四大国有专业银行的银行业格局。

在银行业不断分设的同时，非银行金融机构也开始进行恢复建立，积极探索并发挥自身在经济建设中的作用。1979年国务院正式批准成立中国国际信托投资公司，1980年国务院批准中国人民保险公司逐步恢复停办了20年的国内保险业务；此外，一些地区还出现了少量的城市信用社，国内金融机构多样化局面初步形成。随着改革开放范围的扩大和步伐的加快，金融体制改革也受到了高度重视。1984年中共十二届三中全会通过的《中共中央关于经济体制改革的决定》要求，“在价格改革的同时，还要进一步完善税收制度，改革财政体制和金融体制”。1986年1月7日，国务院颁布《银行管理暂行条例》，对包括中央银行在内的各类金融机构的职能分别作了规定，自此中国银行业迎来了快速发展的第一个黄金时期。1987年，交通银行重新恢复，招商银行、深圳发展银行和中信实业银行等一批新型股份制银行相继设立，一些外国银行被允许在指定经济区设立分支机构。上述举措给银行业引入了市场竞争机制，推动了中国银行业市场经营能力的提高。但此时的银行业还未摸索出一套能够适应市场要求的约束机制和管理制度，国有银行还没有完全摆脱计划经济体制的思想束缚，行政化色彩浓厚。为此，对国有专业银行进行企业化改革的探索也已开始启动。

经过几年实践，简单的“企业化”改革思路

不仅使银行业难以满足经济发展的需要，也导致银行业自身问题丛生。于是，1993 年《国务院关于金融体制改革的决定》明确提出建立政策性银行，实现政策性金融和商业性金融分离，并将国家专业银行办成真正的国有商业银行。为分离专业银行所承担的政策性业务，1994 年国家设立了国家开发银行、中国进出口银行、中国农业发展银行三大政策性银行。1995 年《商业银行法》颁布，这是新中国成立以来所颁布的第一部金融法律，是中国金融体制改革过程中的一座重要里程碑。《商业银行法》的实施，为国有银行从过去的专业银行向商业银行转变确立了法律框架，为国有银行向“自主经营、自担风险、自负盈亏、自我约束”的商业化模式转变奠定了基础。

亚洲金融危机促使我们主动思考一系列银行改革的深层次问题。1997 年亚洲金融危机爆发。虽然中国并未受到此次危机直接冲击，但金融危机的深刻影响，促使决策层下决心尽快从根本上解决中国银行体系存在的巨大潜在风险。当时，由于外部监管缺失和银行信贷约束软化、市场财务纪律松弛、违规拆借资金难以回收，加上计划经济遗留下来一定数量的不良贷款，国有商业银行的资产质量日趋恶化。与此同时，银行业在改革发展过程中对“银行企业化或商业化”的理解出现了偏差，大量自办实体，经营混乱，导致主要国有商业银行历史包袱沉重，虚盈实亏，按照国际会计准则衡量，四大银行都濒临“技术破产”。中国银行家最先感受到问题的严重性，“一心一意办银行”的口号正是在那个时候首次被响亮提出的。1997 年时任中国建设银行行长的王岐山，曾就建设银行改革与发展问题以“五论”的形式撰写了系列文章，依次为《为什么要“死里逃生”》《怎样提出的“双大”战略》《关于集中与分散的关系》《辨析个性，推进改革》和《一心一意办银行》，主要针对当时国内金融环境因多种因素出现了恶性竞争、高息揽储、违规经营、不良资产大增的恶劣情形，提出“两个在所不惜”“死里逃生”等重要战略思想。

1997 年 11 月 17 ~ 19 日，第一次全国金融工作会议召开。会议提出：用 3 年左右的时间解决中国金融业的风险问题。1998 年开始，通过成立 4 家金融资产管理公司、给国有商业银行注资 2700 亿元、剥离 1.4 万亿元不良资产等手段，对银行进行了“外科手术式”的改革，之后 4 家国有商业银行不良贷款率下降近 10 个百分点。

外科手术式的资产重组还必须与内在体制机制重组相结合，银行改革发展逐渐找到了方向。简单地将银行的不良资产划转“坏银行”（金融资产管理公司），并不能保证“好银行”就能够诞生。事实上，传统银行剥离了不良资产后并不能自然转变为“好银行”，新的不良资产又迅速产生。因此，怎样打造“好银行”就成为一个紧迫而深远的战略问题。2002 年，第二次全国金融工作会议召开，做出推进国有商业银行改革的决定，拉开了新一轮商业银行改革的帷幕。2003 年底国家通过中央汇金投资有限公司向中国银行和建设银行注资 450 亿美元，随后人民银行、银监会发布《关于中国银行、中国建设银行公司治理改革与监管指引》，国有独资商业银行股份制改革试点正式启动。改革试点的总体目标是：按照“产权清晰、权责明确、政企分开、管理科学”的要求建立现代企业制度。按照“一行一策”的原则，2005—2006 年中国商业银行股份制改革取得突破性进展，2005 年 10 月 27 日建设银行在港交所正式挂牌上市，2006 年 6 月 1 日中国银行 H 股在港交所挂牌交易，2006 年 10 月 27 日工商银行以“A + H”股的模式在上交所和港交所公开上市。2007 年初召开的第三次全国金融工作会议，则进一步明确了农业银行的改革总体思路，2010 年 7 月 15 日和 16 日农业银行正式在上海和香港两地上市。可以说通过重组改制、引进战略投资者、公开上市，以及配套的内部体制机制改革，国有商业银行经受住了境外资本市场的严格检验，并由此发生了脱胎换骨式的巨变和飞跃，实现了质的提升。

二、对中国银行业国际地位的提高应该有正确的认识

2008 年，美国次贷危机引发了国际金融危机，不仅重创了全球金融市场，也给全球经济带来了灾难性的影响。在这次国际金融危机中，中国银行业基本上是有惊无险，而且实现了“弯道超车”，在全球金融版图中的地位进一步提升。根据英国《银行家》发布的 2016 年全球 1000 家

大银行榜单，共有119家中资银行入围，其中17家中资银行跻身前100名，前10名中共有4家中资银行，工商银行、建设银行、中国银行和农业银行分列第一、第二、第四和第五名。随着中国银行业排名的上升，有些人开始盲目乐观和自信起来，认为中国银行业已达到国际先进银行的水平——我们认为这是不切实际的，也是很危险的。也有人主张利用这个时机去海外并购，快速做大做强，抓住现在难得的“抄底”机会，加快建成真正国际化的大银行。对于这个问题到底应该怎么看？

国际金融危机后，中国银行业国际地位快速提高的原因是多方面的。改革开放以来国民经济快速发展，市场体系不断完善，为中国银行业的持续发展奠定了坚实的基础；银行业自身的改革、转型也是中国银行业国际地位提升的重要原因。但是，我们更应该看到，本次国际金融危机对国际金融机构造成了剧烈的冲击，客观上相对抬升了中国银行业的国际地位。当时，华尔街大型投资银行几乎全军覆没，花旗银行、汇丰银行、苏格兰皇家银行等国际大型银行损失惨重，股价剧烈下跌，市值严重缩水。与此同时，由于中国银行业国际化程度有限，加之中央政府为应对危机实施的4万亿元经济刺激计划，使得银行业资产规模迅速扩张。一反一正，国际金融版图发生巨变，在金融危机之后的几年，中国工商银行和中国建设银行一直稳居全球银行市值排行榜前两名。

中国大型商业银行地位提升是一件好事，迈向国际化大银行既是发展的必然趋势，也是满足客户的需求。金融危机之后，大型银行服务的很多国内大型优质企业正在实施“走出去”战略，业务扩展到全球各地，相应大型银行的服务就需要跟进。应该说，世界经济格局变化和中国银行业实力抬升，的确是大型银行国际化的一个很好时机。但我们不能为了“国际化”而国际化，更不能持“抄底”的心态去并购、去买“便宜货”，尤其是银行家，更不能有投机的心态。况且交易价格只是并购交易中的一个环节，对于大部分交易而言，最具挑战的部分是在整合环节，整合工作的顺利与否，决定着整个交易的成败。笔者理解，现阶段中国大型商业银行的国际化战略，还是要立足于以客户为中心。简单地说，就是客户走到哪里，银行的金融服务跟到哪里，“跑马圈地”抢市场不应成为大型商业银行国际化战略选择。

银行核心竞争力的形成必须基于自身独特的战略定位。银行在确定自身发展战略时，应重新审视经营活动的价值链，分析自身在哪些领域、哪些环节具有比较优势，能够创造出更大价值，并强化这些环节。对于那些对价值创造贡献不大，甚至侵蚀价值创造的领域和环节，必须“壮士断腕”，集中有限资源用于创造价值、具备比较优势的领域。例如，美国银行在发现自身的海外业务不具备比较优势时，逐渐将发展战略重点回归本土。虽然多数海外业务都有较好的当期盈利能力，但美国银行果断地将这些业务出售或者收缩，集中资源做好本土业务。因此，一个银行的战略必须建立在自身禀赋、资源、能力以及内外部环境相匹配的基础上，要走适合自身发展的道路，不盲目跟风，这样才能摆脱低层次的同质化竞争，实现内涵式可持续发展。

还应该看到，指标领先不必然等于银行成熟，中国大型银行面临的挑战难以回避。虽然近年来中国大型商业银行各项财务指标都已看齐甚至优于国外同业，但国际一流银行的标准不仅仅体现在财务指标上，更多地还体现在经营管理的方方面面。如果认真对照分析，特别是对照国际先进银行的经营管理实践以及《巴塞尔新资本协议》等相关标准和要求，目前国内大型银行还存在不小差距。

首先是战略趋同，导致银行个体缺乏核心竞争力，银行业体系系统性风险放大。战略趋同，这不仅影响银行核心竞争力的形成，也不利于整个银行业全方位金融服务功能的发挥。金融危机过后，全球银行业面临着前所未有的困境，如何制定发展战略，采取何种商业模式，培养哪些关键能力来保持增长成为各机构最为关注的问题。面对危机后的新局面，国际先进银行纷纷根据自身情况调整战略，制订转型方案，推动业务全面转型和商业模式变革。如花旗银行在危机后及时调整战略，改变原有的全覆盖战略，集中资源在优势业务领域，聚焦在全球交易、投资银行和消费银行等核心业务，果断削减并逐渐退出资产管理等非核心领域业务，同时积极巩固富裕客户群体，拓展新兴市场份额；摩根大通银行则制定了业务协同战略，通过将商业银行、公司和投资银行、资产管理，及个人和社区银行业务板块协调发展，注重内部协调和交叉销售，同时着力发展轻资本业务，提升综合定价能力，推动转型增长，效果显著；富国银行通过立足本土，聚焦社区银行服务，树立严格的风险管理与谨慎的管理理念，对国际化和综合化道路保持谨慎，走出了一条独具特色的发展道路；荷兰国际集团（ING）则聚焦数字化战略，通过建设一体化的数字化平台和直销银行业务，打造全渠道服务，改善客户体验，满足客户的金融需求，成效显著。而目前中国许多银行在发展目标选择上普遍缺乏缜密的研究，忽视对自身禀赋、能力以及内外部环境的分析和论证，随大流、全面开花，缺乏自身特色，难以形成独特的竞争优势。银行间业务雷同，没有自己的特色，用通俗的话说就是“你有我有全都有”。业务结构趋同，导致金融服务“过剩与短缺”并存，同业间低层次的恶性竞争愈演愈烈。

银行业战略趋同，导致一些金融服务的薄弱环节长期难以改变，甚至在一些局部因“抽水机效应”还有所恶化。例如，对农村、县域的金融支持，对小微企业的金融服务等，迟迟难以扭转金融产品和服务严重不足的局面，甚至现在一些农村金融机构改制成银行以后，也追随大银行的战略，抢着在城里布点拓展中高端客户群体，客观上进一步加剧了金融资源配置不均衡的矛盾。

更值得关注的是，银行战略趋同容易导致银行体系系统性风险叠加放大。如前几年银行业在房地产、地方政府融资平台和大宗商品贸易等领域集体激进经营所带来的集中风险暴露，近年来银行业的表外业务、同业业务、影子银行业务的近似同步的大幅上升，使得银行体系内的关联度迅速增加，很容易集聚成巨大的系统性风险。

其次是基础管理仍较薄弱，精细化、专业化程度不高。近年来，国内商业银行在基础管理方面虽然进步很大，但与国际先进银行相比还存在较大差距，譬如政策制度“一刀切”，很多政策制度没有充分考虑市场的变化和地区差异。再譬如技术工具相对落后。对于现代商业银行来说，技术工具是衡量其管理水平最直观的标尺，其中量化管理技术工具是最主要的标志。长期以来中国银行业使用的管理工具以定性为主，在不少业务与管理领域主要依赖个人的经验判断，粗放经营的结局就是不可避免的。与此相应的是信息数据基础薄弱问题。现代银行的经营、管理和决策在很大程度上依赖于数据支持。例如，在营销环节，西方很多先进银行通过强大的数据库和数据挖掘技术，采取数据库营销方式，对客户生命周期进行数据化管理，提升交叉销售能力，成效非常明显。美国第一资本金融公司（Capital One）在创设之初就提出要通过金融信息的分析处理来开发适合客户的金融产品，并率先制定信息驱动的数字化战略，借助丰富的客户数据积累和强大的数据分析能力，完成产品制定、客户选择和风险控制等工作，将数据思维融入企业文化中，打造自身核心竞争力，迅速跻身全美前10大银行。过去国内大型银行对于信息数据缺乏足够的重视，导致数据分散、缺失、标准不统一、利用不充分等问题比较普遍。近年来，国内银行特别是大型银行在信息数据管理方面有了很大进步，不少银行正在探索建立个人客户数据多维分析平台，对个人客户的分层和细分，加大对关键事件的建模分析，逐步实现分层服务、分类管理和精准营销，但对数据的挖掘利用程度还有待提高，信息资源的优势还未能全面发挥出来。银行业需要打造全面的数据生态系统，以客户数据为基础进行科学决策，培养数字化的营销能力，构建数字化流程，精简成本，提高效率。

最后是对经济周期等系统性风险不敏感。宏观经济和金融运行的波动性是导致银行系统性风险的主要原因。从国际金融发展历史来看，在每一次经济剧烈波动或发生经济危机时，银行往往都是首当其冲。中国大型银行不良贷款大幅增加背后均有经济波动的原因，与经济周期性波动的轨迹十分吻合。传导模式都是固定资产投资扩大—货币信贷快速增长—货币供应量增加—价格上涨—生产能力过剩—产品滞销—企业资金链断裂—形成不良贷款。商业银行信贷投放“经济衰退阶段收缩、经济复苏阶段犹豫、经济过热阶段扩张”的亲周期性特征表现非常突出。

经济危机后国外先进银行纷纷加大投入，研究压力测试工具，提升风险预警管理能力。虽然“黑天鹅”事件的频繁发生，带来的影响和范围也有所增加，但已经有国外先进银行对此深入研究，针对各类风险设计出一系列压力测试，模拟“黑天鹅”事件等极端情况预估对银行的影响，并提前做出部署安排和应急措施。目前，国内商业银行还缺乏对经济周期和系统性风险的敏感性研究，总体来看重视程度还不够，更多的还是停留在对具体客户和项目的风险管控上，还未形成应对经济周期的分析能力，缺乏必要的经验积累，也未建立应对经济周期性变动的响应机制。特别是对经济周期波动与产业结构调整可能引发的系统性风险、经济波动情况下银行资产组合风险的相关性、恶劣条件下的压力测试等，银行还缺少前瞻性研究，缺乏相应的风险识别、评估工具，缺少分散、缓释、转移等主动应对管理的手段。

我们还注意到，无论是出资人还是监管者，对大型商业银行还缺乏一套科学统一的业绩评价标准。对于大型商业银行的考核，我们过去侧重于存贷款业务增长、账面利润增长等，后来逐渐完善，更加重视贷款质量、资本充足率、拨备后盈利等。应该说，依据上述指标都可以从某个侧面评价银行的经营业绩，但难以真实、全面评价银行整体的经营业绩，尤其是这些指标普遍存在滞后性。

评价标准实际也是一个“指挥棒”，缺乏科学统一的评价标准，不仅容易产生监管套利，诱发逆向选择等问题，而且更重要的是影响到中国货币信贷政策、金融监管政策的有效传导。银行是经营风险的企业，收入必须覆盖相应的风险敞口。同样是赚1个亿的钱，承担1个亿的风险敞口与承担10个亿的风险敞口，其业绩是有天壤之别的。因此，仅仅看账面的数据是不充分的，甚至还容易误导判断，要将账面数据背后银行所承担的风险敞口真实反映出来，这样才能有一个科学、客观的共同基点，否则根本没有可比性。

三、国外金融机构的教训更值得我们认真吸取

在业界，一些人对于国际金融危机甚至一些银行倒闭事件，抱着隔岸观火甚至幸灾乐祸的态度，这对于银行业走向成熟是极其不利的。银行就是银行，有其共同的基本特征与基本规律，只有善于从金融危机和别人失败中吸取经验教训，才能真正把握银行规律，才能最终不断走向成熟。

银行业具有鲜明的脆弱性特征，自身杠杆率较高，且时刻面临着信用层面、市场层面、操作层面以及政策层面等多方面风险的冲击，而且伴随金融的全球化、综合化、网络化，银行业天生的脆弱性将会越来越突出。另外，银行业的外部性特征显著。商业银行承担着整个社会的信用中介、支付中介等职能，涉及广泛的利益相关者。银行自身经营成功，可以有力提升社会资源配置效率，支持和促进实体经济发展；但是一旦银行经营失败乃至倒闭，则会直接或间接地对储户、交易对手以及其他错综复杂的利益相关方带来损害，具有很大的传染和辐射效应，非常容易形成“多米诺骨牌效应”，造成危机蔓延，对整个金融体系以及实体经济产生巨大冲击。

经济持续高速增长的良好环境，容易掩盖银行内在的结构性缺陷。日本就是典型的例子。日本在第二次世界大战后几十年间经济实现腾飞，日本银行也迅速地赶超英美。1986年《银行家》排出的世界1000家资产规模最大的银行中，日本大型银行在前10名中就占了7席；同时，日本银行在海外大规模并购扩张。在享受经济发展红利的同时，日本银行不同程度上忽视了自身存在的包括公司治理、风险管控等方面的缺陷，错过了改革的最佳时机。等到经济形势出现逆转，银行体系风险迅速暴露，不仅自身大伤元气，长时间一蹶不振，而且一定程度上也拖累了日本经济。殷鉴不远，日本银行的教训值得我们认真研究和吸取。当然，更值得认真吸取的是2008年国际金融危机带给世界主要银行的教训：

第一，银行业发展不能脱离实体经济基础。这次金融危机首先需要吸取的一个深刻教训，就是虚拟经济不能脱离实体经济，金融发展要回归本源。例如这次金融危机发生时，仅信用违约互换（CDS）的市场规模就超过60万亿美元，达到美国GDP的4～5倍，这显然是非理性的。近年来，中国银行业不断改革，金融不断深化，在提升服务实体经济的能力方面取得了一定成效，促进了银行业和实体经济的平稳发展和良性循环。但同时需要看到，部分机构在盈利冲动下，通过资金层层嵌套、期限错配和不合理的加杠杆行为赚取超额利差，导致资金空转，一定程度上出现

了“脱实向虚”的倾向。

第二，金融杠杆不能超越自身可承受范围。高杠杆比率是金融机构的固有特点，也是风险管控的重点和难点。提高杠杆比率意味着以同样的资本做更多业务、承担更大的风险敞口，是一把“双刃剑”。从这次美国次贷危机来看，投资银行之所以首当其冲，一个重要原因就是高杠杆带来的风险失控，超过了自身管理能力和资本可承受限度。目前，国内很多银行在一些领域也存在过度放大杠杆、快速扩张的倾向。例如部分银行在息差收窄的背景下，追求资产规模扩张，通过同业业务、表外业务加杠杆，高风险经营，追逐利润。以同业存单发行为例，2015 年发行量为 5.3 万亿元，2016 年则达到 13 万亿元；截至 2017 年 4 月，同业存单的托管量达到 8 万亿元。

第三，创新不能游离于风险管控之外。不少人将金融衍生产品创新视为这次金融危机的“罪魁祸首”之一。实际上，问题并不在于这些衍生产品本身，而在于管理者认识偏差和风险管控缺失。从这次金融危机的情况来看，很多金融机构对于债务担保证券（CDO）、CDS 等金融衍生产品的内在风险缺乏深刻理解和必要重视，有的则将其视同普通交易业务交由市场部门自行管理；有的虽然意识到这些业务可能存在较大风险，但并没有投入必要的资源进行独立、尽职的风险识别、计量、评估，而是简单地沿用外部评级机构的信用评级和风险评估报告。从国内的情况来看，也存在类似的苗头。

第四，关注信用风险、市场风险和流动性风险之间的相互伴生、耦合和转化。这次金融危机的最初根源是美国房地产泡沫破灭引发的次级按揭贷款大面积违约，属于信用风险范畴，但由此引起的大面积市场震荡，迅速引爆市场风险，二者互相耦合放大。信用风险和市场风险共同作用，引起整个市场的流动性危机，直接导致美国第五大投行贝尔斯登破产，随后危机进一步蔓延和放大。长期以来国内商业银行对各类风险的管理虽都有一定的研究和管理手段，但对各个风险类型之间的伴生、耦合和转化还缺乏必要的关注和研究，这方面是一个重大缺陷。

第五，关注表外风险和表内风险的相互转化。在这次金融危机中，一些金融机构原先通过结构投资载体（SIV）、协议控制模式（VIE）等转移到表外的风险又重新回到表内。美国五大投资银行 2007 年底的表外负债总额达到 17.8 万亿美元，表外杠杆率达到 88.8 倍。长期以来，银行业主要关注表内风险（而且主要集中于贷款风险），对于表外风险重视不够，管控非常薄弱。近年来中国商业银行表外业务迅猛发展，一些表外产品创新（包括一些信托型理财产品）非常活跃。以银行理财产品为例，2016 年 6 月中国银行理财产品资金余额达到 26.68 万亿元，大量理财资金进行了委外管理，非银行机构利用委外资金进一步加杠杆、加久期，大量的资金涌向债券市场和权益市场。这些银行表外业务因杠杆率较高，对利率较为敏感，一旦遇到市场剧烈波动将面临较大风险，会导致表外业务风险向表内转化，潜在隐患很大。

第六，正确认识现代计量技术和模型在风险管理中的作用。现代金融离不开先进的计量技术和模型，但是一味依赖或迷信计量技术和模型也是很危险的。从这次金融危机来看，基于精细的数理模型设计出来的金融衍生产品，其科学性最终没有经受住市场突变的考验。因此，借助模型但不要迷信模型，充分了解模型的适用条件及其局限性，做到专家经验和计量模型的有机统一，这是值得国内银行业认真吸取的一个教训。

观察中国银行业的变化，很多专家喜欢用是否达到国际先进银行标准来衡量，并用“形似”和“神似”两个词来判断。“形似”相对要容易一些，譬如某些指标达到国际领先水平、资产规模、业务结构或收入结构向对标银行看齐；但是做到“神似”却不容易，需要深刻理解、艰苦努力和一个较长的过程。我以为，“神似”的核心主要集中在那些“看得见摸不着”的银行经营“灵魂”上，具体体现在银行经营理念、意识和文化方面。对于国有大型商业银行而言，我们期待其在经营意识和文化理念方面发生深刻的变化。

“数据驱动型银行”正在走来

中国建设银行首席经济学家　黄志凌

最近几年，笔者一直在关注未来的银行是否真有可能是“数据驱动型银行”。我们首先注意到一些领先银行正在向“数据驱动型银行”转变，看到它们在数据收集、处理分析以及数据运用方面走在业界前列——营销是由数据驱动的，通过数据指引找到潜在客户；风险管理是数据驱动的，通过数据准确定位风险点。从实践效果来看，“数据驱动型银行”比普通银行竞争力更强。西方很多银行在数据处理、分析、应用方面处在市场领先地位，其市值变化也是惊人的。

应该说，“数据驱动”理念已经被银行界广泛接受，并演化出了“数据驱动”客户关系管理、“数据驱动”营运管理等细分概念。近年来，“数据驱动”已经进化为一个企业级的、更广泛的概念，即“数据驱动决策型”企业。作为商业模式的“数据驱动型银行”，其特点是引入具有前瞻性的数据分析，重点关注已经发生了什么、会引发什么、最好情况下会发生什么、怎样才能达到最好结果等，以便提供更多有效信息对企业决策进行指导。因此，要成为“数据驱动型银行”，必须要有一套完整的数据价值体系，涵盖数据收集、整理、分析、报告到转化为决策建议的流程，更重要的是这些结果能够被决策者使用，用于作出科学决策。

在观察研究中，我们发现成熟的“数据驱动型银行”至少应具备三个特质，即无所不在的“数据驱动”理念、高质量的数据资产、重新定位的数据部门。

无所不在的“数据驱动”理念是“数据驱动型银行”成功运营的前提。从实践看，全球诸多银行都看到了数字革命带来的业务增长机会，纷纷发布“数字化转型”规划，但在实施过程中却困难重重，有技术的问题、数据的问题、人才的问题，但最关键的是理念和文化问题。企业往往满足于局部业务的客户画像、产品设计，中高层管理人员还未摆脱以往依靠经验或直觉判断的本能，缺乏数据敏感性和对深入分析事实的正确技能，还没有建立“数据资产”的价值认知和如何围绕数据重构业务价值链。而“数据驱动型银行”则不同，顶层设计的“技术咨询委员会”“数字创新实验室”“数字卓越中心”以及各级“数字管理”人员和员工保证了数字战略的有序实施；“数字化转型”“数字化一切”“数字和移动优先”等战略深入每一个员工。因此，成熟的“数据驱动型银行”不仅会将“数据”列入公司顶层战略、制定转型路线图，并从组织架构、财务和人力资源、技术与数据储备等方面予以充分保障，更关键的还是引导企业的“数据文化”，培养“基于数据分析进行决策”的工作习惯，形成“自上而下、人人用数、精细管理、持续改进”的良好氛围以及对“数据资产”的广泛价值认知。

高质量的数据积累是“数据驱动型银行”的基础。成熟的“数据驱动型银行”视数据为核心资产，对数据质量提出了更高要求。将数据作为核心生息资产来看待是近年来的事情。对于我国大型银行而言，虽然拥有的数据量很大，也很有价值，但是尚未被纳入资产负债表核算，数据资产观尚未形成。前瞻性观察，数据资产可能会影响大型银行发展的战略方向，不同的数据资产会产生不同的战略选择和商业模式；拥有独一无二的数据资产的银行将会获得难以置信的发展速度，孕育出令人叹为观止的商业价值；数据资源的管理和使用将成为企业经营中的核心内容，那些拥有优质数据资源、深度挖掘分析能力的银行，可以将数据优势转化为竞争优势；银行价值将与其拥有的数据规模、活性、运用数据的能力成正比，资金、人力、渠道等要素需要根据数据资源的情况进行重新优化配置，数据资产成为未来驱动银行业务价值发现和创造的新动力。

作为“数据驱动型银行”，银行决策者必须将数据分析纳入公司决策流程，并依据数据进行评估决策。随着数据资产价值的凸显以及数据收集、存储、挖掘、运用等对业务发展和风险管理日益重要，数据部门正在由后台支持服务部门演变成为银行运营的核心部门。目前已经到了重新定位数据部门地位的时候了。在领先的“数据驱动型银行”，以数据分析为基础的经营决策过程通常要求分析人员和决策者之间建立一种紧密的、相互信赖的关系。管理层负责确定数据文化的基调，并推动数据驱动能力建设；专业的数据科学家进行复杂数据分析，并将结果报告给需求提出者；一线业务人员的主要任务是使用数据分析结果来提升工作业绩。大型银行往往会设有首席数据科学家，协助高管层分析企业内部数据问题，通过设立数据卓越中心或创新中心引领企业数据科学的发展。可以肯定的是，业界共识与自觉行动必将深刻改变银行业的形态，甚至引起金融市场结构发生重大变革。

“数据驱动型银行”会产生前所未有的数据需求，既包括充分的内部结构化和非结构化数据，也要大量引入外部的结构化和非结构化数据，尤其是对实时交易数据、政府部门公共服务数据、跨界数据等提出了更迫切的共享需求。银行业亟待提升的数据管理和分析应用能力，提出了包括异构数据存储、非结构化数据处理转换、海量数据挖掘、数据可视化、大数据分析工具在内的专业技术需求。数据战略的实施需要多层次专业人才队伍作为支撑，需要对银行领导层开展大规模的数字化培训、对数字化部门领导人进行全面的业务培训，既需要在内部培养数据分析人才，又要呼唤专业化、商业化的数字服务市场与相关的专业人才市场，“数据驱动型银行”将产生大量的外包及外购服务需求。

在一个大型经济体内，大型银行一旦确立了“数据驱动型银行”模式，将引发金融市场结构性改革，不仅会大量产生一些与数据相关的全新的金融供给主体，比如数据收集、存储、加工（为满足特种需求的建模、深度挖掘）的专业公司，数据化的金融产品也会屡见不鲜。更重要的是带来了一系列金融监管课题，包括怎样完善数据收集与交易法律法规、金融风险监测与识别的方法变革等。当然，我们既要看到这是一种趋势，更要看到“数据驱动型银行”的形成不是一日之功，简单花钱是买不来的。数据是要不断积累的，人才是要自己培养的，数据资产只有在不断挖掘中才能更有价值。譬如，困扰银行业“数据驱动”发展的一个突出问题是数据质量无法满足分析效率的要求。为此，一家大型银行历时 6 年，建立了业内领先的企业级数据管理和数据应用体系，完整定义 8 万多项数据规范，实现了贯穿创建到应用全流程的数据管控，全面夯实数据基础。但从实践看，“全员数据质量管理”的理念还需要进一步深入，数据质量仅仅局限在内外部数据的准确性、完整性和一致性，在数据的颗粒度、时间跨度、连续性和及时性等方面，距离“数据驱动型银行”的要求还很遥远。

银行流动性管理新形势

中国建设银行首席财务官　许一鸣
总行资产与负债管理部　胡　鉴

20年来，我国商业银行面临的外部环境与内部经营形势已经发生很大变化，流动性风险管理成为当前银行业风险防控重点领域之一。商业银行亟须进一步健全治理架构、调整策略、改进流程、优化资产负债结构。

流动性管理面临的外部形势

全球性货币政策“由松趋紧”

2008年国际金融危机爆发后，宽松成为全球货币政策主基调。2017年以来，随着全球经济复苏和对未来通胀预期的上升，货币政策开始逐渐转为审慎。3月中旬美联储第三次加息是量化宽松政策面临拐点的重要信号，并对其他主要发达经济体产生影响。3月26日，央行行长周小川在博鳌亚洲论坛上表示，在实施多年量化宽松货币政策之后，本轮政策周期已经接近尾声。

美联储货币政策的转向必然给新兴经济体国家流动性带来压力。美元加息将提升美国国债收益率，推动美元走强，从而加大新兴经济体的资本流出压力，并通过汇率、股票价格、大宗商品价格和信贷供给等渠道对新兴经济体产生负面溢出效应。虽然当前市场对美联储加息已有预期，但其加息的时机、节奏，以及是否缩表、缩表幅度等问题仍存在不确定性，对全球流动性的影响将进一步加剧。

“黑天鹅”事件加剧金融市场动荡

近两年全球范围内“黑天鹅”事件频出。2016年6月24日，英国公投结果让全球金融市场猝不及防，市场避险情绪迅速升级，英镑、欧元遭遇前所未有的巨额抛售，大幅贬值。2016年11月8日美国大选，曾一度被认为“不可能”的特朗普完成逆袭，全球金融市场先是恐慌情绪暴增，标普500股指期货、道琼斯指数期货、纳斯达克指数期货纷纷跌停，黄金成为最大的受益者；此后随着特朗普胜选局势逐渐确定，全球市场情绪回升，股市跌幅大幅收窄。2017年6月，中东多国宣布与卡塔尔断交，这一突发地缘政治事件震惊了全世界，国际原油价格一度快速走高。此外，欧洲等地区的地缘政治疑虑推升国际金价徘徊于阶段高位。希腊获得援助资金的不确定性、意大利可能提前选举以及对英国“硬脱欧”的担忧正在令市场避险需求升温。

国内货币政策“由稳趋中”

2005年以来，由于持续高额的双顺差，我国外汇占款增长较快，央行通过提高存款准备金率的方式对冲外汇占款造成的被动货币投放。2015年以后，人民币汇率形势发生转折，外汇占款持续下降，央行转为综合运用逆回购、中期借贷便利等货币政策工具组合释放流动性。这一变化导致我国银行体系流动性对央行借款的依赖程度大幅提高。截至2017年第一季度末，中期借贷便利与抵押补充贷款余额合计62801亿元，比2015年末增长45331亿元（见图1）。由于货币政策工具

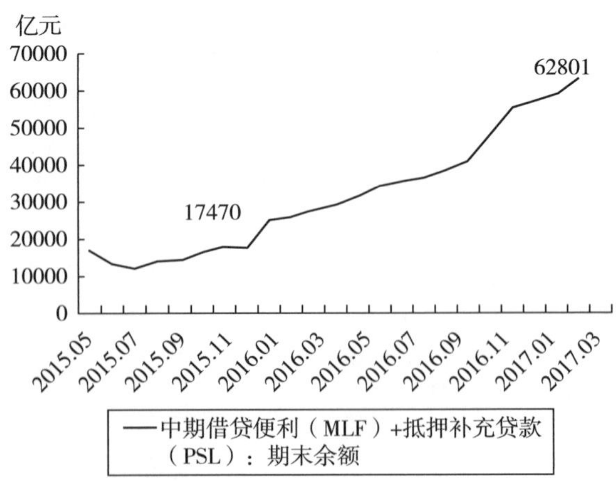

数据来源：Wind资讯。

图1　中长期货币政策工具余额变动情况

操作力度和节奏灵活多变，期限品种搭配多样，其规模与节奏均难以预期，商业银行流动性管理的难度增加。

流动性监管要求更加严格，约束更为有力

中央经济工作会议明确提出，要把防范金融风险放到更加重要的位置，要求金融监管部门严格监管，确保不发生系统性风险。银监会明确表示，要坚决治理各种金融乱象，对包括流动性、同业、理财在内的十大重点领域风险进行全面部署防控。在货币政策稳健中性的大框架下，宏观审慎评估体系（MPA）持续升级，银行的资金平衡和结构摆布难度增加。同时，巴塞尔协议Ⅲ对流动性风险、资本管理等方面也提出了更高要求。

2014 年银监会发布《商业银行流动性管理办法（试行）》，引入流动性覆盖率监管指标（流动性覆盖率 = 合格优质流动性资产/未来 30 日现金净流出）。流动性覆盖率包含了境内外、表内外各项业务的短期流动性风险状况，对商业银行经营管理实现了全覆盖。大型银行一开始就达标，但随着业务发展变动，今后持续保持达标状态存在一定压力（见表 1）。中小银行普遍达标的难度更大。此外，随着净稳定资金比例指标（净稳定资金比例 = 可用的稳定资金/业务所需的稳定资金）国际标准的确定，我国即将正式推出净稳定资金比例的计算方法和参数口径，进一步约束商业银行过度依赖同业和市场批发资金的行为。

表 1 四大行流动性覆盖率指标变动情况

	2015.12	2016.03	2016.06	2016.09	2016.12
工商银行	145%	150%	144%	133%	140%
农业银行	128%	138%	139%	138%	140%
中国银行	119%	119%	118%	118%	117%
建设银行	133%	133%	122%	117%	120%

数据来源：各家商业银行财务报告。

流动性管理面临的内部压力

商业银行核心存款波动性增强

利率市场化以来，银行整体付息成本呈现上升趋势。投资者对不同资产之间的收益率差异更为敏感，资金更加频繁地在存款、理财产品、基金以及股市、债市间转换，进一步弱化了银行负债来源的稳定性（见图 2）。2016 年，一般性存款增速为 14%，包括基金、证券、保险等在内的资管类产品增速为 43%，其余额与一般性存款余额的比值达到 93%，比上年提升 18.5 个百分点。此外，随着互联网金融的发展，一方面，新型的互联网金融机构分流部分传统客户存款，转化为同业存款，改变了存款结构。2016 年末，天弘余额宝货币基金规模达到 8083 亿元，年增长率为 30%，其投资的资产中银行存款和结算备付金占比 70%。另一方面，便捷高效的科技手段，如网上银行、手机银行等，客观上造成资金在机构之间的流动速度加快，规模增加。2016 年网上支付跨行清算系统处理金额合计 374600 亿元，增速高达 35%。

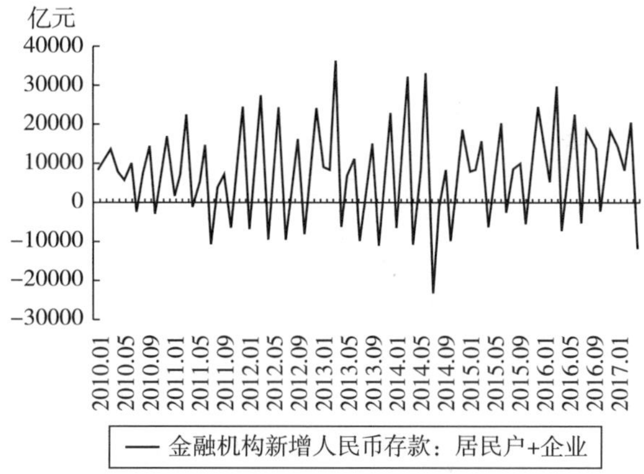

数据来源：Wind 资讯。

图 2 金融机构人民币存款波动情况

资产快速增长，期限错配问题突出

近十年来我国商业银行资产一直保持着较高增速。2016 年，全国性大型银行贷款增速 10%，有价证券及投资增速 20%；全国性中小型银行贷款增速 19%，有价证券及投资增速 38%。

2000 年至今金融机构不同期限贷款增长的历史数据显示，贷款期限拉长趋势明显，中长期贷款增长幅度远超过短期贷款（见图 3）。考虑到为规避违约风险而进行的借新还旧操作，实际贷款期限可能更长。

整体来看，目前整个银行业的资产方仍然延续了以往的增长模式和惯性，增速快于负债方增速，合理匹配资产负债期限结构的难度不断提升。特别是，部分中小商业银行资金来源高度依赖同业资金，为缓解付息成本上升带来的利润压力，

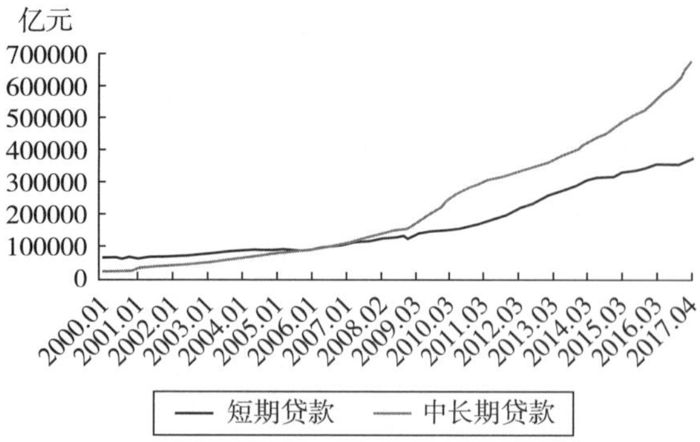

数据来源：Wind 资讯。

图 3　金融机构贷款期限结构情况

保持资产规模的扩张速度，不断加大同业资产运用，减少收益率较低的优质流动性资产储备，使得资产负债期限错配严重，银行流动性缓冲区间不断压缩，流动性风险越加凸显。

利率风险与流动性风险交叉传染

2017 年以来，货币市场利率全面攀升，银行体系流动性处于紧平衡状态（见图 4）。特别是近期在货币政策和行业监管的双重挤压下，市场资金面趋紧，货币市场、债券融资、票据融资及其他理财等非标表外融资利率飙升。5 月 22 日，一年期 Shibor 报价已超过银行间市场的一年期贷款基础利率（LPR），市场把这一变化作为重要的资金价格“倒挂”信号。

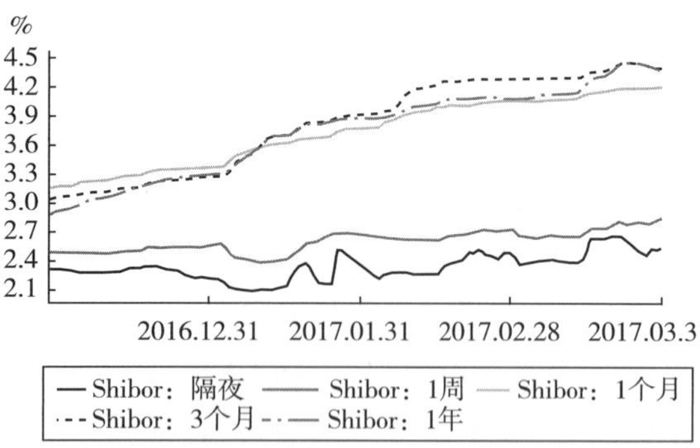

数据来源：Wind 资讯。

图 4　2017 年以来各期限 Shibor 变动情况

在流动性紧平衡状态下，部分中小银行由于资产端配置的理财资管、同业业务、债券等产品期限较长，于是在负债端陆续到期的情况下，要么以更高利率水平融资弥补资金缺口，要么出售未到期资产，承受损失，从而进一步推高市场利率，加剧流动性风险和利率风险。目前，银行发行的同业存单和同业理财利率在不断上行，一年期同业存单利率已超 5%，高于 LPR。

商业银行集团化、国际化发展加大流动性管理难度

在利率市场化、人民币国际化持续推进背景下，国内商业银行不断加快跨国经营、混业经营进程，凭借多元化产品和服务重塑市场竞争力。目前国内银行业集团化与国际化的经营趋势已然形成，大幅增加流动性管理难度。一是流动性管理对象增多，不仅包括境内分支机构、总行直营业务部门，还包括子公司、海外机构。各机构的经营模式、业务、产品、行业和国别监管要求存在较大差异。二是流动性风险转化隐患增加。随着非银行机构的快速发展，金融产品创新层出不穷，产品结构日趋复杂，链条逐步拉长，信用风险、声誉风险、市场风险对流动性风险的转化隐患增加。三是集团内部风险传染不容忽视。银行和非银行金融机构、境内外机构联系更加密切，特别是部分子公司、海外机构对总行资金依赖较为严重。如何做好集团内部各机构间流动性风险的有效隔离，是统筹集团流动性管理的重要内容。

商业银行的应对措施

作为大型国有银行，中国建设银行高度重视流动性风险管理，坚持稳健审慎原则，确保集团支付结算安全。结合建设银行的经验，笔者认为面对流动性风险的新形势新变化，需要从多个方面进一步创新风险防控手段。

健全流动性风险治理架构，统筹集团流动性管理

面对集团化与国际化的经营趋势，商业银行应完善集团层面的流动性风险治理架构，全面覆盖境内外、本外币、表内外、母子公司，设定统一的风险偏好；明确子公司、海外机构应对自身的流动性管理承担明确主体责任；子公司和海外机构应结合行业和东道国监管政策、自身业务特点构建流动性风险管理体系，包括管理制度、模型、流程和限额等；定期监测子公司、海外机构风险限额变化，指导其提高流动性管理水平；完善内部防火墙机制，防范流动性风险在集团内部的跨机构传染。

合理安排资产负债总量和结构，控制期限错配水平

银行在制订年度业务综合经营计划时，应充分考虑资产负债表内外各项业务对流动性的影响。从总量和结构两方面统筹协调，保持资金来源与运用平衡，期限结构合理。区分较稳定的一般性存款与波动性较强的同业存款，识别银行可长期使用的核心存款，根据稳定的资金来源总量，安排较长期限的贷款投放、债券投资等资产运用；根据欠稳定存款规模，确定短期资金运用总量。在年度计划的基础上和不增加资金来源的前提下，可以动态调整季度、月度计划，满足客户多维度需求。如贷款需求旺盛时，通过压缩贴现规模，腾挪资金满足个人及对公贷款需求，向实体经济提供中长期资金支持；平衡收益水平、久期控制、资本占用等因素，灵活调节国债、地方债、政策性金融债认购数量，通过债券内部结构调整，提高资金使用效率和资产收益，减轻流动性压力。

系统化、网络化拓展存款，促进核心存款稳定增长

抓好存款资金承接、资金体内循环、商户拓展、金融生态圈等稳存增存的基础性工作，系统化、网络化拓展存款客户。从关注传统存贷款向“大资产大负债”转型，适应客户融资渠道和金融资产需求多元化趋势，通过综合应用贷款、理财、投行、表外信贷等一揽子金融服务满足客户融资需求，吸收一般性存款、非存款类金融机构存款、理财、主动负债等客户全量资金，拓展各类要素平台市场客户，促进负债来源多元化，增强核心存款稳定性。

强化现金流管理，建立多维度流动性储备

头寸管理是商业银行流动性日常管理的重要环节，但单纯的头寸管理难以从根本上管控流动性风险，应进一步强化对现金流的计量、监测、预测。首先，建立现金流预测模型，通过历史情况模拟存款波动，按月、按季、按年滚动预测全行的现金回流，月度预测到日、季度到旬、年度到月。根据现金流情况，提早做好融资或资产配置计划。其次，对现金回流进行限额管理，根据存款波动和大额资金进出的历史规律，制定隔夜、7 天、1 个月和 3 个月现金回流最低限额要求，并根据限额实际执行情况，主动调整各类资产的现金回流安排。在现金流管理的基础上，银行还应构建多重维度的流动性储备，平衡统筹品种、总量、期限、价格、币种等多方面，以应对愈加复杂的流动性形势。

完善压力测试，优化应急预案

压力情景的设定要充分全面，要结合实际对各类风险因素进行合理的分析和评估，前瞻性地暴露未来流动性风险状况，定位主要薄弱环节。压力测试结果要应用到日常管理中。对压力测试中发现的资金缺口问题，及时制订应对方案。在充分考虑压力测试结果的基础上，银行应建立与其业务规模、性质、复杂程度、风险水平、组织架构相匹配的应急预案，确保其可以应对紧急情况下的流动性需求。流动性应急支持流程要不断细化，列明应急资金来源，合理估计可能的筹资规模和所需时间，充分考虑跨境、跨机构的流动性转移限制，确保应急预案的可靠性和充分性。

以科技打造金融转型新动力

总行信息技术管理部总经理　金磐石

科技是国之利器，国家赖之以强，企业赖之以赢。大数据、云计算、人工智能、移动互联网和物联网等技术蓬勃发展，正深刻改变着人们的生产生活方式以及人们的思维和行为。金融作为现代经济的核心，因科技之势而变得紧迫性和挑战性更强。建设银行坚持科技引领，以科技作为自身发展的核动力，2010年启动“新一代”核心系统建设，以组件化、参数化、智慧化为原则，组织企业级系统重构，全面支撑全行转型发展，以此“先手棋”抢占新一轮金融科技创新的制高点。

六年多来，建设银行坚持一张蓝图绘到底，立足建设银行转型创新和业务发展的实际，积极吸纳国际领先的实践和经验，使用最前沿技术，吻合了“创新、绿色、协调、开放、共享”的五大理念，全面完成了“新一代”规划确定的目标和任务，建成了支持集团业务全球化的企业级系统，实现了科技与金融的深度融合，锻造了卓有成效的业务支持能力，厚植了金融服务创新的基础。

构建了金融科技融合生态

建立了企业级架构。建设银行用企业级的方法，将银行所有业务、产品、数据进行全面的梳理分析，并纳入新架构标准进行再造，形成了企业级的系统架构。在企业级框架下，直观查看客户全貌，实现更精准的营销，制定更适配客户的综合金融解决方案；完整地分析全行产品，做到更准确地定位和配置，更科学地制订价格与销售策略，更快速地设计推出新的产品；更实时地运用数据，做到全面整合和深度挖掘，更灵敏精准地分析客户、防控风险，更前瞻有效地支持智能运营、决策管理。

实现了技术与业务价值链的完美融合。建设银行紧密贴近市场、深度融入价值链，参与到客户价值创造活动中，与客户建立“伙伴式”关系，更加精准地推送金融服务、有效地匹配金融资源，帮助客户创造价值。推动传统存贷汇为主的商业模式向综合性、多功能、集约化以及创新型、智慧型银行转型，提升价值创造力。目前，建设银行集团的租赁、基金、信托、寿险、资产、造价咨询、期货、养老金和财险等子公司，借助现代信息技术与商业银行主体形成良好的协同联动，实现对客户的“一点接入”快速响应、“一揽子”产品配置、“一站式”金融服务。

完成了业务的全流程再造。建设银行的“新一代”突出客户导向和价值创造，形成全流程的统一视图。促进客户服务综合化、线上线下一体化、纵向层级扁平化、管理措施差异化、操作应用智能化、客户体验极致化。

构建了科技金融的完美生态圈。建设银行推动互联网金融创新特别是“移动优先”战略，整合线上线下服务渠道，着力打通资金流、信息流、商流和物流，融合客户、银行及第三方，为客户全面精准地提供场景化、生活化的金融解决方案，将金融服务融入社会经济活动和百姓衣食住行。目前，建设银行网上银行用户数已达到2.4亿，手机银行用户数达到2.2亿。通过生态圈全景式融合和实时性交互，银行服务随时随地触手可及。

形成了卓有成效的业务支持能力

“新一代”丰富多样、便捷易用的功能为经营管理和业务创新提供了全面支持。

专业化的营销服务能力。通过360度客户画像、数据挖掘形成商机，以客户为中心开展营销、以客户为中心创新产品、以客户为中心提供服务，“以客户体验为中心”的理念得到具体落地。截至目前，“新一代”整合了6亿个客户信息，形成7000多个目标市场模型，创建3000多个营销任务，产生了3.3亿个商机。

灵活高效的产品创新能力。创新搭建了装配工厂和全生命周期管理平台，实现基于14个产品线、136个基础产品、58个装配模型快速推出定制化的可销售产品。目前在售可售产品1.4万个，有效支撑了全行业务发展。

智慧网点转型能力。搭建完整、协同、智慧的渠道体系，提供随时、随地、随需的多场景金融服务和一致的渠道体验。全行投产智慧柜员机设备近6万台，柜面业务迁移率81%。智能机器人“小微”已累计服务客户超过12亿人次；网银网站用户和交易规模稳步发展，移动金融保持快速发展，规模与质量同步提升。

集约化业务运营能力。建立了企业级的机构、用户统一视图；建立了全行统一的配送平台，款箱出入库效率提高80%，差错率下降26%；通过会计档案数据集中和凭证电子化，助力分行减负。前后台业务分离、工厂化流水线的集约化生产模式不断完善，实现37家分行15000多个物理网点业务的总行集中处理，集约化运营范围覆盖柜面、线上、中台、子公司及海外机构共105类业务，为集约化战略实施提供了有力支撑。

差异化综合定价服务能力。建立科学、标准的综合定价模型，实现本外币的存贷款价格授权管控。为客户经理议价提供支撑，使其更关注成本效益；对客户承诺和价格审批情况进行有效监测；提高全行定价水平，经济效益十分显著。

全面的风险防控能力。逐步实现风险控制由人控转为机控，建立了满足新资本协议要求、风险内部管理需要的全面风险管理体系，以及与此联动的内控体系，做到实时的风险决策、基于RAROC的集约化资本管理。基于中央风险计量引擎实现信用风险评级功能的集中统一部署，建立覆盖对公评级和零售评分300多个风险计量模型，覆盖全部金融市场交易业务。基于统一风险视图，实现自上而下的组合风险预警体系，大幅提升风险预判预警能力。

精细化的财务管理能力。实现"以交易核算分离"为特征的全新会计核算体系，集辅助计量、集团总账、报告自动化于一体，构建高质量的会计信息生成、报告和控制机制，全面提升核算控制和披露能力；建立实时总账机制，使得经营成果的最新数据2小时内反映到总账；建立了全要素的以价值为核心的财务集市和管理信息平台；在损益管理上，实现了综合经营计划流程的全面线上管理；基于大数据，通过设计和不断优化财务收支预测模型，将存量业务的净利息收支预测粒度精细化至逐笔，提高了损益预测和管理能力。

便捷的数据应用能力。完整定义8万余项数据规范，实现了贯穿创建到应用全流程的数据管控，全面夯实数据基础。数据仓库整合形成了包括工商、法律、客户行为等外部数据的共享视图。通过实践"自主用数"等全方位数据服务理念，建设了信息应用、员工业绩计量、"慧视"等一批数据平台和产品，实现从"授之以鱼"到"授之以渔"的根本转变。大数据支持下的快贷业务，客户数同比增长3倍，交易额增长5倍以上；"小微快贷"业务推出不到半年贷款客户数增长了7倍，贷款余额增速达88%。

海内外、子公司一体化的支持能力。支持多语言、多法人、多时区的金融需求，在国内外同业首次实现了"一个版本，全球部署；一次研发，全行共享"。统一母子公司、境内外的数据标准，实现境内外业务处理全流程的一体化，提供全球一致的客户体验，大大降低了IT系统开发和运营的成本。

厚植了转型创新的科技基础

新技术正在改变传统的金融产业，使得金融去中介化进程加快，有人称之为"技术脱媒"。传统商业银行的支付、融资等中介功能受到巨大冲击，近年来异军突起的互联网金融就是典型的例子。此外，像广受关注的"区块链"等技术，一旦成熟并投入商业运用，将实现"去中心化"的实时交易。以跨境支付为例，依托"区块链"可以不通过银行等传统金融中介实现"点对点"交易，专业机构预测这将使交易成本降低约40%。可以预见，类似的"颠覆性"技术创新，将引发全球深刻的变革。

新科技革命促使银行重新检视固有的经营模式和盈利模式。对商业银行来说，新科技革命既是严峻挑战，更是难得的机遇，关键是能否发挥好自身在客户、资金、渠道、信息、风控和信誉等方面的优势，将其与新技术有机地融合，找到最佳契合点，在变化中恪守金融内在规律，确保转型创新的正确方向。

建设银行"新一代"建设围绕转型发展战略，着力夯筑科技基础，构建科技创新长效机制。在完成IT系统建设的同时，自主创新推出了以"四个一"为导向的企业级工程实施方法，即一套业务模型、一套IT架构、一套实施工艺和一套管理流程，实现向"企业级"研发模式的全面转型。同时搭建了业界领先的信息技术基础设施框架平台，融汇了云计算、大数据等领域的最新成果。先进、灵活的架构设计，保证了未来良好的扩展性，形成了支撑全行未来转型和持续创新的技术基础；同时，标准化、动态适应的方法和流程，确保了IT架构能够不断吐故纳新，灵活地适应转型创新的需求。这套企业级工程实施方法，实现了业务与技术的有机融合，需求、设计与研发、生产的无缝衔接，是未来建设银行信息系统建设的"白皮书"，也是金融创新的"孵化器"，为建设银行转型创新提供坚实的基础。

苟日新，日日新，又日新。建设银行将坚持科技引领，创新应用，持续推进科技与金融服务融合，建设更加智慧的现代商业银行。

互联网金融时代建设银行移动支付创新发展之路

总行信息技术管理部总经理　金磐石

未来，建设银行将紧随移动支付发展新趋势，持续应用新型金融科技将日常支付场景与客户紧密相连，全方位地贴近客户生活，全维度地保障客户交易安全，努力深化“龙支付”与其他银行、第三方支付机构、合作商户之间的和合共生关系，加速提升“龙支付”品牌竞争力，逐步开创“开放融合、互联互通、合作共赢”的移动支付新篇章。

20 世纪后半叶，随着 IT 技术的变革，支付手段不断升级，电子支付逐渐取代现金成为通用清偿手段，并以银行卡作为支付的主要介质。然而，进入 21 世纪以来，移动互联网技术迅速而全面地渗透至各类金融行为之中，移动支付创新发展态势迅猛，逐步占据最为核心的位置，导致银行卡支付又将成为被取代的对象。在国内，微信、支付宝等第三方支付机构依托庞大的客户资源与丰富的支付场景，短期内快速占领市场，培养了客户的支付习惯。其速度、广度和深度，在当前全球范围内绝无仅有，中国已发展成全球最大的移动支付市场。可以说，支付已经成为市场格局、技术渗透、客户需求变化与竞争最剧烈的领域。在变革的风口浪尖上，建设银行厚积薄发，强势推出“龙支付”产品，该产品的推出标志着建设银行在移动支付领域走出了重要一步，引领了商业银行移动支付领域技术变革的新潮流。

移动支付集大成，建设银行品牌“龙支付”

移动支付的迅猛发展加速了金融脱媒、货币数字化进程，从某种程度上改变了银行业传统的盈利模式，同时也给金融制度、监管政策、风险控制带来了巨大的挑战。面对外部压力，银行系移动支付并未止步不前。以建设银行为例，在“移动优先”的战略指导下，通过长期积累，构建成一整套模式丰富、场景多样、技术先进的移动支付体系。2016 年 11 月，建设银行正式宣布推出统一、自主的支付品牌“龙支付”，并宣布“龙支付”产品体系正式上线。“龙支付”是同业首家融合二维码、人脸识别、NFC 等多项技术，覆盖线上线下全场景的全新支付组合产品。“龙支付”在设计之初就融合了三大重要设计理念：第一，客户体验沿用性理念，即客户体验对标业内已经非常成熟的移动支付模式，避免用户习惯的二次培育；第二，技术先进性理念，即基于互联网移动支付业态，集成移动支付领域中先进的理念和技术；第三，银行金融服务优势延续性理念，即充分发挥银行金融服务的天然优势，如用户对于银行体系的信任度及安全体系等，这正是其他支付机构所不具备的。

“龙支付”秉持“客户体验优先”的理念，全面整合了借记卡、信用卡等多种支付介质，线上线下个人和对公商户等多种用户类型以及手机银行和网上银行等多类业务渠道，为客户提供建设银行钱包、二维码扫码、全卡付、云闪付、AA 收款、随心取、建设银行红包、龙商户八大功能，打造“多（多种生活场景）、快（开通和支付快捷）、好（八大功能极致体验）、省（省手续费、省结算费）”的支付结算服务体系。与其他第三方支付产品相比，“龙支付”具有更开放的用户体验、更多样的支付方式、更丰富的支付场景以及更安全的支付环境四大优势，为建设银行个人金融生态系统的打造提供了坚实支撑，有望迅速成长为与建设银行龙卡、建设银行房贷相当的知名品牌。“龙支付”产品四大优势具体如下：

（1）便捷、开放的用户体验。“龙支付”以建设银行钱包为基础，面向所有社会大众，支持建设银行、他行任意客户在线开户。无论是否建设银行客户，只需下载建设银行手机 APP 即可申请注册成为“龙支付”客户；建设银行钱包实现一户多卡功能，不论是借记卡还是信用卡，本行卡还是他行卡，均支持客户一键绑定；建设银行钱包则是完全对标第三方支付机构的完整支付账户体系，为小额支付场景量身定制，帮助客户区分主辅账户应用，有效隔离风险。依托建设银行钱包，“龙支付”实现了客户体验的三大融合，即有卡无卡融合、线上线下融合、客户商户融合。

（2）前卫、多样的支付方式。“龙支付”在建设银行已有的 IC 卡闪付、龙卡云闪付、声纹支付的基础上，增加了二维码收付款功能，支持客户持手机主扫、被扫等多种场景支付。既可用于个人客户之间的相互转账付款，也可以用于商铺、摊贩生成的二维码收款，同时支持餐饮企业、超市等大中型商户使用扫码枪扫“龙支付”收款。“龙支付”在登录、支付、ATM 取款等关键环节大量应用了生物特征安全验证技术，包括声纹验证、人脸识别、指纹验证等，一举囊括了当前各大主流新型支付技术。最重要的是“龙支付”支持银联标准二维码支付，一方面可按银联标准生成个人付款二维码、商户收款二维码，另一方面也可受理银联标准的二维码。通过统一标准，实现各支付机构间的互联互通。除此之外，“龙支付”还提供了“扫一扫、挥一挥、刷一刷、说一说”四大花式支付手段。“扫一扫”，是指朋友之间 AA 收款、日常转账，客户快捷付款、商户方便收款等都可以轻松扫码完成；“挥一挥”，是指通过 APPLEPAY、三星 PAY、华为 PAY、小米 PAY 等多种非接触支付，轻轻一挥，即可完成支付；“刷一刷”，是指通过刷脸验证手段，保持笑容，轻轻一刷，即可快速完成支付与取款；“说一说”，是指通过声纹识别技术和语音识别技术，快速完成客户身份验证。

（3）创新、丰富的支付场景。建设银行致力于打造便利化、多样化、可提供日常支付结算的个人金融生态系统，通过运用互联网思维，围绕客户体验全方位贴近客户生活，紧密契合社交生活、公共交通、网络购物等日常支付场景，联合合作方提供行业应用解决方案，通过全面支持线上线下交易、支持 APP 插件支付等功能，将“龙支付”广泛应用于地铁、停车场、菜市场等与客户衣食住行相关的各个方面，创新并拓展了消费、转账、收款、付款、商户管理等多种“龙支付”应用场景。其中，“龙支付”开创性的“党费云”党费缴纳功能一经推出即吸引了超过 3000 家单位，客户范围涵盖了地方财政厅、国税局、高校、医院、金融企业以及电信、保险公司的地方分支机构、上市公司等各级各类党政机关和企事业单位，应用效果良好。2017 年 4 月 11 日，中央国家机关工委“紫光阁”网站刊发了建设银行“党费云”服务宣传专稿《指尖上的党建》。“龙支付”交党费功能的火爆态势说明银行系在其所擅长的相关领域深耕移动支付应用场景，能够取得“获客”和“活客”的双丰收。除了支付类场景，“龙支付”更开发出了灵活有趣、娱乐互动的“红包”功能，可以指定对象发送，也可以撒向空中，轻轻一摇，不仅方便快捷，而且好玩有趣。

（4）专业、安全的支付环境。在支付安全性方面，“龙支付”风控体系的搭建致力于安全与效率的统一，多管齐下为客户提供安全又便捷的支付环境。功能上既支持钱包小额支付，线上、线下免密免签，也支持绑卡后的大额支付。“龙支付”依托建设银行 E 路护航网银安全组件，通过事前防御、事中分析、事后响应三道关卡全面保护客户个人隐私和资金安全：事前防御，严格身份核查，对用户进行多样化验证；事中通过大数据分析、模型化拦截和交易限额阻断进行防控；事后快速响应，有效解决争议。“龙支付”依托完备的风控体系，确保实现“龙行天下，支付无忧”。

建设银行“龙支付”是继承者，更是开拓者。“龙支付”品牌的发布推出，是对过去传统支付结算和收单业务的重大革新，更是传统金融行业向“互联网 +”转型发展的重大突破。一方面，“龙支付”契合了手机移动支付的市场趋势和时尚潮流，为中小商户提供了快捷的支付通道，并为今后广泛拓展和深度挖掘中小商户的全方位金融需求提供扎实基础，对发展普惠金融具有重要意义。另一方面，“龙支付”也是建设银行战略转型的重要突破口与落脚点。在银行业传统发展模式面临空前挑战的关键时期，建设银行大胆走出了中国银行业的“先手棋”，率先谋划整体转型，而“龙支付”正是连接客户和场景的核心纽带，为打造个人金融生态系统迈出了关键一步。

创新永远无止境，探索时刻在路上

“龙支付”推出之后，建设银行一刻也未放缓或停止在移动支付领域的探索步伐。秉持“以客户为中心”的经营和服务理念，借鉴互联网思维和方法，按照“构建全渠道产品和服务高度融合的互联网金融生态体系”的策略和方针，建设银行目前以移动支付领域的四大方向谋篇布局、快速拓展。

一是聚合支付。基于技术创新驱动的开放式合作，在银行之间（银联）、银行与第三方扫码机构（如：摩拜单车、通联支付）之间通过聚合支付，实现商户互享，二维码互认，交易互通。减少商户接入、维护支付结算服务时面临的成本支出，提高商户支付结算效率。

二是全球付。互联网时代，全球化的电子商务平台不断涌现，全球购日益普遍，客户希望在网上直接购买国外电商产品，或在国外商家实体店直接使用支付钱包进行支付，这就要求“龙支付”具备支持海外电商（全球商户）功能，通过钱包支持多币种，支持绑定国际卡，促使“龙支付”走向全世界，实现国际化发展。

三是商户拓展。“龙支付”将拓展新的服务形态商户，简化商户的受理时限，实现商户全流程在线申请，加大营销，引商聚客，实现建设银行与商户之间互惠互利、共同发展的大好局面。

四是消费金融及投资理财。利用银行的自身优势，将庞大的现存客户资源转化成在消费金融上有一定的金融活跃度、能给银行带来更大现实价值的客户，通过消费场景和主题的进一步深化，金融和非金融产品的继续丰富，实现客户“借钱、花钱、赚钱”的完整生态链。

未来，建设银行将紧随移动支付发展新趋势，持续应用新型金融科技将日常支付场景与客户紧密相连，全方位地贴近客户生活，全维度地保障客户交易安全，努力深化“龙支付”与其他银行、第三方支付机构、合作商户之间的和合共生关系，加速提升“龙支付”品牌竞争力，逐步开创“开放融合、互联互通、合作共赢”的移动支付新篇章。

“大数据”推动中国建设银行业务蓬勃发展

总行信息技术管理部总经理　金磐石

建设银行积极拥抱大数据时代，建立面向大数据分析的全生命周期链路，将“提高大数据运用和智能化水平”作为转型规划的重点内容。目前已经形成了“一个核心、三大平台、六维应用”的三横六纵系统架构体系，即以数据集成层P9为核心，搭建大数据采集平台、大数据整合平台、大数据应用平台三大平台，支撑渠道全息大数据应用、个人客户数据挖掘应用、电子银行智能风控应用、精准营销应用、运维大数据应用、非结构化大数据应用六大应用体系。

商业银行的经营环境、服务对象、内部系统，每时每刻都在生成大量数据，这是一片从未认真开发过的数据海洋。今天，数据的应用不仅影响到我们的衣食住行，而且颠覆了很多行业的竞争方式。作为信息技术广泛运用、信息数据高度集中的金融行业，业务竞争已经进阶到一个新空间。

近年来，国内经济增速趋缓，经济结构调整优化，金融市场化改革加速前行，利率市场化深入推进，监管条件日趋严格，金融竞争愈演愈烈。“大数据”的诞生，为商业银行拓宽盈利空间、快速响应市场变化、提升风险预警能力、满足客户极致需求、构建核心竞争力提供了有效手段。

大数据包含传统的结构化数据，图像、音频、视频、社交网络日志、地理位置等非结构化数据以及移动轨迹、点击痕迹等实时交互性数据。以数量巨大、种类繁多、更新迅速为数据特征，以包含全量、容许混杂、注重相关为思维特征。大数据应用对建设银行顺应时代发展潮流，改变业务发展方式，巩固提升市场地位，完成战略转型任务，实现国内最佳，国际一流的战略目标，具有重大意义。

一、渠道全息大数据应用——集成全息信息，建立渠道大数据平台

近年来，电子渠道已经成为全行客户交易和服务的主渠道，依托互联网思维与技术，网络金融极大地降低了成本、提升了效率，颠覆了传统的“二八定律”，推动银行服务对象由重点客户向全量客户转变。建设银行于2014年率先在同业启动了网络金融渠道的动态行为非结构化数据采集工作，数据采集方法、范围、数据量在同业中处于领先位置。

作为大数据中非结构化数据的主要内容，企业通过掌握用户在互联网上的动态行为数据包括行为轨迹、场景、操作步骤、行为习惯等，构建以用户为中心的金融和非金融服务场景的关键要素。

建设银行搭建的“数据采集工厂”，在同业率先实现网银网站全覆盖的客户动态行为等非结构化数据采集。随着新版手机银行的推出，在2017年覆盖移动端客户行为采集。“数据加工工厂”对采集的非结构化数据进行规范化处理，通过线上线下、结构化与非结构化数据的整合，形成一套完整的数据指标。“数据分析工厂”利用大数据对客户行为进行分析和挖掘，应用推荐算法，在精准营销、客户体验、风控反欺诈等方面开展工作。

二、个人客户数据挖掘应用——以客户为中心，实现模型池、清单池到商机池的闭环流程

针对个人客户数据挖掘领域，围绕“客户为中心”，建立从模型池、清单池到商机池一套完整的闭环流程。在客户接触管理中，建立网上银行、手机银行渠道的千人千面营销方法，以及客户经理、网点渠道的客户识别策略。通过数据挖掘生成商机，借助统一的商机推送通道，在合适的时间、地点、推送给合适的客户。

为达到“灵活、个性”的核心价值，企业级模型池框架通过灵活的产品、渠道、话术参数设置、多种清单接入方式，极大地支持了总行各部门企业级营销活动的开展，同时又为分行按本行业务发展情况个性化设置参数提供了空间。在确保全行大数据挖掘模型成果共享的同时，又很好地满足了分行个性化需求，找到了业务功能“平衡点”，为未来大数据复杂应用与用户交互模式提供了“案例”，有效规范了模型运营管理过程中的注册、上架、启用、暂停、重启、优化、下架等流程。

与企业级模型池“灵活、个性”海纳百川的核心价值相比，企业级营销清单池则是“员工满意度、客户满意度”的重要保障，没有高效、稳定的处理能力，“企业级”的营销活动整合无从谈起。从上线至今，系统运行稳定，每日运算的客户、产品、渠道复杂规则近50套，同时融入了有效的先进经验，平均每日整合全行各类清单高达1亿多份，整合率高达66%，提高了营销成功率，提升了客户和员工满意度。“清单整合”已经成为“营销与销售组件”的品牌功能之一，得到了多方认可。

针对重点领域的大数据挖掘模型支持，“新一代”信息系统在P10管理分析服务平台基础上构建并优化了100多个对私条线挖掘模型，同时新建了包含手机银行新签约客户生命周期管理营销、账户贵金属营销、客户基金投资需求聚类分析、合格投资者等数十个分析专业领域挖掘模型，构建了“企业级个人客户百大挖掘模型库”。囊括了全行对私条线多个业务部门的需求，涉及事件式营销、产品关联分析、客户提升预测等多个

技术领域。系统运行稳定，日均产出清单量达到千万级别，有效地支撑了各级业务部门的营销活动。

三、电子银行智能风控应用——布局电子银行智能风控，全面控制交易风险

建设银行已全面布局电子银行智能风控。通过大数据挖掘、云计算、智能化监控和分析等新兴技术，实现全面覆盖网上银行、手机银行、网上支付等网络渠道交易的7×24小时全面风险监控。结合客户历史交易行为习惯，对账户、行为、交易关联、产品偏好、位置、终端等多维度海量数据进行聚合分析，构建不同的用户画像，主动识别异常行为，采集异常行为数据，进行实时分析判断，深入挖掘欺诈团伙作案特征和规律，并根据风险形势变化实时动态部署智能化监控策略，扩大风控覆盖范围和拦截半径，不断提高风险交易的识别准确率，实现网络金融欺诈风险精准识别和智能控制，有效遏制交易风险。

四、精准营销应用——加强客户细分，建立客户360度画像，千人千面精准营销

为加强客户细分，提升数据分析挖掘和大数据应用能力，建设银行在“新一代”信息系统中梳理个人客户与建设银行建立客户关系过程中产生的金融及非金融数据，建立了个人客户360度画像，在此基础上搭建了全行统一的企业级客户标签库，包含数百个画像标签，全方位、全维度支撑客户经营、产品销售、服务支持、风险管理以及流程优化。从业务部门的迫切需求出发，逐步开放。首批开放了70多个标签，囊括了全行对私条线各部门的业务需求，涵盖了人口轮廓、产品业务、交易行为、客户心理、关系特征、价值贡献等信息。标签库每月产出约15亿数据量，已完成客户信息、千人千面等与下游应用系统的同步，正逐步嵌入各业务流程。

为推动建设银行零售业务转型，推进个人客户金融生态系统建设扎实落地，从而全面实现客群化经营的基础性工作，“新一代”信息系统直击客户需求痛点，重点对老年、房贷、车主、跨境四类客群进行了细分并配置金融解决方案和营销流程支持，率先在厦门和深圳两个分行进行试点，推送给企业级客户信息、电子渠道等下游应用系统，初步完成了以四类重点客群为突破搭建客群经营平台的目标，为百类核心客群的实施打下了坚实的基础。以客户生命周期和价值贡献两大主题为重点，对全量个人客户进行了客群划分，初步形成11个战略客群和107个细分客群。

“想客户之所想，解客户之所需”，千人千面个性化精准广告的大数据应用，实现了让不同用户看到建设银行不同的国际互联网站、网上银行、手机银行、善融商务，给用户全新的、个性化的访问体验。营销模式改变了传统网络金融渠道同质化的广告营销和信息展现方式，基于用户需求和特征的自动化、智能化营销信息投放，提升网络金融渠道的集约化、智慧型精准营销能力。

五、运维大数据应用——建设运维大数据平台，保障银行业信息服务稳定

面对海量的机器数据，传统的关系型数据库显得无能为力，运维大数据平台采用基于分布式开源全文检索工具Elastic Search（ES）进行构建。ES具有极佳的可扩展性，部署在价廉的PC Server上，以大容量的本地磁盘作为存储介质，在应用层面实现了类似HDFS架构的分布式存储，并提供了丰富接口，可以无缝集成到Hadoop等主流的大数据计算框架，用于应用性能管理（APM）、容量性能管理、日志分析、风险防控等领域。

建设银行数据中心实施全量日志的集中采集，通过全局事件跟踪号等线索字段，实现企业级端到端的交易监控，对可用性、性能、容量三大类指标进行计算，囊括系统、服务器、分行、交易码等13个统计维度，可以跟踪任意一笔交易在系统中各个节点的处理过程，并自动绘制交易线拓扑图。

运维大数据分析平台每日采集处理的交易监控明细、性能数据、日志，以及从各类系统导入的数据高达5TB，未来系统将整合Spark、Kafka、Redis等技术，实现更为广阔的应用场景，为提升IT运营分析（ITOA）能力提供平台支持。

六、非结构化大数据应用——搭建非结构化数据大数据平台，支持海量数据高效存取

建设银行在“新一代”信息系统中建成了

基于 Hadoop 的非结构化数据管理平台 P9USD，替代了原内容管理系统的功能，支持全行海量数据的集中高效存取，实现统一管理。通过发布统一的非结构化数据功能构件和基础技术组件，集成了企业级非结构化数据安全解决方案，支撑了非结构化数据全生命周期，包括采集、传输、存储及使用等各环节的业务需求。非结构化数据涵盖47 种业务类型，存储4000T 非结构化数据，达到百亿级文件个数。对比原内容管理系统，P9USD 在各个方面都有质的提升。P9USD 数据应用服务于客户渠道、员工渠道、产品组件三大渠道，存储的业务数据分为文档文件、图像文件、电子凭证、音视频文件四大类，支持理财双录、内控审计、对公信贷审批、电子印章、对公开户审批、稽核监测、个贷审批、管理决策、远程授权、信用卡审批等业务领域的应用。

展望未来，信息技术的不断发展改变了客户金融行为，非接触交易成为趋势。简单、便捷、灵活的电子支付、网络支付、平台支付成为时尚，客户金融脱媒成为必然。经济新常态改变了金融竞争态势，使数量型竞争演变为质量型竞争。大数据作为银行取之不尽、用之不竭的战略资源，将改变未来银行经营管理方式。建设银行的大数据也将朝着“全息、融合、预见、智慧”的方向发展，建立技术工具先进、数据融合紧密、业务应用开放、客户数据安全的大数据生态体系，实现“国内最佳、国际一流”的数据竞争优势，驱动建设银行向“综合性、多功能、集约化、创新性、智慧型”转型。

信用风险管理回归本源

总行信贷管理部总经理　邓艾兵

信用风险管理水平体现商业银行经营管理水平，既直接影响当前经营绩效，也关系到长远发展。随着我国经济稳中向好，商业银行逐步进入整体风险稳中可控阶段。新的时期，商业银行面临加大服务实体经济力度、提升经营管理业绩的新挑战。在此背景下，深入思考银行及其信贷活动的本源，积极探索实现新时期商业银行信用风险管理再上新台阶的路径就显得尤其必要和紧迫。

一、深刻认识银行及其信贷活动的本源

（一）银行是具有鲜明社会属性的特殊企业

银行既有商业性，又有鲜明的社会性。银行以信用制度为基础吸收存款、发放贷款，所提供金融产品和服务具有“公共产品”特性；银行广泛地服务于社会经济各领域，对社会公众利益具有重大影响；银行充当信用中介，能够引导各类生产要素尤其是资金配置的市场预期；银行处于社会信用链条中心，其破产倒闭将引发巨大的社会后果。因此，必须高度重视银行商业行为可能引发的社会后果。

银行的商业价值是在促进社会价值中创造的。当前，将金融资源配置到社会经济发展重点领域和薄弱环节，用金融手段推动解决发展不平衡不充分问题，并在这个过程中发现新的商机，才能有效实现银行商业价值和社会价值的统一。这既是商业银行社会属性的内在要求，又反映了大型银行应有的责任担当。

（二）服务实体经济是银行信贷的天然使命

从银行信贷的起源上看，它天然地与企业经营活动结合在一起。亚当·斯密的《国富论》提出了“真实票据理论”。即银行发放与商品周转相联系的自偿性贷款，用销售完成后的收入偿还贷款，信贷活动建立在真实的工商活动基础上，能够保障银行体系安全。从银行信贷价值创造的基础和源泉看，它归根结底来自于实体经济。马克思的剩余价值理论指出，剩余价值在生产过程

中产生，借贷资本以利息的形式参与剩余价值分配。因此，实体经济是银行信贷活动价值创造的源泉，两者是共生共荣的关系。银行信贷活动一旦脱离实体经济，将带来很大风险。国际金融危机的惨重教训告诉我们，背离实体经济本源，搞“脱实向虚”和自娱自乐，结果是滋生、放大和扩散风险，后果是灾难性的。

（三）信贷活动有其客观规律

商业银行在长期的信贷经营管理实践中形成了一些行之有效的基本规则：在信贷资产整体摆布上，要坚持“安全性、流动性、收益性”相统一的“三性”原则。戴蒙德和迪布维格在1983年提出的银行挤兑模型（DD模型）指出了银行的内在脆弱性。从全球银行发展史来看，违背“三性”原则往往容易诱发风险快速积聚，最终导致银行危机。在制度流程执行上，要坚持“铁账本、铁算盘、铁规章”的“三铁”要求，特别是要牢固树立“实质重于形式”的理念，纠正“有章不循”的不良倾向，切实做好第一还款来源分析和穿透管理。在信贷全生命周期的管理上，要坚持“贷前调查、贷中审查、贷后检查”相结合的“三查”制度。面对信贷领域广泛存在的信息不对称问题，只有严格实施贷款“三查”，才能较为全面地掌握借款人经营状况的动态变化，及时采取风险防范措施。在信贷经营管理的决策上，要坚持“风险、收益、资本”三者平衡。20世纪70年代末美国信孚银行（Bankers Trust）提出的“风险调整资本回报率（RAROC）”指标能够综合反映银行各项业务的财务绩效及其对应的风险，至今仍得到广泛运用。在公司治理和控制机制的设计上，要坚持“内控、合规、风险”三者融合。通过银行内部体制机制创新，不断优化内控环境、管理框架和制度流程，确保业务经营与风险防控制度体系有效执行，实现合规发展和可持续发展。

二、回归本源是提升银行服务实体经济能力的要求

过去几年，我国银行业面临较大的信贷资产质量压力。这里面有经济下行等外部因素，但归根结底来看，是一些银行一度背离了信贷本源，例如，偏离服务实体经济宗旨热衷资金在金融机构往来、片面追求商业利益变相抬高融资成本、不尊重信贷活动客观规律搞所谓创新，对我国社会经济持续健康发展造成了不利影响。新时期，我国社会经济发展主要矛盾发生了深刻变化。商业银行必须回归信贷本源，才能有效应对提升服务实体经济能力的挑战。

（一）在服务社会经济发展中实现银行经济价值

服务实体经济既要与国家政策取向保持一致，又要促进自身信贷结构不断优化，两者的有机统一考验着商业银行信贷管理的能力和水平。面对当前我国产业结构调整、新旧动能转换的复杂局面，银行需要围绕供给侧结构性改革破解难题，将服务实体经济与优化信贷结构紧密结合，努力实现经济价值和社会价值的统一。例如，促进过剩产能化解和“僵尸企业”出清，盘活存量，将有限的信贷资源从陷入发展瓶颈的传统产业、缺乏市场竞争力的劣势企业中“解放”出来，将有利于提高资源配置效率；又如，顺应现代经济体系建设的趋势和方向，创新服务方式增加对先进制造业和现代服务业的金融资源投入，用好增量，为经济发展增添新动能；再如，围绕生态文明建设和全面小康建设的要求，加快发展绿色信贷和普惠金融，推动社会经济发展转型升级等。

（二）银企双赢、风险共担是服务实体经济的具体要求

实体经济是信贷价值创造的源泉。“以客户为中心”既是银行服务实体经济的具体体现，也是提升服务实体经济能力的内在要求。商业银行在服务客户的过程中，不是片面地追求自身的商业利益，而是努力把业务做强、结构做优，在服务客户的过程中增强自身能力，在有效满足客户真实需求的同时增加盈利，实现银行与客户双赢。

商业银行是专业化的风险管理者。在信贷活动中，银行既要控制自身风险，也要帮助客户控制风险，更要考虑如何通过专业化的服务，在与客户共同应对、合理共担风险的过程中创造价值。事实上，为客户提供优质的综合金融服务，其中就包括了对客户负责、帮助客户规避风险的要求。不把风险无原则地推给客户、与客户共同应对风险，这是银行信用风险管理的更高价值追求。

（三）尊重信贷客观规律，充分应用科技管理最新成果

前些年，我国银行业随着国内经济的持续高速增长也实现了较快发展。在“高歌猛进”的市场环境下，在一定时期、一定范围内出现了一些违背信贷客观规律的不良现象：有的忘记了信贷风险的滞后性，片面追求短期业绩增长；有的忘记了第一还款来源是贷款回收的关键，把银行开成了当铺；有的忘记了信息不对称是风险滋生的“温床”，用层层嵌套的所谓“创新”来规避管理；有的忘记了真实性是信贷安全的生命线，选择性披露重要信息；有的忘记了内控机制的价值，在关键流程、关键环节上搞变通。这些不良现象的共同特点是违背了信贷客观规律，其后果是加剧了部分银行资产质量压力。面对新时期守牢不发生系统性金融风险底线的要求，确实需要尽快回归信贷本源，回到信贷管理客观规律和基本规则上来。

与此同时也要看到，近些年来，一些不恰当的所谓金融创新使资金仅在金融体系内部流转，抬高了实体经济融资成本，成为金融风险滋生的“温床”，使得一部分人谈“金融创新”色变。面对新时代、新要求，我们不仅不能停下改革创新的步伐，而且还要在认真反思信贷客观规律和基本规则的基础上，回归信贷本源，紧紧围绕如何解决“信息不对称、激励约束不匹配、制衡机制不到位”等信贷管理基础问题，积极探索推动风险评估方法、风险监测工具、风险控制手段，风险管理策略、风险安排机制的新理论和新实践。在继承和发展中，用改革创新的方法，加快银行信贷管理再上新台阶。

三、积极探索新时期信用风险管理新路径

（一）主动规划信贷结构的合理摆布

未来一个较长的时期内，我国产业转型升级将进一步提速，区域发展格局也将呈现差异化走势。银行信用风险管理要结合国家重大战略、银行自身风险偏好和转型发展方向，主动研究区域经济特点、行业发展趋势和客户商业模式变化，在战略层面上合理规划信贷资源分布格局，提升客户选择和价值创造能力。要助力经济转型升级，积极支持战略性新兴产业、新消费等新兴领域；做好“三去一降一补”金融服务，强化风险较高区域差别化管理；大力推进生态文明建设，发展绿色金融业务；做好普惠金融，服务民生。

（二）加强信用风险前瞻性防控

预警体系是银行前瞻性应对信用风险的必备手段。要充分发挥商业银行信息系统的优势，加强数据挖掘和系统运用，既防“黑天鹅”又控“灰犀牛”，最大限度地降低信息不对称带来的损失。研究表明，客户信用风险在暴露之前180天采取预控措施，平均风险损失率仅为1%～2%；提前90天采取措施，平均风险损失率为3%～6%；提前30天采取措施，平均风险损失率为10%～20%；在没有预控措施的情况下，风险损失率达到50%以上。

做好信用风险的前瞻性防控，一是要梳理信贷流程中的主要风险点，完善预警模型；二是要大力推进风险监控预警平台建设，实现客户信用风险统一监控，提高潜在风险有效识别能力；三是要建立风险预警刚性控制机制，对风险信号实行分级管理，提高风险化解处置能力。

（三）构建清晰合理的信贷经营管理责任体系

信贷经营管理责任划分不清晰、落实不到位是近年来银行不良贷款高企的深层次原因。实践证明，没有清晰合理的信贷责任体系，就难以实现持续稳定的信贷资产质量。

合理的信贷经营管理责任体系既包括机构负责人的领导责任，也包括条线和部门负责人的管理责任，还包括信贷经办岗位人员的直接责任，涵盖信贷流程各层级、各环节。在责任分配的制度安排上，突出信用风险防范有效性，改变了以往过多强调信贷经办岗位直接责任的不足，更加重视强化机构负责人领导责任和信贷经营管理部门负责人管理责任，实现了管理重心上移、管理环节前移。从实践看，这种安排有利于响应风险变化，有利于调度管理资源，有利于应对复杂形势，切实提高了风险管控的有效性。与此同时，按照“违规必究、问责有据、尽职免责”的要求，健全责任认定制度体系。主要特点：一是以“违规”为问责前提，倡导了合规文化；二是明确了各类信贷经营管理岗位分级责任及制度依据；三是建立“将功

补过”的正面激励机制。

建立清晰合理的责任体系和责任认定体系，使得信贷经营管理责任覆盖信贷业务全流程、各环节，有利于在企业级层面上提升信用风险管控的主动性和内在动力。

（四）强化管理薄弱环节监督，提高信贷制度执行力

信贷制度执行不到位问题在不少银行都不同程度存在，带有一定的普遍性。需要针对性加强信贷流程关键环节的检查监督，提高制度执行力。具体来看：一是加强评级推翻率和评级违约率两项指标的监测，对初始评级合理性形成有效监督；二是加强审批质量考核评价，督促审批人员加强重点行业、重点业务、重点客户审批标准研究，准确把握实质性风险点；三是加强放款审核，确保合规文件、押品收取、合同条款、担保手续等条件在放款前有效落实；四是加强押品准入规范性的监督检查，及时评估押品价值评估方法和流程的有效性，提高押品估值工作独立性和专业化水平；五是重点围绕内外部审计和监管检查中屡查屡犯问题和风险高发部位开展针对性信贷检查。

（五）更加重视贷后管理例会在信贷流程中的关键作用

贷后管理是信贷经营管理的核心环节，它既是信用风险识别、评估和决策的过程，也是完善服务、发现商机和拓展业务的过程。从实践看，贷后管理例会是提高贷后决策及时性和有效性的重要平台，是提高信贷业务流程整体水平和表现的关键环节。一是能够督促信贷客户贷后信息更新共享，确保贷后跟踪动作及时到位；二是推动管理协同整合，提高信贷全流程效率，通过贷后管理例会将存量业务贷后决策意见作为审批受理条件，并推动风险分类、授信审批、放款审核等后续作业流程充分利用贷后检查成果，有利于形成信贷全流程的管理合力。

（六）加强专业化信贷队伍建设

一是配备与信贷经营管理工作需求相适应的信贷人员。根据信贷经营规模扩大和信贷业务复杂性提高的需要，配备不同资质水平的信贷经营管理人员，并确保不相容岗位的相对独立和有效制衡，将“四眼”原则落实到业务全流程。二是加强信贷人员培训和信贷文化宣讲。加强信贷经营管理基本制度专题培训，增强信贷人员底线意识、合规意识，提高政策制度执行的自觉性；开展信贷文化教育，宣讲职业道德，总结信贷规律，吸取经验教训等。

（七）完善信贷经营管理考核机制

过去一个时期，银行经营管理考核中存在“重经营指标、轻风险防控”的倾向，对问题贷款退出激励约束不足，导致基层经营机构对客户风险变化敏感度不强。当前，需要将风险要素内化到激励约束机制之中，形成以客户为中心、有效平衡风险收益的考核机制。一是建立以客户为中心的价值贡献考核体系，增设逾期贷款、关注类贷款等过程考核指标，增强客户经理对信贷成本的敏感性，进一步强化经营条线的风险管控意识。二是强化风险退出的激励约束机制，通过差别化考核等经济手段，加快问题贷款退出。同时，对因主动退出风险客户、风险项目而影响当期绩效的分支机构给予适当的考核补偿，以此提升经营机构对风险的敏感度。

发挥中国银行业优势，提高中国商业银行国际竞争力

总行国际业务部总经理　杨爱民

截至2016年末，中国有20多家商业银行在全球60多个国家和地区开设了1353家海外分支机构，其中五家大型商业银行的海外机构数约为1279家，与发达国家银行国际化快速发展期的机构数量相当，但与当前的机构数量还存在较大差距。本文在分析发达国家商业银行国际化发展的基础上，对比分析中国银行业面临的优势特质和不利因素，给出了提高中国商业银行国际竞争力的建议。

一、发达国家商业银行国际化

英国、美国和日本等发达国家的商业银行国际化相比其他国家发展得较好，具有典型的特征。

（一）英国的银行国际化

英国是19世纪最发达的资本主义国家，最强大的殖民帝国，1914年占有的殖民地面积比本土大111倍，自称“日不落帝国”。主导当时的国际政治和经济秩序，资本输出和对外贸易在全球居领先地位；英镑是当时世界上最坚挺的国际通货和支付手段，在19世纪晚期，以英镑计价和结算的国际贸易占比达60%左右；伦敦是当时最发达的国际金融中心。英国的政治和经济地位为银行国际化奠定了雄厚基础。1914年，英国在国外有30多家银行，下辖机构1400个，占当时各国跨国银行的二分之一强，成为名副其实的全球银行业领导者。英国的商业银行可通过伦敦国际金融中心便利地进行融资，资本实力远高于其他国家的商业银行。跨国经营机构主要集中于英国的殖民地，具有较强的殖民地色彩，在部分殖民地国家充当国家银行。首批跨国银行设立在澳大利亚，加拿大和西印度，然后扩大到印度、南非、拉美等地。跨国银行以贸易融资为主，部分银行进入当地市场开展零售业务，负债主要依赖伦敦市场。

（二）美国的银行国际化

第二次世界大战以后，美国政治和经济全面崛起，取代英国成为全球超级大国，建立了由其主导的国际政治经济秩序，以及美元主导的国际货币体系。美国企业抓住了欧洲重建和经济复苏的有利时机，追随美国政府“马歇尔计划”，以空前的规模向全球扩张。美国政府借助IMF、世界银行等国际机构，大力推动贸易投资自由化，为美国企业和银行国际化打开了方便之门。此外，新出现的欧洲美元市场、加勒比海等离岸金融中心，凭借其宽松的政策，优惠的税收，吸引包括美国在内的大量跨国银行进入。美国政府采取“限内促外”的策略，限制银行的跨州经营，鼓励其跨境发展，限制银行国内分支机构的扩张，鼓励银行去海外扩张，对美国商业银行的国际化也起到了重要的作用。

20世纪60年代美国的银行国际化进入快速发展期，到1979年，美国有跨国银行151家，海外机构1157个，超过英国，主要集中在欧洲、加勒比海、拉美和东亚地区。70年代，多数跨国银行的海外资产和利润占比达50%左右。跨境经营早期以贸易融资和欧洲货币市场业务为主，70年代对发展中国家贷款增多，90年代以后，证券投资和交易业务成为重要业务。

（三）日本的银行国际化

日本虽然不像英国和美国，主导世界政治和经济秩序，但20世纪60年代末70年代初的经济崛起和对外金融管制的放松，推动了日本银行业的国际化。1968年日本成为全球第二大经济体，1985年成为世界第一大贸易国和投资大国、海外债权大国和外汇储备大国。1980年《外汇管理法》修改之后，日本政府将资本项目下货币兑换

由原则上“禁止”改为原则上“自由”，并放宽了对资本外流的管制，同时，废止了关于银行在海外设立新分支机构及外币贷款的限制，日本工商界争先恐后地向海外投资。

20世纪80年代，日本出现以收购海外金融机构和设立海外据点网络为特征的海外扩张强劲势头。1980年至1986年，在日本海外投资累计增加部分中，非制造业占75.2%，其中金融、保险增加的比例最高。1986年6月，日本银行业的海外网点数累计751家，一年以后增长至807家，1990年达到1091家，海外资产规模达2.2万亿美元，占跨国银行总资产的34%。海外机构分布区域较为集中，以北美、欧洲和亚洲为主。海外机构主要开展批发业务，早期以服务日本跨国企业和移民为主，后来扩大到对当地中型企业提供项目融资和贷款等。

（四）发达国家商业银行国际化的经验总结

从以上发达国家银行国际化的跨国经营历史不难看出如下几个规律：一是银行国际化发展离不开该国的国际政治和经济地位提升，例如，英国和美国都曾在当时主导全球的政治经济秩序，日本曾在当时成为全球第二大经济大国、第一大贸易大国和投资大国。二是银行国际化与该国经济金融政策紧密相关，例如，英国的殖民地政策、美国的限内促外、日本的外汇管理放松等政策。三是银行国际化与该国的企业跨国经营紧密相随。例如，第二次世界大战之后，美国跨国公司在全球范围内扩张，产业资本的国际化直接带动了金融资本的国际化，大型跨国公司和跨国银行齐头并进，联系紧密。日本同样如此，经过持续多年国际贸易顺差，日本国内积累的巨额过剩资金，企业在银行的支持下，积极将过剩资金投向全球各地，进行国际化扩展，其制造业企业在中国、巴西等新兴国家广建工厂，综合性财团在美国、欧洲等发达国家频繁出手，并购房地产、影视、制造业等企业。在这个过程中日本跨国银行也得到了快速发展。

二、中国银行业跨国经营的特质

（一）中国拥有发达国家跨国银行发展时期的优势

中国已具备发达国家商业银行国际化经营的条件。一是经过三十多年的改革开放，中国在全球的经济地位和影响力显著提升，已成为世界第二大经济体、全球第一贸易大国；人民币已加入SDR，成为重要的国际货币之一，支付地位全球排名第六。二是国家政策和金融体系开放支持商业银行国际化，政府多次提出要完善对外开放战略布局，推动资本市场双向开放，提高边境经济合作区、跨境经济合作区发展水平，扩大金融业对内对外开放。三是中国企业“走出去”为商业银行的跨国经营提供了重要的业务来源。2016年中国境内投资者对全球164个国家和地区的7961家境外企业进行了非金融类投资，投资金额是1701.1亿美元，同比增长44%，接近2006年的10倍。

（二）中国具有发达国家在跨国银行发展初期所不具备的优势特质

中国发挥古代丝绸之路的优势，推行“一带一路”国家战略。通过与沿线国家建立深度交融的互利合作网络，逐步形成大区域大合作的发展格局，增强中国与沿线国家的经济合作。“一带一路”倡议提出3年来，由点及面，稳步推进，已取得一系列重要早期收获。100多个国家和国际组织积极参与其中，30多个国家同中国签署了合作协议。过去几年，在国家推动和政策保障下，政策性银行、国有银行、中小型商业银行纷纷在沿线国家布局，为“一带一路”提供金融支持和服务的同时，也为银行自身的国际化经营创造了机会。

中国商业银行实力已进入世界前列，银行业竞争力显著提升。中国银行业不论从银行规模、资产质量、资本充足性、风险管理能力、产品创新能力以及盈利能力都有长足的进步，自身的国际竞争能力得到了大大提升。据Brand Finance与英国《银行家》杂志共同发布“2017年全球银行品牌价值500强”榜单，全球前50家银行中有12家为中国的商业银行，前10名中有4家，分别为排名第一的中国工商银行，排名第三的中国建设银行，排名第五的中国银行，排名第七的中国农业银行。同时，在2017年品牌价值增长最快的20家银行中，中国的商业银行就占据了11家。中国商业银行强大的竞争实力为其跨境经营提供了坚实的基础。

国际金融危机给予了中国商业银行向全球展示自己实力的机会。发达国家出于政治、经济和监管方面的考虑，对中资银行进入当地市场十分谨慎。早在20世纪90年代初，中国工商银行和中国建设银行就向美国政府申请设立分支机构，迟迟没有取得批准。2008年发源于美国的金融危机以及后来的欧洲主权债务危机，使发达国家大银行普遍陷入资本不足和流动性短缺窘境，与竞争力不断提升的中国银行业形成了鲜明对比。由于需要依靠中国帮助走出危机，发达国家对中资银行的进入开始持正常态度，中资银行在发达国家的进入变得更为容易。金融危机不仅改变了全球银行业格局，更改变客户心中的发达国家主流银行安全可靠的形象，使全球认识到中国银行业的实力和能力，使中资银行在全球新兴经济体和世界金融中心受到欢迎。

（三）境外监管趋严是中国商业银行跨国经营面临的不利因素

国际金融危机后，发达国家监管机构出台了一系列监管法规和措施，加强对银行的监管。2010年，巴塞尔委员会就《巴塞尔协议Ⅲ》达成一致意见，协议提高银行资本充足率要求，扩大风险资产覆盖范围；同年，美国政府颁布了最全面、最严厉的金融改革法案《多德—弗兰克法案》，全面加强对金融消费者合法权益的保护；2013年，美国财政部出台外国账户税务合规法案实施细则，要求外国金融机构向美国申报美国客户的账户信息，同年在《多德—弗兰克法案》下制定了“沃尔克规则”，限制金融机构的自营交易和高风险衍生品交易。2014年，美联储、美国货币监理署分别提出了强化审慎监管规则和强化监管指引，对大型银行风险管理框架、风险管理文化和能力等方面提出更高的要求。同年，欧盟各成员国在清算机制、恢复计划、存款担保等方面实施了统一监管法案。

境外监管趋严，反恐压力增加、欧美制裁政策升级，尤其是美国司法和监管机构对国际银行的反洗钱处罚力度明显加强，罚款额度巨大。2016年9月，美国司法部要求德意志银行支付140亿美元罚款，以终止司法部门就2008年金融危机时期违规出售抵押贷款债券的调查；同月，美国联邦监管机构称，由于开设虚假账户，富国银行将支付1.85亿美元罚金。中国商业银行的海外机构也受到不同程度处罚和监管检查。2016年，中国工商银行马德里分行涉嫌参与洗钱和偷税被西班牙当局调查，农业银行纽约分行因掩盖交易信息被纽约银行业监管机构罚款2.15亿美元。同期，美国纽约州金融监管局、德国联邦金融监管局也对当地一些中资银行开展常规或临时检查。如此严厉监管处罚和制裁在其他发达国家推进银行跨国经营初期比较少见。

三、提高中国商业银行国际竞争力的对策和建议

（一）有选择性拓展中国的优势区域

结合中国银行业国际化经营的优势特质，下一阶段海外布局应有选择地拓展优势区域：与中国经贸往来密切及中资企业“走出去”的重要国家和地区；“一带一路”沿线和中国国际产能与装备制造合作的重点国家和地区；整体环境相对稳定、具有较大发展潜力的新兴市场国家和地区；全球或区域重要经济体和金融中心。

（二）海外机构布局的有进有退

一是有进有退优化现有布局，适当增加收入高、风险偏低的优势区域二级机构，进一步完善当地布局，扩大服务范围；适当控制和压缩高风险、低收益的劣势区域业务，对于部分合规风险高、压力大的市场甚至可以考虑退出。二是多方式布局扩张新领域，依据实际情况，灵活选择设立、参股、控股等方式灵活进入目标市场。对于发展中国家，经济发展潜力大，具有市场扩容空间，可优先选择以设立新机构的方式进入；对有合适标的银行的国家和市场，可优先选择参股和控股方式进入市场。三是慎重选择收购标的，以标的所在国经济稳定、标的银行资产质量、管理能力无重大缺陷、与集团内其他机构形成优势互补等作为重要的考察标准，优先考虑文化差异相对较小的亚洲地区。四是借鉴国际大银行的收购整合经验，结合被收购银行的具体情况，进一步完善对现有机构整合和管理。

（三）打造海外机构人民币业务经营优势

在国际化扩张和经营过程中，发达国家银行大都比较注重业务输出：渣打银行在进入某个市场之初，运用自己在贸易融资和中小企业业务方

面的传统优势，建立客户关系，理解当地市场，在此基础上再将自己的综合业务优势发挥出来，通过业务实现真正地占领市场；瑞士银行集团则始终将其在私人财富管理方面的优势作为其国际化扩张的利器，通过收购渣打和大通等管理的私人银行客户资产组合来扩张其全球化的私人银行业务，使得其业务范围迅速渗透到英国、美国等发达国家。

在人民币国际化和人民币加入 SDR 的历史背景下，可充分利用海外市场对人民币的需求，打造海外机构的人民币经营优势：一方面，以境内充裕人民币流动性作为海外机构的基础支撑，将境内人民币交易的丰富经验移植推广至海外，提高海外机构人民币产品做市报价和交易能力；另一方面，发挥规模优势，满足海外各类机构的人民币资产管理、负债配置等需求。在海外机构加强人民币业务领域的人、财、物等资源投入，积极发挥人民币业务对优质客户拓展、资产和利润增长的带动作用。

（四）构建多元化的产品和服务体系

中国商业银行应集合集团之力，最大限度地发挥集团的规模效应，依托银行的国际结算和贸易融资、跨境服务、金融市场交易等业务和产品优势，以及基金、保险、租赁、投行等综合化子公司的功能，构建多元化的产品和服务体系，建立各机构的综合协调机制，以统一有机整体对外提供专业服务，在满足客户传统的存、贷、汇、结算服务基础上，满足客户融资、投行、租赁等需求，为客户提供全方位、多元化的服务。

（五）加强联动能力建设

通过全球网络的联动为客户提供跨境金融服务，是国际化银行的一个重要竞争优势。如果没有联动，海外机构各自为战，海外网络的优势就会变成劣势。国际先进银行非常重视联动机制建设，普遍采用了全球客户经理制、双边记账机制等措施促进跨境联动。中国的商业银行也应建立一套行之有效的海内外业务联动机制，借用国际先进银行经验，完善全球客户经理制及双边记账机制等管理制度，解决经营激励等问题；加强资源整合，建立全球统一的客户关系管理系统，解决信息共享问题，最大限度地发挥海内外业务的协同作用，以实现规模经济和范围经济，增强集团竞争实力；搭建一体化的科技平台，为海外机构产品创新提供系统支持，增强业务扩张能力。

（六）构建全面风险管理体系

中国商业银行的国际化获得了前所未有的发展，商业银行的风险管理能力也必须与国际接轨。一是持续完善全面风险管理体系，积极落实各项监督管理要求，优化信用、市场、操作等风险计量体系，继续加强监控、优化、验证和管理应用，将各项风险管理制度向海外机构移植，持续提升集团风险管理能力，做好集团范围内风险管理。二是建立覆盖全球的金融市场风险管理体系，该体系应具备符合金融市场业务特征的授权、授信管理机制，并由独立的风险监控队伍进行实时的风险监控，明确对资金及资本市场交易的总量、比例、交易权限等风险监控指标，防止海外机构过度参与金融市场交易，尤其是衍生品交易。

（七）提升对海外机构的内控合规管理能力

加快提升内控合规管理能力，规范海外机构经营活动。近两年，境外监管机构合规要求越来越高，尤其是反洗钱、反恐怖方面，被处罚的金融机构数量明显增加，高额处罚越来越多，呈现“严管重罚”的监管态势。为适应新的监管形势，中国商业银行应把海外合规管理能力建设放在优先发展的地位，尽快补上短板，规范经营。一是搭建统一的海外机构合规管理框架，奠定海外机构规范经营的基础；二是加快培养合规人才，加速提高合规管理人员的能力和经验，强化合规管理的意识和责任；三是尽快搭建全行统一的合规管理及反洗钱管理平台，制定标准化的客户尽职调查等反洗钱及合规管理标准与流程，不断提升海外合规管理水平，满足国际监管要求；四是开发海外反洗钱 IT 系统支持平台，提高反洗钱机控能力。

商业银行支持新时期住房租赁市场发展研究

江苏省分行行长 张 毅

一、国家推动住房租赁市场发展的政策举措

住房问题是重要的民生问题，也是当前中国社会的焦点问题。为建立房地产市场健康稳定发展的长效机制，让全体人民住有所居，党中央和国务院明确要建立租购并举的住房制度，推出系列政策从规范市场发展、培育市场主体、鼓励租房消费等多方面给予支持（见表1）。

表1 2015年以来住房租赁相关政策

发布时间	文件名称	发布单位	相关重要内容
2015.01.06	《住房和城乡建设部关于加快培育和发展住房租赁市场的指导意见》（建房［2015］4号）	住建部	建立住房租赁信息政府服务平台、培育经营住房租赁机构、支持房地产开发企业将其持有房源向社会出租、积极推进房地产投资信托基金（REITs）试点、按规定提供货币化租赁补贴、加强政策支持
2015.01.20	《关于放宽提取住房公积金支付房租条件的通知》（建金［2015］19号）	财政部联合住建部、人民银行	职工连续缴满3个月，无自有住房，可提取夫妻双方住房公积金支付房租
2015.11.22	《关于加快发展生活性服务业促进消费结构升级的指导意见》（国办发［2015］85号）	国务院办公厅	积极发展短租公寓、长租公寓等满足广大群众消费需求的服务业细分业态；并定位为“生活服务业”，可享受相应政策支持
2015.12.21	中央经济工作会议		以建立购租并举的住房制度为主要方向，鼓励发展以住房租赁为主营业务的专业化企业
2016.02.02	《国务院关于深入推进新型城镇化建设的若干意见》（国发［2016］8号）	国务院	加快推广租赁补贴制度，采取市场提供房源、政府发放补贴的方式，支持符合条件的农业转移人口通过住房租赁市场租房居住，加快发展专业化住房租赁市场
2016.03.05	2016年政府工作报告	国务院	建立租购并举的住房制度
2016.06.03	《国务院办公厅关于加快培育和发展住房租赁市场的若干意见》（国办发［2016］39号）	国务院办公厅	大中小住房租赁企业协同发展、规范住房租赁中介机构、明确各方权利义务，推进公租房货币化、制订租赁用地计划鼓励新建租赁住房、允许改建房屋用于租赁，给予税收优惠、推进REITs试点，健全法律制度，规范市场行为
2016.12.19	中央经济工作会议		要加快住房租赁市场立法，并加快机构化、规模化租赁企业发展
2017.05.19	《住房租赁和销售管理条例》（征求意见稿）	住建部	鼓励专业化住房租赁企业长期经营

续表

发布时间	文件名称	发布单位	相关重要内容
2017.07.20	《关于在人口净流入的大中城市加快发展住房租赁市场的通知》（建房〔2017〕153号）	住建部联合八部委	培育机构化、规模化住房租赁企业、建设政府住房租赁交易服务平台、增加租赁住房有效供应，创新住房租赁管理和服务体制
2017.08.21	《利用集体建设用地建设住房租赁试点方案》（国土资发〔2017〕100号）	国土资源部联合住建部	在特大城市、超大城市、国务院有关部委批准的试点城市，开展利用集体建设用地建设租赁住房，建立快速审批通道；可自行开发运营、也可联营或入股运营集体租赁住房
2017.10.18	中共十九大报告		加快建立多主体供给、多渠道保障、租购并举的住房制度，让全体人民住有所居

资料来源：相关部委官网。

2015年住建部发文要求重点解决租房市场供应总量不平衡、结构不合理、制度措施不完善、特别是供应主体单一等问题。2016年12月，中央经济工作会议第一次提出“房子是用来住的、不是用来炒的”，突出住房居住属性。党的十九大报告重申这一定位，并强调加快建立多主体供给、多渠道保障、租购并举的住房制度。2017年7月，住建部联合八部委发文选择12个人口净流入大中城市①作为首批开展住房租赁试点城市。

综合来看，目前我国住房租赁政策体系主要涵盖五方面内容。一是平台及制度建设。建立政府住房租赁交易服务平台，健全法规制度和工作机制。二是扩大有效供给。将租赁住房用地纳入年度住房用地供应计划，增量上将集体建设用地试点入市，存量上通过盘活土地增加租赁用地供应。积极培育多元化供给的市场主体，允许改建存量房屋用于租赁。三是鼓励租房消费。明确租赁双方权利义务、规范市场行为，支持凭居住证享受义务教育、医疗等公共服务，支持住房公积金支付房租等。四是加大财政支持，鼓励依法登记提供税收优惠，给予公租房货币化（发放租赁补贴）支持。五是给予金融支持，向租赁住房企业提供金融支持，包括发债、不动产证券化，推动发展房地产投资信托基金（REITs）。

从地方政府层面看，各地积极落实中央精神，分别推出地方版的住房租赁市场实施方案。其中，江苏于2017年5月出台文件，选取南京、苏州、无锡、常州、徐州、扬州六个城市开展住房租赁市场试点。作为国家和江苏双试点城市，南京市于2017年8月15日发布《南京市住房租赁试点工作方案》，是省内首个试点城市实施方案，具有较强的示范效应（见图1）。

二、我国住房租赁市场发展情况

根据我国第六次人口普查统计结果，我国城镇租赁住房的家庭户数占比约为20%，与发达国家相比还有很大提升空间。相关机构②研究显示，目前我国房地产租赁市场租金规模约1.4万亿元，预计2020年将达到1.7万亿元，2030年将超过4万亿元，市场空间广阔。当前，我国房地产市场存在两方面的结构性失衡。

（一）租赁市场和买卖市场失衡矛盾突出

从租购行为角度来看，居民一直倾向于购房。一是购房存在明显的投资属性，租房无法享受房

① 12个城市具体为：广州、深圳、南京、杭州、厦门、武汉、成都、沈阳、合肥、郑州、佛山、肇庆。

② 中国指数研究院和链家研究院。

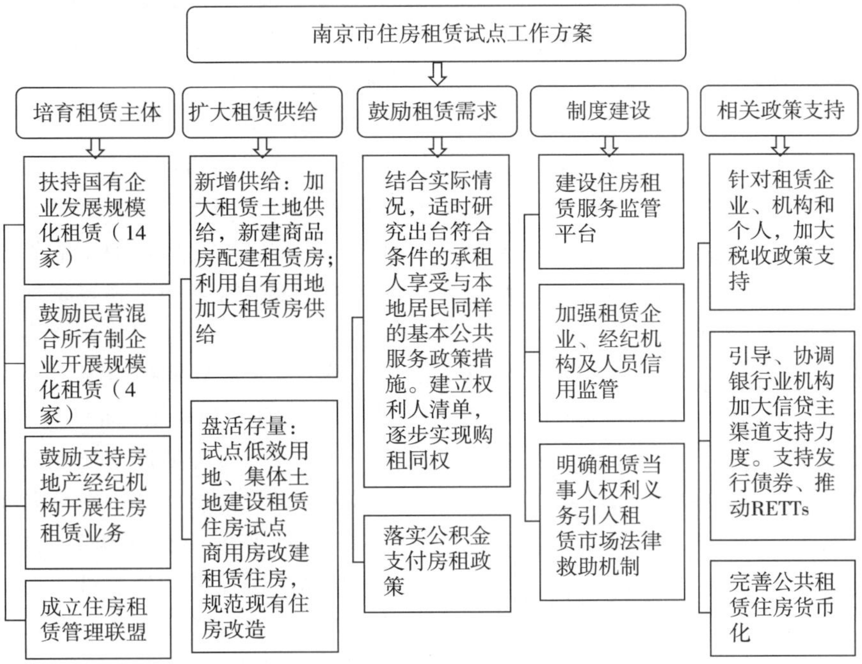

图1　南京市住房租赁试点工作方案框架

价一路攀升带来的资本回报。以北京、上海、南京为例，2017 年 10 月三城租售比①分别达1/823、1/819 和 1/690，住房投资需求较大。二是附着在房屋产权上的权利远优于租赁住房权益。当前优质教育、医疗、社会保障等公共服务基本与产权和户籍挂钩，租购不同权也在引导居民通过购房享受相应服务。三是租赁市场秩序不规范，信息不对称，让租房人难有稳定的居住预期。以北京为例②，42.5% 的受访租客认为租赁房屋配套老旧、功能差，31% 的受访租客表示遇到过业主违约。众多有购房资金缺口的租房人也通过加杠杆进入买房市场。

（二）住房租赁市场有效供给存在缺口

一是租赁需求逐年增长。流动人口是住房租赁市场发展的基础，2016 年我国常住人口城镇化率为 57.35%，且处于快速发展阶段，城镇化进程将继续驱动大规模人口流动，进一步衍生租赁需求。另外，近年高校应届毕业生以每年 20 多万人的速度增长③，多集中在大中型城市就业落户，带来一、二线城市租赁人群的增长。二是住房租赁市场整体上处于自发供给状态，有效供给不充分。2016 年全国存量住房已达到 2.5 亿～3 亿套，但因部分家庭拥有多套自有住房和人口流动阶段性离开自有住宅等因素，市场存在大量闲置未充分利用的房源未进入租赁市场。有研究机构测算④，目前北京租赁住房需求约 238 万套，存在约 1/3 供需缺口。当前租赁房源中主要为二手房，其中九成为私人散租，难以支撑改善型品质租赁住房供给的增长。近年专业化经营机构有所发展，在长租公寓方面有一些特色的房地产品牌，但供应规模还相当有限。

以上问题背后的深层原因是租赁政策支持体系还不完善，不能有效支撑住房租赁市场的健康发展。一是我国住房租赁市场法律体系不够健全，这是市场存在各种问题的基础性原因。二是政策环境上，鼓励机构出租者发展的政策体系仍未完全建立，也没有强有力保护租房者的手段，且公

① 国际标准通常为1:200～1:300，比值越高，说明房价中的投资需求越大。数据来源于中国房地产协会发布的中国房价行情。

② 数据来源：链家研究院。

③ 数据来源：《中国流动人口发展报告 2016》。

④ 数据来源：方正证券研究所。

共服务资源基本未放开，影响了市场参与者的积极性。三是对租赁市场供给主体提供财税优惠和补贴的力度还不足。在目前高房价下，完全依靠市场进行资源配置，开发商等供给主体在流动性和收益性因素的考虑下，会更倾向于出售房产而非出租房产。四是金融供给不充分。一方面，金融支持政策不明朗，金融机构对住房租赁市场的风险控制难以把握，介入主动性不强。政府鼓励社会资金进入规模化住房租赁市场的手段还不丰富，目前还在初步建立探索阶段，市场资金供给单一。另一方面，从金融机构自身供给方面，商业银行普遍缺乏专门针对住房租赁市场的信贷政策和信贷产品，在提供低息贷款、增信担保、发行债券进行项目融资、延长贷款期限等方面有较大创新和发展的空间。另外，REITs 市场规模还很小，目前深交所上市的 REITs 产品规模不足 300 亿元，其中首只住房租赁类 REITs 刚探索运作，规模化支持住房租赁市场还需要较长时间。

三、住房租赁市场发展的国际经验

美国、德国和日本等发达国家的住房租赁市场已进入成熟稳定的发展阶段，目前住房租赁比重基本在 30% ~50%，德国更是多年保持在 50% 以上。这三个国家发展住房租赁市场的做法值得我国借鉴。

（一）美国住房租赁市场

从租赁供给结构看，当地市场私人和房地产开发商提供的市场化租赁住房占住房租赁市场比重超过 80%，其余为保障性住房供给和政府及社会资本合作的供给房源，政府拥有产权的公共住房占比仅 3%。美国政府主要通过对租赁项目供给方和承租人进行两头补贴，带动整个住房租赁市场的发展。租房券主要面向低收入承租家庭，是运用覆盖面最广、灵活程度最高的补贴形式，与公租房相比，成本更低。美国政府还通过免税政策、折旧抵税、税收抵免计划等方式加大对租赁项目主体的支持力度。美国金融支持政策呈现多样化特点，通过向开发商提供低息贷款、建立抵押保险机制向中低收入家庭提供低息贷款及首付担保、推动住房抵押贷款证券化和 REITs 等大力吸引社会资本参与。

（二）德国住房租赁市场

德国租赁市场主要由私人、开发商、合作社和政府四类主体构成，政府供给比重为 12%。德国住房市场房价长期保持稳定，在发达国家中较为少见，这主要得益于其长期稳定的房贷政策，一直坚持购房高首付、抵押贷款实行固定利率还有住房储蓄制度，较好地抵御了金融市场的周期性波动。德国完善的法律体系保障了购租两种行为在权益保障上的相对平衡，为维护住房市场的长效稳定发展起到重要作用。

（三）日本住房租赁市场

日本在经历房地产市场泡沫破灭后，加大住房制度的建设力度。其中在金融支持上，日本主张推动房地产信托投资基金（J－REITs）发展，显著提高了房地产的流动性，促进了各类投资者对租赁住房的投资需求。经历十多年的发展，J－REITs 市值规模已居亚洲第一，2015 年其规模达到 15 万亿日元。从基金保有金额看，金融机构持有比重超过 50%，个人投资者不足 10%。J－REITs 能够快速发展的重要原因在于立法层面和税收优惠的推动，立法包括银行保险法、投资信托法、金融商品交易法等多项金融领域法律的修订和完善。

四、商业银行支持住房租赁市场发展的思考

（一）主动担当，发现和把握发展商机

加大对住房租赁市场的金融支持是当下商业银行贯彻国家战略部署、服务实体经济、化解金融风险、协助解决社会问题的重要领域。从银行自身发展看，新时期的住房租赁市场是一片广阔蓝海，为银行转型创新发展提供了无限空间。对银行业而言，做好住房租赁市场的金融服务，既是使命担当，也是商机所在。

一是要大力支持各阶段住房租赁市场发展的资金需求。协同支持大、中、小住房租赁企业的多阶段融资需求，运用差别化政策提供可持续性的资金支持，发挥金融核心主体作用。应坚持以适用和适量为原则，将更多金融资源配置到住房租赁市场的重点领域和薄弱环节。特别在租赁市场发展初期，中小租赁企业普遍面临融资渠道少、融资成本高等问题，商业银行应充分用好整体力

量，支持覆盖中小企业从项目建设到运营各阶段的资金需求。

二是充分发挥资产证券化对房地产市场流动性的促进作用。多年来，商业银行已拥有丰富的融资产品线，既应发挥这些传统产品的优势，也应加大对新型金融产品的支持。房地产投资信托基金（REITs）可有效缓解只租不售型房地产企业的资金压力，将房地产企业自持租赁住房作为基础资产的类REITs，把流动较低、回收期长的租赁住房转换为流动性更高的证券资产，实现各主体的轻资产运营。商业银行在支持REITs产品发展中，一方面应积极参与介入产品供给体系；另一方面提供银行服务平台，整合房地产企业、基金公司、评级公司等各方实际，撮合推动REITs产品尽早落地。

三是提供金融配套支持住房租赁消费。积极依托政府住房租赁服务平台，为消费主体提供补贴、贷款等住房租赁资金支持，增强个人贷款产品在期限、金额、渠道方面的灵活性。通过融资产品创新，激励承租人的长期化租赁意愿，引导市场长租消费需求。配合落实公积金支付房租等政策，加大租赁金融知识宣传，支持扩大消费群体。

（二）发挥优势，探寻最优金融服务路径

商业银行要找准着力点，坚持立足自身实际、发挥自身优势，避免新的同质化竞争，不断提高住房租赁市场金融供给质量和效率。

一是深化政银合作打造平台系统。政府住房租赁交易服务平台搭建是住房租赁市场实现可持续稳定发展的基础，能够实现供需双方信息的高效、准确对接，解决信息不对称问题。以建设银行为例，在“新一代”系统技术支持下，建行已成功搭建服务住房租赁市场的综合服务平台，支持住房租赁监管、保障客户交易、提供企业租赁管理和实现保障房管理，服务功能涵盖政府、企业和个人等主体。

二是设立住房租赁专业经营机构。为了推动形成供应主体多元的住房租赁体系，商业银行应利用自身资金优势以及购、租、改、建的专业能力，组织社会房源供给，成立市场化租房经营机构，为改善住房市场的租售结构、多层次租住和供给品质提供金融服务，不断提高居民的租住质量。

三是提供住房租赁综合金融服务。商业银行应依托专业化优势，深度支持住房租赁市场发展，积极打造以住房租赁为核心的金融生态圈，全链条提供一揽子金融服务，不断推动住房金融的转型升级和业务创新。要重点加大对政府、企业、中介和个人四类主体的金融和非金融服务。加大集团母子公司联动，为住房租赁企业提供各类信贷和非信贷融资产品服务，对于承租个人和出租个人，积极提供有平台资金监管的一揽子产品和服务，进一步推出长期限的个人住房租赁贷款，提高专业化经营能力。

五、进一步完善住房租赁市场发展的政策环境

在住房租赁市场发展中，各级政府承担着极为重要的指导和推动作用，要实现住房租赁市场长期稳定发展，政策层面还应多发力。一是加快完善住房市场法律体系。借鉴美国、德国、日本等发达国家住房法律制度，弥补我国体系缺失内容，保障出租人和承租人合法权益，让住房租赁供需两端在更加健全的法律制度下逐步实现平衡。二是发挥好政府统筹调控作用。在调查研究形成客观决策依据的基础上，综合运用财政政策、产业政策，调动发挥好市场的力量，提高规模化和专业化租赁住房供给占比。三是培育金融扶持体系。通过政策引导，鼓励金融机构积极参与住房租赁市场发展，鼓励长期限低成本融资产品创新，加快完善REITs等金融工具发展，增强金融机构参与信心，增加有效金融服务供给。

以真抓实干精神做好小微企业金融服务

厦门市分行行长　生柳荣

党的十九大报告指出，中国特色社会主义进入新时代，我国社会的主要矛盾已经转化为人民日益增长的美好生活需要和不平衡不充分的发展之间的矛盾。在金融服务实体经济方面，银行的供给侧，不平衡、不充分的问题也仍有存在，特别是在小微企业的服务方面，融资难、融资贵、融资慢的问题仍然是社会的难点和痛点。

为解决这个难点、痛点，厦门市分行积极践行普惠金融理念，坚持以客户为中心、以市场为导向，扎扎实实服务实体经济，积极探索为小微企业提供金融服务的新模式，取得了一定的成效：为全市近5万家小微企业提供金融服务，小微贷款户数超过3000家，小微企业贷款余额超过175亿元，在对公贷款中的比重超过33%；四部委口径的小微企业贷款户数、贷款余额四大行占比分别达到55.6%和38.9%；近三年小企业新发放贷款不良率为0.77%，在系统和当地同业中均保持较好水平；小企业客户的经济资本回报率（RAROC）达到35%，比年初提升了12%；累计九年获得“厦门市小微企业金融服务优秀机构”荣誉称号。

真做：统一思想抓实效

分行充分认识到，发展小企业业务是贯彻国家政策、履行大行责任的要求，也是应对金融市场变化、调整客户结构、增加收益来源的内在需求。小企业业务做好了，对夯实客户基础，提高客户忠诚度，增加效益贡献，拉动个人业务等都能发挥很重要的作用。因此，分行始终把小微企业业务作为分行的重要发展战略，积极探索、实践，加强小企业业务考核激励，创新小企业发展的新机制、新产品、新思路，既从战略上为全行小微企业业务指明了方向，又从战术上为小微企业业务的发展确定了打法，确保全行思想统一，真正想做、愿意做小企业业务。坚持小企业业务就要真正服务小微企业，以小为主，以微为重。重点营销单户500万元以下的小微企业客户，户均小企业贷款余额由三年前的500万元下降至280万元。

分行在2013年成立了专门服务科技小微企业的科技支行，支行成立四年以来，小微企业客户开户数达到2000户，累计为科技型小微企业发放贷款近两百笔，金额达7亿元，小企业贷款业务超过一些老牌的全功能支行。此外，科技支行还办理了分行首笔“科技成长贷”“知识产权质押贷”“科技投联贷”“科技保险贷”等多项小微企业创新业务，小微企业服务标杆网点的快速发展，鼓舞了全辖所有支行发展和服务小微企业的信心。

会做：业务专营抢先机

在小企业业务发展过程中存在一些误区，一个是按传统方法拓展小企业业务，操作成本高、效果不明显，导致网点不愿意发展小企业业务；另一个误区是盲目做小企业业务，不讲策略，不考虑风险，导致小企业业务不良率高。厦门市分行对厦门市小微企业群体进行深入研究，对企业的经营特点、发展周期、金融需求、风险特征等进行详细分析，从机构、平台、产品、流程等四个方面，打造小企业服务新模式。

一是机构专设，提供服务保障。2009年，分行就在同业中率先成立一级部编制的小企业业务部，同时在9个网点成立小企业经营中心，专业、专注、专营小微企业业务。

二是平台专搭，用好扶持政策。分行借助外部力量，与市经信局、科技局、知识产权局、行业商协会、担保机构等30多家机构搭建起合作平台，通过政府的信贷风险资金和合作平台的信保资金，建立风险补偿和风险共担机制，在复杂多变的经济形势下，银政企一起携手共同推进小企业业务发展。通过银政平台的合作，分行累计发放的小微企业贷款超过30亿元，惠及的企业超过2000家。

三是产品专属，完善风控模式。作为建设银行系统内的第一批产品创新试点行，分行多年来一直在小企业产品创新上寻求突破，创新推出了信保资金贷、信易助保贷、科技成长贷、农业担保贷、海洋助保贷、科技保险贷、上市贷、投联助保贷、双百人才贷等20多个适合小企业需求的产品。其中，“信易助保贷”产品在“第九届海西投资理财博览会——幸福理财第一榜”评选中，荣获“最佳小微金融产品”。

四是流程专建，提升服务体验。分行配置了小企业专职审批队伍，还为小微企业贷款申请、审批、放款等设计了快速的流程。特别是在续贷方面，推出了“续贷无忧”金融服务方案，从还款方式、还款资金来源、贷款期限、额度年审等方面入手进行创新，目前有“续贷通”“应急贷”“长易贷”“抵押快贷”和“信贷快贷”等五个具体方案供客户选择。累计为1400家小微企业提供“续贷无忧”金融服务约17亿元，提高了优质小微企业客户的满意度。

巧做：合作共赢拓平台

当前小微企业融资难，主要难在缺少信息、缺少信用。对此，厦门市分行积极探索创新银政合作金融服务模式，独家与市经信局、担保公司合作，建立风险补偿和风险共担机制，推出“小微企业信保资金贷款”，降低小微企业的贷款门槛。“小微企业信保资金贷款”通过引入政府和担保公司风险补偿增信，担保公司、政府和建行分别按50%、25%、25%的比例共担贷款风险，帮助很多轻资产的小微企业克服抵质押物价值不足的瓶颈，提升企业信用和可贷款额度，一定程度上有效解决了小微企业融资难的问题。产品推出四年来，已经为近300家小微企业累计发放贷款5.6亿元。

与此同时，分行还积极与市科技局、知识产权局合作，为科技型小微企业增信，降低贷款门槛，如2014年推出了“科技小企业成长贷款”，为获得厦门市高新技术企业和技术先进型服务企业称号的科技型小微企业提供“科技小企业成长贷”，财政贴息贴保费、担保增信扩额度、建行让利保规模，最大限度解决科技小微企业融资难、融资贵问题。四年来已经累计为390家科技小微企业发放贷款20亿元，是承办该项业务户数最多，金额最大的商业银行。2015年又推出“专利质押贷款”，为无法提供足额可供抵质押资产，但拥有自主知识产权的科技企业开辟了融资新途径，同时政府为专利质押贷款提供贴息补助，按贷款利息收入的60%发放贴息，一年最高30万元，有效降低了小微企业融资成本。

另外，分行与市国地税局合作开展“税易贷”业务，突破了银行传统以企业财务报表为主的评价授信方式，实现以小微企业纳税额度、纳税信用和银行信用积累相结合的评价授信新模式。小微企业融资平台合作，不仅改变了小微企业对分行贷款“门槛高”“贷款难”的印象，也提高了分行在社会公众心目中的认可度和品牌影响力，深受广大小微企业的好评。

精做：智慧发展促转型

小微企业融资难，难在轻资产没有抵押物、难在信息不对称，银行不好决策。针对这些问题，分行充分利用大数据和互联网来推动小企业业务发展，通过内部积累的众多小微企业的数据，积极推广了“小微快贷”“善融贷”“税易贷”“POS贷”“薪金贷”“结算透”等免抵押免担保的纯信用贷款。如“善融贷”主要依据企业日均金融资产、对公结算账户、企业主个人结算账户结算流水数据提供融资；“POS贷”主要以企业POS机刷卡收入数据为依据提供融资。四年来，分行已经累计为2600多家小微企业提供了近17亿元的免抵押免担保的纯信用贷款支持。

分行还争取了政府的扶持政策，获得厦门市政府小微企业信贷风险资金试点资格，是当地四大行唯一获得试点资格的银行。将分行的大数据信贷业务全部纳入政府风险补偿范围，政府承担100%的风险损失，有效降低了大数据信贷业务的风险，提高了客户经理推广大数据信贷业务的积极性。

总行推出纯线上产品“小微快贷”后，厦门市分行积极部署，全行行动，短短一年，小微快贷客户达到1900户，超过小微快贷上线前厦门市分行9年小微企业客户的总和。“小微快贷”从申请、审批、签约到支用、还款，全流程由原来办一笔贷款需要几天甚至几个月，到现在仅需要5分钟。小微快贷客户不管是足不出户，还是在环游世界，都可以随时随地、随借随还，该产品体现了互联网和大数据的完美结合。

在运用大数据技术快速扩大客户基础的同时，厦门市分行通过结算、交易、资产等大数据应用，开展小企业贷款贷后非现场监测工作，解决了小企业信息不对称、信贷管理难问题，有效降低了分行小企业贷款不良率。

新时代提出新要求，厦门市分行在总结成功经验的基础上，将按照总行的战略部署，力争为小微企业提供“多、快、好、省”的服务，努力做到“产品多、响应快、体验好、费用省”，全力以赴谱写扶持小微企业发展普惠金融的新篇章。

《建设银行报》（2018年1月5日第3版）

CHINA 中国建设银行年鉴 2018
CONSTRUCTION BANK ALMANAC

第七部分　大事记

领导重要活动类

1月4日 董事长王洪章在北京参加国务院常务会议。

1月4日 行长王祖继在海口出席海南省分行党委民主生活会。

1月5日 董事长王洪章在哈尔滨出席黑龙江省分行党委民主生活会，并慰问黑龙江省分行部分困难员工。

1月5日 行长王祖继、副行长庞秀生在西安出席建设银行与陕西省重点企业市场化债转股业务合作框架协议签字仪式。

1月5日 监事长郭友在合肥出席安徽省分行党委民主生活会。

1月6日 董事长王洪章、行长王祖继、纪委书记朱克鹏参加十八届中央纪律检查委员会第七次全体会议。

1月6日 监事长郭友到安徽省分行定点扶贫点调研。

1月10日 行长王祖继到中国银行业监督管理委员会出席2017年全国银行业监督管理工作会议。

1月11日 董事长王洪章在北京参加国务院常务会议。

1月14日 董事长王洪章、副行长余静波在钓鱼台国宾馆会见在华进行正式访问的越共中央总书记阮富仲及其随行代表团一行。

1月16日 董事长王洪章在香港出席第十届亚洲金融论坛。

1月22日 行长王祖继在北京出席人民银行有关会议。

1月23日 董事长王洪章在总行大楼主持召开党委民主生活会，行长王祖继、监事长郭友、副行长庞秀生、副行长章更生、副行长黄毅、副行长余静波、纪委书记朱克鹏出席。

1月24日 行长王祖继到总行办公室、资产负债管理部、风险管理部、信贷管理部看望员工，首席风险官曾俭华、首席财务官许一鸣陪同。

1月25日 行长王祖继在总行大楼会见海航集团总裁谭向东一行。

1月26日 董事长王洪章在北京参加中办、国办春节团拜会。

2月3日 董事长王洪章在北京参加国务院常务会议。

2月4日 行长王祖继、副行长章更生在总行大楼会见中央军委后勤保障部财务局局长庄炳坤一行。

2月6日 董事长王洪章在北京参加中国银行业监督管理委员会有关会议。

2月6日 行长王祖继、副行长余静波赴中国铁塔股份有限公司总部与总经理佟吉禄、总会计师高春雷举行会晤。

2月7日 董事长王洪章、副行长章更生在总行大楼会见北京市西城区区委书记卢映川、区长王少峰一行。

2月7日 董事长王洪章、副行长章更生在总行大楼会见天津市副市长阎庆民一行。

2月10日 董事长王洪章主持召开2017年第4次党委会议，行长王祖继、监事长郭友、副行长庞秀生、副行长章更生、副行长黄毅、副行长余静波、纪委书记朱克鹏出席。

2月13日 行长王祖继、监事长郭友、副行长章更生、副行长黄毅在总行大楼出席审计署发现问题预沟通内容反馈意见汇报会议。

2 月 14 ~ 15 日 董事长王洪章赴总行定点扶贫点——陕西安康汉滨区县河镇财梁社区、紫阳县高桥镇权河村进行实地调研，总行相关部门和陕西省分行有关负责人随同调研。在安康期间，董事长王洪章会见了安康市市长徐启方，市委副书记鲍永能，常务副市长赵俊民等地方有关负责人；召开座谈会听取建设银行派驻第一书记、挂职副县长、挂职副市长等同志的工作汇报，并与第一书记、挂职副县（区）长、挂职副市长和扶贫村的干部进行座谈；考察了建设银行捐建的希望小学、社区党员活动室和村委会活动室、善融商务精准扶贫点和建设中的财梁移民点等，调研了建设银行助农取款点、蜜蜂养殖和金银花种植基地、茶园、木材加工厂等；看望慰问了贫困户。

2 月 14 日 行长王祖继、监事长郭友在总行大楼会见审计署金融审计司副司长王志成一行。

2 月 16 日 监事长郭友在吉林省分行宣布人事任免事宜。

2 月 17 日 监事长郭友在辽宁省分行宣布人事任免事宜。

2 月 17 日 董事长王洪章、行长王祖继、副行长庞秀生、副行长余静波、首席风险官曾俭华、首席经济学家黄志凌、首席财务官许一鸣、董事会秘书陈彩虹出席总行部门负责人会议。

2 月 21 ~ 22 日 董事长王洪章出访泰国，并在泰国首都曼谷出席亚太经合组织工商咨询理事会（ABAC）会议。会议期间，董事长王洪章与 ABAC 金融与经济工作组主席 Cantor 先生进行了会谈。

2 月 22 日 行长王祖继在北京参加国务院常务会议。

2 月 22 日 监事长郭友在总行大楼先后会见普华永道合伙人叶少强先生和伦敦金融城（the City of London）市长庞安竹（Andrew Parmley）先生一行。

2 月 23 日 行长王祖继、首席风险官曾俭华到宁波市分行调研。其间与宁波市分行领导班子成员进行了座谈，并到分行营业部慰问一线员工。

2 月 23 ~ 27 日 董事长王洪章出访印度尼西亚，其间出席印尼子行开业仪式，并分别会见印尼央行行长 Agus D. W. Martowardojo 先生、印尼金融服务管理局主席 Muliaman Darmansyah Hadad 先生、中国驻印尼大使谢锋先生。

2 月 24 日 行长王祖继、副行长章更生、首席风险官曾俭华到安徽省分行调研。其间听取安徽省分行党委班子工作情况汇报，并与中层干部、员工代表座谈。

2 月 27 日 行长王祖继在总行大楼会见孟加拉国格莱珉银行（Grameen Bank）创始人尤努斯（Muhammad Yunus）教授一行。

2 月 27 日至 3 月 8 日 监事长郭友出访俄罗斯、日本、越南。在俄罗斯期间，拜访俄罗斯央行、当地重要客户及我国驻俄罗斯大使馆。在日本期间，拜访日本金融厅、中国人民银行驻东京代表处及当地重要代理行。在越南期间，拜访越南央行和当地重要客户。

2 月 28 日 总行党委中心组举办以“学习习近平总书记系列重要讲话精神”为主题的集体学习研讨。党委书记、董事长王洪章主持并讲话，党委委员、副行长余静波作主题发言。在京党委成员、高管人员及党委职能部门主要负责人参加此次学习。

3 月 2 日 董事长王洪章、纪委书记朱克鹏在北京会见巴西驻华大使马尚先生。

3 月 2 日 董事长王洪章在北京市分行宣布人事任免事宜。

3 月 6 日 行长王祖继在总行大楼会见复星国际有限公司董事长郭广昌一行。

3 月 7 日 董事长王洪章、行长王祖继、副行长庞秀生、副行长黄毅、纪委书记朱克鹏、首席经济学家黄志凌、首席财务官许一鸣、董事会秘书陈彩虹在总行大楼出席中国银行业监督管理委员会 2016 年度监管会谈。

3 月 10 日 董事长王洪章在总行大楼主持召开总行本部新提拔处级干部座谈会。

3 月 13 日 董事王洪章长、副行长余静波拜访中国石油化工集团公司，与董事长王玉普、副总经理张海潮等举行高层会晤。

3 月 13 日　行长王祖继在石家庄市出席河北省分行中层以上领导人员大会并讲话。

3 月 13 日　监事长郭友在北京与单证业务中心新任职人员座谈。

3 月 14 日　董事长王洪章、副行长章更生到北京市政府会见北京市市长蔡奇、副市长隋振江。

3 月 14 日　董事长王洪章、监事长郭友在总行大楼会见英国审慎监管局（PRA）首席执行官、英格兰银行（BOE）副行长山姆·伍兹（Sam Woods）先生一行。

3 月 14 日　行长王祖继在郑州市出席河南省分行干部大会并讲话。

3 月 15 日　董事长王洪章在北京参加十二届全国人大五次会议闭幕会。

3 月 15 日　董事长王洪章、副行长余静波在北京出席中国银行业协会《2016 年度中国银行业服务改进情况报告》发布暨文明规范服务千佳示范单位表彰会议。

3 月 15 日　行长王祖继在北京出席山西省与国有大银行座谈会。

3 月 17 日　董事长王洪章、副行长黄毅在北京参加中央国家机关工委调研督导访谈。

3 月 17 日　董事长王洪章在北京出席北京市首都生态文明和城乡环境建设动员大会。

3 月 17 日　行长王祖继在北京参加国务院常务会议。

3 月 18 日　董事长王洪章在钓鱼台国宾馆出席“中国发展高层论坛 2017 年会”经济峰会，并接受中央电视台财经频道和人民网专访。

3 月 20 日　行长王祖继在总行大楼会见万事达卡公司（Mastercard）总裁兼首席执行官彭安杰（Ajay Banga）先生一行。

3 月 22 日　监事长郭友在总行大楼主持召开 2017 年审计署审计进点会议。

3 月 27 日　行长王祖继在总行大楼会见维萨公司首席执行官艾克礼先生。

3 月 28 日　行长王祖继、副行长庞秀生在杭州会见浙江省省长车俊、副省长高兴夫。

3 月 28 日　行长王祖继、副行长章更生在浙江省分行会见浙江大学党委书记金德水、常务副校长任少波、副校长严建华、副校长张宏建、总会计师石毅铭一行。

3 月 28 日　董事长王洪章、行长王祖继、副行长章更生在杭州会见阿里巴巴董事局主席马云。

3 月 30 日　监事长郭友在浙江省分行调研。

3 月 31 日　董事长王洪章在香港出席建行亚洲董事会会议。

4 月 5 日　董事长王洪章在北京参加国务院常务会议。

4 月 5 日　董事长王洪章、首席经济学家黄志凌在总行大楼会见中国恒大集团董事局主席许家印一行。

4 月 7 日　董事长王洪章在总行大楼参加董事会办公室党支部民主生活会。

4 月 5 ~ 14 日　监事长郭友出访英国、爱尔兰、意大利。其间，拜会我国驻外使馆、当地监管机构及金融同业高层；出席投资者见面会；进行 2016 年度业绩路演；检查海外分支机构经营情况。

4 月 9 ~ 15 日　董事长王洪章出访德国、美国。在美国期间，拜会纽联储高层和我国驻纽约总领馆，视察纽约分行经营情况；在德国期间，出席中德住房储蓄银行董事会。

4 月 10 日　行长王祖继在北京参加国务院有关会议。

4 月 13 日　行长王祖继会见瑞士财政部长于利·毛雷尔先生、瑞士驻华大使戴尚贤先生、瑞士证券交易所集团董事会主席罗密欧·拉赫先生。

4 月 14 日　行长王祖继、纪委书记朱克鹏在北京参加中央纪委有关会议。

4 月 16 日　行长王祖继在北京参加中央有关会议。

4 月 16 ~ 23 日　监事长郭友在大连高级经理学院参加中国特色现代国有企业制度建设专题研讨班。

4 月 17 ~ 26 日　行长王祖继、首席财务官许一鸣先后到新加坡、卡塔尔、阿联酋参加业绩路演活动。在新加坡期间，拜会当地监管机构，视察新加坡机构经营情况；在卡塔尔期间，拜会驻卡塔尔大使馆；在阿联酋期间，拜会驻迪拜总领馆，视察迪拜机构经营情况。

4月18日　董事长王洪章在北京参加国务院有关会议。

4月18日　董事长王洪章、董事会秘书陈彩虹在总行大楼会见淡马锡首席执行官李腾杰一行。

4月18日　董事长王洪章、董事会秘书陈彩虹在总行大楼会见穆迪公司（Moody's）董事长亨利·麦克金奈尔（Henry A. McKinnell, Jr.）博士及总裁兼首席执行官雷蒙德·麦克丹尼尔（Raymond W. McDaniel, Jr.）先生一行。

4月19日　董事长王洪章在北京参加国务院常务会议。

4月20日　董事长王洪章、首席风险官廖林在总行大楼会见辽宁省副省长王大伟一行。

4月21日　董事长王洪章在北京参加中国银行业监督管理委员会2017年第一季度经济金融形势分析（电视电话）会议。

4月25日　董事长王洪章、副行长庞秀生、董事会秘书陈彩虹先后到上海市分行浦东分行营业部、建信期货、上海数据分析中心调研，与一线员工交流转型落地情况，并听取了上海市分行以及信用卡中心、金融市场交易中心、上海数据分析中心、上海开发中心、上海审计分部、建信人寿、建信期货等单位的工作汇报。

4月25日　董事长王洪章到哈佛大学上海中心进行题为《建设银行转型：因势谋变再造发展新优势》的现场授课和交流。

4月27日　行长王祖继在北京参加国务院有关会议。

5月2～3日　行长王祖继到四川省分行、客户服务中心调研。

5月3日　董事长王洪章在北京参加国务院常务会议。

5月10日　董事长王洪章在北京参加国务院常务会议。

5月12日　董事长王洪章在总行大楼会见法国兴业银行集团（Societe Generale）首席执行官吴棣言（Frédéric Oudea）先生一行。

5月14日　董事长王洪章在北京出席“一带一路”国际合作高峰论坛开幕式、高级别全体会议，以及由财政部和人民银行共同承办的“促进资金融通平行主题会议”，并发表题为《携手推进“一带一路”建设》的主旨演讲。

5月17日　董事长王洪章在北京参加国务院常务会议。

5月17日　董事长王洪章、监事长郭友在总行大楼会见巴基斯坦哈比银行（HBL）董事长阿拉纳先生（Sultan Ali Allana）先生、总裁兼首席执行官达尔（Nauman K. Dar）先生一行。

5月17日　董事长王洪章在总行大楼主持召开会议，传达国务院常务会议精神，行长王祖继、监事长郭友、副行长庞秀生、纪委书记朱克鹏、首席风险官廖林、首席经济学家黄志凌、首席财务官许一鸣出席。

5月18日　监事长郭友在总行大楼会见美国富国银行（Wells Fargo & Company）副行长佩里·佩罗斯（Perry Pelos）先生一行。

5月18日　监事长郭友在总行大楼会见纽联储金融机构监管检查团队负责人大卫·芬顿先生。

5月18～27日　行长王祖继出访西班牙、波兰、俄罗斯。在西班牙期间，拜会西班牙中央银行高层、巴塞罗那市政府高层、我国驻西班牙大使馆负责人、我国驻巴塞罗那总领事馆负责人以及当地中资企业客户高层，检查巴塞罗那分行工作；在波兰期间，拜会波兰财政部高层、波兰中央银行及金融监管局高层，出席华沙分行开业仪式；在俄罗斯期间，拜会俄罗斯中央银行高层、当地重要客户高层以及我国驻俄罗斯大使馆负责人，检查俄罗斯子行工作。

5月23日　董事长王洪章、首席经济学家黄志凌到云南省分行部分网点调研，并听取云南省分行贯彻党中央、国务院关于金融安全指示精神及风险防控工作情况汇报。在滇期间，董事长王洪章、首席经济学家黄志凌会见了云南省省长阮成发。

5月23日　监事长郭友在太原出席部分分行国际业务座谈会。

5 月 24 日　董事长王洪章在北京参加国务院常务会议。

5 月 24 日　董事长王洪章在总行大楼会见英国审慎监管局（Prudential Regulation Authority）执行董事莎拉·布里登（Sarah Breeden）女士一行。

5 月 24 日　监事长郭友到山西省吕梁分行定点扶贫村调研扶贫工作，并到临县支行慰问一线员工。

5 月 26 日　董事长王洪章、副行长章更生在总行大楼会见北京市海淀区委书记崔述强、区长于军一行。

5 月 26 日　董事长王洪章、首席财务官许一鸣在总行大楼会见毕马威国际候任主席 Bill Thomas 先生一行。

6 月 1～10 日　董事长王洪章先后到马来西亚、荷兰、瑞士出差。在荷兰期间，拜访荷兰央行高层、当地同业客户高层及我国驻荷兰大使馆负责人，并检查阿姆斯特丹分行工作。

6 月 2 日　行长王祖继到重庆市分行调研，并与分行领导班子及相关部门、二级分支行负责人进行座谈。其间，王祖继行长到石桥铺支行、科园一路支行等基层机构看望慰问一线员工，了解基层业务发展和经营管理情况。

6 月 4～13 日　监事长郭友先后到哈萨克斯坦、阿联酋、印度尼西亚出差。其间，先后拜会了哈萨克斯坦央行、迪拜金融服务管理局和印尼央行高层；视察迪拜国际金融中心分行和印尼子行，与管理层及员工座谈。

6 月 6 日　行长王祖继赴总行党校（高级研修院）出席中共中国建设银行党校 2017 年春季学期（第 36 期）专题研究班毕业典礼。

6 月 6 日　行长王祖继在总行大楼先后会见波兰金融监管局主席马勒克·诃日诺夫斯基先生一行及澳新银行董事长恭士祺一行。

6 月 7 日　行长王祖继在北京参加国务院常务会议。

6 月 8 日　行长王祖继在北京主持召开落实中国银行业监督管理委员会监管整改部署会议。

6 月 9 日　行长王祖继在北京出席中国银行业监督管理委员会普惠金融工作督察座谈会。

6 月 9 日　行长王祖继在总行大楼会见智利央行副行长塞巴斯蒂安·爱德华先生一行。

6 月 12 日　董事长王洪章在卢森堡驻华大使官邸出席卢森堡首相贝泰尔（Xavier Bettel）访华招待午宴，并与贝泰尔首相和卢森堡财政大臣皮埃尔·格拉梅尼亚（Pierre Gramegna）进行了交流。

6 月 14 日　行长王祖继在北京参加国务院常务会议。

6 月 16 日　董事长王洪章、行长王祖继、监事长郭友、副行长庞秀生、张立林到深圳华为公司就科技创新及产品研发管理进行学习交流。

6 月 20 日　监事长郭友、副行长庞秀生在总行大楼会见审计署金融司司长王志成。

6 月 21 日　董事长王洪章在北京参加国务院常务会议。

6 月 21 日　监事长郭友在总行大楼会见托克集团（TRIFIGURA）全球财务总监克里斯托弗·萨尔蒙（Christophe Salmon）先生一行。

6 月 21～22 日　行长王祖继、副行长章更生、首席风险官廖林一行在山东省分行调研。其间，行长王祖继会见了山东省委书记刘家义、省长龚正等领导同志。

6 月 22 日　董事长王洪章在北京参加中共国务院党组理论学习中心组学习讲座。

6 月 22 日　监事长郭友在总行大楼会见中国银行业监督管理委员会大型银行部主任杨丽平。

6 月 23 日　中国人民银行副行长范一飞及发展改革委、财政部、银监会、证监会、保监会等五部委相关负责同志一行到建设银行总行进行专题调研并召开中国人民银行市场化债转股现场座谈会。东方资产、中信银行、兴业银行、中国人寿等金融机构代表，宝武钢铁、南京钢铁、广东广晟等企业负责人以及相关中介机构参加调研座谈。董事长王洪章、行长王祖继、副行长庞秀生出席会议。

6 月 23 日　行长王祖继在总行大楼会见浙江蚂蚁小微金融服务集团有限公司 CEO 井贤栋。

6 月 27 日 监事长郭友出席黑龙江省分行中层以上领导人员大会，宣布有关人事任免事宜。

6 月 28 日 行长王祖继到天津武清出席第八届职工乒乓球比赛开幕式。

6 月 28 日 监事长郭友在总行大楼会见建行伦敦董事会成员一行。

7 月 1 日 监事长郭友、副行长章更生到天津武清出席建设银行第八届职工乒乓球比赛闭幕式。

7 月 4 日 行长王祖继、副行长章更生在总行大楼会见中国证券金融股份有限公司董事长聂庆平、总经理庄穆一行。

7 月 5 日 董事长王洪章在北京参加国务院常务会议。

7 月 5～6 日 行长王祖继、首席风险官廖林到宁夏回族自治区分行调研，与分行领导班子及相关部门、二级分支行负责人进行座谈，并到银川尚景支行、阅海万家支行进行视察。在宁期间，王祖继行长一行会见了自治区党委书记石泰峰、自治区党委副书记、政府主席咸辉、自治区党委副书记、银川市委书记姜志刚（兼）、自治区常务副主席张超超等领导。

7 月 6 日 董事长王洪章在北京参加国务院有关会议。

7 月 7 日 监事长郭友到内蒙古自治区分行调研，并考察伊泰集团、鄂尔多斯羊绒产业园。

7 月 7 日 行长王祖继在总行大楼会见英国财政部（HM Treasury）金融司司长凯瑟琳·布雷迪（Katharine Braddick）女士一行。

7 月 10 日 监事长郭友在总行大楼会见加拿大蒙特利尔银行金融集团（BMO Financial Group）首席执行官邓伟信（William Downe）先生和候任首席执行官白泰瑞（Darryl White）先生一行。

7 月 11 日 董事长王洪章、行长王祖继、副行长庞秀生、董事会秘书陈彩虹在总行大楼会见财政部副部长史耀斌、金融司司长孙晓霞。

7 月 12 日 董事长王洪章在北京参加国务院常务会议。

7 月 12 日 董事长王洪章、纪委书记朱克鹏在总行大楼会见万科企业股份有限公司董事会主席兼总裁郁亮，执行副总裁兼首席财务官孙嘉。

7 月 12 日 监事长郭友在总行大楼会见瑞士日内瓦州副州长皮埃尔·莫德（Pierre Maudet）先生一行。

7 月 13 日 董事长王洪章主持召开总行部门、在京机构主要负责人会议，传达国务院常务会议精神，行长王祖继、监事长郭友、副行长庞秀生、副行长黄毅、纪委书记朱克鹏、首席经济学家黄志凌、首席财务官许一鸣、董事会秘书陈彩虹出席。

7 月 13 日 董事长王洪章、行长王祖继在总行大楼会见信安金融集团（Principal Financial Group）董事长兼总裁、首席执行官侯智彤（Daniel J. Houston）先生一行。

7 月 14 日 董事长王洪章、行长王祖继、监事长郭友在北京参加全国金融工作会议。

7 月 18～19 日 行长王祖继、首席风险官廖林到福建省分行调研及督导信贷资产质量管理工作。其间，王祖继行长一行先后会见福建省委书记尤权，省长于伟国和省委常委、常务副省长张志南，省委常委、组织部部长兼福州市委书记王宁，省委常委、省纪委书记刘学新等领导同志。在闽期间，王祖继行长一行还走访了长乐恒申合纤科技有限公司。

7 月 20 日 董事长王洪章、董事会秘书陈彩虹到总行人力资源部调研。

7 月 21 日 行长王祖继、副行长章更生赴中央军委后勤保障部财务局与局长庄炳坤进行会谈。

7 月 21 日 董事长王洪章、副行长章更生赴中国人民解放军总医院拜访院长任国荃、副院长杨洛渝。

7 月 26 日 监事长郭友出席 2017 年夏季海外工作座谈会。

7 月 26 日 董事长王洪章、行长王祖继、监事长郭友、副行长庞秀生、副行长章更生、副行长黄毅、副行长余静波、纪委书记朱克鹏、张立林、首席风险官廖林、首席经济学家黄志凌、首席财务官许一鸣出席北京稻香湖生产园区开园仪式。

7 月 28 日 行长王祖继、首席财务官许一鸣赴中国铁路总公司与总经理陆东福、总会计师余邦利进行会谈。

7 月 28 日 行长王祖继在北京参加国务院常务会议。

7 月 28 日 监事长郭友在浙江嘉兴出席建设银行全国文明单位创建经验交流活动。

7 月 31 日 行长王祖继在总行大楼会见招商局仁和人寿保险股份有限公司总经理彭伟。

8 月 1 日 行长王祖继、监事长郭友、副行长庞秀生、副行长黄毅、副行长余静波、张立林、首席风险官廖林、首席经济学家黄志凌、首席财务官许一鸣在总行大楼观看国家安全工作宣传片。

8 月 7 日 党委书记田国立、副行长庞秀生、副行长张立林到信息技术管理部开展工作调研，察看了北京数据中心主机房及监控中心，看望了一线员工，并与科技人员进行了座谈。

8 月 8 日 党委书记田国立、行长王祖继在北京参加中国银行业监督管理委员会有关会议。

8 月 16 日 行长王祖继在总行大楼会见安邦保险集团高层领导。

8 月 18 日 党委书记田国立在北京参加国务院常务会议。

8 月 18 日 行长王祖继、副行长章更生到天津市分行调研。

8 月 21 日 监事长郭友在总行大楼会见日本银行（央行）总裁助理、理事前田荣治（Eiji Maeda）先生一行。

8 月 22 日 行长王祖继在北京出席中国—印尼高层经济对话第三次会议。

8 月 23 日 党委书记田国立在北京参加国务院常务会议。

8 月 23 ~ 25 日 行长王祖继到新疆维吾尔自治区分行进行工作调研，与分行领导班子成员、各部门主要负责人进行了座谈，慰问区分行“访惠聚”驻村工作组。其间，王祖继行长会见了自治区党委副书记李鹏新、自治区政府副主席赵冲久。

8 月 23 日 监事长郭友到党校与审计专题研修班学员座谈。

8 月 25 日 党委书记田国立在北京参加国务院常务会议。

8 月 29 日 党委书记田国立在总行大楼会见香港交易所及结算所有限公司行政总裁李小加先生一行。

8 月 30 日 党委书记田国立在北京参加国务院常务会议。

8 月 31 日至 9 月 5 日 党委书记田国立到上海、厦门出席了金砖国家工商理事会 2017 年度会议、2017 年金砖国家工商论坛以及金砖国家领导人与工商理事会对话会等一系列重要活动。期间到上海市分行、厦门市分行和厦门开发中心调研，并拜访当地重要客户。

9 月 1 日 行长王祖继、副行长余静波先后到建行亚洲、建银国际调研。

9 月 1 日 监事长郭友在总行大楼主持召开消保工作专题会议，总行有关部门和直属中心负责人参加了会议。

9 月 4 日 监事长郭友在总行大楼会见黄石市委书记马旭明一行。

9 月 5 日 党委书记田国立、首席财务官许一鸣在总行大楼会见普华永道亚太区主席赵柏基先生一行。

9 月 6 日 党委书记田国立在总行大楼会见香港金融管理局总裁陈德霖。

9 月 6 日 行长王祖继、副行长张立林在总行大楼会见住房和城乡建设部副部长陆克华。

9 月 7 日 党委书记田国立在总行大楼会见东亚银行有限公司执行董事兼副行政总裁李民斌先生一行。

9 月 7 日 行长王祖继在总行大楼参加办公室党支部第一党小组集中学习。

9 月 11 日 党委书记田国立在北京会见天津市副市长阎庆民。

9 月 12 日 监事长郭友到党校出席 2017 年秋学期（第 37 期）干部进修班开学典礼。

9 月 13 日 党委书记田国立在北京参加国务院常务会议。

9月13~14日 行长王祖继、副行长庞秀生到深圳进行创新工作专题调研，听取了深圳市分行实施方案及推进情况的专题报告，并深入项目现场进行实地调研。

9月15日 行长王祖继、副行长庞秀生到广东省分行开展工作调研，实地考察佛山住房租赁项目，听取分行工作汇报。

9月15日 党委书记田国立在总行大楼会见北京市金融工作局党组书记、局长霍学文。

9月18日 监事长郭友、副行长章更生在陕西省西安市陪同国务院副总理刘延东视察高校大学生创新创业成果展和建设银行服务展，随后在西安电子科技大学出席“建行杯”第三届中国“互联网+”大学生创新创业大赛闭幕式。

9月19日 党委书记田国立在总行大楼会见美国纽约梅隆银行（Bank of New York Mellon）主席何瑞德（Gerald L. Hassell）先生一行。

9月19日 党委书记田国立在总行大楼会见美国史带集团（Starr Companies）董事长兼首席执行官莫利斯·格林伯格（Maurice R. Greenberg）先生一行。

9月19日 监事长郭友到陕西安康调研扶贫工作开展情况。

9月20日 党委书记田国立在北京参加国务院常务会议。

9月20日 监事长郭友在总行大楼会见花旗银行（Citibank）副董事长、全球银行业首席客户官艾伦·麦当劳（Alan MacDonald）先生一行。

9月21日 党委书记田国立在北京参加国务院有关会议。

9月21日 行长王祖继、副行长庞秀生、张立林到上海数据分析中心调研。

9月21日 行长王祖继、副行长庞秀生、张立林到信用卡中心调研。

9月22日 党委书记田国立在总行大楼会见中国宝武钢铁集团有限公司马国强董事长一行。

9月25日 党委书记田国立在总行大楼会见卢森堡大公国财政部长皮埃尔·格拉美亚（Pierre Gramegna）先生一行。

9月25日 党委书记田国立、副行长章更生、首席风险官廖林在北京会见福建省常务副省长张志南。

9月25日 监事长郭友在总行大楼会见澳大利亚西太平洋银行集团（Westpac Banking Corporation）董事长林赛·马斯蒂德（Lindsay Maxsted）先生一行。

9月26日 党委书记田国立在北京会见湖北省副省长曹广晶。

9月26日 行长王祖继在总行大楼会见德勤（Deloitte）全球首席执行官浦仁杰（Punit Renjen）先生一行。

9月27日 党委书记田国立在北京参加国务院常务会议及有关会议。

9月27日 监事长郭友参加监事会与新任职董事座谈会。

9月29日 行长王祖继在北京会见中国银行业监督管理委员会大型银行部主任杨丽平。

9月30日 党委书记田国立在北京参加国庆招待会。

10月10日 监事长郭友在总行大楼会见塞尔维亚MK集团总裁米吴德拉戈·科斯蒂奇先生一行。

10月11日 董事长田国立、行长王祖继在北京参加党的十八届七中全会。

10月13日 董事长田国立在总行大楼会见新西兰子行董事长詹妮·辛普利女士。

10月13日 监事长郭友、纪委书记朱克鹏赴中国银行业监督管理委员会与大型银行部巡视员王大庆会谈。

10月16日 董事长田国立在北京参加国务院常务会议。

10月18~24日 董事长田国立、行长王祖继在北京参加中国共产党第十九次全国代表大会。

10月24日 董事长田国立、行长王祖继在总行大楼出席总行本部离退休老领导庆“重阳”座谈会。

10 月 25 日 董事长田国立在北京参加党的十九届一中全会。

10 月 30 日 董事长田国立在北京参加国务院常务会议。

10 月 31 日 行长王祖继、副行长章更生在总行大楼会见碧桂园集团主席杨国强一行。

10 月 31 日 行长王祖继、张立林到农业银行出席支付结算业务政策沟通联席会第二次会议。

11 月 1 ~ 3 日 董事长田国立、行长王祖继、副行长庞秀生到广东省、深圳市分行宣讲党的十九大精神，并进行工作调研，分别与广东省、深圳市分行领导班子成员及分行部门、分支机构负责人、员工代表进行了座谈。在粤、深期间，田国立董事长一行分别会见了中央政治局委员、广东省委书记李希，省长马兴瑞以及广东省委常委、深圳市委书记王伟中。

11 月 1 ~ 2 日 监事长郭友到新疆维吾尔自治区喀什分行、和田分行“访惠聚”工作队调研，看望慰问干部员工，实地考察当地有关经济建设项目。

11 月 5 ~ 11 日 郭友监事长带队出访南非、法国。在南非期间，拜访南非央行，会见中国驻南非大使及南非经济发展部部长，对约堡分行监管检查后续工作进行现场指导；在法国期间，拜访欧洲金融市场协会、标志雪铁龙集团，并视察巴黎分行。

11 月 6 日 董事长田国立在北京参加全国小微企业金融服务电视电话会议。

11 月 7 日 董事长田国立在北京参加国务院有关会议。

11 月 7 日 行长王祖继在总行大楼会见中投公司副总经理白涛一行。

11 月 8 日 董事长田国立在北京参加国务院常务会议。

11 月 9 日 行长王祖继、副行长章更生在总行大楼会见住房和城乡建设部副部长陆克华。

11 月 10 日 董事长田国立在总行大楼会见天津市副市长阎庆民一行。

11 月 10 日 董事长田国立在北京出席“中国银行家高级研修班”结业仪式。

11 月 14 日 董事长田国立在总行大楼会见国际金融协会（Institute of International Finance）总裁兼首席执行官安德慕（Tim Adams）先生一行。

11 月 16 日 监事长郭友在济南出席第三届山东跨境电商生态峰会。其间，郭友监事长会见山东省副省长王随莲等领导同志。

11 月 16 日 监事长郭友到山东省分行扶贫帮包村济宁泗水南仲都村调研。

11 月 16 ~ 17 日 行长王祖继到西藏自治区分行宣讲党的十九大精神，并宣布有关人事事宜。

11 月 20 日 董事长田国立、监事长郭友在总行大楼会见全国妇联副主席谭琳一行。

11 月 21 日 董事长田国立在北京参加中国银行业监督管理委员会有关会议。

11 月 22 日 董事长田国立在北京参加中组部有关会议。

11 月 22 日 行长王祖继在北京参加国务院常务会议。

11 月 22 日 行长王祖继在陕西省分行宣讲党的十九大精神。

11 月 23 日 董事长田国立在总行大楼会见汇丰集团主席杜嘉祺先生（Mark Tucker）一行。

11 月 23 日 监事长郭友到监事会办公室宣讲党的十九大精神。

11 月 23 ~ 24 日 行长王祖继到陕西省安康市，会见市、县主要领导，看望总行派驻干部，深入贫困村考察，慰问贫困户，就定点扶贫工作开展情况进行了调研。

11 月 24 日 监事长郭友在总行大楼会见东南非贸易与开发银行（Trade & Development Bank）行长马苏·义马·塔德西（Admassu Yilma Tadesse）先生一行。

11 月 24 日 董事长田国立、副行长章更生、副行长黄毅、张立林、首席风险官廖林、董事会秘书陈彩虹在北京出席“喜庆十九大　建行好声音”客户服务人员劳动技能竞赛决赛。

11 月 24 日 董事长田国立在总行大楼会见新加坡财政部部长王瑞杰（Heng Swee Keat）先生一行。

11 月 28 日 行长王祖继、副行长庞秀生在总行大楼会见国债协会会长孙晓霞。

11 月 29 日 董事长田国立在总行大楼会见贵州省常务副省长秦如培一行。

11 月 29 日 董事长田国立在总行大楼会见 IBM 董事长、总裁兼首席执行官罗睿兰（Ginni Rometty）女士一行。

11 月 29 日 监事长郭友、首席风险官廖林在总行大楼会见澳大利亚审慎监管局专门机构部高级经理特雷西·布拉格女士一行。

11 月 30 日 董事长田国立在总行大楼会见伦敦金融城（the City of London）政策与资源委员会主席孟珂琳（Catherine McGuinness）女士一行。

11 月 30 日 董事长田国立在总行大楼会见哈萨克斯坦共和国驻华大使努雷舍夫·沙赫拉特（Nuryshev Shakhrat）先生一行。

11 月 30 日 行长王祖继在总行大楼会见美国布朗兄弟哈里曼银行全球执行合伙人（董事长）泰利先生一行。

11 月 30 日 监事长郭友在总行大楼会见以色列国民银行集团（Leumi Group）主席大卫·布罗德（David Brodet）先生一行。

11 月 30 日 监事长郭友在总行大楼会见苏黎世银行（ZKB）执行委员会成员史蒂凡尼诺·伊瑟勒（Stephanino Isele）先生一行。

12 月 3～6 日 行长王祖继率团赴日本出席第三轮中日企业家和前高官对话活动。其间，会见日本东建企业株式会社高层，并视察建设银行在日分支机构。

12 月 4 日 董事长田国立在总行大楼会见德意志银行集团（Deutsche Bank Group）首席执行官 John Cryan 先生一行。

12 月 4 日 监事长郭友在北京出席德意志银行集团管理董事会有关活动。

12 月 5 日 董事长田国立在总行大楼会见信安集团董事长兼首席执行官侯智彤。

12 月 5 日 行长王祖继在日本出席第三轮中日企业家和前高官对话活动，并到东京分行调研业务发展情况。

12 月 7 日 董事长田国立在北京参加北京市领导调研座谈会。

12 月 8 日 行长王祖继在总行大楼会见陕西安康市委书记郭青、副市长蒋清海。

12 月 8 日 董事长田国立、纪委书记朱克鹏在总行大楼会见中央纪委四室主任蒲宇飞。

12 月 12 日 董事长田国立、行长王祖继、监事长郭友在北京出席“母亲健康快车”发车仪式。

12 月 13 日 董事长田国立在北京参加国务院常务会议。

12 月 13 日 行长王祖继在北京主持召开全球系统重要性银行领导小组会议，首席风险官廖林、首席财务官许一鸣出席。

12 月 14 日 董事长田国立、副行长章更生在总行大楼会见海航集团董事局主席陈峰一行。

12 月 15 日 董事长田国立、行长王祖继到中国银行业监督管理委员会参加有关会议。

12 月 15 日 董事长田国立在总行大楼会见汇丰集团主席杜嘉祺先生一行。

12 月 15 日 董事长田国立在总行大楼会见英国财政部经济事务大臣史蒂芬·巴克莱（Stephen Barclay）先生一行。

12 月 16 日 行长王祖继到基层联系点河北省张家口崇礼支行调研，参加支行支部党员大会，并宣讲党的十九大精神。

12 月 16 日 董事长田国立在北京出席第二届中英金融服务峰会。

12 月 18～20 日 董事长田国立、行长王祖继在北京参加中央有关会议。

12 月 20 日 董事长田国立在北京参加国务院有关会议。

12 月 22 日 行长王祖继在北京会见中国银行业监督管理委员会副主席王兆星。

12 月 27 日 行长王祖继到总行办公室党支部宣讲党的十九大精神。

12 月 28 日 监事长郭友到天津蓟县支行基层联系点宣讲党的十九大精神，并看望慰问员工。

12 月 28 日 行长王祖继到北京开发中心看望慰问员工。

12 月 29 日 董事长田国立先后到北京东四支行、城建支行看望员工。

12 月 29 日 行长王祖继先后到公司业务部、信贷管理部、小企业业务部、机构业务部、住房金融与个人信贷部、战略客户部、办公室、资产负债管理部、风险管理部看望员工。

12 月 29 日 监事长郭友先后到国际业务部、北京单证业务中心、监事会办公室、审计部、公共关系与企业文化部看望员工。

12 月 31 日 董事长田国立到资产负债管理部、财务会计部看望员工。

机构及人事类

1 月 3 日 中国建设银行武汉数据中心园区管理处撤销。

1 月 22 日 中国建设银行全球系统重要性银行领导小组成立，行长王祖继任组长。

2 月 24 日 中国建设银行（印度尼西亚）股份有限公司举行揭牌仪式。董事长王洪章、印尼公共事务和住房部部长穆罕穆德·巴苏其·哈迪慕里约诺先生、印尼中央银行副行长米尔扎·阿迪雅斯瓦拉先生、印尼金融服务管理局副主席姆利亚·西瑞嘉先生、中国驻印尼大使谢锋先生以及来自中印两国政府、企业界、金融业等各界嘉宾出席了揭牌仪式。

3 月 14 日 总行印发《张敏等职务聘任》（建总任［2017］81 号），聘任张敏为客户服务中心主任，谢吉鹤、高继农、黄平为客户服务中心副主任，客户服务中心领导班子配备到位。

3 月 20 日 总行发文建总发［2017］47 号，信访办公室整体并入办公室，撤销信访办公室内设的综合处、来信来访管理处；人力资源部加挂“教育培训部”牌子，撤销教育培训部（二级部），内设的教育培训处、培训资源管理处整体并入人力资源部；信贷管理部增设押品管理处，原贷后及押品管理处更名为贷后管理处；公司业务部加挂“养老金业务部”牌子，增设养老金业务处，市场营销处更名为重大项目处；同业业务中心产品研发处更名为产品创新处，驻地调整为上海；个人存款与投资部对现有处室设置进行优化调整，处室编制由 15 个调减为 13 个；渠道与运营管理部撤销集中业务管理中心（二级部），处室编制由 20 个调减为 18 个；总行战略客户部、小企业业务部、资产托管业务部、结算与现金管理部、财富管理与私人银行部、住房金融与个人信贷部、网络金融部、国际业务部综合处更名为综合与合规管理处；总行党校（高级研修院）作为总行直属机构，不再列入总行职能部门。

3 月 21 日 建银造价咨询有限责任公司在中国建设银行总行大楼举行揭牌仪式。董事长王洪章发来贺信，行长王祖继出席揭牌仪式并致辞，出席揭牌仪式的还有部分总行党委成员、高管成员及董事、监事，总行各部门、北京分行及子公司主要负责人，以及国家住建部、有关行业协会及客户代表。章更生副行长主持揭牌仪式。

3 月 22 日 中国建设银行境外合规管理工作领导小组成立，副行长余静波任组长。

3 月 23 日 总行发文，廖林任中国建设银行股份有限公司首席风险官。

3 月 27 日 总行发文，设立中国建设银行广东产品创新实验室。

3 月 29 日 总行发文，设立资产保全经营中心，一级部建制，作为总行直营机构，撤销风险管理部下设的资产保全部（二级部）及其内设处室，撤销风险管理部下设的不良资产经营中心（处级建制）；撤销采购部，财务会计部成立采购部（二级部）。

4月17日 中国建设银行服务雄安新区建设领导小组成立，董事长王洪章任组长，行长王祖继、副行长章更生、副行长余静波任副组长。

4月17日 中国建设银行普惠金融发展委员会成立，行长王祖继任主任，副行长庞秀生、副行长章更生（负责日常工作）、副行长杨文升、首席风险官廖林任副主任。

4月17日 总行发文，小企业业务部加挂“普惠金融事业部”牌子，增设数据金融处。

4月18日 新加坡基础设施建设服务中心、私人银行中心及建银国际新加坡子公司联合开业庆典在新加坡瑞吉酒店举行。行长王祖继出席并主持开业仪式。新加坡教育部长暨交通部第二部长黄志明、中国驻新加坡大使馆临时代办房新文、新加坡金融管理局执行董事 Bernard Wee、新加坡国际企业发展局、新加坡工商联合会、新加坡中华总商会、新加坡中国商会、新加坡通商中国等机构负责人和来自中新两地的百余家企业和金融机构代表出席了此次开业活动。

4月27日 总行发文，广东省分行投资银行业务部加挂“中国建设银行并购金融中心”牌子。

5月5日 中国建设银行并购金融中心成立暨科技企业资产交易系统上线仪式在广东省分行举行。总行党委委员、副行长余静波，广东省政府副省长袁宝成出席活动并共同为中心揭牌，总行投资银行部、授信审批部、公司业务部、战略客户部、同业业务中心、资产管理业务中心、建银国际等相关子公司、广东省分行负责人以及广东省政府相关人员一同出席了本次活动。

5月10日 总行发文，成立合肥生产园区管理办公室，由安徽省分行负责管理。

5月16日 中国建设银行亚太审批中心更名为中国建设银行海外审批中心。

5月16日 总行发文，纪委、监察部增设纪检监察干部管理监督处。

5月22日 （波兰当地时间）中国建设银行欧洲华沙分行举行开业庆祝活动。行长王祖继、独立非执行董事维姆·科克先生、中国驻波兰大使徐坚先生、波兰议会波中议员小组主席格热高什·柴莱伊先生、波兰经济大会基金会主席瓦尔德马尔·帕夫拉克先生以及来自中波两国政府、企业界、金融业等各界嘉宾300余人出席了开业活动。

5月31日 总行发文，人力资源部（教育培训部）对现有处室设置进行优化调整，设立信息化建设处、人才发展处，撤销人才与专业技术处；设立培训一处、培训二处、培训三处，撤销教育培训处、培训资源管理处；直属机构与境内公司处更名为直属处，境外机构处更名为境外处。

6月2日 中国建设银行（马来西亚）有限公司（以下简称“建行马来”）在吉隆坡举行开业庆祝活动，马来西亚总理纳吉布先生和董事长王洪章为建行马来开业揭牌。马来西亚贸工部第二部长黄家泉先生、马来西亚总理中国事务特使黄家定先生、马来西亚财政部秘书长穆罕默德·伊万先生、马来西亚央行行长穆罕默德·易卜拉辛先生、中国驻马来西亚公使衔参赞马珈女士以及来自中马两国政府、企业界、金融业等各界嘉宾出席了仪式。

6月21日 总行发文，成立总行互联网金融研发中心筹备组，徐捷任筹备组组长。

6月30日 中国建设银行珀斯分行举行开业庆祝活动。首席风险官廖林、西澳州长代表（上议院议员）杨帅先生、中国驻澳大利亚使馆公使衔经济商务参赞黄任刚先生、珀斯市长莉萨·斯卡菲迪女士，以及来自西澳大利亚社会各界嘉宾出席了开业仪式。

7月10日 总行发文，党群工作部综合处加挂“财务处”牌子，系统女工工作处加挂“经费审查处”牌子。

7月26日 总行发文，内控合规部对现有处室设置进行优化调整，调整后内设10个处室。

7月31日 全行领导干部大会在总行大楼召开。会上，中组部副部长邓声明宣读了中央关于中国建设银行主要负责人调整的决定：田国立同志任中国建设银行党委书记、董事长，免去王洪章同志中国建设银行党委书记、董事长职务；董事长任免按有关法律规定办理。总行党委成员，高管人员，近期退出领导班子的老同志，中组部有关部门负责同志等出席会议。

8月2日 建信金融资产投资有限公司在北京举行开业仪式。中国人民银行副行长范一飞，建设银行党委书记田国立、行长王祖继、监事长郭友出席了开业仪式。建信金融资产投资有限公司是中国银监会批准成立的第一家市场化债转股实施机构。

8月17日 总行发文，建行亚洲加挂“中国建设银行海外融资中心”牌子。

8月18日 建信人寿股份有限公司天津分公司正式开业，行长王祖继出席开业仪式并为其揭牌，副行长、建信人寿董事长章更生出席并致辞。

8月31日 中国建设银行海外融资中心揭牌仪式在香港中国建设银行大厦举行。行长王继祖、副行长余静波出席揭牌仪式，并与中央政府驻香港特别行政区联络办公室副主任仇鸿、香港金管局助理总裁陈景宏共同为海外融资中心揭牌。

9月26日 全行专职纪检监察干部、巡视工作人员开展业务考试，共3290人参加考试，平均分95.8分。

9月27日 建设银行完成37家一级分行普惠金融事业部设立工作。

9月30日 中国建设银行债转股工作推进领导小组成立，副行长庞秀生任组长。

10月9日 田国立担任中国建设银行股份有限公司执行董事、董事长。

10月17日 总行发文，同意设立中国建设银行股份有限公司雄安新区分行，隶属于河北省分行管辖。

10月23日 总行发文，建行亚洲加挂“中国建设银行离岸人民币交易中心”牌子。

10月27日 中国建设银行离岸人民币交易中心揭牌仪式在香港中国建设银行大厦举行。建设银行副行长余静波、金融市场部谷裕总经理出席仪式，与投资银行部钱理红总经理、建行亚洲江先周行长共同为离岸人民币交易中心揭牌。揭牌仪式由金融市场部谷裕总经理主持，余静波副行长致辞。

11月2日 中国建设银行悉尼分行增设内控合规部。

11月8日 总行发文，中国建设银行兰州电话银行中心、中国建设银行兰州信用卡运行中心整合为中国建设银行客户服务中心兰州分中心。

11月8日 总行发文，北京、武汉、广州3家电话银行中心和苏州、天津、南宁3家信用卡运行中心完成更名（建总发［2017］210号）。

11月10日 总行发文，建银国际（控股）有限公司加挂“中国建设银行全球投行业务中心”牌子。

12月4日 总行发文，设立中国建设银行湖南产品创新实验室。

12月20日 深圳分行举办私人银行中心开业仪式。

12月21日 总行发文，建银国际（控股）有限公司加挂“中国建设银行全球资产管理中心”牌子。

会议类

1月9~10日 建设银行子公司工作会议在北京召开。会议的主要任务是，贯彻中央经济工作会议和全国国有企业党的建设工作会议精神，落实全行转型发展规划要求，部署子公司提质增效、加快发展的相关工作。董事长王洪章、行长王祖继、监事长郭友、副行长庞秀生、副行长章更生、副行长黄毅、副行长余静波、纪委书记朱克鹏及总行高级管理人员出席会议，纪委书记朱克鹏主持会议。

1月10日　建设银行召开党委会议，传达学习习近平总书记重要讲话和十八届中央纪委第七次全会精神。党委书记、董事长王洪章主持会议并讲话。会上，党委委员、纪委书记朱克鹏传达了会议精神。

1月12～19日　建设银行股份有限公司监事会2017年第一次会议以书面会议方式召开。会议审议并通过了《中国建设银行股份有限公司监事会2017年度工作计划》。

1月15日　建设银行2016年度经营形势分析会议在总行大楼召开，行长王祖继主持会议，监事长郭友、副行长庞秀生、副行长章更生、副行长黄毅、纪委书记朱克鹏、首席风险官曾俭华、首席经济学家黄志凌、首席财务官许一鸣、董事会秘书陈彩虹出席会议。

1月18～19日　建设银行2017年工作会议在北京召开。会议的主要任务是：深入学习贯彻党的十八大和十八届三中、四中、五中、六中全会，以及中央经济工作会议、全国国有企业党建工作会议精神，总结全行党的建设和经营管理工作，分析当前面临的形势，部署2017年的工作任务。党委书记、董事长王洪章作题为《总结经验　严抓实干　持之以恒推动转型向纵深发展》的讲话；党委副书记、行长王祖继作题为《稳中求进　加快转型　全面提升经营绩效》的经营工作报告；党委副书记、监事长郭友主持并作会议总结。总行党委成员，高级管理人员，部分董事、监事出席会议。国务院办公厅、国家发展改革委、财政部、人民银行、审计署、银监会、证监会和汇金公司有关同志应邀出席会议。

1月20～21日　建设银行2017年海外暨国际业务工作会议在北京召开。董事长王洪章、行长王祖继、监事长郭友、副行长庞秀生、副行长黄毅、副行长余静波、纪委书记朱克鹏、首席风险官曾俭华、首席经济学家黄志凌、首席财务官许一鸣出席会议。

1月22日　2017年总行本部暨离退休老同志迎春团拜会在总行大楼举办。董事长王洪章、监事长郭友、副行长庞秀生、副行长章更生、副行长黄毅、副行长余静波、纪委书记朱克鹏、首席风险官曾俭华、首席经济学家黄志凌、首席财务官许一鸣，部分董事、监事出席。副行长章更生主持会议，董事长王洪章发表新年致辞。

2月6日　全行小微企业大数据信贷业务推进暨培训视频会在京召开，副行长章更生作重要讲话，周鑫泉副总经理进行大数据信贷业务发展情况通报及推进工作部署，总行小企业业务部进行大数据信贷产品及早期预警工具等系统培训。

2月8日　建设银行股份有限公司董事会2017年第一次会议在北京召开，董事、监事和部分高管参加了会议。会议听取了提名与薪酬委员会2017年第一次会议情况汇报，并审议通过了关于聘任廖林先生为中国建设银行首席风险官的议案。

2月9日　全行“机构业务营销年”总结表彰暨2017年机构业务“双提升”活动（视频）会议在总行大楼召开，在全行正式启动机构业务“双提升”活动。副行长章更生出席会议并作讲话。

2月13日　建设银行全面推进“213人才工程”会议在北京召开。党委书记、董事长王洪章作题为《以一流人才铸就建设银行一流的事业》的讲话；副行长章更生主持并作会议总结。总行各部门主要负责人、京内子公司及筹备组主要负责人出席会议。各一级分行、二级分行和培训中心领导班子成员，各一级分行人力资源部负责人通过视频参加了会议。

2月16～17日　全行纪检监察工作会议在北京召开，总行党委书记、董事长王洪章讲话，总行纪委书记朱克鹏作工作报告，行长王祖继、副行长庞秀生、副行长章更生、副行长余静波、首席风险官曾俭华、首席经济学家黄志凌、首席财务官许一鸣出席会议。

3月9日　2017年全行计划财务工作会议（视频）在总行大楼召开。会议主题是贯彻全行工作会议精神、落实转型发展要求、部署计财相关工作。会议由总行财务会计部总经理方秋月主持，首席财务官许一鸣作工作报告。部分董事、总行相关部门负责人在会议现场参会，一级分行相关负责人通过全行视频会议系统参会。

3月9日　监事长郭友主持召开监事会履职尽职监督委员会2017年第1次会议。

3月9～10日 建设银行股份有限公司监事会2017年第二次会议及专门委员会会议在北京召开。部分高管及银监会相关人员列席了会议。会议审议通过了关于中国建设银行股份有限公司监事会2016年度工作总结的议案，听取了财务与内部控制监督委员会主席介绍财委会会议情况、2016年度反洗钱工作情况汇报、"新一代"核心系统建设情况汇报，研究讨论了2016年度监事会报告、银行章程监事会部分修订意见、监事会议事规则修订意见，参阅了监事会履职尽职监督委员会2016年度工作总结、监事会财务与内部控制监督委员会2016年度工作总结。

3月20日 建设银行风险管理和内控管理委员会2017年第1次会议在北京召开，行长王祖继主持会议，监事长郭友、副行长余静波、纪委书记朱克鹏出席。

3月22日 总行部门产品创新推动专题会在总行大楼召开，总行党委委员、纪委书记朱克鹏主持会议并讲话。

3月22～23日 全行2017年度对公业务工作会议在江西南昌召开。会议总结了2016年以来的对公业务情况，表彰了相关先进集体和个人，明确了2017年对公业务发展思路和目标。副行长章更生作会议主报告，副行长黄毅、副行长余静波分别就转型、合规等内容及分管工作进行布置，部分董事出席了会议。境内各一级分行对公业务负责人，总行相关部门、海外分行及子公司的负责人参加了会议。

3月28～29日 建设银行董事会2017年第二次会议及专门委员会会议在杭州召开，董事、监事和部分高管参加了会议。本次董事会会议审议通过了2016年度报告、利润分配方案、内部控制评价报告、资本充足率管理报告、资本充足率报告、全面风险管理报告、社会责任报告、修订风险管理委员会和社会责任与关联交易委员会工作细则、发行不超过960亿元人民币等值合格二级资本工具、调整《中国建设银行转型发展规划》、执行董事和高级管理人员2017年度绩效考核方案、变更悉尼分行境外高级监察官、提名董事、总行部分机构调整事项以及提请召开2016年度股东大会的议案。其中，利润分配方案、发行合格二级资本工具以及提名董事的议案还需要提交股东大会。会议还听取了战略发展委员会、审计委员会、风险管理委员会、提名与薪酬委员会、社会责任与关联交易委员会等各专门委员会会议情况，书面参阅了董事会各委员会2016年度工作报告、高级管理层2016年度履职报告以及2016年度反洗钱工作报告。

3月27日、29日 建设银行股份有限公司监事会2017年第三次会议及专门委员会会议分别在北京、杭州两地召开。部分高管列席了会议。本次监事会会议审议通过了关于2016年年度报告、年度报告摘要的议案、关于2016年度利润分配方案的议案、关于2016年度内部控制评价报告的议案、关于2016年社会责任报告的议案、关于股东代表监事2017年度绩效考核方案的议案、关于2016年度监事会报告的议案、关于监事会对董事会及其成员2016年度履职情况的评价报告的议案、关于监事会对高级管理层及其成员2016年度履职情况的评价报告的议案、关于监事会及其成员2016年度履职情况的自我评价报告的议案共9项议案，听取了财务与内部控制监督委员会主席介绍财委会会议情况、境内分行合规管理推进情况的汇报。

3月30日 建设银行2016年度业绩发布会议在北京、香港两地同时召开。董事长王洪章、副行长章更生、首席经济学家黄志凌、董事会秘书陈彩虹在香港出席发布会议，行长王祖继、副行长黄毅、首席财务官许一鸣在北京出席会议。

4月6日 全行2017年风险管理工作会议在西安召开。行长王祖继出席会议并讲话，首席风险官廖林作工作报告。会议通报了全行信用风险情况，表彰了2016年信用风险管理和授信审批先进集体和个人，颁发了风险防控工作责任书。部分董事出席了会议。

4月6日 中共中国建设银行党校举行第36期专题研究班开学典礼，总行党委委员、纪委书记朱克鹏出席并发表讲话。

4月6～7日 全行资产管理和投资银行业务2017年工作会议在福州召开。会议的主要任务是，贯彻落实全行工作会议精神，总结2016年资管投行业务发展情况，分析当前面临的形势，部署2017年主要工作。副行长余静波出席会议并作了题为《稳中求进　奋发有为　深入推进资管和投行业务转型发展》的讲话。

4月11～12日　2017年精细化管理案例推广会议在苏州召开，行长王祖继、首席财务官许一鸣出席会议。天津、海南、重庆、大连、宁波、厦门、青岛、苏州8家精细化管理试点分行主要负责人，以及总行办公室、资产负债管理部、财务会计部、人力资源部、风险管理部、信贷管理部、授信审批部、公司业务部、个人存款与投资部、渠道与运营管理部、数据管理部、党校负责人参加了会议。

4月11日　建设银行“强化责任担当、提高执纪执规质量”暨“四风”问题专项整治工作动员（视频）会议在总行大楼召开。会议的主要任务是：传达学习习近平总书记近期重要讲话精神，贯彻落实王岐山同志有关工作部署和要求，针对强化纪委书记责任担当、提高全行执纪执规质量、“四风”问题专项整治等工作进行部署。总行党委委员、纪委书记朱克鹏出席会议并作讲话。

4月17日　建设银行2017年第一季度经营形势分析会议在北京召开，行长王祖继主持会议，副行长章更生、副行长余静波、纪委书记朱克鹏、首席风险官廖林、首席经济学家黄志凌、首席财务官许一鸣、董事会秘书陈彩虹出席。

4月24日　建设银行2017年第一季度子公司经营形势分析会在总行大楼召开，纪委书记朱克鹏主持会议。10家综合化子公司负责人，总行资债部、财会部、股权部等12个相关部门负责人参会，总行委派子公司专职董事、监事列席会议。本次会议为建设银行首次组织召开子公司经营形势分析会。

4月25～26日　建设银行第四届职工代表大会第二次会议在北京召开，来自全行系统近400名正式代表和特邀代表出席会议。党委书记、董事长王洪章出席并讲话，行长王祖继宣读中国金融工会表彰决定，副行长章更生受王祖继行长委托代表管理层作全行工作情况报告，副行长黄毅作工会工作报告。中华全国总工会主席团委员、中国金融工会党组副书记、常务副主席张东风亲临指导并致辞。监事长郭友，副行长余静波，纪委书记朱克鹏，首席风险官廖林出席会议。会议期间，与会代表认真听取了四届一次职代会提案办理和四届二次职代会提案征集情况报告、员工互助机制资金收支情况报告、员工企业年金管理工作报告、员工股权激励计划相关情况报告，分组审议了《中国建设银行员工互助机制管理办法（修订稿）》《中国建设银行职工代表大会实施办法（修订稿）》《中国建设银行职工之（小）家建设与管理指导意见（讨论稿）》。

4月25日　建设银行2017年审计工作会议在河南郑州召开，监事长郭友出席会议并作重要讲话，部分董事、监事出席会议。各审计分部和总审计室主要负责人，总行审计部、相关部门负责人参加了会议。

4月26～27日　建设银行股份有限公司监事会2017年第四次会议及专门委员会会议在北京召开。部分高管列席了会议。本次监事会会议审议通过了关于2017年第一季度报告的议案、关于提名郭友先生连任建设银行股东代表监事的议案、关于修订监事会议事规则的议案、关于修订监事会履职尽职监督委员会工作细则的议案共4项议案，听取了财务与内部控制监督委员会主席介绍财委会会议情况、海外机构风险管理情况的汇报、担保机构管理情况的汇报。

4月27日　建设银行股份有限公司董事会2017年第三次会议暨战略发展委员会2017年第二次会议在北京召开。会议由王洪章董事长主持，12位董事出席会议。列席会议的有监事、高管、相关部门负责人和境内外律师。本次会议审议通过2017年第一季度报告、内部资本充足评估报告、修订公司章程、股东大会和董事会议事规则、向建行巴西增资以及约翰内斯堡分行债券投资的议案。其中，关于修订公司章程、股东大会和董事会议事规则的议案还将提交2016年度股东大会逐项审议。此外，会议还通报了银监会关于建设银行2016年度的监管情况。

4月29日至5月14日　中国建设银行与美国哈佛商学院合作成功举办首期“金融领军人才”高级研修班。本期高级研修班是针对“213人才工程”全行领军人才开展的高端定制化培训，来自总分行、直属机构、境外机构和子公司的学员参加了研修班。

5月5日 建设银行“两学一做”学习教育常态化制度化工作部署（视频）会议在京召开，董事长王洪章、行长王祖继、监事长郭友、副行长章更生、纪委书记朱克鹏、首席风险官廖林、首席经济学家黄志凌、首席财务官许一鸣出席。

5月5日 建设银行风险管理与内控管理委员会2017年第2次会议在北京召开，行长王祖继主持会议，监事长郭友、纪委书记朱克鹏、首席风险官廖林出席。

5月5日 建设银行总行党委中心组与北京、天津、河北分行党委中心组，在北京城市副中心建设地——通州举办“京津冀协同发展”专题联学活动。党委书记、董事长王洪章主持学习，党委副书记、行长王祖继，党委副书记、监事长郭友，党委委员、副行长章更生，党委委员、纪委书记朱克鹏，在京高管人员、党委职能部门主要负责人，北京、天津、河北分行的党委书记、副书记，以及建设银行京津冀协同发展委员会副主任参加了此次学习。中央国家机关工委副书记、纪工委书记陈超英，工委宣传部部长张璐、纪工委办公室主任魏宏等领导莅临现场指导。

5月8日 建设银行2017年第9次党委（扩大）会议在京召开，党委书记、董事长王洪章主持会议，党委副书记、行长王祖继、监事长郭友，党委委员、副行长章更生，党委委员、副行长黄毅，党委委员、纪委书记朱克鹏、首席风险官廖林、首席经济学家黄志凌、首席财务官许一鸣出席。

5月8日 政府融资类业务政策座谈会在总行大楼召开，首席风险官廖林主持会议。会议邀请财政部王克冰副司长做政策解读。监事长郭友，部分董事和监事，监事会办公室、风险管理部、信贷管理部、授信审批部、公司业务部、审计部、金融市场部、资管中心、投资银行部等相关部门负责人出席会议。

5月10日 建设银行召开全行视频会议，传达学习习近平总书记4月25日在中央政治局会议和中央政治局第四十次集体学习上的重要讲话精神、国务院有关会议精神以及银监会第一季度经济金融形势分析会精神。会议由党委副书记、行长王祖继主持，党委副书记、监事长郭友，在京党委成员庞秀生、章更生、黄毅、朱克鹏以及在京高管人员和部分董事、监事出席会议。

5月10日 建设银行金融精准扶贫工作（视频）会议在总行大楼召开。副行长章更生出席会议并作讲话，会议由公司业务部主要负责人程远国主持。总行相关部门负责人、部分子公司负责人及相关处室负责人在主会场参加会议，各一级分行、二级分行、支行分管金融精准扶贫工作的行领导和相关部门负责人以及总分行派驻定点扶贫市、县、村的挂职干部在分会场参会。

5月11日 10家重点分行转型发展座谈会议在南京召开，黄毅副行长主持会议，行长王祖继作重要讲话。会议听取了10家分行转型发展推进情况的汇报，并对各行转型发展补短板提出了明确要求。

5月19日 建设银行海外分行监管合规（视频）会议在京召开，监事长郭友主持会议，副行长余静波出席。

5月22～26日 2017年转型推进培训班在哈尔滨培训中心举办，副行长黄毅出席培训班结业仪式并与学员交流。37家一级分行负责转型推进的相关部门和23家重点城市行负责人参加了培训。

5月22～26日 2017年离退休工作业务培训班在湖南长沙培训中心举行，39家分行和总行离退休人员管理部共计60名离退休工作主要负责人及业务骨干参加了培训。

6月9日 总行资产负债与成本控制委员会2017年第2次会议在京召开，行长王祖继、张立林、首席财务官许一鸣出席。

6月13～14日 建设银行董事会2017年第四次会议及专门委员会会议在北京市召开，董事、部分监事和高管参加了会议。本次董事会会议审议通过了董事会对董事会专门委员会和行长授权方案续期、提名和增补董事会专门委员会委员、提名董事会专门委员会主席、聘任副行长的议案。此外，会议还听取了2016年度监管通报整改落实情况的报告，以及各专门委员会的会议情况。

6月15日 建设银行2016年度股东大会同时在香港、北京召开，两地会场以视频方式连接。董事长王洪章主持香港会场，副董事长、行长王祖继出席；监事长郭友主持北京会场，执行董事、副行长庞秀生和章更生出席；董事、监事及部分高管分别参加了两地会议，普华会计师事务所、中国内地法和香港法的法律顾问等出席了会议。本次股东大会审议通过了2016年董事会报告、监事会报告、财务决算方案、利润分配方案、2017年固定资产投资预算、2015年度董事和监事薪酬分配清算方案，M. C. 麦卡锡先生担任建设银行独立非执行董事，冯冰、朱海林、吴敏、张奇担任建设银行非执行董事，郭友连任建设银行股东代表监事，2017年度外部审计师聘用方案，发行不超过960亿元人民币等值合格二级资本工具预案和关于修订公司章程、股东大会议事规则、董事会议事规则和监事会议事规则等议案。股东大会后，行长王祖继在董事会秘书陈彩虹陪同下，与香港经济日报、明报、华南早报等30余家媒体记者见面交流。

6月12～16日　建设银行第5期一级分行党委书记、总行部门总经理高级研修班在中国浦东干部学院举办。

6月19日　建设银行监事会2017年第五次会议及专门委员会会议在北京召开。本次会议听取了地方政府性债务相关业务风险管控情况的汇报、交叉性业务发展及风险管控情况的汇报，审议通过了关于提名郭友先生连任中国建设银行股份有限公司监事长的议案。监事会财务与内部控制监督委员会会议听取了普华永道2016年度管理建议书有关情况的汇报、代理类业务经营与风险管理情况的汇报。

6月24日　建设银行在北京数据中心举行“新一代”核心系统总结大会，董事长王洪章出席并作重要讲话，行长王祖继，副行长庞秀生，党委委员张立林出席；总行相关部门负责人现场出席，总行信用卡中心、北京开发中心、上海开发中心、厦门开发中心、广州开发中心、成都开发中心、深圳开发中心、武汉数据中心负责人在现场或通过视频参加了总结大会。

6月29日　中国共产党中国建设银行代表会议在北京隆重召开。会议的主要任务是，落实党中央关于党的十九大代表选举工作部署，选举建设银行出席党的十九大代表。党委书记、董事长王洪章出席并讲话，党委副书记、行长王祖继主持，党委副书记、监事长郭友，党委委员、副行长庞秀生、章更生、黄毅，党委委员、纪委书记朱克鹏，党委委员张立林，总行高级管理人员出席会议。部分已退出领导岗位的老党员作为特邀代表出席了会议。

7月3日　建设银行“213人才工程”领军人才座谈会在京召开。董事长王洪章出席座谈会并作了题为《加强锤炼　加速成长　当好转型发展的领军者》的重要讲话，监事长郭友、副行长章更生、纪委书记朱克鹏出席会议并讲话，首席经济学家黄志凌、董事会秘书陈彩虹以及总行有关部门主要负责人出席会议。总行党校第36期专题研究班和“213”领军人才哈佛商学院、沃顿商学院、多伦多大学和歌德大学培训班的学员代表参加了会议。

7月10～14日　建设银行在哈尔滨培训中心举办第3期二级分行党委书记培训班。副行长章更生、首席财务官许一鸣、首席经济学家黄志凌、首席风险官廖林在培训班上进行授课。本期培训班学员主要包括各省、自治区、直辖市分行下属二级分（支）行党委书记，共186人。

7月12日　建设银行部分分行产品创新座谈会在广州召开。党委委员张立林、总行产品创新与管理部负责人、部分分行分管创新工作的行领导和创新管理部门负责人参加会议。

7月13日　“新一代”核心系统建设表彰大会（视频）在北京总行本部大楼B2多功能厅召开。党委书记、董事长王洪章出席并作重要讲话；党委副书记、行长王祖继主持；党委副书记、监事长郭友宣读表彰决定；在京党委委员、副行长庞秀生、黄毅，党委委员、纪委书记朱克鹏出席；出席会议的还有总行高级管理人员及部分董事、监事。会上，对“新一代”核心系统建设优秀成果和先进个人进行了表彰；五位参与“新一代”建设的员工代表从不同工作侧面作了经验交流发言；会前观看回顾了关于“新一代”核心系统建设的工作电视短片。

7月17日　建设银行召开党委扩大会议，传达学习全国金融工作会议精神，并结合建设银行实际就贯彻落实会议有关要求进行了具体布置。党委书记、董事长王洪章主持会议并提出具体要求。

7月17日　建设银行召开2017年上半年经营形势分析会议，行长王祖继主持会议，监事长郭友、副行长庞秀生、副行长章更生、副行长黄毅、纪委书记朱克鹏、张立林、首席风险官廖林、首席经济学家黄志凌、首席财务官许一鸣、董事会秘书陈彩虹出席。

7 月 21 日　建设银行总行党委中心组举办集体学习研讨会。党委书记、董事长王洪章主持并讲话，党委委员、纪委书记朱克鹏作主题发言。在京党委成员、高管人员及党委职能部门主要负责人参加了此次学习。会议解读了中共十八届六中全会通过的《中国共产党党内监督条例》，以及 7 月 1 日党中央修改印发的《中国共产党巡视工作条例》，与会党委成员进行了讨论交流。

7 月 24～25 日　建设银行 2017 年夏季工作会议在北京召开。会议的主要任务是：贯彻落实党的十八大和十八届三中、四中、五中、六中全会精神，传达贯彻全国金融工作会议精神，总结全行上半年工作，研究落实服务实体经济、防控金融风险、深化改革转型等重点任务，布置下半年的工作。会上，党委书记、董事长王洪章作了题为《回归本源　稳慎有为　紧扣三大任务全面深化转型》的重要讲话；党委副书记、行长王祖继作了题为《深化转型　提高服务实体经济和防控化解风险的能力》的经营情况报告；党委副书记、监事长郭友主持并作会议总结。总行党委成员，高级管理人员，部分董事、监事出席会议。人民银行、银监会和汇金公司有关同志应邀出席会议。

7 月 25 日　2017 年全行组织人事工作座谈会在北京召开。这次座谈会的主要任务是：深入学习贯彻党的十八大和十八届三中、四中、五中、六中全会精神，深入学习贯彻习近平总书记系列重要讲话精神，认真贯彻全国国有企业党的建设工作会议与全国金融工作会议精神，落实全国组织部长会议和全行工作会议要求，总结工作、交流经验、明确方向，以优异成绩迎接党的十九大胜利召开。会上，党委书记、董事长王洪章作了重要讲话，党委委员、副行长章更生主持并作总结。总行党委委员、高级管理人员出席座谈会。

8 月 8 日　全行安全生产大检查动员部署视频会议在北京召开。会议传达了习近平总书记、李克强总理关于做好安全生产工作重要指示批示和全国安全生产电视电话会议、全行夏季工作会议精神，并对全行自 8 月起至 10 月底开展的安全生产大检查进行了部署。副行长余静波出席并讲话。总行各部门主要负责人、总行在京直属中心、在京子公司主要负责人在主会场参加了会议。各一级分行、哈尔滨、常州培训中心，总行信用卡中心、总行京外直属机构和子公司的主要负责人、分管安全保卫工作的领导及各部门主要负责人，二级分行主要负责人通过视频会议系统参加了会议。

8 月 17 日　大数据应用优秀案例（视频）报告会在总行大楼召开，会议由庞秀生副行长主持。报告会由总行小企业业务部、深圳分行、总行数据管理部分别宣讲小微快贷实践、分行数据应用分享、新一代员工业绩计量系统。总行相关部门和在京子公司负责人在主会场参会，各一级分行、总行信用卡中心、直属中心（京外）、二级分行负责人在分会场参会。

8 月 17 日　建设银行 2017 年第五次董事会及专门委员会会议在北京召开。会议由副董事长王祖继主持，14 位董事出席会议，部分监事和高管列席了会议。会议审议通过了关于提名田国立先生担任中国建设银行股份有限公司执行董事和提请召开中国建设银行股份有限公司 2017 年第一次临时股东大会的议案。关于提名田国立先生担任本行执行董事的议案还将提交 2017 年第一次临时股东大会审议。

8 月 29 日　2017 年全行第二季度案件防控与预防腐败联席（扩大）会议在北京召开。总行党委委员、纪委书记朱克鹏出席会议，总行内控合规部、结算与现金管理部、住房金融与个人信贷部、渠道与运营管理部、纪委、监察部分别通报了近期案件情况，剖析了案件成因，明确了整改措施，重庆市分行就有关案件处置情况做了情况汇报。

8 月 29～30 日　建设银行董事会 2017 年第六次会议及专门委员会会议在北京召开，董事、监事和部分高管参加了会议。本次董事会会议审议通过了 2017 年半年度报告、业绩公告及报告摘要、进一步修订公司章程、在马来西亚纳闽设立分行、2017 年上半年全面风险管理报告、恢复与处置计划、2016 年度董事、监事和高级管理人员薪酬分配清算方案的议案。此外，会议还听取了各专门委员会的会议情况。

8 月 30 日　建设银行监事会 2017 年第六次会议及专门委员会会议在北京召开。本次监事会会议审议了关于 2017 年半年度报告、半年度报告摘要的议案；听取了财务与内部控制监督委员会主席介绍财委会会议情况的汇报，信用风险管控情况的汇报和关于贯彻全国金融工作会议精神、落实银监会整治市场乱象工作要求情况的汇报；研究讨论了落实《中国投资有限责任公司关于加强控股金融机构监事会指导的实施意见》。

8 月 31 日　建设银行 2017 年中期业绩发布会在北京、香港两地同时召开，行长王祖继，监事长郭友，副行长庞秀生、章更生、余静波，首席风险官廖林、首席财务官许一鸣和董事会秘书陈彩虹出席了发布会，200 余名分析师和媒体记者应邀参加。发布会后，廖林和许一鸣分别带队在港路演，与贝莱德资本、资本集团、摩根大通资产管理、施罗德投资管理等 50 多家重要投资机构进行深入交流。

8 月　总行举办零售业务高级专题研修班，37 家分行分管零售业务的副行长、子公司和建行亚洲相关负责人参加了此次研修。党委委员张立林与学员们进行座谈交流并讲话。

9 月 6 日　总行党委中心组举办保密工作专题学习。中央保密办副主任、国家保密局副局长杜永胜应邀作辅导报告。党委书记田国立主持并讲话，在京党委成员，以及高管成员、党委职能部门主要负责同志参加了学习。

9 月 7 日　总行全面推进投行业务暨财务顾问业务专题会议在河南郑州召开，副行长余静波出席会议并作了题为“专业专注创新创收　全面推进投行业务再上新台阶”的重要讲话，37 家一级分行和建信信托、建银国际、建信资本、建信保险资管四家子公司负责人参会。河北、苏州、河南、广东分行做了投行业务经验分享，参会子公司进行了联动创新创收投行产品案例介绍。

9 月 12 日　总行召开反洗钱工作领导小组会议，听取并审议了内控合规部关于 2017 年以来建设银行反洗钱工作情况的报告，审议了《中国建设银行反洗钱工作领导小组议事规则（2017 年版）》和《关于跨境美元业务反洗钱问题的整改方案》，议定了若干工作事项。会议由行长王祖继主持，纪委书记朱克鹏出席，内控合规部等 28 个总行反洗钱工作领导小组成员部门负责人参会。

9 月 21 日　全行信贷管理工作会议在上海召开，会议的主要内容是贯彻落实全国金融工作会议精神，分析当前形势，重点研究提高信贷基础管理水平，部署全行信贷管理工作。行长王祖继、副行长庞秀生、首席风险官廖林出席会议并讲话。37 家境内分行、部分海外机构、子公司和总行相关部门的 120 名代表参加了会议。

9 月 21 日　总行在常州培训中心举办 2017 年内控合规高级管理人员培训班，总行纪委书记朱克鹏同志出席并讲话。37 家一级分行分管合规工作的行领导及合规部门负责人，28 家境外机构分管合规工作的负责人，21 个总行部门承担合规职责的处室负责人等，共 123 人参加培训。此次培训明确了合规工作的整体思路：确立“一个目标”，致力于“三个提升”，夯实“六大基础”，落实“八个步骤”，最终实现“两个确保”“五个减少”。

9 月 26 日　建设银行信访工作会议在北京召开。会议的主要任务是：深入学习贯彻习近平总书记关于信访工作的重要指示和第八次全国信访工作会议精神，研究全行信访和安全稳定形势，部署下一阶段工作任务。党委书记田国立出席并作题为“维护安全稳定，强化考责问效，以新作为新状态迎接党的十九大”的重要讲话。党委委员、纪委书记朱克鹏主持并讲话。各一级分行，哈尔滨、常州培训中心分管信访工作的行领导和信访工作职能部门的负责人，13 个分行的主要负责人，总行本部信访工作联席会议成员部门负责人等参加了会议。

9 月 29 日　全行外部案件防控工作座谈会在江苏常州召开。会议的主要内容是：深入贯彻中央金融工作会议精神，全行夏季工作会议精神，以及南宁、厦门安全保卫工作会议精神，研究部署案防工作转型创新。总行党委委员、副行长余静波出席会议并讲话。各一级分行，哈尔滨、常州培训中心分管安全保卫工作的领导以及安全保卫部门主要负责人等参加了会议。

10 月 9 日　建设银行 2017 年第一次临时股东大会和 2017 年董事会第七次会议在京召开，董事、监事和部分高管参加了会议。2017 年第一次临时股东大会审议通过了关于选举田国立担任中国建设银行股份有限公司执行董事的议案。在随后召开的董事会会议上，审议通过了关于提名田国立担任中国建设银行股份有限公司董事长的议案。按照监管规定和股东大会、董事会会议决议，田国立于 2017 年 10 月 9 日起担任建设银行董事长、执行董事。

10 月 10 日 总行召开境外培训工作座谈会，行长王祖继听取了人力资源部及英国剑桥大学、美国哈佛商学院、美国沃顿商学院、德国歌德大学、加拿大多伦多大学、美国乔治城大学六个境外培训团组的成果汇报。章更生副行长主持会议。

10 月 12 日 全行机构业务"双提升"活动推进及典型经验交流现场会在广州召开，副行长章更生出席会议并讲话。37 家一级分行机构业务分管行领导及部门负责人，总行机构业务部负责人、各处室负责人参加会议。

10 月 16 日 建设银行 2017 年第三季度经营形势分析会议在京召开。行长王祖继主持会议，监事长郭友、副行长章更生、副行长黄毅、纪委书记朱克鹏、张立林、首席风险官廖林、首席经济学家黄志凌、董事会秘书陈彩虹出席。

10 月 24 日 行长王祖继主持召开资产负债与成本控制委员会 2017 年第三次会议。

10 月 26 日 建设银行 2017 年董事会第八次会议及专门委员会会议在北京召开，董事长田国立主持会议，全体董事、部分监事和高管参加了会议。本次董事会会议审议通过了 2017 年第三季度报告和境外优先股股息分配的议案，听取了审计委员会、社会责任和关联交易委员会会议情况，并于会后对全体董事进行了 2017 年美国银行保密法、反洗钱法的合规培训。董事会审计委员会审核通过了 2017 年第三季度报告和 2017 年内部控制评价方案。董事会社会责任和关联交易委员会审核通过了关于在社会责任与关联交易委员会职责权限中增加普惠金融相关内容的议案。

10 月 26 日 建设银行监事会 2017 年第七次会议及专门委员会会议在北京召开。本次监事会会议审议通过了关于 2017 年第三季度报告的议案、关于监事会 2017 年年度履职监督与评价工作方案的议案；听取了风险预警系统整合工作进展情况的汇报、消费者权益保护工作开展情况的汇报。

10 月 26 日 全行党员干部（视频）大会在总行大楼 B2 多功能厅召开，传达学习贯彻党的十九大精神。党委书记、董事长田国立主持并作了题为《以党的十九大精神为引领，书写新时代全行改革发展新篇章》的重要讲话，党委副书记、行长王祖继传达了中共十九大会议精神，党委副书记、监事长郭友，党委委员、副行长庞秀生、章更生、黄毅、张立林，党委委员、纪委书记朱克鹏，高级管理人员出席了会议。

10 月 30～31 日 全行计财条线工作会议在杭州召开，主题是研讨学好用好"新一代"核心系统和加强大数据分析应用，在新时代、新形势、新环境下提升全行计财管理能力。会议由首席财务官许一鸣主持，副行长庞秀生、总行相关部门、一级分行相关负责人参会。

10 月 31 日至 11 月 1 日 2017 年部分分行国际业务座谈会在新疆召开，监事长郭友出席会议，总行国际业务部、资产负债管理部、财务会计部、公司业务部、信息技术部负责人，十二家分行分管行长和国际部总经理，新疆维吾尔自治区分行杨险峰行长，徐军世副行长参加会议。

10 月 30 日至 11 月 3 日 总行 2017 年网络金融业务高校培训班在清华大学举办。副行长张立林与培训班学员座谈。

11 月 13～17 日 总行在常州培训中心举办第四期新任职管理人员培训班，副行长章更生为学员作"在工作中成长进步"专题讲座。

11 月 14 日 总行党委中心组以"深入学习贯彻党的十九大精神"为主题举办了专题集体学习研讨。党委书记、董事长田国立主持并带头发言，党委副书记、行长王祖继，党委副书记、监事长郭友及其他党委成员出席并逐一交流学习体会，高管人员、党委职能部门主要负责同志列席了学习。中央国家机关纪工委副书记晋圣斌，中组部四局三处曹昆鹏莅临现场指导。

11 月 20 日　总行党委中心组集体学习《中共中央政治局关于加强和维护党中央集中统一领导的若干规定》和《中共中央政治局贯彻落实中央八项规定的实施细则》。党委书记、董事长田国立主持并带头发言，党委副书记、行长王祖继，党委副书记、监事长郭友，在京党委委员，高管人员、党委职能部门主要负责同志参加了学习。

11 月 21 日　总行组织召开京津冀协同发展委员会 2017 年度例会，副行长章更生出席会议并作讲话。北京、天津、河北分行主要负责人，建信租赁、建信信托、中德银行、建信人寿、建信养老金、建银国际等子公司负责人以及总行相关部门负责人出席会议。

11 月 22 日　全行金融市场“新一代”应用优秀案例视频报告会在京召开。副行长庞秀生出席会议并作重要讲话。金融市场部总经理谷裕做了“金融市场条线学好用好新一代”工作汇报。总行相关部门负责人，各一级分行金融市场条线分管行领导及相关部门负责人参加了会议。

11 月 23 日　中国证券投资基金业协会第二届托管与运营专业委员会成立大会暨第一届托管机构联席会议在建设银行成功举行，黄毅副行长出席会议并致辞，中国证券监督管理委员会证券基金机构监管部副主任吴孝勇、中国证券投资基金业协会会长洪磊、副会长钟蓉萨出席会议并讲话。出席会议的还有证监会相关部门负责人，商业银行、基金公司、证券公司、私募基金公司相关部门负责人及服务合作机构高管等共约 150 人。

11 月 27 日　2018 年零售及网络金融业务旺季营销启动会在京召开，行长王祖继主持会议，副行长张立林出席。

11 月 29 日　总行党委中心组（扩大）会议在京召开，会议学习了党的十九大精神。党委书记、董事长田国立主持会议，党委副书记、监事长郭友，党委委员、副行长余静波、张立林出席，首席风险官廖林、首席经济学家黄志凌、首席财务官许一鸣、董事会秘书陈彩虹列席。

11 月 29 日　全行普惠金融业务督导会议在上海召开，副行长章更生出席会议并讲话，部署年末全行推进普惠金融发展的重点工作。

11 月 28 日至 12 月 1 日　建设银行学习贯彻党的十九大精神专题研讨班（视频）在北京举办。此次研讨班的主要任务是：深入学习领会党的十九大精神和习近平总书记在党的十九届一中全会上的重要讲话精神，切实把学习成果转化为推动建设银行改革发展的动力。党委书记、董事长田国立出席并作重要讲话，党委副书记、行长王祖继作专题讲座，党委副书记、监事长郭友主持并提出学习要求，党委委员、副行长庞秀生、章更生、余静波、张立林出席，章更生作研讨班总结，高级管理人员出席。

12 月 7 ~ 8 日　全行数据条线学好用好“新一代”案例交流暨工作会议在江苏南京举办。副行长庞秀生出席会议并作重要讲话，各一级分行分管行领导、数据管理部门负责人，总行相关部门负责人，数据管理部和上海数据分析中心相关人员，共 90 人参加会议。

12 月 11 ~ 15 日　总行 2017 年并购重组业务综合能力提升培训班在清华大学举办，副行长余静波作题为《不忘初心　砥砺奋进　全面开创并购重组业务新局面》的重要讲话。总行投资银行部、资产负债管理部、财务会计部、公司业务部、战略客户部，37 家一级分行投资银行业务分管行领导及部门主要负责人，上海、广东并购中心、全球投行中心，以及子公司相关负责人参加了本次培训。

12 月 19 ~ 20 日　建设银行 2017 年董事会第九次会议及专门委员会会议在北京召开，全体董事、部分监事和高管参加了会议。董事会和各委员会按照职责审议、审核、讨论了相关议题，并研究拟订了 2018 年工作计划。本次董事会会议审议通过了关于约翰内斯堡分行投资南非国债、进一步修订建设银行公司章程、风险偏好陈述书（2018 年）、全球系统重要性银行管理办法、修订内部交易管理办法、聘任董事会秘书、修订社会责任与关联交易委员会工作细则等议案，听取了相关专门委员会会议情况。

12 月 21 日　建设银行股份有限公司监事会 2017 年第八次会议在北京召开。本次监事会会议听取了建设银行监管通报整改落实进展情况的汇报、建设银行 2017 年案件防控情况的汇报。

12 月 22 日　2017 年第四次风险管理与内控管理委员会会议在京召开，行长王祖继主持会议，监事长郭友、副行长黄毅、副行长余静波、首席风险官廖林出席。

12 月 21～22 日 全行一级分行纪委书记学习贯彻党的十九大精神专题研讨班在总行党校举办，纪委书记朱克鹏进行主题宣讲，总行党校副校长周小知对党的十九大精神进行辅导授课。

12 月 25 日 总行召开党委扩大会议，传达学习中央经济工作会议精神，研究部署贯彻落实措施。党委书记、董事长田国立主持会议，传达中央经济工作会议精神，并结合建设银行实际就贯彻落实提出具体要求。总行党委委员、高管以及总行有关部门负责人参加了会议。

业务类

1 月 6 日 建设银行和腾讯联合推出以游戏电竞为主题的信用卡产品——“龙卡腾讯游戏信用卡”。

1 月 12 日 建设银行副行长章更生代表建设银行受邀出席上海清算所承办的全球中央对手方协会（CCP12）开业仪式，人民银行副行长潘功胜、上海市人民政府副秘书长俞北华以及协会主席贝特希尔、CCP12 会员代表共同见证参与。

1 月 13 日 建信租赁与越南越捷航空公司在北京签署合作意向函。副行长余静波与越捷航空副董事长阮清雄出席签约活动并举行会谈。建信租赁总裁王强与越捷航空副主席 Nguyen ThuyBinh 分别代表双方签署《合作意向函》。

1 月 17 日 建设银行中标中国人民保险集团公司发来的企业年金基金托管机构资格，项目初始托管规模 20 亿元。

1 月 建设银行结合大数据和移动办公，推出“鹰眼”掌上报表客户端。

2 月 9 日 建设银行与中兴通讯股份有限公司在北京签署战略合作协议。副行长余静波、中兴通讯执行副总裁韦在胜出席签约仪式。

2 月 17 日 建设银行牵头完成海航集团有限公司 3 年期 2 亿美元的境外贷款转债项目，是建行集团承销的首笔跨境结构化贷款担保债券项目。

2 月 27 日 建设银行与内蒙古自治区签署《金融战略合作协议》，副行长章更生，内蒙古自治区副主席常军政代表双方签字。

3 月 9 日 建设银行首次成功营销联想集团香港 30 亿美元中票发债计划首期 5 亿美元及 8.5 亿美元永续债的联席全球协调人和联席账簿管理人。

3 月 14 日 建设银行独家主承销的中国银行间市场首笔扶贫债券——重庆鸿业实业（集团）有限公司扶贫超短期融资券成功注册发行，金额 2 亿元，发行利率 5.3%。

3 月 17 日 建设银行与浙江省建设投资集团股份有限公司、中天发展控股集团有限公司在杭州分别签订《市场化债转股业务合作框架协议》及《综合化降杠杆业务合作框架协议》，签约总规模 150 亿元，副行长余静波出席签约仪式。

3 月 20 日 建设银行与国家电力投资集团公司在北京签署《关于国家电力投资集团公司降杠杆暨市场化债转股 300 亿元业务合作框架协议》，副行长庞秀生、国家电力投资集团公司党组成员、总会计师王益华出席签约仪式。

3 月 28 日 建设银行与浙江省政府在杭州签署《关于支持浙江海洋港口发展战略合作协议》，副行长庞秀生和浙江省副省长高兴夫代表双方签字，行长王祖继、副行长庞秀生，浙江省车俊省长等出席签约仪式。

3月28日 建设银行与阿里巴巴（中国）有限公司、浙江蚂蚁小微金融服务集团股份有限公司在浙江省杭州市举行签约仪式。行长王祖继与蚂蚁金服首席执行官、阿里巴巴董事井贤栋分别代表双方签署了《战略合作协议》；副行长章更生与蚂蚁金服副总裁樊治铭分别代表双方签署了《合作备忘录》。董事长王洪章、阿里巴巴董事局主席马云及双方有关人员共同见证签约。

3月31日 建设银行正式推出新版个人手机银行。

4月5日 建设银行与青海省人民政府在西宁签署战略合作协议暨省属重点企业市场化债转股合作框架协议，行长王祖继、省长王建军分别致辞，省委常委张光荣主持签约仪式。

4月5日 建设银行与住房和城乡建设部在北京就共同推进小城镇建设签署了战略合作框架协议，副行长章更生与住房和城乡建设部总经济师赵晖出席并签署协议。

4月8日 建设银行推出“商户服务平台”，为商户提供多渠道、一站式的金融及非金融综合服务。

4月12日 建信人寿在香港市场成功发行5亿美元核心二级资本债券，发行票面利率4.5%，是保险行业自“偿二代”正式实施以来，第一笔核心二级资本债券的发行交易。

4月18日 中国建设银行与新加坡星展银行签署了《全面合作备忘录》，行长王祖继出席签约仪式。

5月2日 建设银行与营口港务集团、沈阳机床集团在沈阳签署市场化债转股业务合作框架协议，董事长王洪章、副行长庞秀生出席签字仪式。

5月5日 建设银行与深圳证券交易所在深圳签署战略合作协议，双方在现有合作基础上进一步深化了战略合作内容。同日，建银国际（控股）有限公司也与深圳证券信息有限公司签署了战略合作协议。副行长余静波、深交所总经理王建军出席签约仪式。

5月5日 建设银行与工信部续签了《中小企业金融服务战略合作协议》。

5月5日 建设银行并购金融中心与广东恒健投资控股有限公司、广东粤财投资控股有限公司、广州国资发展控股有限公司、广州金融控股集团有限公司、广东民营投资股份有限公司、康美药业股份有限公司等知名企业签署了并购金融战略合作协议。

5月11日 建设银行中标中国电建集团企业年金托管人资格。

5月14日 建设银行与巴基斯坦哈比银行有限责任公司在北京签署《“一带一路”全面业务合作备忘录》，董事长王洪章与哈比银行董事长苏尔坦·阿里·阿拉那先生见证签约，副行长余静波与哈比银行总裁兼首席执行官诺曼·凯·达尔先生代表双方签署。

5月22日 “新一代”市场风险组件人民币信用债十二级分类系统正式上线运行。

5月23日 建设银行与广西壮族自治区政府签署《支持北部湾开放开发金融合作协议》，同时副行长黄毅与广西壮族自治区常务副主席蓝天立举行高层会谈。

5月25日 “中国建设银行全面金融解决方案（FITS·飞驰）暨投行产品推介会”在合肥成功举行，安徽省内50家优质投行客户参会，总行投行部及建银国际（中国）公司相关人员参加会议。会议期间安徽分行与淮南矿业、淮北矿业、铜陵有色等8家企业签署了《全面金融解决方案（FITS）服务协议》。

5月26日 建设银行面向年轻客户推出龙卡JOY信用卡。

5月27日 建设银行“新一代”信用卡消费信贷平台上线，并在安徽、重庆、四川、江西4家分行试运行。

5月28日 建设银行“新一代”对私核心业务系统完成北京、吉林、宁夏3家分行推广上线工作，7时30分正式开启对外服务。

5月31日 建设银行“新一代”国际结算系统（N-ISS）在广西成功试点上线，各项业务功能达到预期目标。

5 月 建设银行完成对 E－TRADE 系统功能及用户体系的整合，打造出企业网银国际结算产品体系，并在广西分行试运行。

6 月 1 日 建设银行在武汉分别与湖北省人民政府和武汉大学签署战略合作协议，并就深化银政合作和银校合作进行高层会谈。行长王祖继、副行长章更生、首席财务官许一鸣出席签约仪式并参加会谈。

6 月 1～10 日 中国建设银行与瑞士信贷银行在瑞士签署《全面业务合作备忘录》，董事长王洪章出席签约仪式。

6 月 5 日 建设银行在武汉举办“中国建设银行全面金融解决方案产品推介暨银企签约”活动。副行长余静波、湖北省副省长曹广晶出席并致辞。活动现场，湖北省分行与湖北省交投、湖北省供销社、中铁十一局、大冶有色等 8 家客户签署了全面金融解决方案合作协议。

6 月 8 日 建设银行与万得信息技术股份有限公司在上海举办发布会，联合发布“建行—万得银行间债券发行指数”、“建行—万得银行间债券发行曲线”，双方同时还签订了战略合作协议，将在债券承销、资产证券化、财务顾问、产业基金等投资银行业务领域展开全面数据合作。

6 月 13 日 建行亚洲与信安香港战略合作协议签约仪式在香港中环建设银行大厦举行。建行亚洲行长江先周、常务副行长郭珮芳、美国信安金融集团亚洲区主席欧阳伯权、美国信安金融集团北亚地区副总裁张维义、信安香港总裁柏智伟出席签约仪式。

6 月 17 日 由建设银行主办“共筑‘一带一路’—自贸区合作纽带”海内外分行联动创新论坛在中国浦东干部学院成功举办。本次论坛围绕“一带一路”“上海自贸区”“人民币国际化”三大主题展开，旨在充分发挥上海自贸区在人民币国际化、上海国际金融中心和上海科创中心建设中的创新引领作用，并进一步深化境内外联动。

6 月 19～20 日 建设银行在北京、河北、江苏、浙江、福建、江西、河南、广东、广西、四川、陕西、大连等省、市分行，同步隆重举办“小微快贷”系列产品发布会。

6 月 20 日 建设银行与福建省能源集团有限责任公司、福建省交通运输集团有限责任公司、福建省电子信息集团有限责任公司、福建建工集团有限责任公司分别签署市场化债转股框架合作协议，签约总金额约 210 亿元。福建省经信委、省国资委、省金融办相关领导及建行福建省分行相关负责人、建信金融资产投资有限公司筹备组等相关人员出席。

6 月 20 日 “中国建设银行服务供给侧改革资管融资综合服务推介会”在郑州举办，全行 22 家分行近百家客户参加了推介会。

6 月 21 日 建设银行与山东省政府共同签署《支持山东省新旧动能动能转换全面战略合作协议》，副行长章更生和副省长王书坚代表双方在合作协议上签字。同时行长王祖继、副行长章更生、首席风险官廖林与山东省委书记刘家义，省长龚正等举行高层会谈。

6 月 22 日 建设银行与东北财经大学在辽宁省大连市签署《战略合作协议》和《普惠金融合作协议》，共同举行普惠金融研究院揭牌仪式。副行长章更生出席签约仪式，机构业务部总经理黄曦与东北财经大学夏春玉校长代表双方签署《战略合作协议》，小企业业务部张为忠副总经理（主持工作）与夏春玉校长代表双方签署《普惠金融合作协议》，副行长章更生与都本伟书记代表双方为“东北财经大学—中国建设银行—普惠金融研究院”揭牌。

6 月 22 日 建设银行与大连商品交易所在大连续签《全面战略合作协议》，副行长章更生与大连商品交易所理事长李正强出席签约仪式，同业业务中心李骏总经理和大连商品交易所夏耘副总经理代表双方在战略合作协议上签字。

6 月 22 日 建设银行与湖南省政府签署《战略合作协议》，同时副行长黄毅与湖南省长许达哲、副省长何报翔、副省长张剑飞举行高层会谈。

6 月 26～30 日 建设银行首次针对海外个人网银客户开展了 16 场可用性测试。

6 月 29 日　建设银行与宁波市政府签署《战略合作协议》，同时副行长黄毅与浙江省省委副书记、市委书记唐一军，市长裘东耀，宁波市委常委、秘书长施惠芳，副市长褚银良等举行高层会谈。

6 月 30 日　建设银行与新疆有色集团、新疆金风科技股份有限公司在乌鲁木齐签署了综合化降杠杆业务合作框架协议。副行长章更生、新疆维吾尔自治区副主席穆铁礼甫·哈斯木出席了签约仪式。

6 月 30 日　建设银行与鞍钢集团公司签署了 240 亿元规模的《关于鞍钢集团公司降杠杆暨市场化债转股业务合作框架协议》，副行长庞秀生与鞍钢集团公司总会计师于万源出席了签约仪式。

6 月初　建设银行获批上海国际能源交易中心境内期货保证金指定存管银行资格，成为首批为境内会员和客户提供原油期货保证金存管业务的商业银行。

6 月　中国建设银行成功中标法国开发署贷款仙居县域生物多样性保护和发展利用示范工程代理银行选聘项目。

6 月　中国建设银行作为牵头行完成神华集团有限责任公司印尼南苏 1 号坑口煤电项目首笔 580 万美元离岸项目贷款放款。该项目建设银行在境外首次作为独家牵头行和融资顾问筹组项目融资。

7 月 3 日　"债券通"开通首日，中国建设银行作为"债券通"20 家境内做市机构之一，与丰收投资、海通国际、建银—人民币基金、建银国际证券、悉尼分行、澳门分行、苏黎世分行等 7 家境外机构达成 8 笔现券交易，交易金额达 3.32 亿元，券种覆盖国债、政策性金融债、同业存单、中期票据等多个品种。

7 月 3 日　建设银行发行首单同业资产转让产品"北方信托·建盈 1 号资产支持信托计划"，期限 312 天、金额 50 亿元，该产品是银登中心挂牌成交的首单平层设计同业资产转让产品。

7 月 16 日　建设银行业务处理中心集约化运营平台正式承接建亚定期存款业务，首次将海外分行业务纳入总行集中处理。

7 月 19 日　建设银行参加 2017"小企业大梦想"高峰论坛暨第五届中国中小企业投融资交易会，黄毅副行长在北京国家会议中心出席开幕仪式并发表致辞。开幕仪式后，黄毅副行长陪同第十届全国人大常委会副委员长顾秀莲、中国中小企业协会会长李子彬、著名经济学家厉以宁等与会嘉宾和领导在建设银行展馆参观交流。

7 月 19 日　建信期货申报的 2017 年棉花"保险 + 期货"试点项目申请正式获得郑州商品交易所审批立项，标志着建信期货利用金融衍生品工具开展的银期联动精准扶贫工作取得重大突破。

7 月 20 日　建设银行与宝马股份有限公司（宝马集团母公司）签订了宝马全球备用银团协议。

7 月 22 ~ 23 日　"新一代"金融市场系统在建行欧洲（含卢森堡分行）、迪拜分行和马来西亚子行 8 国 9 家海外机构成功推广上线。

7 月 24 日　建设银行作为亚金协创始会员受邀参加在北京举行的亚洲金融合作协会（AFCA）成立大会，黄毅副行长作为亚金协副理事长出席成立大会。

7 月 26 日　建设银行与中国电子信息产业集团有限公司及其子公司南京中电熊猫信息产业集团有限公司、咸阳中电彩虹集团控股有限公司在京举办了高端制造业重点客户综合化降杠杆业务框架协议签约仪式，副行长余静波、中国电子集团总会计师李晓春见证签约。

7 月 27 日　建设银行作为唯一中资主办行参加李嘉诚集团收购德国计量和能源管理集团依斯塔（ISTA）银团贷款项目。

7 月 28 日　建设银行与沙特国际电力和水务公司（ACWA POWER）签署《合作谅解备忘录》，余静波副行长与 ACWA POWER 董事长兼总裁 Paddy Padmanathan 先生出席签约仪式。

7 月　建设银行开发建设的住房公积金网上服务大厅在中央国家机关住房资金管理中心正式上线。

8 月 8 日　建设银行正式下发《中国建设银行雄安新区支持贷款管理试行办法》，作为专项支持雄安新区建设发展信贷产品，在同业中率先面市。

8 月 20 日　总行战略性创新项目"小微快贷—云税贷"在全行 37 家一级分行上线，天津、江苏、浙江、安徽、福建、湖北、广东、广西、四川、贵州、宁夏、新疆、宁波、苏州14家分行参加了当天的试营业。8月21日，全行正式运营。

8月 建设银行开发建设的住房公积金微信平台和手机APP正式上线。

9月5日 建设银行与国家信息中心在京签署《关于加强信用信息共享的合作备忘录》，党委书记田国立、行长王祖继、副行长余静波、国家发展改革委副主任连维良出席签约仪式。

9月5日 建设银行与中国有色矿业集团有限公司在京举行了《“一带一路”沿线项目合作框架协议》签约仪式。行长王祖继、副行长余静波、中国有色矿业集团有限公司总经理张克利出席签约仪式并举行高层会晤。副行长余静波、总会计师武翔分别代表双方签字。

9月15日 建设银行在天津、上海、江苏、苏州、宁波、安徽、厦门、湖北、广东、重庆、贵州、新疆12家分行，同步举办“小微快贷”子产品“云税贷”发布会。

9月19日 建设银行与中央国债登记结算有限责任公司签署《全面战略合作协议》，行长王祖继、中央结算公司董事长水汝庆出席签字仪式并举行高层会晤；副行长章更生、中央结算公司总经理陈刚明分别代表双方签字。

9月21日 建设银行“乾元—私享”“乾元—智投”私人银行专属新品发布会在广东省分行大礼堂隆重举行。副行长余静波、资产管理业务中心总经理刘兴华、总行财富管理与私人银行部总经理刘建忠、广东省分行行长刘军出席发布会。

9月23日 “新一代”国际结算系统成功在江苏、深圳、青岛、河南、黑龙江、山西、宁夏、安徽、湖北、江西、海南等境内11家分行推广上线。本次推广上线顺利完成600多个营业机构的存量数据迁移、试营业等相关工作，新旧系统无缝衔接，各项功能运行顺畅，首个营业日成功完成交易748笔，覆盖所有国际结算产品种类及企业网银渠道。

9月23~28日 建设银行在温州、丽水举办投行产品推介及FITS（飞驰）客户签约活动，副行长余静波出席。

9月26日 全行首家跨银行现金管理客户——日本电产集团在浙江省嘉兴市平湖支行成功上线实施。

9月27日 建设银行在北京、上海两地同时举办中国建设银行首批“领航私人银行中心”授牌仪式新闻发布会，授予上海、北京两家客户金融资产规模突破200亿元的私人银行中心“领航私人银行中心”称号。副行长张立林出席并致辞，总行财富管理与私人银行部、北京市分行、上海市分行、子公司负责人及私人银行客户代表出席发布会。

9月28日 建设银行“职业年金业务专题会”在湖北省武汉市东湖宾馆召开，会议邀请人社部社保中心以及23个省、自治区、直辖市的社保客户参加，副行长章更生代表中国建设银行致欢迎词。

9月28日 建设银行与华中科技大学签署《华中科技大学中国建设银行股份有限公司普惠金融研究院合作协议》，副行长章更生在湖北武汉为华中科技大学中国建设银行普惠金融研究院揭牌。

9月29日 建设银行与中国电子信息集团签署《战略合作协议》，党委书记田国立、副行长黄毅，中国电子董事长芮晓武出席签约仪式并举行高层会晤。副行长黄毅、中国电子副总经理靳宏荣代表双方签字。

9月29日 建设银行中标韩国三星电子株式会社人民币现金管理主办银行。

9月 中国建设银行高端客户资管产品运营启动揭牌仪式暨私人银行专属资管新品发布会在广州成功举行，副行长余静波出席，并为高端客户专属资管产品运营启动揭牌。

9月 建设银行首笔区块链国内信用证在辽宁分行落地。

9月 建设银行独家中标清华大学校园缴费平台项目。

10月12日 建设银行联“萌”LINE FRIENDS，推出LINE FRIENDS粉丝信用卡，是目前LINE FRIENDS官方独家授权在中国发行的信用卡。

10月16日 中国建设银行新加坡分行成功发行5亿新元“一带一路”基础设施债券，债券将在新交所挂牌上市，这是建行新加坡分行在本地市场首次发行新元债券。

10月25—27日 建设银行作为主承销商之一，全程参与中华人民共和国中央人民政府20亿美元主权债券在香港发行项目。

10月26日 由建设银行股份有限公司担任主承销商、建信信托有限责任公司作为发行载体的“重庆飞驰—降杠杆资产支持票据”在中国银行间市场发行。

10月27日 建设银行与首钢集团有限公司（以下简称“首钢集团”）签署了《战略合作协议》《债转股合作框架协议》。行长王祖继、首钢集团董事长靳伟出席签约仪式。副行长章更生、首钢集团财务总监王洪军代表双方签字。

10月28日 建设银行自主开发的资产管理业务新系统成功上线，在上海市分行、湖南省分行首批运行。

10月 建设银行与意大利电讯公司 Wind TreS. p. A 在伦敦正式签约，作为唯一中资牵头行与其余21家国际知名银行为其成功筹措一笔5年期30亿欧元银团贷款。

11月2日 建设银行与广东省住建厅、佛山市政府等单位签署《共建住房租赁市场战略合作协议》，董事长田国立、行长王祖继、副行长庞秀生与住房和城乡建设部部长黄艳副、广东省人民政府副省长许瑞生等领导出席签约协议，并出席广东建融住房服务有限责任公司成立揭牌仪式、佛山“CCB建融家园·泊寓”项目奠基仪式、“CCB建融家园·乐家”小区揭牌仪式，以及中国建设银行深圳住房租赁战略合作签约暨人才安居合资公司揭牌仪式。

11月3日 建设银行与招商、华润、万科、恒大、中海、碧桂园、星河等11家房地产公司，以及比亚迪、方大集团、研祥智能、兆驰等11家企事业单位举行住房租赁战略合作签约仪式，推出5000余套包括“CCB建融家园”在内的长租房源，并发布个人住房租赁贷款产品。建设银行董事长田国立、副行长庞秀生，深圳市副市长艾学峰出席并见证签约。深圳市政府相关部门、监管机构和建行总行有关部门负责人，以及房地产企业代表、媒体代表参加了签约与揭牌仪式。

11月3日 建设银行与云南省国资委在昆明签署《关于为云南省属国有企业提供综合化降杠杆服务的合作框架协议》。未来三年，建设银行将与云南省属国有企业开展总规模500亿元的综合化降杠杆业务合作。副行长余静波、云南省人民政府副省长董华出席了签约仪式。投资银行部总经理钱理红、云南省国资委主任罗昭斌代表双方在协议上签字。

11月10日 建设银行在武汉举办“中国建设银行支持武汉建设国家中心城市和长江新城重点项目对接暨揭牌签约”活动。副行长黄毅出席活动并致辞。湖北省曹广晶副省长，武汉市李忠副市长，湖北省金融办、人民银行武汉分行以及湖北银监局、证监局、保监局领导应邀出席。

11月16日 建设银行与山东省商务厅签署《支持山东新外贸战略合作协议》，监事长郭友出席签约仪式。

11月17日 建设银行重庆市分行、重庆市国土资源和房屋管理局住房租赁战略合作协议签约仪式在渝举行，标志着政银携手合作，迈出了共同推进重庆住房租赁市场建设的第一步。副行长张立林、重庆市副市长陈绿平出席并见证签约。

11月17日 建设银行湖北省分行与湖北省住房和城乡建设厅在武汉举行“住房租赁战略合作协议签约暨建信住房服务（湖北）有限责任公司揭牌仪式”，与26家企业签约，成立专营机构，推出住房租赁金融服务方案。副行长庞秀生、湖北省副省长曹广晶参加签约仪式。

11月22日 建设银行在苏州举行“中国建设银行全面金融解决方案（FITS，飞驰）产品推介暨银企签约”活动，副行长余静波见证苏州分行与10家重点客户签署全面金融服务协议。在苏州期间，副行长余静波会见了多家苏州当地优秀企业家代表。

11月22日 建设银行与长沙市政府在长沙签署战略合作协议。副行长章更生、湖南省委常委、长沙市委书记胡衡华出席签约仪式。在签约仪式上，建设银行同时还与长沙市经信委、市教育局、市科技局、市住建委、市农业委、市商务局等政府部门及通号建设、蓝思科技、威胜集团、中民筑友等企业签署了金融服务合作协议。

11月29日 建设银行秦皇岛分行联手秦皇岛市政府实现全国首家“住房租赁综合服务平台——政府保障房模块”成功上线。

11月30日 建设银行与托克集团在总行大楼举行《全球战略合作协议》签约仪式，副行长余静波、托克集团（Trafigura）首席执行官杰里米·维尔（Jeremy Weir）先生出席签约仪式，总行战略客户部总经理刘广良、托克集团首席财务官克里斯托弗·萨尔蒙（Christophe Salmon）分别代表双方签字。

12月6日 建设银行在济南举行与山东省重点企业综合化降杠杆合作协议签约仪式，副行长余静波与山东省副省长任爱荣出席。投资银行部钱理红总经理与山东商业集团、山东钢铁集团、山东黄金集团、山东高速集团、齐鲁交发集团、水发集团和浪潮集团等7家省属骨干企业签署综合化降杠杆业务合作协议。

12月11日 建设银行与招商局集团在京举行了长租住房租赁业务战略合作签约暨银行间市场首单长租公寓“资产支持票据”发布仪式，董事长田国立和招商局集团董事长李建红出席，副行长余静波和招商局集团副总经理王崔军分别代表双方签署《长租住房租赁业务战略合作协议》。银行间市场交易商协会副秘书长冯光华受邀出席该仪式，并向双方颁赠了“飞驰—建融招商长租公寓系列资产支持票据纪念碑”。

12月12日 建设银行与国家税务总局联合在上海举行“线上银税互动”试点推进活动，签订“线上银税互动”合作协议，副行长章更生和国家税务总局任荣发总经济师出席试点推进活动，北京、天津、河北、上海等18个试点地区的国税局、地税局和分行分管领导、小企业业务部负责人等近150人参加活动。

12月13日 建行亚洲（香港分行）在港成功发行第一期资产证券化产品——建富百年资产支持可赎票据，该产品是建设银行海外分行在境外市场自主开展资产证券化业务的首次成功尝试。

12月13日 建设银行与中国船舶工业集团、中国人寿集团在京举行“中船集团降杠杆暨市场化债转股投资协议签约仪式”。董事长田国立和中船集团董事长董强、中国人寿集团董事长杨明生出席并致辞，副行长余静波和中船集团总经理吴强、中国人寿集团副总经理王思东等相关企业高管参加签约仪式，建信金融资产投资有限公司董事长谷裕、中船集团财务金融部主任曾祥新、国寿投资控股公司总裁张凤鸣共同签署《中船集团降杠杆暨市场化债转股投资协议》。

12月13日 建设银行与韩国贸易保险公司（Korea Trade Insurance Corporation）签署《“一带一路”合作谅解备忘录》，副行长章更生与韩国贸易保险公司（Korea Trade Insurance Corporation）社长文在焘先生出席签字仪式。

12月13日 建设银行携手移动音频分享平台喜马拉雅FM推出“龙卡喜马拉雅FM信用卡”。

12月21日 建设银行举行《物美控股集团有限公司与中国建设银行股份有限公司北京市分行全面业务合作备忘录》签约仪式，副行长章更生、物美集团董事长张文中出席签字仪式。

12月25日 建设银行主承的银行间市场首单“飞驰—建融招商长租公寓系列”资产支持票据首期40亿元成功发行。

12月28日 建设银行信用卡中心与建信人寿在上海举行业务合作签约仪式。信用卡中心魏春旗总经理、建信人寿谢瑞平总裁以及双方领导和相关部门负责人出席了签约仪式。

12月 “新一代”统一客服语音分析及智能质检系统在客户服务主中心成功上线。

综合类

1月11日 《中国组织人事报》以《突出“高精尖缺” 释放人才红利》为题，对建设银行组织实施“213人才工程”进行报道。

1月11日 中国银行业协会银行卡专业委员会召开第四届常委会第一次会议，建设银行获得“优秀成员单位奖”和“2016业务发展奖”，魏春旗总经理获得“银行卡行业引领人物奖”，曹斌副处长获得“银行卡行业优秀个人奖”。

1月13日 建设银行获得《金融理财》杂志第七届“金貔貅奖”颁发的“年度金牌信用卡银行”“年度金牌电子银行”。

1月16日 建设银行获得2016年度中国债券市场优秀承销机构奖。

1月 党委书记、董事长王洪章在中央组织部《党建研究》杂志2017年第1期发表署名文章《扛起国企党建责任 抓好建行党建工作》。

2月1日 路透社在全球范围针对项目融资举办的PFI Awards2016年度大型颁奖活动在伦敦召开，建设银行联合牵头的“迪拜Hassyan2400MW清洁煤电站”项目融资获得“2016年度中东及非洲地区最佳电力项目”奖。

2月8日 亚太区贷款市场公会（Asia Pacific Loan Market Association）市场评选结果揭晓，建设银行牵头完成的“中国信达资产管理公司并购香港南洋商业银行390亿港元并购融资项目”获得“2016年度交易”大奖。

2月16日 《亚洲金融》杂志（Finance Asia）主办的颁奖典礼在香港召开，建设银行牵头参与的印尼东固LNG项目融资获得“2016年度最佳项目融资奖”。

2月24日 中国金融期货交易所2016年度期货保证金存管业务工作会议在沪召开，建设银行获得“精诚合作奖”。

2月26日 建设银行获得第16届“远见杯”全球市场预测第一名。

2月28日 中国外汇交易中心公布2016年度银行间外汇市场评优结果，建设银行获得13项大奖，包括分量最重的“综合最佳做市机构”“最佳即期做市奖”“最佳远掉做市奖”等奖项。

2月 《环球金融》（*Global Finance*）组织的2017年“全球最佳财资与现金管理银行与供应商”评选结果揭晓，建设银行获得“亚太区最佳流动性管理银行奖”。

3月1日 建设银行在北京举办“建行公益·有你最美”大型集中展示活动。党委书记、董事长王洪章出席展示活动，党委副书记、行长王祖继出席展示活动并讲话，副行长章更生、副行长黄毅、副行长余静波、纪委书记朱克鹏出席活动。

3月 建设银行被中国银行业协会评为“最佳贸易金融产品创新银行”。

3月 建设银行获得万事达国际组织颁发的2016年度“风险管理创新奖”“亚太区最佳境外授权交易保障奖”。

3月 建设银行获得上海黄金交易所颁发的“2016年度金融类优秀会员”“技术保障优秀会员”等多个奖项。

4月7日 建设银行派驻安康定点扶贫干部范蔚然和赵翔同志被陕西省授予“全省优秀第一书记”

荣誉称号。

4 月 8 日　建设银行在中国妇女儿童慈善奖（2015—2016 年）表彰大会上获得突出贡献奖。

4 月 13 日　建设银行赴陕西省安康市汉滨区县河镇财梁九年制学校，举办“教育慧思图书室”第二期图书捐赠活动。

4 月 17 日　建设银行广西柳州分行韦镇雄以“十年驻村扶贫”的事迹获得 2016 年度“银行业最美人物”称号。

4 月 18 日　建设银行信用卡中心客户服务处获得共青团中央颁发的“2015—2016 年度全国青年文明号”。

4 月 24 ~ 26 日　建设银行在资产证券化论坛（CSF）年会上获得“2016 年度最佳发起机构奖”和“2016 年度特殊贡献奖”两项机构奖；“境内首单个人住房贷款不良资产证券化项目（建鑫 2016 年第二期不良资产支持证券）”获得“信贷资产类年度杰出交易奖”。

4 月 25 日　建设银行转型发展成果正式被哈佛大学纳入哈佛商学院全球商界精英培训教学案例库。

4 月 27 日　建设银行获得 VISA 银行卡组织颁发的“VISA 有效发卡风险控制奖”。

4 日 28 日　建设银行获得美国《机构投资者》杂志中文网“2016 年人民币国际化全方位服务钻石奖”，是国内唯一一家获得该综合服务奖的商业银行。

4 月　在银行间市场清算所股份有限公司主办的 2016 年度清算业务和登记托管结算业务评选中，建设银行获评“上海清算所 2016 年度优秀托管银行”。

5 月 26 日　建设银行获得首届中国数据标准化及治理奖“优秀实践奖”第一名，数据管理部总经理刘静芳获得“杰出领导力奖”，数据管理部和信息技术管理部相关人员获得“专家奖”。

5 月　建设银行获得“2017 中国区银行（行业）投行君鼎奖”。

5 月　建设银行在《国际金融报》主办的“2017 国际先锋投行评选”活动中，获得综合类最高奖项“2017 国际先锋投资银行奖”，同时获得“债券承销先锋银行”“中期票据承销先锋银行”“超短融票据承销先锋银行”“并购金融先锋银行”“ABS 先锋银行”五个专项奖。

5 月　建设银行获得《亚洲银行家》颁发的“中国最佳贸易融资银行”奖项。

5 月　建设银行法律事务部撰写的《农村土地流转与抵押法律问题研究》获得“2016 年度银行业优秀研究成果评选”三等奖。

6 月 3 日　建设银行“乾元”系列理财产品在第五届“金牛财富管理论坛”暨 2016 年度“金牛理财产品”颁奖典礼上，获得“年度金牛银行理财产品奖”。

6 月 9 日　建设银行在海南五指山市毛阳镇开展龙卡信用卡“爱心 100 分　情洒五指山”贫困家庭助学捐助活动，代表龙卡信用卡持卡人向当地 28 家贫困户捐赠了总计 84000 元的助学金和学习用品。

6 月 12 ~ 16 日　建设银行国际业务部副总经理孙剑波在国际保理商联合会（简称 FCI）第 49 届年会上，高票当选 FCI 执行委员会副主席，这是建设银行自 2002 年加入 FCI 以来首次获选 FCI 执行委员会委员，也是委员会中大中华区的唯一代表。

6 月 28 日　建设银行在中国银行业协会举办的《2016 年度中国银行业社会责任报告》发布暨社会责任工作表彰会上，获得“年度最具社会责任金融机构奖”大奖。

6 月 30 日　中国银行业协会私人银行业务专业委员会年会暨《中国私人银行行业发展报告》发布会在北京召开。建设银行获 2016 年度最佳私人银行奖、最佳创新业务奖和最佳风险管理奖。应红副总经理获优秀私人银行家奖，上海市分行陈晓颖、重庆市分行黄光涛获优秀私人财富顾问奖。

6 月　建设银行被中国银行业协会评为“贸易金融专业委员会突出贡献单位”。

6 月　建设银行获得《亚洲银行家》颁发的“金融市场科技实施之最佳托管系统实施奖”。

6 月　“中国建设银行微信企业号”移动资讯平台正式推广使用。

7 月 7 日　建设银行“乾元”理财品牌在“2017 中国最佳财富管理机构评选君鼎奖”颁奖典礼上，

获得“2017 中国财富管理品牌君鼎奖”“2017 中国权益类银行理财产品君鼎奖”。

7 月 14 日 第八届全国杰出财富管理师评选结果在杭州揭晓，建设银行获得最佳组织奖，山东省分行选手孙莉获得金奖。

7 月 14 日 建设银行“新一代”企业网银获中国信息技术应用创新交流峰会暨第二届中国计算机用户应用成果表彰大会“优秀奖”。

7 月 21 日 建设银行 2017 年“银鹰”台湾青年学生暑期实习项目正式拉开帷幕，总行召开动员暨培训会，总行青年员工代表、台北分行、北京市分行、广东省分行和深圳市分行工作人员以及来自辅仁大学、台湾大学等台湾知名高校的 30 名台湾青年学生列席会议。

7 月 29 日 建设银行在“第十届中国资产管理年会暨‘金贝奖’颁奖盛典”上，获得“2017 最佳小微贷款服务银行”，是唯一获此殊荣的商业银行。

7 月 建设银行在中国金融学会金融采购专业委员会组织的“2016 年度中国金融系统采购工作优秀评选活动”中，袁茵撰写的《新形势下采购业务创新发展方向的思考及建议》获得二等奖、杜芳撰写的《剖析采购质量和价格的影响因素、稳步提升商业银行供应满意度》和胡古撰写的《关于金融办公家具采购的研究》获得三等奖，唐飞、许小龙分别获得金融系统采购工作管理类、业务类优秀个人奖。

7 月 建设银行参加中国金融政研会企业文化课题研究工作，参评课题成果 126 项，居四大行第一，并共获一、二、三等奖、优秀奖、优秀组织奖等 32 个奖项。

8 月 4 日 由中国建设银行和中国青少年发展基金会共同组织的“梦想起飞——建行希望夏令营”在北京顺利结营。建行党委副书记、监事长郭友，中国青少年发展基金会副秘书长杨春雷出席结营式。

8 月 4 日 建设银行《综合定价及全流程管控应用平台》获得人民银行科技进步奖二等奖。

8 月 8 日 四川省阿坝州九寨沟县发生 7.0 级地震。建设银行立即启动抗震救灾金融服务机制，全力以赴保障抗震救灾金融服务。

8 月 建设银行分别在西安和北京举办了“善心慧思”安康扶贫融情夏令营和彝族师生融情夏令营。

8 月 建设银行获得中国银联颁发的 2017 年度“客户服务渠道支持奖”和“客户服务协作奖”。

8 月 建设银行获得《亚洲银行家》颁发的“最佳网点数字化奖”及“中国最佳数字银行奖”。

8 月 建设银行在“2016—2017 年全国金融系统思想政治工作先进单位和先进工作者”评选活动中，有 95 个先进单位和 103 名先进工作者受到表彰。其中 2 名同志获得“全国金融系统思想政治工作标兵”称号；5 家分支机构获得“全国金融系统思想政治工作先进单位”称号；4 名同志获得“全国金融系统思想政治工作先进工作者”称号。

9 月 5 日 2017 年上半年建设银行委托尼尔森市场研究有限公司开展的全行客户满意度调查中，客户服务中心电话渠道满意度获得四大行第一。其中 95533 热线继续领跑同业，排名四大行首位；400 热线满意度从 2016 年的四大行第三跃居四大行第一。

9 月 26 日 “希望小学·助学圆梦”建行捐赠仪式在新疆帕米尔高原的达布达尔乡“建行希望小学”举行。建设银行董事李军，公关部、新疆分行、新疆分行营业部有关负责人及甘肃分行、云南分行志愿者和达布达尔乡“建行希望小学”师生代表 200 余人参加。中国银行业协会、中国青少年发展基金会、《中国金融家》杂志社应邀参加了此次公益捐赠活动。

9 月 建设银行 2016 年度信息披露工作获得上交所 A 类评价结果。2016 年年报获得 LACP（美国传媒专业联盟）年报评选金奖、最佳股东信函奖，以及美国 MerComm Inc. 举办的 ARC 国际年报评选内页设计银奖、内容撰写银奖等多个奖项。

9 月 第 9 届中国—东盟金融合作与发展领袖论坛在南宁举行。建设银行副行长余静波应邀出席论坛并发表主旨演讲。来自中国、东盟等国家和地区的金融监管部门、金融机构、企业负责人及专家学者等近 300 多位中外嘉宾参加了本次论坛。

9 月 21 日　在《亚洲货币》杂志组织的 2017 年度国际奖项及中国奖项评选中，建设银行独家摘得“中国最佳银行”大奖，并获得“南亚地区‘一带一路’最佳中资银行”奖项。

9 月　中国银行业协会在“2017 年两岸暨港澳银行业财富管理论坛”上，发布了 2016 年银行理财产品发行机构及产品评价结果，建设银行资管业务获得《最佳综合理财能力奖》等五个奖项。

9 月　建设银行获得“2017 年金融业安全防范征文大赛”优秀组织奖，广东省分行周玲丽、北京市分行李伟、浙江省分行郎桂珍、四川省分行吴成科、湖南省分行喻灿锦、江苏省分行张杰、樊扬杰、辽宁省分行刘菁、徐海舟、丁一健、孙宁等 11 名同志的 10 篇征文获得了“优秀论文奖”。

10 月 18 日　根据建设银行党委统一部署，建设银行全行各级党组织认真组织收看学习党的十九大开幕会盛况，聆听习近平总书记的报告。建设银行党委书记、董事长田国立，原党委书记、董事长王洪章，党委副书记、行长王祖继，天津分行张丽丽，四川分行呷西哈姆作为党的十九大代表，在人民大会堂参加会议。全行广大干部员工分别在会议室、办公区、营业网点等场所，通过收看电视、网络视频直播等多种方式进行学习。

10 月 23 ~ 27 日　建设银行在第三届中国银行业客户服务中心“寻找好声音”业务技能竞赛活动总决赛中获得团队一等奖。5 名参赛客服代表获得个人综合奖。

10 月　建设银行胡章宏同志入选“国家百千万人才工程”，并被授予“有突出贡献中青年专家”荣誉称号。

10 月 31 日至 11 月 3 日　建设银行志愿者赴云南临沧开展“建行公益边疆行”活动，实地探访建行母亲健康快车项目运行情况、走访慰问英模母亲、调研定点扶贫捐赠资金使用。建设银行吴敏董事，中国妇女发展基金会、建设银行公关部、云南分行有关负责人及总分行志愿者和四家媒体参加了此次公益行活动。

10 月　在全国金融系统第三届职工运动会决赛中，建设银行代表队获得乒乓球、羽毛球、网球、足球项目冠军和游泳总分第一名，获得运动会团体冠军。

11 月 3 日　中国内部审计协会在北京召开全国内部审计先进集体和先进工作者表彰大会，建设银行审计部三项常态化审计监督机制项目组、武汉审计分部、浙江总审计室、江西总审计室、宁夏总审计室等五个单位分别被授予“全国内部审计先进集体”荣誉称号，审计条线黄波、赵莉等两人同时荣获“全国内部审计先进工作者”称号。

11 月 8 日　由新浪财经联合新浪公益共同举办的 2017 金融企业扶贫研讨会暨扶贫创新评选颁奖典礼在北京举行，建设银行获得“金融企业扶贫创新奖”。

11 月 15 日　中国保险行业协会在京召开 2017 年“7・8 全国保险公众宣传日总结大会”，建信财险获得 2017 年中国保险业“7・8 公益扶贫贡献奖”、2017 年保险行业公众宣传大比武“最佳创意奖”。

11 月 16 日　第八届财新峰会在北京举行，本届峰会以“改革再出发”为主题，并围绕“金融改革与回归本源”这一议题设立专题论坛，副行长黄毅受邀出席论坛，并以“引领住房租赁市场，服务住房安居需求”为题发表演讲。

11 月 17 日　中央文明委表彰了第五届全国文明单位，建设银行 27 家分支机构受到表彰，其中 26 家为新增（系统创建 10 家，属地创建 16 家），位居同业第一。

11 月 21 日　金融稳定理事会（FSB）发布 2017 年全球系统重要性银行（G – SIBs）名单，建设银行榜上有名。

11 月　建设银行承办中国证券投资基金业协会第二届托管与运营专业委员会成立大会暨第一届托管机构联席会议，并当选为基金业协会兼职理事单位、托管与运营专业委员会主席单位。

12 月 7 日　建设银行“乾元”品牌、“乾元保本”系列保本型理财产品在“2017 中国财富管理峰会”上，分别获得第八届“金理财”年度资产管理 TOP 大奖和年度机构专属类理财产品卓越奖。

12 月 7 日　建设银行在中国金融认证中心（CFCA）举办的“第十三届中国电子银行年度盛典”

上，获颁“2017 年最佳电子银行奖”和“2017 年最佳手机银行功能奖”。

12 月 7 日 建设银行在北京成功承办中国银行业协会保理专业委员会 2017 年年会。中国银行业协会以及 26 家中外资银行、主流媒体等共 70 余人参加了此次年会。

12 月 12 日 建设银行与中国妇女发展基金会共同在北京举行“母亲健康快车”发车活动。建设银行董事长田国立、行长王祖继、监事长郭友，全国妇联主席沈跃跃、副主席谭琳，全国政协常委、中国妇女发展基金会理事长孟晓驷出席活动。至此，建设银行已累计向“母亲健康快车”项目捐赠 4500 万元。

12 月 14 日 建设银行组织撰写的机关党建研究课题成果《增强党内政治生活的政治性、时代性、原则性、战斗性研究报告——以建设银行机关和部分省分行机关为例》，获得 2017 年度全国机关党建课题研究成果二等奖。

12 月 14 日 银监会举办的银行业信息科技风险管理 2017 年会正式发布了 2017 年度课题研究成果奖项，建设银行报送的四项课题全部获奖，其中《商业银行用户体验研究：模型、方法、实践》和《商业银行业务参数管理体系研究与实践》获得一类成果，《商业银行网点转型理念方法研究与实践》和《商业银行总分行一体化的 IT 治理体系研究》分获二类和三类成果，整体获奖情况居同业前列。

12 月 15 日 建设银行及部分员工志愿者赴毕节市七星关区鸭池镇建行希望小学开展捐赠活动，向学校捐资 20 万元，购置小学部课桌椅、教师办公桌椅等，捐赠电脑教室及一批图书、文具等。建设银行、毕节市政府、毕节市教育局、建行亚洲、建行贵州分行及志愿者参加了此次公益助学活动。

12 月 15 日 在国务院国资委新闻中心、中央企业媒体联盟主办第五届中国企业新媒体年会上，建设银行微信银行（“中国建设银行”）、官方微博（@建行电子银行）获“2017 年度中国企业最具影响力新媒体账号”殊荣。

12 月 16 日 基于“新一代”开发的企业级规章制度管理信息系统正式上线，该系统为全行提供了规章制度管理方面的支持保障服务。

12 月 建设银行报送的《搭建“党费云”平台实现党费收缴“三轻松”》在中央国家机关工委开展的“机关党建信息化理论征文和案例征集”活动中获得“2017 年机关党建信息化优秀案例”奖项。

12 月 建设银行信用卡获得第一财经金融价值榜“年度信用卡品牌”荣誉。

12 月 在《21 世纪经济报道》组织的“21 世纪亚洲金融竞争力评选”中，建设银行独家获得 2017 年度“亚洲卓越风险管理银行奖”。

12 月 “2017 中国 CFO 年会”在上海举行，会议发布了“中国 CFO 最信赖的智慧企业金融机构”年度评选奖项，建设银行获得“最佳物理渠道转型创新奖”。

12 月 在举办的“2017 中国财富管理峰会”上，建设银行“乾元”品牌、“乾元保本”系列保本型理财产品分别获得第八届“金理财”年度资产管理 TOP 大奖和年度机构专属类理财产品卓越奖。

12 月 建设银行被贸易金融杂志、贸易金融网、中国交易银行年会组委会联合评选“2017 年度贸易金融网最佳贸易融资银行”。

12 月 建设银行在 2017 年度中债优秀成员评选中获得“储蓄国债（电子式）优秀机构奖”。

12 月 建设银行获得中国银联颁发的 2017 年度“突出贡献奖”。

12 月 “新一代”托管业务系统获《亚洲银行家》2017 年度金融市场技术实施奖，并获评“最佳托管系统”。

CHINA 中国建设银行年鉴 2018
CONSTRUCTION BANK ALMANAC

第八部分　附录

2017 年中国建设银行董事会成员名录

本年度在任董事

田国立	董事长、执行董事
王祖继	副董事长、执行董事
庞秀生	执行董事
章更生	执行董事
冯　冰（女）	非执行董事（2017 年 7 月任）
朱海林	非执行董事（2017 年 7 月任）
李　军	非执行董事
吴　敏	非执行董事（2017 年 7 月任）
张　奇	非执行董事（2017 年 7 月任）
郝爱群（女）	非执行董事
冯婉眉（女）	独立非执行董事
M. C. 麦卡锡	独立非执行董事（2017 年 8 月任）
卡尔·沃特	独立非执行董事
钟瑞明	独立非执行董事
莫里·洪恩	独立非执行董事

本年度离任董事

王洪章	董事长、执行董事（2017 年 8 月离任）
郭衍鹏	非执行董事（2017 年 2 月离任）
董　轼	非执行董事（2017 年 6 月离任）
张　龙	独立非执行董事（2017 年 4 月离任）
维姆·科克	独立非执行董事（2017 年 6 月离任）

2017 年中国建设银行监事会成员名录

郭　友	监事长
刘　进	股东代表监事
李晓玲	股东代表监事
李秀昆	职工代表监事
靳彦民	职工代表监事
李振宇	职工代表监事
白建军	外部监事

2017 年中国建设银行总行党委成员名录

董事长、党委书记：王洪章（2017 年 7 月免去党委书记职务，2017 年 8 月辞去董事长职务，退出现职）

董事长、党委书记：田国立（2017 年 7 月任党委书记，2017 年 10 月任董事长）

副董事长、行长、党委副书记：王祖继

监事长、党委副书记：郭友

执行董事、副行长、党委委员：庞秀生

执行董事、副行长、党委委员：章更生

副行长、党委委员：杨文升

副行长、党委委员兼工会委员会主席、机关党委书记：黄毅

副行长、党委委员：余静波

纪委书记、党委委员：朱克鹏

副行长、党委委员：张立林（2017 年 5 月任党委委员，2017 年 9 月任副行长）

2017年中国建设银行总行高管人员名录

首席风险官：曾俭华（2017年2月免，辞职）

首席风险官：廖林（2017年3月任职）

首席经济学家：黄志凌

首席财务官：许一鸣（2017年7月兼任新闻发言人）

董事会秘书：陈彩虹

营运业务总监兼任渠道与运营管理部总经理：牟乃密

2017 年中国建设银行总行部门领导名录

董事会办公室

主任（三职等）：徐漫霞（女）
副主任：何欣梅（女）
副主任：李兖
副主任：李洪斌
资深经理（专业技术二级）：高云（女）
资深副经理（专业技术二级）：赵雁冰（女）

监事会办公室

主任：王炽
资深经理（专业技术一级）：李晓玲（女，监事，2017 年 7 月任）
副主任：车新亭
副主任：薄银根
副主任：陈南南（女）

办公室（党委办公室）

办公室、党委办公室主任（三职等）：姜国云
办公室、党委办公室副主任：乐玉贵
办公室资深经理（专业技术一级）兼《建设银行报》编辑部总编辑：刘健
办公室副主任兼基建办公室副主任：郭京凯
办公室、党委办公室副主任、党委秘书兼信访办公室主任：杨洸（2016 年 12 月免）
办公室副主任：刘建国（2017 年 1 月免，退休）
办公室副主任兼信访办公室主任：韩智慧
办公室、党委办公室副主任：蒋曙明
办公室副主任、党委秘书：林朝晖（2017 年 9 月免）
办公室副主任：祝艳阳
办公室副主任：华瑞琪（2017 年 11 月任）
办公室资深经理（专业技术二级）：关金红（女）
信访办公室副主任：李恒生（总行部门副总经理，2017 年 12 月免，退休）
基建办公室主任：刘铁彦（总行部门总经理级，2017 年 9 月免，退休）
基建办公室主任：韩文贞（2017 年 4 月任）
基建办公室副主任：戴勇

资产负债管理部

总经理：刘方根
资深经理（专业技术一级）、副总经理：宋海林（2017 年 10 月任）
副总经理：王晓薇（女）
副总经理：邸慧清（女）副总经理：李劲松（2017 年 1 月任）
资深经理（专业技术二级）：刘津峰

财务会计部

总经理：方秋月
副总经理：杨军
副总经理：许涛
副总经理：朱琳（女）
副总经理：杨立斌
副总经理：欧阳锋
采购部（二级部）总经理：顾万寿（总行部门副总经理）（2017 年 7 月任）
采购部（二级部）副总经理：黄文华（2017 年 7 月任）
采购部（二级部）副总经理：王艳颖（2017 年 7 月任）

人力资源部（党委组织部）

总经理、党委组织部部长：薛胜利
副总经理、党委组织部副部长兼教育培训部（二级部）总经理：刘英（女）（总行部门总经理级）（2017 年 7 月免）
副总经理、党委组织部副部长：徐剑
副总经理、党委组织部副部长：王晓平
副总经理、党委组织部副部长：周立众
副总经理、党委组织部副部长：于保月（2017 年 4 月任）
副总经理、党委组织部副部长：史艾（女）
资深副经理（专业技术二级）：崔志刚（2017 年 5 月任）
资深副经理（专业技术二级）：袁凤华（2017 年 5 月任）

股权与投资管理部

总经理：孙建政
副总经理：丁慧（女）
副总经理：齐建功
副总经理：常佳伟（女）
资深经理（专业技术二级）：蒋畅（女）

风险管理部

总经理：彭洪明
资深经理（专业技术一级）、副总经理兼资产保全部（二级部）总经理：高扬（2017 年 5 月免）
副总经理：田国林（2017 年 2 月免，辞职）

副总经理：崔殿满（2017 年 3 月任）
副总经理：喻永新（2017 年 3 月任）
副总经理：怡颖（女）
副总经理：吴建政（2017 年 3 月任）
资深副经理（专业技术二级）：卢娜（女）（2017 年 9 月任）
资产保全部（二级部）副总经理：严达峰（2017 年 5 月免）
资产保全部（二级部）副总经理：景逢春（女）（2017 年 5 月免）
资产保全部（二级部）资深副经理（专业技术二级）：曹桂英（女）（2017 年 5 月免）

资产保全经营中心

总经理：鲁可贵（2017 年 4 月任）
资深经理（专业技术一级）、副总经理：高扬（2017 年 5 月任）
副总经理：贾纯（2017 年 5 月任）
副总经理：严达峰（2017 年 5 月任）
副总经理：景逢春（女）（2017 年 5 月任）
资深副经理（专业技术二级）：曹桂英（女）（2017 年 5 月任）

信贷管理部

总经理：邓艾兵
副总经理：陈蕾
副总经理：李红骏
副总经理：尚妍（女）
副总经理：江飚（2017 年 7 月免）
副总经理：张广迎（2017 年 3 月任，2017 年 10 月免）
副总经理：胡萍（女）（2017 年 12 月任）
资深副经理（专业技术二级）：王慧洁（女）（2017 年 12 月任）

授信审批部

总经理（三职等）：靳彦民
副总经理兼资深经理（专业技术一级）：王雪玲（女）
资深经理（专业技术一级）、副总经理兼授信部（二级部）总经理：纪伟（2017 年 2 月任专业技术一级，2017 年 5 月免）
副总经理兼授信部（二级部）总经理：朱枫（2017 年 9 月任）
副总经理：宋知春（女）
副总经理：臧慧业
副总经理：张颖（女）
副总经理：熊波（女）（2017 年 3 月免）
授信部（二级部）副总经理：张明合（2017 年 7 月免）
授信部（二级部）副总经理：贺志红（2017 年 2 月免）
授信部（二级部）副总经理：修琦（2017 年 7 月免）
授信部（二级部）副总经理：蒋雯（女）（2017 年 9 月任）
副总经理级专职贷款审批人：何平（女）

副总经理级专职贷款审批人：张山林
副总经理级专职贷款审批人：蒋雯（女）（2017 年 9 月免）
副总经理级专职贷款审批人：魏海滨
副总经理级专职贷款审批人：张承
副总经理级专职贷款审批人：饶跃胜
副总经理级专职贷款审批人：闫静波
副总经理级专职贷款审批人：陈林峰（2017 年 11 月免，退休）
副总经理级专职贷款审批人：喻永新（2017 年 3 月免）
副总经理级专职贷款审批人：周晓（2017 年 3 月免，退休）
副总经理级专职贷款审批人：梁洪晨
副总经理级专职贷款审批人：蒋伯荣
副总经理级专职贷款审批人：陈红霞（女）
副总经理级专职贷款审批人：陈新声
副总经理级专职贷款审批人：江艳峰
副总经理级专职贷款审批人：曹众
副总经理级专职贷款审批人：李年丰
副总经理级专职贷款审批人：毕立民（2017 年 9 月免）
副总经理级专职贷款审批人：张剑峰（女）
副总经理级专职贷款审批人：翟玉茹（女）
副总经理级专职贷款审批人：陈德深
副总经理级专职贷款审批人：栗红保
专职贷款审批人（专业技术二级）：邓振春（女）
专职贷款审批人（专业技术二级）：于泓（女）（2017 年 9 月任）

审计部

总经理（三职等）：李秀昆
资深经理（专业技术一级）、副总经理：王书仁
资深经理（专业技术一级）：范广州（2017 年 10 月免）
副总经理：冯道海
副总经理：万盛举（2017 年 7 月任）
副总经理：靳晓飞（女）（2017 年 3 月免）
副总经理：胡忠
资深经理（专业技术二级）：陆君（女）（2017 年 7 月免）

内控合规部

总经理：丰习来
副总经理（总行部门总经理级）：秦仁文
副总经理：陈宝东
副总经理：袁平（2017 年 5 月任）
副总经理：万盛举（2017 年 7 月免）
资深副经理（专业技术二级）：文海燕（女）
资深副经理（专业技术二级）：许振慧

公司业务部（养老金业务部）

总经理：程远国（2017 年 2 月任）
副总经理：蔡亚蓉（女）
副总经理：李钺（女）
副总经理：张力铮（2017 年 3 月任）
副总经理：田建明
副总经理：唐晓阳
资深副经理（专业技术二级）：梁蒂（女）

战略客户部

总经理：刘广良
副总经理：郑玉金（女）
副总经理：郑绍平（2017 年 3 月免）
副总经理：程志伟
副总经理：周明
副总经理：胡冠军
副总经理：熊波（2017 年 3 月任）
资深经理（专业技术二级）：何华新
资深副经理（专业技术二级）：刘刚

机构业务部

总经理：黄曦
副总经理：张坤（2017 年 5 月免）
副总经理：马解宇（女）（2017 年 2 月免）
副总经理：黄小汉
副总经理：唐华（女）
副总经理：梅亚星（2017 年 12 月任）
副总经理：王强（2017 年 12 月任）
资深副经理（专业技术二级）：俞立（2017 年 12 月任）

同业业务中心

总经理：李骏
副总经理：杨虹（女）
副总经理：孙玉辉
副总经理：肖鹏

小企业业务部（普惠金融事业部）

副总经理，主持工作：张为忠（2017 年 3 月任）
副总经理：周鑫泉
副总经理：隋露（女）
副总经理：李晓芳（女）

副总经理：罗晃浩
资深经理（专业技术二级）：张楠（女）

资产托管业务部

总经理：赵观甫（2017 年 7 月免）
总经理：纪伟（2017 年 5 月任）
副总经理：龚毅
副总经理：张军红（2017 年 2 月免）
副总经理：张力铮（2017 年 3 月免）
副总经理：郑绍平（2017 年 3 月任）
副总经理：黄秀莲（女）（兼托管运营中心主任）
副总经理：原玎（女）
资深副经理（专业技术二级）：胡波飞（女）（2017 年 3 月免）
资深副经理（专业技术二级）：周立（女）（2017 年 12 月任）

结算与现金管理部

总经理：李国建
副总经理：周玉旺
副总经理：张继波
副总经理：霍晓梅（女）
副总经理：高榕
资深副经理（专业技术二级）：李殿承

个人存款与投资部

总经理（三职等）：杨绍萍（女）
副总经理：马美芹（女）
副总经理：刘涛（女）
副总经理：曹伟
副总经理：孙娜（女）
电话银行中心副总经理：李建峰（总行部门副总经理）
资深经理（专业技术二级）：虞菊华（女）
资深副经理（专业技术二级）：宫永媛（女）
资深副经理（专业技术二级）：陈国金

财富管理与私人银行部

总经理：黄先俊（2017 年 2 月免）
总经理：刘建忠（2017 年 2 月任）
副总经理：应红（女）
副总经理：梅雨方
副总经理：杨刚
副总经理：严俊

住房金融与个人信贷部

总经理：王毅
副总经理：童学锋
副总经理：孙聚贤（女）
副总经理：孟国鸿
副总经理：周刚
副总经理：黄有纲（2017 年 11 月任）
资深经理（专业技术二级）：赵晓英（女）

信用卡中心

总经理、党委书记（三职等）：魏春旗
副总经理、党委副书记：蒋志春
副总经理、党委委员：吴惠涛（2017 年 3 月免，退休）
纪委书记、党委委员：王曼村（2017 年 5 月任）
副总经理、党委委员：张伟
纪委书记、党委委员：杨学才（2017 年 11 月免）
副总经理、党委委员：王美华（女）
党委委员：蔡莉华（女）（2017 年 9 月任）
党委委员：汪和才（2017 年 11 月任）
资深专员：郭从秀
资深副经理（专业技术二级）：金亮（2017 年 9 月任）

网络金融部

总经理：刘守平
副总经理：刘建忠（2017 年 2 月免）
副总经理：于潇（女）
副总经理：吕作龙
副总经理：杨泽新（女）（2017 年 4 月任）

产品创新与管理部

总经理：徐捷
副总经理：刘步其
副总经理：胡恒社
副总经理：汪下烟
资深经理（专业技术二级）：熊熙（女）
资深副经理（专业技术二级）：张继刚

金融市场部

总经理：谷裕（2017 年 9 月免）
主要负责人：生柳荣（2017 年 9 月任）
副总经理：张铮

副总经理：严瑛（女）
资深副经理（专业技术二级）：苏瑾
资深副经理（专业技术二级）：何川

金融市场交易中心

总经理：徐洪昇
副总经理：曹守年
副总经理：雷鸣
副总经理：王群（女）
副总经理：格根（女）

资产管理业务中心

总经理：刘兴华
副总经理：李丽杰（女）
副总经理：童文涛
副总经理：谢国旺

投资银行部

总经理：钱理红（女）（2017 年 7 月任）
副总经理：黄金华（2017 年 5 月免，辞职）
副总经理：李少俊
副总经理：吴小隆
副总经理：洪小平（2017 年 12 月免，辞职）
副总经理：许晔（2016 年 11 月任）
副总经理：魏巍（2017 年 8 月任）

国际业务部

总经理：杨爱民
副总经理（四职等）：李锁生（2017 年 6 月任）
副总经理：孙剑波（女）（兼任单证业务中心主任）
副总经理：黄玮
副总经理：胡波飞（2017 年 3 月任）
资深副经理（专业技术二级）：岳留昌

渠道与运营管理部

总经理（兼）：牟乃密
副总经理：李雪艳（女）
副总经理兼渠道管理部（二级部）总经理：陈德
副总经理：李月希
副总经理：王建英（女）
副总经理：牛继红
副总经理：尹国建（2017 年 9 月任）

资深副经理（专业技术二级）：刘畅（女）

数据管理部

总经理：刘静芳（女）
副总经理：曹建勇
副总经理：常征（女）
副总经理：刘贤荣
资深经理（专业技术二级）：尚波
资深副经理（专业技术二级）：谢坤

信息技术管理部

总经理：金磐石
副总经理兼“新一代核心系统”建设推进工作小组常务副组长：朱玉红（女）（总行部门总经理级）
副总经理：王申科
副总经理：纪朝晖
副总经理：林磊明（2017 年 3 月免）
资深经理（专业技术二级）：郭汉利
资深副经理（专业技术二级）：李坤
总工程师（专业技术一级）：胡宪忠

法律事务部

总经理：林晓东
副总经理：吴胜春
副总经理：侯太领
副总经理：张雷
资深经理（专业技术二级）：邱纪成

战略规划部

总经理：吴建杭
副总经理：蒋清海
副总经理：朱枫（2017 年 9 月免）
副总经理：杨君
资深经理（专业技术二级）：贾铁真

采购部（2017 年 7 月撤销）

总经理：吴建中（2017 年 3 月免）
副总经理：顾万寿（2017 年 7 月免）
副总经理：黄文化（2017 年 7 月免）
副总经理：王艳颖（女）（2017 年 7 月免）

纪委、监察部（巡视工作办公室）

纪委副书记兼监察部总经理：王德刚

副总经理：韩晓春（女）
副总经理：赵翀
副总经理：罗铿
副总经理：马景欣（女）
巡视组工作办公室主任：杨洸（2017 年 11 月任四职等）
巡视工作办公室副主任：傅晓燕（女）（2017 年 2 月免）
总行第四巡视组组长：艾尔肯・艾则孜
总行巡视组组长：吴建中（2017 年 3 月任）
总行巡视组组长：陈东平
总行巡视组组长：林鸿（2017 年 5 月任）
总行巡视组组长：韩文贞（2017 年 4 月免）
总行巡视组组长：郑海峰（2017 年 9 月免）
总行巡视组组长：范广州（2017 年 10 月任）
总行巡视组副组长：周平（2017 年 2 月任）
总行巡视组副组长：魏兴富（总行部门总经理级）（2017 年 2 月免，退休）
总行巡视组副组长：许占涛（2017 年 7 月免，退休）
总行巡视组副组长：傅红伟（2017 年 10 月免）
总行巡视组副组长：杨洲德
总行巡视组副组长：高开勇
总行巡视组副组长：宋京（2017 年 3 月任）
总行巡视组副组长（五职等）：王洪信（2017 年 5 月）

公共关系与企业文化部（党委宣传部、消费者权益保护部）

总经理、党委宣传部部长（三职等）：刘进（女）
副总经理（四职等）：徐贺（2017 年 4 月任）
副总经理：柴翔
副总经理：张延明
副总经理：于保月（2017 年 4 月免）
副总经理：方琳（女）
资深副经理（专业技术二级）：李锦望
资深副经理（专业技术二级）：王强（女）（2017 年 7 月任）

安全保卫部

总经理：刘晖
副总经理：熊自力
资深副经理（专业技术二级）：李波（2017 年 9 月任）

离退休人员管理部

总经理：张玉英（女）
资深经理（专业技术二级）：杨剑辉（2017 年 7 月免，辞职）

党群工作部（机关党委、工会、团委）

党群工作部总经理、机关党委常务副书记、工会副主席：徐云清

副总经理：王博之（总行部门总经理级）（2017 年 6 月免，退休）
副总经理、工会副主席：周波
副总经理：傅红伟（2017 年 10 月任）
副总经理、机关党委副书记：王清
团委书记（总行部门副总经理）：陶莉（女）
机关纪委书记（总行部门副总经理）：唐艳（女）
资深副经理（专业技术二级）：王利和

党校（高级研修院）

常务副校长、高级研修院院长：郭元析
副校长、高级研修院副院长：周小知
副校长、高级研修院副院长：周平（2017 年 2 月免）
副校长、高级研修院副院长：李晓寰（2017 年 3 月任）

“新一代核心系统”建设推进工作小组

副组长：王怀伟（2016 年 7 月免）

其他人员

资深副经理（专业技术二级）：杭琛（2017 年 11 月免，退休）
提任四职等，派往地方政府挂职：曹屹立（2017 年 7 月任）

2017 年中国建设银行分行领导名录

北京市分行

行长、党委书记：廖林（2017 年 2 月免）
行长、党委书记：袁桂军（2017 年 2 月任）
副行长、党委副书记：李凡
副行长、党委副书记：郎理英（女）（2017 年 3 月任党委副书记）
纪委书记、党委委员：王光明
副行长、党委委员：王新立
副行长、党委委员：吴泼伟
党委委员：孙颖（女）
副行长、党委委员：孙庆文（2017 年 2 月任副行长）
资深专员：董建恒

天津市分行

行长、党委书记：邱书民
副行长、党委副书记：曹屹立（2017 年 7 月免）
副行长、党委委员：李明凯
副行长、党委委员：屈宏志
纪委书记、党委委员：宋涛（2017 年 10 月免）
副行长、党委委员：王津成
副行长、党委委员：朱爽（2017 年 7 月任党委委员，9 月任副行长）
资深专员：张志强（2017 年 5 月由资深信息技术工程师（专业技术二级）改任）
资深专员：张龙泉（2017 年 9 月由资深客户经理（专业技术二级）改任）

河北省分行

行长、党委书记：程远国（2017 年 2 月免）
行长、党委书记：李民（2017 年 2 月任党委书记，4 月任行长）
副行长、党委副书记：陈中新（2017 年 5 月免）
副行长、党委委员：王永平
副行长、党委委员：杜占良
纪委书记、党委委员、工会主任：杜彦芳（女）
副行长、党委委员：任鹏
党委委员：孙龙才
副行长、党委委员：毕立民（2017 年 9 月任党委委员，11 月任副行长）

资深专员：尹全振（2017 年 4 月由副行长、党委委员改任）
资深专员：郭英辉（女）（2017 年 10 月免职退休）

山西省分行

行长、党委书记：尚朝辉
副行长、党委副书记：斛文锋（2017 年 4 月任党委副书记）
纪委书记、党委委员：蒋睿
副行长、党委委员：宋佐军
副行长、党委委员：贾爱民
副行长、党委委员：樊宙（2017 年 1 月任副行长）
副行长、党委委员：冯占文（2017 年 3 月任党委委员，6 月任副行长）
副行长、党委委员：王红梅（女）（2017 年 3 月任党委委员，6 月任副行长）
资深专员：孟荣华

内蒙古自治区分行

党委书记：邵斌（2017 年 10 月任）
副行长、党委委员：乔俊峰
副行长、党委委员：高凤山
纪委书记、党委委员：樊精隆
副行长、党委委员：丁建新
副行长、党委委员：姜波（2017 年 3 月任副行长）
副行长、党委委员：宋宝崧（2017 年 3 月任副行长）
合规官：刘强
资深专家：张勤（2017 年 10 月由行长、党委书记改任）
资深专家：汪永俭（2017 年 3 月免职退休）
资深专员：董发凯（2017 年 3 月任）
资深专员：曹玮（2017 年 12 月由资深专职贷款审批人（专业技术二级）改任）

辽宁省分行

行长、党委书记：袁桂军（2017 年 2 月免）
行长、党委书记：杨铁军（2017 年 2 月任）
副行长、党委委员：张勇
副行长、党委委员：项宏
副行长、党委委员：张超
副行长、党委委员：柳旭（女）
纪委书记、党委委员：祝增坤（2017 年 1 月任）
副行长、党委委员：王刚（2017 年 7 月任党委委员，8 月任副行长）
资深专员：司朝伟（2017 年 9 月由副行长、党委委员改任）
资深专员：孙琳

吉林省分行

行长、党委书记：杨铁军（2017 年 2 月免）

行长、党委书记：梁德顺（2017 年 5 月任党委书记，7 月任行长）
副行长、党委副书记：张连钢（2017 年 3 月任）
副行长、党委委员：孙平生（2017 年 7 月任党委委员、10 月任副行长）
纪委书记、党委委员：奚丽娟（女）
副行长、党委委员：具京子（女）
副行长、党委委员：刘伟
副行长、党委委员：王立生（2017 年 9 月任党委委员，10 月任副行长）
副行长、党委委员：李岩梅（女）（2017 年 9 月任党委委员，10 月任副行长）
资深专员：姚殿英（2017 年 4 月由副行长、党委委员、工会主任改任）
资深专家：王毅（2017 年 8 月免职退休）

黑龙江省分行

行长、党委书记：石永拴（2017 年 2 月免）
行长、党委书记：樊庆刚（2017 年 4 月任党委书记，8 月任行长）
副行长、党委副书记：于宁哲（2017 年 7 月免）
副行长、党委委员：马勇
副行长、党委委员：尹君
副行长、党委委员：张连钢（2017 年 3 月免）
纪委书记、党委委员：杨贵满
副行长、党委委员：葛立圣
副行长、党委委员：朱波涛
合规官：王彤
资深专家：耿庆军（2017 年 11 月由资深专员改任，12 月免职退休）
行长助理：张立波

上海市分行

行长、党委书记：段超良
副行长、党委副书记：徐众华
副行长、党委委员：吴益强
副行长、党委委员：李朝阳
副行长、党委委员：孙维（女）
纪委书记、党委委员：孙莉琳（女）
副行长、党委委员：齐红（女）（2017 年 3 月任副行长）
资深专家：陈金富（2017 年 9 月由副行长、党委委员改任）
资深专员：马恒鑫（2017 年 3 月任）
资深专员：纪万林（2017 年 8 月免职退休）

江苏省分行

行长、党委书记：张毅
副行长、党委副书记：樊庆刚（2017 年 4 月免）
副行长、党委副书记：邵斌（2017 年 10 月免）
副行长、党委委员：陈宝权

副行长、党委委员：方建平
纪委书记、党委委员：王健春
党委委员：王元恺
副行长、党委委员：梅宁（2017 年 8 月免）
党委委员：彭安平（2017 年 11 月任）
党委委员：吴荣明（2017 年 11 月任）
合规官：赵建萍（女）
资深专员：唐一新

浙江省分行

行长、党委书记：高强
副行长、党委副书记：王勇（2017 年 3 月任副行长）
副行长、党委委员：陈慧芳（女）
副行长、党委委员：陈根海
副行长、党委委员：贾纯（2017 年 5 月免）
党委委员：劳新江
纪委书记、党委委员：沈忠良
党委委员：李冰
党委委员：郑浩（2017 年 9 月任党委委员，11 月任副行长）
合规官：李大伟（2017 年 3 月任）

安徽省分行

行长、党委书记：戴跃明
副行长、党委副书记：方华平（2017 年 11 月免）
副行长、党委委员：姚启凡
纪委书记、副行长、党委委员：杨庆生
副行长、党委委员：杨学军
副行长、党委委员：张广飞
副行长、党委委员：陈光华
党委委员：洪小平（2017 年 7 月免）
行长助理：王文兵
行长助理：叶红云（女）

福建省分行

行长、党委书记：刘丽华（女）
副行长、党委副书记：黄建锋（2017 年 9 月任党委副书记）
副行长、党委委员：王东标
纪委书记、党委委员、工会主任：郑碧玲（女）
副行长、党委委员：黄汾
副行长、党委委员：林平
副行长、党委委员：杨达远（2017 年 4 月任党委委员，6 月任副行长）
资深专员：连育青（2017 年 5 月由资深风险经理（专业技术二级）改任）

资深专员：刘峰（2017 年 10 月免职退休）

江西省分行

行长、党委书记：万国平
副行长、党委副书记：林鸿（2017 年 5 月免）
副行长、党委委员：彭家彬
纪委书记、党委委员：王志武（女）
副行长、党委委员：刘忠
副行长、党委委员：丁俊
资深专员：喻金龙

山东省分行

行长、党委书记：段红涛
副行长、党委委员：张维国
副行长、党委委员：李建平
纪委书记、党委委员：楚孔用
副行长、党委委员：朱治昌
党委委员：陈颖钰（女）
副行长、党委委员：刘春龙（2017 年 1 月任党委委员，3 月任副行长）
资深专家：李文达（2017 年 7 月由副行长、党委副书记改任）
资深专员：刘振奇
资深专员：路民（2017 年 8 月免职退休）

河南省分行

行长、党委书记：李尚荣（2017 年 2 月免）
行长、党委书记：石永拴（2017 年 2 月任）
副行长、党委副书记：张志军
副行长、党委委员：黄兴宏
纪委书记、党委委员：张新华
副行长、党委委员：岳邦奎
党委委员：姜俊
资深专家：王保信（2017 年 5 月由副行长、党委委员改任）
资深专员：路建华

湖北省分行

行长、党委书记：林顺辉
副行长、党委副书记：杨军（2017 年 4 月任副行长）
副行长、党委委员：石章振
副行长、党委委员：张为忠（2017 年 3 月免）
副行长、党委委员：钱爱莉（女）（2017 年 1 月任副行长）
副行长、党委委员：李涛
副行长、党委委员：周辉东（2017 年 4 月任副行长）

副行长、党委委员：虢春华（2017 年 4 月任副行长）
纪委书记、党委委员：何益群（2017 年 7 月任）
资深专员：张绍恩（2017 年 5 月由资深客户经理（专业技术二级）改任）

湖南省分行

行长、党委书记：文爱华（2017 年 3 月任党委书记，5 月任行长）
副行长、党委委员：卢刚
纪委书记、党委委员：朱怀伟
副行长、党委委员：严建新（2017 年 2 月任）
副行长、党委委员：黄天祥
副行长、党委委员：邹致师（2017 年 9 月任党委委员，10 月任副行长）
资深专家：尹利芳
行长助理：李白宁

广东省分行

行长、党委书记：刘军
副行长、党委副书记：李民（2017 年 2 月免）
副行长、党委委员：吴集荣
副行长、党委委员：王雄
副行长、党委委员：李洪茂
副行长、党委委员：麦文盛（2017 年 2 月任）
副行长、党委委员：王燊
纪委书记、党委委员：杨泽英（女）
副行长、党委委员：席荣贵
合规官：袁平（2017 年 5 月免）
合规官：邓竞（2017 年 9 月由行长助理任）
资深专员：王志雄（2017 年 12 月由工会主任改任）
资深专员：范立钊（女）（2017 年 5 月由资深培训师（专业技术二级）改任）
资深专员：沈奕明（2017 年 7 月免职退休）
资深专员：张真理（2017 年 7 月免职退休）

广西壮族自治区分行

行长、党委书记：李思影（2017 年 2 月任党委书记，5 月任行长）
副行长、党委委员：黄诚东
副行长、党委委员：农卫东
副行长、党委委员：陈创胜
纪委书记、党委委员：何来全
副行长、党委委员：张石强（2017 年 3 月任党委委员，6 月任副行长）
副行长、党委委员：唐家健（2017 年 2 月任党委委员，6 月任副行长）
资深专家：魏振华（2017 年 2 月免职退休）
资深专员：杨静挺
资深专员：梁建林

海南省分行

行长、党委书记：张中科
副行长、党委委员：李泉
副行长、党委委员：石滨（女）
纪委书记、党委委员、工会主任：尹慧琳（女）
副行长、党委委员：麦文盛（2017 年 2 月免）
副行长、党委委员：戴建军
副行长、党委委员：符史峰
副行长、党委委员：王文生（2017 年 4 月任党委委员，7 月任副行长）

重庆市分行

行长、党委书记：王晓永
副行长、党委副书记：熊刚
副行长、党委委员：文姜元
纪委书记、党委委员：高永强
副行长、党委委员：陈义
副行长、党委委员：吴承恩
副行长、党委委员：杨中仑
资深专员：刘平（2017 年 11 月免职退休）

四川省分行

行长、党委书记：杨丰来
副行长、党委副书记：严斌
副行长、党委委员：卢生
副行长、党委委员：肖倬
副行长、党委委员：孟伟
党委委员、工会主任：颜克忠
纪委书记、党委委员：冯元照
副行长、党委委员：王魏冬（2017 年 5 月任党委委员，8 月任副行长）
资深专员：汪海
资深专员：李述成（2017 年 12 月免职退休）

贵州省分行

行长、党委书记：王浩
副行长、党委委员：杜坚
副行长、党委委员：陈昕
副行长、党委委员：陆雪涛（女）
副行长、党委委员：朱启江（2017 年 3 月免）
副行长、党委委员：吴建政（2017 年 3 月免）
纪委书记、党委委员：戚晓钧
副行长、党委委员：高涛（2017 年 2 月任党委委员，2017 年 4 月任副行长）

副行长、党委委员：朱勇（2017 年 2 月任党委委员，2017 年 4 月任副行长）
资深专员：许修智

云南省分行

行长、党委书记：高升亮（2017 年 5 月免）
行长、党委书记：陈中新（2017 年 5 月任党委书记，8 月任行长）
副行长、党委副书记：马亦凌（女）
副行长、党委委员：董晓威
副行长、党委委员：李瑞冬（女）
副行长、党委委员：于凡（女）
纪委书记、党委委员：吴灿文
党委委员：普跃
资深专家：何跃

西藏自治区分行

行长、党委书记：查克健（2017 年 9 月任党委书记，10 月任行长）
副行长、党委委员：王曼村（2017 年 5 月免）
纪委书记、党委委员：武青勇（2017 年 2 月由副行长、党委委员改任）
副行长、党委委员：周青荣（女）（2017 年 5 月任党委委员，7 月任副行长）
副行长、党委委员：邓存云（2017 年 5 月任党委委员，7 月任副行长）
副行长、党委委员：张连国（2017 年 5 月任党委委员，7 月任副行长）
资深专员：次仁顿珠（2017 年 2 月由纪委书记、党委委员改任）

陕西省分行

行长、党委书记：杨新丰
副行长、党委副书记：李忠华
副行长、党委委员：张玺峰
副行长、党委委员：严建新（2017 年 2 月免）
纪委书记、党委委员：何宇欣
副行长、党委委员：张庚
副行长、党委委员：马继勇（2017 年 4 月任党委委员，9 月任副行长）
副行长、党委委员：陈勇（2017 年 4 月任党委委员，9 月任副行长）
资深专员：焦华

甘肃省分行

行长、党委书记：朱博海（2017 年 11 月免）
党委书记：方华平（2017 年 11 月任）
副行长、党委副书记：孙一顺（2017 年 7 月任党委副书记）
副行长、党委委员：王文永
副行长、党委委员：杨玉江
纪委书记、党委委员：杨仲元
副行长、党委委员：朱勇

副行长、党委委员：张继刚
合规官：徐谊萍（女）

青海省分行

行长、党委书记：李振宇
副行长、党委委员：梁世斌
副行长、党委委员：刘志发
副行长、党委委员：刘玉武
纪委书记、党委委员：汪有胜
副行长、党委委员：戴虎林
行长助理：李霞（女）
行长助理：刘勇

宁夏回族自治区分行

行长、党委书记：张敏（女）（2017 年 3 月任行长）
副行长、党委副书记：刘海涛（2017 年 9 月免）
副行长、党委委员：张兆西
副行长、党委委员：陈福功
副行长、党委委员：吴其海
副行长、党委委员：王斌
纪委书记、党委委员：徐勇辉（2017 年 9 月任）
资深专员：袁贵
资深专员：金大钊
行长助理：张学武（2017 年 9 月免）

新疆维吾尔自治区分行

行长、党委书记：杨险峰
副行长、党委委员：张春生
纪委书记、副行长、党委委员：阿布来提·木明
副行长、党委委员：徐军世
副行长、党委委员：李新平（2017 年 6 月任副行长）
副行长、党委委员：李军
副行长、党委委员：傅卫峰（2017 年 9 月任党委委员，12 月任副行长）
副行长、党委委员：佐卫（2017 年 3 月免）

深圳市分行

行长、党委书记：王业
副行长、党委副书记：张学庆
副行长、党委副书记：李华峰
副行长、党委委员：赵芝然
副行长、党委委员：李忠东
纪委书记、党委委员：韩凤林

副行长、党委委员：张跃云
党委委员：田昌越
合规官：杨宗平
资深专家：易景安
资深专员：潘虹（2017 年 5 月由副行长、党委委员改任）
资深专员：朱刚

大连市分行

行长、党委书记：张喜军
副行长、党委委员：石新亭
副行长、党委委员：张鹏举
副行长、党委委员：率长江
副行长、党委委员：董晓炜（女）
纪委书记、党委委员：林瑜（女）（2017 年 9 月任）
资深专员：程超英（女）
资深专员：隋岩（女）

宁波市分行

行长、党委书记：江文波
副行长、党委委员：陈恒星
副行长、党委委员：卢冲（2017 年 3 月免）
副行长、党委委员：张琐琐（女）
副行长、党委委员：苏世松
纪委书记、党委委员：胡欣
副行长、党委委员：韩国辉（2017 年 5 月任党委委员，8 月任副行长）
高级专家：任国正
行长助理：陈晓峰

厦门市分行

行长、党委书记：生柳荣（2017 年 9 月免）
行长、党委书记：黄惠玲（女）（2017 年 9 月任党委书记，11 月任行长）
副行长、党委委员：肖春辉
副行长、党委委员：黄华红（女）
纪委书记、党委委员：封霞（女）
副行长、党委委员：赖利显（2017 年 2 月任党委委员，4 月任副行长）

青岛市分行

行长、党委书记：郝子建
副行长、党委副书记：郭中华（女）
副行长、党委委员：刘从正
副行长、党委委员：王德平
副行长、党委委员：徐海

纪委书记、党委委员：宋敬宗
副行长、党委委员：管恩新（2017 年 4 月任党委委员，6 月任副行长）
合规官：周兆华
资深专员：冯涛
资深专员：刘远方（2017 年 11 月免职退休）
高级专家：王士清

苏州分行

行长、党委书记：张伟煜
副行长、党委副书记：朱斌晨（2017 年 3 月任副书记）
副行长、党委委员：许永良
副行长、党委委员：冯宇
纪委书记、党委委员：邓慧杰（2017 年 4 月任）
副行长、党委委员：陈建平（2017 年 5 月任党委委员，8 月任副行长）
副行长、党委委员：沈屏炎（女）（2017 年 9 月任党委委员，12 月任副行长）
资深专员：黄松鹤（2017 年 3 月由副行长、党委委员改任）

哈尔滨培训中心

主任、党委书记：孙平生（2017 年 7 月免）
主任、党委书记：于宁哲（2017 年 7 月任）
副主任、党委副书记：孙耀河
副主任、党委委员兼资深副经理（专业技术二级）：邹洵游
纪委书记、党委委员：王建立

常州培训中心

主任、党委书记：屈建伟
副主任、党委副书记：江炳钰
副主任、纪委书记、党委委员兼资深副经理（专业技术二级）：汪书明

2017 年中国建设银行境内子公司主要负责人名单

序号	所在机构	职务	姓名	性别	民族	备注
1	中德住房储蓄银行有限责任公司	董事长（兼）	王洪章	男	汉族	
		行长、党委书记	王云	男	汉族	2017 年 9 月任党委书记
2	建信基金管理有限责任公司	董事长、党委书记	许会斌	男	汉族	2017 年 11 月任党委书记
		总裁、党委副书记	孙志晨	男	汉族	2017 年 11 月任党委副书记
3	建信金融租赁有限公司	董事长	胡昌苗	男	汉族	
		总裁	王强	男	满族	
4	建信信托有限责任公司	董事长、党委书记（兼）	程远国	男	汉族	2017 年 7 月任党委书记、2017 年 8 月任董事长
		总裁、党委副书记	王宝魁	男	汉族	2017 年 7 月任党委副书记
5	建信人寿保险股份有限公司	董事长（兼）	章更生	男	汉族	
		总裁、党委书记	谢瑞平	男	汉族	
6	建信期货有限责任公司	董事长	程双起	男	汉族	
		总裁	葛文杰	男	汉族	
7	建信养老金管理有限责任公司	董事长	石亭峰	男	汉族	2017 年 1 月任
		总裁	冯丽英	女	汉族	
8	建信财产保险有限公司	董事长	薛峰	男	汉族	2017 年 12 月免
		总裁	张华清	男	汉族	
9	建银造价咨询有限责任公司	董事长、党委书记	黄先俊	男	蒙古族	2017 年 2 月任董事长、2017 年 7 月任党委书记
		总裁、党委副书记	张坤	男	回族	2017 年 4 月任总裁、2017 年 7 月任党委副书记
10	建信金融资产投资有限公司	董事长	谷裕	男	汉族	2017 年 7 月任
		总裁	张明合	男	汉族	2017 年 7 月任

2017 年中国建设银行境外机构主要负责人名单

序号	所在机构	职务	姓名	性别	备注
1	新加坡分行	总经理	任冬艳	女	
2	法兰克福分行	总经理	谢均乐	男	
3	约翰内斯堡分行	总经理	张进国	男	
4	东京分行	总经理	解陆一	男	2017 年 2 月任
			李勇龙	男	2017 年 6 月免
5	首尔分行	总经理	全敏	男	
6	纽约分行	总经理	张骏	男	
7	悉尼分行	总经理	金扬统	男	
8	胡志明市分行	总经理	黄国勇	男	
9	台北分行	总经理	李勇龙	男	2017 年 6 月任
		副总经理	沈启明	男	2017 年 6 月不再主持工作
10	多伦多分行	总经理	孙念北	男	
11	澳门分行	总经理	黄霞	女	
12	智利分行	总经理	商立平	男	
13	苏黎世分行	总经理	龚伟运	男	
14	迪拜国际金融中心分行	总经理	袁盛瑞	男	
15	建行亚洲/香港分行	总裁	江先周	男	
16	建银国际	总裁	胡章宏	男	
17	建行伦敦/伦敦分行	执行总裁	李彪	男	
18	建行俄罗斯	总经理	刘文勇	男	2017 年 6 月任
		副总经理	刘文勇	男	2017 年 6 月不再主持工作
19	建行欧洲/卢森堡分行	总经理	彭钢	男	2017 年 6 月任
			李锁生	男	2017 年 6 月免
20	建行欧洲巴黎分行	总经理	缪如林	男	2017 年 3 月任
			张广迎	男	2017 年 3 月免
21	建行欧洲阿姆斯特丹分行	总经理	李翔	男	
22	建行欧洲巴塞罗那分行	总经理	刘江	男	
23	建行欧洲米兰分行	总经理	张哲	男	
24	建行欧洲华沙分行	总经理	焦守铭	男	2017 年 2 月任
25	建行新西兰	总经理	祁军	男	2017 年 3 月任
		副总经理	李兴尧	男	2017 年 3 月不再主持工作
26	建行巴西	执行总裁	张希	男	
27	建行印度尼西亚	总裁	李国夫	男	
28	建行马来西亚	总经理	封奇	男	2017 年 1 月任
29	香港培训中心	主任	吴忆	男	
30	海外审批中心	主任	王健林	男	
31	哈萨克斯坦子行筹备组	组长	王松华	男	2016 年 12 月任

2017年中国建设银行审计机构负责人名单

序号	审计机构名称	主任/总审计师
1	天津审计分部	宋　涛
2	沈阳审计分部	韩　民
3	上海审计分部	沈　明
4	南京审计分部	邵来吉
5	武汉审计分部	陈万铭
6	广州审计分部	熊建华
7	成都审计分部	李　果
8	西安审计分部	魏承国
9	北京总审计室	许建东
10	河北总审计室	陈素坤
11	山西总审计室	陆　君
12	内蒙古总审计室	白俊芝
13	大连总审计室	田晓丽
14	吉林总审计室	李　华
15	黑龙江总审计室	贾悦红
16	苏州总审计室	王青松
17	浙江总审计室	金海萍
18	宁波总审计室	胡明月
19	安徽总审计室	王福荣
20	福建总审计室	林　华
21	厦门总审计室	温　剑
22	江西总审计室	滕赶远
23	山东总审计室	崔凤芹
24	青岛总审计室	孙祥久
25	河南总审计室	程全正
26	湖南总审计室	朱启江
27	深圳总审计室	谭晓兵
28	广西总审计室	王德志
29	海南总审计室	侯凤儒
30	重庆总审计室	于敬一
31	贵州总审计室	张学武
32	云南总审计室	王黎川
33	西藏总审计室	白　杨
34	甘肃总审计室	杨　宁
35	青海总审计室	张双勇
36	宁夏总审计室	马立新
37	新疆总审计室	兰胜利